KB087158

C# 6.0 완벽 가이드 1

깊고 넓게 알려주는 레퍼런스 북

C# 6.0 in a Nutshell Sixth Edition
by Joseph Albahari and Ben Albahari

C# 6.0 완벽 가이드 1: 깊고 넓게 알려주는 레퍼런스 북

초판 1쇄 발행 2016년 10월 28일 **2쇄 발행** 2017년 3월 15일 **지은이** 조셉 앨버허리, 벤 앨버허리 **옮긴이** 류광 **펴낸이** 한기성 **펴낸곳** 인사이트 **편집** 정수진 **제작 · 관리** 박미경 **용지** 에이페이퍼 **출력 · 인쇄** 현문인쇄 **제본** 자현제책 **등록번호** 제10-2313호 **등록일자** 2002년 2월 19일 **주소** 서울시 마포구 잔다리로 119 석우빌딩 3층 **전화** 02-322-5143 **팩스** 02-3143-5579 **블로그** http://www.insightbook.co.kr **이메일** insight@insightbook.co.kr **ISBN** 978-89-6626-195-6 책값은 뒤표지에 있습니다. 잘못 만들어진 책은 바꾸어 드립니다. 이 책의 정오표는 http://www.insightbook.co.kr에서 확인하실 수 있습니다. 이 도서의 국립중앙도서관 출판예정도서목록(CIP)은 서지정보유통지원시스템 홈페이지(http://seoji.nl.go.kr)와 국가자료공동목록시스템(http://www.nl.go.kr/kolisnet)에서 이용하실 수 있습니다.(CIP제어번호: CIP2016024806)

ProgrammingInsight

C# 6.0 완벽 가이드 1

깊고 넓게 알려주는 레퍼런스 북

C# 6.0 IN A NUTSHELL
THE DEFINITIVE REFERENCE

조셉 앨버허리, 벤 앨버허리 지음
류광 옮김

인사이트
insight

차례

옮긴이의 글

유명하고 역사도 길지만 의외로 번역서가 나오지 않은 개발서 시리즈를 종종 발견하는데, 이 *C# in a Nutshell* 시리즈가 그런 예입니다. C#을 속속들이 알지 못하면, 그리고 C#을 무척 아끼지 않는다면 만들지 못했을 LINQPad라는 멋진 도구의 개발자가 저자로 참여한 책답게 이 책에는 알찬 내용이 가득합니다. 유명한 시리즈의 첫 번역서이다 보니 부담도 많았는데, 용어와 관련해서는 Microsoft의 C# 관련 제품들의 한국어판이 비교적 잘 갖추어져 있다는 점이 오히려 고민거리가 되었습니다.

어느덧 C#이 특정 플랫폼과 IDE에 국한되지 않는 범용 언어로 자리 잡았지만(예를 들어 Ubuntu용 Unity에서 C#으로 게임을 개발할 수 있습니다), 그래도 Windows와 Visual Studio가 C# 응용 프로그램 개발의 주된 플랫폼/IDE인 것은 틀림이 없을 것입니다. 꽤 오래전부터 Microsoft는 운영체제는 물론이고 사용자층이 상대적으로 얇은 개발 도구와 관련 문서화의 번역에도 신경을 많이 써온 것으로 알고 있습니다. 한국 MS의 번역 용어와 제게 익숙한(개발자 공동체에서 흔히 쓰이거나 제가 권장하는) 용어가 다행히 일치하는 예도 많았지만, 그렇지 않은 경우에는 어려운 선택을 해야 했습니다.

용어 선택 시 기본적으로는 한국 MS가 선정한 용어들을 최대한 존중한다는 원칙을 적용했습니다. 특히 사용자(개발자)가 실제로 보게 되는 용어들, 즉 Microsoft의 운영체제나 개발 도구의 UI 요소와 오류 메시지 등에 나오는 용어들은 중하게 여겼는데, 대표적인 예가 task입니다. work나 job 등과의 변별력을 생각하면 '작업'보다는 '과제'가 낫지만, '작업 관리자(Task Manger)'와 '작업 표시줄(Taskbar)'처럼 일반 사용자에게도 익숙한 용어들을 고려해서 이 번역서에서는 task를 작업이라고 번역하기로 했습니다. 한편, 예외도 있습니다. 이를테면 object가 그런 예입니다. Microsoft 제품들의 한국어판은 꽤 오래전부터 object를 일관되게 '개체'라고 번역하지만, 이 번역서에서는 좀 더 보편적으로 쓰이는 '객체'를 사용합니다.

그리 널리 쓰이지 않는, 그리고 개발 도구의 UI 요소나 오류 메시지에 거의 등장하지 않는 좀 더 전문적인 용어들은 주로 MSDN의 한국어 페이지들을 참고했습니다. MSDN 한국어 페이지 중에는 기계 번역으로 만들어진 것들도 많지만, 기계 번역이라도 기본적으로는 MS가 내부적으로 검토, 정리한 용어 대조표에 기초한 것이라고 알고 있어서 용어 선택의 근거로 삼았습니다. 제 선택의 결과가 독자 여러분께 긍정적으로 받아들여지길, 더 나아가서는 한국 MS가 번역 용어들을 검토하고 개선하는 데 작으나마 도움이 되길 바랍니다.

참고로 이 번역서는 O'Reilly가 출간한 *C# 6.0 in a Nutshell*의 2015년 12월 자 2차 릴리스와 2016년 4월 자 3차 릴리스를 기본 텍스트로 삼아 번역한 것이며, 원서 정오표는 2016년 9월 하순까지의 항목들을 반영했음을 알려 드립니다. 제 홈페이지 occam's Razor(*http:// occamsrazr.net/*)의 '번역서 정보' 페이지를 통해 접근할 수 있는 이 책 페이지에 오타·오역 보고나 질문, 논의를 위한 공간이 있으니 많이 활용해 주세요.

마지막으로, 제게 번역을 제안하고 저의 여러 요구조건을 너그럽게 받아 주신 한기성 사장님과 번역 및 교정 과정을 무탈하게 진행해 주신 정수진 님을 비롯한 이 책의 출판에 관여하신 모든 분께 감사 인사 드립니다. 그리고 더운 여름날에도 가사와 교정을 병행하면서 원고의 품질을 크게 높여준 아내 오현숙에게 고맙고 사랑한다는 말을 전합니다.

옮긴이 류광

C# 6.0 in a Nutshell

서문

C# 6.0은 Microsoft의 주력 프로그래밍 언어인 C#의 다섯 번째 주요 개정판이다. C# 6.0에 이르러서 C#은† 유례없는 유연성과 넓이를 가진 언어로 자리 잡았다. 이 언어는 질의 표현식과 비동기 연속‡ 같은 고수준 추상을 제공하는 한편, 커스텀 값 형식 같은 코드 구축 요소를 통해서 또는 필요하다면 포인터를 사용해서 저수준 효율성을 꾀하는 것도 가능하다.

C#의 이러한 성장에는 배워야 할 것이 많아졌다는 대가가 따른다. 실무 작업 시 Microsoft의 IntelliSense와 온라인 참고자료 같은 도구들이 도움이 되긴 하지만, 그런 도구들은 프로그래머의 머릿속에 개념적인 지식의 지도가 이미 자리 잡고 있다고 가정한다. 이 책은 바로 그러한 지식의 지도를 간결하고도 통일적인 문체를 통해서 군더더기나 지루한 서론 없이 독자에게 제공한다.

C# in a Nutshell 시리즈의 지난 다섯 판(edition)과 마찬가지로, 이번 제6판은 개념과 용례를 중심으로 구성되어 있다. 그 덕분에 이 책은 처음부터 차례로 읽기에도 적합하고 마음 가는 대로 읽기에도 적합하다. 또한 이 책은 주어진 주제를 상당히 깊게 파헤치지만, 기본적인 수준 이상의 배경 지식을 요구하지도 않는다. 그 덕분에 상급 독자는 물론 중급 독자도 읽을 수 있다.

† (옮긴이) 'C#'의 발음을 외래어 표기법에 맞게 표기하면 '시샤프'이지만, 이 책에서는 흔히 통용되는 '씨샵'을 사용한다. 그래서 "C#는"이 아니라 "C#은"이다.

‡ (옮긴이) 독자에 따라서는 이 서문에 등장하는 C#과 .NET Framework 관련 여러 용어가 아직 생소하겠지만, 일단은 그냥 넘어가길 권한다. 영문 병기나 추가 역주는 해당 주제를 본격적으로 다루는 장들에 나올 것이다.

이 책은 C#과 CLR, 그리고 .NET Framework의 핵심 어셈블리들을 다룬다. 우리 저자들이 이 주제들에 집중하기로 한 이유는, 동시성이나 보안, 응용 프로그램 도메인 같은 어려운 주제들을 깊이나 가독성을 포기하지 않고 자세히 다룰 만한 지면을 확보하기 위한 것이다. C# 6.0과 관련 .NET Framework 버전에 새로 생긴 기능들을 따로 표시해 두었으므로, 이 책을 C# 5.0 참고서로 사용하는 것도 가능하다.

이 책의 대상 독자

이 책은 중급에서 상급 독자를 대상으로 한다. C#에 대한 사전 지식은 필요하지 않지만, 일반적인 프로그래밍 경험은 필수이다. 초보자라면 먼저 튜토리얼 스타일의 프로그래밍 입문서를 보아야 할 것이다. 이 책은 그런 책을 보완할 뿐 대신하지는 않는다.

C# 5.0에 익숙한 독자라면 언어의 갱신 사항에 관한 절(section)들과 '서비스로서의 컴파일러'인 Roslyn에 관한 새로운 장(chapter)이 눈에 띌 것이다.

이 책은 WPF나 ASP.NET, WCF 같은 응용 기술에 초점을 둔 광범위한 책들과 아주 잘 맞는다. 본서 **C# 6.0 완벽 가이드: 깊고 넓게 알려주는 레퍼런스 북**은 그런 책들이 흔히 생략하는 언어 및 .NET Framework의 영역들을 상세히 다루며, 그 역도 마찬가지이다.

.NET Framework의 모든 기술을 간결하게 훑는 책을 찾는 독자에게는 이 책이 적합하지 않다. 또한, 태블릿이나 Windows Phone 개발에 특화된 API들을 배우고자 하는 독자에게도 이 책은 적합하지 않다.

이 책의 구성

소개(제1장) 이후의 처음 세 장(제2, 3, 4장)은 전적으로 C#에 집중한다. 이 세 장은 C#의 기본적인 구문과 자료 형식, 변수로 시작해서 비非안전 코드와 전처리기 지시자 같은 고급 주제로 마무리한다. C# 언어를 처음 접하는 독자는 이 세 장을 반드시 순서대로 읽어야 한다.

그 나머지 장들은 핵심 .NET Framework를 다룬다. 여기에는 LINQ, XML, 컬렉션, 동시성, 입출력과 네트워킹, 메모리 관리, 반영, 동적 프로그래밍, 특성, 보안, 응용 프로그램 도메인, 네이티브 코드 상호운용성 같은 주제들이 포함된다. 이 장들은 대부분 특별한 순서 없이 읽어도 된다. 단, 제6장과 7장은 그 이후 장들에 나오는 주제들에 필요한 기본 지식을 제공하므로 미리 읽을 필요가 있다. 그리고 LINQ에 관한 세 장은 차례로 읽는 것이 좋으며, 동시성에 관한 지식(14장에서 다룬다)을 어느 정도 요구하는 장들도 있다.

준비물

이 책의 예제들을 실행해 보려면 C# 6.0 컴파일러와 Microsoft .NET Framework 4.6이 필요하다. 또한 개별 형식과 멤버에 관한 정보를 찾아보는 데에는 Microsoft의 .NET 문서화(웹에서 볼 수 있다)가 유용할 것이다.

메모장에서 소스 코드를 작성하고 명령줄에서 컴파일러를 실행하는 것이 가능하긴 하지만, **코드 연습장**(code scratchpad)을 이용해서 코드를 즉석에서 시험해 보는 것이 훨씬 생산적이다. 마찬가지로, 실행 파일과 라이브러리를 생성하는 데에는 **통합 개발 환경**(integrated development environment, IDE)을 사용하는 것이 훨씬 생산적이다.

코드 연습장으로 쓸 만한 프로그램은 LINQPad이다. *http://www.linqpad.net*에서 버전 5 이상을 내려받으면 된다(무료임). LINQPad는 C# 6.0을 완전히 지원하며, 이 책의 저자 중 한 명이 관리한다.

IDE로는 Microsoft Visual Studio 2015를 추천한다. 이 책의 학습이 목적인 한, 무료 Express 에디션만 아니면 어떤 에디션이라도 좋다.†

제2장에서 제10장까지의 모든 코드 목록과 동시성, 병렬 프로그래밍, 동적 프로그래밍에 관한 장들의 모든 코드 목록이 대화식(수정 가능) LINQPad 예제들로 제공된다. 클릭 한 번으로 전체 예제를 내려받을 수 있다. LINQPad 사이트의 'Sample Libraries' 페이지(*http://www.linqpad.net/RichClient/SampleLibraries.aspx*)에서 "Download C# 6.0 in a Nutshell samples"를 선택하면 된다.‡

† (옮긴이) 무료이면서 Express 아닌 에디션으로 '커뮤니티 에디션'이 있다. 웹에서 'Visual Studio Community 2015'를 검색하면 찾을 수 있다.

‡ (옮긴이) LINQPad를 띄워 놓은 상태라면, 왼쪽 탐색창의 'Samples' 탭에서 'Download/import more samples'를 클릭한 후 나타나는 창에서 "Download C# 6.0 in a Nutshell samples"를 클릭해도 된다(2016년 9월 기준).

이 책의 표기 및 조판 관례

이 책은 형식들 사이의 관계를 기본적인 UML 표기법을 이용해서 나타낸다. 그림 P-1에 그 예가 나와 있다. 기울어진 평행사변형은 추상 클래스를 뜻한다. 원은 인터페이스를 뜻한다. 흰 삼각형 화살표가 있는 선은 상속을 나타내는데, 삼각형이 있는 쪽이 기반(부모) 형식이다. 검은 삼각형 화살표가 있는 선은 단방향 연관 관계를, 화살표가 없는 선은 양방향 연관 관계를 나타낸다.

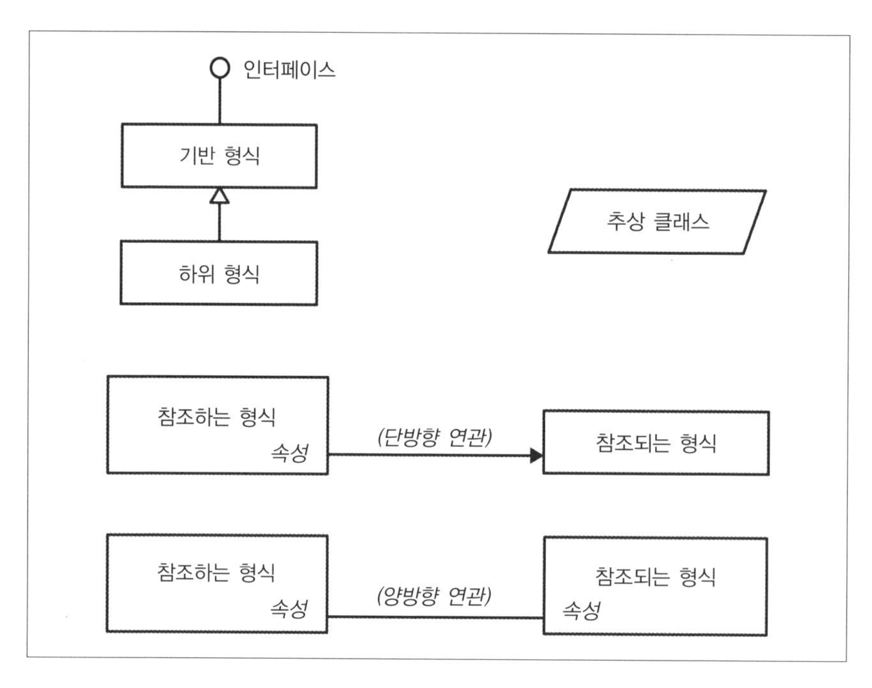

그림 P-1 예제 관계도

다음은 이 책에 쓰이는 글꼴 조판 관례이다.

한글 돋움체 또는 *영문 이탤릭*

새로운 용어나 URI, 파일 이름, 디렉터리를 나타낸다.

고정폭

C# 코드나 키워드, 식별자, 프로그램 출력을 나타낸다.

굵은 고정폭

코드에서 강조하는 부분을 나타낸다.

기울어진 고정폭

구체적인 값으로 대체할 부분을 나타낸다.

이 요소는 일반적인 참고 사항을 의미한다.

이 요소는 경고나 주의 사항을 의미한다.

코드 예제 사용

보조 자료(코드 예제, 연습문제 등)는 LINQPad 사이트의 'Sample Libraries' 페이지(*http://www.linqpad.net/RichClient/SampleLibraries.aspx*)에서 내려받을 수 있다. "Download C# 6.0 in a Nutshell samples"를 선택하면 된다.

이 책은 독자의 업무를 돕기 위한 것이다. 일반적으로, 이 책의 예제 코드를 독자의 프로그램이나 문서에 사용해도 좋다. 코드의 상당 부분을 재현하는 것이 아닌 이상 출판사의 허락을 받을 필요는 없다. 예를 들어 이 책의 코드 조각 몇 개를 사용해서 프로그램을 작성하는 데에는 허락이 필요하지 않다. 그러나 이 책의 예제들을 CD-ROM에 담아서 판매하거나 배포하려면 출판사의 허락을 받아야 한다. 이 책의 문구나 예제 코드를 인용해서 질문에 답을 하는 데에는 허락이 필요하지 않다. 그러나 이 책의 예제 코드의 상당 부분을 독자의 제품 문서화에 포함하려면 허락이 필요하다.

내용이나 코드를 인용할 때 출처를 명시해 주면 고맙겠다(필수는 아님). 보통의 경우에는 저·역자, 출판사, ISBN을 포함하면 된다. 예: "C# 6.0 완벽 가이드: 깊고 넓게 알려주는 레퍼런스 북", 조셉 앨버허리 및 벤 앨버허리 지음(O'Reilly), 류광 옮김, © 2016 인사이트, 978-89-6626-195-6".

앞에서 말한 공정 사용 범위나 허가 조건들에 해당하지 않는 용도로 코드를 사용하려면 언제라도 *permissions@oreilly.com*으로 연락하길 바란다.

감사의 글

조셉 앨버허리Joseph Albahari

우선 *C# 3.0 in a Nutshell* 저술에 참여하도록 나를 설득한 동생 벤 앨버허리에게 감사한다. 그 책의 성공은 이후 세 권의 개정판으로 이어졌다. 벤과 나는 어떤 대상의 진정한 작동 방식이 명확해질 때까지 그 대상을 계속 분해한다는 전통적인 지혜 그리고 끈질긴 인습에 의문을 제기하는 데 주저하지 않는 기질을 공유하고 있다.

출판 과정에서 우리는 영광스럽게도 훌륭한 감수자(technical reviewer)들과 함께할 수 있었다. 이번 판에서는 Jared Parsons, Stephen Toub, Matthew Groves, Dixin Yan, Lee Coward, Bonnie DeWitt, 채원석(Wonseok Chae), Lori Lalonde, James Montemagno가 매우 귀중한, 그리고 상세한 피드백을 제공했다.

이 책은 이전 판들을 기반으로 작성된 것으로, 그 판들의 감수자들에게도 비슷한 영예를 돌리고자 한다. Eric Lippert, Jon Skeet, Stephen Toub, Nicholas Paldino, Chris Burrows, Shawn Farkas, Brian Grunkemeyer, Maoni Stephens, David DeWinter, Mike Barnett, Melitta Andersen, Mitch Wheat, Brian Peek, Krzysztof Cwalina, Matt Warren, Joel Pobar, Glyn Griffiths, Ion Vasilian, Brad Abrams, Sam Gentile, Adam Nathan이 바로 그들이다.

이 감수자들 다수가 Microsoft의 능력 있는 개인들이라는 점을 고맙게 여기며, 특히 그들이 귀중한 시간을 들여서 이 책을 한층 높은 수준으로 끌어 올려 준 것에 감사한다.

마지막으로, 내가 경험한 최고의 편집자인 Brian MacDonald를 비롯한 O'Reilly 팀에 감사하며, Miri와 Sonia에게 개인적인 고마움을 표한다.

벤 앨버허리Ben Albahari

형이 감사의 글을 먼저 썼으므로, 내가 할 말의 대부분을 짐작할 수 있을 것이다. :) 우리 형제는 둘 다 어렸을 때부터 프로그래밍을 했다(우리는 Apple IIe를 함께 썼다. 형은 자신만의 운영체제를 작성했고, 나는 낱말 맞추기 게임을 짰다). 그런 만큼, 성인이 되어서 우리가 책을 함께 쓴다는 것은 멋진 일이다. 이 책을 쓰면서 우리가 얻은 풍부한 경험이 이 책을 읽는 독자에게도 그대로 전해졌으면 좋겠다.

또한 나는 Microsoft 재직 시절 동료들에게도 감사하고자 한다. 그 회사에는 똑똑한 사람들이 많이 일하고 있는데, 그들은 지적인 면뿐만 아니라 감성적인 면에서도 똑똑한 사람들이다. 나는 그들과 함께 했던 시간이 그립다. 특히 나는 Brian Beckman에게 많은 것을 배웠다. 이 책이 나온 것은 그의 덕택이라 할 수 있다.

1장

C # 6 . 0 i n a N u t s h e l l

C#과 .NET Framework 소개

C#은 형식에 안전한 범용 객체 지향 프로그래밍 언어이다. 이 언어는 프로그래머의 생산성 향상을 목표로 한다. 이를 위해 이 언어는 단순함, 표현력, 성능의 균형을 맞춘다. 그 첫 번째 버전부터, C#의 주된 설계자는 앤더스 하일스버그Anders Hejlsberg(Turbo Pascal 개발자이자 Delphi 설계자)이다.† C# 언어는 플랫폼 중립적이지만, Microsoft의 .NET Framework와 함께 잘 작동하도록 작성되었다.

객체 지향

C#은 객체‡ 지향 패러다임(object-orientation paradigm)을 풍부하게 구현하는 언어이다. 객체 지향 패러다임에는 **캡슐화**(encapsulation), **상속**(inheritance), **다형성**(polymorphism)이 포함된다. 캡슐화는 **객체**(object) 주변에 경계선을 만들어서 객체의 외부(공개) 행동과 내부(비공개) 구현 세부사항을 분리하는 것을 뜻한다. 객체 지향적 관점에서 본 C#의 두드러진 특징은 다음과 같다.

† (옮긴이) 앤더스 하일스버그의 모국어인 덴마크어 발음을 기준으로 표기하면 '아네르스 하일스베르'이지만, 여기에서는 그가 주로 활동하는 국가인 미국에서 통용되는 발음을 따랐다.

‡ (옮긴이) Microsoft 제품들의 한국어판은 꽤 오래전부터 object를 일관되게 '개체'라고 번역하지만, 이 번역서에서는 좀 더 보편적으로 쓰이는 '객체'를 사용한다. Microsoft의 운영체제나 개발 도구의 UI 요소나 오류 메시지 등에 나오는 용어들, 즉 사용자가 실제로 보게 되는 용어들은 최대한 존중하려 하지만, 그런 방침을 적용하기가 곤란한 용어들도 종종 있다. 이 object-개체가 대표적인 예이다. 적어도 object-oriented와 관련된 문맥에서 object는 아무래도 '개체'보다는 '객체'로 옮기는 것이 더 낫다. 같은 부류(클래스)의 개별 항목(individual 또는 instance)이라는 의미를 담고 있는 '개체'는 obejct-based(객체 기반) 언어/도구라 할 수 있는 Visual Basic(적어도 .NET 버전 이전의)에서 말하는 object에는 적합할지 몰라도, 좀 더 본격적인 object-oriented(객체 지향) 프로그래밍에서 말하는 '객관적 실체'로서의 object를 나타내기에는 부족한 면이 있다고 본다.

통합된 형식 체계

C# 프로그램의 근본적인 구축 요소는 소위 **형식**(type)이다. 형식은 자료와 함수들을 하나의 단위로 캡슐화한 것이다. C#은 하나의 **통합된 형식 체계**(unified type system)를 갖추고 있다. 이 체계에서 모든 형식은 궁극적으로 하나의 공통 기반 형식을 공유한다. 다른 말로 하면, 업무 객체를 나타내는 형식이든 수치 형식 같은 기본 내장 형식들이든, 모든 형식은 동일한 기본 기능 집합을 가지고 있다. 예를 들어 그 어떤 형식의 인스턴스라도 해당 `ToString` 메서드를 호출해서 문자열로 변환할 수 있다.

클래스와 인터페이스

전통적인 객체 지향 패러다임에서 형식의 종류는 클래스 하나뿐이다. 그러나 C#에는 클래스 말고도 여러 종류의 형식이 있다. 그중 하나가 **인터페이스**[interface]이다. 인터페이스는 클래스와 비슷하되, 자신의 멤버들을 **서술**하기만 한다는 차이가 있다. 그 멤버들의 실제 구현은 인터페이스를 **구현하는** 형식이 제공한다. 인터페이스는 다중 상속이 필요한 경우에 특히나 유용하다(C++이나 Eiffel 같은 언어와는 달리 C#은 클래스의 다중 상속을 지원하지 않는다).

속성, 메서드, 이벤트

순수 객체 지향 패러다임에서는 모든 함수가 **메서드**[method]이다(Smalltalk가 그런 경우이다). C#에서 메서드는 **속성**(property)과 **이벤트**(event)를 비롯한 여러 **함수 멤버**(function member) 중 하나일 뿐이다. 속성은 객체의 상태 일부(이를테면 버튼의 색상이나 레이블의 텍스트 등)를 캡슐화하는 함수 멤버이다. 이벤트는 객체의 상태가 변했을 때 수행할 동작을 단순화해주는 함수 멤버이다.

C#은 기본적으로 객체 지향 언어이지만, **함수형 프로그래밍**(functional programming)에서도 영향을 받았다. 함수형 프로그래밍과 관련해서 C#에는 다음과 같은 특징이 있다.

함수를 값으로 취급할 수 있다.

대리자(delegate)를 이용하면 함수를 값으로서 다른 함수에 전달하거나 돌려받을 수 있다.

순수성 패턴을 지원한다.

함수형 프로그래밍의 핵심은 값이 변하는 변수의 사용을 피하고 대신 선언식(declarative) 패턴을 사용하는 것이다. C#에는 그러한 패턴의 적용을 돕는 핵심 기능들이 있는데, 이를테면 변수들을 '갈무리(capture)'하는 익명 함수를 즉석에서 작성하는 능력(**람다**lambda **표현식**)과 **질의 표현식**(query expression)을 통해서 목록(list) 또는 반응식(reactive) 프로그래밍을 수행하는 능력이 그러한 예이다. 또한 C# 6.0에는 **불변이**(immutable) 형식(읽기 전용 형식)의 작성을 돕는 읽기 전용 자동 속성 기능이 추가되었다.

형식 안전성

C#은 기본적으로 **형식에 안전한**(type-safe) 언어이다. 이는 형식의 인스턴스들이 오직 그 형식에 정의되어 있는 규약을 통해서만 상호작용할 수 있으며, 따라서 각 형식의 내부 일관성이 보장된다는 뜻이다. 예를 들어 C#은 독자(프로그래머)가 **문자열** 형식을 마치 **정수** 형식처럼 다루는 실수를 방지해 준다.

좀 더 구체적으로, C#은 **정적 형식 적용**(static typing)을 지원한다. 이는 이 언어가 **컴파일 시점**(compile time)에서 형식 안전성을 강제한다는 뜻이다. 또한 C#은 **실행시점**(runtime)에서의 형식 안전성도 강제한다.

정적 형식 적용은 프로그램이 실행되기도 전에 여러 부류의 오류들을 제거해준다. 정적 형식 적용은 실행시점 단위 검사(unit test)의 부담을 컴파일러가 대신 맡는다. 컴파일러는 프로그램의 모든 형식이 정확히 맞아떨어지는지 검사해준다. 이 덕분에 대형 프로그램의 유지보수성과 예측가능성, 안정성이 크게 향상된다. 더 나아가서, Visual Studio의 IntelliSence처럼 코드 작성을 도와주는 도구들을 만들 수 있다는 점도 정적 형식 적용의 장점이다. 정적 형식 적용 덕분에 그런 도구는 주어진 변수가 어떤 형식인지 알 수 있으며, 따라서 그 변수에 대해 호출할 수 있는 메서드들이 어떤 것인지 알아낼 수 있다.

C#에서는 `dynamic` 키워드를 통해서 일부 코드의 형식을 동적으로 결정하는 것도 가능하다(C# 4.0에서 도입). 그렇긴 하지만 여전히 C#은 기본적으로 정적 형식 언어이다.

C#은 **강한 형식 적용 언어**(strongly typed language)라고도 불리는데, 이는 형식 규칙들(정적으로 강제되는 것이든, 실행시점에서 강제되는 것이든)이 아주 엄격하

기 때문이다. 예를 들어 정수를 받도록 설계된 함수를 부동소수점 수로 호출하는 것은 불가능하다. 그러려면 먼저 부동소수점 수를 명시적으로 정수로 변환해야 한다. 이러한 엄격함은 프로그래머의 실수를 방지하는 데 도움이 된다.

강한 형식 적용은 C# 코드를 모래상자(sandbox) 안에서 실행하는 능력에도 중요하다. 모래상자란 보안의 모든 측면을 호스트가 제어하는 환경을 말한다. 모래상자 환경에서는 프로그래머가 객체의 형식 규칙들을 우회해서 객체의 상태를 임의로 오염시키지 못하게 하는 것이 중요하다.

메모리 관리

C#은 런타임[runtime](실행시점 모듈)에 의존해서 메모리를 자동으로 관리한다. CLR(Common Language Runtime; 공용 언어 런타임)에는 프로그래머가 작성한 프로그램의 일부로서 실행되는 쓰레기 수거기(garbage collector)가 있다. 이 수거기는 더 이상 참조되지 않는 객체들의 메모리를 재확보한다. 이 덕분에 프로그래머는 객체의 메모리를 명시적으로 해제하는 부담에서 벗어나며, 결과적으로 C++ 같은 언어에서 볼 수 있는 잘못된 포인터 관련 문제가 사라진다.

C#이 포인터를 아예 제거한 것은 아니다. 단지 C#은 대부분의 프로그래밍 과제에서 포인터를 사용할 필요성을 제거한다. 성능이 중요한 부분이나 상호운용성을 위해서는 포인터를 사용할 수도 있다. 단, 포인터는 명시적으로 `unsafe`로 표시한 블록 안에서만 허용된다.

플랫폼 지원

예전에는 C#을 거의 전적으로 Windows 플랫폼에서 실행되는 코드를 작성하는 데에만 사용했다. 그러나 최근에는 Microsoft와 기타 기업들이 Mac OS X나 iOS, Android 같은 다른 플랫폼의 C# 지원에도 투자했다. Xamarin™을 이용하면 모바일 앱을 위한 크로스플랫폼 C# 개발이 가능하며, Microsoft의 Portable Class Libraries도 점차 널리 퍼지고 있다. Microsoft의 ASP.NET 5는 .NET Framework와 .NET Core[닷넷코어](새로운 작고 빠른 오픈소스 클래스플랫폼 런타임) 모두에서 실행되는 새로운 웹 호스팅 프레임워크이다.

C#과 CLR의 관계

C#은 자동 메모리 관리와 예외 처리 같은 다양한 기능을 갖춘 런타임에 의존한다. C#의 설계는 해당 실행시점 기능들을 제공하는 Microsoft *CLR*의 설계와 밀접하게 대응된다(비록 기술적으로는 C#이 CLR과 독립적이지만). 게다가 C#의 형식 체계(형식 시스템)는 CLR의 형식 체계와 밀접하게 대응된다(예를 들어 미리 정의된 형식들의 정의가 둘 모두에서 동일하다).

CLR과 .NET Framework

.NET Framework는 CLR과 아주 다양한 라이브러리들의 집합으로 구성되어 있다. 그 라이브러리 집합에는 핵심 라이브러리들(이 책에서 주로 다루는)과 그 핵심 라이브러리들에 의존하는 응용 라이브러리들이 있다. 그림 1-1은 그러한 라이브러리들을 도식화한 것이다(또한, 이 그림은 이 책을 탐험하기 위한 '지도' 역할도 한다).

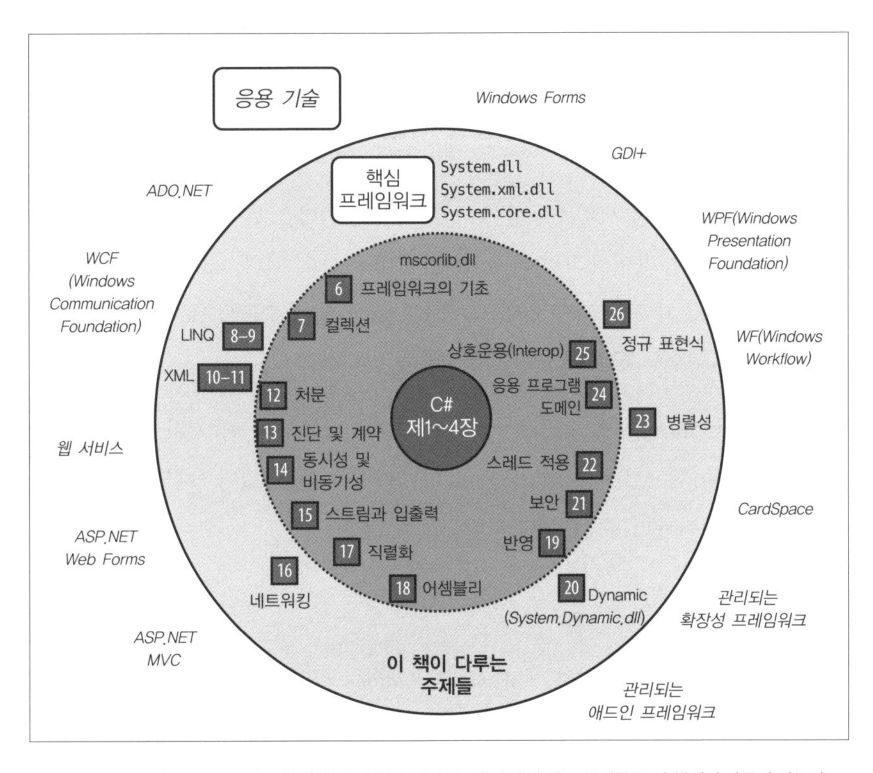

그림 1-1 이 책이 다루는 주제들과 해당 장 번호들. 가장 큰 원 바깥에 있는 주제들은 이 책에서 다루지 않는다.

CLR은 **관리되는 코드**(managed code)†를 실행하기 위한 런타임이다. C#은 여러 **관리되는 언어**(managed language) 중 하나인데, 관리되는 언어로 작성한 소스 코드를 컴파일하면 관리되는 코드가 생성된다. 관리되는 코드를 실행 파일(*.exe*) 또는 라이브러리(*.dll*) 형태로 만들고 그것을 형식 정보, 즉 **메타자료**(metadata)와 함께 하나의 패키지로 묶은 것을 **어셈블리**assembly라고 부른다.

관리되는 코드는 **중간 언어**(intermediate language, IL)로 표현된다. 어셈블리를 적재(load)할 때 CLR은 어셈블리에 담긴 IL 코드를 해당 컴퓨터(x86 등) 고유의 기계어 코드로 변환한다. 이러한 변환을 담당하는 것이 CLR의 JIT(just-in-time) 컴파일러이다. 어셈블리는 원래의 원본 언어의 구성을 거의 그대로 유지하기 때문에, 코드를 조사하기 쉽고 심지어 동적으로 생성하기도 쉽다.

ILSpy나 dotPeek(JetBrains), Reflector(Red Gate) 같은 도구를 이용하면 IL 어셈블리의 내용을 조사하고 역컴파일할 수 있다.

Windows 스토어Store 앱을 작성할 때에는 고유 코드(네이티브 코드)를 직접 생성하는 것도 가능하다(".NET Native" 기능). 그러면 시동 성능과 메모리 사용량이 개선된다(이는 모바일 기기에서 특히나 이로운 특징이다). 또한, 정적 링크와 기타 최적화 덕분에 실행시점 성능도 개선된다.

CLR은 여러 실행시점 서비스들의 호스트 역할을 한다. 그런 서비스들로는 이를테면 메모리 관리, 라이브러리 적재, 보안 서비스 등이 있다. CLR은 언어 중립적이므로 개발자들이 여러 가지 언어(C#, F#, Visual Basic .NET, Managed C++ 등)로 응용 프로그램을 개발하는 것이 가능하다.

.NET Framework에는 Windows 기반 응용 프로그램이나 웹 기반 응용 프로그램을 작성하는 데 필요한 거의 모든 라이브러리가 들어 있다. 제5장에서 .NET Framework 라이브러리들을 개괄한다.

C#과 WinRT

C#은 흔히 WinRT로 표기하는 *Windows Runtime* 라이브러리들과도 연동된다. WinRT는 언어 독립적이고 객체 지향적인 방식으로 라이브러리들에 접근하기

† (옮긴이) 여기서 관리의 주체는 .NET이다. 즉, 관리되는 코드란 ".NET에 의해 관리되는 코드", 다시 말해 .NET이 (실행시점의 행동을) 관리하는 코드라는 뜻이다. 관리되는 언어, 관리되는 메모리 등도 마찬가지이다.

위한 실행 인터페이스이자 실행시점 환경이다. WinRT는 Windows 8 이상의 운영체제들과 함께 제공되며, 부분적으로는 Microsoft *COM*(Component Object Model)의 개선된 버전의 일부이다(제25장 참고).

Windows 8 이상에는 Microsoft의 앱 스토어를 통해서 배포되는 터치 대응 응용 프로그램들을 위한 프레임워크로 작용하는 일단의 관리되지 않는(unmanaged) WinRT 라이브러리들이 포함되어 있다. (그런 라이브러리들 자체를 그냥 *WinRT*라고 통칭하기도 한다.) WinRT 라이브러리들은 C#과 VB 뿐만 아니라 C++과 JavaScript에서도 손쉽게 사용할 수 있다.

> 일부 WinRT 라이브러리는 보통의 비非태블릿 응용 프로그램에서도 사용할 수 있다. 그러나 응용 프로그램이 WinRT 라이브러리에 의존하게 만들면, 응용 프로그램의 **최소** OS 요구사항이 Windows 8이 되어 버린다.

WinRT 라이브러리는 새로운 '현대적' 사용자 인터페이스(몰입적인 터치 우선 응용 프로그램의 작성을 위한)와 모바일 기기 고유의 기능(감지기, 문자 메시지 처리 등), 그리고 .NET Framework와 일부분 겹치는 다양한 핵심 기능성을 지원한다. 이처럼 겹치는 부분이 있기 때문에, Visual Studio에는 .NET Framework 중 WinRT와 겹치는 부분을 감추어 주는 Windows 스토어 프로젝트용 **참조 프로파일**(reference profile; .NET **참조 어셈블리**들의 집합)이 있다. 이 프로파일은 .NET Framework 중 태블릿 앱에는 필요하지 않다고 간주되는 부분(데이터베이스 접근 등)도 감추어 준다. 소비자 기기로의 소프트웨어 배포를 제어하는 Microsoft의 앱 스토어는 그런 감추어진 형식들에 접근하려는 프로그램을 모두 거부한다.

> **참조 어셈블리**(reference assembly)는 전적으로 컴파일을 위해서만 존재하는 것으로, 제공하는 형식들과 멤버들이 실제 어셈블리보다 제한적일 수 있다. 참조 어셈블리 덕분에, 자신의 컴퓨터에 .NET Framework 전체를 설치해 둔 개발자도 특정 프로젝트에서는 .NET Framework 중 일부분만 설치되어 있다고 가정하고 코드를 작성할 수 있다. 실제 기능성은 실행시점에서 **전역 어셈블리 캐시**(제18장 참고)에 있는 어셈블리들이 제공한다. 그 어셈블리들은 참조 어셈블리에는 없는 형식들과 멤버들을 갖추고 있을 수 있다.

.NET Framework의 대부분을 감추면 Microsoft 플랫폼을 처음 접하는 개발자들의 학습 곡선이 완화된다. 이러한 은폐에는 그 외에도 다음과 같은 중요한 두 가지 목적이 있다.

- 응용 프로그램을 **모래상자**(sandbox) 안에 가둔다. 응용 프로그램을 모래상자 안에 가둔다는 것(sandboxing)은 악의적인 프로그램의 피해를 줄이기 위해 프로그램의 기능성을 제한하는 것을 뜻한다. 예를 들어 모래상자 안에서는 임의적인 파일 접근이 금지되며, 다른 컴퓨터에 있는 다른 프로그램을 실행하거나 그런 프로그램과 통신하는 능력도 극도로 제한된다.
- 저사양 WinRT 전용 태블릿에 축소된 .NET Framework(OS가 차지하는 용량을 낮추기 위한)를 포함시킨다.

WinRT와 통상적인 COM의 차이는, WinRT는 자신의 라이브러리들을 다양한 언어들에 **투영**한다는 것이다. 이 덕분에 그런 언어들(구체적으로 말하면 C#, VB, JavaScript)에서 WinRT의 형식들은 마치 해당 언어를 위해 특별히 작성된 것처럼 보이게 된다. 예를 들어 WinRT는 대소문자 규칙을 해당 언어의 표준에 맞게 적응시키며, 심지어는 일부 함수와 인터페이스를 변형하기도 한다. 또한 WinRT 어셈블리들은 풍부한 **메타자료**를 *.winmd* 파일을 통해 제공한다. 그 파일의 서식(format)이 .NET 어셈블리의 것과 동일하기 때문에 특별한 변환 과정 없이도 어셈블리들을 활용할 수 있다. 실제로, 이름공간(namespace)이 다르다는 점만 제외한다면 .NET 형식이 아니라 WinRT 형식을 사용한다는 점을 알아채기 어려울 정도이다. 이름공간 이외의 또 다른 차이는, WinRT 형식에는 COM 스타일의 제약이 가해진다는 것이다. 예를 들어 상속과 제네릭Generic에 대한 지원이 제한적이다.

WinRT가 완전한 .NET Framework를 대신하는 것은 아니다. 표준 데스크톱과 서버 쪽 개발에는 후자가 여전히 권장된다(그리고 필수이다). 또한 .NET Framework에는 다음과 같은 장점이 있다.

- 프로그램을 모래상자 바깥에서도 실행할 수 있다.
- 프로그램이 .NET Framework 전체와 임의의 서드파티 라이브러리를 사용할 수 있다.
- Windows 스토어에 의존하지 않고 응용 프로그램을 배포할 수 있다.
- 최신 OS 버전을 갖추지 않은 사용자에게도 최신 .NET Framework 버전을 대상으로 한 응용 프로그램을 제공할 수 있다(사용자는 .NET Framework만 최신으로 갱신하면 된다).

C# 6.0의 새로운 기능과 특징

C# 6.0의 가장 큰 특징은 컴파일러를 완전히 C#으로 재작성했다는 것이다. 프로젝트 '로슬린Roslyn'이라고 알려진 새 컴파일러는 전체 컴파일 파이프라인을 라이브러리들을 통해서 외부로 노출하기 때문에 누구라도 임의의 소스 코드에 대한

코드 분석을 수행할 수 있다(제27장 참고). 컴파일러 자체는 오픈 소스이며, 소스 코드를 *github.com/dotnet/roslyn*에서 구할 수 있다.

또한 C# 6.0은 여러 부분을 사소하지만 의미 있게 개선했다. 이 개선점들은 주로 코드의 군더더기를 줄이기 위한 것이다.

'엘비스[Elvis]' 연산자라고도 부르는[†] **널 조건부 연산자**(null-conditional operator; 제2장의 '널 관련 연산자(p.71)' 참고)를 이용하면 메서드 호출이나 형식 멤버 접근 전에 명시적으로 널[null]을 점검해야 하는 번거로움을 피할 수 있다. 다음 예에서 `result`는 널로 평가된다(`NullReferenceException` 예외를 던지는 대신).

```
System.Text.StringBuilder sb = null;
string result = sb?.ToString();      // result는 null
```

표현식 본문 함수(expression-bodied function; 제3장의 '메서드(p.93)' 참고)는 표현식 하나로 이루어진 메서드나 속성, 연산자, 인덱서를 람다 표현식 형태로 간결하게 작성하는 기능이다.

```
public int TimesTwo (int x) => x * 2;
public string SomeProperty => "속성 값";
```

속성 초기치[‡](property initializer; 제3장)는 자동 속성에 초기 값을 배정한다.

```
public DateTime Created { get; set; } = DateTime.Now;
```

초기화되는 속성을 읽기 전용으로 만들 수도 있다.

```
public DateTime Created { get; } = DateTime.Now;
```

읽기 전용 속성을 생성자에서 설정하는 것도 가능하다. 불변이(immutable) 형식(즉, 읽기 전용 형식)을 작성할 때 편리한 기능이다.

† (옮긴이) '엘비스 연산자'는 이 연산자의 구문이 `?:)`나 `?:D`, `?:(` 같은 엘비스 프레슬리 이모티콘과 비슷하다는 점에서 비롯된 이름이다. 참고로, 엘비스 이모티콘들의 ?는 엘비스 프레슬리의 유명한 헤어스타일을 나타낸 것이다.

‡ (옮긴이) 엄밀히 말해서, intializer("초기화하는 것")는 하나의 값(値)이 아니라 선언문이나 생성자 호출문 끝에 붙는 하나의 구 또는 절이다. 예를 들어 지금 예제에서 initializer에는 `DateTime.Now`뿐만 아니라 그 앞의 등호(=)도 포함된다. 그러나 실제 문장들에서는 intializer를 그냥 초기화에 쓰이는 값 또는 그러한 값으로 평가되는 코드 조각으로 이해해도 무리가 없거나 더 자연스러운 경우가 많다는 점에서, '초기화기'나 '초기화 절', '이니셜라이저' 같은 용어 대신 그보다 짧고 친숙한 '초기치'를 사용하기로 한다. 단, 문맥에 따라서는 '초기치 절'이나 '초기치 블록'이라는 용어도 사용하겠다.

색인 초기치(index initializer; 제4장)를 이용하면 인덱서를 제공하는 임의의 형식을 하나의 단계로 초기화할 수 있다.

```
new Dictionary<int,string>()
{
  [3] = "three",
  [10] = "ten"
}
```

문자열 보간(string interpolation; 제2장의 '문자열 형식(p.47)' 참고)은 `string.Format`보다 간결한 방식으로 문자열을 서식화하는 기능을 제공한다.

```
string s = $"It is {DateTime.Now.DayOfWeek} today";
```

예외 필터(exception filter; 제4장의 'try 문과 예외(p.186)' 참고)는 catch 블록에 조건을 적용할 수 있게 한다.

```
try
{
  new WebClient().DownloadString("http://asef");
}
catch (WebException ex) when (ex.Status == WebExceptionStatus.Timeout){
  ...
}
```

using static 지시자(제2장의 '이름공간(p.82)' 참고)는 주어진 형식의 모든 정적 멤버를 도입(import)한다. 그러면 그 멤버들을 별다른 한정(qualification) 없이 바로 사용할 수 있다.

```
using static System.Console;
...
WriteLine ("Hello, world");  // Console.WriteLine 대신 그냥 WriteLine
```

nameof 연산자(제3장)는 변수나 형식 또는 기타 기호의 문자열 이름을 돌려준다. 이를 활용하면 Visual Studio에서 기호의 이름을 변경했을 때 코드가 망가지는 일을 피할 수 있다.

```
int capacity = 123;
string x = nameof (capacity);   // x는 "capacity"
string y = nameof (Uri.Host);   // y는 "Host"
```

마지막으로, 이제는 catch 블록과 finally 블록 안에서 await를 사용할 수 있다.

C# 5.0의 새로운 기능과 특징

C# 5.0의 가장 큰 새 특징은 두 키워드 async와 await를 통해서 **비동기 함수**(asynchronous function)를 지원한다는 것이다. 비동기 함수 덕분에 비동기 연속(asynchronous continuation)이 가능해졌다. **비동기 연속** 기능을 이용하면 반응성 좋고 스레드에 안전한 리치 클라이언트[rich-client] 응용 프로그램을 좀 더 손쉽게 만들어 낼 수 있다. 또한, 비동기 함수는 입출력 한정(I/O-bound; 입출력 성능이 전체적인 성능을 결정하는) 응용 프로그램을 고도로 동시적이고 효율적으로(연산마다 전담 스레드 자원을 소비할 필요가 없는 형태로) 구현하는 데에도 도움이 된다.

비동기 함수는 제14장에서 자세히 다룬다.

C# 4.0의 새로운 기능과 특징

C# 4.0의 새 기능은 다음과 같다.

- 동적 바인딩
- 생략 가능 매개변수와 명명된 인수
- 제네릭 인터페이스와 대리자의 형식 가변성
- COM 상호운용성 개선

동적 바인딩(dynamic binding; 제4장과 제20장)은 **바인딩**[binding], 즉 주어진 기호의 형식과 멤버를 결정하는 과정을 컴파일 시점에서 실행시점으로 미루는 기능이다. 예전에 그런 기능을 복잡한 반영 코드(reflection code)로 구현해야 했던 상황이라면 이 동적 바인딩이 유용하다. 또한, 동적 바인딩은 동적 언어나 COM 구성요소와의 연동(상호운용)에도 유용하다.

선택적 매개변수(optional parameter; 제2장)는 함수에서 매개변수의 기본값을 지정함으로써 호출하는 쪽에서 해당 인수를 생략할 수 있게 만든다. **명명된 인수**(named argument)는 함수 호출자가 인수를 위치가 아니라 이름으로 지정할 수 있게 한다.

C# 4.0에서는 **형식 가변성**(type variance) 규칙들(제3장과 제4장)이 완화되었다. 이제는 제네릭 인터페이스와 제네릭 대리자의 형식 매개변수를 **공변**(covariant)

이나 **반변**(contravariant)으로 지정할 수 있으며, 결과적으로 좀 더 자연스러운 형식 변환이 가능해졌다.

C# 4.0에서 ***COM* 상호운용성**(COM interoperability; 제26장)이 세 가지 방식으로 개선되었다. 첫째로, 이제는 `ref` 키워드 없이도 인수를 참조로 전달할 수 있다(이는 생략 가능한 매개변수와 함께 쓰일 때 특히나 유용하다). 둘째로, COM 상호운용 형식(Interop type)을 담고 있는 어셈블리를 **참조**하는(reference) 것이 아니라 **링크**할(link) 수 있다. 링크된 상호운용 형식은 형식 동치(type equivalence)를 지원하므로 *PIA*(Primary Interop Assemblies)가 필요하지 않으며, 버전 관리나 배치(deployment)에 관련된 골치 아픈 문제들이 사라진다. 셋째로, 링크된 상호운용 형식으로부터 COM Variant 형식을 돌려주는 함수들이 `object`가 아니라 `dynamic`에 대응된다. 이 덕분에 캐스팅 필요성이 사라졌다.

C# 3.0의 새로운 기능과 특징

C# 3.0에 추가된 기능들은 대부분 *LINQ*(Language Integrated Query; 언어에 통합된 질의문)와 관련된 것이다. LINQ 기능 덕분에 프로그래머는 질의문을 C# 프로그램 소스 코드 안에 직접 써넣어서 그 정확성을 **정적으로**(컴파일 시점에서) 점검할 수 있다. 또한, 원격 자료원(data source; 데이터베이스 등)뿐만 아니라 지역 컬렉션에 대해서도 질의를 수행할 수 있다. LINQ를 지원하기 위해 C# 3.0에 추가된 기능들로는 지역 변수의 형식을 암묵적으로 지정하는 기능, 익명 형식, 객체 초기치, 람다 표현식, 확장 메서드, 질의 표현식, 표현식 트리가 있다.

지역 변수 형식의 암묵적 지정(var 키워드; 제2장)은 변수 선언문에서 변수의 형식을 생략하면 컴파일러가 형식을 추론하는 것을 말한다. 이 기능은 코드를 간결하게 만드는 데 도움이 될 뿐만 아니라 **익명 형식**(anonymous type; 제4장)도 가능하게 한다. 익명 형식은 다른 코드 중간에 즉석에서 작성하는 클래스로, LINQ 질의의 최종 출력에 흔히 쓰인다. 배열의 형식도 암묵적으로 지정할 수 있다(제2장).

객체 초기치(object initializer; 제3장)는 속성들을 생성자 호출 후에 설정할 수 있게 함으로써 객체의 생성을 단순화한다. 객체 초기치 구문은 명명된 형식은 물론 익명 형식에도 사용할 수 있다.

람다 표현식(lambda expression; 제4장)은 컴파일러가 즉석에서 생성하는 '축소판(miniature)' 함수로, '유창한' LINQ 질의(제8장)에 특히나 유용하다.

확장 메서드(extension method; 제4장)는 새 메서드를 추가해서 기존 형식을 확장한다(그 형식의 정의를 변경하지 않고도). 이 기능을 이용하면 정적 메서드를 마치 인스턴스 메서드처럼 사용할 수 있다. LINQ의 질의 연산자들은 확장 메서드의 형태로 구현된다.

질의 표현식(query expression; 제8장)은 LINQ 질의문 작성을 위한 고수준 구문을 제공한다. 이를 이용하면 여러 개의 순차열이나 범위 변수들을 다룰 때 질의문을 훨씬 간단하게 만들 수 있다.

표현식 트리(expression tree; 제8장)는 Expression<TDelegate>라는 특별한 형식에 배정된 람다 표현식을 서술하는 축소판 코드 DOM(Document Object Model)이다. 표현식 트리는 실행시점에서 조사, 변환되므로(이를테면 SQL 질의문으로), 이를 이용해서 LINQ 질의를 원격에서(즉, 데이터베이스 서버에서) 실행할 수 있다.

C# 3.0에는 또한 자동 속성과 부분 메서드도 추가되었다.

자동 속성(automatic property; 제3장)은 전용 배경 필드를 특별한 처리 없이 그대로 조회/설정(get/set)하는 속성을 컴파일러가 자동으로 생성하게 만드는 것이다. **부분 메서드**(partial method)는 자동으로 생성된 부분 클래스가 커스텀화 가능한 변경 지점(프로그래머가 직접 구현 코드를 제공할 수 있는, 그리고 그렇게 하지 않는다면 저절로 "녹아 없어지는")을 제공하게 하는 데 쓰인다.

C# 6.0 in a Nutshell

C# 언어의 기초

이번 장은 C# 언어의 기초를 소개한다.

이번 장과 다음 두 장의 모든 예제 프로그램과 코드 조각은 LINQPad의 대화식 예제 형태로도 제공된다. 그 LINQPad 예제들을 이용하면 Visual Studio 프로젝트와 솔루션을 설정할 필요 없이 즉석에서 예제를 수정, 실행해 볼 수 있으므로 이 책을 좀 더 빠르게 읽어나갈 수 있다.

LINQPad 예제들은 LINQPad 사이트의 'Sample Libraries' 페이지에서 무료로 내려받을 수 있다. "Download C# 6.0 in a Nutshell samples"를 선택하면 된다. 해당 페이지의 주소는 *http://www.linqpad.net/RichClient/SampleLibraries.aspx*이다.

첫 번째 C# 프로그램

다음은 12에 30을 곱하고 그 결과인 360을 화면에 출력하는 프로그램이다. 슬래시 두 개는 그 줄(line; 행)의 나머지가 주석(comment)임을 뜻한다.

```
using System;                    // 이름공간을 도입

class Test                       // 클래스 선언
{
  static void Main()             // 메서드 선언
  {
    int x = 12 * 30;             // 문장 1
    Console.WriteLine (x);       // 문장 2
  }                              // 메서드의 끝
}                                // 클래스의 끝
```

이 프로그램의 핵심부는 다음 두 **문장**(statement)이다.

```
int x = 12 * 30;
Console.WriteLine (x);
```

C#의 문장들은 차례로 실행된다. 하나의 문장은 세미콜론으로 끝난다(그리고 잠시 후 이야기할 **블록** 형태의 문장도 있다). 지금 예제의 첫 문장은 12 * 30이라는 **표현식**(expression)을 계산(평가)해서 그 결과를 x라는 이름의 **지역 변수**(local variable)에 저장한다. 그 변수의 형식은 정수(integer)를 뜻하는 int이다. 둘째 문장은 Console 클래스의 WriteLine **메서드**method를 호출한다. 이에 의해 변수 x의 값이 화면의 텍스트 창('콘솔console')에 출력된다.

메서드는 일련의 문장들로 이루어진 동작을 수행한다. 일련의 문장들을 중괄호 쌍({})으로 묶은 것을 **문장 블록**이라고 부른다. 문장이 전혀 없는 블록도 가능하다. 지금 예제에는 Main이라는 이름의 메서드가 하나 있다.

```
static void Main()
{
  ...
  }
```

저수준 함수들을 호출하는 고수준 함수를 작성하면 프로그램이 간단해진다. 다음은 주어진 정수에 12†를 곱하는 재사용 가능한 메서드를 따로 만들어서 프로그램을 **리팩터링**refactoring한 예이다.

```
using System;

class Test
{
  static void Main()
  {
    Console.WriteLine (FeetToInches (30));      // 360
    Console.WriteLine (FeetToInches (100));     // 1200
  }

  static int FeetToInches (int feet)
  {
    int inches = feet * 12;
    return inches;
  }
}
```

† (옮긴이) 참고로 이 12는 임의로 선택된 값이 아니라 1피트가 12인치라는 점에서 비롯된 값이다. 이 예에서 보듯이, 고수준 함수는 프로그램을 간단하게 만들 뿐만 아니라 코드의 의미를 더 명확하게 한다.

메서드는 호출자로부터 **입력** 자료를 받을 수 있다. 이 경우 호출자는 메서드의 **매개변수**에 인수를 지정함으로써 자료를 입력한다. 또한, 메서드는 어떤 값을 돌려줌으로써(**반환**) 자료를 호출자에게 **출력**할 수 있다. 메서드가 돌려주는 값의 형식을 **반환 형식**(return type)이라고 부른다. 다음은 방금 정의한, 피트feet 단위의 값을 입력받고 인치 단위의 값을 돌려주는 FeetToInches 메서드의 선언이다. 메서드 이름 앞에 반환 형식이 있고, 메서드 이름 다음의 괄호 쌍 안에 매개변수의 형식과 이름이 지정되어 있음을 알 수 있다.

```
static int FeetToInches (int feet ) {...}
```

예제에 나오는 30과 100 같은 값을 **리터럴**(literals)이라고 부른다. 지금 예제에서 이 리터럴들은 FeetToInches의 매개변수에 전달되는 **인수**(argument)로 쓰였다. 한편 Main 메서드의 이름 다음에는 빈 괄호 쌍만 있는데, 이는 이 메서드가 아무런 매개변수도 없음을 뜻한다. 그리고 이름 앞의 반환 형식 void는 이 메서드가 호출자에게 아무런 값도 돌려주지 않음을 뜻한다.

```
static void Main()
```

C#은 Main이라는 이름의 메서드를 프로그램의 기본 진입점(entry point), 즉 실행이 시작되는 지점으로 간주한다. 지금 예제와는 달리 Main 메서드가 정수를 (void가 아니라) 돌려줄 수도 있다. 그 정수는 실행 환경에 전달된다(오류가 발생했을 때 0이 아닌 값을 돌려주는 관례가 흔히 쓰인다). 또한, Main 메서드가 문자열 배열을 매개변수로 받을 수도 있다(그 배열에는 실행 파일에 전달된 명령줄 인수들이 채워진다). 다음이 그러한 형태의 Main 메서드이다.

```
static int Main (string[] args) {...}
```

배열(string[] 같은)은 특정 형식의, 고정된 개수의 값('원소')들이 모여 있는 자료구조를 나타낸다. 배열은 원소 형식 다음에 대괄호 쌍을 지정해서 선언하는데, 이번 장의 '배열 (p.49)'에서 좀 더 자세히 이야기하겠다.

메서드는 C#이 지원하는 여러 종류의 함수 중 하나이다. 지금 예제에 쓰인 또 다른 종류의 함수로 * **연산자**(operator)가 있다. 이 연산자는 곱셈을 수행한다. 그 외에 **생성자**(constructor), **속성**(property), **이벤트**(event), **인덱서**(indexer), **종료자**(finalizer)가 있다.

지금 예제에서 두 메서드는 하나의 클래스에 속한다. **클래스**class는 함수 멤버들과 자료 멤버들을 하나의 객체 지향적 프로그램 구축 요소로 묶은 것이다. `Console` 클래스는 `WriteLine` 메서드처럼 명령줄(command-line) 입출력 기능성을 처리하는 멤버들을 하나로 묶는다. 지금 예제의 `Test` 클래스는 두 메서드, 즉 `Main` 메서드와 `FeetToInches` 메서드를 한 단위로 묶는다. 클래스는 여러 가지 형식 중 하나인데, 형식에 대해서는 이번 장의 '형식의 기초(p.22)'에서 좀 더 자세히 이야기한다.

한 프로그램의 가장 바깥쪽 수준에서, 형식들은 **이름공간**(namespace)의 형태로 조직화된다. `using` 지시자(directive)를 이용하면 임의의 이름공간을 프로그램 안으로 '도입(import)'할 수 있다. 그러면 그 이름공간에 있는 이름들(클래스 등)을 사용할 수 있다. 지금 예제에서는 `Console` 클래스를 사용하기 위해 `System` 이름공간을 도입했다. 프로그래머가 이름공간을 직접 정의하는 것도 가능하다. 다음의 `TestPrograms`가 그러한 예이다.

```
using System;

namespace TestPrograms
{
  class Test  {...}
  class Test2 {...}
}
```

.NET Framework는 여러 이름공간들이 중첩된 형태로 조직화되어 있다. 예를 들어 다음은 텍스트를 처리하는 형식들을 담은 이름공간이다.

```
using System.Text;
```

`using` 지시자는 프로그래머의 편의를 위한 것이며, 필요하다면 주어진 형식이 속한 이름공간들을 모두 명시한 완전 한정 이름(fully qualified name)으로 형식을 지칭하는 것도 가능하다. `System.Text.StringBuilder`가 그러한 예이다.

컴파일

C# 컴파일러는 확장자가 *.cs*인 일단의 소스 코드 파일들을 컴파일해서 하나의 어셈블리를 생성한다. 어셈블리는 .NET의 프로그램 패키징 및 배포 단위이다. 어셈블리는 **응용 프로그램**(application)일 수도 있고 **라이브러리**library일 수도 있다. 보통의 콘솔 또는 Windows 응용 프로그램은 진입점 `Main` 메서드를 가지고 있으

며, 파일 확장자는 *.exe*이다. 라이브러리의 확장자는 *.dll*이며, *.exe*와는 달리 진입점이 없다. 라이브러리의 주된 용도는 라이브러리 안의 코드를 다른 응용 프로그램이나 다른 라이브러리가 호출 또는 **참조**하는 것이다. .NET Framework는 라이브러리들의 집합이다.

C# 컴파일러 프로그램의 이름은 *csc.exe*이다. C# 프로그램을 Visual Studio 같은 IDE로 컴파일할 수도 있고 명령줄에서 `csc`를 직접 실행해서 컴파일할 수도 있다. (제27장에서 보겠지만, 이 컴파일러는 라이브러리 형태로도 제공된다.) 명령줄에서 직접 컴파일하려면, 우선 프로그램을 *MyFirstProgram.cs* 같은 파일로 저장하고, 명령줄로 가서 다음과 같이 `csc`(*%ProgramFiles(X86)%\msbuild\14.0\ bin*에 있다)를 실행하면 된다.

```
csc MyFirstProgram.cs
```

이렇게 하면 *MyFirstProgram.exe*라는 이름의 응용 프로그램이 만들어진다.

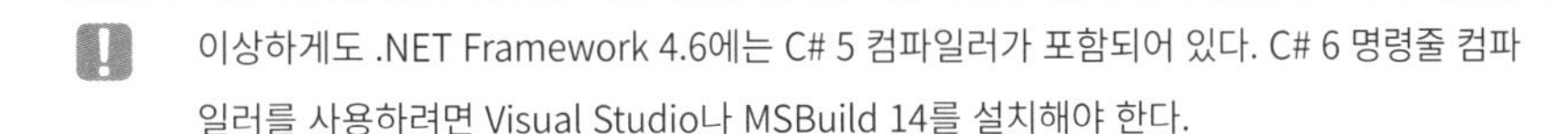

이상하게도 .NET Framework 4.6에는 C# 5 컴파일러가 포함되어 있다. C# 6 명령줄 컴파일러를 사용하려면 Visual Studio나 MSBuild 14를 설치해야 한다.

라이브러리(*.dll*)를 만들려면 다음과 같이 하면 된다.

```
csc /target:library MyFirstProgram.cs
```

어셈블리는 제18장에서 자세히 설명한다.

구문

C#의 구문(syntax; 문법)은 C와 C++의 구문에 영향을 받았다. 이번 절에서는 다음 예제 프로그램을 이용해서 C#의 기본적인 구문 요소들을 설명한다.

```
using System;

class Test
{
  static void Main()
  {
    int x = 12 * 30;
    Console.WriteLine (x);
  }
}
```

식별자와 키워드

클래스나 메서드, 변수 등의 이름을 **식별자**(identifier)라고 부른다. 식별자는 프로그래머가 정한다. 다음은 지금 예제 프로그램의 식별자들을 그 출현 순서대로 나열한 것이다.

```
System   Test   Main   x   Console   WriteLine
```

식별자는 반드시 하나의 단어(중간에 빈칸이 없는)이어야 한다. 식별자는 글자(letter)† 또는 밑줄로 시작하고 그 뒤에 임의의 개수의 유니코드Unicode 문자들이 오는 형태이어야 한다. 관례상 매개변수와 지역 변수, 전용(private) 필드 이름은 '낙타식 대문자 구성(camel case; 이를테면 `myVariable`)'을 따르고, 그 외의 식별자는 '파스칼식 대소문자 구성(Pascal case; 이를테면 `MyMethod`)'을 따른다.

키워드(keyword)는 컴파일러에게 특별한 의미가 있는 이름이다. 지금 예제 프로그램에는 다음과 같은 키워드들이 쓰였다.

```
using   class   static   void   int
```

대부분의 키워드는 **예약된**(reserved) 이름이다. 다른 말로 하면, 이들은 식별자로 사용할 수 없다. 다음은 C#의 예약된 키워드 전체이다.

```
abstract    do          in              public        try
as          double      int             readonly      typeof
base        else        interface       ref           uint
bool        enum        internal        return        ulong
break       event       is              sbyte         unchecked
byte        explicit    lock            sealed        unsafe
case        extern      longnamespace   short         ushort
catch       false       new             sizeof        using
char        finally     null            stackalloc    virtual
checked     fixed       object          static        void
class       float       operator        string        volatile
const       for         out             struct        while
continue    foreach     override        switch
decimal     goto        params          this
default     if          private         throw
delegate    implicit    protected       true
```

† (옮긴이) 유니코드 시대에서 '글자'의 의미는 예전 ASCII 시대의 글자의 의미보다 훨씬 복잡하다. 그러나 이 책의 목적에서는, 영문 대소문자가 바로 '글자'에 해당한다는 점과 영문 대소문자'만' 글자인 것은 아니라는(특히, 필요하다면 한글로 된 또는 한글이 포함된 식별자도 가능하다는) 점만 기억하면 될 것이다.

키워드와의 충돌 피하기

예약된 키워드에 해당하는 식별자를 꼭 사용해야 한다면 식별자 앞에 접두사 @를 붙이면 된다. 다음이 그러한 예이다.

```
class class  {...}      // 위법
class @class {...}      // 적법
```

@ 기호는 식별자 자체의 일부로 간주되지 않는다. 즉, @myVariable은 myVariable과 같다.

접두사 @는 C#과는 다른 키워드들을 가진 다른 .NET 언어로 작성된 라이브러리를 C# 프로그램에서 사용할 때 유용할 수 있다.

문맥 의존 키워드

일부 키워드는 특정 문맥에서만 작용한다. 다른 말로 하면, 그런 키워드는 해당 문맥 이외의 문맥에서는 @ 기호를 붙이지 않고도 식별자로 사용할 수 있다. 다음이 C#의 **문맥 의존 키워드**(contextual keyword)들이다.

```
add          dynamic    into      partial   when
ascending    equals     join      remove    where
async        from       let       select    yield
await        get        nameof    set
by           global     on        value
descending   group      orderby   var
```

이러한 문맥 의존 키워드들은 해당 문맥 안에서 사용하는 한 결코 중의성(ambiguity) 문제를 일으키지 않는다.

리터럴, 구두점, 연산자

리터럴literal은 어떠한 자료의 값을 그 자체로 프로그램 코드에 써넣은 것이다. 지금 예제 프로그램에는 12와 30이라는 리터럴이 쓰였다.

구두점(punctuator) 또는 문장부호는 프로그램을 구성하는 요소들을 구분하기 위한 기호들이다. 지금 예제 프로그램에는 다음과 같은 구두점들이 쓰였다.

```
{  }  ;
```

중괄호 쌍({})은 여러 개의 문장을 하나의 **문장 블록**(statement block)으로 묶는다.

세미콜론(;)은 한 문장의 끝을 표시한다. (문장 블록은 세미콜론으로 끝낼 필요가 없다.) 다음 예처럼 하나의 문장이 여러 줄을 차지할 수도 있다.

```
Console.WriteLine
  (1 + 2 + 3 + 4 + 5 + 6 + 7 + 8 + 9 + 10);
```

연산자(operator)는 표현식들을 변환하거나 결합한다. C#의 연산자들은 대부분 기호로 표시된다. 이를테면 곱셈 연산자 *가 그러한 예이다. 연산자에 관해서는 이번 장에서 나중에 좀 더 자세히 논의하겠다. 다음은 지금 예제 프로그램에 쓰인 연산자들이다.

```
.  ()   *   =
```

마침표(.)는 뭔가의 멤버를 나타낸다(또는, 수치 리터럴의 경우에는 소수점을 의미한다). 괄호는 메서드를 선언하거나 호출할 때 쓰인다. 빈 괄호 쌍은 메서드가 아무 인수도 받지 않음을 뜻한다. (이번 장에서 보겠지만, 괄호는 다른 용도로도 쓰인다.) 등호(=)는 **배정**(assignment)을 수행한다. (나중에 보겠지만, 이중 등호 ==는 상등 판정을 수행한다.)

주석

C#은 두 종류의 소스 코드 문서화 수단을 제공한다. 하나는 **한 줄 주석**(single-line comment)이고 또 하나는 **여러 줄 주석**(multiline comment)이다. 한 줄 주석은 슬래시 두 개로 시작해서 그 줄(행)의 끝에서 끝난다. 예를 들면 다음과 같다.

```
int x = 3;   // 3을 x에 배정하는 것에 관한 주석
```

여러 줄 주석은 /*에서 시작해서 */로 끝난다. 예를 들면 다음과 같다.

```
int x = 3;   /* 두 줄에 걸쳐 있는
                여러 줄 주석 */
```

주석에 XML 문서화 태그를 포함할 수도 있는데, 이에 대해서는 제4장의 'XML 문서화(p.240)'에서 설명하겠다.

형식의 기초

형식(type)은 어떠한 값의 청사진(blueprint; 설계도)을 정의한다. 다음 예제 프로그램은 형식이 int인 리터럴 12와 30을 사용한다. 또한, 형식이 int이고 이름이 x인 **변수**(variable)도 선언한다.

```
static void Main()
{
  int x = 12 * 30;
  Console.WriteLine (x);
}
```

변수는 시간이 지남에 따라 서로 다른 값들을 담을 수 있는 하나의 저장 장소를 나타낸다. 반면 **상수**(constant)는 항상 같은 값을 나타낸다(이에 대해서는 나중에 좀 더 이야기하겠다).

```
const int y = 360;
```

C#의 모든 값은 어떠한 형식의 **인스턴스**instance이다. 값의 의미나 변수가 가질 수 있는 값들의 집합은 그 값의 형식에 의해 결정된다.

미리 정의된 형식 예제

미리 정의된 형식(predefined type), 줄여서 기정의既定意 형식은 컴파일러가 특별히 지원하는 형식이다. int 형식이 바로 기정의 형식의 하나인데, 이 형식은 메모리 32비트에 담을 수 있는 정수들, 즉 -2^{31}에서 $2^{31}-1$ 범위의 정수들을 나타낸다. 또한, int는 그 범위에 속하는 수치 리터럴들의 기본 형식이기도 하다. int 형식의 인스턴스들에 대해서는 다음과 같이 산술 연산을 수행할 수 있다.

```
int x = 12 * 30;
```

C#의 또 다른 기정의 형식으로 string이 있다. string은 문자들의 순차열(sequence), 즉 문자열을 나타낸다. ".NET"이나 "*http://oreilly.com*" 같은 것이 바로 문자열이다. 다음은 문자열 인스턴스에 대해 메서드를 호출해서 문자열을 조작하는 예이다.†

```
string message = "Hello world";
string upperMessage = message.ToUpper();
Console.WriteLine (upperMessage);                // HELLO WORLD

int x = 2015;
message = message + x.ToString();
Console.WriteLine (message);                     // Hello world2015
```

† (옮긴이) 이 번역서는 독자의 이해를 돕기 위해 예제 코드의 주석뿐만 아니라 문자열 리터럴도 번역하는 것을 원칙으로 삼지만, 이 예제처럼 한글 문자 체계에는 해당하지 않는 경우나 어순 차이 때문에 문자열 리터럴만 번역하는 것으로는 충분치 않은 경우, 그리고 문자열이 평이한 영어 단어 한 두개로만 이루어진 경우(이를테면 "Hello", "Done") 등등 몇 가지 예외 상황에서는 원문을 그대로 유지했음을 밝혀 둔다.

또 다른 기정의 형식인 bool은 단 두 가지 값만 가질 수 있다. 바로 true(참에 해당)와 false(거짓에 해당)이다. bool 형식은 프로그램의 실행을 특정 조건에 따라 분기(branch)하는 if 문에 흔히 쓰인다. 다음이 그러한 예이다.

```
bool simpleVar = false;
if (simpleVar)
  Console.WriteLine ("이것은 출력되지 않음");

int x = 5000;
bool lessThanAMile = x < 5280;
if (lessThanAMile)
  Console.WriteLine ("이것은 출력됨");
```

C#은 기정의 형식(내장 형식이라고도 한다)들의 이름을 키워드로 간주한다. .NET Framework의 System 이름공간에는 C#이 미리 정의하지 않은 여러 주요 형식들이 들어 있다(이를테면 DateTime 등).

커스텀 형식 예제

간단한 함수들을 이용해서 복잡한 함수를 만드는 것과 마찬가지로, 기본 형식들을 조합해서 복잡한 형식을 만들어 낼 수 있다. 이번 예제에서는 단위 변환을 위한 청사진 역할을 하는 UnitConverter라는 커스텀 형식을 정의해 본다.

```
using System;

public class UnitConverter
{
  int ratio;                                                // 필드
  public UnitConverter (int unitRatio) {ratio = unitRatio; } // 생성자
  public int Convert   (int unit)    {return unit * ratio; } // 메서드
}

class Test
{
  static void Main()
  {
    UnitConverter feetToInchesConverter = new UnitConverter (12);
    UnitConverter milesToFeetConverter  = new UnitConverter (5280);

    Console.WriteLine (feetToInchesConverter.Convert(30));    // 360
    Console.WriteLine (feetToInchesConverter.Convert(100));   // 1200
    Console.WriteLine (feetToInchesConverter.Convert(
                       milesToFeetConverter.Convert(1)));     // 63360
  }
}
```

형식의 멤버

하나의 형식은 임의의 개수의 멤버member(구성원)들로 이루어진다. 형식의 멤버는 크게 **자료 멤버**(data member)와 **함수 멤버**(function member)로 나뉘는데, `UnitConverter`의 경우 단위 변환 비율에 해당하는 `ratio`라는 이름의 **필드**field가 자료 멤버이고 메서드 `Convert`와 `UnitConverter` **생성자**(constructor)는 함수 멤버이다.

기정의 형식과 커스텀 형식의 대칭성

C#의 한 가지 아름다운 측면은, 기정의 형식과 커스텀 형식의 차이가 별로 없다는 점이다. 미리 정의된 `int` 형식은 정수를 위한 청사진 역할을 한다. 이 형식은 32비트 자료를 담으며, 그러한 자료를 사용하는 함수 멤버들(이를테면 `ToString` 등)을 제공한다. 마찬가지로, 커스텀 형식 `UnitConverter`는 단위 변환을 위한 청사진 역할을 한다. 이 형식은 자료(변환 비율)를 담으며, 그 자료를 사용하는 함수 멤버들을 제공한다.

생성자와 인스턴스화

프로그램의 자료는 형식을 **인스턴스화**(instantiation)함으로써 생성된다. 기정의 형식은 그냥 12나 `"Hello world"` 같은 리터럴을 사용해서 직접 인스턴스화할 수 있다. 반면 `UnitConverter` 형식의 인스턴스는 다음과 같은 문장을 통해서 선언하고 생성한다.

```
UnitConverter feetToInchesConverter = new UnitConverter (12);
```

`new` 연산자는 주어진 형식을 인스턴스화한다. 그 결과를 인스턴스 또는 객체(object)라고 부른다. `new` 연산자는 주어진 인수로 객체의 **생성자**를 호출해서 인스턴스화를 수행한다. 생성자는 메서드처럼 함수 멤버이되, 이름과 반환 형식이 항상 해당 형식 자체와 동일하다.

```
public class UnitConverter
{
  ...
  public UnitConverter (int unitRatio) { ratio = unitRatio; }
  ...
}
```

인스턴스 멤버와 정적 멤버

형식의 **인스턴스**에 속하거나 작용하는 자료 멤버나 함수 멤버를 인스턴스 멤버(instance member)라고 부른다. `UnitConverter`의 `Convert` 메서드와 `int`의 `ToString` 메서드가 인스턴스 멤버의 예이다. 형식의 멤버는 기본적으로 인스턴스 멤버이다.

형식의 인스턴스가 아니라 형식 자체에 속하거나 작용하는 자료 멤버와 함수 멤버도 있다. 정적 멤버(static member)라고 부르는 그런 멤버는 반드시 `static` 키워드를 붙여서 선언해야 한다. `Test.Main` 메서드와 `Console.WriteLine` 메서드가 정적 멤버의 예로, 이런 메서드들을 정적 메서드라고 부른다. 사실 `Console` 클래스는 클래스 자체가 하나의 **정적 클래스**(static class)이다. 정적 클래스는 **모든** 멤버가 정적 멤버인 클래스를 뜻한다. 프로그램에서 `Console`의 인스턴스를 생성할 일은 없다. 응용 프로그램 전체에서 하나의 콘솔을 공유하기 때문이다.

그럼 인스턴스 멤버와 정적 멤버의 차이점을 살펴보자. 다음 예제에서 인스턴스 필드 `Name`은 `Panda`의 특정 인스턴스에 속하지만 `Population`은 `Panda`의 모든 인스턴스에 속한다.

```
public class Panda
{
  public string Name;             // 인스턴스 필드
  public static int Population;   // 정적 필드

  public Panda (string n)         // 생성자
  {
    Name = n;                     // 인스턴스 필드에 배정
    Population = Population + 1;  // 정적 필드 Population을 증가
  }
}
```

다음 예제 코드는 `Panda`의 인스턴스 두 개를 생성해서 각각의 이름을 출력하고 총 개체수(population)를 출력한다.

```
using System;

class Test
{
  static void Main()
  {
    Panda p1 = new Panda ("Pan Dee");
    Panda p2 = new Panda ("Pan Dah");

    Console.WriteLine (p1.Name);      // Pan Dee
```

```
    Console.WriteLine (p2.Name);      // Pan Dah

    Console.WriteLine (Panda.Population);   // 2
  }
}
```

이 정적 필드들을 인스턴스에 대해 사용하려 하면, 즉 p1.Population이나 Panda.Name을 평가하려 하면 컴파일 시점 오류가 발생한다.

public 키워드

public 키워드는 해당 멤버를 다른 클래스들에 노출한다. 즉, 그 멤버를 '공용(public)' 멤버로 만든다. 지금 예제에서 만일 Panda의 Name 필드에 public 키워드를 적용하지 않았다면 Test 클래스가 그 필드에 접근할 수 없었을 것이다. 형식의 멤버에 public을 지정한다는 것은 "이 멤버는 다른 형식들도 볼 수 있다. 그 외의 모든 것은 이 형식만의 전용(private) 구현 세부사항이다"라고 선포하는 것과 같다. 객체 지향 용어로 말하자면, 클래스의 공용 멤버들은 클래스의 전용 멤버들을 **캡슐화**(encapsulation)한다.

변환

C#에서 한 형식의 인스턴스를 그 형식과 호환되는 다른 형식의 인스턴스로 변환할 수 있다. 그러한 변환(conversion)은 새로운 인스턴스를 생성한다. 기존 인스턴스는 새 인스턴스를 생성하는 데 필요한 자료를 제공할 뿐, 사라지지 않고 그대로 남는다. 변환은 크게 **암묵적**(implicit; 또는 암시적) 변환과 **명시적**(explicit) 변환으로 나뉜다. 암묵적 변환은 자동으로 일어나지만, 명시적 변환은 프로그래머가 명시적으로 **캐스팅**[casting]을 지정해야 일어난다. 다음은 int에서 long 형식(용량, 즉 비트 수가 int의 두 배인 정수 형식)으로의 암묵적 변환과 int에서 short 형식(용량이 int의 절반인)으로의 캐스팅을 보여주는 예이다.

```
int x = 12345;        // int는 32비트 정수
long y = x;           // 64비트 정수로의 암묵적 변환
short z = (short)x;   // 16비트 정수로의 명시적 변환
```

다음 두 조건이 모두 참이면 컴파일러는 암묵적 변환을 허용한다.

- 변환이 성공할 것임을 컴파일러가 보장할 수 있다.

- 변환에 의해 그 어떤 정보도 손실되지 않는다.[1]

반면, 다음 두 조건 중 하나라도 참이면 반드시 **명시적** 변환을 사용해야 한다.

- 변환이 항상 성공할 것임을 컴파일러가 보장할 수 없다.
- 변환 도중 정보가 소실될 수 있다.

(한편, 변환이 **항상** 실패할 것임을 컴파일러가 확신할 수 있는 상황에서는 두 가지 변환 모두 금지된다. 특정 조건에서는 제네릭이 관여하는 변환들도 실패할 수 있는데, 이에 대해서는 제3장의 '형식 매개변수와 변환(p.152)'에서 이야기한다.)

지금 예제에 나온 **수치 변환**(numeric conversion)은 언어 자체에 내장된 기능이다. 이외에 C#은 **참조 변환**(reference conversion)과 **박싱 변환**(boxing conversion; 제3장 참고), 그리고 **커스텀 변환**(제4장의 '연산자 중복적재(p.210)' 참고)도 지원한다. 커스텀 변환에서는 컴파일러가 방금 말한 규칙들을 강제하지 않으므로, 형식을 잘못 설계했다면 변환이 프로그래머의 의도와는 다르게 일어날 수도 있다.

값 형식과 참조 형식

C#의 모든 형식은 다음 범주 중 하나에 속한다.

- 값 형식
- 참조 형식
- 제네릭 형식 매개변수
- 포인터 형식

이번 절에서는 값 형식과 참조 형식만 이야기한다. 제네릭 형식 매개변수는 제3장의 '제네릭(p.143)'에서, 포인터 형식 매개변수는 제4장의 '비안전 코드와 포인터(p.233)'에서 다룬다.

거의 모든 내장 형식(특히, 모든 수치 형식과 `char` 형식, `bool` 형식), 그리고 커스텀 `struct`(구조체)와 `enum`(열거형) 형식는 **값 형식**(value type)이다.

1 사소한 주의점 하나로, 암묵적 변환에서도 `long` 형식의 아주 큰 값을 `double`로 변환할 때에는 정밀도(precision)가 조금 손실될 수 있다.

모든 클래스, 배열, 대리자, 인터페이스 형식은 **참조 형식**(reference type)이다. (미리 정의된 `string` 형식도 참조 형식이다.)

값 형식과 참조 형식의 근본적인 차이는 메모리 안에서 해당 형식의 인스턴스가 처리되는 방식에 있다.

값 형식

값 형식 변수나 상수의 내용은 그냥 값이다. 예를 들어 내장 값 형식 `int` 변수는 그냥 32비트 자료를 담는다.

`struct` 키워드를 이용하면 커스텀 값 형식을 정의할 수 있다(그림 2-1 참고).

```
public struct Point { public int X; public int Y; }
```

이를 다음과 같이 좀 더 간결하게 표기할 수도 있다.

```
public struct Point { public int X, Y; }
```

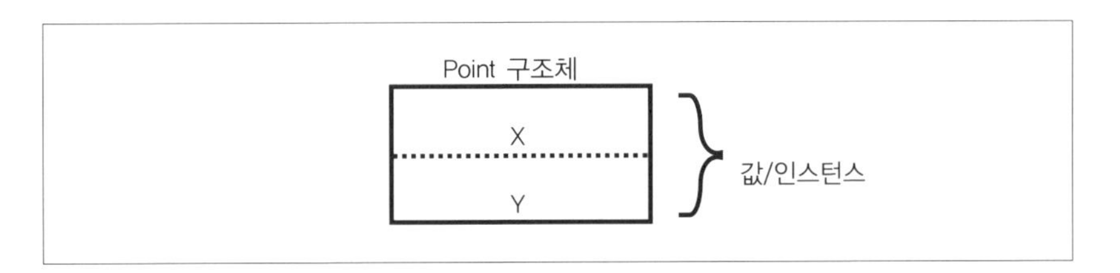

그림 2-1 값 형식 인스턴스의 메모리 구조

값 형식 인스턴스를 배정하면 항상 해당 인스턴스가 **복사**된다. 다음은 이 점을 보여주는 예제이다.

```
static void Main()
{
  Point p1 = new Point();
  p1.X = 7;

  Point p2 = p1;             // 배정에 의해 복사가 수행됨

  Console.WriteLine (p1.X);  // 7
  Console.WriteLine (p2.X);  // 7

  p1.X = 9;                  // p1.X를 변경

  Console.WriteLine (p1.X);  // 9
  Console.WriteLine (p2.X);  // 7
}
```

그림 2-2에서 보듯이, p1과 p2는 각자 개별적인 장소에 저장된다.

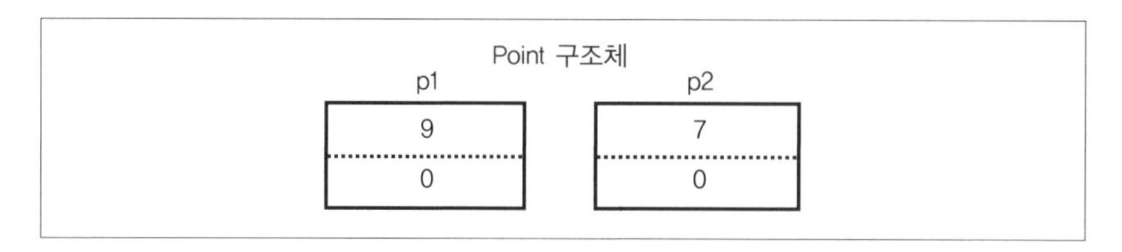

그림 2-2 값 형식의 인스턴스를 배정하면 복사가 일어난다.

참조 형식

참조 형식은 두 부분으로 이루어진다는 점에서 값 형식보다 좀 더 복잡하다. 참조 형식은 **객체**와 그 객체를 참조하는(지칭하는 또는 가리키는) **참조**로 이루어진다. 참조 형식 변수나 상수의 내용은 값을 담고 있는 객체를 가리키는 참조이다. 다음은 앞에 나온 예제의 Point 형식을 구조체(struct)가 아니라 클래스(class)로 다시 작성한 것이다(그림 2-3 참고).

```
public class Point { public int X, Y; }
```

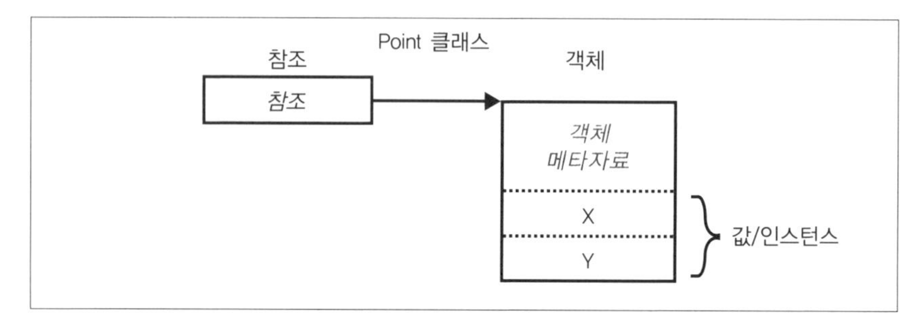

그림 2-3 참조 형식 인스턴스의 메모리 구조

참조 형식 변수를 배정하면 참조만 복사되고 객체 인스턴스는 복사되지 않는다. 이 덕분에 같은 객체를 여러 개의 변수가 참조할 수 있다. 값 형식으로는 그런 일이 불가능하다(적어도 보통의 방법으로는). 다음은 이전 예제에서 했던 일을 이제는 클래스인 Point 형식으로 다시 수행한 것이다. 이번에는 p1에 대한 연산이 p2에도 영향을 미친다.

```
static void Main()
{
  Point p1 = new Point();
```

```
    p1.X = 7;

    Point p2 = p1;              // p1의 참조를 복사

    Console.WriteLine (p1.X);  // 7
    Console.WriteLine (p2.X);  // 7

    p1.X = 9;                   // p1.X를 변경

    Console.WriteLine (p1.X);  // 9
    Console.WriteLine (p2.X);  // 9
  }
```

그림 2-4는 p1과 p2가 같은 객체를 가리키는 두 개의 참조임을 보여준다.

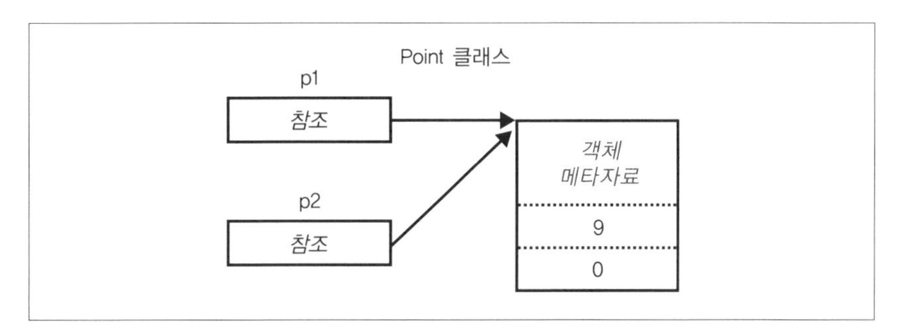

그림 2-4 참조 형식의 인스턴스를 배정하면 참조만 복사된다.

널 참조

참조 변수에 리터럴 null을 배정할 수 있다. 이는 그 참조가 아무 객체도 가리키지 않음을 뜻한다.

```
class Point {...}
...

Point p = null;
Console.WriteLine (p == null);   // True

// 다음 줄은 실행시점 오류를 발생한다.
// (NullReferenceException 예외가 던져짐)
Console.WriteLine (p.X);
```

반면, 보통의 경우 값 형식에는 널 값을 배정할 수 없다.

```
struct Point {...}
...
```

```
Point p = null;  // 컴파일 시점 오류
int x = null;    // 컴파일 시점 오류
```

C#에는 값 형식 널을 표현하기 위한 **널 가능 형식**(nullable type)이라는 코드 구축 요소가 있다(제4장의 '널 가능 형식(p.203)' 참고).

저장 추가부담

값 형식 인스턴스는 필드들을 저장하는 데 필요한 만큼의 메모리만 차지한다. 다음 예제에서 Point는 8바이트의 메모리를 차지한다.

```
struct Point
{
  int x;  // 4바이트
  int y;  // 4바이트
}
```

엄밀히 말하면 CLR은 형식 안의 필드들을 해당 필드 크기(최대 8바이트)의 배수에 해당하는 주소에 배치한다. 따라서 다음 구조체는 실제로는 16바이트를 소비한다(첫 필드 다음의 일곱 바이트가 "낭비된다").

```
struct A { byte b; long l; }
```

StructLayout 특성을 이용하면 이러한 행동을 다른 방식으로 바꿀 수 있다(제25장의 '구조체를 비관리 메모리에 대응(p.1255)' 참고).

참조 형식에서는 참조를 담는 메모리와 객체를 담는 메모리가 반드시 개별적으로 할당된다. 객체는 자신의 필드들에 필요한 만큼의 바이트들과 참조 관리에 필요한 추가 자료들을 담을 바이트들을 소비한다. 후자, 즉 추가부담의 정확한 크기는 .NET 런타임의 내부 구현 세부사항이지만, 객체의 형식에 대한 키와 기타 임시적인 정보(이를테면 다중 스레드 적용을 위한 잠금 상태와 쓰레기 수거기의 수거 대상에서 제외되었는지를 뜻하는 플래그 등)를 담기 위해 적어도 8바이트는 필요하다. 객체에 대한 각각의 참조마다 .NET 런타임이 32비트 플랫폼에서 실행되는지 아니면 64비트 플랫폼에서 실행되는지에 따라 4바이트 또는 8바이트가 더 필요하다.

미리 정의된 형식의 분류

C#의 기정의 형식들은 다음과 같이 분류된다.

값 형식

- 수치
  - 부호 있는 정수(sbyte, short, int, long)
  - 부호 없는 정수 (byte, ushort, uint, ulong)
  - 실수(float, double, decimal)
- 논리(bool)
- 문자(char)

참조 형식

- 문자열(string)
- 객체(object)

C#의 기정의 형식들은 System 이름공간에 있는 .NET Framework 형식들과 일대일로 대응된다. 예를 들어 다음 두 문장은 구문(syntax)만 다를 뿐 사실상 동일하다.

```
int i = 5;
System.Int32 i = 5;
```

decimal을 제외한 일단의 기정의 값 형식들을 CLR에서는 **기본 형식**(primitive type)이라고 부른다. 이런 이름이 붙은 것은 컴파일된 코드의 명령들이 이런 형식들을 직접 지원하며, 따라서 바탕 프로세서가 이들을 직접 지원하기 때문이다. 다음은 이 점을 보여주는 예제이다.

```
                    // 바탕 16진 표현
int i = 7;          // 0x7
bool b = true;      // 0x1
char c = 'A';       // 0x41
float f = 0.5f;     // IEEE 부동소수점 부호화가 적용됨
```

그 외에 System.IntPtr 형식과 System.UIntPtr 형식(제25장 참고)도 기본 형식에 속한다.

수치 형식

C#에 미리 정의되어 있는 수치 형식들이 표 2-1에 나와 있다.

표 2-1 C#의 기정의 수치 형식들

C# 형식	시스템 형식	접미사	크기	범위
정수(부호 있음)				
sbyte	SByte		8비트	-2^{7}에서 $2^{7}-1$
short	Int16		16비트	-2^{15}에서 $2^{15}-1$
int	Int32		32비트	-2^{31}에서 $2^{31}-1$
long	Int64	L	64비트	-2^{63}에서 $2^{63}-1$
정수(부호 없음)				
byte	Byte		8비트	0에서 $2^{8}-1$
ushort	UInt16		16비트	0에서 $2^{16}-1$
uint	UInt32	U	32비트	0에서 $2^{32}-1$
ulong	UInt64	UL	64비트	0에서 $2^{64}-1$
실수				
float	Single	F	32비트	±(-10^{-45}에서 10^{38})
double	Double	D	64비트	±(-10^{-324}에서 10^{308})
decimal	Decimal	M	128비트	±(-10^{-28}에서 10^{28})

정수(integral number) 형식들에서 주된 형식은 int와 long이다. C#과 런타임 모두 이 두 형식을 선호한다. 나머지 정수 형식들은 상호운용성을 위해 쓰이거나 공간 효율성이 중요한 경우에 쓰인다.

실수(real number) 형식들에서 주된 형식은 float와 double이다. 이들을 **부동浮動소수점 형식**(floating-point type)이라고 부른다.[2] decimal 형식은 정확한 십진(기수 10) 산술과 높은 정밀도가 요구되는 재무·회계 계산에 주로 쓰인다.

수치 리터럴

정수 리터럴(integral literal)은 십진 표기법은 물론 십육진 표기법도 사용할 수 있다. 십육진 리터럴을 표기할 때에는 접두사 0x를 붙인다. 다음이 그러한 예이다.

```
int x = 127;
long y = 0x7F;
```

2 C# 언어 명세서에는 명시되어 있지 않지만, 엄밀히 말하면 decimal도 부동소수점 형식이다.

실수 리터럴(real literal)에는 십진 소수점 표기법과 지수 표기법을 사용할 수 있다. 다음이 그러한 예이다.

```
double d = 1.5;
double million = 1E06;
```

수치 리터럴 형식의 추론

기본적으로 컴파일러는 주어진 수치 리터럴의 형식을 double 형식 아니면 여러 정수 형식 중 하나로 **추론**(inference)한다. 추론 규칙은 다음과 같다.

- 만일 리터럴에 소수점이나 지수 기호(E)가 있으면 리터럴의 형식은 double로 결정된다.
- 그렇지 않으면 리터럴의 형식은 int, uint, long, ulong(이 순서대로) 중 리터럴의 값을 담을 수 있는 첫 형식으로 결정된다.

몇 가지 예를 보자.

```
Console.WriteLine (        1.0.GetType());  // Double  (double)
Console.WriteLine (       1E06.GetType());  // Double  (double)
Console.WriteLine (          1.GetType());  // Int32   (int)
Console.WriteLine ( 0xF0000000.GetType());  // UInt32  (uint)
Console.WriteLine (0x100000000.GetType());  // Int64   (long)
```

수치 접미사

수치 접미사(numeric suffix)는 리터럴의 형식을 명시적으로 지정하는 데 쓰인다. 수치 접미사는 대소문자를 구분하지 않는다(소문자로 해도 되고 대문자로 해도 된다). 다음은 C#이 지원하는 수치 접미사들이다.

범주	C# 형식	예
F	float	float f = 1.0F;
D	double	double d = 1D;
M	decimal	decimal d = 1.0M;
U	uint	uint i = 1U;
L	long	long i = 1L;
UL	ulong	ulong i = 1UL;

접미사 U와 L이 필요한 경우는 거의 없다. uint, long, ulong 형식은 거의 항상 int로부터 **추론** 또는 **암묵적으로 변환**되기 때문이다.

```
long i = 5;     // int 리터럴에서 long으로의 무손실 암묵적 변환
```

접미사 D는 사실상 불필요하다. 소수점이 있는 모든 리터럴은 double로 추론되며, 수치 리터럴에는 언제라도 소수점을 추가할 수 있기 때문이다.

```
double x = 4.0;
```

가장 유용한 접미사는 F와 M이다. 리터럴의 형식을 float나 decimal로 지정하려면 항상 이 접미사들을 사용해야 한다. 예를 들어 다음 줄에서 F 접미사를 제거하면 컴파일 오류가 발생한다. 리터럴 4.5의 형식은 double 형식으로 추론되는데, double에서 float로의 암묵적 변환은 존재하지 않기 때문이다.

```
float f = 4.5F;
```

십진 소수 리터럴에도 같은 원리가 적용된다.

```
decimal d = -1.23M;     // 접미사 M이 없으면 컴파일되지 않음
```

다음 절에서는 수치 변환의 의미론(semantics)†을 살펴본다.

수치 변환

정수 대 정수 변환

대상 형식이 원본 형식의 모든 값을 표현할 수 있는 경우에는 정수 변환이 **암묵적**으로 일어난다. 그렇지 않은 경우에는 **명시적** 변환이 필요하다. 예를 들면 다음과 같다.

```
int x = 12345;       // int는 32비트 리터럴
long y = x;          // 64비트 정수로의 암묵적 변환
short z = (short)x;  // 16비트 정수로의 명시적 변환
```

부동소수점 대 부동소수점 변환

float에서 double로는 암묵적인 변환이 가능하다. double이 float의 모든 값을 표현할 수 있기 때문이다. 그러나 그 반대 방향의 변환은 반드시 명시적이어야 한다.

---

† (옮긴이) 프로그래밍 언어와 관련된 문맥에서 의미론은 어떤 연산이나 코드 조각의 '실행시점에서의 작동 방식'을 뜻하는 용어로, 컴파일 시점에서의 코드의 구조와 형태를 말해주는 '구문론(syntax)'의 반대말이라 할 수 있다. 많은 경우 그냥 코드의 '의미'를 좀 더 어렵게 표현한 용어라고 생각해도 된다('실행시점에서의 작동 방식', 즉 코드가 어떤 일을 어떻게 실행하는지가 곧 코드의 의미라는 점에서).

부동소수점 대 정수 변환

모든 정수 형식은 모든 부동소수점 형식으로의 암묵적 변환이 가능하다.

```
int i = 1;
float f = i;
```

그 반대 방향의 변환은 반드시 명시적이어야 한다.

```
int i2 = (int)f;
```

 부동소수점 수를 정수로 캐스팅(명시적 변환)하면 소수부(소수점 이하 부분)가 잘려나간다. 반올림은 수행되지 않는다. 정적 클래스 System.Convert는 여러 수치 형식 사이의 변환 시 반올림을 적용하는 메서드들을 제공한다(제6장 참고).

큰 정수 형식에서 부동소수점 형식으로의 암묵적 변환에서 **크기**(magnitude)는 보존되지만 **정밀도**(precision)는 종종 손실될 수 있다. 이는 정수 형식보다 부동소수점 형식이 크기는 항상 더 크지만 정밀도는 더 낮을 수 있기 때문이다. 다음은 이 점을 보여주기 위해 앞의 예제를 더 큰 수치들로 다시 작성한 것이다.

```
int i1 = 100000001;
float f = i1;          // 크기는 보존되지만 정밀도는 손실됨
int i2 = (int)f;       // 100000000
```

십진 소수 변환

모든 정수 형식은 십진 소수 형식(decimal)으로의 암묵적 변환이 가능하다. 이는 decimal이 C#의 모든 가능한 정숫값을 표현할 수 있기 때문이다. 그 외의 형식들과 십진 소수 형식 사이의 변환은 반드시 명시적이어야 한다.

산술 연산자

8비트 및 16비트 정수 형식을 제외한 모든 수치 형식에는 산술 연산자 +, -, *, /, %가 모두 정의되어 있다.

```
+    더하기
-    빼기
*    곱하기
/    나누기
%    나머지(나누고 남은)
```

증가 연산자와 감소 연산자

증가, 감소 연산자들(++, --)은 주어진 수치 형식을 1씩 증가 또는 감소한다. 이 연산자들을 변수 앞에 둘 수도 있고 뒤에 둘 수도 있다. 연산자의 위치에 따라, 해당 표현식은 증가/감소 **이전** 또는 **이후**의 값으로 평가된다. 예를 들면 다음과 같다.

```
int x = 0, y = 0;
Console.WriteLine (x++);   // 0이 출력됨; x는 이제 1
Console.WriteLine (++y);   // 1이 출력됨; y는 이제 1
```

특화된 정수 연산

정수 나누기

정수 형식에 대한 나눗셈의 결과는 항상 소수부가 잘린(즉, 0으로 내림이 적용된) 값이다. 값이 0인 변수를 제수(나누는 수)로 사용하면 실행시점 오류(DivideByZeroException)가 발생한다.

```
int a = 2 / 3;      // 0

int b = 0;
int c = 5 / b;      // DivideByZeroException 예외를 던짐
```

리터럴 0 또는 값이 0인 **상수**를 제수로 사용하면 컴파일 시점 오류가 발생한다.

정수 넘침

실행시점에서 정수 형식에 대한 산술 연산이 그 형식에 담을 수 없을 정도로 크거나 작은 결과를 내기도 한다. 이를 두고 결과가 "넘쳤다"라고 말한다. 이러한 넘침(overflow)은 조용히 일어난다. 그 어떤 예외도 던져지지 않으며, 연산의 결과는 끝에서 끝으로 '순환(wraparound)'된다. 즉, 마치 더 큰 정수 형식으로 연산을 수행한 후 여분의 유효 자리 비트들을 폐기한 것과 같은 결과가 나온다. 예를 들어 int에 담을 수 있는 가장 작은 값을 다시금 1 감소하면 int에 담을 수 있는 가장 큰 값이 된다.

```
int a = int.MinValue;
a--;
Console.WriteLine (a == int.MaxValue); // True
```

정수 산술 넘침 점검 연산자

표현식이나 문장에 checked 연산자를 지정하면, 실행시점에서 해당 형식의 산술 한계를 넘는 연산이 일어났을 때 넘침이 조용히 처리되는 것이 아니라 OverflowException 예외가 던져진다. checked 연산자는 ++, --, +, -(이항 및 단항), *, / 연산자와 정수 형식들 사이의 명시적 변환 연산자들이 쓰인 표현식에 영향을 미친다.

checked 연산자는 double이나 float 형식(잠시 후 보겠지만, 둘 다 특별한 '무한' 값으로 넘친다)에 아무런 영향을 미치지 않으며, decimal 형식(항상 넘침 점검이 적용된다)에도 아무런 영향을 미치지 않는다.

checked 연산자는 표현식 하나에 적용할 수도 있고 문장 블록에 적용할 수도 있다. 예를 들면 다음과 같다.

```
int a = 1000000;
int b = 1000000;

int c = checked (a * b);      // 이 표현식만 점검

checked                       // 문장 블록 안의
{                             // 모든 표현식을 점검
   ...
   c = a * b;
   ...
}
```

프로그램의 모든 표현식에 기본적으로 산술 넘침 점검이 적용되게 하는 것도 가능하다. 프로그램을 컴파일할 때 명령줄 스위치 /checked+를 지정하면 된다(Visual Studio에서는 '고급 빌드 설정' 대화상자의 '산술 연산 오버플로/언더플로 확인'을 체크). 특정 표현식이나 문장에 대해 점검을 끄고 싶으면 unchecked 연산자를 사용한다. 예를 들어 다음 코드는 /checked+를 지정해서 컴파일해도 예외를 던지지 않는다.

```
int x = int.MaxValue;
int y = unchecked (x + 1);
unchecked { int z = x + 1; }
```

상수 표현식에 대한 산술 넘침 점검

컴파일 시점에서 평가되는 표현식에 대해서는 /checked 컴파일러 스위치와는 무관하게 항상 넘침 점검이 일어난다. 단, unchecked 연산자를 지정하면 점검이 생략된다.

```
int x = int.MaxValue + 1;               // 컴파일 시점 오류
int y = unchecked (int.MaxValue + 1);   // 오류 없음
```

비트별 연산자

C#은 다음과 같은 비트별 연산자(bitwise operator; 또는 비트 단위 연산자)들을 지원한다.

연산자	의미	예제 표현식	결과
~	보수	~0xfU	0xfffffff0U
&	논리곱(AND)	0xf0 & 0x33	0x30
|	논리합(OR)	0xf0 | 0x33	0xf3
^	배타적 논리합(XOR)	0xff00 ^ 0x0ff0	0xf0f0
<<	왼쪽 자리이동	0x20 << 2	0x80
>>	오른쪽 자리이동	0x20 >> 1	0x10

8비트 및 16비트 정수 형식

8비트 및 16비트 정수 형식으로는 byte와 sbyte, short, ushort가 있다. 이 형식들에는 고유한 산술 연산자들이 없으므로, 필요한 경우 C#은 이들을 암묵적으로 더 큰 형식들로 변환한다. 이 때문에, 연산 결과를 작은 정수 형식으로 다시 배정하려 할 때 컴파일 오류가 발생할 수 있다.

```
short x = 1, y = 1;
short z = x + y;          // 컴파일 시점 오류
```

둘째 줄에서 x와 y의 값들은 암묵적으로 int로 변환된다. 그래야 덧셈이 가능해진다. 그러나 덧셈 결과 역시 int이며, C#은 int에서 short로의 암묵적 변환을 허용하지 않는다(자료가 손실될 수 있으므로). 컴파일 오류를 피하려면 다음처럼 캐스팅(명시적 변환)을 적용해야 한다.

```
short z = (short) (x + y);   // OK
```

특별한 부동소수점 값

정수 형식과는 달리 부동소수점 형식에는 특정 연산에서 특별하게 취급되는 값들이 있다. NaN(not a number; 수가 아님), +∞, -∞, -0이 바로 그것이다. float 클래스와 double 클래스에는 이들을 나타내는 상수들(아래 표 참고)이 있으며, 그 외에도 형식의 최댓값과 최솟값, 입실론(해당 형식으로 표현할 수 있는 가장 작은 양의 값)을 나타내는 상수들(순서대로 MaxValue, MinValue, Epsilon)이 있다. 다음은 특별한 값에 해당하는 상수를 사용하는 예이다.

```
Console.WriteLine (double.NegativeInfinity);   // -Infinity
```

특별한 부동소수점 값들을 나타내는 double과 float의 상수들은 다음과 같다.

특별한 값	double 상수	float 상수
NaN	double.NaN	float.NaN
+∞	double.PositiveInfinity	float.PositiveInfinity
-∞	double.NegativeInfinity	float.NegativeInfinity
-0	-0.0	-0.0f

0이 아닌 수를 0으로 나누면 무한대 값이 나온다. 예를 들면 다음과 같다.

```
Console.WriteLine ( 1.0 /  0.0);                  //  Infinity
Console.WriteLine (-1.0 /  0.0);                  // -Infinity
Console.WriteLine ( 1.0 / -0.0);                  // -Infinity
Console.WriteLine (-1.0 / -0.0);                  //  Infinity
```

0을 0으로 나누거나 무한대에서 무한대를 뺀 결과는 NaN이다. 예를 들면 다음과 같다.

```
Console.WriteLine ( 0.0 / 0.0);                  // NaN
Console.WriteLine ((1.0 / 0.0) - (1.0 / 0.0);    // NaN
```

==을 이용해서 상등 판정을 수행할 때 NaN 값은 그 어떤 값과도 상등이 아니게 판정된다. 심지어 다른 NaN 값과도 같지 않다.

```
Console.WriteLine (0.0 / 0.0 == double.NaN);    // False
```

주어진 값이 NaN인지 판정하려면 반드시 float.IsNaN 메서드나 double.IsNaN 메서드를 사용해야 한다.

```
Console.WriteLine (double.IsNaN (0.0 / 0.0));   // True
```

반면 object.Equals를 이용하는 경우에는 두 NaN 값이 상등으로 판정된다.

```
Console.WriteLine (object.Equals (0.0 / 0.0, double.NaN));    // True
```

특별한 경우에 해당하는 값을 나타내는 용도로 NaN이 유용한 경우가 종종 있다. WPF에서 double.NaN은 값이 '자동'으로 결정되는 수치를 뜻한다. 그런 값을 나타내는 또 다른 방법은 널 가능 형식(제4장)을 사용하는 것이다. 또는, 원하는 수치 형식의 값과 함께 추가적인 필드가 있는 커스텀 구조체를 만들어서(제3장) 사용하는 것도 한 방법이다.

float와 double은 거의 모든 프로세서(CPU)가 고유하게 지원하는 IEEE 754 형식 명세를 따른다. 이런 형식들의 행동 방식에 대한 상세한 정보를 *http://www.ieee.org*에서 볼 수 있다.

double과 decimal의 차이

double은 과학 계산(공간 좌표 계산 등)에 유용하다. decimal은 재무·회계 계산과 '인공적인' 값(실제 세계에서 측정한 값이 아니라)들에 유용하다. 다음은 둘의 차이를 요약한 것이다.

범주	double	decimal
내부 표현	기수 2	기수 10
소수小數 정밀도	유효숫자 15~16자리	유효숫자 28~29자리
범위	±(10^{-324}에서 10^{308})	±(10^{-28}에서 10^{28})
특별한 값	+0, -0, +∞, -∞, NaN	없음
속도	프로세서가 직접 지원	프로세서가 직접 지원하지 않음(double보다 약 10배 느림)

실수 반올림 오차

float와 double은 내부적으로 기수 2 체계(2진수)를 이용해서 수치를 표현한다. 따라서 이 형식들은 오직 기수 2로 정확히 표현할 수 있는 수만 정확히 표현할 수 있다. 이 때문에 소수부(기수 10 기반)가 있는 사실상 대부분의 리터럴들이 정확히 표현되지 않는다. 예를 들면 다음과 같다.

```
float tenth = 0.1f;                        // 정확히 0.1이 아님
float one   = 1f;
Console.WriteLine (one - tenth * 10f);     // -1.490116E-08
```

이것이 재무·회계 계산에 float와 double이 적합하지 않은 이유이다. 반면 decimal은 기수 10 체계를 이용해서 수를 표현하기 때문에 기수 10으로(또한 10의 소인수인 기수 2와 기수 5로) 표현할 수 있는 수들을 정확하게 표현할 수 있다. 소스 코드의 실수 리터럴은 기수 10으로 표기되므로, decimal로는 0.1 같은 수를 정확히 표현한다. 그러나 double은 물론이고 decimal 역시, 기수 10 체계에서 순환소수에 해당하는 수는 정확히 표현하지 못한다.

```
decimal m = 1M / 6M;              // 0.1666666666666666666666666667M
double  d = 1.0 / 6.0;            // 0.16666666666666666
```

이런 수들로 계산을 반복하면 반올림 오차가 누적되며,

```
decimal notQuiteWholeM = m+m+m+m+m+m;  // 1.0000000000000000000000000002M
double  notQuiteWholeD = d+d+d+d+d+d;  // 0.99999999999999989
```

그러면 상등 판정이나 관계(대소 비교) 판정이 예상과는 다른 결과를 낸다.

```
Console.WriteLine (notQuiteWholeM == 1M);   // False
Console.WriteLine (notQuiteWholeD < 1.0);   // True
```

부울 형식과 연산자

C#의 bool 형식(System.Boolean 형식의 별칭임; 즉 이름만 다를 뿐 같은 형식임)은 논리적인 참, 거짓을 나타낸다. 이 형식에는 리터럴 true 또는 false를 배정할 수 있다.

부울 형식의 값 하나는 단 1비트의 메모리에 저장할 수 있지만, 런타임은 1바이트를 사용한다(런타임과 프로세서가 효율적으로 다를 수 있는 최소 단위가 바이트이기 때문이다). 그래서 부울 값들의 배열을 사용할 때에는 저장 공간이 낭비될 수 있다. 이를 피하기 위해 .NET Framework는 BitArray라는 클래스를 제공한다. System.Collections 이름공간에 있는 이 클래스는 부울 값 하나를 저장하는 데 딱 1비트만 사용한다.

부울 변환

bool 형식에서 수치 형식들로의 캐스팅 변환은 없다. 그 역도 마찬가지이다.

상등 및 관계 연산자

==와 != 연산자는 임의의 형식의 상등 및 부등을 판정하나, 항상 bool 값을 돌려준다.[3] 대체로 값 형식들의 상등 개념은 아주 간단하다.

```
int x = 1;
int y = 2;
int z = 1;
Console.WriteLine (x == y);         // False
Console.WriteLine (x == z);         // True
```

참조 형식의 상등은 기본적으로 **참조**들에 기초한다. 즉, 참조가 가리키는 바탕 객체의 실제 **값**들로 판정을 수행하는 것이 아니다(이에 대해서는 제6장에서 좀 더 이야기한다).

```
public class Dude
{
  public string Name;
  public Dude (string n) { Name = n; }
}
...
Dude d1 = new Dude ("John");
Dude d2 = new Dude ("John");
Console.WriteLine (d1 == d2);       // False
Dude d3 = d1;
Console.WriteLine (d1 == d3);       // True
```

모든 수치 형식은 상등 및 관계 연산자 ==, !=, <, >, >=, <=를 지원한다. 단, 실수에 연산자들을 적용할 때에는 조심할 필요가 있다(이번 장의 '실수 반올림 오차(p.42)'에서 보았듯이). 관계 연산자들은 enum 형식의 멤버들에도 적용할 수 있는데, 이 경우 해당 멤버의 바탕 정수 값이 판정에 쓰인다. 이에 대해서는 제3장의 '열거형(p.137)'에서 설명하겠다.

상등 및 관계 연산자들은 제4장의 '연산자 중복적재(p.210)'와 제6장의 '상등 비교(p.44)' 및 '순서 비교(p.348)'에서 좀 더 자세히 설명한다.

조건 논리 연산자

&& 연산자와 || 연산자는 부울 조건들의 **논리곱**(and; '그리고')과 **논리합**(or; '또는') 연산을 수행한다. 이들은 흔히 **부정**을 뜻하는 ! 연산자와 함께 쓰인다. 다음

3 bool이 아닌 형식을 돌려주도록 이 연산자들을 **중복적재**(overload)하는 것도 가능하지만(제4장), 실무에서 그런 식의 중복적재가 쓰이는 경우는 거의 없다.

예제에서 UseUmbrella 메서드는 만일 바람이 불지(windy) 않으면(바람이 불면 우산이 필요 없으므로), '그리고' 비가 오거나(rainy) '또는' 날이 맑으면(sunny; 우산을 양산처럼 사용할 수도 있으므로) true를 돌려준다.

```
static bool UseUmbrella (bool rainy, bool sunny, bool windy)
{
  return !windy && (rainy || sunny);
}
```

가능한 경우에는 && 연산자와 || 연산자에 대해 **평가 단축**(short-circuit evaluation)이 일어난다. 앞의 예에서 만일 바람이 불면(windy가 true) 부분 표현식 (rainy || sunny)는 아예 평가되지 않는다(그 부분 표현식과는 무관하게 전체 표현식이 거짓이 되므로). 다음과 같은 표현식이 NullReferenceException을 던지지 않고 잘 실행되는 것은 이러한 평가 단축 특징 때문이다.

```
if (sb != null && sb.Length > 0) ...
```

& 연산자와 | 연산자도 조건들의 **논리곱** 및 **논리합**을 수행한다.

```
return !windy & (rainy | sunny);
```

차이는, 이들에 대해서는 **평가 단축이 일어나지 않는다**는 것이다. 이 때문에 조건 논리 연산자로서의 &와 |는 거의 쓰이지 않는다.

&와 |가 항상 비트별 연산을 수행하는 C나 C++과는 달리, C#에서 bool 표현식에 적용된 & 연산자와 | 연산자는 **부울** 판정을 수행한다. 비트별 연산은 수치 형식에 적용된 경우에만 수행된다.

조건 연산자(삼항 연산자)

조건 연산자(conditional operator; 또는 조건부 연산자) ?:을 삼항 연산자(ternary operator)라고 부르는 경우가 더 많은데, 이는 피연산자가 세 개인 연산자는 이것뿐이기 때문이다. 이 연산자는 q ? a : b 형태로 쓰인다. 이 형태의 표현식은 만일 조건 q가 참이면 a로 평가되고 거짓이면 b로 평가된다. 예를 들면 다음과 같다.

```
static int Max (int a, int b)
{
  return (a > b) ? a : b;
}
```

조건 연산자는 LINQ 질의(제8장)에 특히나 유용하다.

문자열과 문자

C#의 char 형식(System.Char 형식의 별칭임)은 유니코드 문자 하나를 나타낸다. 이 형식은 2바이트를 차지한다. char 형식의 리터럴은 다음 예에서처럼 작은따옴표 쌍 안에 표기한다.

```
char c = 'A';       // 보통의 문자 표기
```

문자 그대로 표현하거나 해석할 수 없는 문자 리터럴 지정하고 싶을 때에는 **탈출 문자열**(escape sequence) 또는 줄여서 '탈출열'†이라는 것을 사용한다. 탈출열은 역슬래시(backslash; '\') 다음에 문자 하나가 오는 형태이며, 그 문자는 해당 문자의 원래 의미와는 다른 특별한 의미로 쓰인다. 예를 들면 다음과 같다.

```
char newLine = '\n';
char backSlash = '\\';
```

C#이 지원하는 탈출열들이 표 2-2에 나와 있다.

표 2-2 탈출열 문자들

문자	의미	값
\'	작은따옴표	0x0027
\"	큰따옴표	0x0022
\\	역슬래시	0x005C
\0	널	0x0000
\a	경보음	0x0007
\b	백스페이스	0x0008
\f	폼 피드form feed	0x000C
\n	새 줄	0x000A
\r	캐리지 리턴carriage return	0x000D
\t	수평 탭	0x0009
\v	수직 탭	0x000B

† (옮긴이) 여기서 '탈출'은 통상적인 리터럴 문자 처리 방식에서 벗어난다는 뜻이다. 즉, 탈출열은 '특별한(통상적이지 않은)' 처리를 요구하는 표기이며, 실제로 '특수 문자(special character)'라고 부르는 문자들을 표기하는 데 주로 쓰인다.

추가로, \u(또는 \x) 탈출열을 이용하면 임의의 유니코드 문자를 표현할 수 있다. 다음 예처럼 해당 문자의 네 자리 16진 유니코드 부호를 지정하면 된다.

```
char copyrightSymbol = '\u00A9';
char omegaSymbol     = '\u03A9';
char newLine         = '\u000A';
```

문자 변환

char에서 수치 형식으로의 암묵적 변환은, 그 수치 형식이 부호 없는 short의 값들을 온전히 담을 수 있는 경우에만 허용된다. 그 외의 수치 형식에 대해서는 명시적 변환이 필요하다.

문자열 형식

C#의 string 형식(제6장에서 자세히 다루는 System.String 형식의 별칭)은 유니코드 문자들의 불변이(immutable) 순차열을 나타낸다. 문자열 리터럴은 다음처럼 큰따옴표를 이용해서 지정한다.

```
string a = "Heat";
```

string은 값 형식이 아니라 참조 형식이지만, 상등 연산자는 값 형식 의미론을 따른다.

```
string a = "test";
string b = "test";
Console.Write (a == b);  // True
```

char 리터럴에 사용할 수 있는 유효한 탈출열을 문자열 리터럴에도 사용할 수 있다.

```
string a = "Here's a tab:\t";
```

이는 편리한 기능이지만, 대신 역슬래시 자체를 지정할 때에는 다음처럼 두 번 반복해서 지정해야 한다는 대가가 따른다.

```
string a1 = "\\\\server\\fileshare\\helloworld.cs";
```

이런 번거로움을 피하기 위해 C#은 **축자** 문자열 리터럴(verbatim string literal)을 지원한다. 축자 문자열 리터럴은 @로 시작하는 문자열 리터럴로, 그 안의 모든 문자는 '문자 그대로(축자적으로)' 처리된다. 즉, 축자 문자열은 탈출열을 특별히 처리하지 않는다. 다음은 앞의 문자열과 동일한 축자 문자열이다.

```
string a2 = @ "\\server\fileshare\helloworld.cs";
```

여러 줄로 된 축자 문자열 리터럴도 가능하다.

```
string escaped  = "첫 줄\r\n둘째 줄";
string verbatim = @"첫 줄
둘째 줄";

// IDE가 CR-LF를 행 구분자로 사용한다면 True가 출력됨
Console.WriteLine (escaped == verbatim);
```

축자 리터럴 안에 큰따옴표를 포함하려면 다음처럼 두 번 써주면 된다.

```
string xml = @"<customer id=""123""></customer>";
```

문자열 연결

+ 연산자는 두 문자열을 연결(concatenation)한다.

```
string s = "a" + "b";
```

한 피연산자가 문자열이 아닐 수도 있다. 이 경우 해당 값에 암묵적으로 ToString 이 호출된다. 예를 들면 다음과 같다.

```
string s = "a" + 5;  // a5
```

+ 연산자를 여러 번 되풀이해서 하나의 문자열을 구축하는 것은 비효율적이다. System.Text.StringBuilder 형식(제6장)을 사용하는 것이 더 나은 해법이다.

문자열 보간(C# 6)

$로 시작하는 문자열 리터럴을 **보간된 문자열**(interpolated string)이라고 부른다. 보간된 문자열에는 C#의 표현식을 중괄호쌍으로 감싸서 포함시킬 수 있다.

```
int x = 4;
Console.Write ($"사각형의 변은 {x}개");  // 사각형의 변은 4개
```

유효한 C# 표현식이면 그 어떤 형식이라도 중괄호 쌍 안에 지정할 수 있다. C#은 그 표현식을 해당 ToString 메서드 또는 그에 상응하는 수단을 이용해서 문자열로 변환한다. 표현식 다음에 콜론과 **서식 문자열**(format string)을 붙여서 서식을 변경할 수도 있다(서식 문자열은 제6장의 '서식화와 파싱(p.300)'에서 설명한다).

```
string s = $"255는 십육진수로 {byte.MaxValue:X2}";  // X2는 두 자리 십육진수를 뜻함
// "255는 십육진수로 FF"로 평가됨
```

보간된 문자열은 반드시 한 줄로 완결되어야 한다. 단, 축자 리터럴을 사용하면 여러 줄도 가능하다. 이 경우 접두사 $를 @ 앞에 붙여야 한다.

```
int x = 2;
string s = $@"이 문자열은 총 {
x}행이다";
```

보간된 문자열 안에 중괄호 기호 자체를 포함하려면 해당 기호를 두 번 써주면 된다.

문자열 비교

string은 관계 연산자 <와 >를 지원하지 않는다. 관계 비교를 위해서는 반드시 string의 CompareTo 메서드(제6장)를 사용해야 한다.

배열

배열은 고정된 개수의 변수들을 나타내는 자료구조이다. 배열에 담긴 자료 항목들을 **원소**(element)라고 부른다.† 한 배열의 원소들은 모두 동일한 형식이며, 항상 연속된 메모리 블록에 저장된다. 이 덕분에 특정 원소에 아주 빠르게 접근할 수 있다.

배열은 원소 형식 다음에 대괄호쌍을 지정해서 표기한다. 예를 들면 다음과 같다.

```
char[] vowels = new char[5];    // 문자 5개짜리 배열을 선언
```

대괄호 쌍은 배열에 대한 **색인화**(indexing)에도, 즉 원하는 원소의 위치(색인)를 지정해서 그 원소에 접근하는 데에도 쓰인다.

```
vowels[0] = 'a';
vowels[1] = 'e';
vowels[2] = 'i';
vowels[3] = 'o';
vowels[4] = 'u';
Console.WriteLine (vowels[1]);      // e
```

† (옮긴이) 이 책은 element를 기본적으로 '요소'로 번역하지만, 배열이나 집합에 담긴 element만큼은 관례상 '원소'라고 옮긴다.

이 코드가 'e'를 출력하는 이유는 배열 색인이 0에서 시작하기 때문이다. 배열의 원소들을 차례로 훑을 때에는 흔히 for 루프문을 사용한다. 다음 예제의 for 루프는 정수 i를 0에서 4까지 변화시키면서 루프 안의 문장을 반복한다.

```
for (int i = 0; i < vowels.Length; i++)
  Console.Write (vowels[i]);            // aeiou
```

배열의 Length 속성은 그 배열의 원소 개수(이를 배열의 '크기' 또는 '길이'라고 부르기도 한다)를 돌려준다. 일단 생성된 배열의 크기는 변경할 수 없다. System.Collection 이름공간과 그 하위 이름공간들은 크기를 동적으로 변경할 수 있는 배열이나 사전(dictionary) 같은 고수준 자료구조들을 제공한다.

배열 초기화 표현식(array initialization expression)을 이용하면 배열을 선언하고 그 원소들을 채우는 작업을 한 번에 수행할 수 있다.

```
char[] vowels = new char[] {'a','e','i','o','u'};
```

이를 다음과 같이 더 간단하게 표기하는 것도 가능하다.

```
char[] vowels = {'a','e','i','o','u'};
```

모든 배열은 System.Array 클래스를 상속한다. 이 클래스는 모든 배열을 위한 공통의 서비스들을 제공한다. 그런 서비스들 중에는 배열의 형식과 무관하게 원소를 설정하거나 조회하는 메서드들이 포함되어 있는데, 자세한 사항은 제7장의 'Array 클래스(p.371)'에서 설명한다.

기본 원소 초기화

배열을 생성하면 자동으로 모든 원소가 기본값들로 초기화된다. 원소의 기본값은 원소 형식의 인스턴스가 차지하는 메모리 조각의 모든 비트를 0으로 설정한 것에 해당하는 값이다. 다음은 정수들의 배열을 만드는 예인데, int는 값 형식이므로 총 1,000개의 정수를 담은 하나의 연속적인 메모리 블록이 생성된다. 각 원소의 기본값은 0이다.

```
int[] a = new int[1000];
Console.Write (a[123]);            // 0
```

값 형식 대 참조 형식

배열 원소 형식이 값 형식인지 아니면 참조 형식인지는 성능에 큰 영향을 미친다. 원소 형식이 값 형식이면 모든 원소가 배열 자체의 일부로 할당된다. 예를 들어 다음 배열은 Point 인스턴스 1,000개를 실제로 할당한다.

```
public struct Point { public int X, Y; }
...

Point[] a = new Point[1000];
int x = a[500].X;                  // 0
```

그러나 Point가 클래스라면, 배열은 그냥 널 참조 1,000개만 할당한다.

```
public class Point { public int X, Y; }

...
Point[] a = new Point[1000];
int x = a[500].X;                  // 실행시점 오류; NullReferenceException
```

이 오류를 피하려면 배열을 인스턴스화한 후 1,000개의 Point를 각각 명시적으로 인스턴스화해야 한다.

```
Point[] a = new Point[1000];
for (int i = 0; i < a.Length; i++) // i를 0에서 999로 반복
  a[i] = new Point();              // 배열의 i번 원소에 새 Point를 설정
```

배열 자체는 원소 형식과 무관하게 항상 참조 형식 객체이다. 예를 들어 다음은 적법한 코드이다.

```
int[] a = null;
```

다차원 배열

다차원 배열은 두 종류가 있다. 하나는 **사각형**(rectangular) 배열이고 또 하나는 **가변**(jagged) 배열이다.† 사각형 배열은 *n*차원의(즉, 차원이 *n*개) 메모리 블록을 나타낸다. 가변 배열은 배열들의 배열이다.

† (옮긴이) 두 용어는 MSDN 한국어판을 따른 것인데, 용어 선택에 약간 아쉬움이 있다. 모든 안쪽 배열의 길이가 같다는 점을 나타내는 데에는 그냥 사각형이 아니라 '직사각형'이 더 적합하다(예를 들어 사다리꼴도 사각형이므로). 또한, 가변 배열은 이를테면 실행시점에서 배열의 길이가 변할 수 있는 배열이라고 오해할 여지가 있다. 안쪽 배열들의 길이가 '들쭉날쭉하다(jagged)'는 점을 나타내는 데에는 이를테면 '비균일 배열'이 더 나을 수 있다.

사각형 배열

사각형 배열을 선언할 때에는 하나의 대괄호 쌍 안에 각 차원의 길이를 쉼표로 구분해서 나열한다. 다음은 3×3 크기의 사각형 2차원 배열을 선언하는 예이다.

```
int[,] matrix = new int[3,3];
```

배열의 GetLength 메서드는 지정된 차원(첫 차원이 0번)의 길이를 돌려준다.

```
for (int i = 0; i < matrix.GetLength(0); i++)
  for (int j = 0; j < matrix.GetLength(1); j++)
    matrix[i,j] = i * 3 + j;
```

사각형 배열을 다음과 같이 초기화할 수도 있다(조금 전의 예와 동일한 배열이 만들어진다).

```
int[,] matrix = new int[,]
{
  {0,1,2},
  {3,4,5},
  {6,7,8}
};
```

가변 배열

가변 배열을 선언할 때에는 각 차원의 크기를 개별적인 대괄호 쌍으로 지정한다. 다음은 최외곽 차원의 크기가 3인 가변 2차원 배열을 선언하는 예이다.

```
int[][] matrix = new int[3][];
```

new int[][3]이 아니라 new int[3][]임을 주목하기 바란다. 왜 이런 방식인지에 관해서 에릭 리퍼트[Eric Lippert]가 훌륭한 글을 쓴 적이 있는데, *http://albahari.com/jagged*에서 그 글을 볼 수 있다.

선언 시 안쪽 차원의 크기를 지정하지 않은 이유는, 사각형 배열과는 달리 가변 배열에서는 안쪽 배열들의 길이가 서로 다를 수 있기 때문이다. 각각의 안쪽 배열은 암묵적으로 널로 초기화된다. 빈 배열로 초기화되는 것이 아님을 주의하기 바란다. 따라서 각각의 안쪽 배열을 다음과 같이 명시적으로 초기화해야 한다.

```
for (int i = 0; i < matrix.Length; i++)
{
  matrix[i] = new int[3];                    // 안쪽 배열을 생성
```

```
  for (int j = 0; j < matrix[i].Length; j++)
    matrix[i][j] = i * 3 + j;
}
```

가변 배열을 다음과 같은 형태로 초기화할 수도 있다(방금 나온 배열의 끝에 원소 하나를 더 추가한 것과 같은 배열이 만들어진다).

```
int[][] matrix = new int[][]
{
  new int[] {0,1,2},
  new int[] {3,4,5},
  new int[] {6,7,8,9}
};
```

단순화된 배열 초기화 표현식

배열 초기화 표현식을 좀 더 간결하게 표기하는 방법이 두 가지 있다. 첫 방식은 new 연산자와 형식 이름을 생략하는 것이다.

```
char[] vowels = {'a','e','i','o','u'};

int[,] rectangularMatrix =
{
  {0,1,2},
  {3,4,5},
  {6,7,8}
};

int[][] jaggedMatrix =
{
  new int[] {0,1,2},
  new int[] {3,4,5},
  new int[] {6,7,8}
};
```

둘째 방식은 지역 변수의 형식을 암묵적으로 지정하는 데 쓰이는 var 키워드를 적용하는 것이다. 그러면 컴파일러가 적절한 형식을 지정해 준다.

```
var i = 3;           // i는 암묵적으로 int 형식이다.
var s = "sausage";   // s는 암묵적으로 string 형식이다.

// 따라서:

var rectMatrix = new int[,]    // rectMatrix는 암묵적으로 int[,] 형식이고
{
  {0,1,2},
  {3,4,5},
  {6,7,8}
};
```

```
var jaggedMat = new int[][]    // jaggedMat는 암묵적으로 int[][] 형식이다.
{
  new int[] {0,1,2},
  new int[] {3,4,5},
  new int[] {6,7,8}
};
```

한 단계 더 나아가서, 배열에서는 다음처럼 new 키워드 다음의 형식 이름도 생략할 수 있다. 그러면 컴파일러가 배열 형식을 적절히 **추론**(inference)한다.

```
var vowels = new[] {'a','e','i','o','u'};   // 컴파일러가 char[]를 추론
```

이런 방식이 적법하려면 중괄호 쌍 안의 모든 원소를 하나의 형식으로 암묵적으로 변환할 수 있어야 한다(그리고 그 원소들 중 적어도 하나가 그 형식이어야 하며, 그러한 형식이 될 수 있는 가장 적합한 형식이 단 하나이어야 한다). 예를 들면 다음과 같다.

```
var x = new[] {1,10000000000};   // 모두 long으로 변환 가능
```

색인 범위 점검

배열에 대한 모든 색인 접근(색인화)에 대해 런타임은 색인의 범위를 점검한다. 만일 색인이 유효하지 않으면(범위를 벗어나면) IndexOutOfRangeException 예외를 던진다.

```
int[] arr = new int[3];
arr[3] = 1;               // IndexOutOfRangeException 예외가 발생함
```

Java에서처럼, 이러한 배열 색인 범위 점검은 형식 안전성에 꼭 필요하며, 디버깅을 간단하게 만들어 준다.

일반적으로 이러한 범위 점검이 성능에 미치는 영향은 미미하다. 그리고 JIT(just-in-time) 컴파일러는 루프 진입 이전에 모든 색인이 안전함을 미리 파악해서 각 반복 시 점검을 생략하는 등의 최적화를 수행할 수 있다. 게다가 C#은 범위 점검을 명시적으로 생략할 수 있는 '비안전(unsafe)' 코드를 허용한다(제4장의 '비안전 코드와 포인터(p.233)' 참고).

변수와 매개변수

변수(variable)는 수정 가능한 값을 담는 저장 장소를 대표한다. 변수의 종류로는 **지역 변수**(local variable), **매개변수**(parameter), **필드**field, **배열 원소**가 있다. 매

개변수는 **값 매개변수**, **참조 매개변수**, **출력 매개변수**로 나뉘고 필드는 **인스턴스 필드**와 **정적 필드**로 나뉜다.

스택과 힙

변수들과 상수들은 스택stack과 힙heap이라는 두 가지 저장 공간에 저장된다. 이 둘은 변수의 수명 관리 방식이 아주 다르다.

스택

스택은 지역 변수들과 매개변수들을 담는 메모리 블록이다. 실행의 흐름이 함수에 진입했다가 반환(종료)될 때마다 스택이 논리적으로 자랐다가 다시 줄어든다. 다음 메서드를 생각해 보자(지금 주제에 집중하기 위해 입력 인수의 점검은 생략했다).

```
static int Factorial (int x)
{
  if (x == 0) return 1;
  return x * Factorial (x-1);
}
```

이 메서드는 자기 자신을 호출한다. 이를 재귀적(recursive)이라고 말한다. 실행의 흐름이 이 메서드에 진입할 때마다 새 int 하나가 스택에 할당되며, 메서드에서 벗어날 때마다 그 int가 해제된다.

힙

힙은 **객체**(object; 즉 참조 형식의 인스턴스)들이 저장되는 메모리 블록이다. 프로그램이 새 객체를 생성할 때마다 힙에 그 객체가 할당되고, 객체에 대한 참조가 프로그램에 반환된다. 프로그램이 실행되는 동안 힙은 새로 생성된 객체들로 점차 채워진다. 런타임에는 쓰레기 수거기(garbage collector)가 있어서,† 주기적으로 힙에서 객체들을 해제한다. 이 덕분에 프로그램이 사용할 메모리가 모자라는 사태가 벌어지지 않는다. 그 어떤 '살아 있는(alive; 활성)' 객체도 더 이상 참조하지 않는 객체는 그러한 해제('수거')의 대상이 된다.

† (옮긴이) '수집'이 아니라 '수거'인 이유는 *http://occamsrazr.net/tt/107*을 참고하기 바란다.

다음 예제를 보자. 이 프로그램은 우선 StringBuilder 객체를 하나 생성한다. 이 객체는 ref1이라는 변수가 참조한다. 그런 다음 객체의 내용을 출력한다. 그 이후의 코드에서 이 StringBuilder 객체를 참조하는 변수는 더 이상 쓰이지 않음을 주목하기 바란다. 즉, 이 시점부터 이 객체는 쓰레기 수거의 대상이 된다.

그 다음에는 변수 ref2가 참조하는 또 다른 StringBuilder 객체를 생성하고, 그 참조를 ref3에 복사한다. 비록 그 시점 이후에는 ref2가 더 이상 쓰이지 않지만, ref3 때문에 그 StringBuilder 객체는 여전히 '살아 있는' 상태가 된다. 따라서 그 객체는 ref3이 더 이상 쓰이지 않게 되는 시점까지는 수거 대상이 아니다.

```
using System;
using System.Text;

class Test
{
  static void Main()
  {
    StringBuilder ref1 = new StringBuilder ("object1");
    Console.WriteLine (ref1);
    // ref1이 참조하는 StringBuilder 객체는 이제 쓰레기 수거 대상이다.

    StringBuilder ref2 = new StringBuilder ("object2");
    StringBuilder ref3 = ref2;
    // ref2가 참조하는 StringBuilder 객체는 수거 대상이 아니다.

    Console.WriteLine (ref3);                   // object2
  }
}
```

값 형식 인스턴스와 객체 참조는 변수가 선언된 범위 전체에서 활성 상태를 유지한다. 한편, 배열 원소이거나 어떤 클래스 형식 안에 선언된 필드인 인스턴스는 힙에 저장된다.

C++과는 달리 C#에서는 객체를 명시적으로 삭제(delete)할 수 없다. 참조되지 않는 객체는 언젠가는 쓰레기 수거기가 거두어 간다.

또한, 정적 필드들도 힙에 저장된다. 힙에 할당된 객체들(쓰레기 수거의 대상이 될 수 있는)과는 달리, 이런 값 형식 인스턴스들은 응용 프로그램 도메인† 자체가 해체될 때까지는 계속 활성 상태로 남는다.

† (옮긴이) 응용 프로그램 도메인은 제24장에서 이야기한다. 일단은 프로세스보다 좀 더 작은/가벼운 프로그램 실행 공간/단위라고 생각하기 바란다.

확정 배정

C#은 확정 배정 방침(definite assignment policy)을 강제한다. 실무적인 관점에서 이는, unsafe 문맥 바깥에 있는 코드에서는 초기화되지 않은 메모리에 접근하는 것이 불가능하다는 뜻이다. 다음은 확정 배정 방침에서 비롯되는 세 가지 규칙이다.†

- 지역 변수의 값을 읽으려면, 그 전에 반드시 어떤 값이 변수에 배정되어 있어야 한다.
- 메서드를 호출할 때 함수 인수들을 반드시 지정해야 한다(단, 선택적 인수는 예외이다. 이번 장의 '선택적 매개변수(p.63)'를 참고할 것).
- 그 외의 모든 변수(필드나 배열 원소 등)는 런타임이 자동으로 초기화한다.

예를 들어 다음 코드는 컴파일 시점 오류를 발생한다.

```
static void Main()
{
  int x;
  Console.WriteLine (x);        // 컴파일 시점 오류
}
```

필드와 배열 원소는 자동으로 해당 형식의 기본값으로 초기화된다. 다음 코드는 0을 출력하는데, 이는 배열 원소들에 암묵적으로 해당 기본값이 배정되기 때문이다.

```
static void Main()
{
  int[] ints = new int[2];
  Console.WriteLine (ints[0]);    // 0
}
```

필드에도 암묵적으로 기본값이 배정되므로 다음 예제는 0을 출력한다.

```
class Test
{
  static int x;
  static void Main() { Console.WriteLine (x); }   // 0
}
```

† (옮긴이) 어떤 변수가 '확정 배정'이라는 것은, 그 변수에 뭔가가 배정됨이 확실하다는 뜻이다. 좀 더 구체적으로, 주어진 변수가 자동으로 초기화되거나 배정이 적어도 한 번은 수행됨을 컴파일러가 소스 코드의 정적 분석을 통해서 '증명'할 수 있다면 그 변수는 확정 배정된 것이다. 그러한 증명에는 수많은 규칙이 관여하기 때문에, 확정 배정을 세세하게 이해하는 것은 어려운 일이다. 이 책에서도 확정 배정은 이번 절에서만 언급된다. 이 책의 목적에서는 이것이 프로그램의 안전성과 관련이 있다는 점과 함께 이 세 가지 규칙만 기억하면 될 것이다.

기본값

모든 형식에는 기본값이 있다. 기정의 형식의 기본값은 해당 메모리의 모든 비트를 0으로 설정한 것에 해당한다.

형식	기본값
모든 참조 형식	null
모든 수치 형식과 열거형	0
char 형식	'\0'
bool 형식	false

임의 형식의 기본값을 default 키워드를 이용해서 얻을 수 있다(실무에서 이는 제3장에서 다루는 제네릭과 함께 사용할 때 유용하다).

```
decimal d = default (decimal);
```

커스텀 값 형식(이를테면 struct)의 기본값은 그 형식이 정의하는 각 필드의 기본값들로 구성된다.

매개변수

메서드를 선언할 때에는 괄호 쌍 안에 매개변수들의 목록을 지정한다. 매개변수 목록은 그 메서드를 호출할 때 반드시 제공해야 하는 인수(argument)들이 어떤 것인지 정의한다. 다음 예에서 메서드 Foo에는 int 형식의 p라는 매개변수가 하나 있다.

```
static void Foo (int p)
{
  p = p + 1;                  // p를 1 증가
  Console.WriteLine (p);      // p를 화면에 출력
}

static void Main()
{
  Foo (8);                   // 8을 인수로 해서 Foo를 호출
}
```

인수가 매개변수로 전달되는 방식을 ref 수정자(modifier)나 out 수정자를 이용해서 구체적으로 지정할 수 있다.

매개변수 수정자	전달 방식	확정 배정이 필요한 매개변수
(없음)	값	입력
ref	참조	입력
out	참조	출력

인수를 값으로 전달

기본적으로 C#의 인수들은 **값으로 전달**(pass by value)된다. 지금까지의 예제들에서 가장 흔히 쓰인 방식이 바로 이 값 전달이다. 값 전달 방식에서는 인수로 지정된 값의 복사본이 메서드의 매개변수에 배정된다.

```
class Test
{
  static void Foo (int p)
  {
    p = p + 1;                // p를 1 증가
    Console.WriteLine (p);    // p를 화면에 출력
  }

  static void Main()
  {
    int x = 8;
    Foo (x);                  // x의 복사본이 전달된다.
    Console.WriteLine (x);    // x는 여전히 8이다.
  }
}
```

매개변수 p에 새 값을 배정해도 x의 내용이 변하지는 않는다. p와 x는 서로 다른 메모리 장소에 있기 때문이다.

참조 형식의 인수를 값으로 전달하면 **참조**의 복사본이 전달된다. 객체의 복사본은 만들어지지 않는다. 다음 예에서 Foo는 Main에서 만든 것과 동일한 StringBuilder 객체를 보게 된다. 단, 그 객체를 가리키는 **참조** 자체는 Main의 것과 다르다. 다른 말로 하면, sb와 fooSB는 동일한 StringBuilder 객체를 참조하는 개별적인 변수들이다.

```
class Test
{
  static void Foo (StringBuilder fooSB)
  {
    fooSB.Append ("test");
    fooSB = null;
  }
```

```
    static void Main()
    {
      StringBuilder sb = new StringBuilder();
      Foo (sb);
      Console.WriteLine (sb.ToString());    // test
    }
  }
```

fooSB는 참조의 복사본이므로, 여기에 null을 설정해도 sb가 널이 되지는 않는다. (그러나 매개변수 목록에서 fooSB를 ref 수정자와 함께 선언했다면 sb도 널이 된다.)

ref 수정자

인수를 매개변수에 **참조로 전달**(pass by reference)하려는 경우를 위해 C#은 ref라는 매개변수 수정자를 제공한다. 다음 예제에서 p와 x는 같은 메모리 장소를 참조한다.

```
class Test
{
  static void Foo (ref int p)
  {
    p = p + 1;                // p를 1 증가
    Console.WriteLine (p);    // p를 화면에 출력
  }

  static void Main()
  {
    int x = 8;
    Foo (ref  x);             // Foo에게 x를 직접 수정하라고 알려준다.
    Console.WriteLine (x);    // x는 이제 9이다.
  }
}
```

p에 새 값을 배정하면 이번에는 x의 내용이 변한다. 함수 정의뿐만 아니라 함수를 호출하는 곳에서도 ref 수정자를 지정해야 함을 주목하기 바란다.[4] 이 덕분에 코드의 의도가 좀 더 명확하게 드러난다.

ref 수정자는 교환(swap) 메서드를 구현하는 데 꼭 필요하다(이후에 제3장의 '제네릭(p.143)'에서 임의의 형식에 대해 작동하는 교환 메서드를 작성하는 방법을 배우게 될 것이다).

4 단, COM 메서드를 호출할 때에는 예외이다. 이에 관해서는 제25장에서 논의한다.

```
class Test
{
  static void Swap (ref string a, ref string b)
  {
    string temp = a;
    a = b;
    b = temp;
  }

  static void Main()
  {
    string x = "Penn";
    string y = "Teller";
    Swap (ref x, ref y);
    Console.WriteLine (x);   // Teller
    Console.WriteLine (y);   // Penn
  }
}
```

> ✓ 매개변수는 그 형식이 참조 형식이든 값 형식이든 무관하게 값으로 전달할 수도 있고 참조로 전달할 수도 있다.

out 수정자

out 매개변수는 ref 매개변수와 비슷하되, 다음과 같은 차이가 있다.

- 함수 진입 전에는 배정되지 않아도 된다.
- 함수 밖으로 나가기(*out*) 전에 반드시 배정되어야 한다.

out 수정자의 주된 용도는 한 메서드가 여러 개의 값을 호출자에게 돌려주는 것이다. 다음이 그러한 예이다.

```
class Test
{
  static void Split (string name, out string firstNames,
                     out string lastName)
  {
     int i = name.LastIndexOf (' ');
     firstNames = name.Substring (0, i);
     lastName   = name.Substring (i + 1);
  }

  static void Main()
  {
    string a, b;
    Split ("Stevie Ray Vaughan", out a, out b);
    Console.WriteLine (a);                      // Stevie Ray
    Console.WriteLine (b);                      // Vaughan
  }
}
```

ref 매개변수처럼 out 매개변수도 참조 전달 방식이다.

참조 전달이 미치는 영향

어떤 인수를 참조로 전달하면 새 저장 장소가 생성되는 것이 아니라 기존 변수의 저장 장소에 대한 '별칭(alias)'이 만들어질 뿐이다. 다음 예에서 변수 x와 y는 동일한 인스턴스를 나타낸다.

```
class Test
{
  static int x;

  static void Main() { Foo (out x); }

  static void Foo (out int y)
  {
    Console.WriteLine (x);                // x는 0
    y = 1;                                // y를 변경
    Console.WriteLine (x);                // 이제 x는 1
  }
}
```

params 수정자

수정자 params는 메서드의 마지막 매개변수에만 지정할 수 있다. 이 수정자를 지정하면 메서드는 주어진 특정 형식의 인수들을 임의의 개수로 받아들일 수 있게 된다. 이때 매개변수의 형식은 반드시 배열 형식이어야 한다. 예를 들면 다음과 같다.

```
class Test
{
  static int Sum (params int[] ints)
  {
    int sum = 0;
    for (int i = 0; i < ints.Length; i++)
      sum += ints[i];                     // sum을 ints[i]만큼 증가
    return sum;
  }

  static void Main()
  {
    int total = Sum (1, 2, 3, 4);
    Console.WriteLine (total);            // 10
  }
}
```

params 매개변수에 대한 인수로 보통의 배열을 사용할 수도 있다. 다음은 Main의 첫 줄과 동일한 의미이다.

```
int total = Sum (new int[] { 1, 2, 3, 4 } );
```

선택적 매개변수

C# 4.0부터 메서드와 생성자, 인덱서(제3장)에서 **선택적 매개변수**(optional parameter; 생략 가능 매개변수)를 지정할 수 있게 되었다. 다음 예처럼 선언 시 **기본값**(default value)을 지정하면 선택적 매개변수가 된다.

```
void Foo (int x = 23) { Console.WriteLine (x); }
```

이러한 선택적 매개변수에 대해서는 메서드 호출 시 인수 지정을 생략할 수 있다.

```
Foo();     // 23
```

기본 인수인 23은 선택적 매개변수 x에 **실제로 전달된다**. 컴파일러는 코드를 컴파일할 때 **호출하는** 쪽에 23이라는 값을 직접 집어넣는다. 위의 Foo 호출은 다음과 같은 의미이다.

```
Foo (23);
```

즉, 선택적 매개변수가 있는 함수를 해당 인수 없이 호출하면 컴파일러가 선택적 매개변수의 기본값을 인수가 있을 자리에 그대로 대입한다.

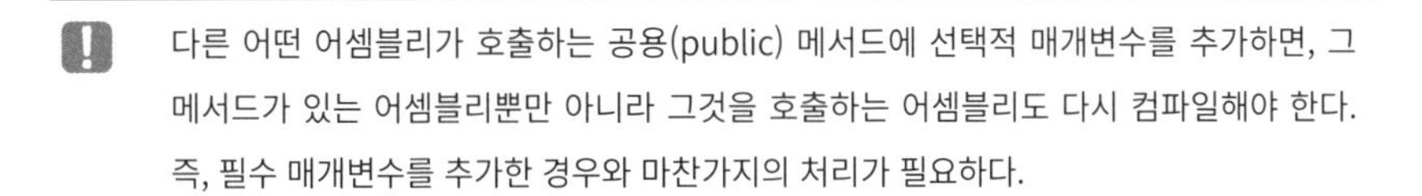

다른 어떤 어셈블리가 호출하는 공용(public) 메서드에 선택적 매개변수를 추가하면, 그 메서드가 있는 어셈블리뿐만 아니라 그것을 호출하는 어셈블리도 다시 컴파일해야 한다. 즉, 필수 매개변수를 추가한 경우와 마찬가지의 처리가 필요하다.

선택적 매개변수의 기본값은 반드시 상수 표현식이거나 값 형식의 매개변수 없는 생성자이어야 한다. 선택적 매개변수에는 ref나 out 수정자를 붙일 수 없다.

매개변수 목록에서 필수(생략할 수 없는) 매개변수들은 반드시 선택적 매개변수보다 앞에 나와야 한다(단, params 매개변수는 예외이다. params 매개변수는 항상 제일 마지막에 온다). 다음 예에서, 매개변수 x에는 명시적으로 1이 지정되고 y에는 기본값인 0이 전달된다.

```
void Foo (int x = 0, int y = 0) { Console.WriteLine (x + ", " + y); }

void Test()
{
  Foo(1);    // 1, 0
}
```

그 반대 방식(즉, x에는 기본값이, y에는 명시적인 값이 전달)을 원한다면 선택적 인수와 함께 **명명된 인수**(named argument)를 사용해야 한다.

명명된 인수

인수가 어떤 매개변수에 전달되어야 하는지를 인수의 위치로 지정하는 대신 매개변수 이름을 이용해서 지정할 수도 있다. 다음이 그러한 예이다.

```
void Foo (int x, int y) { Console.WriteLine (x + ", " + y); }

void Test()
{
  Foo (x:1, y:2);  // 1, 2
}
```

명명된 인수들은 아무 순서로나 지정해도 된다. 다음의 두 Foo 호출은 동일한 의미이다.

```
Foo (x:1, y:2);
Foo (y:2, x:1);
```

단, **호출** 지점(메서드를 호출하는 쪽)에서 인수 표현식들이 평가되는 순서에 따라 미묘한 차이가 생길 수 있다. 일반적으로 이런 문제는 다음 예처럼 부수 효과가 있는 표현식들이 서로 의존하는 경우에만 발생한다. 다음 코드는 0, 1을 출력한다.

```
int a = 0;
Foo (y: ++a, x: --a);  // ++a가 먼저 평가됨
```

물론 실무에서는 가능하면 이런 미묘한 코드를 작성하지 않는 것이 바람직하다.

명명된 인수와 위치 인수를 섞어서 쓸 수도 있다.

```
Foo (1, y:2);
```

그러나 제약이 있다. 반드시 위치 인수가 명명된 인수보다 먼저 나와야 한다. 예를 들어 Foo를 다음과 같이 호출하면 안 된다.

```
Foo (x:1, 2);          // 컴파일 시점 오류
```

명명된 인수는 선택적 인수와 함께 사용할 때 특히나 유용하다. 다음과 같은 메서드를 생각해 보자.

```
void Bar (int a = 0, int b = 0, int c = 0, int d = 0) { ... }
```

d의 값만 명시적으로 지정하고 싶다면 다음과 같이 하면 된다.

```
Bar (d:3);
```

이는 COM API를 호출할 때 특히나 편리한데, COM API 호출에 관해서는 제25장에서 상세히 논의한다.

var 키워드를 이용한 지역 변수의 암묵적 형식 지정

변수의 선언과 초기화를 하나의 문장으로 수행하는 경우가 많다. 초기화에 쓰인 표현식으로부터 변수의 형식을 컴파일러가 추론할 수 있는 경우에는 구체적인 형식 이름 대신 var 키워드(C# 3.0에서 도입되었다)를 지정해도 된다. 다음이 그러한 예이다.

```
var x = "hello";
var y = new System.Text.StringBuilder();
var z = (float)Math.PI;
```

이는 다음과 정확히 동일하다.

```
string x = "hello";
System.Text.StringBuilder y = new System.Text.StringBuilder();
float z = (float)Math.PI;
```

이러한 직접적인 일대일 대응관계 때문에, 변수에 암묵적으로 지정된 형식들은 정적 형식에 해당한다. 예를 들어 다음 코드는 컴파일 시점 오류를 발생한다.

```
var x = 5;
x = "hello";    // 컴파일 시점 오류: x는 int 형식
```

변수 선언만 봐서는 그 형식을 연역할 수 없는 경우에는 var가 코드의 가독성을 떨어뜨릴 수 있다. 예를 들어

```
Random r = new Random();
var x = r.Next();
```

에서 x의 형식은 무엇일까?

제4장의 '익명 형식(p.217)'에서는 var를 반드시 사용해야 하는 상황이 나온다.

표현식과 연산자

표현식(expression)은 궁극적으로 하나의 값을 나타낸다. 가장 단순한 종류의 표현식은 상수(리터럴)와 변수이다. 표현식들을 연산자를 이용해서 변환하거나 결합할 수 있다. **연산자**(operator)는 하나 이상의 **입력 피연산자**(operands)들을 받아서 하나의 새 표현식을 돌려준다.

다음은 **상수 표현식**(constant expression)의 예이다.

```
12
```

다음 예처럼, 두 피연산자를 * 연산자로 결합할 수 있다(리터럴 표현식 12와 30이 피연산자들이다).

```
12 * 30
```

어떠한 표현식 자체를 피연산자로 둘 수 있다는 점을 이용해서 좀 더 복잡한 표현식을 구축하는 것도 가능하다. 다음 예에서는 표현식 (12 * 30)이 전체 표현식의 한 피연산자로 쓰였다.†

```
1 + (12 * 30)
```

C#의 연산자들은 피연산자의 수에 따라 **단항**(unary), **이항**(binary), **삼항**(ternary) 연산자로 나뉜다. 순서대로 피연산자가 1개, 2개, 3개이다. 이항 연산자는 항상 **중위**(infix) 표기법을 따른다. 즉, 피연산자가 두 피연산자 **중간**에 놓인다.

기본 표현식

기본 표현식(primary expression), 줄여서 '기본 식'은 말 그대로 기본적인 표현식으로, 더 복잡한 표현식을 구성하는 요소로 쓰인다. 여기에는 언어가 기본적으로 지원하는 연산자들로 구성된 표현식이 포함된다. 다음 예를 보자.

```
Math.Log (1)
```

이 표현식은 두 개의 기본 식으로 구성되어 있다. 첫 기본 식은 . 연산자를 이용해서 멤버 조회(member-lookup)를 수행한다. 둘째 기본 식은 () 연산자를 이용해서 메서드 호출을 수행한다.

† (옮긴이) 이처럼 어떤 표현식을 구성하는 더 작은 표현식을 '부분 표현식(subexpression)'이라고 부른다.

void 표현식

void 표현식은 아무 값으로도 평가되지 않는 표현식이다. 다음이 그러한 예이다.†

```
Console.WriteLine (1)
```

void 표현식은 값이 없으므로, 더 복잡한 표현식을 구축하기 위한 피연산자로는 사용할 수 없다.

```
1 + Console.WriteLine (1)      // 컴파일 시점 오류
```

배정 표현식

배정 표현식은 다른 표현식의 결과를 = 연산자를 이용해서 변수에 배정한다. 예를 들면 다음과 같다.

```
x = x * 5
```

배정 표현식은 void 표현식이 아니다. 배정 표현식은 변수에 배정된 값으로 평가된다. 따라서 다른 표현식의 피연산자로 사용할 수 있다. 다음의 표현식은 x에 2를, y에 10을 배정한다.

```
y = 5 * (x = 2)
```

이런 스타일의 표현식을 이용하면 다음처럼 하나의 값으로 여러 개의 변수를 초기화할 수 있다.

```
a = b = c = d = 0
```

복합 배정 연산자(compound assignment operator)는 배정 연산에 다른 종류의 연산을 결합한 연산을 줄여서 표기하는 것에 해당한다. 다음이 그러한 예이다.

```
x *= 2    // x = x * 2와 같음
x <<= 1   // x = x << 1과 같음
```

(단, 제4장에서 설명하는 **이벤트**와 관련해서 미묘한 예외가 있다. 이벤트의 경우에는 `+=`와 `-=` 연산자가 특별하게 취급되어서, 각각 이벤트의 `add` 접근자와 `remove` 접근자에 대응된다.)

---

† (옮긴이) 이것이 void 표현식인 이유는 `Console.WriteLine`이 아무 값도 돌려주지 않기 때문이다. 다른 말로 하면 반환 형식이 `void`이기 때문인데, 이 점에서 void 표현식이라는 이름이 비롯되었다.

연산자 우선순위와 결합성

하나의 표현식에 여러 개의 연산자가 있는 경우 그 연산자들의 평가 순서는 각각의 **우선순위**(precedence)와 **결합성**(associativity)이 결정한다. 우선순위가 높은 연산자가 낮은 연산자보다 먼저 실행되며, 우선순위가 같은 연산자들의 평가 순서는 연산자의 결합성이 결정한다.

우선순위

다음 표현식은

```
1 + 2 * 3
```

다음과 같이 평가된다. 이는 *의 우선순위가 +의 것보다 높기 때문이다.

```
1 + (2 * 3)
```

왼쪽 결합 연산자

배정, 람다, 널 접합 연산자를 제외한 이항 연산자들은 **왼쪽 결합**(left-associative)이다. 다른 말로 하면, 이런 연산자들은 왼쪽에서 오른쪽으로 평가된다. 예를 들어 다음 표현식은

```
8 / 4 / 2
```

왼쪽 결합성 때문에 다음과 같이 평가된다.

```
( 8 / 4 ) / 2    // 1
```

평가의 순서를 바꾸고 싶으면 다음과 같이 괄호를 명시적으로 지정하면 된다.

```
8 / ( 4 / 2 )    // 4
```

오른쪽 결합 연산자

배정 연산자와 람다, 널 접합 연산자, 조건(삼항) 연산자는 **오른쪽 결합**(right-associative)이다. 다른 말로 하면, 이들은 오른쪽에서 왼쪽으로 평가된다. 오른쪽 결합성 덕분에 다음과 같은 다중 배정이 오류 없이 컴파일된다.

```
x = y = 3;
```

3을 y에 배정하는 연산이 제일 먼저 일어나고, 그다음에 그 표현식의 결과(3)가 x에 배정된다.

연산자 일람표

표 2-3은 C#의 연산자들을 우선순위대로 나열한 것이다. 같은 범주에 있는 연산자들은 우선순위가 같다. 사용자가 중복적재할 수 있는 연산자들은 제4장의 '연산자 중복적재(p.210)'에서 설명한다.

표 2-3 C#의 연산자들(범주들은 우선순위 내림차순으로 나열되어 있음)

범주	연산자 기호	연산자 이름	예	사용자 중복적재 가능
기본	.	멤버 접근	x.y	아니요
	->(비안전)	구조체 포인터	x->y	아니요
	()	함수 호출	x()	아니요
	[]	배열/색인	a[x]	인덱서를 통해
	++	후증가	x++	예
	--	후감소	x--	예
	new	인스턴스 생성	new Foo()	아니요
	stackalloc	비안전 스택 할당	stackalloc(10)	아니요
	typeof	식별자 형식	typeof(int)	아니요
	nameof	식별자 이름	nameof(x)	아니요
	checked	정수 넘침 점검 활성화	checked(x)	아니요
	unchecked	정수 넘침 점검 비활성화	unchecked(x)	아니요
	default	기본값	default(char)	아니요
단항	await	대기	await myTask	아니요
	sizeof	구조체 크기	sizeof(int)	아니요
	?.	널 조건부	x?.y	아니요
	+	양의 값	+x	예
	-	음의 값	-x	예
	!	부정	!x	예
	~	비트별 보수	~x	예
	++	전증가	++x	예
	--	전감소	--x	예
	()	캐스팅	(int)x	아니요
	*(비안전)	역참조	*x	아니요
	&(비안전)	주소	&x	아니요

<table>
<tr><th>범주</th><th>연산자 기호</th><th>연산자 이름</th><th>예</th><th>사용자 중복적재 가능</th></tr>
<tr><td>곱셈·나눗셈</td><td>*</td><td>곱하기</td><td>x * y</td><td>예</td></tr>
<tr><td></td><td>/</td><td>나누기</td><td>x / y</td><td>예</td></tr>
<tr><td></td><td>%</td><td>나머지</td><td>x % y</td><td>예</td></tr>
<tr><td>덧셈·뺄셈</td><td>+</td><td>더하기</td><td>x + y</td><td>예</td></tr>
<tr><td></td><td>-</td><td>빼기</td><td>x - y</td><td>예</td></tr>
<tr><td>자리이동</td><td><<</td><td>왼쪽 자리이동</td><td>x << 1</td><td>예</td></tr>
<tr><td></td><td>>></td><td>오른쪽 자리이동</td><td>x >> 1</td><td>예</td></tr>
<tr><td>대소 관계</td><td><</td><td>미만</td><td>x < y</td><td>예</td></tr>
<tr><td></td><td>></td><td>초과</td><td>x > y</td><td>예</td></tr>
<tr><td></td><td><=</td><td>이하</td><td>x <= y</td><td>예</td></tr>
<tr><td></td><td>>=</td><td>이상</td><td>x >= y</td><td>예</td></tr>
<tr><td></td><td>is</td><td>형식 호환성</td><td>x is y</td><td>아니요</td></tr>
<tr><td></td><td>as</td><td>형식 변환</td><td>x as y</td><td>아니요</td></tr>
<tr><td>상등 관계</td><td>==</td><td>상등</td><td>x == y</td><td>예</td></tr>
<tr><td></td><td>!=</td><td>부등</td><td>x != y</td><td>예</td></tr>
<tr><td>논리곱</td><td>&</td><td>논리곱(AND)</td><td>x & y</td><td>예</td></tr>
<tr><td>배타적 논리합</td><td>^</td><td>배타적 논리합(XOR)</td><td>x ^ y</td><td>예</td></tr>
<tr><td>논리합</td><td>|</td><td>논리합(OR)</td><td>x | y</td><td>예</td></tr>
<tr><td>조건부 논리곱</td><td>&&</td><td>조건부(평가 단축) 논리곱</td><td>x && y</td><td>&를 통해</td></tr>
<tr><td>조건부 논리합</td><td>||</td><td>조건부 논리합</td><td>x || y</td><td>|를 통해</td></tr>
<tr><td>널 접합</td><td>??</td><td>널 접합</td><td>x ?? y</td><td>아니요</td></tr>
<tr><td>조건부</td><td>?:</td><td>조건부</td><td>isTrue ? thenThisValue : elseThisValue</td><td>아니요</td></tr>
<tr><td>배정 및 람다</td><td>=</td><td>배정</td><td>x = y</td><td>아니요</td></tr>
<tr><td></td><td>*=</td><td>자신과 곱하기</td><td>x *= 2</td><td>*를 통해</td></tr>
<tr><td></td><td>/=</td><td>자신을 나누기</td><td>x /= 2</td><td>/를 통해</td></tr>
<tr><td></td><td>+=</td><td>자신에 더하기</td><td>x += 2</td><td>+를 통해</td></tr>
<tr><td></td><td>-=</td><td>자신에서 빼기</td><td>x -= 2</td><td>-를 통해</td></tr>
<tr><td></td><td><<=</td><td>자신을 왼쪽 이동</td><td>x <<= 2</td><td><<를 통해</td></tr>
<tr><td></td><td>>>=</td><td>자신을 오른쪽 이동</td><td>x >>= 2</td><td>>>를 통해</td></tr>
<tr><td></td><td>&=</td><td>자신과 논리곱</td><td>x &= 2</td><td>&를 통해</td></tr>
<tr><td></td><td>^=</td><td>자신과 배타적 논리합</td><td>x ^= 2</td><td>^를 통해</td></tr>
<tr><td></td><td>|=</td><td>자신과 논리합</td><td>x |= 2</td><td>|를 통해</td></tr>
<tr><td></td><td>=></td><td>람다</td><td>x => x + 1</td><td>아니요</td></tr>
</table>

널 관련 연산자

C#은 널을 손쉽게 다루기 위한 연산자 두 개를 제공한다. 하나는 **널 접합 연산자**(null-coalescing operator; 또는 널 병합 연산자)이고 또 하나는 **널 조건 연산자**(null-conditional operator; 또는 널 조건부 연산자)이다.

널 접합 연산자

??를 **널 접합 연산자**라고 부른다. 이 연산자는 왼쪽 피연산자(좌변)가 널이 아니면 그 피연산자로 평가되고, 널이면 오른쪽 피연산자로 평가된다. 이 연산자는 다음 예처럼 변수에 어떤 '기본값'을 배정하는 데 흔히 쓰인다.

```
string s1 = null;
string s2 = s1 ?? "없음";    // s2는 "없음"으로 평가된다.
```

좌변이 널이 아니면 우변은 전혀 평가되지 않는다. 널 접합 연산자는 널 가능 값 형식과도 함께 사용할 수 있다(제4장의 '널 가능 형식(p.203)' 참고).

널 조건부 연산자(C# 6)

C# 6에 새로 추가된 ?. 연산자를 **널 조건부 연산자** 또는 '엘비스Elvis' 연산자라고 부른다. 이 연산자를 이용하면 표준적인 마침표 연산자를 이용해서 메서드를 호출하거나 멤버에 접근할 때 피연산자가 널인지를 따로 점검할 필요가 없다. 피연산자가 널이라고 해도 NullReferenceException이 발생하지 않는다.

```
System.Text.StringBuilder sb = null;
string s = sb?.ToString();  // 오류 아님, 그냥 s에 널이 배정됨
```

마지막 줄은 다음과 같은 의미이다.

```
string s = (sb == null ? null : sb.ToString());
```

좌변의 피연산자가 널이면 표현식의 나머지 부분은 전혀 평가되지 않는다. 다음 예에서 ToString()과 ToUpper() 사이에 표준 마침표 연산자가 있지만, 그래도 s는 오류 없이 그냥 널이 된다.

```
System.Text.StringBuilder sb = null;
string s = sb?.ToString().ToUpper();    // 오류 없이 s에 널이 배정됨
```

엘비스 연산자는 연산자 바로 왼쪽의 피연산자가 널이 될 가능성이 있는 경우에만 되풀이해서 사용하면 된다. 다음 표현식은 x가 널일 때와 x.y가 널일 때 모두에서 오류 없이 평가된다.

```
x?.y?.z
```

이는 다음과 같은 의미이다(단, 위의 경우는 x.y가 한 번만 평가된다는 차이가 있다).

```
x == null ? null
          : (x.y == null ? null : x.y.z)
```

최종적인 표현식은 반드시 널이 허용되는 표현식이어야 한다. 다음은 위법이다.

```
System.Text.StringBuilder sb = null;
int length = sb?.ToString().Length;   // int는 널이 될 수 없음
```

이 문제는 널 가능 값 형식을 사용해서 해결할 수 있다(제4장의 '널 가능 형식(p.203)' 참고). 널 가능 형식에 이미 익숙한 독자를 위해 해답을 미리 제시하면 다음과 같다.

```
int? length = sb?.ToString().Length;   // OK; int?는 널이 될 수 있음
```

널 조건부 연산자를 이용해서 void 메서드(아무것도 돌려주지 않는, 즉 반환 형식이 void인 메서드)를 호출할 수도 있다.

```
someObject?.SomeVoidMethod();
```

만일 someObject가 널이면 이 표현식은 그냥 아무 일도 하지 않는 '무연산(no-operation)'이다. NullReferenceException은 발생하지 않는다.

널 조건부 연산자를 흔히 쓰이는 형식 멤버들(제3장 참고), 즉 **메서드**, **필드**, **속성**, **인덱서** 등과 함께 사용할 수 있다. 또한 **널 접합 연산자**와도 잘 연동된다.

```
System.Text.StringBuilder sb = null;
string s = sb?.ToString() ?? "없음";   // s에 "없음"이 배정됨
```

마지막 줄은 다음에 해당한다.

```
string s = (sb == null ? "없음" : sb.ToString());
```

문장

함수는 코드에 나온 순서대로 실행되는 일련의 **문장**(statement; 명령문 또는 '문'이라고도 한다)들로 이루어진다. 여러 개의 문장을 중괄호 쌍({})으로 감싼 것을 문장 블록(statement block) 또는 코드 블록이라고 부른다.

선언문

선언 문장, 줄여서 선언문은 새 변수를 선언한다. 선언과 함께, 어떤 표현식으로 변수를 초기화할 수도 있다. 선언문은 세미콜론으로 끝난다. 하나의 선언문에서 같은 형식의 변수 여러 개를 쉼표로 나열해서 선언할 수도 있다. 예를 들면 다음과 같다.

```
string someWord = "rosebud";
int someNumber = 42;
bool rich = true, famous = false;
```

선언 시 `const` 키워드를 지정하면 상수(constant) 선언문이 된다. 상수가 변수와 다른 점은, 선언 시 반드시 초기화해야 한다는 점과 일단 초기화된 후에는 그 값을 변경할 수 없다는 점이다(제3장의 '상수(p.104)' 참고).

```
const double c = 2.99792458E08;
c += 10;                        // 컴파일 시점 오류
```

지역 변수

지역 변수(local variable)나 지역 상수의 범위(scope; 유효 범위)는 현재 블록(변수가 선언된 블록) 전체이다. 현재 블록과 그 안에 내포(중첩)된 임의의 블록에서 같은 이름의 또 다른 지역 변수를 선언할 수는 없다. 예를 들면 다음과 같다.

```
static void Main()
{
  int x;
  {
    int y;
    int x;            // 오류; x가 이미 선언되어 있음
  }
  {
    int y;            // OK; 현재 범위에 다른 y가 없음
  }
  Console.Write (y);  // 오류; y가 범위를 벗어났음
}
```

✓ 변수의 범위는 해당 블록 전체이다. 즉, 변수의 범위는 선언문 아래쪽만 아니라 **위쪽**으로도 뻗어 나간다. 따라서 지금 예제에서 첫 번째 x 선언문을 메서드의 제일 아래로 이동해도 여전히 같은 오류가 발생한다. 이는 C++와 다른 점이며, 아직 선언되지 않은 변수나 상수를 사용하는 것은 위법이라는 점을 생각하면 사실 좀 이상한 측면이다.

표현식 문장

그 자체로 유효한 문장인 표현식을 표현식 문장이라고 부른다. 표현식 문장은 반드시 프로그램의 상태를 변경하거나 상태를 변경할 만한 어떤 것을 호출해야 한다. 상태 변경이란 본질적으로 어떤 변수를 변경하는 것이다. 특히, 다음과 같은 표현식들이 표현식 문장이 된다.

- 배정 표현식(증가, 감소 표현식 포함)
- 메서드 호출 표현식(void 및 비void 모두)
- 객체 인스턴스화 표현식

다음은 몇 가지 예이다.

```
// 아래의 예들에 쓰이는 변수들의 선언
string s;
int x, y;
System.Text.StringBuilder sb;

// 표현식 문장들
x = 1 + 2;                 // 배정 표현식
x++;                       // 증가 표현식
y = Math.Max (x, 5);       // 배정 표현식
Console.WriteLine (y);     // 메서드 호출 표현식
sb = new StringBuilder();  // 배정 표현식
new StringBuilder();       // 객체 인스턴스화 표현식
```

생성자나 값을 돌려주는 메서드를 호출할 때, 반드시 그 반환값을 사용해야 하는 것은 아니다. 그러나 그런 생성자나 메서드가 내부적으로 상태를 변경하지 않는 한, 반환값을 폐기하는 문장은 아무런 쓸모가 없다.

```
new StringBuilder();     // 적법하지만 쓸모없음
new string ('c', 3);     // 적법하지만 쓸모없음
x.Equals (y);            // 적법하지만 쓸모없음
```

선택문

C#에서 프로그램 실행의 흐름을 조건에 따라 제어하는 메커니즘으로는 다음과 같은 것들이 있다.

- 선택문(`if`와 `switch`)
- 조건(삼항) 연산자(`?:`)
- 루프문(`while`, `do..while`, `for`, `foreach`)

이번 절에서는 가장 간단한 두 메커니즘인 if-else 문과 switch 문을 살펴본다.

if 문

if 문은 주어진 bool 표현식(조건식)이 참이면 조건식 다음의 문장을 실행한다. 예를 들면 다음과 같다.

```
if (5 < 2 * 3)
  Console.WriteLine ("참");       // 참
```

조건식 다음의 문장이 문장 블록일 수도 있다.

```
if (5 < 2 * 3)
{
  Console.WriteLine ("참");
  Console.WriteLine ("다음으로 넘어가죠!");
}
```

else 절

if 문에 else 절(clause)이 붙을 수도 있다.

```
if (2 + 2 == 5)
  Console.WriteLine ("실행되지 않음");
else
  Console.WriteLine ("거짓");        // 거짓
```

else 절에 또 다른 if 문을 두는 것도 가능하다.

```
if (2 + 2 == 5)
  Console.WriteLine ("실행되지 않음");
else
  if (2 + 2 == 4)
    Console.WriteLine ("실행됨");    // 실행됨
```

중괄호를 이용한 실행 흐름 변경

else 절은 항상 문장 블록 안의 바로 전 if 문과 결합한다. 예를 들면 다음과 같다.

```
if (true)
  if (false)
    Console.WriteLine();
  else
    Console.WriteLine ("실행됨");
```

이는 다음과 같은 의미이다.

```
if (true)
{
  if (false)
    Console.WriteLine();
  else
    Console.WriteLine ("실행됨");
}
```

중괄호를 다음과 같이 옮기면 실행의 흐름을 변경할 수 있다.

```
if (true)
{
  if (false)
    Console.WriteLine();
}
else
  Console.WriteLine ("실행되지 않음");
```

이처럼 중괄호를 이용하면 프로그래머의 의도를 명시적으로 표현할 수 있다. 그러면 중첩된 `if` 문들의 가독성이 좋아진다(심지어 컴파일러가 요구하는 것이 아니어도). 단, 다음과 같은 패턴에서는 중괄호를 사용하지 않는 것이 더 낫다.†

```
static void TellMeWhatICanDo (int age)
{
  if (age >= 35)
    Console.WriteLine ("대통령 입후보 가능!");
  else if (age >= 21)
    Console.WriteLine ("음주 가능!");
  else if (age >= 18)
    Console.WriteLine ("투표 가능!");
  else
    Console.WriteLine ("좀 더 기다리세요!");
}
```

이것은 다른 언어들에 있는 'elseif' 구문(그리고 C#의 `#elif` 전처리기 지시자)을 흉내 내기 위해 `if` 문과 `else` 절들을 배치한 예이다. Visual Studio의 자동 서식화 기능은 이 패턴을 인식해서 들여쓰기를 보존한다. 그러나 의미론적으로 '`else if`'는 그냥 `else` 절에 속하는 또 다른 `if` 문일 뿐, 다른 어떤 특별한 방식으로 처리되는 것은 아니다.

† (옮긴이) 이 예제의 수치들은 미국 기준이다. 예를 들어 대한민국의 대통령 피선거권 연령 기준은 '40세 이상'이다.

switch 문

switch 문은 한 변수가 가질 수 있는 여러 값에 기초해서 프로그램의 실행을 분기하는 수단이다. switch 문을 사용하면 여러 개의 if 문을 사용할 때보다 코드가 깔끔해질 수 있다. switch 문에서는 표현식을 한 번만 평가하면 되기 때문이다. 다음은 switch 문의 예이다.

```
static void ShowCard(int cardNumber)
{
  switch (cardNumber)
  {
    case 13:
      Console.WriteLine ("킹");
      break;
    case 12:
      Console.WriteLine ("퀸");
      break;
    case 11:
      Console.WriteLine ("잭");
      break;
    case -1:                        // 조커는 -1
      goto case 12;                 // 이 게임은 조커를 퀸으로 취급한다.
    default:                        // 그 외의 번호이면 그냥 번호를 출력
      Console.WriteLine (cardNumber);
      break;
  }
}
```

switch 문의 조건에는 정적으로 평가할 수 있는 형식의 변수만 사용할 수 있다. 결론적으로, 조건식으로는 내장 정수 형식과 bool, enum 형식(그리고 이들의 널 가능 버전들—제4장 참고)과 string 형식만 사용할 수 있다.

각 case 절의 끝에는 실행의 흐름을 어디로 보낼 것인지를 결정하는 점프문(jump statement)이 반드시 있어야 한다. 사용할 수 있는 점프문은 다음과 같다.

- break (switch문의 끝으로 간다.)
- goto case x (다른 case 절로 간다.)
- goto default (default 절로 간다.)
- 기타 점프문들, 즉 return, throw, continue, goto *이름표*.

여러 개의 값이 같은 코드를 실행해야 할 때에는 다음처럼 case 절들을 연달아 써주면 된다.

```
switch (cardNumber)
{
```

```
    case 13:
    case 12:
    case 11:
      Console.WriteLine ("그림 카드");
      break;
    default:
      Console.WriteLine ("보통 카드");
      break;
  }
```

switch 문의 이러한 특징은 여러 개의 if-else 문들을 이용할 때보다 깔끔한 코드를 가능하게 하는 중요한 장점이라 할 수 있다.

반복문(루프문)

C#에서 일련의 문장들을 반복해서 수행할 때에는 while 문이나, do-while, for, foreach 루프를 사용한다.

while 루프과 do-while 루프

while 루프 또는 while 문은 주어진 bool 표현식이 참인 동안('while') 루프 본문(body)을 반복 수행한다. bool 표현식(조건식)은 루프의 본문(하나의 문장 또는 문장 블록)이 실행되기 **전**에 판정된다.

```
int i = 0;
while (i < 3)
{
  Console.WriteLine (i);
  i++;
}
```

출력:

```
0
1
2
```

do-while 루프는 while과 같되, 조건식이 루프 본문 **이후**에 판정된다는 점이 다르다(따라서 본문은 적어도 한 번은 실행된다). 다음은 앞의 예제를 do-while 루프로 다시 작성한 것이다.

```
int i = 0;
do
{
  Console.WriteLine (i);
  i++;
}
while (i < 3);
```

for 루프

for 루프도 while 루프와 비슷하되, 루프 변수의 **초기화**와 **반복**(iteration)[†]을 개별적인 부분에서 지정한다는 점이 다르다. 다음에서 보듯이, 하나의 for 루프에는 세 개의 절이 있다.

```
for (초기화절; 조건절; 반복절)
  문장-또는-문장-블록
```

초기화절
: 루프가 시작되기 전에 한 번만 실행된다. 하나 이상의 **반복 변수**(루프 변수)들을 초기화하는 데 쓰인다.

조건절
: 하나의 bool 표현식으로, 루프 본문은 이것이 참인 동안 반복 실행된다.

반복절
: 루프 본문의 각 반복 **이후에** 실행된다. 주로 반복 변수를 갱신하는 데 쓰인다.

예를 들어 다음은 0에서 2까지의 수를 출력하는 예이다.

```
for (int i = 0; i < 3; i++)
  Console.WriteLine (i);
```

다음은 처음 열 개의 피보나치 수를 출력하는 예이다(한 피보나치 수는 그 이전 두 피보나치 수의 합이다).

```
for (int i = 0, prevFib = 1, curFib = 1; i < 10; i++)
{
  Console.WriteLine (prevFib);
  int newFib = prevFib + curFib;
  prevFib = curFib; curFib = newFib;
}
```

for 문의 세 부분을 임의로 생략할 수 있다. 다음 예처럼 셋 다 생략하는 것도 가능하다. 이는 무한 루프를 구현하는 한 가지 방법이다(이 대신 while(true)를 사용할 수도 있다).

```
for (;;)
  Console.WriteLine ("멈춰 주세요!");
```

† (옮긴이) 이런 문맥에서 '반복'은 정해진 범위의 요소들(일반적인 for 루프에서는 조건식을 만족하는 루프 변수가 가질 수 있는 모든 값)을 차례로 거쳐가는 것, 달리 말하면 "훑는" 것을 말한다. 잠시 후에 나오는 foreach 루프는 이를 좀 더 명시적으로 표현한 것이라 할 수 있다. 이와는 달리, 단순히 같은 일을 여러 번 수행하는 것은 '되풀이(repeat, repetition)'라고 부른다.

foreach 루프

foreach 문은 열거 가능 객체(enumerable object)에 담긴 각 요소를 반복한다. C#과 .NET Framework의 형식들은 대부분 열거 가능한 요소들의 집합이나 목록을 나타낸다. 예를 들어 배열과 문자열 둘 다 열거 가능한 형식이다. 다음은 한 문자열의 첫 문자부터 마지막 문자까지 모든 문자를 훑는 예이다.

```
foreach (char c in "beer")   // c는 반복 변수
  Console.WriteLine (c);
```

출력:

```
b
e
e
r
```

열거 가능 객체의 정의는 제4장의 '열거자와 반복자(p.196)'에 나온다.

점프문

C#의 점프문으로는 break 문, continue 문, goto 문, return 문, throw 문이 있다.

점프문은 try 문(제4장의 'try 문과 예외(p.186)' 참고)의 신뢰성 규칙들을 따른다. 이는 다음과 같은 의미이다.

- try 블록 바깥으로 나가는 점프문의 경우, 점프 목적지에 도달하기 전에 해당 try의 finally 블록이 먼저 실행된다.
- finally 블록 안에서 바깥으로 나가는 점프는 허용되지 않는다(단, throw에 의한 이동은 예외).

break 문

break 문은 반복문의 본문이나 switch 문의 실행을 끝낸다.

```
int x = 0;
while (true)
{
  if (x++ > 5)
    break ;      // 루프에서 벗어난다.
}
// break 이후 여기서부터 실행이 시작된다.
...
```

continue 문

continue 문은 루프 본문의 나머지 문장들을 건너뛰고 다음 반복으로 넘어간다. 다음은 짝수를 건너뛰고 홀수만 출력하는 루프이다.

```
for (int i = 0; i < 10; i++)
{
  if ((i % 2) == 0)       // 만일 i가 짝수이면
    continue;             // 다음 반복으로 넘어간다.

  Console.Write (i + " ");
}
```

출력:

```
1 3 5 7 9
```

goto 문

goto 문은 실행의 흐름을 주어진 이름표에 해당하는 문장 또는 문장 블록으로 옮긴다. goto 문의 형태는 다음과 같다.

```
goto 문장-이름표
```

단, switch 문 안에서는 다음 형태로도 쓰인다.

```
goto case case-상수;
```

특정 문장 또는 문장 블록 앞에 붙이는 이름표는 유효한 식별자 다음에 콜론(:)이 있는 형태이다. 다음은 goto와 이름표를 이용해서 for 루프를 흉내 낸 것으로, 1에서 5까지의 정수를 출력한다.

```
int i = 1;
startLoop:
if (i <= 5)
{
  Console.Write (i + " ");
  i++;
  goto startLoop;
}
```

출력:

```
1 2 3 4 5
```

goto case *case-상수*는 실행의 흐름을 switch 블록 안의 다른 case 절(이번 장의 'switch 문(p.77 참고)'로 옮긴다.

return 문

return 문을 만나면 실행의 흐름은 해당 메서드에서 벗어나서 호출 지점으로 돌아간다. void가 아닌 메서드의 경우, return 키워드 다음에는 반드시 메서드 반환 형식과 같은 형식의 표현식이 있어야 한다.†

```
static decimal AsPercentage (decimal d)
{
  decimal p = d * 100m;
  return p;             // 호출자에게 값을 돌려준다.
}
```

return 문은 메서드의 어디에도 둘 수 있다(단, finally 블록 안에는 둘 수 없다).

throw 문

throw 문은 오류가 발생했음을 알리기 위해 예외를 바깥으로 "던진다"(제4장의 'try 문과 예외(p.186)' 참고).

```
if (w == null)
  throw new ArgumentNullException (...);
```

기타 문장들

using 문은 finally 블록 안에서 IDisposable 인터페이스를 구현하는 객체에 대해 Dispose를 호출하는 표현식을 좀 더 깔끔하게 작성하기 위한 수단이다(제4장의 'try 문과 예외(p.186)'와 제12장의 'IDisposable, Dispose, Close(p.617)' 참고).

C#에서 using 키워드는 문맥에 따라 다양한 의미로 쓰인다. 특히 using **지시자**는 using 문과는 다르다.

lock 문은 Monitor 클래스의 Enter 메서드와 Exit 메서드를 호출하는 구문을 간결하게 표기하는 수단이다(제14장과 제23장 참고).

이름공간

이름공간(namespace)은 형식 이름들이 모여 있는 영역(공간)이다. 형식 이름을 좀 더 쉽게 찾을 수 있도록, 그리고 이름들이 서로 충돌하는 일을 방지하기 위해,

† (옮긴이) 이 문장에서 보듯이 return에는 '돌아간다(복귀)'와 '돌려준다(반환)'라는 두 가지 의미가 있으나, 특별한 경우가 아닌 한 이 책에서는 굳이 구분하지 않고 '반환'만 사용한다. '돌아간다'는 것을 메서드가 실행 제어권을 호출 지점에 '돌려주는' 것이라고 해석할 수 있기 때문이다.

흔히 형식 이름들을 계통구조(hierarchy)를 형성하는 이름공간들로 조직화한다. 예를 들어 공개키 암호화를 다루는 RSA 형식은 다음과 같은 이름공간 안에 정의되어 있다.

```
System.Security.Cryptography
```

형식의 이름에는 형식이 속한 이름공간의 이름이 포함된다. 다음 코드는 RSA의 Create 메서드를 호출한다.

```
System.Security.Cryptography.RSA rsa =
  System.Security.Cryptography.RSA.Create();
```

이름공간은 어셈블리와는 독립적이다. 어셈블리는 *.exe*나 *.dll* 같은 배포 단위일 뿐이다(제 18장 참고).

또한 이름공간은 멤버의 가시성(public, internal, private 등)에는 아무 영향을 미치지 않는다.

형식들을 담는 이름공간을 정의할 때에는 다음 예처럼 namespace 키워드와 중괄호 블록을 사용한다.

```
namespace
{
  class Class1 {}
  class Class2 {}
}
```

이름공간 이름(지금 예의 Outer.Middle.Inner) 안의 마침표는 내포된 이름공간들의 계통구조를 나타낸다. 지금 예의 이름공간은 다음과 같은 의미이다.

```
namespace Outer
{
  namespace Middle
  {
    namespace Inner
    {
      class Class1 {}
      class Class2 {}
    }
  }
}
```

형식이 속한 모든(가장 바깥에서 가장 안쪽까지의) 이름공간의 이름들이 모두 포함되어 있는 형식 이름을 완전히 한정된 이름(fully qualified name), 줄여서 **완전 한정 이름**이라고 부른다. 지금 예에서 Class1 클래스의 완전 한정 이름은 Outer.Middle.Inner.Class1이다.

특정 이름공간 안에서 정의된 것이 아닌 형식은 **전역 이름공간**(global namespace)에 속한다. 또한, 지금 예의 Outer 같은 최상위 이름공간들도 전역 이름공간에 속한다.

using 지시자

using 지시자는 이름공간을 현재 범위로 **도입**(import)한다. 그러면 완전 한정 이름을 사용하지 않고도 그 이름공간의 형식을 지칭할 수 있다. 다음은 이전 예제의 Outer.Middle.Inner 이름공간을 도입하는 예이다.

```
using Outer.Middle.Inner;

class Test
{
  static void Main()
  {
    Class1 c;     // 완전 한정 이름을 사용할 필요가 없다.
  }
}
```

서로 다른 이름공간에 같은 이름의 형식을 정의하는 것은 적법한 일이다(그리고 그것이 바람직한 경우도 많다). 그러나, 일반적으로 그런 일은 사용자가 두 이름공간을 동시에 도입할 가능성이 없는 경우에만 해야 한다. .NET Framework에 좋은 예가 있는데, 바로 TextBox 클래스이다. TextBox는 System.Windows.Controls(WPF)에도, System.Web.UI.WebControls(ASP.NET)에도 정의되어 있다.

using static 지시자(C# 6)

C# 6에서부터는 이름공간이 아니라 특정 형식을 using static 지시자를 이용해서 도입할 수 있다. 그러면 해당 형식의 모든 정적 멤버가 도입되며, 그 후부터는 그런 멤버를 형식 이름을 지정하지 않고 사용할 수 있다. 다음은 이를 이용해서 Console 클래스의 정적 WriteLine 메서드를 호출하는 예이다.

```
using static System.Console;

class Test
{
  static void Main() { WriteLine ("Hello"); }
}
```

using static 지시자는 주어진 형식의 모든 접근 가능한 정적 멤버를 도입한다. 즉, 정적 메서드뿐만 아니라 정적 필드, 속성, 내포된 형식(제3장)도 도입한다. 열거형(제3장)에도 이 지시자를 적용할 수 있다. 그러면 열거형의 모든 멤버가 도입된다. 예를 들어

```
using static System.Windows.Visibility;
```

를 수행하고 나면, 그때부터는 Visibility.Hidden 대신 Hidden을 직접 사용할 수 있다.

```
var textBox = new TextBox { Visibility = Hidden };   // XAML 스타일
```

여러 개의 형식을 이런 식으로 도입하는 경우 중의성(ambiguity) 문제가 발생할 수 있는데, 문맥으로부터 정확한 형식을 추출할 정도로 C# 컴파일러가 똑똑하지는 않기 때문에 그런 경우에는 오류가 발생한다.

이름공간 안에서 적용되는 규칙들

이름의 범위

바깥쪽 이름공간에서 선언된 이름은 그 안쪽 이름공간에서 한정 없이(즉, 바깥쪽 이름공간 이름을 지정하지 않고도) 사용할 수 있다. 예를 들어 다음 코드에서 Class1에 Inner를 지정할 필요가 없다.

```
namespace Outer
{
  class Class1 {}

  namespace Inner
  {
    class Class2 : Class1  {}
  }
}
```

이름공간 계통구조의 다른 가지에 있는 형식을 지칭할 때에는 부분적으로 한정된 이름을 사용할 수 있다. 다음 예에서 SalesReport의 기반 형식으로 지정된 Common.ReportBase가 그러한 예이다.

```
namespace MyTradingCompany
{
  namespace Common
  {
```

```
    class ReportBase {}
  }
  namespace ManagementReporting
  {
    class SalesReport : Common.ReportBase  {}
  }
}
```

이름 숨기기

안쪽 이름공간과 바깥쪽 이름공간에 같은 이름이 있는 경우 안쪽 이름이 이긴다. 바깥쪽 이름공간의 형식을 지칭하려면 해당 이름공간을 명시해서 이름을 한정해야 한다. 예를 들면 다음과 같다.

```
namespace Outer
{
  class Foo { }

  namespace Inner
  {
    class Foo { }

    class Test
    {
      Foo f1;         // = Outer.Inner.Foo
      Outer.Foo f2;   // = Outer.Foo
    }
  }
}
```

컴파일 시점에서는 모든 형식 이름이 완전 한정 이름으로 바뀐다. 중간 언어(IL) 코드에는 한정되지 않은 이름이나 부분적으로 한정된 이름이 전혀 없다.

되풀이된 이름공간 선언

이름공간을 여러 번 선언하는 것도 가능하다.† 단, 이름공간 안의 형식 이름들이 충돌해서는 안 된다.

```
namespace Outer.Middle.Inner
{
  class Class1 {}
}

namespace Outer.Middle.Inner
{
```

† (옮긴이) 다른 말로 하면, 이미 선언된 이름공간에 언제라도 새로운 형식을 추가할 수 있다. 이를 두고 "이름공간은 끝이 열려 있다"라고 말하기도 한다.

```
  class Class2 {}
}
```

각자 다른 어셈블리로 컴파일되는 서로 다른 두 소스 파일에서도 이런 식으로 이름공간 선언을 되풀이할 수 있다.

소스 파일 1:

```
namespace Outer.Middle.Inner
{
  class Class1 {}
}
```

소스 파일 2:

```
namespace Outer.Middle.Inner
{
  class Class2 {}
}
```

중첩된 using 지시자

이름공간 안에 using 지시자를 중첩(내포)할 수 있다. 한 이름공간 선언 안에서 using 지시자로 도입한 이름들은 그 이름공간 선언 안에서만 유효하다. 다음 예에서, N2의 두 번째 선언 안에서는 Class1이 보이지 않는다.

```
namespace N1
{
  class Class1 {}
}

namespace N2
{
  using N1;

  class Class2 : Class1 {}
}

namespace N2
{
  class Class3 : Class1 {}   // 컴파일 시점 오류
}
```

형식과 이름공간의 별칭

이름공간을 도입하면 형식 이름들이 충돌할 가능성이 있다. 이를 피하는 한 가지 방법은 이름공간 전체를 도입하는 것이 아니라 딱 필요한 형식들만 각각 별칭(alias)을 붙여서 도입하는 것이다. 다음이 그러한 예이다.

```
using PropertyInfo2 = System.Reflection.PropertyInfo;
class Program { PropertyInfo2 p; }
```

다음처럼 이름공간 자체에 별칭을 부여할 수도 있다.

```
using R = System.Reflection;
class Program { R.PropertyInfo p; }
```

고급 이름공간 기능

외부 별칭

외부 별칭(extern alias) 기능을 이용하면 완전 한정 이름이 동일한(다시 말해서 이름공간 이름과 형식 이름이 동일한) 두 개의 형식을 프로그램 안에서 지칭할 수 있다. 사실 그런 형식들이 존재한다는 것은 다소 비정상적이다. 이런 일은 두 형식이 서로 다른 어셈블리에서 비롯된 경우에만 발생한다. 다음 예를 생각해 보자.

라이브러리 1:

```
// csc target:library /out:Widgets1.dll widgetsv1.cs

namespace Widgets
{
  public class Widget {}
}
```

라이브러리 2:

```
// csc target:library /out:Widgets2.dll widgetsv2.cs

namespace Widgets
{
  public class Widget {}
}
```

응용 프로그램

```
// csc /r:Widgets1.dll /r:Widgets2.dll application.cs

using Widgets;

class Test
{
  static void Main()
  {
    Widget w = new Widget();
  }
}
```

현재 상태로는 Widget이 중의적이기 때문에 응용 프로그램은 컴파일되지 않는다. 다음처럼 외부 별칭을 사용하면 중의성을 해소할 수 있다.†

```
// csc /r:W1=Widgets1.dll /r:W2=Widgets2.dll application.cs

extern alias W1;
extern alias W2;

class Test
{
  static void Main()
  {
    W1.Widgets.Widget w1 = new W1.Widgets.Widget();
    W2.Widgets.Widget w2 = new W2.Widgets.Widget();
  }
}
```

이름공간 별칭 한정자

안쪽 이름공간의 이름이 바깥쪽 이름공간을 가린다는 점을 앞에서 언급했다. 그런데 완전히 한정된 형식 이름을 사용해도 이름 충돌이 해소되지 않는 경우가 종종 있다. 다음 예를 생각해 보자.

```
namespace N
{
  class A
  {
    public class B {}                      // 내포된 형식
    static void Main() { new A.B(); }      // 클래스 B를 인스턴스화
  }
}

namespace A
{
  class B {}
}
```

Main 메서드가 인스턴스화하는 것은 클래스 A에 내포된 클래스 B일까, 아니면 이름공간 A의 클래스 B일까? 이런 경우 컴파일러는 항상 '현재' 이름공간에 있는 이름들의 손을 들어준다. 즉, 이 예에서 인스턴스화되는 것은 내포된 클래스 B이다.

† (옮긴이) 외부 별칭 기능을 위해서는 소스 코드뿐만 아니라 컴파일러 실행 옵션(또는 IDE 설정)도 적절히 변경해야 함을 주의하기 바란다. Visual Studio 한국어판의 경우 솔루션 탐색기의 '참조' 목록에서 원하는 참조 항목의 '별칭' 속성을 변경하면 된다.

이런 이름 충돌을 해소하기 위해, 이름공간을 다음 둘 중 하나를 기준으로 삼아서 좀 더 구체적으로 한정할 수 있다.

- 전역 이름공간, 즉 모든 이름공간의 뿌리(루트)가 되는 이름공간. 전역 이름공간을 지칭하는 별칭은 문맥 키워드 `global`이다.
- `extern alias` 지시자로 선언한 외부 별칭

이런 방식의 이름공간 별칭 한정에는 `::` 토큰이 쓰인다. 다음은 전역 이름공간을 이용한 한정의 예이다(이 방식은 자동으로 생성되는 코드에서 이름 충돌을 피하는 목적으로 흔히 쓰인다).

```
namespace N
{
  class A
  {
    static void Main()
    {
      System.Console.WriteLine (new A.B());
      System.Console.WriteLine (new global::A.B());
    }

    public class B {}
  }
}

namespace A
{
  class B {}
}
```

다음은 외부 별칭을 이용한 한정의 예이다(이번 장의 '외부 별칭(p.88)'에 나온 것과 같은 예제임).

```
extern alias W1;
extern alias W2;
class Test
{
  static void Main()
  {
    W1::Widgets.Widget w1 = new W1::Widgets.Widget();
    W2::Widgets.Widget w2 = new W2::Widgets.Widget();
  }
}
```

3장

C # 6.0 in a Nutshell

C#의 사용자 정의 형식

이번 장에서는 새로운 형식과 그 멤버들을 정의하는 방법을 살펴본다.

클래스

여러 가지 참조 형식 중 가장 흔히 쓰이는 것이 클래스class이다. 다음은 가장 간단한 형태의 클래스 선언이다.

```
class YourClassName
{
}
```

좀 더 복잡한 클래스는 다음과 같은 요소들도 가질 수 있다.

class 키워드 앞에	**특성**과 **클래스 수정자**. 내포된 클래스가 아닌 클래스에 적용할 수 있는 클래스 수정자로는 public, internal, abstract, sealed, static, unsafe, partial이 있다.
클래스 이름(YourClassName) 다음에	**제네릭 형식 매개변수**, **기반 클래스**, **인터페이스**.
중괄호 쌍 안에	**클래스 멤버**(**메서드**, **속성**, **인덱서**, **이벤트**, **필드**, **생성자**, **중복적재된 연산자**, **내포된 형식**, **종료자**)

이번 장에서는 특성(attribute)과 연산자 함수, unsafe 키워드를 제외한 모든 요소를 다룬다. 세 요소는 제4장에서 이야기하겠다. 그럼 클래스가 가질 수 있는 멤버들을 차례로 살펴보자.

필드

클래스나 구조체의 멤버 변수를 필드field라고 부른다. 다음은 필드가 두 개인 클래스의 예이다.

```
class Octopus
{
  string name;
  public int Age = 10;
}
```

필드에는 다음과 같은 수정자들을 적용할 수 있다.

정적 수정자	static
접근 수정자	public internal private protected
상속 수정자	new
비안전 코드 수정자	unsafe
읽기 전용 수정자	readonly
스레드 적용 수정자	volatile

readonly 수정자

필드에 readonly 수정자를 지정하면, 인스턴스를 생성한 후에는 그 필드를 변경할 수 없다. 이러한 읽기 전용 필드에는 해당 선언문 또는 형식의 생성자 안에서만 값을 설정할 수 있다.

필드 초기화

필드를 선언할 때 값을 초기화할 수도 있고 하지 않을 수도 있다. 초기화하지 않은 필드에는 기본값(0, \0, null, false)이 설정된다.

```
public int Age = 10;
```

여러 개의 필드를 함께 선언

같은 형식의 필드 여러 개를 쉼표로 구분해서 한꺼번에 선언할 수 있다. 이는 특성이나 필드 수정자가 같은 여러 필드를 선언할 때 편리한 기능이다. 예를 들면 다음과 같다.

```
static readonly int legs = 8,
                    eyes = 2;
```

메서드

메서드method는 일련의 문장들을 실행하는 멤버이다. 메서드는 **매개변수**를 지정함으로써 호출자로부터 **입력** 자료를 받을 수 있으며, **반환 형식**을 지정함으로써 특정 형식의 자료를 호출자에게 **출력**할 수 있다. 반환 형식은 필수이다. 메서드가 아무것도 돌려주지 않는다면, void를 반환 형식으로 지정하면 된다. 또한, ref나 out 매개변수를 통해서 자료를 호출자에게 돌려줄 수도 있다.

주어진 한 형식 안에서, **서명**(signature)이 동일한 메서드가 여러 개 있어서는 안 된다. 메서드의 서명은 메서드 이름과 매개변수 형식들로 이루어진다(매개변수의 **이름**은 서명의 일부가 아니며, 반환 형식 역시 서명의 일부가 아니다).

메서드에 적용할 수 있는 수정자들은 다음과 같다.

정적 수정자	`static`
접근 수정자	`public internal private protected`
상속 수정자	`new virtual abstract override sealed`
부분 메서드 수정자	`partial`
비관리 코드 수정자	`unsafe extern`
비동기 코드 수정자	`async`

식 본문 메서드(C# 6)

다음은 표현식 하나로 이루어진 메서드의 예이다.

```
int Foo (int x) { return x * 2; }
```

이를 다음과 같이 좀 더 간결한 형태로 표기할 수 있다. 이를 **표현식이 본문인 메서드**(expression-bodied method), 줄여서 **식 본문** 메서드라고 부른다. 중괄호와 return 키워드 대신 '이중 화살표'가 쓰였음을 주목하기 바란다.

```
int Foo (int x) => x * 2;
```

반환 형식이 void인 함수도 이처럼 표현식이 본문인 형태로 표기할 수 있다.

```
void Foo (int x) => Console.WriteLine (x);
```

메서드 중복적재

한 형식 안에 이름이 같은 메서드를 여러 개 둘 수 있다. 하나의 이름에 여러 개의 정의가 주어진다는 점에서 이를 중복적재(overloading)라고 부른다. 중복적재된 메서드들은 그 서명이 모두 달라야 한다. 예를 들어 다음 메서드들은 같은 형식 안에 공존할 수 있다.

```
void Foo (int x) {...}
void Foo (double x) {...}
void Foo (int x, float y) {...}
void Foo (float x, int y) {...}
```

그러나 다음 메서드 쌍들은 서명이 같으므로 같은 형식 안에 공존할 수 없다. 반환 형식과 params 수정자는 메서드의 서명에 속하지 않기 때문이다.

```
void  Foo (int x) {...}
float Foo (int x) {...}           // 컴파일 시점 오류

void  Goo (int[] x) {...}
void  Goo (params int[] x) {...}  // 컴파일 시점 오류
```

값 전달 대 참조 전달

매개변수가 값으로 전달되는지 아니면 참조로 전달되는지의 여부도 서명의 일부이다. 예를 들어 Foo(int)는 Foo(ref int)나 Foo(out int)와 공존할 수 있다. 그러나 Foo(ref int)와 Foo(out int)는 공존할 수 없다.

```
void Foo (int x) {...}
void Foo (ref int x) {...}     // 여기까지는 OK
void Foo (out int x) {...}     // 컴파일 시점 오류
```

인스턴스 생성자

생성자(constructor)는 클래스나 구조체의 인스턴스를 초기화하는 함수 멤버이다. 생성자의 정의는 메서드와 비슷하나, 메서드 이름과 반환 형식이 생성자가 속한 형식의 이름을 따른다는 점이 다르다.

```
public class Panda
{
  string name;                   // 필드 정의
  public Panda (string n)        // 생성자 정의
  {
    name = n;                    // 초기화 코드(필드를 설정)
  }
}
...

Panda p = new Panda ("Petey");   // 생성자 호출
```

인스턴스 생성자에 적용할 수 있는 수정자들은 다음과 같다.

접근 수정자	`public internal private protected`
비관리 코드 수정자	`unsafe extern`

생성자의 중복적재

클래스나 구조체에서 생성자도 중복적재가 가능하다. 생성자를 중복적재한 경우, 한 생성자에서 this 키워드를 이용해서 다른 생성자를 호출함으로써 코드의 중복을 피할 수 있다.

```
using System;

public class Wine
{
  public decimal Price;
  public int Year;
  public Wine (decimal price) { Price = price; }
  public Wine (decimal price, int year) : this (price) { Year = year; }
}
```

한 생성자가 다른 생성자를 호출하는 경우 후자, 즉 **호출된 생성자**가 먼저 실행된다.

다음 예처럼 다른 생성자에 **표현식**을 넘겨주는 것도 가능하다.

```
public Wine (decimal price, DateTime year) : this (price, year.Year) { }
```

이때 표현식 자체에서는 this 참조를 사용하면 안 된다. 예를 들어 this를 통해서 어떤 인스턴스 메서드를 호출할 수는 없다. (이러한 제약은, 생성자의 현재 단계에서는 객체가 아직 초기화된 것이 아니라서 그에 대해 어떤 메서드를 호출하면 실패할 가능성이 크기 때문에 있는 것이다.) 그러나 정적 메서드는 호출할 수 있다.

매개변수 없는 생성자의 암묵적 정의

클래스의 경우, 만일 프로그래머가 그 어떤 생성자도 정의하지 않았다면, 그리고 오직 그럴 때에만, C#이 매개변수 없는 공용 생성자를 자동으로 만들어준다. 생성자를 하나라도 정의하면 컴파일러는 그런 생성자를 자동으로 생성하지 않는다.

생성자와 필드 초기화 순서

앞에서 보았듯이, 필드를 선언할 때 그 초기 값을 직접 설정할 수 있다.

```
class Player
{
  int shields = 50;   // 제일 먼저 초기화됨
  int health = 100;   // 두 번째로 초기화됨
}
```

필드 초기화는 생성자가 실행되기 전에, 그리고 필드들이 선언된 순서로 실행된다.

비공용 생성자

생성자가 반드시 공용(public)일 필요는 없다. 비공용(nonpublic; 공용이 아닌) 생성자를 두는 흔한 이유 하나는, 정적 메서드 호출을 통해서 객체 생성을 제어하는 것이다. 이를테면 매번 새 객체를 생성하는 대신 풀pool에서 객체를 돌려준다거나 여러 하위클래스 중 하나를 선택해서 해당 인스턴스를 돌려주는 등의 맞춤형 생성 논리를 구현하기 위해 그런 정적 메서드를 활용할 수 있다.

```
public class Class1
{
  Class1() {}                              // 전용 생성자
  public static Class1 Create (...)
  {
    // 맞춤형 논리를 이용해서 Class1의 인스턴스를 돌려준다.
    ...
  }
}
```

객체 초기치

객체를 좀 더 간단하게 초기화하는 한 방법으로, 생성자 호출 구문 바로 다음에 **객체 초기치**(object initializer) 블록을 지정해서 객체의 접근 가능한 필드나 속성을 초기화할 수 있다. 다음과 같은 클래스가 있다고 하자.

```
public class Bunny
{
  public string Name;
  public bool LikesCarrots;
  public bool LikesHumans;

  public Bunny () {}
  public Bunny (string n) { Name = n; }
}
```

다음은 객체 초기치를 이용해서 Bunny 객체들을 생성하는 예이다.

```
// 매개변수 없는 생성자의 경우에는 괄호 쌍 자체를 생략할 수 있음을 주목할 것
Bunny b1 = new Bunny { Name="Bo", LikesCarrots=true, LikesHumans=false };
Bunny b2 = new Bunny ("Bo")     { LikesCarrots=true, LikesHumans=false };
```

b1과 b2를 생성하는 코드는 다음에 정확히 대응된다.

```
Bunny temp1 = new Bunny();    // temp1은 컴파일러가 만든 이름
temp1.Name = "Bo";
temp1.LikesCarrots = true;
temp1.LikesHumans = false;
Bunny b1 = temp1;

Bunny temp2 = new Bunny ("Bo");
temp2.LikesCarrots = true;
temp2.LikesHumans = false;
Bunny b2 = temp2;
```

임시 변수들을 사용하는 이유는 예외 안전성 때문이다. 이렇게 하면 초기화 도중 예외가 발생해도 객체가 불완전한(초기화가 덜 된) 상태로 남겨지는 일이 없다.

객체 초기치 구문은 C# 3.0에서 도입되었다.

객체 초기치 대 선택적 매개변수

객체 초기치를 사용하는 대신 Bunny의 생성자가 선택적 매개변수를 받게 할 수도 있다.

```
public Bunny (string name,
              bool likesCarrots = false,
              bool likesHumans = false)
{
  Name = name;
  LikesCarrots = likesCarrots;
  LikesHumans = likesHumans;
}
```

이렇게 하면 Bunny의 인스턴스를 다음과 같은 방식으로 생성할 수 있다.

```
Bunny b1 = new Bunny (name: "Bo",
                      likesCarrots: true);
```

이러한 접근방식의 한 가지 장점은, 원한다면 Bunny의 특정 필드(또는, 잠시 후 설명할 **속성**)를 읽기 전용으로 만들 수 있다는 것이다. 객체의 수명 동안 변경해야 할 좋은 이유가 없는 필드나 속성이라면 읽기 전용으로 만드는 것이 바람직한 습관이다.

이 접근방식의 단점은, 각 선택적 매개변수의 기본값이 **호출 지점**에 들어박힌다는 점이다. 즉, C#은 앞의 생성자 호출을 다음으로 바꾸어서 컴파일한다.

```
Bunny b1 = new Bunny ("Bo", true, false);
```

그런데, 만일 Bunny 클래스를 인스턴스화하는 다른 어셈블리가 존재하는 상황에서 Bunny를 수정하면(이를테면 likesCats 같은 선택적 매개변수를 추가하는 등) 문제가 생긴다. 해당 어셈블리를 다시 컴파일하지 않는 한, 그 어셈블리는 여전히 매개변수가 세 개인 생성자(이제는 존재하지 않는)를 호출할 것이므로 실행시점 오류가 발생한다. (좀 더 미묘한 문제로, 만일 기존 선택적 매개변수의 값을 변경한 경우 다른 어셈블리의 호출자는 해당 어셈블리를 다시 컴파일하지 않는 한 여전히 예전의 기본값을 사용하게 된다.)

따라서, 어셈블리 버전 간 이진 호환성을 제공하고 싶다면, 공용 함수들에서는 선택적 매개변수를 신중하게 사용할 필요가 있다.

this 참조

this 참조는 해당 인스턴스 자체를 지칭한다. 다음 예에서 Marry 메서드는 this를 이용해서 partner의 mate 필드를 설정한다.

```
public class Panda
{
  public Panda Mate;

  public void Marry (Panda partner)
  {
    Mate = partner;
    partner.Mate = this;
  }
}
```

this 참조는 또한 지역 변수나 매개변수를 필드와 구분하는 용도로도 쓰인다. 다음이 그러한 예이다.

```
public class Test
{
  string name;
  public Test (string name) { this.name = name; }
}
```

this 참조는 클래스나 구조체의 비정적 멤버 안에서만 유효하다.

속성

속성(property)은 겉으로 보기에는 필드 같지만 내부적으로는 메서드처럼 특정 한 논리 코드를 가진 멤버이다. 예를 들어 다음 코드만 봐서는 CurrentPrice가 필드인지 속성인지 구별할 수 없다.

```
Stock msft = new Stock();
msft.CurrentPrice = 30;
msft.CurrentPrice -= 3;
Console.WriteLine (msft.CurrentPrice);
```

속성도 필드처럼 그 형식과 이름을 지정해서 선언한다. 단, 그다음에 get/set 블록이 붙는다는 점이 다르다. 다음은 CurrentPrice를 하나의 속성으로 구현한 예이다.

```
public class Stock
{
  decimal currentPrice;           // 전용 "배경" 필드
  public decimal CurrentPrice     // 공용 속성
  {
    get { return currentPrice; }
    set { currentPrice = value; }
  }
}
```

get과 set은 속성의 **접근자**(accessor)들이다. get 접근자는 속성을 읽을 때 실행된다. 이 접근자는 반드시 속성의 형식과 같은 형식의 값을 돌려주어야 한다. set 접근자는 속성에 값을 배정할 때 실행된다. 암묵적으로 이 접근자에는 속성과 같은 형식의 value라는 매개변수가 있다. 흔히 그 매개변수를 속성의 전용 '지원(backing)' 필드(지금 예에서는 currentPrice)에 배정한다.

비록 접근 방식이 필드와 같지만, 속성은 그 값의 설정과 조회 방식을 완전히 제어할 수 있다는 점에서 필드와 크게 다르다. 이러한 제어 능력 덕분에 프로그래머는 내부적인 세부사항을 속성의 사용자에게 노출하지 않고도 속성의 내부 표현 방식을 마음대로 결정할 수 있다. 예를 들어 지금 예에서 만일 value의 값이 유효 범위 바깥이면 예외를 던지도록 set 메서드를 정의할 수도 있다.

이 책의 예제들에서는 속성 대신 그냥 공용 필드들을 사용하는 경우가 많은데, 이는 단지 해당 예제가 나타내는 주제에 집중하기 위한 것일 뿐이다. 실제 응용 프로그램에서는 캡슐화를 위해 공용 필드 대신 공용 속성을 사용하는 것이 바람직하다.

속성에 적용할 수 있는 수정자들은 다음과 같다.

정적 수정자	`static`
접근 수정자	`public internal private protected`
상속 수정자	`new virtual abstract override sealed`
비관리 코드 수정자	`unsafe extern`

읽기 적용 속성과 계산된 속성

속성에 get 접근자만 지정하면 읽기 전용 속성이 되고, set 접근자만 지정하면 쓰기 전용(write-only) 속성이 된다. 쓰기 전용 속성은 거의 사용되지 않는다.

일반적으로 속성에는 바탕(underlying) 자료의 저장에만 쓰이는 배경 필드(backing field; 또는 지원 필드)†가 있다. 대체로 속성당 하나의 배경 필드를 사용하는 경우가 많지만, 다음 예처럼 여러 필드로 계산한 값을 사용하는 것도 가능하다.

```
decimal currentPrice, sharesOwned;

public decimal Worth
{
  get { return currentPrice * sharesOwned; }
}
```

식 본문 속성(C# 6)

C# 6에서부터는 앞에 나온 것과 같은 읽기 전용 속성을 다음처럼 본문이 하나의 표현식인 형태로 좀 더 간결하게 정의할 수 있다. 이를 표현식이 본문인 속성, 줄여서 **식 본문 속성**(expression-bodied property)이라고 부른다. 모든 중괄호와 get, return 키워드를 두꺼운 화살표가 대신함을 주목하기 바란다.

```
public decimal Worth => currentPrice * sharesOwned;
```

자동 속성

속성을 구현하는 가장 흔한 방식은 그냥 속성과 같은 형식의 전용 필드를 읽고 쓰는 조회 메서드(get)와 설정 메서드(set)를 두는 것이다. 그러한 구현을 컴파

† (옮긴이) 이 번역서는 backing field, backing store, backing stream 등의 'backing'을 '배경'으로 옮긴다. 이런 용어들에서 backing은 뭔가를 뒷받침 또는 지지한다는 뜻인데, '배경'에는 '뒤쪽의 경치'라는 직접적인 뜻 외에 "(앞에 드러나지 않고)뒤에서 돌봐 주는 힘"이라는 비유적인 뜻도 있다.

일러가 자동으로 생성하게 하는 것이 가능하다. 그런 식으로 정의한 속성을 **자동 속성**(automatic property)이라고 부른다. 다음은 이번 절의 첫 예제에 나온 CurrentPrice를 자동 속성 형태로 선언한 것이다.

```
public class Stock
{
  ...
  public decimal CurrentPrice { get; set; }
}
```

이렇게 하면 컴파일러는 속성 값을 담을 전용(private) 배경 필드를 자동으로 생성하는데, 그 이름은 컴파일러가 내부적으로 결정하기 때문에 코드에서 지칭할 수 없다. 다른 형식들이 읽기 전용으로 사용할 속성을 만들려면 set 접근자에 private나 protected를 지정하면 된다. 자동 속성 기능은 C# 3.0에서 도입되었다.

속성 초기치(C# 6)

C# 6부터는 자동 속성에도 필드에 하는 것처럼 초기치를 지정할 붙일 수 있다. 이를 **속성 초기치**(property initializer)라고 부른다.

```
public decimal CurrentPrice { get; set; } = 123;
```

이렇게 하면 CurrentPrice는 123으로 초기화된다. 읽기 전용인 자동 속성에도 초기치를 붙일 수 있다.

```
public int Maximum { get; } = 999;
```

읽기 전용 필드와 마찬가지로, 읽기 전용 자동 속성의 값을 형식의 생성자에서 배정하는 것도 가능하다. 이는 **불변이**(immutable) 형식, 즉 **읽기 전용** 형식을 만들 때 유용하다.

get/set 접근자의 접근성

접근자 get과 set의 접근 수준을 다르게 설정하는 것도 가능하다. 흔한 활용법은, 공용(public) 속성의 set에만 internal이나 private 접근 수정자를 지정하는 것이다.

```
public class Foo
{
  private decimal x;
  public decimal X
  {
    get         { return x;  }
    private set { x = Math.Round (value, 2); }
  }
}
```

속성 자체에는 좀 더 느슨한 접근 수준(지금 예에서는 public)을 지정하되 접근자에는 좀 더 **엄격한** 접근 수정자를 지정했음을 주목하기 바란다.

CLR 속성 구현

C# 속성 접근자들은 내부적으로 이름이 get_*XXX*와 set_*XXX* 형태인 메서드로 컴파일된다.

```
public decimal get_CurrentPrice {...}
public void set_CurrentPrice (decimal value) {...}
```

단순한 비가상(nonvirtual) 속성 접근자들은 JIT(just-in-time) 컴파일러가 **인라인화**(inlining)한다. 이 덕분에 속성 접근과 필드 접근의 성능상의 차이가 사라진다. 인라인화는 메서드 호출을 그 메서드의 본문으로 대체하는 최적화 기법이다.

WinRT 속성의 경우 컴파일러는 set_*XXX* 대신 put_*XXX* 형태의 이름을 사용한다.

인덱서

인덱서indexer는 값들의 목록이나 사전을 캡슐화하는 클래스나 구조체에서 특정 값(원소)에 자연스러운 구문으로 접근하기 위한 기능을 제공하는 멤버이다. 인덱서는 속성과 비슷하되, 속성 이름이 아니라 색인 변수를 통해서 접근한다는 점이 다르다. string 클래스에는 문자열을 구성하는 특정 문자의 char 값에 int 색인을 통해서 접근할 수 있게 하는 인덱서가 있다.

```
string s = "hello";
Console.WriteLine (s[0]); // 'h'
Console.WriteLine (s[3]); // 'l'
```

인덱서를 사용하는 구문은 배열을 사용하는 구문과 비슷하다. 단, 인덱서에서는 정수 형식 이외의 형식도 색인으로 사용할 수 있다.

인덱서에 적용할 수 있는 수정자는 속성의 것들과 동일하다(이번 장의 '속성(p.99)' 참고). 또한, 대괄호 앞에 물음표를 넣어서 널 조건부 형태로 호출할 수 있다(제2장의 '널 관련 연산자(p.71)' 참고).

```
string s = null;
Console.WriteLine (s?[0]);  // 아무것도 출력하지 않음; 오류 없음.
```

인덱서의 구현

인덱서를 작성할 때에는 this라는 이름으로 속성을 선언하되, 대괄호쌍 안에 색인 매개변수들을 지정한다. 다음이 그러한 예이다.

```
class Sentence
{
  string[] words = "The quick brown fox".Split();

  public string this [int wordNum]      // 인덱서
  {
    get { return words [wordNum];  }
    set { words [wordNum] = value; }
  }
}
```

다음은 이 인덱서를 사용하는 예이다.

```
Sentence s = new Sentence();
Console.WriteLine (s[3]);       // fox
s[3] = "kangaroo";
Console.WriteLine (s[3]);       // kangaroo
```

하나의 형식에 여러 개의 인덱서를 둘 수 있다. 물론 인덱서마다 매개변수 형식이 달라야 한다. 인덱서가 여러 개의 매개변수를 받을 수도 있다.

```
public string this [int arg1, string arg2]
{
  get { ... }  set { ... }
}
```

set 접근자를 생략하면 읽기 전용 인덱서가 된다. C# 6.0부터는 다음처럼 표현식을 본문으로 지정해서 인덱서를 좀 더 간결하게 정의할 수 있다.

```
public string this [int wordNum] => words [wordNum];
```

CLR 인덱서 구현

컴파일러는 내부적으로 인덱서를 다음과 같은 형태의 get_Item 메서드와 set_Item 메서드로 바꾸어서 컴파일한다.

```
public string get_Item (int wordNum) {...}
public void set_Item (int wordNum, string value) {...}
```

상수

상수(constant) 필드(줄여서 그냥 상수)는 값을 결코 바꿀 수 없는 정적 필드이다. 상수는 컴파일 시점에서 정적으로 평가되며, 컴파일러는 상수가 쓰이는 곳마다 그 값을 직접 박아 넣는다(C++의 매크로와 상당히 비슷하다). 상수의 형식으로는 내장 수치 형식들과 bool, char, string, 또는 열거형을 사용할 수 있다.

상수를 선언할 때에는 반드시 const 키워드를 써줘야 하며, 초기치도 반드시 지정해야 한다. 예를 들면 다음과 같다.

```
public class Test
{
  public const string Message = "Hello World";
}
```

사용할 수 있는 형식 면에서나 필드 초기화 방식에서나, 상수는 static readonly 필드보다 훨씬 제한적이다. 또한, 컴파일 시점에서 평가된다는 점 역시 static readonly 필드와 다른 점이다. 예를 들어 다음 코드는

```
public static double Circumference (double radius)
{
  return 2 * System.Math.PI * radius;
}
```

다음과 같이 컴파일된다.

```
public static double Circumference (double radius)
{
  return 6.2831853071795862 * radius;
}
```

PI(원주율에 해당)처럼 결코 변하지 않는 값은 이처럼 상수로 두는 것이 합당하다. 반면, 응용 프로그램마다 다른 값일 수 있는 필드는 static readonly 필드로 만드는 것이 낫다.

또한, 이후 버전에서 달라질 수도 있는 값을 다른 어셈블리들에 노출할 때에도 static readonly 필드가 낫다. 예를 들어 어셈블리 X가 다음과 같은 상수를 노출한다고 하자.

```
public const decimal ProgramVersion = 2.3;
```

만일 X를 참조하는 Y라는 어셈블리가 이 상수를 사용한다면, 2.3이라는 값은 Y를 컴파일할 때 Y 어셈블리 자체에 들어박힌다. 따라서 나중에 이 상수를 2.4로 설정해서 X를 다시 컴파일한다고 해도 Y는 여전히 예전 값인 2.3을 사용하며, Y를 **다시 컴파일해야** 비로소 2.4를 사용하게 된다. static readonly 필드에는 이런 문제가 없다.

이를 이렇게 해석할 수도 있다: 나중에 변할 수도 있는 값은 애초에 상수의 정의에 맞지 않으므로 상수로 두지 말아야 한다.

메서드에 국한된 상수, 즉 '지역 상수'를 선언할 수도 있다. 예를 들면 다음과 같다.

```
static void Main()
{
  const double twoPI  = 2 * System.Math.PI;
  ...
}
```

지역 상수가 아닌 상수에는 다음과 같은 수정자들을 적용할 수 있다.

접근 수정자	public internal private protected
상속 수정자	new

정적 생성자

정적 생성자는 **인스턴스**를 생성할 때마다 실행되는 것이 아니라 **형식** 자체에 대해 한 번만 실행된다. 하나의 형식에 정적 생성자를 하나만 정의할 수 있다. 정적 생성자는 매개변수가 없어야 하며, 반환 형식은 해당 형식 자체이다.

```
class Test
{
  static Test() { Console.WriteLine ("Type Initialized"); }
}
```

런타임은 형식이 쓰이기 직전에 자동으로 정적 생성자를 호출한다. 구체적으로, 다음 둘 중 하나가 발생하면 정적 생성자가 호출된다.

- 형식을 인스턴스화한다.
- 형식의 정적 멤버에 접근한다.

정적 생성자에 적용할 수 있는 수정자는 unsafe와 extern 뿐이다.

> 정적 생성자가 처리되지 않은 예외를 던지면(제4장 참고), 그 형식은 응용 프로그램의 수명 전체에서 **사용 불가능**(unusable)한 상태가 된다.

정적 생성자와 정적 필드 초기화 순서

정적 필드 초기화는 정적 생성자가 호출되기 전에 실행된다. 형식에 정적 생성자가 없으면 정적 필드들은 해당 형식이 쓰이기 직전에 초기화될 수도 있고, 런타임의 판단에 따라서는 그보다 전의 임의의 시점에 초기화될 수도 있다.

정적 필드들은 선언된 순서대로 초기화된다. 다음 예가 이 점을 보여준다. X는 0으로 초기화되고 Y는 3으로 초기화된다.

```
class Foo
{
  public static int X = Y;    // 0
  public static int Y = 3;    // 3
}
```

두 필드 초기화 문장의 순서를 바꾸면 필드 모두 3으로 초기화된다. 다음 예제는 0 다음에 3을 출력하는데, 이는 Foo의 인스턴스를 생성하는 초기화문이 X가 3으로 초기화되기 전에 실행되기 때문이다.

```
class Program
{
  static void Main() { Console.WriteLine (Foo.X); }   // 3
}

class Foo
{
  public static Foo Instance = new Foo();
  public static int X = 3;

  Foo() { Console.WriteLine (X); }   // 0
}
```

만일 굵게 표시된 두 행을 맞바꾸면 예제는 3과 3을 출력한다.

정적 클래스

클래스 선언 시 static 수정자를 지정할 수 있다. 이 수정자는 해당 클래스가 정적 멤버들로만 이루어져 있으며 다른 클래스가 상속할 수 없어야 한다고 컴파일러에게 알려주는 역할을 한다. System.Console 클래스와 System.Math 클래스가 이런 정적 클래스의 좋은 예이다.

종료자

종료자(finalizer)는 클래스에만 둘 수 있는 함수 멤버로, 더 이상 참조되지 않는 객체의 메모리를 쓰레기 수거기가 가져가기 전에 실행된다. 종료자를 선언할 때에는 다음 예처럼 클래스 이름 앞에 ~ 기호를 붙인다.

```
class Class1
{
  ~Class1()
  {
    ...
  }
}
```

이는 사실 Object의 Finalize 메서드를 재정의(잠시 후에 설명)하는 코드를 간결히 표기하기 위한 C#의 구문이다. 컴파일러는 종료자 선언을 다음과 같은 메서드 선언으로 확장한다.

```
protected override void Finalize()
{
  ...
  base.Finalize();
}
```

쓰레기 수거기와 종료자에 대해서는 제12장에서 좀 더 자세히 설명한다.

종료자에 적용할 수 있는 수정자는 다음과 같다.

비관리 코드 수정자	unsafe

부분 형식과 부분 메서드

부분 형식(partial type)이란 하나의 형식을 여러 곳에서 나누어 정의하는 것을 말한다. 하나의 형식이 여러 소스 파일에서 정의되는 경우도 흔하다. 부분 클래스의 흔한 용도 하나는 다른 어떤 출처(이를테면 Visual Studio의 템플릿이나 디자이너)에서 자동으로 생성한 클래스를 사람이 직접 코드를 추가해서 보강하는 것이다. 예를 들면 다음과 같다.

```
// PaymentFormGen.cs - 자동 생성
partial class PaymentForm { ... }

// PaymentForm.cs - 사람이 직접 작성
partial class PaymentForm { ... }
```

한 형식의 모든 부분 선언에는 반드시 partial 키워드가 있어야 한다. 다음은 위법한 코드이다.

```
partial class PaymentForm {}
class PaymentForm {}
```

부분 선언들에서 멤버들이 충돌해서는 안 된다. 예를 들어 매개변수가 동일한 생성자가 여러 개의 부분 선언에 포함되어 있으면 안 된다. 부분 형식은 전적으로 컴파일러가 처리한다. 즉 모든 부분 선언이 갖추어져야 하며, 반드시 같은 어셈블리 안에 있어야 한다.

하나 이상의 부분 선언에서 기반 클래스를 지정할 수 있다. 단, 그런 부분 선언들은 모두 동일한 기반 클래스를 지정해야 한다. 또한, 각 부분 선언은 자신이 구현할 인터페이스를 각자 따로 지정할 수 있다. 기반 클래스와 인터페이스에 대해서는 이번 장의 '상속(p.110)'과 '인터페이스(p.130)'에서 이야기하겠다.

컴파일러는 부분 형식 선언들 사이에서의 필드 초기화 순서에 관해 그 어떤 것도 보장하지 않는다.

부분 메서드

부분 형식에 **부분 메서드**(partial method)가 있을 수 있다. 부분 메서드는 자동으로 생성된 부분 형식의 일부 기능을 사람이 직접 커스텀화하기 위한 확장 지점(훅hook) 역할을 한다.

```
partial class PaymentForm    // 자동으로 생성된 소스 파일에서
{
  ...
  partial void ValidatePayment (decimal amount);
}

partial class PaymentForm    // 사람이 작성한 소스 파일에서
{
  ...
  partial void ValidatePayment (decimal amount)
  {
    if (amount > 100)
```

```
        ...
    }
}
```

부분 메서드는 **정의**(definition)와 **구현**(implementation)이라는 두 부분으로 나뉜다. 흔히 정의定義는 코드 생성기가 자동으로 생성하고, 구현은 사람이 작성한다. 구현이 주어지지 않으면 컴파일러는 부분 메서드의 정의 자체를(그리고 그 메서드를 호출하는 코드도) 제거한다. 이 덕분에 코드 자동 생성 기법을 이용할 때 코드의 크기가 불필요하게 불어나는 문제(bloating)를 걱정하지 않고 자유롭게 확장 지점들을 제공할 수 있다. 부분 메서드의 반환 형식은 반드시 `void`이어야 한다. 부분 메서드에는 암묵적으로 `private`가 적용된다.

부분 메서드는 C# 3.0에서 도입되었다.

nameof 연산자(C# 6)

`nameof` 연산자는 임의의 기호(형식, 멤버, 변수 등)의 이름에 해당하는 문자열을 돌려준다.

```
int count = 123;
string name = nameof (count);       // name은 "count"
```

그냥 해당 문자열을 직접 지정하는 것에 비한 이 연산자의 장점은 정적 형식 점검이 일어난다는 것이다. Visual Studio 같은 도구들은 기호 참조(symbol reference)를 이해할 수 있으므로, 해당 기호의 이름을 바꾸면 그에 대한 모든 참조의 이름도 바뀐다.

필드나 속성 같은 형식 멤버의 이름을 얻으려면 그것이 속한 형식의 이름도 지정해야 한다. 이는 정적 멤버와 인스턴스 멤버 모두 마찬가지이다. 다음 예를 보자.

```
string name = nameof (StringBuilder.Length);
```

`name`에는 `"Length"`가 배정된다. `"StringBuilder.Length"`를 원한다면 다음과 같이 하면 된다.

```
nameof (StringBuilder) + "." + nameof (StringBuilder.Length);
```

상속

클래스는 기존 클래스를 확장하거나 커스텀하기 위해 그 클래스를 **상속**(inheritance)할 수 있다. 상속의 중요한 용도 하나는, 어떤 기능을 처음부터 새로 만드는 대신 그런 기능을 가진 클래스를 상속함으로써 코드를 재사용하는 것이다. 하나의 클래스는 오직 하나의 클래스만 상속할 수 있다. 그러나 하나의 클래스가 여러 클래스의 상속 대상이 되는 것은 가능하다. 이에 의해 트리 형태의 클래스 계통구조(class hierarchy)가 만들어진다. 계통구조의 예로, 먼저 '자산'을 대표하는 Asset이라는 클래스를 정의해 보자.

```
public class Asset
{
  public string Name;
}
```

다음으로, 주식과 주택을 뜻하는 Stock 클래스와 House 클래스를 정의한다. 이들은 Asset을 상속한다. 즉, Asset에 있는 모든 것을 물려받는다. 또한, Stock과 House는 자신만의 추가적인 멤버들도 정의한다.

```
public class Stock : Asset   // Asset을 상속
{
  public long SharesOwned;
}

public class House : Asset   // Asset을 상속
{
  public decimal Mortgage;
}
```

다음은 이 클래스들을 사용하는 예이다.

```
Stock msft = new Stock { Name="MSFT",
                         SharesOwned=1000 };

Console.WriteLine (msft.Name);         // MSFT
Console.WriteLine (msft.SharesOwned);  // 1000

House mansion = new House { Name="Mansion",
                            Mortgage=250000 };

Console.WriteLine (mansion.Name);      // Mansion
Console.WriteLine (mansion.Mortgage);  // 250000
```

어떤 클래스를 상속한 클래스를 **파생 클래스**(derived class)라고 부르고, 상속된 클래스를 **기반 클래스**(base class)라고 부른다. 파생 클래스 Stock과 House는 기반 클래스 Asset으로부터 Name 속성을 물려받았다.

파생 클래스를 **하위 클래스**(subclass)라고 부르기도 한다.
기반 클래스를 **상위 클래스**(superclass)라고 부르기도 한다.†

다형성

참조에는 다형성多形性(polymorphism)이 있다. 간단히 말하면 이는 *x* 형식의 변수가 *x*에서 파생된 형식의 객체를 참조할 수 있다는 뜻이다. 예를 들어 다음 메서드를 생각해 보자.

```
public static void Display (Asset asset)
{
  System.Console.WriteLine (asset.Name);
}
```

이 메서드는 Stock과 House의 객체도 받을 수 있다. 둘 다 Asset의 일종(a-kind-of 또는 is-a 관계)이기 때문이다.

```
Stock msft    = new Stock ... ;
House mansion = new House ... ;

Display (msft);
Display (mansion);
```

이러한 다형성이 가능한 것은, 파생 클래스(Stock과 House)가 그 기반 클래스(Asset)의 모든 특징을 갖추고 있기 때문이다. 그러나 그 역은 참이 아니다. 만일 Display 메서드가 House를 받도록 앞의 예제를 수정한다면, Asset 객체로는 Display 메서드를 호출할 수 없다.

```
static void Main() { Display (new Asset()); }    // 컴파일 시점 오류
public static void Display (House house)         // Asset은 받지 않음
{
  System.Console.WriteLine (house.Mortgage);
}
```

† (옮긴이) 또한 파생 클래스를 자식(child) 클래스, 기반 클래스를 부모(parent) 클래스라고 부르기도 한다. 이런 용어들에는 현실의 상속(유산 상속)을 좀 더 잘 반영한다는 장점과 트리 같은 계통구조에서 흔히 쓰이는 자식 노드, 부모 노드 같은 용어들과 잘 맞는다는 장점이 있다.

캐스팅과 참조 변환

객체 참조에 대해 다음 두 가지 캐스팅이 가능하다.

- 기반 클래스 참조로의 암묵적 **상향 캐스팅**(upcasting).
- 파생 클래스 참조로의 명시적 **하향 캐스팅**(downcasting).

호환되는 형식들 사이의 상향 캐스팅과 하향 캐스팅에 의해 **참조 변환**(reference conversion)이라는 연산이 수행된다. 이 연산에 의해 새로운 참조가 생성되는데(논리적으로), 그 참조는 원래의 참조가 가리키는 것과 **동일한** 객체를 가리킨다. 상향 캐스팅은 항상 성공한다. 그러나 하향 캐스팅은 해당 객체의 형식이 적절히 정의되어 있는 경우에만 성공한다.

상향 캐스팅

상향 캐스팅 연산은 파생 클래스 참조로부터 기반 클래스 참조를 생성한다. 예를 들면 다음과 같다.

```
Stock msft = new Stock();
Asset a = msft;              // 상향 캐스팅
```

상향 캐스팅 이후에도 변수 a는 여전히 msft 변수가 가리키는 것과 동일한 Stock 객체를 가리킨다. 즉, 참조되는 객체 자체는 바뀌거나 변환되지 않는다.

```
Console.WriteLine (a == msft);        // True
```

비록 a와 msft가 같은 객체를 가리키긴 하지만, a는 그 객체에 대한 가시성이 좀 더 제한적이다.

```
Console.WriteLine (a.Name);           // OK
Console.WriteLine (a.SharesOwned);    // 오류: SharesOwned는 정의되지 않음
```

마지막 줄은 컴파일 시점 오류를 발생하는데, 이는 변수 a가 비록 Stock 형식의 객체를 가리키긴 하지만 변수 자체의 형식은 Asset이기 때문이다. SharesOwned 필드에 접근하려면 반드시 Asset을 Stock으로 하향 캐스팅해야 한다.

하향 캐스팅

하향 캐스팅 연산은 기반 클래스 참조로부터 파생 클래스 참조를 생성한다. 예를 들면 다음과 같다.

```
Stock msft = new Stock();
Asset a = msft;                          // 상향 캐스팅
Stock s = (Stock)a;                      // 하향 캐스팅
Console.WriteLine (s.SharesOwned);       // <오류 없음>
Console.WriteLine (s == a);              // True
Console.WriteLine (s == msft);           // True
```

상향 캐스팅에서처럼, 변하는 것은 참조뿐이다. 바탕 객체는 변하지 않는다. 하향 캐스팅은 실행시점에서 실패할 수도 있으므로 반드시 명시적 캐스팅이 필요하다.

```
House h = new House();
Asset a = h;                // 상향 캐스팅은 항상 성공한다.
Stock s = (Stock)a;         // 하향 캐스팅 실패: a는 Stock의 일종이 아님
```

하향 캐스팅이 실패하면 InvalidCastException 예외가 발생한다. 이는 **실행시점 형식 점검**의 한 예이다(실행시점 형식 점검에 관해서는 이번 장의 '정적 및 실행시점 형식 점검(p.124)')에서 좀 더 이야기하겠다.

as 연산자

as 연산자도 하향 캐스팅을 수행한다. 앞의 방법과 다른 점은, 하향 캐스팅이 실패한 경우 null로 평가된다는(예외를 던지는 것이 아니라) 점이다.

```
Asset a = new Asset();
Stock s = a as Stock;       // s null; 예외는 발생하지 않음
```

이 연산자는 다음처럼 캐스팅 결과가 null인지 판정해서 그에 따라 특정한 처리를 수행하고자 할 때 유용하다.

```
if (s != null) Console.WriteLine (s.SharesOwned);
```

이런 판정이 없다면 명시적인 하향 캐스팅이 더 낫다. 캐스팅이 실패했을 때, 상황을 좀 더 잘 말해주는 예외가 발생하기 때문이다. 다음 두 줄의 코드를 비교해 보면 이 점을 쉽게 이해할 수 있을 것이다.

```
int shares = ((Stock)a).SharesOwned;     // 접근방식 #1
int shares = (a as Stock).SharesOwned;   // 접근방식 #2
```

a가 Stock의 일종이 아니면 첫 행은 InvalidCastException 예외를 던져준다. 예외 이름을 해석해 보면, 캐스팅이 유효하지 않아서 문제가 생겼음을 알 수 있다. 반면 둘째 행은 NullReferenceException 예외를 던지는데, 이 예외만 봐서는 a가 Stock이 아니어서 널이 된 것인지 아니면 애초에 a 자체가 널이었는지 확실하지 않다.

이 문제를 이렇게 생각할 수도 있다: 명시적 캐스팅을 사용한다는 것은 프로그래머가 컴파일러에게 "이 값의 형식이 이것임은 **확실하다**. 만일 내가 틀렸다면 내 코드에 버그가 있는 것이니 예외를 던져 줘!"라고 말하는 것과 같다. 반면 as 연산자를 사용한다는 것은, 이 값의 형식이 무엇인지 확신할 수 없으므로 실행시점에서의 결과에 따라 실행 흐름을 분기하겠다는 뜻이다.

as 연산자는 **커스텀 변환**(제4장의 '연산자 중복적재(p.210)' 참고)을 수행하지 못한다. 또한, 수치 변환도 수행하지 못한다.

```
long x = 3 as long;    // 컴파일 시점 오류
```

as 연산자와 명시적 캐스팅 둘 다 상향 캐스팅에도 적용할 수 있지만, 별로 쓸모는 없다. 어차피 상향 캐스팅은 암묵적 변환으로 일어나기 때문이다.

is 연산자

is 연산자는 주어진 참조 변환의 성공 여부를 판정해 준다. 다른 말로 하면, 만일 연산자 왼쪽에 있는 객체의 형식이 오른쪽에 있는 클래스에서 파생된 클래스이면(또는 오른쪽에 있는 인터페이스를 구현하는 클래스이면) 이 연산자는 참으로 평가된다. 흔히 하향 캐스팅을 수행하기 전에 이러한 판정을 수행한다.

```
if (a is Stock)
  Console.WriteLine (((Stock)a).SharesOwned);
```

is 연산자는 또한 **언박싱 변환**(unboxing conversion)의 성공 여부도 판정해 준다(이번 장의 'object 형식(p.121)' 참고). 그러나 커스텀 변환이나 수치 변환은 고려하지 않는다.

가상 함수 멤버

virtual 키워드를 지정해서 선언한 함수 멤버를 가상 함수 멤버(virtual function member) 또는 가상 멤버라고 부른다. 파생 클래스는 기반 클래스의 가상 함수 멤버를 **재정의**(override)함으로써 좀 더 특화된 구현을 제공할 수 있다. virtual을 적용할 수 있는 가상 함수 멤버는 메서드, 속성, 인덱서, 이벤트이다.

```
public class Asset
{
  public string Name;
  public virtual decimal Liability => 0;    // 식 본문 속성
}
```

(Liability => 0은 { get { return 0; } }을 간결히 표기한 것이다. 이런 구문에 대한 좀 더 자세한 사항은 이번 장의 '식 본문 속성(C# 6)(p.100)'에서 이야기했다.)

하위 클래스에서 가상 멤버를 재정의할 때에는 반드시 override 수정자를 지정해야 한다.

```
public class Stock : Asset
{
  public long SharesOwned;
}

public class House : Asset
{
  public decimal Mortgage;
  public override decimal Liability => Mortgage;
}
```

Asset의 Liability 속성은 기본적으로 0이다. Stock의 경우에는 이 값을 특화할 필요가 없다. 그러나 House는 Liability 속성이 Mortgage의 값을 돌려주도록 특화할 필요가 있다.†

```
House mansion = new House { Name="McMansion", Mortgage=250000 };
Asset a = mansion;
Console.WriteLine (mansion.Liability);  // 250000
Console.WriteLine (a.Liability);        // 250000
```

기반 클래스의 가상 멤버와 그것을 재정의하는 파생 클래스의 멤버는 서명뿐만 아니라 반환 형식과 접근 수준(공용, 전용)도 동일해야 한다. 파생 클래스의 재정의 멤버에서 기반 클래스의 구현을 호출해야 할 때에는 base 키워드를 이용하면 된다(이에 대해서는 이번 장의 'base 키워드(p.118)'에서 이야기한다).

> **!** 생성자에서 가상 함수 멤버를 호출하는 것은 위험할 수 있다. 파생 클래스 작성자가 가상 함수 멤버를 재정의할 때, 재정의된 가상 함수 멤버가 부분적으로 초기화된 객체에 대해서도 잘 작동할지 정확히 알지 못한 채로 코드를 작성할 가능성이 크기 때문이다. 예를 들어 재정의 멤버가 생성자가 아직 초기화하지 않은 필드들에 의존하는 메서드나 속성에 접근할 수도 있다.

† (옮긴이) 이 예에서 Liability 속성은 채무(빚)를 나타낸다. 주식과는 달리 주택에는 융자금(대출)이 있을 수 있기 때문에 이런 특화가 필요하다.

추상 클래스와 추상 멤버

abstract 키워드를 지정해서 선언한 클래스를 **추상 클래스**(abstract class)라고 부른다. 이런 클래스는 인스턴스를 생성할 수 없다. 인스턴스는 구체 클래스(concrete class), 즉 추상 클래스를 상속해서 구현하는 구체적인 파생 클래스에서 생성해야 한다.

추상 클래스에서는 **추상 멤버**(abstract member)를 정의할 수 있다. 추상 멤버는 가상 멤버와 비슷하되, 기본 구현을 제공하지 않는다는 점이 다르다. 구현은 반드시 파생 클래스가 제공해야 한다. 단, 파생 클래스 역시 추상 클래스일 수 있으며, 그런 경우에는 구현을 제공하지 않아도 된다.

```
public abstract class Asset
{
  // 구현이 비어 있음을 주목할 것
  public abstract decimal NetValue { get; }
}

public class Stock : Asset
{
  public long SharesOwned;
  public decimal CurrentPrice;

  // 가상 멤버를 재정의하듯이 재정의한다.
  public override decimal NetValue => CurrentPrice * SharesOwned;
}
```

상속된 멤버 숨기기

기반 클래스와 파생 클래스에 동일한 멤버가 존재할 수 있다. 예를 들면 다음과 같다.

```
public class A      { public int Counter = 1; }
public class B : A  { public int Counter = 2; }
```

이 경우 클래스 B의 Counter 필드가 클래스 A의 Counter 필드를 "숨겨서(hide; 또는 가려서)" 보이지 않게 만든다. 프로그래머가 의도적으로 이렇게 하는 경우는 별로 없다. 대체로 이는 파생 형식에 어떤 멤버를 추가한 후에 그와 동일한 멤버를 기반 형식에 추가해서 생기는 실수이다. 그래서 컴파일러는 이런 경우에 대해 경고를 발생하고, 다음과 같은 규칙에 따라 사태를 해결한다.

- Counter 필드에 접근하려는 참조가 A에 대한 참조이면 A.Counter에 접근하게 된다.

- Counter 필드에 접근하려는 참조가 B에 대한 참조이면 B.Counter에 접근하게 된다.

그런데 프로그래머가 의도적으로 멤버를 가리려는 경우도 없지는 않다. 그런 경우에는 파생 클래스의 멤버에 new 수정자를 지정하면 된다. new 수정자는 **단지 컴파일러가 멤버 숨기기에 관한 경고를 내지 않게 만드는** 역할만 한다.

```
public class A     { public     int Counter = 1; }
public class B : A { public new int Counter = 2; }
```

즉, new 수정자는 멤버가 중복된 것이 실수가 아니라 의도적인 것임을 컴파일러에게, 그리고 다른 프로그래머들에게 명확하게 알려주는 수단이라 할 수 있다.

C#에서 new 키워드는 문맥에 따라 여러 가지 의미로 쓰인다. 특히, 이 new **멤버 수정자**는 new **연산자**와는 다른 것이다.

new 대 override

다음과 같은 클래스 계통구조를 생각해 보자.

```
public class BaseClass
{
  public virtual void Foo()  { Console.WriteLine ("BaseClass.Foo"); }
}

public class Overrider : BaseClass
{
  public override void Foo() { Console.WriteLine ("Overrider.Foo"); }
}

public class Hider : BaseClass
{
  public new void Foo()      { Console.WriteLine ("Hider.Foo"); }
}
```

다음은 Overrider와 Hider의 행동이 어떻게 다른지 보여주는 예이다.

```
Overrider over = new Overrider();
BaseClass b1 = over;
over.Foo();                         // Overrider.Foo
b1.Foo();                           // Overrider.Foo

Hider h = new Hider();
BaseClass b2 = h;
h.Foo();                           // Hider.Foo
b2.Foo();                          // BaseClass.Foo
```

봉인 클래스와 봉인 멤버

가상 멤버나 추상 멤버를 재정의할 때 sealed라는 키워드를 지정하면, 그 구현이 **봉인**되어서 다른 파생 클래스가 더 이상 재정의할 수 없게 된다. 예를 들어 앞의 가상 함수 멤버 예제에 나온 House 클래스의 Liability 구현을 다음과 같이 봉인하면, House를 상속하는 다른 파생 클래스가 Liability를 더 이상 재정의하지 못하게 된다.

```
public sealed override decimal Liability { get { return Mortgage; } }
```

클래스 선언 시 sealed 키워드를 적용함으로써 클래스 자체를 봉인할 수도 있다. 그러면 그 클래스의 모든 가상 함수가 봉인된다. 실무에서는 개별 함수 멤버를 봉인하는 것보다 클래스 자체를 봉인하는 경우가 더 많다.

봉인은 재정의를 금지할 뿐, 멤버 숨기기(hiding)를 금지하지는 않는다.

base 키워드

base 키워드는 this 키워드와 비슷하다. 이 키워드의 주된 용도는 다음 두 가지이다.

- 파생 클래스의 재정의 멤버에서 기반 클래스의 가상 멤버에 접근한다.
- 기반 클래스의 생성자를 호출한다(다음 절 '생성자와 상속' 참고).

다음 예에서 House는 base 키워드를 이용해서 Asset의 Liability 구현에 접근한다.

```
public class House : Asset
{
  ...
  public override decimal Liability => base.Liability + Mortgage;
}
```

이처럼 base 키워드를 이용해서 Asset의 Liability 속성에 접근하는 것은 **비가상적**(nonvirtual)이다. 무슨 뜻이냐 하면, 실행시점에서 인스턴스의 실제 형식과는 무관하게 항상 Asset의 Liability 구현에 접근하게 된다는 뜻이다.

Liability가 **재정의**된 것이 아니라 **가려진** 경우에도 base를 이용해서 기반 구현에 접근할 수 있다. (가려진 멤버에 접근하는 또 다른 방법은, 먼저 기반 클래스로 캐스팅한 후에 해당 함수 멤버를 호출하는 것이다).

생성자와 상속

파생 클래스는 반드시 자신의 생성자를 선언해야 한다. 파생 클래스에서 기반 클래스의 생성자에 접근할 수는 있지만, 기반 클래스 생성자가 자동으로 상속되지는 않는다. 예를 들어 기반 클래스 Baseclass와 파생 클래스 Subclass가 다음과 같다고 하자.

```
public class Baseclass
{
  public int X;
  public Baseclass () { }
  public Baseclass (int x) { this.X = x; }
}

public class Subclass : Baseclass { }
```

다음 코드는 위법이다.

```
Subclass s = new Subclass (123);
```

즉, Subclass는 자신이 노출하고자 하는 생성자들을 반드시 '다시 정의'해야 한다. 단, 자신만의 생성자를 정의할 때 base 키워드를 이용해서 기반 클래스의 임의의 생성자를 호출하는 것은 가능하다.

```
public class Subclass : Baseclass
{
  public Subclass (int x) : base (x) { }
}
```

base 키워드는 this 키워드와 상당히 비슷하다. 단, 기반 클래스의 생성자(현재 클래스의 생성자가 아니라)를 호출한다는 점이 다르다.

기반 클래스 생성자들이 항상 먼저 실행된다. 따라서 기반 초기화가 특화된 초기화보다 반드시 먼저 일어난다.

매개변수 없는 기반 클래스 생성자의 암묵적 호출

파생 클래스의 생성자에 base 키워드가 없으면 기반 형식의 매개변수 없는 (parameterless) 생성자(기본 생성자)가 암묵적으로 호출된다.

```
public class BaseClass
{
  public int X;
```

```
    public BaseClass() { X = 1; }
  }

  public class Subclass : BaseClass
  {
    public Subclass() { Console.WriteLine (X); }  // 1
  }
```

기반 클래스에 접근 가능한 기본 생성자가 하나도 없으면 파생 클래스는 생성자에서 반드시 base 키워드를 사용해야 한다.

생성자와 필드 초기화 순서

객체가 인스턴스화될 때 초기화는 다음과 같은 순서로 일어난다.

1. 파생 클래스에서 기반 클래스순으로:
   a. 필드들이 초기화된다.
   b. 기반 클래스 생성자 호출들의 인수들이 평가된다.
2. 기반 클래스에서 파생 클래스순으로:
   a. 생성자 본문들이 실행된다.

다음은 이를 보여주는 예이다. 코드는 주석에 있는 번호순으로 실행된다.

```
public class B
{
  int x = 1;          // 3
  public B (int x)
  {
    ...               // 4
  }
}
public class D : B
{
  int y = 1;          // 1
  public D (int x)
    : base (x + 1)    // 2
  {
     ...              // 5
  }
}
```

중복적재와 해소

상속은 메서드 중복적재에 흥미로운 영향을 미친다. Foo라는 함수에 다음과 같은 두 가지 중복적재 버전이 있다고 하자.

```
static void Foo (Asset a) { }
static void Foo (House h) { }
```

중복적재된 함수가 호출되면 가장 구체적인 형식을 가진 버전이 선택된다.

```
House h = new House (...);
Foo(h);                      // Foo(House)를 호출함
```

실제로 호출할 구체적인 버전은 정적으로 결정된다. 다른 말로 하면, 중복적재는 실행시점이 아니라 컴파일 시점에서 해소(resolution)된다.† 다음 코드에서 a의 실행시점 형식이 House이긴 하지만, 호출되는 것은 Foo(Asset)이다.

```
Asset a = new House (...);
Foo(a);                      // Foo(Asset)이 호출됨
```

Asset을 dynamic(제4장)으로 캐스팅하면 중복적재 해소에 관한 결정은 실행시점으로 미루어진다. 실행시점에서는 객체의 실제 형식에 기초해서 중복적재가 해소된다.

```
Asset a = new House (...);
Foo ((dynamic)a);   // Calls Foo(House)
```

object 형식

object 형식(System.Object)은 모든 형식의 궁극적인 기반 클래스이다. 그 어떤 형식도 object로 상향 캐스팅할 수 있다.

이것이 어떤 쓸모가 있는지 이해하기 위해, 범용 **스택**stack 자료구조를 생각해 보자. 스택은 후입선출(last in, first out; LIFO) 원칙에 기초한 자료구조이다. 스택에는 두 가지 연산이 있는데, 하나는 스택에 객체 하나를 집어넣는 **밀어 넣기**(push; 넣기) 연산이고 또 하나는 스택에서 객체 하나를 꺼내는 **뽑기**(pop) 연산이다. 다음은 최대 10개의 객체를 담을 수 있는 스택의 간단한 구현이다.

```
public class Stack
{
  int position;
```

† (옮긴이) resolve/resolution은 환원, 결정, 해소 등 여러 가지로 번역되는데, 중복적재와 관련한 문맥에서는 다음과 같은 논리에 근거해서 '해소'라는 용어를 사용한다: 하나의 이름에 하나의 함수만 "실은(load)" 것을 안정적인 상황이라고 간주한다면, 하나의 이름에 여러 개의 함수를 실은 중복적재는 불안한 또는 부담스러운 상황이라고 볼 수 있다('과적 차량'이나 '과부하 상태'를 연상하면 될 것이다). 중복적재된 여러 버전 중 주어진 호출에 가장 잘 맞는 하나가 결정되면 그러한 불안 또는 부담이 사라진다. '환원', '결정' 등등 resolution에 대응되는 여러 단어 중 이러한 해석과 가장 잘 부합하는 것은 '해소'이다. ('이름 충돌의 해소'도 이와 비슷한 논리를 따른 것이다.)

```
    object[] data = new object[10];
    public void Push (object obj)   { data[position++] = obj;  }
    public object Pop()             { return data[--position]; }
  }
```

Stack은 object 형식을 다루기 때문에, 그 어떤 형식의 인스턴스라도 Push와 Pop 메서드를 이용해서 스택에 밀어 넣거나 뽑아낼 수 있다.

```
Stack stack = new Stack();
stack.Push ("sausage");
string s = (string) stack.Pop();   // 하향 캐스팅이므로 명시적 캐스팅이 필요함

Console.WriteLine (s);             // sausage
```

object는 하나의 클래스이며, 따라서 참조 형식이다. 그렇긴 하지만 int 같은 값 형식과 object 사이의 캐스팅도 가능하다. C#의 이러한 특징을 **형식 통합**(type unification)이라고 부른다. 다음은 형식 통합 특징을 보여주는 예이다.

```
stack.Push (3);
int three = (int) stack.Pop();
```

C# 코드에서 값 형식과 object 사이의 캐스팅을 실행하면 CLR은 값 형식과 참조 형식의 의미론 차이를 메우기 위해 몇 가지 특별한 작업을 수행해야 한다. 다음 절에서 이야기할 **박싱**과 **언박싱**이 바로 그것이다.

이번 장의 '제네릭(p.143)'에서는 같은 형식의 원소들을 좀 더 잘 다룰 수 있도록 Stack을 개선하는 방법이 나온다.

박싱과 언박싱

값 형식 인스턴스를 참조 형식 인스턴스로 변환하는 것을 박싱boxing†이라고 부른다. 이때 참조 형식은 반드시 인터페이스나 object 클래스이어야 한다(인터페이스에 관해서는 이번 장에서 나중에 이야기하겠다).[1] 다음은 int를 참조 형식의 객체로 박싱하는 예이다.

```
int x = 9;
object obj = x;          // int 박싱
```

† (옮긴이) 박싱은 값 형식 인스턴스를 참조 형식이라는 '상자(box)'에 담아서 전달하는 것을 비유한 것이다. 언박싱은 참조 형식의 상자를 열어서 값 형식 인스턴스를 꺼내는 것에 해당한다.

1 또한 참조 형식이 System.ValueType이나 System.Enum(제6장)인 경우에도 박싱이 가능하다.

언박싱unboxing은 그 반대의 과정, 즉 object를 다시 원래의 값 형식으로 캐스팅하는 것이다.

```
int y = (int)obj;         // int 언박싱
```

이 예에서 보듯이 언박싱에는 명시적 캐스팅이 필수이다. 런타임은 주어진 값 형식이 실제 객체 형식과 일치하는지 점검해서 만일 부합하지 않으면 InvalidCastException 예외를 던진다. 예를 들어 다음 코드는 예외를 발생하는데, long이 int와 정확히 부합하지는 않기 때문이다.

```
object obj = 9;           // 9는 int 형식으로 추론됨
long x = (long) obj;      // InvalidCastException
```

반면 다음 코드는 잘 실행된다.

```
object obj = 9;
long x = (int) obj;
```

다음 역시 잘 실행된다.

```
object obj = 3.5;              // 3.5는 double 형식으로 추론됨
int x = (int) (double) obj;    // x는 이제 3
```

마지막 예에서 (double)은 **언박싱**이고, 그 다음에 수행되는 (int)는 **수치 형식 변환**이다.

박싱 변환은 통합된 형식 체계(unified type system)를 이루는 데 있어 필수적이다. 그러나 이 체계가 완벽하지는 않다. 이번 장의 '제네릭(p.143)'에서 보겠지만, 배열과 제네릭들이 **참조 변환**만 지원하고 **박싱** 변환은 지원하지 않는다는 특이 사항이 존재한다.

```
object[] a1 = new string[3];   // 적법
object[] a2 = new int[3];      // 오류
```

박싱과 언박싱의 복사 의미론

박싱은 값 형식 인스턴스를 새 객체로 **복사**하고, 언박싱은 객체의 내용을 다시 값 형식 인스턴스로 **복사**한다. 다음 예에서 i의 값을 바꾸어도 그 전에 박싱된(상자에 담긴) 복사본은 변하지 않음을 주목하기 바란다.

```
int i = 3;
object boxed = i;
```

```
i = 5;
Console.WriteLine (boxed);    // 3
```

정적 및 실행시점 형식 점검

C# 프로그램의 형식들은 정적으로(컴파일 시점에서) 점검될 뿐만 아니라 실행시점에서도 점검된다(CLR이 점검한다).

정적 형식 점검 덕분에 컴파일러는 프로그램을 실행해 보지 않고도 프로그램의 정확성을 검증할 수 있다. C# 컴파일러는 정적 형식 적용을 강제하기 때문에 다음 코드는 컴파일에 실패한다.

```
int x = "5";
```

반면 실행시점 형식 점검은 프로그램 실행 도중 CLR이 수행한다. 실행시점 형식 점검은 참조 변환을 통한 하향 캐스팅이나 언박싱에 적용된다. 다음이 그러한 예이다.

```
object y = "5";
int z = (int) y;          // 실행시점 오류; 하향 캐스팅이 실패함
```

이러한 실행시점 점검이 가능한 이유는 힙에 할당된 모든 객체에 작은 형식 토큰이 존재하기 때문이다. 그 토큰을 `object` 객체의 `GetType` 메서드를 호출해서 얻을 수 있다.

GetType 메서드와 typeof 연산자

C#의 모든 형식은 실행시점에서 `System.Type`의 인스턴스로 표현된다. `System.Type` 객체를 얻는 방법은 기본적으로 다음 두 가지이다.

- 인스턴스에 대해 `GetType`을 호출한다.
- 형식 이름에 대해 `typeof` 연산자를 적용한다.

`GetType`은 실행시점에서 평가되는 반면 `typeof`는 컴파일 시점에서 정적으로 평가된다(제네릭 형식 매개변수가 관여하는 경우에는 JIT 컴파일러가 형식을 결정한다).

`System.Type`에는 형식의 이름, 어셈블리, 기반 형식 등을 알려주는 속성들이 있다. 예를 들면 다음과 같다.

```
using System;

public class Point { public int X, Y; }

class Test
{
  static void Main()
  {
    Point p = new Point();
    Console.WriteLine (p.GetType().Name);             // Point
    Console.WriteLine (typeof (Point).Name);          // Point
    Console.WriteLine (p.GetType() == typeof(Point)); // True
    Console.WriteLine (p.X.GetType().Name);           // Int32
    Console.WriteLine (p.Y.GetType().FullName);       // System.Int32
  }
}
```

System.Type에는 또한 런타임의 반영 모형(제19장 참고)에 접근할 수 있게 하는 메서드들도 있다.

ToString 메서드

ToString 메서드는 주어진 형식 인스턴스의 기본적인 텍스트 표현을 돌려준다. 이 메서드는 C#의 모든 내장 형식에 대해 재정의되어 있다. 다음은 int 형식의 ToString 메서드를 사용하는 예이다.

```
int x = 1;
string s = x.ToString();     // s는 "1"
```

커스텀 형식에서는 프로그래머가 ToString 메서드를 직접 재정의할 수 있다. 다음이 그러한 예이다.

```
public class Panda
{
  public string Name;
  public override string ToString() => Name;
}
...

Panda p = new Panda { Name = "Petey" };
Console.WriteLine (p);   // Petey
```

커스텀 형식에서 ToString을 재정의하지 않으면 이 메서드는 해당 형식의 이름을 돌려준다.

✓ ToString처럼 **재정의**된 object 멤버를 값 형식에 대해 직접 호출하면 박싱이 적용되지 않는다. 그런 경우 박싱은 명시적으로 캐스팅한 경우에만 적용된다.

```
int x = 1;
string s1 = x.ToString();    // 박싱되지 않은 값에 대한 호출
object box = x;
string s2 = box.ToString();  // 박싱된 값에 대한 호출
```

object의 멤버들

다음은 object(.NET Framework의 System.Object)의 모든 멤버이다.

```
public class Object
{
  public Object();

  public extern Type GetType();

  public virtual bool Equals (object obj);
  public static bool Equals  (object objA, object objB);
  public static bool ReferenceEquals (object objA, object objB);

  public virtual int GetHashCode();

  public virtual string ToString();

  protected virtual void Finalize();
  protected extern object MemberwiseClone();
}
```

Equals, ReferenceEquals, GetHashCode 메서드는 제6장의 '상등 비교(p.335)'에서 설명한다.

구조체

구조체(struct)는 클래스와 비슷하나, 다음과 같은 중요한 차이가 있다.

- 구조체는 값 형식이고 클래스는 참조 형식이다.
- 구조체는 상속을 지원하지 않는다(object를, 좀 더 정확하게는 System.ValueType을 암묵적으로 상속한다는 점만 제외하면).

구조체는 클래스가 지원하는 요소 중 다음을 제외한 모든 요소를 지원한다.

- 매개변수 없는 생성자
- 필드 초기화

- 종료자
- 가상 멤버와 보호된 멤버

구조체는 값 형식 의미론이 바람직한 경우에 적합하다. 좋은 예가 커스텀 수치 형식이다. 수치 형식에서는 배정 시 참조가 아니라 값을 복사하는 것이 더 자연스러우므로 구조체가 더 적합하다. 구조체는 값 형식이므로 인스턴스화 시 힙에 객체를 할당할 필요가 없다. 이 덕분에 한 형식의 인스턴스를 많이 생성할 때에는 구조체가 더 효율적일 수 있다. 예를 들어 값 형식의 배열을 생성하는 경우 힙 할당을 한 번만 수행하면 된다.

구조체의 생성 의미론

구조체의 생성 의미론은 다음과 같다.

- 구조체에는 매개변수 없는 생성자가 암묵적으로 존재하며, 이를 프로그래머가 직접 재정의할 수는 없다. 이 생성자는 구조체 필드들의 모든 비트를 0으로 초기화한다.
- 구조체의 생성자를 프로그래머가 직접 정의하는 경우, 생성자에서 모든 필드를 명시적으로 배정해야 한다.

(또한, 구조체에서는 필드 초기치 구문을 사용할 수 없다.) 다음은 구조체 생성자를 선언하고 호출하는 예이다.

```
public struct Point
{
  int x, y;
  public Point (int x, int y) { this.x = x; this.y = y; }
}

...
Point p1 = new Point ();       // p1.x와 p1.y는 0이 된다.
Point p2 = new Point (1, 1);   // p2.x와 p2.y는 1이 된다.
```

다음 예제에는 컴파일 시점 오류를 발생하는 잘못된 문장이 세 개 있다.

```
public struct Point
{
  int x = 1;                          // 위법: 필드 초기화
  int y;
  public Point() {}                   // 위법: 매개변수 없는 생성자
  public Point (int x) {this.x = x;}  // 위법: 필드 y에 대한 배정이 없음
}
```

`struct`를 `class`로 바꾸면 이 예제가 아무 문제 없이 컴파일된다.

접근 수정자

캡슐화를 강화하는 목적으로, 형식이나 형식의 멤버의 **접근성**(accessibility)을 설정할 수 있다. 접근성은 그 형식이나 멤버에 다른 어떤 형식이나 어셈블리가 접근할 수 있는지를 결정한다. 다음은 접근성을 설정하기 위해 형식이나 멤버 선언 시 적용하는 다섯 가지 **접근 수정자**(access modifier)들이다. 하나의 선언에서 이 수정자 중 하나만 지정할 수 있다.

`public`

모든 형식과 어셈블리가 접근할 수 있다('공용'). 열거형이나 인터페이스의 모든 멤버에는 암묵적으로 이 수준이 적용된다.

`internal`

형식이 속한 어셈블리나 그 어셈블리와 '친구(friend)' 관계인 어셈블리에서만 접근할 수 있다('내부'). 비내포 형식(non-nested type; 다른 형식에 내포된 것이 아닌 형식)의 기본 접근성이다.

`private`

멤버가 속한 형식 안에서만 접근할 수 있다('전용'). 이는 클래스나 구조체 멤버들의 기본 접근성이다.

`protected`

멤버가 속한 형식 또는 그 형식의 파생 형식들에서만 접근할 수 있다('보호').

`protected internal`

`protected` 접근성과 `internal` 접근성의 **합집합**에 해당한다. 에릭 리퍼트Eric Lippert의 설명을 빌자면, 모든 것은 기본적으로 최대한 전용(private)이고, 그 외의 수정자들은 대상들에 **좀 더 쉽게 접근할 수 있게** 만든다. 따라서 `protected internal` 같은 접근 수정자는 두 가지 방식으로 좀 더 쉽게 접근할 수 있게 만든다고 할 수 있다.

CLR에는 `protected`와 `internal`의 **교집합**에 해당하는 접근성이 있지만, C#은 이를 지원하지 않는다.

예제

Class2는 Class2가 속한 어셈블리 바깥에서도 접근할 수 있다. Class1은 그렇지 않다.

```
class Class1 {}                  // Class1은 기본적으로 internal
public class Class2 {}
```

ClassB는 필드 x를 자신이 속한 어셈블리의 다른 형식들에 노출하지만, ClassA는 그렇지 않다.

```
class ClassA { int x;          } // x는 기본적으로 private
class ClassB { internal int x; }
```

Subclass의 함수 멤버들은 Bar를 호출할 수 있지만 Foo는 호출할 수 없다.

```
class BaseClass
{
  void Foo()           {}        // Foo는 기본적으로 private
  protected void Bar() {}
}

class Subclass : BaseClass
{
  void Test1() { Foo(); }        // 오류 - Foo에 접근할 수 없음
  void Test2() { Bar(); }        // OK
}
```

친구 어셈블리

고급 응용에서는 internal 멤버들을 다른 **친구**(friend) 어셈블리들에게 노출하면 좋을 상황이 생기기도 한다. 그런 경우 다음 예처럼 어셈블리 특성 System.Runtime.CompilerServices.InternalsVisibleTo로 친구 어셈블리의 이름을 지정하면 된다.

```
[assembly: InternalsVisibleTo ("Friend")]
```

친구 어셈블리에 '강력한 이름(strong name; 제18장 참고)'이 있으면 반드시 160바이트의 **전체** 공개 키(full public key)를 지정해야 한다.

```
[assembly: InternalsVisibleTo ("StrongFriend, PublicKey=0024f000048c...")]
```

강력한 이름이 지정된 어셈블리에서 전체 공개 키를 얻을 때에는 다음과 같은 LINQ 질의를 이용하면 된다(LINQ는 제8장에서 자세히 설명한다).

```
string key = string.Join ("",
  Assembly.GetExecutingAssembly().GetName().GetPublicKey()
    .Select (b => b.ToString ("x2")));
```

LINQPad의 이 책 관련 예제 모음에는 독자가 어셈블리를 탐색하면서 어셈블리의 전체 공개 키를 클립보드에 복사해 볼 수 있는 예제가 있다.

접근성 제한

형식은 자신이 선언한 멤버들의 접근성의 상한을 제한한다. 이러한 제한(capping)의 가장 흔한 예는 public 멤버들이 있는 형식의 접근성을 internal로 두는 것이다. 다음이 그러한 예이다.

```
class C { public void Foo() {} }
```

C에 아무런 접근 수정자도 지정하지 않았으므로 C는 기본적으로 internal이 되며, 따라서 Foo 역시 internal이 된다. 나중에 이를테면 리팩터링 편의를 위해 Foo를 공용(public)으로 만들고 싶다면, C 자체를 public으로 바꾸어야 한다.

접근 수정자에 대한 제약

기반 클래스의 함수 멤버를 재정의할 때에는 접근성을 원래의 함수와 동일하게 설정해야 한다. 예를 들면 다음과 같다.

```
class BaseClass              { protected virtual  void Foo() {} }
class Subclass1 : BaseClass { protected override void Foo() {} }  // OK
class Subclass2 : BaseClass { public    override void Foo() {} }  // 오류
```

(단, protected internal 메서드를 다른 어셈블리에서 재정의할 때에는 예외이다. 그런 경우 재정의하는 함수는 그냥 protected이어야 한다.)

컴파일러는 접근 수정자가 일관성 없이 적용된 사례를 검출해서 컴파일 오류를 발생한다. 예를 들어 파생 클래스의 접근성이 기반 클래스보다 더 제한적일 수는 있지만, 더 관대할 수는 없다.

```
internal class A {}
public class B : A {}          // 오류
```

인터페이스

인터페이스interface는 클래스와 비슷하되, 그 멤버들을 실제로 구현하는 대신 명세(specification)만 제공한다는 점이 다르다. 인터페이스는 다음과 같은 면에서 특별하다.

- 인터페이스의 멤버들은 **모두 암묵적으로 추상**이다. 반면 클래스는 추상 멤버들과 구체 멤버(concrete member; 구현이 있는 멤버)들을 모두 제공할 수 있다.
- 하나의 클래스(또는 구조체)가 여러 개의 인터페이스를 구현할 수 있다. 그러나 하나의 클래스가 상속할 수 있는 클래스는 단 하나이다. 그리고 구조체는 상속이 아예 불가능하다(암묵적으로 System.ValueType을 상속하는 것을 제외하면).

인터페이스의 선언은 그 멤버들의 구현을 제공하지 않는다는 점을 제외하면 클래스 선언과 비슷한 모습이다. 인터페이스의 모든 멤버는 암묵적으로 추상이기 때문에 구현을 제공할 수 없다. 인터페이스의 멤버들은 그 인터페이스를 상속하는 클래스에서 구현해야 한다. 인터페이스가 가질 수 있는 멤버의 종류는 메서드, 속성, 이벤트, 인덱서뿐인데, 이는 클래스에서 추상 멤버가 될 수 있는 멤버들과 정확히 일치한다.

다음은 System.Collections 이름공간에 있는 IEnumerator 인터페이스의 정의이다.

```
public interface IEnumerator
{
  bool MoveNext();
  object Current { get; }
  void Reset();
}
```

인터페이스 멤버들은 항상 암묵적으로 공용(public)이며, 프로그래머가 접근 지정자를 따로 지정할 수는 없다. 인터페이스를 구현한다는 것은 인터페이스의 모든 멤버에 대해 각각 하나의 public 구현을 제공하는 것을 뜻한다.

```
internal class Countdown : IEnumerator
{
  int count = 11;
  public bool MoveNext() => count-- > 0;
  public object Current => count;
  public void Reset() { throw new NotSupportedException(); }
}
```

어떤 인터페이스를 구현하는 클래스의 객체는 암묵적으로 그 인터페이스로 캐스팅할 수 있다. 예를 들면 다음과 같다.

```
IEnumerator e = new Countdown();
while (e.MoveNext())
  Console.Write (e.Current);      // 109876543210
```

Countdown 자체는 내부(internal) 클래스이지만, Countdown의 인스턴스를 IEnumerator로 캐스팅하고 나면 외부에서 IEnumerator를 구현하는 Countdown의 멤버들에 공용으로 접근할 수 있다. 예를 들어, 같은 어셈블리 안에 다음과 같은 공용 메서드를 가진 공용 형식이 정의되어 있다고 하자.

```
public static class Util
{
  public static object GetCountDown() => new CountDown();
}
```

그러면 다른 어셈블리에서 다음과 같은 코드를 실행할 수 있다.

```
IEnumerator e = (IEnumerator) Util.GetCountDown();
e.MoveNext();
```

IEnumerator 자체가 internal로 정의되었다면 이런 접근은 불가능하다.

인터페이스의 확장

한 인터페이스에서 다른 인터페이스를 파생하는 것도 가능하다. 다음 예를 보자.

```
public interface IUndoable             { void Undo(); }
public interface IRedoable : IUndoable { void Redo(); }
```

IRedoable은 IUndoable의 모든 멤버를 '상속'한다. 다른 말로 하면, IRedoable을 구현하는 형식은 반드시 IUndoable의 멤버들도 구현해야 한다.

명시적 인터페이스 구현

한 클래스가 여러 개의 인터페이스를 구현하다 보면 멤버 서명들이 충돌할 수 있다. 그런 충돌을 해소하는 한 방법은 특정 인터페이스의 멤버를 **명시적으로 구현**하는 것이다. 다음 예를 생각해 보자.

```
interface I1 { void Foo(); }
interface I2 { int Foo(); }

public class Widget : I1, I2
{
  public void Foo()
  {
    Console.WriteLine ("Widget의 I1.Foo 구현");
  }

  int I2.Foo()
```

```
    {
      Console.WriteLine ("Widget의 I2.Foo 구현");
      return 42;
    }
  }
```

I1의 Foo와 I2의 Foo는 서명이 같다. 그러나 Widget이 I2의 Foo 메서드를 명시적으로 구현한 덕분에 두 메서드가 충돌 없이 한 클래스에 공존하게 되었다. 명시적으로 구현한 멤버를 호출할 때에는 해당 인터페이스로의 명시적 캐스팅이 꼭 필요하다.

```
Widget w = new Widget();
w.Foo();                      // Widget의 I1.Foo 구현
((I1)w).Foo();                // Widget의 I1.Foo 구현
((I2)w).Foo();                // Widget의 I2.Foo 구현
```

어떤 형식에서 인터페이스 멤버를 명시적으로 구현하는 또 다른 목적은, 고도로 특화된, 그리고 그 형식의 일반적인 용법과는 다른 용법을 가진 인터페이스 멤버들을 숨기는(가리는) 것이다. 예를 들어 ISerializable을 구현하는 어떤 형식을 정의할 때 굳이 ISerializable 멤버들의 존재를 드러낼 필요가 없는 경우가 많다. 그 멤버들은 명시적으로 ISerializable 인터페이스로 캐스팅한 경우에만 드러내면 된다.

인터페이스 멤버의 가상 구현

암묵적으로 구현된 인터페이스 멤버들은 기본적으로 봉인된(sealed) 멤버이다. 파생 클래스에서 그런 멤버를 재정의하려면 기반 클래스에서 명시적으로 virtual이나 abstract를 지정해야 한다.

```
public interface IUndoable { void Undo(); }

public class TextBox : IUndoable
{
  public virtual void Undo() => Console.WriteLine ("TextBox.Undo");
}

public class RichTextBox : TextBox
{
  public override void Undo() => Console.WriteLine ("RichTextBox.Undo");
}
```

이제 기반 클래스나 인터페이스 형식의 참조를 통해서 인터페이스의 멤버를 호출하면 파생 클래스의 구현이 호출된다.

```
RichTextBox r = new RichTextBox();
r.Undo();                          // RichTextBox.Undo
((IUndoable)r).Undo();             // RichTextBox.Undo
((TextBox)r).Undo();               // RichTextBox.Undo
```

명시적으로 구현된 인터페이스 멤버에는 virtual을 지정할 수 없으며, 따라서 보통의 방식으로는 재정의가 불가능하다. 그러나 **재구현**(reimplementaion)은 가능하다.

파생 클래스에서 인터페이스를 재구현

파생 클래스는 기반 클래스에서 이미 구현한 임의의 인터페이스 멤버를 다시 구현할 수 있다. 이러한 재구현은 기존의 멤버 구현을 '하이재킹'하는 것에 해당하는 것으로, 기반 클래스에서 해당 멤버가 virtual로 선언되어 있든 아니든 언제나 가능하다. 또한, 해당 멤버가 암묵적으로 구현되어 있든 명시적으로 구현되어 있든 가능하다. 단, 잠시 후에 보겠지만 이 기법은 멤버가 명시적으로 구현되어 있는 경우에 가장 효과적이다.

다음 예에서 TextBox는 IUndoable.Undo를 명시적으로 구현한다. 따라서 그 멤버에는 virtual을 지정할 수 없다. RichTextBox에서 이를 '재정의'하려면 반드시 IUndoable의 Undo 메서드를 재구현해야 한다.

```
public interface IUndoable { void Undo(); }

public class TextBox : IUndoable
{
  void IUndoable.Undo() => Console.WriteLine ("TextBox.Undo");
}

public class RichTextBox : TextBox, IUndoable
{
  public void Undo() => Console.WriteLine ("RichTextBox.Undo");
}
```

인터페이스를 통해서 재구현된 멤버를 호출하면 파생 클래스의 구현이 호출된다.

```
RichTextBox r = new RichTextBox();
r.Undo();                 // RichTextBox.Undo      경우 1
((IUndoable)r).Undo();    // RichTextBox.Undo      경우 2
```

RichTextBox는 지금과 같되, TextBox가 Undo를 암묵적으로 구현한다고 하자.

```
public class TextBox : IUndoable
```

```
{
  public void Undo() => Console.WriteLine ("TextBox.Undo");
}
```

그러면 아래의 경우 3처럼 Undo를 이전과는 다른 방식으로 호출할 수 있다. 이는 형식 체계를 "깨뜨리는" 것에 해당한다.

```
RichTextBox r = new RichTextBox();
r.Undo();                 // RichTextBox.Undo      경우 1
((IUndoable)r).Undo();    // RichTextBox.Undo      경우 2
((TextBox)r).Undo();      // TextBox.Undo          경우 3
```

경우 3은 재구현 하이재킹이 멤버를 기반 클래스가 아니라 인터페이스를 통해서 호출할 때에만 효과적임을 보여준다. 대체로 이는 의미론의 일관성이 깨지는 것을 뜻하므로 그리 바람직하지 않다. 이 점을 생각하면, 재구현 기법은 **명시적으로** 구현된 인터페이스 멤버를 재정의하는 수단으로 사용하는 것이 가장 적합하다.

인터페이스 재구현의 대안들

인터페이스 재구현을 명시적으로 구현된 멤버에만 적용한다고 해도 다음과 같은 두 가지 문제점은 여전히 존재한다.

- 파생 클래스에서 기반 클래스의 메서드를 호출할 길이 없다.
- 기반 클래스 작성자는 자신의 메서드가 재구현될 것임을 예상하지 못할 수 있으며, 따라서 재구현 시 문제가 발생할 여지가 있는 방식으로 메서드를 작성할 수도 있다.

재구현은 파생을 염두에 두지 않고 작성된 기반 클래스를 파생하려 할 때 마지막 수단으로는 좋을 수 있다. 그러나 더 나은 방식은, 애초에 재구현이 필요하지 않은 형태로 기반 클래스를 설계하는 것이다. 이를 보장하는 방법은 크게 두 가지이다.

- 인터페이스의 어떤 멤버를 암묵적으로 구현할 때에는 그 멤버를 virtual로 선언한다(물론 그것이 적합한 경우).
- 인터페이스의 어떤 멤버를 명시적으로 구현할 때에는, 그리고 파생 클래스가 그 멤버를 임의의 논리로 재정의할 수도 있다고 예상할 때에는, 다음과 같은 패턴을 적용한다.

```
public class TextBox : IUndoable
{
```

```
  void IUndoable.Undo()          => Undo();    // 아래의 메서드를 호출한다.
  protected virtual void Undo() => Console.WriteLine ("TextBox.Undo");
}

public class RichTextBox : TextBox
{
  protected override void Undo() => Console.WriteLine("RichTextBox.Undo");
}
```

더 이상의 파생은 없다고 예상하는 경우에는 그냥 sealed를 지정해서 인터페이스 재정의를 금지하면 된다.

인터페이스와 박싱

구조체를 인터페이스로 변환하면 박싱이 발생한다. 그러나 암묵적으로 구현된 멤버를 구조체에 대해 호출하면 박싱은 일어나지 않는다.

```
interface  I { void Foo();          }
struct S : I { public void Foo() {} }

...
S s = new S();
s.Foo();          // 박싱 없음

I i = s;          // 인터페이스로의 캐스팅에서 박싱이 발생
i.Foo();
```

클래스 작성 대 인터페이스 작성

다음은 언제 클래스를 사용하고 언제 인터페이스를 사용할 것인지에 관한 일반적인 지침이다.

- 구현을 공유하는 것이 자연스러운 형식들에는 클래스와 파생 클래스를 사용한다.
- 구현이 각자 독립적인 형식들에 대해서는 인터페이스를 사용한다.

다음과 같은 클래스들을 생각해 보자.

```
abstract class Animal {}
abstract class Bird           : Animal {}
abstract class Insect         : Animal {}
abstract class FlyingCreature : Animal {}
abstract class Carnivore      : Animal {}

// 구체 클래스들:

class Ostrich : Bird {}
class Eagle   : Bird, FlyingCreature, Carnivore {}  // 위법
```

```
class Bee      : Insect, FlyingCreature {}          // 위법
class Flea     : Insect, Carnivore {}               // 위법
```

Eagle과 Bee, Flea 클래스는 컴파일되지 않는다. 여러 개의 클래스를 상속하는 것은 위법이기 때문이다. 이를 해결하기 위해서는 일부 형식들을 인터페이스로 바꾸어야 한다. 그렇다면 어떤 형식들을 인터페이스로 둘 것인가? 앞에서 말한 일반적인 지침에 따라 생각해 보자면, 곤충들은 구현을 공유하고 새들도 구현을 공유할 것이다. 따라서 곤충이나 새에 해당하는 형식들은 클래스로 남겨 두는 것이 좋다. 반면 날아다니는 생물(flyng creature)들은 비행을 위한 독자적인 메커니즘을 가지고 있을 것이며, 육식 동물(carnivore)들은 동물을 잡아먹기 위한 독자적인 전략을 가지고 있을 것이다. 따라서 FlyingCreature와 Carnivore는 인터페이스로 두는 것이 바람직하다.

```
interface IFlyingCreature {}
interface ICarnivore      {}
```

전형적인 시나리오에서는, Bird와 Insect는 이를테면 Windows 컨트롤control(UI를 구성하는 요소)과 웹 컨트롤에 해당하고 FlyingCreature나 Carnivore는 IPrintable이나 IUndoable 같은 것에 해당할 것이다.

열거형

열거형(enum type)은 일련의 수치 상수들에 이름을 붙일 수 있는 특별한 값 형식이다. 예를 들면 다음과 같다.

```
public enum BorderSide { Left, Right, Top, Bottom }
```

다음은 이 열거형을 사용하는 예이다.

```
BorderSide topSide = BorderSide.Top;
bool isTop = (topSide == BorderSide.Top);   // isTop은 true
```

열거형의 각 멤버에는 바탕 정수 값이 있다. 기본적으로,

- 바탕 값들의 형식은 int이고,
- 열거형 멤버들에 그 선언 순서대로 상수 0, 1, 2, ...이 자동으로 배정된다.

int 이외의 정수 형식을 지정하는 것도 가능하다. 다음이 그러한 예이다.

```
public enum BorderSide : byte { Left, Right, Top, Bottom }
```

또한, 각 열거형 멤버에 명시적으로 바탕 정수 값을 배정할 수도 있다.

```
public enum BorderSide : byte { Left=1, Right=2, Top=10, Bottom=11 }
```

더 나아가서, 컴파일러는 열거형의 **일부** 멤버들에만 명시적으로 값을 배정하는 것도 허용한다. 이 경우 배정되지 않은 열거형 멤버들에는 가장 최근 명시적으로 배정된 값을 차례로 증가한 값들이 배정된다. 앞의 예는 다음과 동등하다.

```
public enum BorderSide : byte
 { Left=1, Right, Top=10, Bottom }
```

열거형의 변환

enum 인스턴스를 그 바탕 정수 값으로, 또는 그 반대로 변환할 수 있다. 두 경우 모두 명시적 캐스팅이 필요하다.

```
int i = (int) BorderSide.Left;
BorderSide side = (BorderSide) i;
bool leftOrRight = (int) side <= 2;
```

한 열거형을 다른 열거형으로 변환할 수도 있는데, 역시 명시적 캐스팅이 필요하다. HorizontalAlignment가 다음과 같이 정의되어 있다고 하자.

```
public enum HorizontalAlignment
{
  Left = BorderSide.Left,
  Right = BorderSide.Right,
  Center
}
```

열거형들 사이의 변환에는 바탕 정수 값들이 쓰인다.

```
HorizontalAlignment h = (HorizontalAlignment) BorderSide.Right;
// 이는 다음과 같다:
HorizontalAlignment h = (HorizontalAlignment) (int) BorderSide.Right;
```

컴파일러는 enum 인스턴스가 관여하는 표현식에 있는 수치 리터럴 0을 특별하게 취급한다. 다음 예에서 보듯이, 리터럴 0은 명시적 캐스팅 없이도 열거형으로 변환된다.

```
BorderSide b = 0;    // 캐스팅이 필요하지 않음
if (b == 0) ...
```

`0`을 이처럼 특별하게 취급하는 이유는 두 가지이다.

- 한 열거형의 첫 멤버가 '기본값'으로 쓰이는 경우가 많다.
- **조합된 열거형**(combined enum type)에서 `0`은 '아무 플래그flag도 없음'을 뜻한다.

Flags 열거형

열거형의 멤버들을 조합해서 사용할 수 있다. 이때 중의성(ambiguity)이 발생하지 않게 하려면 조합 가능한 열거형의 멤버들에 값들을 명시적으로 배정할 필요가 있는데, 흔히 2의 거듭제곱수들을 배정한다. 다음이 그러한 예이다.

```
[Flags]
public enum BorderSides { None=0, Left=1, Right=2, Top=4, Bottom=8 }
```

조합된 열거형 값들을 다룰 때에는 |나 & 같은 비트별(bitwise) 연산자를 사용한다. 이들은 열거형 인스턴스의 바탕 정수 값들에 대해 작용한다.

```
BorderSides leftRight = BorderSides.Left | BorderSides.Right;

if ((leftRight & BorderSides.Left) != 0)
  Console.WriteLine ("Left 포함");     // Left 포함

string formatted = leftRight.ToString();   // "Left, Right"

BorderSides s = BorderSides.Left;
s |= BorderSides.Right;
Console.WriteLine (s == leftRight);   // True

s ^= BorderSides.Right;               // BorderSides.Right를 "켠다".
Console.WriteLine (s);                // Left
```

멤버들을 조합할 수 있는 열거형에는 항상 `Flags` 특성을 붙이는 것이 관례이다. `Flags` 특성을 붙이지 않은 `enum`의 멤버들도 조합할 수 있지만, 그런 `enum`의 인스턴스에 `ToString`을 호출하면 이름들의 목록이 아니라 해당 바탕 수치가 반환된다.

또한, 조합 가능한 열거형의 이름으로는 단수형이 아니라 복수형을 사용하는 것이 관례이다.

편의를 위해, 열거형 선언 자체에서 멤버들을 조합해서 사용할 수 있다.

```
[Flags]
public enum BorderSides
{
  None=0,
  Left=1, Right=2, Top=4, Bottom=8,
  LeftRight = Left | Right,
  TopBottom = Top  | Bottom,
  All       = LeftRight | TopBottom
}
```

열거형을 지원하는 연산자들

다음은 열거형에 적용할 수 있는 연산자들이다.

```
=   ==   !=   <   >   <=   >=   +   -   ^  &  |   ~
+=   -=   ++  --   sizeof
```

비트별 연산자들과 산술 연산자들, 비교 연산자들은 바탕 정수 값들에 대한 연산 결과를 돌려준다. 열거형과 정수 형식의 덧셈은 허용되지만 두 열거형의 덧셈은 허용되지 않는다.

형식 안전성 문제

다음과 같은 열거형을 생각해 보자.

```
public enum BorderSide { Left, Right, Top, Bottom }
```

열거형과 그 바탕 정수 형식 사이의 변환이 허용되므로, 열거형 인스턴스의 바탕 값이 유효한 열거형 멤버의 범위를 벗어날 수도 있다. 다음이 그러한 예이다.

```
BorderSide b = (BorderSide) 12345;
Console.WriteLine (b);                // 12345
```

비트별 연산이나 산술 연산 역시 그런 결과로 이어질 수 있다.

```
BorderSide b = BorderSide.Bottom;
b++;                                  // 오류는 없음
```

다음은 유효하지 않은 BorderSide 값 때문에 코드의 논리가 깨지는 예이다.

```
void Draw (BorderSide side)
{
  if      (side == BorderSide.Left)  {...}
  else if (side == BorderSide.Right) {...}
  else if (side == BorderSide.Top)   {...}
```

```
  else                                {...} // BorderSide.Bottom이라고 가정
}
```

이에 대한 해결책 하나는 다음과 같이 또 다른 else 절을 추가하는 것이다.

```
...
else if (side == BorderSide.Bottom) ...
else throw new ArgumentException ("유효하지 않은 BorderSide: " + side, "side");
```

또 다른 방법은 열거형 값이 유효한지를 명시적으로 점검하는 것이다. 다음처럼 Enum.IsDefined라는 메서드를 사용하면 된다.

```
BorderSide side = (BorderSide) 12345;
Console.WriteLine (Enum.IsDefined (typeof (BorderSide), side));   // False
```

안타깝게도 Enum.IsDefined는 플래그 열거형(Flags 특성이 지정된 enum 형식)에 대해서는 잘 작동하지 않는다. 그러나 다음과 같이 플래그 열거형 인스턴스가 유효하면 true를 돌려주는 보조 메서드를 직접 작성해서 사용할 수는 있다(이 메서드는 Enum.ToString()의 작동 방식에 의존한다).

```
static bool IsFlagDefined (Enum e)
{
  decimal d;
  return !decimal.TryParse(e.ToString(), out d);
}

[Flags]
public enum BorderSides { Left=1, Right=2, Top=4, Bottom=8 }
static void Main()
{
  for (int i = 0; i <= 16; i++)
  {
    BorderSides side = (BorderSides)i;
    Console.WriteLine (IsFlagDefined (side) + " " + side);
  }
}
```

내포된 형식

내포된 형식(nested type; 또는 중첩된 형식)은 다른 형식의 범위 안에서 선언된 형식을 말한다. 다음이 그러한 예이다.

```
public class TopLevel
{
  public class Nested { }               // 내포된 클래스
  public enum Color { Red, Blue, Tan }  // 내포된 열거형
}
```

내포된 형식에는 다음과 같은 특징이 있다.

- 포함 형식(자신을 내포한 형식)의 전용 멤버들을 비롯해서, 감싼 형식이 접근할 수 있는 모든 것에 접근할 수 있다.
- public과 internal뿐만 아니라 그 외의 모든 접근 수정자를 지정할 수 있다.
- 내포된 형식의 기본 접근성은 internal이 아니라 private이다.
- 포함 형식 바깥에서 내포된 형식에 접근하려면 포함 형식의 이름을 지정해야 한다(정적 멤버에 접근할 때처럼).

예를 들어 TopLevel 클래스 외부에서 Color.Red에 접근하려면 다음과 같이 해야 한다.

```
TopLevel.Color color = TopLevel.Color.Red;
```

모든 형식(클래스, 구조체, 인터페이스, 대리자, 열거형)을 클래스나 구조체 안에 내포할 수 있다.

다음은 내포된 형식에서 포함 형식의 전용 멤버에 접근하는 예이다.

```
public class TopLevel
{
  static int x;
  class Nested
  {
    static void Foo() { Console.WriteLine (TopLevel.x); }
  }
}
```

다음은 protected 접근 수정자를 내포된 형식에 지정하는 예이다.

```
public class TopLevel
{
  protected class Nested { }
}

public class SubTopLevel : TopLevel
{
  static void Foo() { new TopLevel.Nested(); }
}
```

다음은 포함 형식 바깥에서 내포된 형식을 지칭하는 예이다.

```
public class TopLevel
{
  public class Nested { }
```

```
}

class Test
{
  TopLevel.Nested n;
}
```

내포된 형식은 컴파일러 자체도 많이 사용한다. 컴파일러가 반복자나 익명 메서드 같은 코드 구축 요소의 상태를 담는 전용 클래스를 생성할 때 내포된 형식이 쓰인다.

형식이 너무 많아서 이름공간이 지저분해지는 일을 피하는 것이 내포된 형식을 사용하는 유일한 이유라면, 대신 내포된 이름공간을 사용하는 것을 고려해 보는 것이 좋다. 내포된 형식은 접근을 좀 더 강하게 제약해야 하거나 포함 클래스의 전용 멤버에 접근해야 하는 경우에만 사용하는 것이 마땅하다.

제네릭

C#에는 여러 형식들에서 재사용할 수 있는 코드를 작성하기 위한 메커니즘이 두 가지 있는데, 하나는 **상속**이고 또 하나는 **제네릭**Generic†이다. 기본적으로 이 둘은 개별적인 메커니즘이다. 상속은 기반 형식을 이용해서 재사용성을 표현하는 반면, 제네릭은 '자리표(placeholder)'에 해당하는 형식들을 담은 '템플릿(template; 형판)'을 통해서 재사용성을 표현한다. 상속과 비교할 때, 제네릭을 사용하면 **형식 안전성**이 증가하고 **캐스팅**과 **박싱**이 줄어든다.

C#의 제네릭과 C++의 템플릿은 비슷한 개념이긴 하지만 그 작동 방식이 다르다. 구체적인 차이점은 이번 장의 'C# 제네릭 대 C++ 템플릿(p.159)'에서 설명한다.

제네릭 형식

제네릭 형식은 **형식 매개변수**(type parameter)들을 선언한다. 형식 매개변수는 제네릭 형식이 실제로 쓰일 때 해당 코드가 제공한 실제 형식들이 대신할 자리를 표시하는 '자리표(placeholder)'에 해당한다. 후자, 즉 형식 매개변수를 대신할

† (옮긴이) 이 번역서는 generic은 두 가지로 번역한다. generic이 알렉스 스테파노프가 주창한, 그리고 C++의 표준 라이브러리에 포함된 STL을 통해서 유명해진 '일반적 프로그래밍(generic programming)'과 관련된 일반적이고 보편적인 의미로 쓰일 때에는 '일반적'으로 번역하고, C++의 템플릿과 비슷한 C# 고유의 메커니즘을 의미할 때에는 발음을 딴 '제네릭'을 사용한다. '일반적'이라는 용어에 관해서는 "generic과 general, 그리고 일반적 프로그래밍"이라는 역자의 글(*http://occamsrazr.net/tt/entry/generic-general*)을 참고하기 바란다.

실제 형식을 **형식 인수**(type argument)라고 부른다. 다음은 형식이 T인 인스턴스들의 스택을 나타내는 제네릭 형식 Stack<T>이다. Stack<T>는 형식 매개변수 하나를 선언하는데, T가 바로 그것이다.

```
public class Stack<T>
{
  int position;
  T[] data = new T[100];
  public void Push (T obj)  => data[position++] = obj;
  public T Pop()            => data[--position];
}
```

다음은 이 Stack<T>를 사용하는 예이다.

```
var stack = new Stack<int>();
stack.Push (5);
stack.Push (10);
int x = stack.Pop();        // x는 10
int y = stack.Pop();        // y는 5
```

Stack<int>는 암묵적으로 컴파일러가 Stack<**T**>의 정의에 있는 형식 매개변수 T에 형식 인수 int를 채워 넣어서 즉석에서 만들어 낸 형식이다. 이 Stack<int>에 문자열을 넣으려 하면 컴파일 오류가 발생한다. 컴파일러가 생성한 Stack<int>의 정의는 다음과 같은 모습이다(굵은 부분은 형식 인수가 대입된 부분이다. 혼동을 피하기 위해 클래스 이름은 ###로 표기했다).

```
public class ###
{
  int position;
  int[] data = new int[100];
  public void Push (int obj)  => data[position++] = obj;
  public int Pop()            => data[--position];
}
```

전문 용어로 Stack<T>를 **열린 형식**(open type)이라고 부르고 Stack<int>를 **닫힌 형식**(closed type)이라고 부른다. 실행시점에서 모든 제네릭 형식 인스턴스는 닫힌 형식이다. 즉, 모든 자리표 형식들이 채워진 상태이다. 따라서 다음 문장은 위법이다.

```
var stack = new Stack<T>();   // 위법: T의 형식이 지정되지 않았음
```

단, T를 하나의 형식 매개변수로 정의하는 다른 클래스나 메서드 안에서는 위와 같은 코드가 적법하다.

```
public class Stack<T>
{
  ...
  public Stack<T> Clone()
  {
    Stack<T> clone = new Stack<T>();   // 적법함
    ...
  }
}
```

제네릭의 존재 이유

제네릭은 서로 다른 형식들에 대해 재사용할 수 있는 코드를 작성하기 위한 것이다. 제네릭이라는 메커니즘이 없는 상태에서 스택 자료구조를 구현한다고 하자. 한 가지 방법은 스택에 담아야 할 원소 형식들마다 개별적인 클래스(이를테면 `IntStack`, `StringStack` 등등)을 사람이 손수 작성하는 것이다. 이 접근방식을 따른다면 코드가 상당히 중복될 것임은 명백하다. 또 다른 해법은 다음처럼 `object`를 원소 형식으로 사용해서 스택을 일반화하는 것이다.

```
public class ObjectStack
{
  int position;
  object[] data = new object[10];
  public void Push (object obj) => data[position++] = obj;
  public object Pop()           => data[--position];
}
```

그런데 정수들을 담도록 손수 만든 `IntStack`을 사용하는 방법과 이 `ObjectStack`을 사용하는 방법은 조금 다르다. `ObjectStack`에 정수를 넣고 빼려면 반드시 박싱과 하향 캐스팅이 필요한데, 박싱과 하향 캐스팅 둘 다 컴파일 시점에서는 형식 점검이 일어나지 않는다.

```
// 이 스택에 정수들만 저장한다고 하자.
ObjectStack stack = new ObjectStack();

stack.Push ("s");          // 잘못된 형식이지만 오류는 발생하지 않는다.
int i = (int)stack.Pop();  // 하향 캐스팅: 실행시점 오류 발생
```

우리가 원하는 것은 모든 원소 형식에 대해 작동하도록 스택 구현을 일반화(generalization)함과 동시에, 형식 안전성을 높이고 캐스팅과 박싱을 줄이기 위해 스택을 특정 원소 형식에 맞게 손쉽게 특수화(specialization; 또는 특화)하는 수단이다. 제네릭이 바로 그러한 메커니즘이다. 제네릭은 원소의 형식을 매개변수화(parameterization)함으로써 그러한 일반화와 특수화를 지원한다. `Stack<T>`는 `ObjectStack`의 장점과 `IntStack`의 장점을 모두 가지고 있다. `ObjectStack`처럼

Stack<T>는 모든 형식에 대해 **일반적으로** 작동하도록 한 번만 작성된다. 그러나 Stack<T>를 특정 형식에 맞게 **특수화**하기만 하면, 마치 IntStack처럼 간편하고 형식에 안전하게 사용할 수 있게 된다. 이러한 장점은 '특정 형식'을 미리 고정하지 않고 T라는 형식 매개변수로 두고, 나중에 즉석에서 T에 특정 형식을 대입하는 능력 덕분에 생긴 것이다.

 ObjectStack은 기능상으로 Stack<object>와 동등하다.

제네릭 메서드

서명 안에 형식 매개변수가 있는 메서드를 제네릭 메서드라고 부른다.

제네릭 메서드를 이용하면 여러 가지 근본적인 알고리즘들을 범용적인 방식으로 구현할 수 있다. 다음은 임의의 형식 T의 변수 두 개의 내용을 서로 맞바꾸는 일반적 교환(swap) 함수이다.

```
static void Swap<T> (ref T a, ref T b)
{
  T temp = a;
  a = b;
  b = temp;
}
```

다음은 이 Swap<T>를 사용하는 예이다.

```
int x = 5;
int y = 10;
Swap (ref x, ref y);
```

보통의 경우에는 제네릭 메서드를 호출할 때 형식 인수를 명시적으로 지정할 필요가 없다. 인수로부터 컴파일러가 형식을 암묵적으로 추론할 수 있기 때문이다. 그러나 모호함이 존재해서 추론이 실패할 여지가 있을 때에는 다음처럼 명시적으로 형식 인수를 지정하면 된다.

```
Swap<int> (ref x, ref y);
```

제네릭 **형식** 안의 모든 메서드가 저절로 제네릭 메서드가 되는 것은 아니다. 홑화살괄호† 구문을 이용해서 명시적으로 형식 매개변수를 **도입한**(introduce) 메서

† (옮긴이) 꺾쇠나 꺾음 괄호 같은 이름이 더 익숙한 독자도 있겠지만, 문장부호 〈, 〉의 공식 명칭은 홑화살괄호이다(문화체육관광부가 2014년 10월에 고시하고 2015년 1월 1일부터 시행된 '한글 맞춤법' 일부 개정안에 의해). 짐작했겠지만 겹화살괄호도 있다(《, 》).

드만 제네릭 메서드로 간주된다. 앞의 일반적 스택 예제에서 Pop 메서드는 스택 형식의 기존 형식 매개변수 T를 사용하기만 할 뿐이므로 제네릭 메서드가 아니다.

C#에서 형식 매개변수를 채용할 수 있는 코드 구축 요소는 메서드와 형식뿐이다. 속성이나 인덱서, 이벤트, 필드, 생성자, 연산자 등은 형식 매개변수를 선언할 수 없다. 그러나 그런 구축 요소들도 자신이 속한 형식에 정의된 임의의 형식 매개변수를 사용하는 것은 얼마든지 가능하다. 예를 들어 앞에 나온 일반적 스택에 일반적 항목 하나를 돌려주는 인덱서를 추가한다면 다음과 같이 하면 된다.

```
public T this [int index] => data [index];
```

마찬가지로, 생성자에서도 기존 형식 매개변수를 사용할 수 있다. 그러나 홑화살괄호 구문을 통해서 **도입**하는 것은 안 된다.

```
public Stack<T>() { }   // 위법
```

형식 매개변수의 선언

형식 매개변수는 클래스나 구조체, 인터페이스, 대리자(제4장에서 설명), 메서드의 선언에서만 도입할 수 있다. 속성을 비롯한 그 외의 코드 구축 요소에서는 형식 매개변수를 **도입**할 수 없고 **사용**할 수만 있다. 예를 들어 다음 구조체에서 속성 Value는 형식 매개변수 T를 사용하기만 한다.

```
public struct Nullable<T>
{
  public T Value { get; }
}
```

하나의 제네릭 형식이나 제네릭 메서드가 여러 개의 형식 매개변수를 도입할 수 있다. 예를 들면 다음과 같다.

```
class Dictionary<TKey, TValue> {...}
```

제네릭 형식을 다음과 같이 인스턴스화할 수 있다.

```
Dictionary<int,string> myDic = new Dictionary<int,string>();
```

또는 다음처럼 할 수도 있다.

```
var myDic = new Dictionary<int,string>();
```

제네릭 형식 이름과 제네릭 메서드 이름을 중복적재하는 것도 가능하다. 형식 매개변수의 개수만 다르면 된다. 예를 들어 다음의 세 형식 이름은 충돌하지 않는다.

```
class A        {}
class A<T>     {}
class A<T1,T2> {}
```

형식 매개변수가 **단 하나**인 제네릭 형식이나 제네릭 메서드의 형식 매개변수 이름은 T로 하는 것이 관례이다(단, T가 매개변수의 의도를 명확히 나타낸다고 할 때). **여러 개**의 형식 매개변수들을 사용하는 경우에는 T로 시작하되 매개변수의 의도를 좀 더 잘 나타내는 이름을 각 매개변수에 붙인다.

typeof 연산자와 묶이지 않은 제네릭 형식

실행시점에는 열린 제네릭 형식이 존재하지 않는다. 열린 제네릭 형식들은 모두 컴파일 과정에서 닫힌다. 그러나 실행시점에서 **묶이지 않은**(unbound; 바인딩이 결정되지 않은) 제네릭 형식이 존재할 수는 있다. 그런 형식은 하나의 `Type` 객체로서 존재한다. C#에서 묶이지 않은 제네릭 형식을 지정하는 수단은 `typeof` 연산자뿐이다.

```
class A<T> {}
class A<T1,T2> {}
...

Type a1 = typeof (A<>);    // 묶이지 않은 형식(형식 인수가 없음을 주목)
Type a2 = typeof (A<,>);   // 형식 인수가 여래 개임을 나타내기 위해 쉼표를 사용했음
```

열린 제네릭 형식은 반영 API(제19장)와 관련해서 쓰인다.

`typeof`를 이용해서 닫힌 형식을 지정하는 것도 가능하다.

```
Type a3 = typeof (A<int,int>);
```

열린 형식(실행시점에서는 닫힌 형식으로 존재하는) 역시 가능하다.

```
class B<T> { void X() { Type t = typeof (T); } }
```

제네릭 값의 기본값

`default` 키워드를 이용해서 제네릭 형식 매개변수의 인스턴스의 기본값을 지정할 수 있다. 참조 형식의 기본값은 `null`이며, 값 형식의 기본값은 값 형식 필드들의 모든 비트를 0으로 설정한 결과이다.

```
static void Zap<T> (T[] array)
{
  for (int i = 0; i < array.Length; i++)
    array[i] = default(T);
}
```

제네릭 제약

기본적으로 형식 매개변수에는 그 어떤 형식도 대입할 수 있다. 그러나 형식 매개변수에 **제약 조건**(constraint)을 지정함으로써, 형식 매개변수에 대입할 수 있는 형식 인수들을 좀 더 제한하는 것이 가능하다. 다음은 사용 가능한 제약 조건들이다.

```
where T : 기반-클래스      // 기반 클래스 제약 조건
where T : 인터페이스       // 인터페이스 제약 조건
where T : class           // 참조 형식 제약 조건
where T : struct          // 값 형식 제약 조건(널 가능 형식은 예외)
where T : new()           // 매개변수 없는 생성자 제약 조건
where U : T               // 적나라한 형식 제약 조건
```

다음 예에서 `GenericClass<T,U>`의 `T`는 반드시 `SomeClass`이거나 `SomeClass`에서 파생된, 그리고 `Interface1`을 구현하는 형식이어야 하고, `U`는 반드시 매개변수 없는 생성자를 제공하는 형식이어야 한다.

```
class     SomeClass {}
interface Interface1 {}

class GenericClass<T,U> where T : SomeClass, Interface1
                        where U : new()
{...}
```

형식 제약 조건은 형식 매개변수들이 정의된 곳이면 어디에나 지정할 수 있다. 즉, 제네릭 형식뿐만 아니라 제네릭 메서드에도 적용할 수 있다.

기반 클래스 제약 조건은 형식 매개변수가 반드시 주어진 클래스 또는 그 클래스의 파생 클래스이어야 함을 뜻한다. **인터페이스 제약 조건**은 형식 매개변수가 반드시 주어진 인터페이스를 구현해야 함을 뜻한다. 이러한 제약 조건들을 만족하는 형식 매개변수의 인스턴스는 해당 클래스나 인터페이스로 암묵적으로 변환된다. 예를 들어 주어진 두 값의 최댓값을 돌려주는 `Max`라는 제네릭 메서드를 만든다고 하자. .NET Framework에 정의되어 있는 `IComparable<T>`라는 제네릭 인터페이스를 이용하면 이를 쉽게 구현할 수 있다.

```
public interface IComparable<T>   // 실제 IComparable<T>를 단순화한 버전
{
  int CompareTo (T other);
}
```

CompareTo 메서드는 만일 this가 other보다 크면 양수를 돌려준다. 다음은 이 인터페이스를 하나의 제약 조건으로 지정해서 정의한 Max 메서드이다(지금 논의에 집중하기 위해 널 점검은 생략했다).

```
static T Max <T> (T a, T b) where T : IComparable<T>
{
  return a.CompareTo (b) > 0 ? a : b;
}
```

이 Max 메서드는 IComparable<T>를 구현하는 형식이면 그 어떤 형식도 인수로 받을 수 있다(int와 string을 포함한 대부분의 내장 형식이 IComparable<T>를 구현한다).

```
int z = Max (5, 10);               // 10
string last = Max ("ant", "zoo");  // zoo
```

클래스 제약 조건과 **구조체 제약 조건**은 반드시 T가 각각 참조 형식 또는 값 형식(널 가능이 아닌)이어야 함을 뜻한다. 구조체 제약 조건의 좋은 예는 System.Nullable<T> 구조체이다(이 형식은 제4장의 '널 가능 형식(p.203)'에서 좀 더 자세히 살펴본다).

```
struct Nullable<T> where T : struct {...}
```

매개변수 없는 생성자 제약 조건은 T에 반드시 매개변수 없는 공용 생성자가 있어야 함을 뜻한다. 이를 만족하는 T에 대해서는 new()를 호출할 수 있다.

```
static void Initialize<T> (T[] array) where T : new()
{
  for (int i = 0; i < array.Length; i++)
    array[i] = new T();
}
```

적나라한 형식 제약 조건†은 형식 매개변수가 다른 형식 매개변수와 같은 형식이거나 그 파생 형식이어야 함을 뜻한다. 다음 예에서 FilteredStack 메서드는 또 다

† (옮긴이) 원문은 naked type constraint로, 실제로 MSDN 문서에 쓰이는 이름이다. 이 제약 조건을 왜 'naked'라고 부르는지는 명확하지 않다. 이 책에서 여러 번 언급된 에릭 리퍼트는 Stack Overflow의 한 논의에서 이런 '외설적인' 이름이 MSDN 문서화에 들어간 것은 실수이거나 사고일 것이라는 의견을 제시한 적이 있다.

른 Stack을 돌려주는데, 그 Stack에 담긴 원소들의 형식인 U는 반드시 주어진 형식 매개변수 T와 같은 형식이거나 그 파생 형식이다.

```
class Stack<T>
{
  Stack<U> FilteredStack<U>() where U : T {...}
}
```

제네릭 형식의 파생

제네릭 형식도 제네릭이 아닌 클래스처럼 파생할 수 있다. 제네릭 클래스를 기반으로 삼아서 파생 클래스를 정의할 때, 다음처럼 기반 클래스의 형식 매개변수를 열린 채로 남겨두는 것이 가능하다.

```
class Stack<T>                    {...}
class SpecialStack<T> : Stack<T> {...}
```

물론 다음처럼 구체적인 형식을 지정해서 제네릭 형식 매개변수를 닫을 수도 있다.

```
class IntStack : Stack<int>  {...}
```

또한 파생 형식에서 새로운 형식 매개변수를 도입할 수도 있다.

```
class List<T>                     {...}
class KeyedList<T,TKey> : List<T> {...}
```

엄밀히 말해서 한 파행 형식의 **모든** 형식 매개변수는 새로 도입된 것이다. 이를, 파생 형식이 기반 형식의 형식 매개변수들을 닫은 후 다시 여는 것이라고 이해해도 무방하다. 실제로, 다음 예처럼 파생 형식이 다시 연 형식 매개변수들에 새로운(아마도 좀 더 의미 있는) 이름을 붙여도 된다.

```
class List<T> {...}
class KeyedList<TElement,TKey> : List<TElement> {...}
```

자신을 참조하는 제네릭 형식

파생 형식이 기반 형식의 형식 매개변수를 닫을 때, 파생 형식 **자신**을 형식 인수로 지정하는 것이 가능하다.

```
public interface IEquatable<T> { bool Equals (T obj); }

public class Balloon : IEquatable<Balloon>
```

```
{
  public string Color { get; set; }
  public int CC { get; set; }

  public bool Equals (Balloon b)
  {
    if (b == null) return false;
    return b.Color == Color && b.CC == CC;
  }
}
```

다음 역시 적법한 코드이다.

```
class Foo<T> where T : IComparable<T> { ... }
class Bar<T> where T : Bar<T> { ... }
```

정적 자료 멤버

정적 자료 멤버는 각각의 닫힌 형식마다 고유하다.

```
class Bob<T> { public static int Count; }

class Test
{
  static void Main()
  {
    Console.WriteLine (++Bob<int>.Count);     // 1
    Console.WriteLine (++Bob<int>.Count);     // 2
    Console.WriteLine (++Bob<string>.Count);  // 1
    Console.WriteLine (++Bob<object>.Count);  // 1
  }
}
```

형식 매개변수와 변환

C#의 캐스팅 연산자는 다양한 종류의 변환을 수행한다. 특히 다음과 같은 변환들이 있다.

- 수치 변환
- 참조 변환
- 박싱/언박싱 변환
- 커스텀 변환(제4장에서 설명하는 연산자 중복적재를 통한)

어떤 변환이 수행될 것인지는 컴파일러가 피연산자들의 알려진 형식에 기초해서 **컴파일 시점**에서 결정한다. 그런데 제네릭 형식이나 제네릭 메서드를 정의하는 코드에서는 형식 매개변수의 구체적인 형식이 아직 주어진 상태가 아니기 때문에 컴파일러가 피연산자의 정확한 형식을 알아내지 못할 수 있다. 이 때문에 중의성이 생긴다면 컴파일러는 오류를 발생한다.

이런 컴파일 시점 오류가 생기는 가장 흔한 시나리오는 다음처럼 참조 변환을 수행하려 할 때이다.

```
StringBuilder Foo<T> (T arg)
{
  if (arg is StringBuilder)
    return (StringBuilder) arg;   // 컴파일되지 않음
  ...
}
```

컴파일러는 T의 실제 형식을 알지 못하기 때문에 프로그래머가 의도한 것이 참조 변환이 아니라 어쩌면 **커스텀 변환**일 수도 있다고 생각하며, 둘 중 어느 것인지를 확실히 결정할 수 없으므로(중의성) 컴파일을 포기한다. 이에 대한 가장 간단한 해결책은 as 연산자를 사용해서 변환을 수행하는 것이다. 이 연산자로는 커스텀 변환을 수행할 수 없음이 확실하므로, 컴파일러는 더 이상 망설이지 않는다.

```
StringBuilder Foo<T> (T arg)
{
  StringBuilder sb = arg as StringBuilder;
  if (sb != null) return sb;
  ...
}
```

좀 더 일반적인 해법은 다음처럼 먼저 object로 캐스팅한 후 원하는 형식으로 캐스팅하는 것이다. object와의 변환은 커스텀 변환이 아니라 참조 변환 또는 박싱/언박싱 변환이므로 중의성이 생기지 않는다. 지금 예에서 StringBuilder는 참조 형식이므로 object를 통한 변환은 참조 변환이다.

```
return (StringBuilder) (object) arg;
```

그런데 언박싱 변환에서도 중의성이 생길 수 있다. 다음은 언박싱 변환일 수도 있고, 수치 변환일 수도 있고, 커스텀 변환일 수도 있는 예이다.

```
int Foo<T> (T x) => (int) x;     // 컴파일 시점 오류
```

이번에도 해결책은 먼저 object로 변환한 후 int로 변환하는 것이다(그러면 지금 예의 경우 언박싱 변환임이 확실해진다).

```
int Foo<T> (T x) => (int) (object) x;
```

공변성

A가 B로 변환할 수 있는 형식이라고 할 때, 만일 X<A>를 X<B>로 변환할 수 있으면 X의 형식 매개변수를 가리켜 "공변이다(covariant)" 또는 "공변성(covariance)이 있다"라고 말한다.

C#의 공변성(그리고 반변성) 개념에서 "변환할 수 있다"는 것은 **암묵적 참조 변환**이 가능함을 뜻한다. 이를테면 A가 B를 **파생(상속)**하거나 A가 B를 **구현**한다면 A에서 B로의 암묵적 참조 변환이 가능한 것이다. 수치 변환이나 박싱 변환, 커스텀 변환은 암묵적 참조 변환에 포함되지 않는다.

예를 들어 만일 다음 코드가 적법하다면 IFoo<T>의 형식 매개변수 T는 공변이다.

```
IFoo<string> s = ...;
IFoo<object> b = s;
```

C# 4.0부터 인터페이스에 공변 형식 매개변수가 허용된다(또한 제4장에서 설명하는 대리자에서도 허용된다). 그러나 클래스에는 공변 형식 매개변수가 허용되지 않는다. 배열에도 공변이 허용된다(즉, A에서 B로의 암묵적 참조 변환이 가능하면 A[]를 B[]로 변환할 수 있다). 대조를 위해 배열의 공변성도 이번 절에서 함께 이야기하기로 한다.

공변성과 반변성, 통칭해서 그냥 '가변성(variance)'은 고급 개념이다. C#에 가변성을 도입하고 향상시키는 목적은 제네릭 인터페이스와 제네릭 형식(특히 IEnumerable<T>처럼 .NET Framework에 정의된 것들)을 프로그래머가 **자연스러운 방식**으로 사용할 수 있게 하기 위한 것이다. 독자가 공변성과 반변성에 깔린 세부사항을 이해하지 못한다고 해도, 이런 개념이 주는 혜택은 얼마든지 누릴 수 있다.

가변성은 자동이 아님

정적 형식 안전성을 보장하기 위해, C#은 형식 매개변수를 기본적으로 가변성이 없는 것으로 간주한다. 다음 예를 생각해 보자.

```
class Animal {}
class Bear : Animal {}
class Camel : Animal {}

public class Stack<T>   // 간단한 스택 구현
{
  int position;
  T[] data = new T[100];
  public void Push (T obj)  => data[position++] = obj;
  public T Pop()            => data[--position];
}
```

다음 코드는 컴파일되지 않는다.

```
Stack<Bear> bears = new Stack<Bear>();
Stack<Animal> animals = bears;            // 컴파일 시점 오류
```

이러한 제약이 없다면 다음 코드가 실행시점에서 실패할 여지가 생긴다.

```
animals.Push (new Camel());      // Camel을 bears에 집어 넣으려 함
```

그러나 공변성이 없으면 코드를 재사용하기가 어려워질 수 있다. 예를 들어 스택에 담긴 동물들을 씻기는 Wash라는 메서드를 작성한다고 하자.

```
public class ZooCleaner
{
  public static void Wash (Stack<Animal> animals) {...}
}
```

곰들의 스택(Stack<Bear>)을 인수로 해서 Wash를 호출하려 하면 컴파일 시점 오류가 발생한다. 한 가지 우회책은 다음과 같이 Wash 메서드에 제약 조건을 부여하는 것이다.

```
class ZooCleaner
{
  public static void Wash<T> (Stack<T> animals) where T : Animal { ... }
}
```

이제는 Wash를 다음과 같이 호출할 수 있다.

```
Stack<Bear> bears = new Stack<Bear>();
ZooCleaner.Wash (bears);
```

또 다른 해결책은 공변 형식 매개변수를 가진 인터페이스를 구현하도록 Stack<T>를 정의하는 것인데, 이 방법은 대해서는 잠시 후에 살펴보겠다.

배열

몇 가지 역사적인 이유로, C#의 배열 형식은 공변성을 지원한다. 즉, 만일 B가 A의 파생 형식이면(그리고 둘 다 참조 형식이면) B[]를 A[]로 캐스팅할 수 있다. 예를 들면 다음과 같다.

```
Bear[] bears = new Bear[3];
Animal[] animals = bears;     // OK
```

이러한 재사용성의 대가는, 실행시점에서 배열 원소를 배정할 때 실패할 수 있다는 것이다.

```
animals[0] = new Camel();     // 실행시점 오류
```

공변 형식 매개변수 선언

C# 4.0부터, 인터페이스와 대리자의 형식 매개변수를 선언할 때 out 수정자를 지정하면 공변 형식 매개변수가 된다. 배열과는 달리, 이 수정자로 선언한 공변 형식 매개변수는 완전한 형식 안전성을 제공한다.

이 점을 설명하기 위해, Stack<T> 클래스가 다음과 같은 인터페이스를 구현하도록 앞의 예제를 수정했다고 하자.

```
public interface IPoppable<out T> { T Pop(); }
```

T에 대한 out 수정자는 이 T가 **출력 위치**에만(즉, 메서드의 반환 형식으로만) 쓰인다고 컴파일러에게 알려주는 역할을 한다. out 수정자로 선언한 형식 매개변수는 **공변성**을 가지며, 따라서 다음과 같은 용법이 가능해진다.

```
var bears = new Stack<Bear>();
bears.Push (new Bear());
// Bears는 IPoppable<Bear>를 구현하므로 IPoppable<Animal>로 변환할 수 있다.
IPoppable<Animal> animals = bears;   // 적법
Animal a = animals.Pop();
```

형식 매개변수가 공변이므로 컴파일러는 bears에서 animals로의 변환을 허용한다. 이는 형식에 안전한 변환이다. 컴파일러가 피하고자 하는, 형식 안전성에 문제가 생길 만한 상황이 애초에 벌어지지 않기 때문이다. 이를테면 스택에 Camel을 집어넣는 것은 애초에 불가능하다. T가 오직 **출력**(*out*put) 위치에만 쓰일 수 있는 인터페이스 **안으로**(*in*to) Camel을 집어넣을 길이 없기 때문이다.

대부분의 프로그래머에게 인터페이스의 공변성(그리고 반변성)은 **향유** 대상일 뿐이다. 다른 말로 하면, 가변성을 갖춘 인터페이스를 독자가 직접 **작성**해야 하는 경우는 흔치 않다.

이상하게도 메서드의 매개변수에 out를 적용한다고 해서 그 매개변수가 공변성을 가지지는 않는다. 이는 CLR의 한계에서 비롯된 것이다.

이제 이러한 공변적인 캐스팅 능력을 이용해서 앞에서 이야기한 재사용성 문제를 해결해 보자.

```
public class ZooCleaner
{
  public static void Wash (IPoppable<Animal> animals) { ... }
}
```

제7장에서 설명하는 IEnumerator<T> 인터페이스와 IEnumerable<T> 인터페이스의 형식 매개변수 T는 공변이다. 이 덕분에 이를테면 IEnumerable<string>을 IEnumerable<object>로 캐스팅할 수 있다.

만일 공변 형식 매개변수를 **입력** 위치에(즉 메서드나 쓰기 가능 속성의 매개변수 형식으로) 사용하려 하면 컴파일러는 오류를 발생한다.

공변성(그리고 반변성)은 **참조 변환**이 적용되는 요소에만 작동할 뿐, **박싱 변환**이 적용되는 요소에는 작동하지 않는다. (형식 매개변수 가변성뿐만 아니라 배열 가변성도 그렇다.) 예를 들어 IPoppable<object> 형식의 매개변수를 받는 메서드를 IPoppable<string> 형식의 인수로 호출할 수는 있어도 IPoppable<int> 형식의 인수로는 호출할 수 없다.

반변성

앞에서, A에서 B로의 암묵적 참조 변환이 가능하다고 할 때 만일 X<A>에서 X<B>로의 참조 변환이 가능하다면 X의 형식 매개변수는 공변임을 이야기했다. **반변성**(contravariance)은 그 반대 방향의 변환, 즉 X<B>에서 X<A>로의 변환을 가능하게 하는 가변성이다. 반변성을 갖추려면 형식 매개변수가 오직 **입력**(input) 위치에만 쓰여야 하며, 형식 매개변수를 선언할 때 in 수정자를 지정해야 한다. 이전 예제를 좀 더 확장해서, Stack<T> 클래스가 다음과 같은 인터페이스를 구현한다고 하자.

```
public interface IPushable<in T> { void Push (T obj); }
```

그러면 다음과 같은 용법이 가능해진다.

```
IPushable<Animal> animals = new Stack<Animal>();
IPushable<Bear> bears = animals;    // 적법
bears.Push (new Bear());
```

IPushable의 그 어떤 멤버도 T를 출력 용도로 사용하지 않으므로, animals를 bears로 캐스팅해서 문제가 생기는 상황은 벌어지지 않는다(예를 들어 이 인터페이스로는 Pop을 수행할 길이 없다).

인터페이스 IPushable<T>와 IPoppable<T>의 각 T는 각자 다른 방향의 가변성을 가지지만, 그래도 Stack<T> 클래스가 두 인터페이스를 모두 구현하는 것이 가능하다. 그런 클래스를 안전하게 사용하려면 형식 매개변수의 가변성이 클래스가 아니라 인터페이스를 통해서 작용하게 해야 한다. 즉, 어떤 가변 변환을 수행할 때에는 반드시 IPoppable과 IPushable 중 하나만 택해야 한다. 선택된 인터페이스는 해당 가변성 규칙 하에서 적법한 연산들만 보여주는 일종의 '렌즈'로 작용한다.

이는 **클래스**에 가변 형식 매개변수가 허용되지 않는 이유를 말해주는 요인이기도 하다. 대체로 구체적인 구현에서는 자료가 두 방향 모두로 흘러야 하는 경우가 많기 때문이다.

또 다른 예로, .NET Framework의 일부로 정의되어 있는 다음과 같은 인터페이스를 생각해 보자.

```
public interface IComparer<in T>
{
  // a와 b의 상대적 순서 관계를 나타내는 정수 값을 돌려준다.
  int Compare (T a, T b);
}
```

인터페이스에 반변 T가 있으므로, IComparer<**object**>를 이용해서 두 문자열을 비교하는 것이 가능하다.

```
var objectComparer = Comparer<object>.Default;
// objectComparer는 IComparer<object>를 구현한다.
IComparer<string> stringComparer = objectComparer;
int result = stringComparer.Compare ("Brett", "Jemaine");
```

공변성에서와 마찬가지로, 만일 코드가 반변 형식 매개변수를 출력 위치에 사용하면(이를테면 반환 형식으로 사용하거나 읽기 가능 속성에서 사용하는 등) 컴파일러는 오류를 보고한다.

C# 제네릭 대 C++ 템플릿

C# 제네릭은 C++의 템플릿template과 비슷한 용도로 쓰이지만, 그 작동 방식은 아주 많이 다르다. 두 메커니즘 모두, '생산자'와 '소비자'의 합성이 꼭 필요하다. 여기서 생산자는 자리표 형식들(제네릭 형식 매개변수와 템플릿 매개변수)을 뜻하고 소비자는 그 자리에 채워질 형식 인수들을 뜻한다. 그러나 C# 제네릭에서는 생산자 형식(이를테면 List<T> 같은 열린 형식)을 하나의 라이브러리(이를테면 *mscorlib.dll*)로 컴파일할 수 있다. 이것이 가능한 이유는, 생산자와 소비자의 합성(닫힌 형식을 만들어 내는)이 실행시점에서야 비로소 일어나기 때문이다. 반면 C++에서는 그러한 합성이 전적으로 컴파일 시점에서 수행된다. 그래서 C++에서는 템플릿 라이브러리를 *.dll*로 만들어서 배포하는 것이 불가능하다. 템플릿은 전적으로 소스 코드 형태로만 존재할 수 있다. 이러한 엄격한 컴파일 시점 특징 때문에, 매개변수화된 형식을 동적으로 조사하는 것은 물론이고 그런 형식을 즉석에서 만들어 내기도 쉽지 않다.

이러한 차이를 좀 더 잘 이해하기 위해, C#의 Max 메서드를 다시 한 번 생각해 보자.

```
static T Max <T> (T a, T b) where T : IComparable<T>
  => a.CompareTo (b) > 0 ? a : b;
```

이 메서드를 다음처럼 구현하면 안 되는 이유는 무엇일까?

```
static T Max <T> (T a, T b)
  => (a > b ? a : b);              // 컴파일 시점 오류
```

그 이유는, 제네릭 메서드인 Max는 한 번만 컴파일된 후 T의 모든 가능한 값(형식)에 대해 작동할 수 있어야 하기 때문이다. 그러나 모든 가능한 T에 대해 >가 단일한 의미를 가지지는 않기 때문에 컴파일이 실패하게 된다. 사실 > 연산자가 아예 없는 T도 존재한다. 반면 C++에서는 사정이 좀 다르다. 다음은 같은 Max를 C++ 템플릿으로 작성한 것이다. C++ 템플릿은 그 자체로 컴파일되는 것이 아니라, 소비자가 T에 대해 제공한 구체적인 형식마다 개별적으로 컴파일된다. 그리고 >의 의미론은 해당 T에 정의된 바를 따른다. 만일 T로 주어진 구체적인 형식이 >를 지원하지 않으면 컴파일이 실패한다.

```
template <class T> T Max (T a, T b)
{
  return a > b ? a : b;
}
```

4장

C# 6.0 in a Nutshell

고급 C#

이번 장에서는 제2장과 제3장에서 논의한 개념들을 바탕으로 해서 C#의 고급 주제들을 살펴본다. 제1장에서 이 제4장까지는 차례로 읽을 필요가 있다. 나머지 장들은 원하는 순서로 읽어도 좋다.

대리자

대리자(delegate)는 어떤 메서드를 호출하는 방법을 담은 객체이다.

대리자 형식(delegate type)은 그 형식의 인스턴스, 즉 **대리자 인스턴스**가 호출할 수 있는 종류의 메서드를 정의한다. 좀 더 구체적으로, 대리자 형식은 그런 메서드의 **반환 형식**과 **매개변수 형식들**을 정의한다. 다음은 Transformer라는 대리자 형식을 정의한 예이다.

```
delegate int Transformer (int x);
```

이 Transformer는 반환 형식이 int이고 int 형식의 매개변수 하나를 받는 모든 메서드에 사용할 수 있다. 다음이 그러한 메서드의 예이다.

```
static int Square (int x) { return x * x; }
```

이를 다음처럼 좀 더 간결히 표기할 수도 있다.

```
static int Square (int x) => x * x;
```

메서드를 대리자 변수에 배정하면 대리자 **인스턴스**가 생성된다.

```
Transformer t = Square;
```

이제 이 인스턴스를 메서드를 호출할 때와 마찬가지 방법으로 호출할 수 있다.

```
int answer = t(3);    // answer는 9
```

다음은 완전한 형태의 예제이다.

```
delegate int Transformer (int x);

class Test
{
  static void Main()
  {
    Transformer t = Square;          // 대리자 인스턴스를 생성
    int result = t(3);               // 대리자를 호출
    Console.WriteLine (result);      // 9
  }
  static int Square (int x) => x * x;
}
```

대리자 인스턴스는 이름 그대로 그대로 호출자의 '대리자(대리인)' 역할을 한다. 즉, 호출자가 대리자를 호출하면 대리자가 대상 메서드를 대신 호출해 준다. 이러한 간접 호출에 의해, 호출자와 대상 메서드 사이의 결합(coupling)이 끊어진다.

다음과 같은 문장은

```
Transformer t = Square;
```

다음 문장을 줄여 쓴 것이다.

```
Transformer t = new Transformer (Square);
```

엄밀히 말해서, 대리자 인스턴스를 생성할 때 괄호 쌍과 인수들 없이 함수 이름 Square만 지칭한 것은 하나의 메서드가 아니라 **메서드 그룹**을 지정한 것에 해당한다. 그 메서드 이름이 중복적재되어 있는 경우, C#은 해당 대리자 형식의 서명에 기초해서 적절한 중복적재 버전을 선택한다.

한편 다음과 같은 표현식은

```
t(3)
```

다음을 줄여 쓴 것이다.

```
t.Invoke(3)
```

대리자는 전통적인 프로그래밍 언어에서 말하는 **콜백**callback과 비슷하다. 콜백은 C의 함수 포인터 같은 지연 호출 수단을 일컫는 일반적인 용어이다.

대리자를 이용한 플러그인 메서드 작성

대리자 변수에 메서드를 배정하는 연산은 실행시점에서 일어난다. 따라서 대리자는 플러그인plug-in 메서드를 구현하기에 좋은 수단이다. 다음 예제를 보자. `Transform` 메서드는 정수 배열의 각 원소에 대해 어떤 변환을 수행하는 메서드이다. 이 `Transform` 메서드에는 대리자 형식의 매개변수가 있다. 이 메서드를 사용하는 코드는 정수들에 적용할 구체적인 변환 논리를 담은 '플러그인' 메서드† 를 이 매개변수에 지정한다.

```
public delegate int Transformer (int x);

class Util
{
  public static void Transform (int[] values, Transformer t)
  {
    for (int i = 0; i < values.Length; i++)
      values[i] = t (values[i]);
  }
}

class Test
{
  static void Main()
  {
    int[] values = { 1, 2, 3 };
    Util.Transform (values, Square);      // Square 메서드를 적용
    foreach (int i in values)
      Console.Write (i + "  ");           // 1   4   9
  }

  static int Square (int x) => x * x;
}
```

다중 캐스트 대리자

모든 대리자 인스턴스에는 **다중 캐스트**(multicast) 능력이 있다. 무슨 말이냐 하면, 하나의 대리자 인스턴스가 하나의 대상 메서드가 아니라 여러 개의 대상 메

† (옮긴이) 이를테면 실행시점에서 외부 어셈블리 dll에 있는 메서드를 이 매개변수에 지정한다고 생각하면 이를 '플러그인'이라고 부르는 이유가 좀 더 명확해질 것이다.

서드들을 지칭할 수 있다는 것이다. 다음 예처럼, 기존 대리자 인스턴스에 +나 += 연산자를 이용해서 새로운 대상 메서드를 추가할 수 있다.

```
SomeDelegate d = SomeMethod1;
d += SomeMethod2;
```

마지막 줄은 다음을 줄여 쓴 것에 해당한다.

```
d = d + SomeMethod2;
```

이제 d를 호출하면 SomeMethod1과 SomeMethod2가 모두 호출된다. 호출 순서는 추가된 순서와 같다.

- 또는 -= 연산자는 좌변의 대리자에서 우변의 메서드를 제거한다. 예를 들면 다음과 같다.

```
d -= SomeMethod1;
```

이제 d를 호출하면 SomeMethod2만 호출된다.

값이 null인 대리자 변수에 +나 +=를 호출하는 것도 가능하다. 이는 그냥 해당 변수에 메서드를 배정하는 것과 같다.

```
SomeDelegate d = null;
d += SomeMethod1;        // d = SomeMethod1과 동등(d가 null일 때)
```

마찬가지로, 대상 메서드가 하나뿐인 대리자 변수에 -=를 호출하는 것은 그 변수에 null을 배정하는 것과 같다.

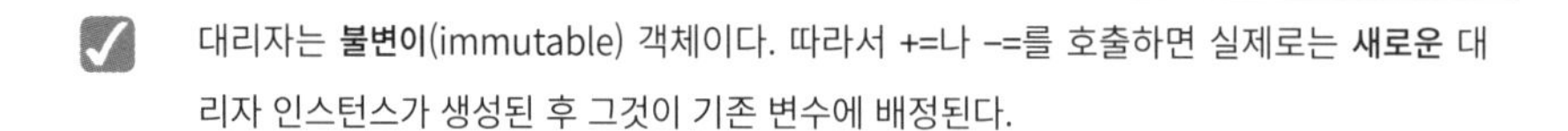
대리자는 **불변이**(immutable) 객체이다. 따라서 +=나 -=를 호출하면 실제로는 **새로운** 대리자 인스턴스가 생성된 후 그것이 기존 변수에 배정된다.

다중 캐스트 대리자의 반환 형식이 void가 아니면, 호출자는 마지막으로 호출된 메서드가 돌려준 값을 받게 된다. 마지막 이전 메서드들도 호출되긴 하지만 반환값들은 그냥 폐기된다. 대부분의 경우 다중 캐스트 대리자는 반환 형식이 void인 대상 메서드들에 쓰이므로, 이러한 세부사항이 문제가 되는 경우는 드물다.

> 모든 대리자 형식은 암묵적으로 System.MulticastDelegate를 상속하고, MulticastDelegate 자체는 System.Delegate를 상속한다. C#은 대리자에 대한 +, -, +=, -= 연산을 System.Delegate 클래스의 정적 Combine, Remove 메서드들로 바꾸어서 컴파일한다.

다중 캐스트 대리자 예제

어려운, 즉 시간이 오래 걸리는 작업을 수행하는 메서드를 작성한다고 하자. 그런 경우 주기적으로 대리자를 호출함으로써 메서드 호출자에게 작업 진척 정도를 알려주는 것이 바람직할 것이다. 다음 예제에서 HardWork 메서드는 대리자 형식의 매개변수 ProgressReporter로 주어진 대리자를 주기적으로 호출해서 진척 정도를 보고한다.

```
public delegate void ProgressReporter (int percentComplete);

public class Util
{
  public static void HardWork (ProgressReporter p)
  {
    for (int i = 0; i < 10; i++)
    {
      p (i * 10);                           // 대리자를 호출
      System.Threading.Thread.Sleep (100);  // 어려운 작업을 흉내 낸다.
    }
  }
}
```

다음은 이 메서드를 사용하는 예를 보여주는 코드이다. Main 메서드는 다중 캐스트 대리자 인스턴스 p에 서로 다른 두 보고용 메서드를 등록해서 HardWork를 호출한다.

```
class Test
{
  static void Main()
  {
    ProgressReporter p = WriteProgressToConsole;
    p += WriteProgressToFile;
    Util.HardWork (p);
  }

  static void WriteProgressToConsole (int percentComplete)
    => Console.WriteLine (percentComplete);

  static void WriteProgressToFile (int percentComplete)
    => System.IO.File.WriteAllText ("progress.txt",
                                    percentComplete.ToString());
}
```

대상 메서드로서의 인스턴스 메서드 대 정적 메서드

인스턴스 메서드를 대리자 인스턴스에 등록하는 경우, 그 메서드를 제대로 호출하려면 대리사 인스턴스는 그 메서드에 대한 참조뿐만 아니라 그 메서드가 속

한 인스턴스에 대한 참조도 기억해야 한다. System.Delegate 클래스의 Target 속성이 바로 그 인스턴스를 나타낸다(정적 메서드의 경우 이 속성은 null이 된다). 다음은 이 점을 보여주는 예이다.

```
public delegate void ProgressReporter (int percentComplete);

class Test
{
  static void Main()
  {
    X x = new X();
    ProgressReporter p = x.InstanceProgress;
    p(99);                                  // 99
    Console.WriteLine (p.Target == x);      // True
    Console.WriteLine (p.Method);           // Void InstanceProgress(Int32)
  }
}

class X
{
  public void InstanceProgress (int percentComplete)
    => Console.WriteLine (percentComplete);
}
```

제네릭 대리자 형식

대리자 형식에 제네릭 형식 매개변수를 둘 수도 있다. 다음이 그러한 예이다.

```
public delegate T Transformer<T> (T arg);
```

이러한 정의가 있다고 할 때, 앞의 편의용 메서드 Transform을 다음과 같이 일반화할 수 있다. 이제 이 메서드는 임의의 형식에 대해 작동한다.

```
public class Util
{
  public static void Transform<T> (T[] values, Transformer<T> t)
  {
    for (int i = 0; i < values.Length; i++)
      values[i] = t (values[i]);
  }
}

class Test
{
  static void Main()
  {
    int[] values = { 1, 2, 3 };
    Util.Transform (values, Square);      // Square 변환을 적용
    foreach (int i in values)
      Console.Write (i + "  ");           // 1   4   9
  }
```

```
  static int Square (int x) => x * x;
}
```

표준 Func 대리자와 Action 대리자

제네릭 대리자를 이용하면, 임의의 반환 형식과 임의의 개수(합당한 수준까지)의 매개변수들을 가진 그 어떤 메서드에도 작동할 정도로 일반적인 대리자 형식들 몇 개만 작성해서 재사용하는 것이 가능하다. System 이름공간에 정의된 Func 대리자들과 Action 대리자들이 바로 그러한 대리자이다. 둘의 선언은 다음과 같다(in과 out은 형식 매개변수의 **가변성**을 지정하는 키워드인데, 이에 대해서는 잠시 후에 이야기한다).

```
delegate TResult Func <out TResult>                 ();
delegate TResult Func <in T, out TResult>           (T arg);
delegate TResult Func <in T1, in T2, out TResult>   (T1 arg1, T2 arg2);
... 이와 비슷한 선언들이 T16까지 이어짐
delegate void Action                 ();
delegate void Action <in T>          (T arg);
delegate void Action <in T1, in T2>  (T1 arg1, T2 arg2);
... 이와 비슷한 선언들이 T16까지 이어짐
```

이 대리자들은 극도로 일반적이다. 예를 들어 이전 예제에 나온 Transformer 대리자를, 다음처럼 T 형식의 인수를 하나 받고 같은 형식의 값을 돌려주는 Func 대리자로 대신할 수 있다.

```
public static void Transform<T> (T[] values, Func<T,T> transformer)
{
  for (int i = 0; i < values.Length; i++)
    values[i] = transformer (values[i]);
}
```

실무에서 이 대리자들로 해결되지 않는 유일한 시나리오는 ref, out 매개변수들과 포인터 매개변수뿐이다.

.NET Framework 2.0 전에는 Func와 Action 대리자가 없었다(그때는 제네릭이라는 것 자체가 없었다). .NET Framework의 상당 부분이 Func와 Action 대신 커스텀 대리자 형식을 사용하는 것은 바로 이러한 역사적 이유 때문이다.

대리자 대 인터페이스

대리자로 풀 수 있는 문제는 인터페이스로도 풀 수 있다. 예를 들어 다음은 앞의 예제를 대리자 대신 ITransformer라는 인터페이스를 이용해서 다시 작성한 것이다.

```
public interface ITransformer
{
  int Transform (int x);
}

public class Util
{
  public static void TransformAll (int[] values, ITransformer t)
  {
    for (int i = 0; i < values.Length; i++)
      values[i] = t.Transform (values[i]);
  }
}

class Squarer : ITransformer
{
  public int Transform (int x) => x * x;
}
...

static void Main()
{
  int[] values = { 1, 2, 3 };
  Util.TransformAll (values, new Squarer());
  foreach (int i in values)
    Console.WriteLine (i);
}
```

다음 조건 중 하나 이상이 참이라면 인터페이스를 이용한 설계보다 대리자를 이용한 설계가 더 나는 선택일 수 있다.

- 인터페이스가 메서드를 하나만 정의한다.
- 다중 캐스팅 능력이 필요하다.
- 구독자가 인터페이스를 여러 번 구현해야 한다.

이 `ITransformer` 예제에는 다중 캐스팅이 필요하지 않다. 그러나 이 인터페이스는 메서드 하나만 정의한다. 게다가 구독자(이번 장의 '이벤트'에서 좀 더 구체적으로 설명한다)가 여러 가지 변환을 지원하려면, 이를테면 정사각형(square)뿐만 아니라 입방체(cube)도 지원하려면, `ITransformer`를 여러 번 구현해야 한다. 인터페이스를 이용한 설계에서는 변환마다 개별적인 형식을 작성할 수밖에 없다. 변환 클래스가 `ITransformer`를 한 번만 구현할 수 있기 때문이다. 다음에서 보듯이 이런 방식에서는 비슷한 코드를 중복해서 입력해야 하므로 상당히 번거롭다.

```
class Squarer : ITransformer
{
```

```
  public int Transform (int x) => x * x;
}

class Cuber : ITransformer
{
  public int Transform (int x) => x * x * x;
}
...

static void Main()
{
  int[] values = { 1, 2, 3 };
  Util.TransformAll (values, new Cuber());
  foreach (int i in values)
    Console.WriteLine (i);
}
```

대리자의 호환성

형식 호환성

모든 대리자 형식은 다른 모든 대리자 형식과 호환되지 않는다. 심지어 서명이 같아도 호환되지 않는다.

```
delegate void D1();
delegate void D2();
...

D1 d1 = Method1;
D2 d2 = d1;                          // 컴파일 시점 오류
```

 그러나 다음은 허용된다.

```
D2 d2 = new D2 (d1);
```

메서드 대상이 동일한 대리자 인스턴스들은 서로 같다고(상등) 간주된다.

```
delegate void D();
...

D d1 = Method1;
D d2 = Method1;
Console.WriteLine (d1 == d2);         // True
```

다중 캐스트 대리자는 같은 대상 메서드들이 같은 순서로 등록되어 있어야 서로 같다고 간주된다.

매개변수 호환성

어떤 메서드를 호출할 때, 그 메서드의 매개변수가 요구하는 것보다 더 구체적인 형식의 인수를 지정하는 것이 가능하다. 이는 다형성을 가진 메서드의 정상적인 작동 방식이다. 이와 정확히 동일한 이유로, 대리자의 매개변수 형식이 대상 메서드의 매개변수 형식보다 더 구체적일 수 있다. 이를 **반변성**(contravariance)이라고 부른다. 다음은 대리자 반변성의 예이다.

```
delegate void StringAction (string s);

class Test
{
  static void Main()
  {
    StringAction sa = new StringAction (ActOnObject);
    sa ("hello");
  }

  static void ActOnObject (object o) => Console.WriteLine (o);   // hello
}
```

(형식 매개변수 가변성과 마찬가지로, 대리자의 가변성은 오직 **참조 변환**에 대해서만 작동한다.)

대리자는 단지 다른 누군가를 위해 메서드를 호출해 줄 뿐이다. 지금 예제는 string 형식의 인수로 StringAction 인스턴스를 호출한다. 그러면 그 인수는 암묵적으로 object로 상향 캐스팅되어서 대상 메서드에 전달된다.

잠시 후 설명할 표준 이벤트 패턴은 프로그래머가 이러한 반변성을 활용할 수 있도록 EventArgs라는 공통의 기반 클래스를 사용한다. 예를 들어 하나의 메서드를 서로 다른 두 대리자로, 이를테면 MouseEventArgs 형식의 인수를 받는 것과 KeyEventArgs 형식의 인수를 받는 것으로 호출할 수 있다.

반환 형식 호환성

어떤 메서드를 호출할 때, 호출자가 요구한 것보다 더 구체적인 형식의 값을 메서드가 돌려줄 수 있다. 이는 다형성을 가진 메서드의 정상적인 작동 방식이다. 이와 정확히 같은 이유로, 대리자는 대상 메서드의 반환 형식보다 더 구체적인 형식을 돌려줄 수 있다. 이를 **공변성**(covariance)이라고 부른다. 다음은 대리자 공변성의 예이다.

```
delegate object ObjectRetriever();

class Test
{
  static void Main()
  {
    ObjectRetriever o = new ObjectRetriever (RetrieveString);
    object result = o();
    Console.WriteLine (result);      // hello
  }
  static string RetrieveString() => "hello";
}
```

ObjectRetriever는 object를 돌려받을 것으로 기대하지만, object뿐만 아니라 object의 파생 클래스가 반환될 수도 있다. 즉, 대리자의 반환 형식은 **공변**이다.

제네릭 대리자 형식 매개변수의 가변성

제3장에서 제네릭 인터페이스의 형식 매개변수가 공변이거나 반변일 수 있음을 이야기했다. 대리자도 그와 같은 능력을 갖추고 있다(C# 4.0부터).

제네릭 대리자 형식을 정의할 때에는 다음과 같은 관행을 따르는 것이 좋다.

- 반환값에만 쓰이는 형식 매개변수는 공변으로 지정한다(out 수정자).
- 매개변수에만 쓰이는 형식 매개변수는 반변으로 지정한다(in 수정자).

이렇게 하면 형식 변환이 형식들 사이의 상속 관계를 존중하는 방식으로 자연스럽게 일어난다.

다음 대리자(System 이름공간에 정의되어 있다)의 형식 매개변수 TResult는 공변이다.

```
delegate TResult Func<out TResult>();
```

따라서 다음과 같은 용법이 허용된다.

```
Func<string> x = ...;
Func<object> y = x;
```

다음 대리자(System 이름공간에 정의되어 있다)의 형식 매개변수 T는 반변이다.

```
delegate void Action<in T> (T arg);
```

따라서 다음과 같은 용법이 허용된다.

```
Action<object> x = ...;
Action<string> y = x;
```

이벤트

대리자를 사용하는 코드의 설계에는 **방송자**와 **구독자**라는 두 가지 역할로 구성된 모형이 흔히 쓰인다.

방송자(broadcaster)는 대리자 필드가 있는 형식을 말한다. 방송자는 적당한 때에 그 대리자를 호출해서 정보를 "방송한다."†

구독자(subscribers)는 대리자가 호출할 대상 메서드를 등록하는 형식을 말한다. 구독자는 방송자의 대리자에 대해 += 나 -= 를 호출함으로써 해당 방송의 '청취(구독)'를 시작하거나 중단한다. 이 모형에서 구독자는 다른 구독자를 간섭하지 않으며, 사실 다른 구독자의 존재를 아예 알지 못한다.

이벤트는 이러한 모형 또는 패턴을 공식화하는 언어 기능이다. 구체적으로, 이벤트는 대리자의 기능 중 방송자/구독자 모형에 필요한 기능들만 노출하는 객체이다. 이벤트의 주된 목적은 **구독자들이 서로 간섭하지 못하게 하는 것이다.**

이벤트를 선언하는 가장 쉬운 방법은 대리자 멤버를 선언할 때 접근 수정자 다음에 event 키워드를 집어넣는 것이다. 다음이 그러한 예이다.

```
// 대리자 정의
public delegate void PriceChangedHandler (decimal oldPrice,
                                          decimal newPrice);
public class Broadcaster
{
  // 이벤트 대리자
  public event PriceChangedHandler PriceChanged;
}
```

Broadcaster 형식 안의 코드에서는 PriceChanged의 모든 것에 접근할 수 있으며, PriceChanged를 하나의 대리자처럼 사용할 수 있다. Broadcaster 바깥의 코드에서는 PriceChanged 이벤트에 대해 += 연산과 -= 연산만 수행할 수 있다.

† (옮긴이) 사실 이 모형은 방송자/구독자 보다는 발행자(publisher)/구독자(또는 발행-구독) 모형이라고 더 많이 알려져 있다. GoF 설계 패턴으로 치면 '관찰자' 패턴에 해당한다. 방송과 발행 모두 일대다 통신 방법이지만, 일반적으로 방송은 한 주어진 범위 안의 모든 대상에게 일괄적으로 정보를 보내는, 다른 말로 하면 '불특정 다수'에게 정보를 보내는 방식(이름에서 알 수 있듯이 지상파 라디오나 TV 방송과 같은 개념이다)을 뜻하는 반면 발행은 명시적으로 등록한, 즉 "구독을 신청한" 대상들에게만 정보를 보내는 방식이다(잡지나 유료 케이블 TV 등에 가깝다).

이벤트의 내부 작동 방식

다음과 같이 선언된 이벤트에 대해 컴파일러는 내부적으로 세 가지 작업을 수행한다.

```
public class Broadcaster
{
  public event PriceChangedHandler PriceChanged;
}
```

첫째로, 컴파일러는 이벤트 선언을 다음과 비슷한 형태로 바꾼다.

```
PriceChangedHandler priceChanged;    // 전용 대리자
public event PriceChangedHandler PriceChanged
{
  add    { priceChanged += value; }
  remove { priceChanged -= value; }
}
```

add 키워드와 remove 키워드는 명시적 **이벤트 접근자**(event accessor)를 나타낸다. 이들은 get/set으로 지정한 속성 접근자들과 상당히 비슷하게 작동한다. 이벤트 접근자에 대해서는 잠시 후에 좀 더 이야기한다.

둘째로, 컴파일러는 Broadcaster 클래스 **안에서** PriceChanged에 대한 +=와 -= 이외의 연산들을 찾아서 바탕 priceChanged 대리자 필드에 대한 연산으로 바꾼다.

셋째로, 컴파일러는 이벤트에 대한 += 연산과 -= 연산을 이벤트의 add, remove 접근자 호출로 바꾼다. 흥미롭게도, 이 때문에 이벤트에 대한 +=와 -=는 단순히 +와 - 다음에 배정을 수행하는 것이 아닌 고유한 의미론을 가지게 된다.

다음 예를 생각해 보자. Stock 클래스는 자신의 Price 속성이 변할 때마다 PriceChanged 이벤트를 발동한다(fire).

```
public delegate void PriceChangedHandler (decimal oldPrice,
                                          decimal newPrice);
public class Stock
{
  string symbol;
  decimal price;

  public Stock (string symbol) { this.symbol = symbol; }

  public event PriceChangedHandler PriceChanged;

  public decimal Price
  {
```

```
        get { return price; }
        set
        {
          if (price == value) return;       // 아무것도 변하지 않았으면 그냥 반환
          decimal oldPrice = price;
          price = value;
          if (PriceChanged != null)          // 호출 목록이 비어 있지 않으면
            PriceChanged (oldPrice, price);  // 이벤트를 발동
        }
      }
    }
```

이 예제에서 event 키워드를 제거해서 PriceChanged를 그냥 평범한 대리자 필드로 만들어도 겉으로 보이는 결과는 여전히 동일하다. 그러나 event 키워드가 없으면 구독자들이 서로 간섭할 수 있기 때문에 Stock의 견고함이 떨어진다. 특히, 구독자가 다음과 같은 방식으로 다른 구독자들에 간섭할 수 있다.

- PriceChanged를 직접 조작해서(+= 연산자를 거치는 대신) 구독자들을 마음대로 배정할 수 있다.
- 모든 구독자를 해제할 수 있다(PriceChanged를 null로 설정해서).
- 대리자를 직접 호출해서 다른 모든 구독자에게 변경을 방송할 수 있다.

WinRT의 이벤트는 이와는 조금 다른 방식으로 작동한다. WinRT의 이벤트에 구독자를 부착(추가)하면 토큰이 반환되며, 나중에 이벤트에서 그 구독자를 제거하려면 반드시 그 토큰을 지정해야 한다. 다행히 컴파일러는 투명하게 이러한 차이를 메워주기 때문에(내부적으로 토큰들을 저장해서), WinRT 이벤트들을 그냥 보통의 CLR 이벤트들처럼 사용할 수 있다.

표준 이벤트 패턴

.NET Framework는 이벤트 작성을 위한 표준적인 패턴 하나를 정의한다. 이 패턴의 목적은 .NET Framework와 사용자 정의 코드 모두에서 일관성을 유지하기 위한 것이다. 표준 이벤트 패턴의 핵심은 .NET Framework에 미리 정의되어 있는 클래스인 System.EventArgs이다. 이 클래스에는 아무런 멤버도 없다(정적 Empty 속성 말고는). EventArgs는 이벤트에 관한 정보를 전달하기 위한 기반 클래스이다. 앞의 Stock 예제를 이 패턴에 맞게 작성한다면, 우선은 EventArgs를 상속하는 다음과 같은 파생 클래스를 작성해야 한다. 이 클래스는 PriceChanged 이벤트를 발동할 때 기존 가격과 새 가격을 전달하는 용도로 쓰인다.

```
public class PriceChangedEventArgs : System.EventArgs
{
```

```
    public readonly decimal LastPrice;
    public readonly decimal NewPrice;

    public PriceChangedEventArgs (decimal lastPrice, decimal newPrice)
    {
      LastPrice = lastPrice;
      NewPrice = newPrice;
    }
  }
```

재사용성을 위해, EventArgs 파생 클래스에는 그것이 담고 있는 정보를 반영하는 이름(그것을 사용하는 이벤트를 반영하는 이름이 아니라)을 붙인다. 일반적으로 이런 클래스는 자신의 자료를 속성 또는 읽기 전용 필드로 노출한다.

EventArgs 파생 클래스를 정의한 다음에는, 이벤트를 위한 대리자를 선택 또는 정의한다. 이 대리자는 다음 세 규칙을 지켜야 한다.

- 반환 형식이 반드시 void이어야 한다.
- 인수 두 개를 받아야 한다. 첫 인수의 형식은 object이고 둘째 인수의 형식은 EventArgs 파생 클래스이다. 첫 인수는 이벤트 방송자를 지정하고, 둘째 인수는 전달할 추가 정보를 담는다.
- 이름이 반드시 *EventHandler*로 끝나야 한다.

.NET Framework에는 이 세 규칙을 모두 만족하는, System.EventHandler<>라는 제네릭 대리자가 정의되어 있다.

```
public delegate void EventHandler<TEventArgs>
  (object source, TEventArgs e) where TEventArgs : EventArgs;
```

C# 2.0에서 언어에 제네릭이 도입되기 전에는 다음과 같은 커스텀 대리자를 작성해야 했다.

```
public delegate void PriceChangedHandler
  (object sender, PriceChangedEventArgs e);
```

몇 가지 역사적인 이유로, .NET Framework에 있는 대부분의 이벤트는 이런 식으로 정의된 대리자를 사용한다.

다음 단계는 선택된 대리자 형식의 이벤트를 정의하는 것이다. 지금 예에서는 다음과 같이 제네릭 EventHandler 대리자를 사용한다.

```
public class Stock
{
```

```
  ...
  public event EventHandler<PriceChangedEventArgs> PriceChanged;
}
```

마지막으로, 표준 이벤트 패턴을 따르려면 이벤트를 발동하는 보호된 가상 메서드를 하나 작성해야 한다. 이 메서드는 그 이름이 반드시 이벤트 이름 앞에 *On*을 붙인 것이어야 하며, EventArgs 형식의 인수 하나를 받아야 한다.

```
public class Stock
{
  ...

  public event EventHandler<PriceChangedEventArgs> PriceChanged;

  protected virtual void OnPriceChanged (PriceChangedEventArgs e)
  {
    if (PriceChanged != null) PriceChanged (this, e);
  }
}
```

다중 스레드 상황(제14장)에서는 대리자를 먼저 임시 변수에 배정한 후 점검, 호출해야 스레드 안전성 관련 오류를 피할 수 있다.

```
var temp = PriceChanged;
if (temp != null) temp (this, e);
```

단, C# 6에서는 다음과 같이 널 조건부 연산자를 이용해서 temp 변수 없이도 같은 결과를 얻을 수 있다.

```
PriceChanged?.Invoke (this, e);
```

스레드에 안전할 뿐만 아니라 더 간결하다는 점에서, 이것이 이벤트를 발동하는 최선의 일반적 방식이라 할 수 있다.

이제 파생 클래스들이 이벤트를 호출하거나 재정의할 수 있는(클래스를 봉인하지 않았다고 할 때) 하나의 기준점이 만들어진 셈이다.

다음은 이 예제의 전체 코드이다.

```
using System;

public class PriceChangedEventArgs : EventArgs
{
  public readonly decimal LastPrice;
  public readonly decimal NewPrice;

  public PriceChangedEventArgs (decimal lastPrice, decimal newPrice)
```

```
    {
      LastPrice = lastPrice; NewPrice = newPrice;
    }
  }

  public class Stock
  {
    string symbol;
    decimal price;

    public Stock (string symbol) {this.symbol = symbol;}

    public event EventHandler<PriceChangedEventArgs> PriceChanged;

    protected virtual void OnPriceChanged (PriceChangedEventArgs e)
    {
      PriceChanged?.Invoke (this, e);
    }

    public decimal Price
    {
      get { return price; }
      set
      {
        if (price == value) return;
        decimal oldPrice = price;
        price = value;
        OnPriceChanged (new PriceChangedEventArgs (oldPrice, price));
      }
    }
  }

  class Test
  {
    static void Main()
    {
      Stock stock = new Stock ("THPW");
      stock.Price = 27.10M;
      // PriceChanged 이벤트에 등록
      stock.PriceChanged += stock_PriceChanged;
      stock.Price = 31.59M;
    }

    static void stock_PriceChanged (object sender, PriceChangedEventArgs e)
    {
      if ((e.NewPrice - e.LastPrice) / e.LastPrice > 0.1M)
        Console.WriteLine ("Alert, 10% stock price increase!");
    }
  }
```

이벤트가 추가 정보를 전달하지 않는다면 미리 정의되어 있는 비非제네릭 EventHandler 대리자를 사용해도 된다. 다음은 가격이 바뀌었을 때 추가 정보 없이(이벤트가 발생했다는 사실 말고는) PriceChanged 이벤트를 발생하도록 Stock

을 재작성한 것이다. 또한, 쓸데없이 EventArgs 인스턴스를 생성하지 않기 위해 EventArgs.Empty 속성을 사용했다는 점도 주목하기 바란다.

```
public class Stock
{
  string symbol;
  decimal price;

  public Stock (string symbol) { this.symbol = symbol; }

  public event EventHandler PriceChanged;

  protected virtual void OnPriceChanged (EventArgs e)
  {
    PriceChanged?.Invoke (this, e);
  }

  public decimal Price
  {
    get { return price; }
    set
    {
      if (price == value) return;
      price = value;
      OnPriceChanged (EventArgs.Empty);
    }
  }
}
```

이벤트 접근자

이벤트의 **접근자**(accessor)들은 이벤트에 대한 +=와 -= 연산을 그 이벤트에 맞는 방식으로 구현하기 위한 것이다. 기본적으로는 컴파일러가 암묵적으로 이벤트 접근자들을 구현해 준다. 다음과 같은 이벤트 선언을 생각해 보자.

```
public event EventHandler PriceChanged;
```

이로부터 컴파일러는 다음과 같은 멤버들을 암묵적으로 생성한다.

- 전용 대리자 필드 하나
- 두 개의 공용 이벤트 접근자 함수(add_PriceChanged와 remove_PriceChanged). 이들은 += 연산과 -= 연산을 앞의 전용 대리자 필드에 전달한다.

이와는 다른 방식의 접근자 구현을 원한다면 이벤트 접근자들을 **명시적**으로 정의하면 된다. 다음은 이전 예제의 PriceChanged 이벤트에 대한 접근자들을 명시적으로 정의한 예이다.

```
private EventHandler priceChanged;        // 전용 대리자 선언

public event EventHandler PriceChanged
{
  add    { priceChanged += value; }
  remove { priceChanged -= value; }
}
```

이 예는 C#의 기본 접근자 구현과 기능상으로 동일하다(단, C#의 기본 구현은 무잠금(lock-free) 비교 후 교환(CAS) 알고리즘을 이용해서 대리자 갱신의 스레드 안전성을 보장한다는 차이가 있다. 이에 관해서는 *http://albahari.com/threading* 을 참고하기 바란다). 이처럼 이벤트 접근자들을 프로그래머가 직접 정의하면 C# 컴파일러는 기본 필드와 접근자 논리를 생성하지 않는다.

컴파일러의 기본 구현 대신 명시적 이벤트 접근자를 이용하면 바탕 대리자의 저장과 접근에 좀 더 복잡한 전략을 적용할 수 있다. 다음은 그런 접근방식이 유용할 만한 시나리오 세 가지이다.

- 이벤트 접근자들이 그냥 다른 클래스에 이벤트 방송을 위임하는 역할만 한다.
- 클래스가 많은 수의 이벤트를 노출하나, 대부분의 경우 그 이벤트들은 구독자가 극히 소수이다(이를테면 몇몇 Windows 컨트롤). 이런 상황이라면 구독자의 대리자 인스턴스를 사전(dictionary) 자료구조에 저장하는 것이 낫다. 널 대리자 필드 참조들을 수십 개씩 저장해야 하는 경우에 비해 사전의 저장소 추가부담이 더 적기 때문이다.
- 이벤트를 선언하는 인터페이스를 명시적으로 구현한다.

다음은 마지막 시나리오에 해당하는 예이다.

```
public interface IFoo { event EventHandler Ev; }

class Foo : IFoo
{
  private EventHandler ev;

  event EventHandler IFoo.Ev
  {
    add    { ev += value; }
    remove { ev -= value; }
  }
}
```

컴파일러는 이벤트의 add, remove 블록들을 add_*XXX* 메서드와 remove_*XXX* 메서드로 바꾸어서 컴파일한다.

이벤트 수정자

메서드처럼 이벤트에도 여러 수정자를 적용해서 가상, 재정의, 추상, 봉인 이벤트로 만들 수 있다. 정적 이벤트도 가능하다.

```
public class Foo
{
  public static event EventHandler<EventArgs> StaticEvent;
  public virtual event EventHandler<EventArgs> VirtualEvent;
}
```

람다 표현식

람다 표현식(lambda expression), 줄여서 람다식(또는 더 줄여서 그냥 '람다')은 대리자 인스턴스가 쓰이는 곳에 대리자 인스턴스 대신 지정할 수 있는 이름 없는 메서드이다. 컴파일러는 람다식을 그 자리에서 다음 중 하나로 바꾼다.

- 대리자 인스턴스
- 운행 가능(traversable) 객체 모형의 람다 표현식 안에 있는 코드를 나타내는, `Expression<TDelegate>` 형식의 **표현식 트리**(expression tree). 이 경우에는 람다식을 실행시점에서 해석할 수 있다(제8장의 '질의 표현식 구축(p.480)' 참고).

다음과 같은 대리자 형식이 있다고 하자.

```
delegate int Transformer (int i);
```

다음은 이 형식의 대리자에 람다식 `x => x * x`를 배정해서 호출하는 예이다.

```
Transformer sqr = x => x * x;
Console.WriteLine (sqr(3));    // 9
```

내부적으로 컴파일러는 이런 형식의 람다식을, 람다식 안의 코드를 본문으로 하는 하나의 전용 메서드로 바꾸어서 컴파일한다.

람다식의 구문은 다음과 같다.

```
(매개변수들) => 표현식-또는-문장-블록
```

매개변수가 단 하나이고 그 형식을 컴파일러가 추론할 수 있는 경우에는, 그리고 오직 그럴 때에만, 괄호 쌍을 생략해서 람다식을 더 간결하게 표기할 수 있다.

지금 예에서 람다식의 매개변수는 x 하나이고, 표현식은 x * x이다.

```
x => x * x;
```

람다식의 각 매개변수는 대리자의 각 매개변수에 대응되며, 표현식의 형식(void일 수도 있다)은 대리자의 반환 형식에 대응된다.

지금 예에서 x는 매개변수 i에 대응되고 표현식 x * x의 형식 int는 반환 형식 int에 대응된다. 따라서 이 람다식은 Transformer 대리자와 호환된다.

```
delegate int Transformer (int i);
```

람다식의 코드가 하나의 표현식이 아니라 **문장 블록**일 수도 있다. 지금 예를 다음과 같이 표기해도 된다.

```
x => { return x * x; };
```

많은 경우 람다식은 Func, Action 대리자와 함께 쓰인다. 앞에 나온 람다식을 이를테면 다음과 같은 형태로 사용하는 경우가 많다.

```
Func<int,int> sqr = x => x * x;
```

다음은 매개변수 두 개를 받는 람다식의 예이다.

```
Func<string,string,int> totalLength = (s1, s2) => s1.Length + s2.Length;
int total = totalLength ("hello", "world");   // total은 10;
```

람다식은 C# 3.0에서 도입되었다.

람다 매개변수 형식의 명시적 지정

보통은 람다 매개변수의 형식을 컴파일러가 **추론**(inference)할 수 있다. 그러나 추론이 불가능한 경우에는 각 매개변수의 형식을 명시적으로 지정해 주어야 한다. 다음 두 메서드를 생각해 보자.

```
void Foo<T> (T x)         {}
void Bar<T> (Action<T> a) {}
```

다음 코드는 컴파일되지 않는다. 컴파일러가 x의 형식을 추론할 수 없기 때문이다.

```
Bar (x => Foo (x));     // x의 형식을 알 수 없음
```

다음처럼 x의 형식을 명시적으로 지정해 주면 문제가 해결된다.

```
Bar ((int x) => Foo (x));
```

이 예는 아주 간단하기 때문에, 다음 두 가지 방식으로도 해결할 수 있다.

```
Bar<int> (x => Foo (x));   // Bar의 형식 매개변수를 지정
Bar<int> (Foo);            // 위와 마찬가지이나 메서드 그룹을 배정
```

외부 변수 갈무리

람다식의 코드에서 람다식 자신이 정의된 메서드의 지역 변수들과 매개변수들을 참조하는 것이 가능하다. 람다식의 관점에서 그런 변수들을 **외부 변수**(outer variable)라고 부른다. 다음은 이 점을 보여주는 예이다.

```
static void Main()
{
  int factor = 2;
  Func<int, int> multiplier = n => n * factor;
  Console.WriteLine (multiplier (3));           // 6
}
```

람다식이 참조하는 외부 변수를 **갈무리된 변수**(captured variable)라고 부르고, 외부 변수를 갈무리하는 람다식을 **닫힘**(closure)†이라고 부른다.

갈무리된 변수는 변수가 갈무리될 때가 아니라 대리자가 실제로 호출될 때 평가된다.

```
int factor = 2;
Func<int, int> multiplier = n => n * factor;
factor = 10;
Console.WriteLine (multiplier (3));           // 30
```

† (옮긴이) 이 용어는 동사 close, 즉 '닫다'에서 파생된 명사로, 비유하자면 외부 변수를 붙잡아서(capture) 람다식이라는 울타리 안에 가두고 문을 "닫아 버린" 것이라 할 수 있다. '닫다'의 명사형으로는 닫기, 닫음, 닫힘 등 여러 가지가 있지만, 수학에서도 쓰인다는 점에서(지금 말하는 closure와 정확히 같은 뜻은 아닐지라도) 그중중 '닫힘'을 선택했다.

갈무리된 변수를 람다식 자신이 갱신할 수도 있다.

```
int seed = 0;
Func<int> natural = () => seed++;
Console.WriteLine (natural());            // 0
Console.WriteLine (natural());            // 1
Console.WriteLine (seed);                 // 2
```

갈무리된 변수의 수명은 대리자의 수명과 같아진다. 다음 예에서 지역 변수 seed는 보통의 경우에는 Natural의 실행이 끝나면 사라질 것이다. 그러나 seed를 람다식이 **갈무리**했기 때문에, 그 수명은 해당 대리자 natural의 수명으로 연장된다.

```
static Func<int> Natural()
{
  int seed = 0;
  return () => seed++;      // 하나의 닫힘을 돌려줌
}

static void Main()
{
  Func<int> natural = Natural();
  Console.WriteLine (natural());      // 0
  Console.WriteLine (natural());      // 1
}
```

람다식 안에서 **인스턴스화**되는 지역 변수는 대리자 인스턴스가 호출될 때마다 고유하게 인스턴스화된다. 다음은 앞의 예제를 수정한 것으로, 이제는 seed가 람다식 **안에서** 인스턴스화된다. 그래서 이전과는 다른(이 예제의 목적으로는 바람직하지 않은) 결과가 나온다.

```
static Func<int> Natural()
{
  return() => { int seed = 0; return seed++; };
}

static void Main()
{
  Func<int> natural = Natural();
  Console.WriteLine (natural());          // 0
  Console.WriteLine (natural());          // 0
}
```

컴파일 시 갈무리된 변수를 만나면 컴파일러는 그 변수를 한 전용 클래스의 필드들로 '끌어올려서(hoisting)' 처리한다. 메서드 호출 시 그 클래스가 인스턴스화되는데, 그 인스턴스의 수명은 대리자 인스턴스의 것과 같다.

반복 변수의 갈무리

for 루프의 반복 변수(루프 변수)를 갈무리할 때, C#은 그 변수를 루프 **바깥**에서 선언된 것처럼 취급한다. 이는 반복마다 **같은** 변수가 갈무리됨을 뜻한다. 그래서 다음 예제 프로그램은 012가 아니라 333을 출력한다.

```
Action[] actions = new Action[3];

for (int i = 0; i < 3; i++)
  actions [i] = () => Console.Write (i);

foreach (Action a in actions) a();     // 333
```

예제에서 각 닫힘(굵은 글씨)은 같은 변수 i를 갈무리한다. (i가 루프 반복들 사이에서 유지되는 변수라는 점을 생각하면 이러한 처리 방식이 이해가 될 것이다. 심지어, 원한다면 루프 본문 안에서 i를 명시적으로 변경하는 것도 가능하다.) 그런데 갈무리된 변수는 갈무리되는 시점이 아니라 대리자가 호출되는 시점에서 평가되며, 나중에 대리자들이 **호출**되는 시점에서 i의 값은 3이다. 그래서 333이 출력되는 것이다. for를 다음과 같이 펼치면 이 점을 쉽게 이해할 수 있을 것이다.

```
Action[] actions = new Action[3];
int i = 0;
actions[0] = () => Console.Write (i);
i = 1;
actions[1] = () => Console.Write (i);
i = 2;
actions[2] = () => Console.Write (i);
i = 3;
foreach (Action a in actions) a();    // 333
```

만일 012가 출력되게 하고 싶다면, 해결책은 루프 **내부** 범위의 지역 변수에 반복 변수를 배정하는 것이다.

```
Action[] actions = new Action[3];
for (int i = 0; i < 3; i++)
{
  int loopScopedi = i;
  actions [i] = () => Console.Write (loopScopedi);
}
foreach (Action a in actions) a();     // 012
```

loopScopedi는 반복마다 새로이 생성되므로, 각 닫힘은 각자 **다른** 변수를 갈무리한다.

C# 5.0 전에는 foreach 루프도 for 루프와 같은 방식으로 작동했다.

```
Action[] actions = new Action[3];
int i = 0;
foreach (char c in "abc")
  actions [i++] = () => Console.Write (c);
foreach (Action a in actions) a();   // C# 4.0에서는 ccc가 출력됨
```

그러나 이는 혼란을 일으켰다. for 루프와는 달리 foreach 루프의 반복 변수는 불변이이므로, 루프 본문의 지역 변수처럼 작동하리라고 예상하는 프로그래머들이 많았기 때문이다. 다행히 C# 5.0에서 이러한 결함이 고쳐져서, 이제는 위의 예제가 abc를 출력한다.

기술적으로 이 변화는 기존 코드를 "고장낸다". C# 4.0 프로그램을 C# 5.0 이상의 컴파일러로 다시 컴파일해서 실행하면 이전과는 다른 결과가 나온다. 대체로 C# 개발팀은 이러한 변경을 피하려 한다. 그러나 이 예에서 "고장"은 사실 C# 4.0 프로그램들에 숨어 있던 버그가 드러난 것임이(프로그래머가 의도적으로 기존 작동방식에 맞게 작성한 코드가 오작동하게 된 것이 아니라) 거의 확실하다.

익명 메서드

익명 메서드(anonymous method)는 C# 2.0에서 도입된 기능으로, C# 3.0에서 람다식이 도입되면서 거의 쓰이지 않게 되었다. 익명 메서드는 람다식과 비슷하나, 다음과 같은 기능을 지원하지 않는다.

- 매개변수 형식 생략
- 표현식 구문(익명 메서드는 반드시 문장 블록이어야 한다)
- Expression<T>에 배정해서 표현식 트리로 컴파일

익명 메서드를 작성할 때에는 다음처럼 delegate 키워드 다음에 매개변수 선언(생략 가능)과 메서드 본문을 써준다. 예를 들어 다음과 같은 대리자가 있을 때,

```
delegate int Transformer (int i);
```

다음과 같이 익명 메서드를 대리자에 배정해서 호출한다.

```
Transformer sqr = delegate (int x) {return x * x;};
Console.WriteLine (sqr(3));                        // 9
```

첫 줄은 다음과 같은 람다식과 의미론이 같다.

```
Transformer sqr =       (int x) => {return x * x;};
```

이를 더 간결히 표기할 수도 있다.

```
Transformer sqr =           x  => x * x;
```

익명 메서드가 외부 변수를 갈무리하는 방식은 람다식의 외부 변수 갈무리 방식과 동일하다.

익명 메서드의 독특한 특징 하나는 매개변수 선언을 아예 생략할 수 있다는 것이다. 심지어 대리자가 매개변수를 기대하는 경우에도 생략할 수 있다. 이는 기본적인 빈(empty) 이벤트 처리부를 가진 이벤트를 선언할 때 편리하다.

```
public event EventHandler Clicked = delegate { };
```

이렇게 하면 이벤트 발동 전에 대리자가 널인지 점검할 필요가 없다. 다음도 적법한 코드이다.

```
// 매개변수들을 생략했음을 주목
Clicked += delegate { Console.WriteLine ("clicked"); };
```

try 문과 예외

try 문은 오류 처리 또는 마무리(cleanup) 코드를 위한 코드 블록을 지정한다. try 블록block 다음에 catch 블록이나 finally 블록이 올 수 있다(또는 둘 다 올 수도 있다). try 블록 안에서 오류가 발생하면 catch 블록이 실행된다. 마무리 작업을 수행하기 위한 finally 블록은 실행이 try 블록을 벗어나면, 또는 catch 블록이 존재하고 실제로 실행된 경우에는 catch 블록을 벗어나면 실행된다. 즉, finally 블록은 오류가 발생하든 발생하지 않든 항상 실행된다.

catch 블록에는 발생한 오류, 즉 예외에 관한 정보를 담은 Exception 객체가 전달된다. catch 블록은 그 예외를 처리해서 해소하거나, 아니면 **다시 던질**(rethrow) 수 있다. 이러한 예외 다시 던지기는 문제점을 그냥 기록하기만 하고 싶을 때, 또는 좀 더 높은 수준의 예외 형식으로 새로운 예외를 발생하고 싶을 때 유용하다.

finally 블록은 프로그램의 결정론(determinism)을 강화한다. CLR은 이 블록이 항상 실행됨을 보장한다. 따라서 이 블록은 네트워크 연결을 닫는 등의 마무리 작업을 하는 데 유용하다.

try 문은 전체적으로 다음과 같은 형태이다.

```
try
{
```

```
  ... // 이 블록이 실행되는 도중에 예외가 던져질 수 있다.
}
catch (ExceptionA ex)
{
  ... // ExceptionA 형식의 예외를 처리한다.
}
catch (ExceptionB ex)
{
  ... // ExceptionB 형식의 예외를 처리한다.
}
finally
{
  ... // 마무리 코드
}
```

다음 프로그램을 생각해 보자.

```
class Test
{
  static int Calc (int x) => 10 / x;

  static void Main()
  {
    int y = Calc (0);
    Console.WriteLine (y);
  }
}
```

x가 0이므로 런타임은 DivideByZeroException(0으로 나누기 오류에 해당하는 예외 형식)을 던지며, 그러면 프로그램이 강제로 종료된다. 프로그램이 강제로 종료되지 않게 하려면 다음과 같이 예외를 잡아서(catch) 처리해 주면 된다.

```
class Test
{
  static int Calc (int x) => 10 / x;

  static void Main()
  {
    try
    {
      int y = Calc (0);
      Console.WriteLine (y);
    }
    catch (DivideByZeroException ex)
    {
      Console.WriteLine ("x가 0이면 안 됨");
    }
    Console.WriteLine ("프로그램 실행 완료");
  }
}
```

출력:

```
x가 0이면 안 됨
프로그램 실행 완료
```

이 예제는 예외 처리를 보여주기 위한 간단한 예제일 뿐이다. 실무에서는 `Calc`를 호출하기 전에 나누는 수가 0인지 명시적으로 점검하는 것이 더 낫다.
피할 수 있는 오류는 미리 점검해서 피하는 것이 `try/catch` 블록에 의존하는 것보다 바람직하다. 왜냐하면, 예외 처리 비용이 비교적 비싸기 때문이다(수백 회 이상의 클록 주기(cycle)가 더 필요하다).

어떤 함수에서 예외가 발생하면 CLR은 그 예외를 잡을 수 있는 `try` 블록 안에서 예외가 던져졌는지 점검한다.

- 만일 그렇다면 실행은 해당 `catch` 블록으로 넘어간다. 그 `catch` 블록의 실행이 성공적으로 끝난다면 실행은 `try` 문 다음의 문장으로 간다(단, `finally` 블록이 있다면 그것이 먼저 실행된다).
- 만일 그렇지 않다면 실행은 함수를 호출한 곳으로 돌아간다(단, `finally` 블록이 있다면 그것이 먼저 실행된다). 그런 다음 같은 처리가 반복된다.

그 어떤 함수도 예외를 처리하지 않으면 결국에는 오류 대화상자가 사용자에게 표시되고 프로그램이 강제로 종료된다.

catch 절

`catch` 블록 또는 `catch` 절(clause)을 작성할 때에는 그 블록으로 잡고자 하는 예외 형식을 괄호 쌍 안에 지정한다. 그러한 예외 형식은 반드시 `System.Exception` 클래스이거나 `System.Exception`의 파생 클래스이어야 한다.

`System.Exception`을 지정하면 모든 가능한 오류가 잡힌다. 이는 다음과 같은 경우에 유용하다.

- 구체적인 예외 형식과는 무관하게 프로그램의 실행을 복구할 수 있다.
- 예외를 다시 던지려 한다(이를테면 예외를 기록한 후에).
- 해당 예외 처리부(exception handler; 간단히 말해서 `catch` 블록)가 프로그램 종료 직전의 마지막 보루이다.

그러나 보통의 경우에는 처리부가 처리할 수 없는 상황을 피하기 위해 OutOf MemoryException 같은 **구체적인 예외 형식**을 잡게 된다.

하나의 try 문에 catch 절을 여러 개 두어서 여러 가지 예외 형식들을 처리할 수 있다. 다음이 그러한 예이다(앞에서와 마찬가지로, 예외 처리에 의존하는 대신 미리 명시적으로 인수를 점검하는 방식도 가능하다).

```
class Test
{
  static void Main (string[] args)
  {
    try
    {
      byte b = byte.Parse (args[0]);
      Console.WriteLine (b);
    }
    catch (IndexOutOfRangeException ex)
    {
      Console.WriteLine ("인수를 적어도 하나는 지정하세요.");
    }
    catch (FormatException ex)
    {
      Console.WriteLine ("수가 아닙니다!");
    }
    catch (OverflowException ex)
    {
      Console.WriteLine ("byte 하나에 담지 못할 정도로 큰 값!");
    }
  }
}
```

주어진 한 예외에 대해 단 하나의 catch 절만 실행된다. 좀 더 일반적인 예외 (System.Exception 등)를 잡기 위한 안전망을 추가하는 경우, 반드시 좀 더 구체적인 처리부를 **앞에** 두어야 한다.

예외 정보를 사용하지 않는 경우에는 예외 객체를 받을 변수를 생략해도 된다.

```
catch (OverflowException)   // 변수 없음
{
  ...
}
```

더 나아가서, 변수뿐만 아니라 예외 형식까지 생략할 수도 있다(그러면 모든 예외가 잡힌다).

```
catch { ... }
```

예외 필터(C# 6)

C# 6.0부터는 catch 절에 when 절을 포함시켜서 **예외 필터**(exception filter)를 지정할 수 있다.

```
catch (WebException ex) when (ex.Status == WebExceptionStatus.Timeout)
{
  ...
}
```

만일 WebException 예외가 던져지면 when 키워드 다음의 부울 표현식이 평가된다. 그 결과가 거짓이면 이 catch 절은 실행되지 않으며, 런타임은 그 다음의 다른 catch 절들을 고려한다. 이처럼 예외 필터를 지정하는 경우에는 같은 예외 형식을 여러 번 잡는 것이 무의미한 일이 아니다.

```
catch (WebException ex) when (ex.Status == WebExceptionStatus.Timeout)
{ ... }
catch (WebException ex) when (ex.Status == WebExceptionStatus.SendFailure)
{ ... }
```

when 절의 부울 표현식에서 부수 효과(side effect)가 있는 코드 요소를 사용할 수 있다. 이를테면 진단 목적으로 예외를 기록하는 메서드를 호출할 수 있다.

finally 블록

finally 블록은 항상 실행된다. 예외가 던져지든 아니든, 그리고 try 블록이 끝까지 실행되든 아니든 이 블록은 항상 실행된다. 그래서 finally는 흔히 마무리 코드에 쓰인다.

finally 블록이 실행되는 시점은 다음 세 가지이다.

- catch 블록의 실행이 끝난 후에.
- 점프문(이를테면 return이나 goto) 때문에 실행이 try 블록을 벗어난 후에.
- try 블록이 끝난 후에.

finally 블록이 실행되지 않는 경우는 프로그램이 무한 루프에 빠졌거나 갑자기 강제로 종료되었을 때뿐이다.

finally 블록은 프로그램에 결정론을 추가하는 데 도움이 된다. 다음 예제는 파일을 하나 여는데, 그 파일은 **항상** 닫힌다. 구체적으로, 파일은 다음 세 경우 모두에서 닫힌다.

- try 블록이 정상적으로 완료됨
- 파일이 비어 있어서 실행이 일찍 반환됨(EndOfStream 예외)
- 파일을 읽는 도중 IOException 예외가 던져짐

```
static void ReadFile()
{
  StreamReader reader = null;    // System.IO 이름공간에 있는 클래스
  try
  {
    reader = File.OpenText ("file.txt");
    if (reader.EndOfStream) return;
    Console.WriteLine (reader.ReadToEnd());
  }
  finally
  {
    if (reader != null) reader.Dispose();
  }
}
```

이 예제는 StreamReader에 대해 Dispose를 호출해서 파일을 닫는다. finally 블록 안에서 어떤 객체에 대해 Dispose를 호출하는 것은 .NET Framework 전반에 쓰이는 표준적인 관례이며, 특히 C#은 이러한 관례를 using 문을 통해서 명시적으로 지원한다.

using 문

클래스 중에는 파일 핸들이나 그래픽 핸들, 데이터베이스 연결 같은 비관리(unmanaged; 관리되지 않는) 자원들을 캡슐화하는 것이 많다. 그런 클래스들은 System.IDisposable 인터페이스를 구현한다. 이 인터페이스에는 그런 자원들을 정리(마무리)하기 위한, Dispose라는 메서드가 있다. 이 메서드는 아무런 매개변수도 받지 않는다. C#은 finally 블록 안에서 IDisposable 구현 객체에 대해 Dispose를 호출하는 패턴을 좀 더 우아하게 표기하는 수단으로 using 문을 제공한다.

다음은

```
using (StreamReader reader = File.OpenText ("file.txt"))
{
  ...
}
```

다음과 정확히 같은 의미이다.

```
{
  StreamReader reader = File.OpenText ("file.txt");
  try
  {
    ...
  }
  finally
  {
    if (reader != null)
      ((IDisposable)reader).Dispose();
  }
}
```

이러한 '처분(disposal)'† 패턴에 관해서는 제12장에서 좀 더 자세히 살펴본다.

예외 던지기

예외는 사용자 코드가 던질 수도 있고 런타임이 던질 수도 있다. 다음 예에서 `Display` 메서드는 `System.ArgumentNullException` 예외를 던진다.

```
class Test
{
  static void Display (string name)
  {
    if (name == null)
      throw new ArgumentNullException (nameof (name));

    Console.WriteLine (name);
  }

  static void Main()
  {
    try { Display (null); }
    catch (ArgumentNullException ex)
    {
      Console.WriteLine ("Caught the exception");
    }
  }
}
```

예외 다시 던지기

예외를 잡아서 다시 던질 수도 있다. 다음이 그러한 예이다.

† (옮긴이) Visual Studio의 한국어 오류/경고 메시지들이나 MSDN의 한국어 페이지들에서는 disposal/dispose를 '삭제(하다)'라고 번역하지만, 일반적으로 삭제는 delete에 더 가깝다. 그리고 delete와 disposal은 비슷하긴 하지만 충분히(개별적인 용어가 필요할 정도로는 충분히) 다른 연산이다(예를 들어 "이 객체를 목록에서 delete한 후 dispose한다" 같은 문장이 가능하다). 그런 점을 고려해서 이 번역서에서는 dispose/disposal을 '처분(하다)'로 번역한다. '처분'은 이를테면 자원 관리와 관련해서 흔히 쓰이는 '소유', '획득(acquisition)' 같은 용어와도 잘 맞는다.

```
try {  ...  }
catch (Exception ex)
{
  // 먼저 오류를 기록하고...
  ...
  throw;          // 같은 예외를 다시 던진다.
}
```

throw를 throw ex로 대체해도 예제가 잘 작동하겠지만, 그러면 새로 던져진 예외의 StackTrace 속성이 더 이상 원래의 오류를 반영하지 않는다.

발생한 오류를 **삼키지**(swallow) 않고 기록하려 할 때 이러한 예외 다시 던지기가 유용하다. 또한, 예상한 것과는 상황이 다른 경우 오류 처리를 다른 곳에 미루려 할 때에도 이러한 다시 던지기가 유용하다.

```
using System.Net;       // (제16장 참고)
...

string s = null;
using (WebClient wc = new WebClient())
  try { s = wc.DownloadString ("http://www.albahari.com/nutshell/");  }
  catch (WebException ex)
  {
    if (ex.Status == WebExceptionStatus.Timeout)
      Console.WriteLine ("Timeout");
    else
      throw;    // 그 외의 종류의 WebException은 여기서
                // 처리할 수 없으므로 다시 던진다.
  }
```

C# 6.0에서부터는 이런 처리 논리를 예외 필터를 이용해서 좀 더 간결하게 표기할 수 있다.

```
catch (WebException ex) when (ex.Status == WebExceptionStatus.Timeout)
{
  Console.WriteLine ("Timeout");
}
```

예외 던지기의 또 다른 흔한 용도는 다음 예처럼 좀 더 구체적인 형식의 예외를 다시 발생하는 것이다.

```
try
{
  ... // XML 요소 자료를 파싱해서 DateTime 객체를 채운다.
}
catch (FormatException ex)
{
```

```
    throw new XmlException ("유효하지 않은 DateTime", ex);
  }
```

XmlException 인스턴스를 생성할 때 원래의 예외 ex를 둘째 인수로 지정했음을 주목하자. 이 인수는 새 예외의 InnerException 속성을 채우며, 이는 디버깅에 도움이 된다. 거의 모든 예외 형식에 이와 비슷한 생성자가 있다.

덜 구체적인 예외를 다시 던져야 하는 경우도 있다. 이를테면 신뢰 경계(trust boundary)를 넘나드는 상황에서 잠재적인 해커에게 기술적인 정보를 누출하지 않기 위해 그런 식으로 예외를 다시 던지기도 한다.

System.Exception의 주요 속성

System.Exception의 가장 중요한 속성은 다음 세 가지이다.

StackTrace

예외의 근원지에서부터 현재 catch 블록에 도달할 때까지 호출된 모든 메서드를 나타내는 문자열.

Message

예외를 설명하는 문자열

InnerException

외부 예외의 원인이 된 내부 예외(있는 경우). 이 자체가 또 다른 InnerException일 수 있음.

C#의 모든 예외는 실행시점 예외다. Java의 '컴파일 시점에서 점검되는 예외(compile-time checked exception)' 같은 것은 없다.

흔히 쓰이는 예외 형식들

다음은 CLR과 .NET Framework 전반에서 널리 쓰이는 예외 형식들이다. 독자의 코드에서 이들을 직접 던질 수도 있고, 이들을 기반 클래스로 삼아서 커스텀 예외 형식을 만들 수도 있다.

System.ArgumentException

잘못된 인수로 함수를 호출하면 던져진다. 일반적으로 이 예외가 발생했다는 것은 프로그램에 버그가 있음을 뜻한다.

`System.ArgumentNullException`

ArgumentException의 파생 클래스로, 함수의 인수가 null일 때(예기치 않게) 던져진다.

`System.ArgumentOutOfRangeException`

ArgumentException의 파생 클래스로, 인수(주로 수치 형식)가 너무 크거나 너무 작을 때 던져진다. 예를 들어 양수만 받는 함수에 음수를 넣으면 이 예외가 발생한다.

`System.InvalidOperationException`

특정한 인수 값과는 무관하게, 객체의 상태가 메서드를 성공적으로 수행하기에는 적합하지 않을 때 던져진다. 이를테면 열리지 않은 파일을 읽는다거나, 열거자 반복 도중에 바탕 목록이 수정된 상태에서 다음 요소를 열거자로부터 가져오는 등의 상황에서 이 예외가 발생할 수 있다.

`System.NotSupportedException`

특정 기능성을 지원하지 않음을 나타내는 용도로 쓰이는 예외이다. 이를테면 IsReadOnly 속성이 true를 돌려주는 컬렉션에 대해 Add를 호출하면 이 예외가 발생한다.

`System.NotImplementedException`

특정 함수가 아직 구현되지 않았음을 나타내는 예외이다.

`System.ObjectDisposedException`

처분(삭제)된 객체에 대해 함수를 호출했을 때 던져진다.

이 밖에도 흔히 접하는 예외 형식으로 NullReferenceException이 있다. 값이 null인 객체의 멤버에 접근하려 하면 CLR이 이 예외를 던진다(이는 독자의 코드에 버그가 있음을 뜻한다). 독자의 코드에서 직접 NullReferenceException을 던지려면 다음 문장을 사용하면 된다.

```
throw null;
```

TryXXX 메서드 패턴

메서드를 작성할 때에는 메서드를 실행하는 도중에 뭔가 잘못되었을 때 그것을 호출자에게 어떻게 알릴 것인지 결정해야 한다. 그 방식은 크게 두 가지인데, 하나는 실패를 뜻하는 어떤 값, 소위 '오류 부호(error code)'를 돌려주는 것이고, 또 하나는 예외를 던지는 것이다. 일반적으로, 정상적인 작업 흐름을 벗어난 상황에 해당하는 오류가 발생했을 때, 또는 함수의 직접적인 호출자가 감당할 수 없을 것이라고 예상되는 오류가 발생했을 때에는 예외를 던진다. 그런데 두 방식을 모두 제공해서 소비자(호출자)가 선택하게 하는 것이 최선인 경우도 종종 있다. int 형식이 좋은 예이다. int에는 두 종류의 Parse 메서드가 있다.

```
public int Parse     (string input);
public bool TryParse (string input, out int returnValue);
```

파싱이 실패했을 때 Parse는 예외를 던지지만 TryParse는 false를 돌려준다.

독자의 코드에서도 이런 패턴을 사용하고 싶다면, 다음처럼 *XXX* 메서드에서 Try*XXX*를 호출하는 방식으로 구현하면 된다.

```
public 반환-형식 XXX (입력-형식 input)
{
  return-type returnValue;
  if (!TryXXX (input, out returnValue))
    throw new YYYException (...)
  return returnValue;
}
```

예외의 대안

int.TryParse에서처럼, 함수가 실패를 호출자에게 알리는 한 방법은 반환값 또는 출력 매개변수를 통해서 오류 부호를 돌려주는 것이다. 그런데 간단하고 예측 가능한 실패에 대해서는 이 방법이 잘 통하지만, 이를 모든 오류로 확장하다 보면 메서드 서명이 지저분해지고 복잡도와 군더더기가 필요 이상으로 증가한다. 또한, 이 방법은 범용적이지 않다. 즉, 메서드가 아닌 함수들, 즉 연산자(이를테면 나누기 연산자)나 속성 같은 것들에 적용할 수 없다. 대안은 오류 정보를 호출 스택 안의 모든 함수가 볼 수 있는 공통의 장소(이를테면 스레드별로 현재 오류를 저장하는 정적 멤버 등)에 두는 것이다. 그러나 그렇게 하려면 모든 함수가 오류 전파 패턴에 참여해야 하는데, 이는 번거로운 일일 뿐만 아니라 모순적이게도 그 자체가 오류를 발생할 여지가 있다.

열거자와 반복자

열거자

열거자(enumerator)는 **값들의 순차열**(sequence of values)을 반복하는("훑는") 읽기 전용/전진 전용(forward-only) 커서이다. 구체적으로, 열거자는 다음 두 인터페이스 중 하나를 구현하는 객체이다.

- System.Collections.IEnumerator
- System.Collections.Generic.IEnumerator<T>

엄밀히 말하면 MoveNext라는 메서드와 Current라는 속성이 있는 객체이면 그 어떤 것도 열거자로 간주된다. 이러한 조건 완화는 C# 1.0에서 값 형식 요소들을 열거할 때 박싱/언박싱 부담을 피하기 위해 도입된 것이나, C# 2에서 제네릭이 도입되면서 그런 부담 자체가 사라졌기 때문에 도입 의도가 무색해졌다.

foreach 문은 **열거 가능**(enumerable) 객체를 반복한다. 열거 가능 객체는 순차열의 논리적 표현이다. 열거 가능 객체는 그 자체로 커서는 아니고, 자신에 대한 커서를 돌려주는 객체이다. 다음 두 조건 중 하나를 만족하는 객체는 열거 가능 객체로 간주된다.

- IEnumerable이나 IEnumerable<T>를 구현한다.
- 열거자를 돌려주는, GetEnumerator라는 메서드가 있다.

IEnumerator와 IEnumerable은 System.Collections에 정의되어 있는 인터페이스들이다. IEnumerator<T>와 IEnumerable<T>는 System.Collections.Generic에 정의되어 있다.

열거자와 열거 가능 객체를 흔히 다음과 같은 패턴으로 정의한다.

```
class 열거자   // 흔히 IEnumerator나 IEnumerator<T>를 구현
{
  public 반복자-변수-형식 Current { get {...} }
  public bool MoveNext() {...}
}

class 열거-가능   // 흔히 IEnumerable이나 IEnumerable<T>를 구현
{
  public 열거자 GetEnumerator() {...}
}
```

다음은 영단어 *beer*의 문자들을 foreach 문으로 훑는 예이다. 이는 '고수준' 방식에 해당한다.

```
foreach (char c in "beer")
  Console.WriteLine (c);
```

다음은 *beer*의 문자들을 foreach 문 없이 저수준 방식으로 훑는 예이다.

```
using (var enumerator = "beer".GetEnumerator())
  while (enumerator.MoveNext())
  {
    var element = enumerator.Current;
    Console.WriteLine (element);
  }
```

열거자가 IDisposable를 구현하는 경우, foreach 문은 using 문으로도 작용한다. 즉, 반복이 끝나면 열거자 객체가 암묵적으로 처분된다.

제7장에서 열거자 인터페이스들을 좀 더 자세히 설명한다.

컬렉션 초기치

열거 가능 객체를 한 문장으로 인스턴스화하고 채울 수 있다. 예를 들면 다음과 같다.

```
using System.Collections.Generic;
...

List<int> list = new List<int> {1, 2, 3};
```

컴파일러는 이를 다음으로 바꾸어서 컴파일한다.

```
using System.Collections.Generic;
...

List<int> list = new List<int>();
list.Add (1);
list.Add (2);
list.Add (3);
```

이런 구문이 가능하려면 열거 가능 객체가 반드시 System.Collections.IEnumerable 인터페이스를 구현해야 하며, 적절한(호출에 부합하는) 개수의 매개변수들을 가진 Add라는 메서드가 있어야 한다. 이와 비슷하게, 사전(제4장의 '사전(p.393)' 참고)도 다음처럼 초기화할 수 있다.

```
var dict = new Dictionary<int, string>()
{
  { 5, "five" },
  { 10, "ten" }
};
```

C# 6은 다음과 같은 구문도 지원한다.

```
var dict = new Dictionary<int, string>()
{
  [3] = "three",
  [10] = "ten"
};
```

후자는 사전뿐만 아니라 인덱서가 있는 그 어떤 형식에도 사용할 수 있다.

반복자

foreach 문은 열거자의 값들을 '소비'하는 **소비자**라 할 수 있다. 열거자의 **생산자**에 해당하는 것이 바로 **반복자**(iterator)이다. 다음 예제는 피보나치 수열(각 수가 그 이전 두 수의 합인 수열)의 수들을 돌려주는 반복자 메서드를 사용한다.

```
using System;
using System.Collections.Generic;

class Test
{
  static void Main()
  {
    foreach (int fib in Fibs(6))
      Console.Write (fib + "  ");
  }

  static IEnumerable<int> Fibs (int fibCount)
  {
    for (int i = 0, prevFib = 1, curFib = 1; i < fibCount; i++)
    {
      yield return prevFib;
      int newFib = prevFib+curFib;
      prevFib = curFib;
      curFib = newFib;
    }
  }
}
```

출력:

```
1  1  2  3  5  8
```

return 문이 호출자에게 "이 메서드에 원하셨던 값이 여기 있으니 받으세요"라고 말하는 것이라면, yield return 문은 "이 열거자에 원하셨던 다음 요소가 여기 있으니 받으세요"라고 말하는 것이다. yield 문에서 실행의 흐름이 호출자에게 다시 돌아가지만, yield 문이 있던 함수의 내부 상태는 그대로 유지된다. 따라서 다음에 호출자가 다시 열거를 수행하면 열거자는 다음 요소를 돌려주게 된다.

이 내부 상태의 수명은 열거자에 묶여 있다. 좀 더 구체적으로 말하면, 상태는 호출자가 열거를 마쳤을 때 해제된다.

컴파일러는 반복자 메서드를 IEnumerable<T> 또는 IEnumerator<T>(또는 둘 다)를 구현하는 전용 클래스로 바꾸어서 컴파일한다. 컴파일러는 반복자 블록 안의 논리를 "뒤집은" 후, 내부적으로 생성한 열거자 클래스의 MoveNext 메서드와 Current 속성에 나누어 넣는다. 즉, 반복자 메서드를 호출하면 컴파일러가 작성한 클래스의 인스턴스화가 일어날 뿐, 반복자 메서드의 코드가 실제로 실행되는 것은 아니다. 반복자 메서드는 그 결과로 만들어진 순차열에 대해 열거를 시작해야(주로는 foreach 문을 이용해서) 비로소 실행된다.

반복자 의미론

반복자는 하나 이상의 yield 문이 있는 메서드나 속성, 인덱서이다. 반복자의 반환 형식은 반드시 다음 네 인터페이스 중 하나와 호환되어야 한다(그렇지 않으면 컴파일러가 오류를 발생한다).

```
// 열거 가능 인터페이스들
System.Collections.IEnumerable
System.Collections.Generic.IEnumerable<T>

// 열거자 인터페이스들
System.Collections.IEnumerator
System.Collections.Generic.IEnumerator<T>
```

반복자의 의미론은 **열거 가능** 인터페이스를 돌려주느냐 **열거자** 인터페이스를 돌려주느냐에 따라 다르다. 이에 대해서는 제7장에서 이야기한다.

한 메서드 안에 yield 문을 **여러 개** 둘 수 있다. 다음이 그러한 다중 yield 문을 사용하는 예이다.

```
class Test
{
  static void Main()
  {
    foreach (string s in Foo())
      Console.WriteLine(s);         // "One","Two","Three"를 출력
  }

  static IEnumerable<string> Foo()
  {
    yield return "One";
    yield return "Two";
    yield return "Three";
```

```
  }
}
```

yield break 문

yield break 문은 반복자 블록이 더 이상의 요소를 돌려주지 않고 일찍 종료되어야 함을 나타낸다. 다음은 이 점을 보여주기 위해 Foo를 수정한 것이다.

```
static IEnumerable<string> Foo (bool breakEarly)
{
  yield return "One";
  yield return "Two";

  if (breakEarly)
    yield break;

  yield return "Three";
}
```

반복자 블록 안에서 return 문을 사용하는 것은 위법이다. return 대신 반드시 yield break를 사용해야 한다.

반복자와 try/catch/finally 블록

catch 절이 있는 try 블록 안에 yield return 문을 둘 수는 없다.

```
IEnumerable<string> Foo()
{
  try { yield return "One"; }    // 위법
  catch { ... }
}
```

또한, yield return 문은 catch 블록이나 finally 블록 안에서도 금지된다. 이러한 제약은 컴파일러가 반복자를 MoveNext, Current, Dispose 멤버가 있는 보통의 클래스로 바꾸어야 하는데 그와 함께 예외 처리 블록들을 그런 식으로 바꾸려면 복잡도가 과도하게 증가하기 때문에 존재하는 것이다.

그러나 finally 블록만 있는 try 블록 안에서는 yield return이 가능하다.

```
IEnumerable<string> Foo()
{
  try { yield return "One"; }    // OK
  finally { ... }
}
```

finally 블록의 코드는 소비자인 열거자가 순차열의 끝에 도달하거나 열거자 자체가 처분되었을 때 실행된다. 실행이 break 문에 의해 루프를 일찍 벗어나는 경우 foreach 문은 열거자를 암묵적으로 처분한다. 이 덕분에 열거자의 순차열 소비가 안전해진다. 그러나 열거자를 foreach 없이 명시적으로 다룰 때에는, 열거자를 처분하지 않고 finally 블록을 우회해서 열거를 일찍 끝내는 실수를 저지르지 않도록 조심해야 한다. 그런 실수를 방지하는 좋은 방법은, 열거형을 명시적으로 사용하는 코드를 다음처럼 하나의 using 문으로 감싸는 것이다.

```
string firstElement = null;
var sequence = Foo();
using (var enumerator = sequence.GetEnumerator())
  if (enumerator.MoveNext())
    firstElement = enumerator.Current;
```

순차열 합성

반복자는 합성(조합) 능력이 아주 뛰어나다. 앞의 예를 확장해서, 이번에는 짝수 피보나치 수들만 출력해보자.

```
using System;
using System.Collections.Generic;

class Test
{
  static void Main()
  {
    foreach (int fib in EvenNumbersOnly (Fibs(6)))
      Console.WriteLine (fib);
  }

  static IEnumerable<int> Fibs (int fibCount)
  {
    for (int i = 0, prevFib = 1, curFib = 1; i < fibCount; i++)
    {
      yield return prevFib;
      int newFib = prevFib+curFib;
      prevFib = curFib;
      curFib = newFib;
    }
  }

  static IEnumerable<int> EvenNumbersOnly (IEnumerable<int> sequence)
  {
    foreach (int x in sequence)
      if ((x % 2) == 0)
        yield return x;
  }
}
```

요소들의 계산은 최대한 지연된다. 각 요소는 소비자가 MoveNext()를 호출해서 요청해야 비로소 계산된다. 그림 4-1에 자료 요청들과 자료 출력이 시간순으로 나열되어 있다.

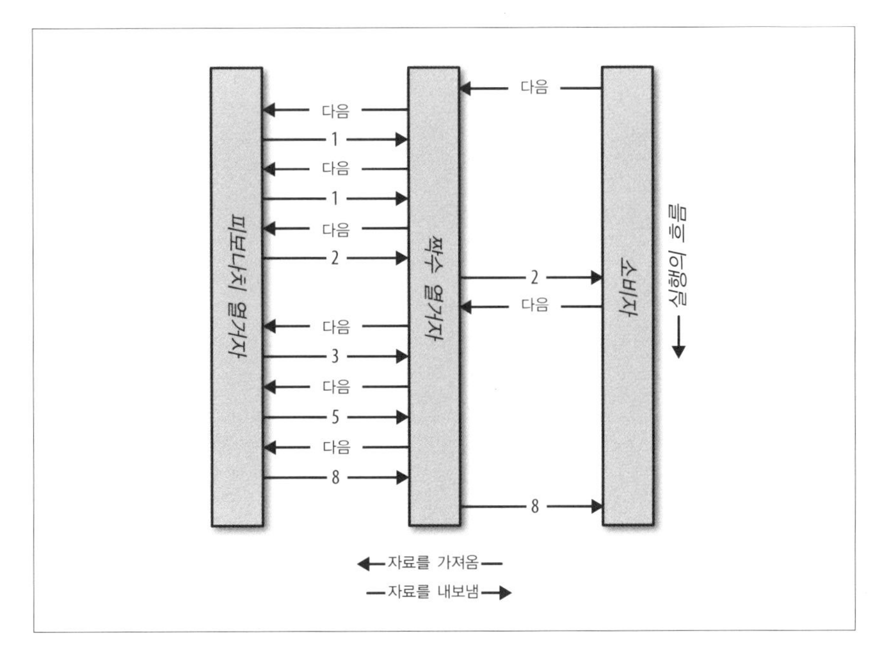

그림 4-1 순차열 합성

반복자 패턴의 합성 능력은 LINQ에서 대단히 유용하다. 이에 관해서는 제8장에서 다시 논의한다.

널 가능 형식

참조 형식은 존재하지 않는 값을 널 참조를 통해서 나타낼 수 있다. 그러나 값 형식은 보통의 방법으로는 널 값을 나타낼 수 없다. 다음은 이 점을 보여주는 예이다.

```
string s = null;        // OK, 참조 형식임
int i = null;           // 컴파일 오류, 값 형식은 널일 수 없음
```

값 형식에서 널을 표현하려면 **널 가능 형식**(nullable type)이라는 특별한 코드 구축 요소를 사용해야 한다. 널 가능 형식은 보통의 값 형식 다음에 ? 기호를 붙여서 표기한다.

```
int? i = null;                     // OK, 널 가능 형식임
Console.WriteLine (i == null);     // True
```

Nullable<T> 구조체

컴파일러는 T?를 가벼운 불변이 구조체인 System.Nullable<T>로 바꾸어서 컴파일한다. 이 구조체에는 값(내용)과 값의 존재 여부를 뜻하는 Value와 HasValue라는 두 필드만 있다. System.Nullable<T>의 핵심부는 아주 단순하다.

```
public struct Nullable<T> where T : struct
{
  public T Value {get;}
  public bool HasValue {get;}
  public T GetValueOrDefault();
  public T GetValueOrDefault (T defaultValue);
  ...
}
```

컴파일러는 다음 코드를

```
int? i = null;
Console.WriteLine (i == null);              // True
```

다음으로 바꾸어서 컴파일한다.

```
Nullable<int> i = new Nullable<int>();
Console.WriteLine (! i.HasValue);           // True
```

HasValue가 거짓인 널 가능 객체의 Value를 조회하려 하면 InvalidOperationException 예외가 발생한다. GetValueOrDefault() 메서드는 HasValue가 참이면 Value를 돌려주고 그렇지 않으면 new T() 또는 지정된 커스텀 기본값을 돌려준다.

T?의 기본값은 null이다.

암묵적/명시적 널 가능 변환

T에서 T?로의 변환은 암묵적이고 T?에서 T로의 변환은 명시적이다. 예를 들면 다음과 같다.

```
int? x = 5;         // 암묵적
int y = (int)x;     // 명시적
```

명시적 캐스팅은 널 가능 객체의 Value 속성을 조회하는 것에 직접 대응된다. 따라서, 만일 HasValue가 거짓이면 InvalidOperationException 예외가 던져진다.

널 가능 값의 박싱과 언박싱

T?가 박싱된 경우, 힙에 있는 박싱된 값은 T?가 아니라 T를 담는다. 이러한 최적화가 가능한 것은, 박싱된 값은 이미 널을 표현할 수 있는 참조 형식이기 때문이다.

또한 C#은 널 가능 형식을 as 연산자로 언박싱하는 연산도 허용한다. 만일 캐스팅이 실패하면 결과는 null이 된다.

```
object o = "string";
int? x = o as int?;
Console.WriteLine (x.HasValue);   // False
```

연산자 끌어올리기

Nullable<T> 구조체는 <나 > 같은 연산자들을 정의하지 않는다. 심지어 ==도 정의하지 않는다. 그런데도 다음 코드는 오류 없이 컴파일되고 정확하게 실행된다.

```
int? x = 5;
int? y = 10;
bool b = x < y;      // 참으로 평가됨
```

이것이 가능한 이유는 컴파일러가 바탕 값 형식에서 적절한 연산자(지금 예에서는 미만 연산자)를 빌려 오기 때문이다. 이러한 처리를 '연산자 끌어올리기(operator lifting)'라고 부른다. 컴파일러는 앞의 비교문(마지막 줄)을 다음과 같이 변환해서 컴파일한다.

```
bool b = (x.HasValue && y.HasValue) ? (x.Value < y.Value) : false;
```

다른 말로 하면, 우변은 만일 x와 y 둘 다 값이 있으면 둘을 int의 미만 연산자로 비교하고, 그렇지 않으면 false를 돌려준다.

연산자 끌어올리기는 T의 연산자들을 암묵적으로 T?에 사용할 수 있음을 뜻한다. 특별한 목적의 널 행동을 제공할 때에는 프로그래머가 T?의 연산자들을 직접 정의하기도 하지만, 대다수의 경우에서는 그냥 컴파일러가 체계적인 널 가능 논리를 자동으로 적용하게 놔두는 것이 최선이다. 다음은 몇 가지 예이다.

```
int? x = 5;
int? y = null;
```

```
// 상등 연산자들의 예
Console.WriteLine (x == y);    // False
Console.WriteLine (x == null); // False
Console.WriteLine (x == 5);    // True
Console.WriteLine (y == null); // True
Console.WriteLine (y == 5);    // False
Console.WriteLine (y != 5);    // True

// 관계 연산자들의 예
Console.WriteLine (x < 6);     // True
Console.WriteLine (y < 6);     // False
Console.WriteLine (y > 6);     // False

// 기타 연산자들의 예
Console.WriteLine (x + 5);     // 10
Console.WriteLine (x + y);     // null (빈 줄이 출력됨)
```

컴파일러가 적용하는 널 논리는 연산자의 범주에 따라 다르다. 그럼 각 연산자 범주의 널 가능 논리를 차례로 살펴보자.

상등 연산자(==와 !=)

끌어올려진 상등 연산자들은 널을 참조 형식이 하는 것과 같은 방식으로 취급한다. 즉, 두 널을 같다고 판정한다.

```
Console.WriteLine (       null ==        null);   // True
Console.WriteLine ((bool?)null == (bool?)null);   // True
```

더 나아가서,

- 만일 두 피연산자 중 하나만 널이면 둘이 같지 않다고 판정한다.
- 두 피연산자 모두 널이 아니면 해당 Value들을 비교한다.

관계 연산자(<, <=, >=, >)

관계 연산자들은 널에 대한 대소 비교는 무의미하다는 원칙에 따라 작용한다. 즉, 두 피연산자 중 하나라도 널이면 결과는 false이다.

```
bool b = x < y;    // 컴파일러는 이 문장을 다음으로 바꾼다.

bool b = (x.HasValue && y.HasValue)
         ? (x.Value < y.Value)
         : false;

// b는 false (앞에서처럼 x가 5이고 y가 null이라고 할 때)
```

그 외의 모든 연산자(+, −, *, /, %, &, |, ^, <<, >>, +, ++, −−, !, ~)

이 연산자들은 피연산자 중 하나라도 널이면 널을 돌려준다. SQL 사용자라면 이런 패턴에 익숙할 것이다.

```
int? c = x + y;   // 다음과 동등

int? c = (x.HasValue && y.HasValue)
         ? (int?) (x.Value + y.Value)
         : null;

// c는 null(x가 5이고 y가 null이라고 할 때)
```

단, bool? 값들에 대해 &나 | 연산자를 적용할 때에는 예외인데, 이에 대해서는 잠시 후에 이야기하겠다.

널 가능 형식과 널 가능이 아닌 형식의 혼합

널 가능 형식과 널 가능이 아닌 형식을 섞어서 쓸 수 있다(이는 T에서 T?로의 암묵적 변환 덕분이다).

```
int? a = null;
int b = 2;
int? c = a + b;   // c는 null: 우변은 a + (int?)b에 해당함
```

bool?에 대한 &, | 연산자

bool? 형식의 피연산자에 적용한 & 연산자나 | 연산자는 null을 미지의 값(unknown value)으로 취급한다. 따라서 null | true는 참이다. 왜냐하면,

- 미지의 값이 거짓이면 전체 결과는 참이다.
- 미지의 값이 참이면 전체 결과는 참이 된다.

마찬가지로, null & false는 거짓이다. SQL 사용자라면 이런 방식에 익숙할 것이다. 다음은 그 외의 조합들을 나열한 것이다.

```
bool? n = null;
bool? f = false;
bool? t = true;
Console.WriteLine (n | n);    // (null)
Console.WriteLine (n | f);    // (null)
Console.WriteLine (n | t);    // True
Console.WriteLine (n & n);    // (null)
Console.WriteLine (n & f);    // False
Console.WriteLine (n & t);    // (null)
```

널 가능 형식과 널 연산자

널 가능 형식은 ?? 연산자(제2장의 '널 접합 연산자(p.71)' 참고)와 특히나 잘 작동한다.

```
int? x = null;
int y = x ?? 5;        // y는 5

int? a = null, b = 1, c = 2;
Console.WriteLine (a ?? b ?? c);  // 1 (널이 아닌 첫 번째 값)
```

널 가능 형식에 ??를 적용하는 것은 명시적인 기본값으로 GetValueOrDefault를 호출하는 것과 동등하다. 단, 해당 변수가 널이 아니면 기본값을 지정하는 표현식이 결코 평가되지 않는다.

널 가능 형식은 또한 널 조건부 연산자(제2장의 '널 조건부 연산자(p.71)' 참고)와도 잘 작동한다. 다음 예에서 length는 null로 평가된다.

```
System.Text.StringBuilder sb = null;
int? length = sb?.ToString().Length;
```

이를 널 접합 연산자와 결합해서, 변수가 널일 때 결과가 널이 아니라 0이 되게 할 수도 있다.

```
int length = sb?.ToString().Length ?? 0;  // sb가 널이면 0으로 평가됨
```

널 가능 형식의 용도

널 가능 형식의 흔한 용도 하나는 미지의 값을 표현하는 것이다. 데이터베이스 프로그래밍에서 널일 수도 있는 열(column)을 가진 테이블에 클래스를 대응(매핑)할 때 이런 용법을 흔히 볼 수 있다. 열의 자료 형식이 문자열이면(이를테면 Customer 테이블의 EmailAddress 열) 문제가 없다. CLR에서 문자열은 참조 형식이므로 널 값을 가질 수 있기 때문이다. 그러나 그 외의 SQL 열 형식들은 대부분 CLR의 구조체 형식들(널 값을 가질 수 없는)에 대응된다. 따라서 SQL을 CLR에 대응시킬 때에는 널 가능 형식이 아주 유용하다. 다음 예를 보자.

```
// 데이터베이스의 Customer 테이블에 대응되는 클래스
public class Customer
{
  ...
  public decimal? AccountBalance;
}
```

널 가능 형식은 종종 **주변 속성**(ambient property)이라고 부르는 속성의 배경 필드(backing field)에도 쓰인다. 주변 속성은, 만일 자신의 값이 널이면 부모의 값을 돌려준다. 예를 들면 다음과 같다.

```
public class Row
{
  ...
  Grid parent;
  Color? color;

  public Color Color
  {
    get { return color ?? parent.Color; }
    set { color = value == parent.Color ? (Color?)null : value; }
  }
}
```

널 가능 형식의 대안

C# 언어에 널 가능 형식이 도입되기 전(즉, C# 2.0 전)에는 널 가능 값 형식을 흉내 내는 여러 가지 전략이 쓰였다. 역사적인 이유로 .NET Framework에는 그런 전략들의 흔적이 여전히 남아 있다. 그런 전략 중 하나는 어떤 특별한 값(널은 아닌)을 '널 값'으로 취급하는 것이다. 문자열과 배열 클래스들에 그런 전략이 쓰였는데, 예를 들어 `String.IndexOf`는 지정된 문자를 찾지 못하면 -1이라는 마법의 값을 돌려준다.

```
int i = "Pink".IndexOf ('b');
Console.WriteLine (i);         // -1
```

반면, `Array.IndexOf`는 원소를 찾지 못했을 때 최소 색인이 0인 경우에만 -1을 돌려준다. 좀 더 일반적인 규칙은, `IndexOf`는 배열의 하계(lower bound; 최소 색인)에서 1을 뺀 값을 돌려준다는 것이다. 다음 예에서 `IndexOf`는 원소를 찾지 못했을 때 `0`을 돌려준다.

```
// 하계가 0이 아니라 1인 배열을 생성

Array a = Array.CreateInstance (typeof (string),
                                new int[] {2}, new int[] {1});
a.SetValue ("a", 1);
a.SetValue ("b", 2);
Console.WriteLine (Array.IndexOf (a, "c"));  // 0
```

이처럼 어떤 '마법의 값(magic value)'을 널로 간주하는 것은 다음과 같은 여러 가지 이유로 문제의 여지가 있다.

- 값 형식마다 널의 표현이 다를 수 있다. 반면 널 가능 형식은 모든 값 형식에 통하는 하나의 공통된 패턴을 돌려준다.
- 널로 간주할 마땅한 값이 없을 수 있다. 앞의 예는 배열 원소 검색 시 항상 -1을 사용할 수는 없음을 보여준다. 그 이전의 데이터베이스 테이블 예에서도, 계좌 잔고(AccountBalance 필드)가 알려지지 않았음을 나타내는 마법의 수를 정하기가 쉽지 않다.
- 반환값이 마법의 값인지 점검하는 부분을 실수로 빠뜨리면 이후의 코드에 유효하지 않은 값이 흘러들어 가서 오류를 일으킬 수 있다. 나중에 마법이 엉뚱하게 발동하게 되는 것이다. 반면, HasValue 점검을 빠뜨려도 널 값에 접근하는 지점에서 InvalidOperationException 예외가 발생하므로 문제를 즉시 알 수 있다.
- 값이 널일 수도 있다는 능력이 **형식** 자체에 들어 있지 않다. 형식은 프로그램의 의도를 전하는 수단이다. 컴파일러가 코드의 정확성을 점검하고 일련의 일관된 규칙들을 적용할 수 있는 것은 형식 덕분이다.

연산자 중복적재

C#은 연산자 중복적재(operator overloading)를 지원한다. 연산자 중복적재의 주된 목적은 커스텀 형식을 좀 더 자연스러운 구문으로 사용할 수 있게 하는 것이다. 연산자 중복적재는 기본 자료 형식에 비교적 가까운 형식을 나타내는 커스텀 구조체에 적용하는 것이 가장 적합하다. 예를 들어 커스텀 수치 형식은 연산자들을 중복적재하기에 아주 좋은 후보이다.

다음은 C#에서 중복적재할 수 있는 기호 연산자들이다.

+(단항)	-(단항)	!	~	++
--	+	-	*	/
%	&	|	^	<<
>>	==	!=	>	<
>=	<=			

또한, 다음과 같은 연산자들도 중복적재할 수 있다.

- 암묵적/명시적 변환들(각각 implicit와 explicit 키워드를 이용).
- true와 false 연산자들(리터럴이 아님).

마지막으로, 다음은 간접적으로 중복적재할 수 있는 연산자들이다.

- 복합 배정 연산자들(이를테면 +=나 /=)은 해당 비복합 연산자(이를테면 +나 /)를 중복적재해서 암묵적으로 중복적재할 수 있다.
- 논리 연산자 &&와 ||는 비트별 연산자 &와 |를 중복적재해서 암묵적으로 중복적재할 수 있다.

연산자 함수

연산자를 중복적재할 때에는 **연산자 함수**(operator function)라는 것을 선언한다. 연산자 함수는 다음과 같은 규칙을 따른다.

- 함수 이름은 operator 키워드 다음에 연산자 기호가 오는 형태이다.
- 연산자 함수는 반드시 static과 public을 모두 지정한 함수, 즉 정적 공용 함수이어야 한다.
- 연산자 함수의 매개변수들은 피연산자들에 대응된다.
- 연산자 함수의 반환 형식은 연산자가 쓰인 표현식의 결과를 나타낸다.
- 피연산자 중 적어도 하나는 연산자 함수가 선언되어 있는 형식이어야 한다.

다음은 음표를 뜻하는 Note라는 구조체에서 + 연산자를 중복적재하는 예이다.

```
public struct Note
{
  int value;
  public Note (int semitonesFromA) { value = semitonesFromA; }
  public static Note operator + (Note x, int semitones)
  {
    return new Note (x.value + semitones);
  }
}
```

이 중복적재 덕분에 다음과 같이 int를 Note에 더할 수 있다.

```
Note B = new Note (2);
Note CSharp = B + 2;
```

연산자를 중복적재하면 해당 복합 배정 연산자도 자동으로 중복적재된다. 지금 예제에서는 +를 중복적재했으므로 +=도 사용할 수 있다.

```
CSharp += 2;
```

C# 6부터는 연산자 함수도 메서드나 속성처럼 식 본문 정의(표현식이 본문인 정의)를 이용해서 좀 더 간결하게 표기할 수 있다.

```
public static Note operator + (Note x, int semitones)
                              => new Note (x.value + semitones);
```

상등 및 비교 연산자의 중복적재

구조체를 작성할 때 상등과 비교 연산자들을 중복적재하는 경우가 종종 있다. 드물지만 클래스에 대해서도 그런 연산자들을 중복적재한다. 상등 연산자들과 비교 연산자들의 중복적재에는 특별한 규칙들과 준수 사항들이 있는데, 일단 지금은 그런 규칙들을 간단하게만 제시하고, 나중에 제6장에서 좀 더 자세히 설명하겠다.

짝 맞추기

논리적으로 쌍이 되는 두 연산자 중 하나만 중복적재하면 C# 컴파일러가 오류를 발생한다. 그런 연산자 쌍들은 ==와 !=, <와 >, <=와 >=이다.

`Equals`*와* `GetHashCode`

대부분의 경우, ==와 !=를 중복적재할 때에는 `object`에 정의되어 있는 `Equals`와 `GetHashCode`도 재정의해야 해당 연산자가 의미있는 방식으로 작동한다. 그 메서드들을 재정의하지 않으면 C# 컴파일러는 경고를 발생한다. (좀 더 자세한 사항은 제6장의 '상등 비교(p.335)'를 보라.)

`IComparable`*과* `IComparable<T>`

<, >와 <=, >=를 중복적재하는 형식은 `IComparable`과 `IComparable<T>`를 반드시 구현해야 한다.

커스텀 암묵적/명시적 변환

C#에서는 암묵적 변환과 명시적 변환도 `implicit` 키워드와 `explicit` 키워드를 이용해서 중복적재할 수 있다. 이런 중복적재의 주된 목적은 강하게 연관된 형식들(이를테면 수치 형식들) 사이의 변환을 간결하고 자연스럽게 표현하는 것이다.

약하게 연관된 형식들 사이의 변환에 대해서는 다음 전략들이 더 적합하다.

- 변환 원본에 해당하는 형식의 매개변수가 있는 생성자를 작성한다.

- 형식 변환을 수행하는 To*XXX* 메서드와 (정적) From*XXX* 메서드를 작성한다.

제3장에서 이야기했듯이, 암묵적 변환이 허용된다는 것은 그 변환이 반드시 성공하며 변환 때문에 정보가 손실되는 일이 전혀 없음이 보장된다는 뜻이다. 반대로, 명시적 변환이 필요하다는 것은 실행시점의 상황에 따라서는 변환이 실패할 수도 있거나 변환 도중에 정보가 소실될 수 있음을 뜻한다.

다음은 음표를 뜻하는 Note 형식과 배정도 부동소수점 형식(double) 사이의 변환을 정의한 예이다(그 부동소수점 값은 음표의 헤르츠 단위 주파수를 뜻한다).

```
...
// 음표를 헤르츠로 변환
public static implicit operator double (Note x)
  => 440 * Math.Pow (2, (double) x.value / 12 );

// 헤르츠를 음표로 변환(가장 가까운 반음으로 근사됨)
public static explicit operator Note (double x)
  => new Note ((int) (0.5 + 12 * (Math.Log (x/440) / Math.Log(2) ) ));
...

Note n = (Note)554.37;  // 명시적 변환
double x = n;           // 암묵적 변환
```

이 예의 경우에는 암묵적, 명시적 변환을 중복적재하는 것보다는 앞에서 말한 두 번째 전략, 즉 ToFrequency 메서드와 정적 FromFrequency 메서드를 구현하는 것이 더 바람직하다.

as 연산자와 is 연산자는 이런 식으로 중복적재된 커스텀 변환을 무시한다.

```
Console.WriteLine (554.37 is Note);   // False
Note n = 554.37 as Note;              // 오류
```

true와 false의 중복적재

극히 드물긴 하지만, '의미상으로는' 부울 형식이지만 bool과의 변환은 정의되어 있지 않은 형식들이 있다. 그런 형식에 대해서는 true 연산자와 false 연산자를 중복적재하는 것이 의미가 있다. 한 예는 3상태 논리(three-state logic)를 구현하는 형식이다. 그런 형식에 대해 true와 false를 중복적재하면 조건문들과 조건 관련 연산자들, 즉 if, do, while, for, &&, ||, ?:을 그런 형식들에 자연스러운 구문으로 적용할 수 있다. .NET Framework의 형식 중에는 System.Data.SqlTypes.SqlBoolean이 그런 기능성을 제공한다. 예를 들면 다음과 같다.

```
SqlBoolean a = SqlBoolean.Null;
if (a)
  Console.WriteLine ("True");
else if (!a)
  Console.WriteLine ("False");
else
  Console.WriteLine ("Null");
```

출력:

```
Null
```

다음 코드는 SqlBoolean의 정의 중 true와 false 연산자의 중복적재에 필요한 부분만 뽑은 것이다.

```
public struct SqlBoolean
{
  public static bool operator true (SqlBoolean x)
    => x.m_value == True.m_value;

  public static bool operator false (SqlBoolean x)
    => x.m_value == False.m_value;

  public static SqlBoolean operator ! (SqlBoolean x)
  {
    if (x.m_value == Null.m_value)  return Null;
    if (x.m_value == False.m_value) return True;
    return False;
  }

  public static readonly SqlBoolean Null =  new SqlBoolean(0);
  public static readonly SqlBoolean False = new SqlBoolean(1);
  public static readonly SqlBoolean True =  new SqlBoolean(2);

  private SqlBoolean (byte value) { m_value = value; }
  private byte m_value;
}
```

확장 메서드

확장 메서드(extension method)는 기존 형식의 정의를 변경하지 않고도 기존 형식에 새 메서드를 추가는 수단이다. 구문상으로 확장 메서드는 정적 클래스의 정적 메서드이되, 첫 매개변수 앞에 this 수정자를 붙인다는 점이 특징이다. 그 첫 매개변수의 형식은 확장하려는 형식이다. 예를 들면 다음과 같다.

```
public static class StringHelper
{
  public static bool IsCapitalized (this string s)
  {
```

```
    if (string.IsNullOrEmpty(s)) return false;
    return char.IsUpper (s[0]);
  }
}
```

IsCapitalized가 바로 확장 메서드이다. 이 메서드는 마치 원래부터 string 클래스(확장 대상 클래스)의 인스턴스 메서드였던 것처럼 호출할 수 있다. 다음이 그러한 예이다.

```
Console.WriteLine ("Perth".IsCapitalized());
```

C# 컴파일러는 이 확장 메서드 호출을 다음과 같이 보통의 정적 메서드 호출로 바꾸어서 컴파일한다.

```
Console.WriteLine (StringHelper.IsCapitalized ("Perth"));
```

일반적으로 컴파일러는 다음과 같은 패턴에 따라 코드를 바꾼다.

```
arg0.Method (arg1, arg2, ...);              // 확장 메서드 호출
StaticClass.Method (arg0, arg1, arg2, ...); // 정적 메서드 호출
```

인터페이스도 확장할 수 있다.

```
public static T First<T> (this IEnumerable<T> sequence)
{
  foreach (T element in sequence)
    return element;

  throw new InvalidOperationException ("요소 없음!");
}
...
Console.WriteLine ("Seattle".First());   // S
```

확장 메서드는 C# 3.0에서 도입되었다.

확장 메서드의 연쇄

인스턴스 메서드처럼 확장 메서드에서도 함수 호출들을 사슬처럼 이어 나가는 구문, 즉 호출 연쇄 구문을 사용할 수 있다. 다음과 같은 두 메서드가 있다고 할 때,

```
public static class StringHelper
{
  public static string Pluralize (this string s) {...}
  public static string Capitalize (this string s) {...}
}
```

다음 코드에서 x와 y 둘 다 "Sausages"가 배정된다. 단, 첫 줄은 확장 메서드들을 연쇄적으로 호출하지만 둘째 줄은 정적 메서드들을 중첩해서 호출한다.

```
string x = "sausage".Pluralize().Capitalize();
string y = StringHelper.Capitalize (StringHelper.Pluralize ("sausage"));
```

중의성 해소

이름공간

확장 메서드를 호출하려면 확장 대상 클래스가 현재 범위 안에 존재해야 한다. 대상 클래스는 흔히 using 문으로 해당 이름공간을 현재 범위에 도입함으로써 존재하게 된다. 다음 예에서 확장 메서드 IsCapitalized를 생각해 보자.

```
using System;

namespace Utils
{
  public static class StringHelper
  {
    public static bool IsCapitalized (this string s)
    {
      if (string.IsNullOrEmpty(s)) return false;
      return char.IsUpper (s[0]);
    }
  }
}
```

다음에서 보듯이, 이 IsCapitalized를 사용하려면 응용 프로그램은 반드시 Utils 이름공간을 도입해야 한다. 그렇지 않으면 컴파일 시점 오류가 발생한다.

```
namespace MyApp
{
  using Utils;

  class Test
  {
    static void Main() => Console.WriteLine ("Perth".IsCapitalized());
  }
}
```

확장 메서드 대 인스턴스 메서드

주어진 호출문과 호환되는 인스턴스 메서드와 확장 메서드가 모두 존재하는 경우 항상 인스턴스 메서드가 우선시된다. 다음 예에서 Test의 Foo 메서드가 항상 우선권을 가진다. 심지어 x에 int 형식의 인수를 지정한 경우에도 그렇다.

```
class Test
{
  public void Foo (object x) { }    // 이 메서드가 항상 이긴다.
}

static class Extensions
{
  public static void Foo (this Test t, int x) { }
}
```

이 경우 확장 메서드를 호출하려면 정적 메서드 구문을 사용하는 수밖에 없다. 즉, Extensions.Foo(...)를 사용해야 한다.

확장 메서드 대 확장 메서드

이름과 서명이 동일한 확장 메서드가 둘 이상 존재하면 확장 메서드가 아니라 정적 메서드로서 호출해야 한다(확장 메서드 형태의 호출문으로는 컴파일러가 특정한 한 메서드를 선택할 수 없다). 이름이 같지만 서명이 다른 경우에는 인수들이 좀 더 구체적인 메서드가 선택된다.

한 예로, 다음 두 클래스를 생각해 보자.

```
static class StringHelper
{
  public static bool IsCapitalized (this string s) {...}
}
static class ObjectHelper
{
  public static bool IsCapitalized (this object s) {...}
}
```

다음 코드는 StringHelper의 IsCapitalized 메서드를 호출한다.

```
bool test1 = "Perth".IsCapitalized();
```

컴파일러는 인터페이스보다 클래스와 구조체를 더 구체적이라고 간주한다.

익명 형식

익명 형식(anonymous type)은 일단의 값들을 저장하기 위해 컴파일러가 컴파일 도중에 즉석에서 생성하는 간단한 클래스이다. 익명 형식의 인스턴스를 생성할 때에는 다음 예처럼 new 키워드 다음에 객체 초기치를 지정하면 된다. 객체 초기치의 구문은 중괄호 쌍 안에 익명 형식이 가질 속성들과 그 값들을 나열한 형태이다.

```
var dude = new { Name = "Bob", Age = 23 };
```

컴파일러는 이 문장을 (대략) 다음과 같은 코드로 바꾸어서 컴파일한다.

```
internal class AnonymousGeneratedTypeName
{
  private string name;  // 실제 필드 이름은 중요하지 않음
  private int    age;   // 실제 필드 이름은 중요하지 않음

  public AnonymousGeneratedTypeName (string name, int age)
  {
    this.name = name; this.age = age;
  }

  public string  Name { get { return name; } }
  public int     Age  { get { return age;  } }

  // Equals와 GetHashCode 메서드를 적절히 재정의한다(제6장 참고).
  // ToString 메서드 역시 적절히 재정의한다.
}
...

var dude = new AnonymousGeneratedTypeName ("Bob", 23);
```

익명 형식에는 말 그대로 이름이 없으므로, 익명 형식을 참조할 때에는 반드시 var 키워드를 사용해야 한다.

익명 형식의 속성 이름을, 그 자체로 식별자인(또는 식별자로 끝나는) 표현식으로부터 컴파일러가 추론하게 할 수도 있다. 다음이 그러한 예이다.

```
int Age = 23;
var dude = new { Name = "Bob", Age, Age.ToString().Length };
```

이는 다음과 같은 뜻이다.

```
var dude = new { Name = "Bob", Age = Age, Length = Age.ToString().Length };
```

같은 어셈블리 안에서 선언된 두 익명 형식 인스턴스의 속성 이름들이 동일하면 두 인스턴스는 같은 익명 형식에 속하는 것으로 간주된다.

```
var a1 = new { X = 2, Y = 4 };
var a2 = new { X = 2, Y = 4 };
Console.WriteLine (a1.GetType() == a2.GetType());   // True
```

이 경우 인스턴스들의 상등 판정을 위해 Equals 메서드가 재정의된다.

```
Console.WriteLine (a1 == a2);         // False
Console.WriteLine (a1.Equals (a2));   // True
```

익명 형식의 배열을 만드는 것도 가능하다. 다음이 그러한 예이다.

```
var dudes = new[]
{
  new { Name = "Bob", Age = 30 },
  new { Name = "Tom", Age = 40 }
};
```

익명 형식은 주로 LINQ 질의(제8장 참고)를 작성할 때 쓰이며, C# 3.0에서 도입되었다.

동적 바인딩

바인딩binding(묶기, 결속)이란 형식이나 멤버, 연산을 구체적으로 결정(resolution; 해소)하는 과정을 말한다. **동적 바인딩**(dynamic binding)은 그러한 바인딩을 컴파일 시점이 아니라 실행시점으로 미루는 것이다. 동적 바인딩은 컴파일 시점에서 어떤 함수나 멤버, 연산이 존재한다는 점을 **프로그래머** 자신은 알고 있지만 **컴파일러**는 알지 못하는 경우에 유용하다. 동적 언어(IronPython 같은)나 COM과 연동하는 프로그램을 작성하는 경우에 그런 상황이 흔히 발생하며, 반영(reflection) 기능이 필요한(동적 바인딩이 없었다면) 시나리오에서도 그런 상황이 발생한다.

동적 형식은 문맥 키워드인 `dynamic`을 이용해서 선언한다.

```
dynamic d = GetSomeObject();
d.Quack();
```

동적 형식은 컴파일러에게 형식에 관한 규칙을 완화하라고 말해주는 것이라 할 수 있다. 프로그래머는 `d`의 실행시점 형식에 `Quack`이라는 메서드가 있다는 가정하에서 이러한 코드를 작성한다. `d`가 동적 형식이므로 컴파일러는 `Quack`을 `d`에 묶는 바인딩을 실행시점으로 미룬다. 이것이 뜻하는 바를 이해하려면 **정적 바인딩**(static binding)과 **동적 바인딩**을 구분할 수 있어야 한다.

정적 바인딩 대 동적 바인딩

바인딩의 대표적인 예는 어떤 표현식을 컴파일할 때 하나의 이름(식별자)을 특정한 함수에 대응시키는 것이다. 다음 표현식을 컴파일하려면 컴파일러는 `Quack`이라는 메서드가 어디에 구현되어 있는지 알아내야 한다.

```
d.Quack();
```

d의 정적 형식이 Duck이라고 하자.

```
Duck d = ...
d.Quack();
```

가장 간단한 경우에서, 컴파일러는 그냥 Duck에서 Quack이라는 이름의 매개변수 없는 메서드를 찾아본다. 그런 메서드가 없으면 컴파일러는 선택적 매개변수를 받는 메서드, Duck의 기반 클래스에 있는 메서드들, 그리고 Duck을 첫 인수로 받는 확장 메서드들로 검색의 범위를 확장한다. 그래도 찾지 못하면 컴파일 오류가 된다. 어디서 메서드를 찾아내든, 여기서 중요한 것은 이러한 바인딩 과정을 컴파일러가 수행한다는 점과 바인딩이 피연산자(지금 예의 d)의 정적 형식, 즉 정적으로(즉, 컴파일 시점에서) 파악된 형식에 전적으로 의존한다는 점이다. 그래서 이런 방식의 바인딩을 **정적 바인딩**이라고 부른다.

이번에는 d의 정적 형식을 object로 바꾸어 보자.

```
object d = ...
d.Quack();
```

이제 Quack 호출은 컴파일 시점 오류가 된다. 비록 d가 지칭하는 객체에 Quack이라는 메서드가 존재하지만, 컴파일러는 그 사실을 알 수 없다. 컴파일러가 아는 것은 변수의 형식(지금 예의 경우 object)이 제공하는 정보뿐이기 때문이다. 그런데 d의 정적 형식을 dynamic으로 바꾸면 상황이 달라진다.

```
dynamic d = ...
d.Quack();
```

실제 형식에 관한 정보가 거의 없다는 점에서 dynamic 형식은 object와 비슷하다. 차이는, 컴파일 시점에서 컴파일러가 확인할 수 없는 일들이 허용된다는 점이다. 동적 객체는 컴파일 시점에서 정적 형식에 기초해서 바인딩되는 것이 아니라 실행시점에서 동적으로 바인딩된다. 동적 바인딩 표현식(일반적으로 dynamic 형식의 값이 하나라도 있는 표현식)을 만나면 컴파일러는 그냥 나중에 실행시점에서 바인딩이 일어나도록 표현식을 적당히 포장하기만 한다.

실행시점에서 바인딩이 일어나는 방식은 이렇다. 만일 동적 객체가 IDynamicMetaObjectProvider 인터페이스를 구현한다면, 런타임은 그 인터페이스를 이용해서 바인딩을 수행한다. 그 인터페이스를 구현하지 않는다면, 마치 컴파일러가 동적 객체의 실행시점 형식을 알았다면 적용했을 방식과 거의 같은 방식으로 바인딩이 일어난다. 이상의 두 가지 방식을 순서대로 **커스텀 바인딩**custom binding과 **언어 바인딩**(language binding)이라고 부른다.

COM 상호운용(Interop) 링크를 세 번째 바인딩 방식이라고 간주할 수도 있다(제25장 참고).

커스텀 바인딩

`IDynamicMetaObjectProvider`(줄여서 IDMOP) 인터페이스를 구현하는 동적 객체에 대해서는 커스텀 바인딩이 일어난다. C#에서 독자가 형식을 직접 작성할 때 이 IDMOP를 구현하는 것이 가능하며 그것이 유용한 일이긴 하지만, 그보다는 DLR(Dynamic Language Runtime; 동적 언어 런타임)상에서 .NET으로 구현된 동적 언어(이를테면 IronPython이나 IronRuby)에서 IDMOP 객체를 얻는 경우가 더 흔하다. 그런 언어들에서 가져온 객체들은 자신에게 수행되는 연산들의 의미를 직접 제어하는 수단으로서 IDMOP를 암묵적으로 구현한다.

커스텀 바인더(커스텀 바인딩을 수행하는 객체)는 제20장에서 훨씬 더 자세하게 설명할 것이다. 일단 지금은 이 기능을 보여주는 간단한 예제 하나만 제시하겠다.

```
using System;
using System.Dynamic;

public class Test
{
  static void Main()
  {
    dynamic d = new Duck();
    d.Quack();                  // Quack 메서드가 호출되었음
    d.Waddle();                 // Waddle 메서드가 호출되었음
  }
}

public class Duck : DynamicObject
{
  public override bool TryInvokeMember (
    InvokeMemberBinder binder, object[] args, out object result)
  {
    Console.WriteLine (binder.Name + " 메서드가 호출되었음");
    result = null;
    return true;
  }
}
```

Duck 클래스에 Quack이라는 메서드가 실제로 있는 것은 아니다. 대신 이 클래스는 커스텀 바인딩을 이용해 모든 메서드 호출을 가로채서 해석한다.

언어 바인딩

IDynamicMetaObjectProvider를 구현하지 않는 동적 객체에 대해서는 언어 바인딩이 적용된다. 언어 바인딩은 불완전하게 설계된 형식의 결함이나 .NET 형식 체계(type system)의 본질적인 제약을 우회할 때 유용하다(제20장에서 이에 관련된 여러 시나리오를 살펴볼 것이다). 전형적인 예로, 공통의 인터페이스가 없는 수치 형식들을 사용할 때 이러한 동적 언어 바인딩이 유용하다. 메서드를 동적으로 바인딩할 수 있음은 앞에서 보았다. 연산자도 그런 식으로 바인딩할 수 있다.

```
static dynamic Mean (dynamic x, dynamic y) => (x + y) / 2;

static void Main()
{
  int x = 3, y = 4;
  Console.WriteLine (Mean (x, y));
}
```

이런 기법의 장점은 명백하다. 각 수치 형식마다 같은 코드를 중복할 필요가 없다. 그러나 정적 형식 안전성은 희생되었다. 즉, 컴파일 시점 오류 대신 실행시점 예외가 발생할 여지가 생겼다.

동적 바인딩은 정적 형식 안전성을 훼손하지만, 실행시점 형식 안전성을 훼손하지는 않는다. 반영(제19장)과는 달리, 멤버 접근성 규칙을 동적 바인딩을 이용해서 우회할 수는 없다.

실행시점 언어 바인딩은 동적 객체의 실행시점 형식을 컴파일 시점에서 알았더라면 일어났을 정적 바인딩과 최대한 비슷하게 작동하도록 설계되어 있다. 지금 예제에서, 만일 Mean을 명시적으로 int 형식에 맞게 하드코딩했더라도 프로그램은 지금과 동일하게 작동할 것이다. 정적 바인딩과 동적 바인딩 사이의 직접적인 대응관계에서 가장 주목할 만한 예외는 확장 메서드와 관련된 것인데, 이에 관해서는 이번 장의 '동적으로 호출할 수 없는 함수(p.227)'에서 논의한다.

동적 바인딩은 성능에 영향을 미친다. 그러나 DLR의 캐싱 메커니즘 덕분에 같은 동적 표현식을 반복해서 호출하는 코드는 최적화된다. 즉, 루프 안에서 동적 표현식을 효율적으로 호출할 수 있다. 오늘날의 하드웨어에서, 간단한 동적 표현식에 대한 전형적인 추가부담은 100나노초 미만이다.

RuntimeBinderException

실행시점에서 멤버를 바인딩할 수 없으면 RuntimeBinderException 예외가 발생한다. 이를 실행시점에서의 컴파일 시점 오류라고 생각해도 될 것이다.

```
dynamic d = 5;
d.Hello();                    // RuntimeBinderException을 던짐
```

int 형식에 Hello라는 메서드가 없으므로 이 코드는 예외를 던진다.

동적 객체의 실행시점 표현

dynamic 형식과 object 형식 사이에는 깊숙한 동치 관계(equivalence)가 존재한다. 런타임은 다음 표현식을 true로 평가한다.

```
typeof (dynamic) == typeof (object)
```

이러한 원칙은 구축된 형식들과 배열 형식들로까지 연장된다.

```
typeof (List<dynamic>) == typeof (List<object>)
typeof (dynamic[]) == typeof (object[])
```

객체 참조(object 형식의 참조)처럼, 동적 참조(dynamic 형식의 참조)는 그 어떤 형식의 객체도 지칭할 수 있다(단, 포인터 형식은 예외이다).

```
dynamic x = "hello";
Console.WriteLine (x.GetType().Name);  // String
x = 123;  // 오류 없음(같은 변수에 다른 형식을 배정했지만)
Console.WriteLine (x.GetType().Name);  // Int32
```

구조적으로, 객체 참조와 동적 참조는 아무런 차이도 없다. 동적 참조는 그냥 참조가 가리키는 객체에 대해 동적 연산들을 허용하는 것일 뿐이다. 따라서, object를 dynamic으로 변환하고 나면 해당 참조에 대해 그 어떤 동적 연산도 수행할 수 있다.

```
object o = new System.Text.StringBuilder();
dynamic d = o;
d.Append ("hello");
Console.WriteLine (o);   // hello
```

공용 dynamic 멤버를 노출하는 형식에 대해 반영 기능을 적용해 보면 그 멤버가 특성이 붙은 object로 되어 있다는 사실이 드러난다. 예를 들어 다음은

```
public class Test
{
  public dynamic Foo;
}
```

다음과 동등하다.

```
public class Test
{
  [System.Runtime.CompilerServices.DynamicAttribute]
  public object Foo;
}
```

이러한 방식 덕분에 C# 코드에서는 Foo를 동적으로 취급할 수 있으며, 동적 바인딩을 지원하지 않은 언어에서도 여전히 Foo를 사용할 수 있다(object로서).

동적 변환

dynamic으로 선언된 동적 형식은 다른 모든 형식과의 암묵적 변환을 지원한다.

```
int i = 7;
dynamic d = i;
long j = d;        // 명시적 캐스팅이 필요 없음(암묵적 변환)
```

실행시점에서 이러한 변환이 성공하려면 동적 객체의 실행시점 형식이 대상 정적 형식으로의 암묵적 변환을 허용하는 형식이어야 한다. 위의 예제는 int에서 long으로의 암묵적 변환이 허용되므로 잘 작동한다.

그러나 다음 예제는 RuntimeBinderException을 던진다. int에서 short의 암묵적 변환이 허용되지 않기 때문이다.

```
int i = 7;
dynamic d = i;
short j = d;      // RuntimeBinderException 예외 발생
```

var 대 dynamic

var와 dynamic은 겉으로 보기에는 비슷하지만 심오한 차이가 존재한다.

- var는 "형식을 컴파일러가 파악하게 한다"는 뜻이고,
- dynamic은 "형식을 런타임이 파악하게 한다"는 뜻이다.

다음은 이 점을 보여주는 예이다.

```
dynamic x = "hello";  // 정적 형식은 dynamic, 실행시점 형식은 string
var y = "hello";      // 정적 형식은 string, 실행시점 형식은 string
int i = x;            // 실행시점 오류(string을 int로 변환할 수 없음)
int j = y;            // 컴파일 시점 오류(string을 int로 변환할 수 없음)
```

var로 선언된 변수의 정적 형식이 dynamic일 수 있다.

```
dynamic x = "hello";
var y = x;            // y의 정적 형식은 dynamic
int z = y;            // 실행시점 오류(string을 int로 변환할 수 없음)
```

동적 표현식

필드, 속성, 메서드, 이벤트, 생성자, 인덱서, 연산자, 형식 변환 모두 동적으로 호출될 수 있다.

반환 형식이 void인 동적 표현식의 결과를 소비하는 것은 위법이다. 이는 정적 형식 표현식에서도 마찬가지이다. 차이는, 오류가 실행시점에서 발생한다는 것이다.

```
dynamic list = new List<int>();
var result = list.Add (5);          // RuntimeBinderException 예외 발생
```

일반적으로, 표현식에 동적 피연산자가 있으면 그 표현식 자체도 동적이 된다. 이는 형식 정보의 부재가 표현식 전체로 전파되기 때문이다.

```
dynamic x = 2;
var y = x * 3;       // y의 정적 형식은 dynamic
```

그러나 이 규칙에는 두 가지 자명한 예외가 존재한다. 첫째로, 동적 표현식을 정적 형식으로 캐스팅하면 정적 표현식이 된다.

```
dynamic x = 2;
var y = (int)x;      // y의 정적 형식은 int
```

둘째로, 생성자 호출은 항상 정적 표현식이 된다. 생성자를 동적 인수로 호출해도 그렇다. 다음 예에서 x의 정적 형식은 StringBuilder이다.

```
dynamic capacity = 10;
var x = new System.Text.StringBuilder (capacity);
```

그 외에도 동적 인수를 포함하는 표현식이 정적인 특별한 경우가 몇 가지 존재한다. 이를테면 색인으로 배열 원소를 조회하는 표현식이나 대리자를 생성하는 표현식이 그런 예이다.

동적 수신자가 없는 동적 호출

dynamic의 전형적인 용법에는 동적 수신자(receiver)[†]가 관여하기 마련이다. 예를 들어 동적 객체는 동적 함수 호출의 수신자이다.

```
dynamic x = ...;
x.Foo();          // x는 동적 수신자
```

그런데 정적으로 알려진 함수를 동적 인수로 호출하는 것도 가능하다. 그런 호출에는 동적 중복적재 해소 규칙이 적용된다. 다음 함수들은 그런 식으로 호출할 수 있다.

- 정적 메서드
- 인스턴스 생성자
- 형식이 정적으로 알려진 수신자에 대한 인스턴스 메서드

다음 예의 두 Foo 호출에는 동적 바인딩이 적용된다. Foo의 두 가지 중복적재 중 구체적으로 어떤 것이 선택되는지는 호출에 지정된 동적 인수의 실행시점 형식에 의해 결정된다.

```
class Program
{
  static void Foo (int x)    { Console.WriteLine ("1"); }
  static void Foo (string x) { Console.WriteLine ("2"); }

  static void Main()
  {
    dynamic x = 5;
    dynamic y = "watermelon";

    Foo (x);                // 1
    Foo (y);                // 2
  }
}
```

이 호출들에는 동적 수신자가 관여하지 않으므로, 컴파일러는 주어진 동적 호출의 성공 여부를 어느 정도까지는 정적으로(즉, 컴파일 시점에서) 점검할 수 있다. 컴파일러는 우선 주어진 이름과 매개변수 개수에 부합하는 함수를 찾는다. 만일 그런 함수가 없으면 컴파일 시점 오류를 발생한다. 예를 들면 다음과 같다.

† (옮긴이) 이 문맥에서 수신자는 함수의 호출 대상이 되는 객체를 뜻한다. 수신자의 원문인 receiver라는 용어는, 고전적인 객체지향 프로그래밍의 어법에서 객체에 대해 메서드를 호출하는 것을 "객체에 메시지를 보낸다"라고 표현하는 데에서 비롯된 것으로 보인다.

```
class Program
{
  static void Foo (int x)    { Console.WriteLine ("1"); }
  static void Foo (string x) { Console.WriteLine ("2"); }

  static void Main()
  {
    dynamic x = 5;
    Foo (x, x);          // 컴파일 시점 오류 - 매개변수 개수가 다름
    Fook (x);            // 컴파일 시점 오류 - 그런 이름의 메서드가 없음
  }
}
```

동적 표현식 안의 정적 형식

동적 바인딩에서 동적 형식들을 사용한다는 점은 자명하다. 그리 자명하지 않은 것은, 동적 바인딩에서 가능하면 정적 형식들도 사용한다는 점이다. 다음 예를 생각해 보자.

```
class Program
{
  static void Foo (object x, object y) { Console.WriteLine ("oo"); }
  static void Foo (object x, string y) { Console.WriteLine ("os"); }
  static void Foo (string x, object y) { Console.WriteLine ("so"); }
  static void Foo (string x, string y) { Console.WriteLine ("ss"); }

  static void Main()
  {
    object o = "hello";
    dynamic d = "goodbye";
    Foo (o, d);               // os
  }
}
```

Foo(o,d) 호출은 동적으로 바인딩된다. 인수 중 하나인 d가 dynamic이기 때문이다. 그런데 o의 형식은 정적으로 알려지므로, 바인딩은(비록 동적으로 일어난다고 해도) 그 사실을 활용한다. 지금 예에서는 중복적재 해소 규칙에 의해 Foo의 두 번째 구현이 선택된다. o의 정적 형식과 d의 실행시점 형식에 가장 잘 부합하는 것이 그것이기 때문이다. 다른 말로 하면, 컴파일러는 "가능한 한 정적으로" 작동한다.

동적으로 호출할 수 없는 함수

다음 함수들은 동적으로 호출할 수 없다.

- 확장 메서드(확장 메서드 구문으로 호출하려는 경우)
- 인터페이스 멤버(호출을 위해서는 그 인터페이스로의 캐스팅이 필요한 경우)
- 파생 클래스가 숨긴 기반 클래스 멤버

왜 이런 제약이 있는지 알면 동적 바인딩을 이해하는 데 도움이 된다.

동적 바인딩에는 두 조각의 정보가 필요하다. 하나는 호출할 함수의 이름이고 또 하나는 그 함수의 호출 대상이 되는 객체이다. 그런데 위의 세 가지 호출 불가능 함수에는 그 둘 외에도 **추가적인 형식**이 관여한다. 그러나 그 형식은 오직 컴파일 시점에서만 알려진다. C# 6에는 그러한 추가 형식을 동적으로 지정하는 방법이 없다.

확장 메서드를 호출할 때에는 추가적인 형식이 암묵적으로 주어진다. 확장 메서드가 정의된 정적 클래스가 바로 그 형식이다. 확장 메서드 호출문이 있는 소스 코드에서 using 지시문들을 사용한 경우, 컴파일러는 현재 범위뿐만 아니라 그 지시문들로 도입된 이름공간들에서도 해당 클래스를 찾는다. using 지시문은 컴파일 과정에서 사라지므로(단순 이름을 이름공간으로 한정된 이름에 대응시키는 바인딩 절차를 마친 후에), 확장 메서드 호출은 컴파일 시점에서만 가능한 개념이다.

인터페이스를 통해서 어떤 멤버를 호출할 때에는 암묵적 또는 명시적 캐스팅을 통해서 추가 형식을 지정한다. 인터페이스를 통해서 멤버 함수를 호출하는 목적은 크게 두 가지이다. 하나는 명시적으로 구현된 인터페이스 멤버를 호출하는 것이고, 또 하나는 다른 어셈블리 내부에 있는 형식이 구현한 인터페이스 멤버를 호출하는 것이다. 다음은 전자의 예를 보여주는 두 형식이다.

```
interface IFoo   { void Test();        }
class Foo : IFoo { void IFoo.Test() {} }
```

Test 메서드를 호출하려면 반드시 IFoo 인터페이스로의 캐스팅이 필요하다. 정적 형식에서는 쉽게 해결된다.

```
IFoo f = new Foo();   // 인터페이스로의 암묵적 캐스팅
f.Test();
```

그러나 동적 형식에서는 상황이 달라진다.

```
IFoo f = new Foo();
dynamic d = f;
d.Test();              // 예외 발생
```

굵게 표시된 암묵적 캐스팅은 f에 대한 이후의 멤버 호출이 Foo가 아니라 IFoo에 묶여야 한다는 점을 **컴파일러**에게 알려준다. 다른 말로 하면, 그 객체를 IFoo 인터페이스라는 렌즈를 통해서 봐야 한다고 컴파일러에게 알려주는 것이다. 그런데 실행시점에서는 그 렌즈가 더 이상 존재하지 않기 때문에 DLR은 바인딩을 완료하지 못한다. 렌즈가 사라졌다는 점은 다음 코드로 확인할 수 있다.

```
Console.WriteLine (f.GetType().Name);    // Foo
```

숨겨진 기반 클래스 멤버를 호출할 때에도 비슷한 상황이 벌어진다. 그런 경우 반드시 캐스팅 또는 base 키워드를 통해서 추가 형식을 지정해야 하는데, 실행시점에서 런타임에게는 그런 정보가 주어지지 않는다.

특성

virtual이나 ref 같은 수정자를 이용해서 프로그램의 코드 요소에 추가적인 의미나 특징을 부여한다는 개념은 이미 익숙할 것이다. 그런 수정자나 구문들은 언어 자체에 정의되어 있다. **특성**(attribute)은 코드 요소들(어셈블리, 형식, 멤버, 반환값, 매개변수, 제네릭 형식 매개변수)에 커스텀 정보를 추가하기 위한 확장 메커니즘이다. 이러한 확장성은 C# 언어에 특별한 수정자나 구문을 새로 추가하지 않고도 프로그래머가 자신의 서비스를 형식 체계에 깊숙이 통합하고자 할 때 유용하다.

특성을 적용하기에 좋은 대상으로는 직렬화(serialization)를 들 수 있다. 직렬화는 임의의 객체를 특정한 서식(format)을 따르는 텍스트나 이진 자료로 변환하는(그리고 그런 자료를 다시 객체로 복원하는) 것을 말한다. 특성을 이용해서 클래스를 직렬화하는 경우, C#의 필드 표현을 커스텀 서식의 필드 표현으로 변환하는 방식을 하나의 특성 클래스로 정의해 두고, 그 특성을 직렬화하고자 하는 클래스의 필드에 지정하면 된다.

특성 클래스

특성은 추상 클래스 System.Attribute를 상속하는(직접 또는 간접적으로) 클래스로 정의된다. 특성을 특정 코드 요소에 부여할 때에는 그 코드 요소 바로 앞에

특성 형식의 이름을 대괄호 쌍으로 감싸서 지정한다. 예를 들어 다음은 Foo 클래스에 ObsoleteAttribute라는 특성을 부여한 예이다.

```
[ObsoleteAttribute]
public class Foo {...}
```

이 특성은 해당 코드 요소가 "폐기 예정(obsolete)"임을 뜻한다. 이 특성을 인식한 컴파일러는 이후 해당 코드 요소를 참조하는 코드를 발견하면 경고를 발생한다. 이 예에서 보듯이, 특성 이름은 *Attribute*로 끝나는 것이 관례이다. C#은 이 관례를 인식하기 때문에, 특성을 지정할 때 다음처럼 Attribute를 생략해도 된다.

```
[Obsolete]
public class Foo {...}
```

ObsoleteAttribute는 System 이름공간에 다음과 같이 선언되어 있는 형식이다(간결함을 위해 정의는 생략했음).

```
public sealed class ObsoleteAttribute : Attribute {...}
```

C# 언어와 .NET Framework에는 이외에도 여러 가지 특성이 미리 정의되어 있다. 독자가 자신만의 특성을 작성하는 방법은 제19장에서 설명한다.

특성의 명명된 매개변수와 위치 매개변수

특성에 임의의 개수의 매개변수를 둘 수 있다. 다음은 미리 정의된 XmlElementAttribute라는 특성을 클래스에 적용하는 예이다. 이 특성은 XML 직렬화 기능(System.Xml.Serialization)에게 이 클래스의 객체를 XML로 표현하는 방법을 알려주는 역할을 하는데, 이를 위해 여러 개의 **특성 매개변수**를 받는다. 다음 특성은 CustomerEntity 클래스를 http://oreilly.com 이름공간에 속하는 Customer라는 XML 요소에 대응시킨다.

```
[XmlElement ("Customer", Namespace="http://oreilly.com")]
public class CustomerEntity { ... }
```

특성 매개변수는 크게 두 종류인데, 하나는 위치로 지정하는 매개변수이고 또 하나는 이름으로 지정하는 매개변수이다. 전자를 **위치 매개변수**(positional parameter)라고 부르고 후자를 **명명된 매개변수**(named parameter)라고 부른다. 앞의 예에서 첫 인수는 위치 매개변수, 둘째는 명명된 매개변수에 해당한다. 위치 매개변수들은 특성 형식의 공용 생성자에 있는 매개변수들에 대응되며, 명명된 매개변수들은 특성 형식의 공용 필드 또는 공용 속성들에 대응된다.

특성을 지정할 때에는 반드시 특성의 생성자 중 하나에 대응되는 위치 매개변수들을 지정해야 한다. 명명된 매개변수는 생략할 수 있다.

제19장에서 유효한 특성 매개변수 형식들과 특성 매개변수 평가에 적용되는 규칙들을 설명한다.

특성의 대상

암묵적으로, 특성의 적용 대상은 특성 바로 다음에 있는 코드 요소이다. 흔히 형식이나 형식의 멤버가 특성의 대상이 된다. 어셈블리에도 특성을 부여할 수 있는데, 그런 경우에는 반드시 특성의 대상을 명시적으로 지정해야 한다.

다음은 현재 어셈블리 전체가 CLS(공용 언어 규격)를 준수한다는 점을 나타내기 위해 `CLSCompliant` 특성을 어셈블리에 부여한 예이다.

```
[assembly:CLSCompliant(true)]
```

다중 특성 지정

하나의 코드 요소에 여러 개의 특성을 지정할 수 있다. 이 경우 특성들을 하나의 대괄호 쌍 안에 쉼표로 구분해서 나열할 수도 있고, 아니면 각각을 개별적인 대괄호 쌍으로 지정할 수도 있다(두 방식을 섞어서 사용하는 것도 가능하다). 다음의 특성 지정들은 모두 같은 의미이다.

```
[Serializable, Obsolete, CLSCompliant(false)]
public class Bar {...}

[Serializable] [Obsolete] [CLSCompliant(false)]
public class Bar {...}

[Serializable, Obsolete]
[CLSCompliant(false)]
public class Bar {...}
```

호출자 정보 특성(C# 5)

C# 5부터는 선택적 매개변수에 다음과 같은 세 가지 **호출자 정보 특성**(caller info attribute) 중 하나를 부여할 수 있다. 호출자 정보 특성이 지정되어 있으면 컴파

일러는 호출자의 소스 코드에서 얻은 정보를 매개변수의 기본값으로 제공한다.

- [CallerMemberName]은 호출자의 멤버 이름을 제공한다.
- [CallerFilePath]는 호출자의 소스 코드 파일 경로를 제공한다.
- [CallerLineNumber]는 호출자의 소스 코드 파일 행번호를 제공한다.

세 특성의 용법이 다음 프로그램의 Foo 메서드에 모두 나와 있다.

```
using System;
using System.Runtime.CompilerServices;

class Program
{
  static void Main() => Foo();

  static void Foo (
    [CallerMemberName] string memberName = null,
    [CallerFilePath] string filePath = null,
    [CallerLineNumber] int lineNumber = 0)
  {
    Console.WriteLine (memberName);
    Console.WriteLine (filePath);
    Console.WriteLine (lineNumber);
  }
}
```

프로그램 소스 파일의 경로가 c:\source\test\Program.cs라고 할 때, 이 프로그램은 다음을 출력한다.

```
Main
c:\source\test\Program.cs
6
```

보통의 선택적 매개변수처럼, 기본값들의 대입은 **호출 지점**에서 일어난다. 즉, Main 메서드는 다음과 같은 모습이 된다.

```
static void Main() => Foo ("Main", @"c:\source\test\Program.cs", 6);
```

호출자 정보 특성들은 로깅logging에 유용하다. 또한, 한 객체의 임의의 속성이 변할 때마다 변경 통지를 보내는 패턴을 구현하는 데에도 유용하다. 실제로 .NET Framework에는 그런 패턴을 위한 인터페이스가 존재한다. 바로 INotifyPropertyChanged이다(System.ComponentModel에 있다).

```
public interface INotifyPropertyChanged
{
```

```
  event PropertyChangedEventHandler PropertyChanged;
}

public delegate void PropertyChangedEventHandler
  (object sender, PropertyChangedEventArgs e);

public class PropertyChangedEventArgs : EventArgs
{
  public PropertyChangedEventArgs (string propertyName);
  public virtual string PropertyName { get; }
}
```

PropertyChangedEventArgs가 변경된 속성의 이름을 요구한다는 점에 주목하기 바란다. 이 인터페이스를 구현할 때 [CallerMemberName] 특성을 이용하면 속성 이름을 지정하지 않고도 이벤트를 발동할 수 있다.

```
public class Foo : INotifyPropertyChanged
{
  public event PropertyChangedEventHandler PropertyChanged = delegate { };

  void RaisePropertyChanged ([CallerMemberName] string propertyName = null)
  {
    PropertyChanged (this, new PropertyChangedEventArgs (propertyName));
  }

  string customerName;
  public string CustomerName
  {
    get { return customerName; }
    set
    {
      if (value == customerName) return;
      customerName = value;
      RaisePropertyChanged();
      // 컴파일러는 위의 줄을 다음으로 바꾼다:
      // RaisePropertyChanged ("CustomerName");
    }
  }
}
```

비안전 코드와 포인터

C#은 포인터를 통한 직접적인 메모리 조작을 지원한다. 단, 그런 작업은 '비안전(unsafe)', 즉 안전하지 않다고 표시된 코드 블록 안에서만, 그리고 /unsafe 옵션을 지정해서 프로그램을 컴파일한 경우에만 허용된다. 포인터 형식은 기본적으로 C API와의 연동에 필요하나, 관리되는 힙 바깥에 있는 메모리에 접근하거나 성능이 아주 중요한 핫스팟hotspot을 최적화하는 데에도 유용하다.

포인터의 기초

모든 값 형식 또는 참조 형식 *V*에 대해, 그에 대응되는 포인터 형식 *V**가 존재한다. 포인터 형식의 인스턴스는 변수의 주소를 담는다. 포인터 형식은 다른 그 어떤 포인터 형식으로도 캐스팅할 수 있다(안전하지는 않음). 다음은 포인터 형식에 대한 주요 연산자들이다.

연산자	의미
&	이 **주소**(address-of) 연산자는 변수의 주소를 담은 포인터를 돌려준다.
*	이 **역참조**(dereference) 연산자는 포인터의 주소에 있는 변수를 돌려준다.
->	이 **포인터-멤버**(pointer-to-member) 연산자 또는 **멤버 접근** 연산자는 구문 단축용으로 쓰인다. x->y는 (*x).y와 같다.

비안전 코드

형식이나 형식의 멤버 또는 문장 블록에 unsafe 키워드를 붙이면, 해당 범위 안에서는 포인터 형식을 이용해서 메모리에 대해 C++ 스타일의 포인터 연산을 수행할 수 있다. 다음은 포인터를 이용해서 비트맵을 빠르게 처리하는 예이다.

```
unsafe void BlueFilter (int[,] bitmap)
{
  int length = bitmap.Length;
  fixed (int* b = bitmap)
  {
    int* p = b;
    for (int i = 0; i < length; i++)
      *p++ &= 0xFF;
  }
}
```

비안전 코드는 그에 상응하는 안전한 구현보다 빠르게 실행된다. 지금 예제를 안전하게 구현한다면 중첩된 루프 안에서 배열 색인 접근과 범위 점검이 여러 번 일어날 것이다. 그리고 비안전 C# 메서드를 호출하는 것이 외부 C 함수를 호출하는 것보다 빠를 수도 있다. 관리되는 실행 환경을 벗어나는 데 관련된 추가 부담이 없기 때문이다.

fixed 문

fixed 문은 앞의 예제에 나온 비트맵 같은 관리되는 객체를 "고정하는" 역할을 한다. 프로그램 실행 도중 수많은 객체가 힙에 할당, 해제된다. 쓰레기 수거기는 불필요한 메모리 낭비나 단편화(fragmentation)를 막기 위해 객체들을 이리저리 이동한다. 포인터가 가리키고 있는 객체가 다른 곳으로 이동하면 그 포인터는 더 이상 유효하지 않게 되므로, 포인터를 사용할 때에는 쓰레기 수거기에게 이 객체를 다른 곳으로 옮기지 말고 그 자리에 고정하라고 지시할 수 있어야 한다. fixed 문이 바로 그러한 수단이다. 객체를 고정시키면 실행시점 효율성이 나빠질 수 있으므로 객체 고정은 잠깐만 사용해야 하며, 고정된 블록 안에서는 힙 할당을 피해야 한다.

fixed 문 안에서는 임의의 값 형식이나 값 형식의 배열, 문자열에 대한 포인터를 얻을 수 있다. 배열이나 문자열의 경우 포인터가 실제로 가리키는 것은 그 첫 원소(값 형식)이다.

참조 형식 안에 선언된 값 형식을 고정하려면 다음 예에서처럼 해당 참조 형식 자체를 고정해야 한다.

```
class Test
{
  int x;
  static void Main()
  {
    Test test = new Test();
    unsafe
    {
       fixed (int* p = &test.x)   // test를 고정
       {
         *p = 9;
       }
       System.Console.WriteLine (test.x);
    }
  }
}
```

fixed 문에 관해서는 제25장의 '구조체를 비관리 메모리에 대응(p.1255)'에서 좀 더 이야기한다.

포인터-멤버 연산자

&, * 연산자 외에 C#은 C++ 스타일의 -> 연산자도 지원한다. 이 연산자는 구조체에 대해 사용할 수 있다.

```
struct Test
{
  int x;
```

```
    unsafe static void Main()
    {
      Test test = new Test();
      Test* p = &test;
      p->x = 9;
      System.Console.WriteLine (test.x);
    }
  }
```

배열

stackalloc 키워드

stackalloc 키워드를 이용하면 힙이 아니라 스택에서 메모리 블록을 할당해서 배열처럼 사용할 수 있다. 이 블록은 스택에 할당되므로, 그 수명이 다른 지역 변수들과 같다. 즉, 메서드의 실행이 끝나면 해제된다(단, 변수를 람다 표현식이나 반복자 블록, 비동기 함수가 갈무리했다면 수명이 그만큼 더 늘어난다). 해당 배열의 특정 원소에 [] 연산자를 이용해서 접근할 수 있다. 다음이 그러한 예이다.

```
int* a = stackalloc int [10];
for (int i = 0; i < 10; ++i)
   Console.WriteLine (a[i]);   // 생(raw) 메모리 내용을 출력
```

고정 크기 버퍼

fixed 키워드에는 또 다른 용도가 있다. 바로, 구조체 안에 고정 크기 버퍼(fixed-size buffer)를 만드는 것이다.

```
unsafe struct UnsafeUnicodeString
{
  public short Length;
  public fixed byte Buffer[30];   // 30바이트 블록을 할당
}

unsafe class UnsafeClass
{
  UnsafeUnicodeString uus;

  public UnsafeClass (string s)
  {
    uus.Length = (short)s.Length;
    fixed (byte* p = uus.Buffer)
      for (int i = 0; i < s.Length; i++)
        p[i] = (byte) s[i];
  }
}
```

```
class Test
{
  static void Main() { new UnsafeClass ("Christian Troy"); }
}
```

이 예에서 fixed 키워드는 또한 버퍼를 담은 객체(UnsafeClass 클래스의 인스턴스)를 힙 안에 고정하는 용도로도 쓰인다. 정리하자면, fixed는 서로 다른 두 가지 의미로 쓰인다. 하나는 **크기**를 고정하는 것이고 또 하나는 **장소**를 고정하는 것이다. 일반적으로 고정 크기 버퍼를 제대로 활용하려면 그 버퍼가 한 장소에 고정되어 있어야 하므로, 이 두 용도가 함께 등장하는 경우가 많다.

void 포인터(void*)

void 포인터, 즉 void* 형식의 포인터는 바탕 자료의 형식에 대해 그 어떤 것도 가정하지 않는 포인터이다. 이 포인터는 생 메모리(raw memory)를 다루는 함수에 유용하다. 그 어떤 포인터 형식도 void*로의 암묵적 변환이 가능하다. void*는 역참조할 수 없으며, 산술 연산도 적용할 수 없다. 예를 들면 다음과 같다.

```
class Test
{
  unsafe static void Main()
  {
    short[ ] a = {1,1,2,3,5,8,13,21,34,55};
    fixed (short* p = a)
    {
      //sizeof는 값 형식의 크기(바이트 개수)를 돌려준다.
      Zap (p, a.Length * sizeof (short));
    }
    foreach (short x in a)
      System.Console.WriteLine (x);   // 모두 0을 출력한다.
  }

  unsafe static void Zap (void* memory, int byteCount)
  {
    byte* b = (byte*) memory;
      for (int i = 0; i < byteCount; i++)
        *b++ = 0;
  }
}
```

관리되지 않는 코드에 대한 포인터

포인터는 관리되는 힙 외부에 있는 자료에 접근할 때(이를테면 COM 객체나 C DLL과 상호작용할 때) 또는 주 메모리가 아닌 저장 공간(이를테면 그래픽 메모리나 내장 기기의 저장 매체)에 있는 자료를 다룰 때에도 유용하다.

전처리기 지시자

전처리기 지시자(preprocessor directive)들은 코드의 특정 영역에 대한 추가적인 정보를 컴파일러에게 제공한다. 가장 흔히 쓰이는 전처리기 지시자는 조건부 컴파일 지시자들이다. 다음 예에서 보듯이, 이런 지시자들은 코드의 특정 영역을 조건에 따라 컴파일에 포함 또는 제외하는 데 쓰인다.

```
#define DEBUG
class MyClass
{
  int x;
  void Foo()
  {
    #if DEBUG
    Console.WriteLine ("Testing: x = {0}", x);
    #endif
  }
  ...
}
```

이 클래스에서 Foo 메서드의 문장은 DEBUG라는 전처리기 기호(매크로 상수)의 존재 여부에 따라 조건부로 컴파일된다. 첫 줄의 DEBUG 기호 정의를 제거하면 해당 문장은 컴파일되지 않는다. 전처리기 기호는 이 예에서처럼 소스 파일에서 직접 정의할 수도 있고, 아니면 컴파일러를 실행할 때 /define:*기호* 형태의 명령줄 옵션으로 지정할 수도 있다.

#if와 #elif 지시자 다음의 조건절에서는 ||와 &&, ! 연산자를 이용해서 여러 기호들에 대해 **논리합**(OR), **논리곱**(AND), **부정**(NOT) 연산을 수행할 수 있다. 다음의 지시문은 만일 TESTMODE가 정의되어 있고(그리고) DEBUG가 정의되어 있지 않으면(부정) 그 다음 부분을 컴파일에 포함시키라고 컴파일러에게 지시한다.

```
#if TESTMODE && !DEBUG
  ...
```

그런데 이것이 보통의 C# 표현식을 만드는 것과는 다르다는 점을 주의하기 바란다. 특히, 이런 조건식에 쓰이는 기호들은 **변수**(정적이든 아니든)와는 아무런 관련이 없다.

#error 지시자와 #warning 지시자는 명시적으로 컴파일 오류 또는 경고 메시지를 발생한다. 이들은 의도치 않은 전처리기 기호가 정의되어 있어서 조건부 컴

파일 지시문들이 잘못된 결과를 낼 수 있음을 경고하는 용도로 흔히 쓰인다. 표 4.1에 이들을 포함한 여러 전처리기 지시자들이 나와 있다.

표 4-1 전처리기 지시자

전처리기 지시자	효과/의미
`#define` *기호*	*기호*를 정의한다.
`#undef` *기호*	*기호*의 정의를 해제한다.
`#if` *기호* [*연산자 기호2*]...	*기호*를 판정한다. 연산자는 ==나 !=, &&, ||이다. 이다음에 `#else`나 `#elif`, `#endif`가 온다.
`#else`	이후의 `#endif`까지에 있는 코드를 컴파일한다.
`#elif` *기호* [*연산자 기호2*]	`#else` 절과 `#if` 판정을 합친 것이다.
`#endif`	조건부 지시문의 끝을 나타낸다.
`#warning` *텍스트*	*텍스트*를 컴파일러 경고 메시지로서 출력한다.
`#error` *텍스트*	*텍스트*를 오류 메시지로 해서 컴파일 오류를 발생한다.
`#pragma warning [disable | restore]` *번호*	주어진 번호에 해당하는 컴파일러 경고(들)를 비활성화 또는 활성화한다.
`#line [` *번호* `["`*파일*`"] | hidden]`	주어진 *번호*를 소스 코드의 현재 행번호로 설정한다. 컴파일러 출력에서 *파일*이 현재 소스 코드의 파일이름으로 나타난다. hidden을 지정하면 디버거는 이 지점부터 다음번 `#line` 지시자까지의 코드를 무시한다.
`#region` *이름*	개요(outline)의 시작을 나타낸다.
`#endregion`	개요의 끝을 나타낸다.

Conditional 특성

커스텀 특성 클래스를 정의할 때 특정 전처리기 기호와 함께 `Conditional` 특성을 지정하면 그 커스텀 특성은 해당 전처리기 기호가 정의되어 있는 경우에만 적용된다. 다음이 그러한 예이다.

```
// file1.cs
#define DEBUG
using System;
using System.Diagnostics;
[Conditional("DEBUG")]
public class TestAttribute : Attribute {}

// file2.cs
#define DEBUG
[Test]
class Foo
{
  [Test]
```

```
  string s;
}
```

컴파일러는 *fil1e2.cs*의 범위 안에 DEBUG가 존재하는 경우에만 [Test] 특성들을 적용한다.

pragma warning 지시문

컴파일러는 프로그래머가 의도하지 않은 것으로 보이는 뭔가를 코드에서 발견하면 경고(warning)를 발생한다. 오류(error)와는 달리 경고가 발생해도 컴파일이 중단되지는 않는다.

컴파일러 경고는 버그를 발견하는 데 대단히 도움이 된다. 그러나 **가짜** 경고들이 끼어들기 시작하면 경고의 유용함이 훼손된다. 큰 응용 프로그램 프로젝트에서는 가짜 경고들 때문에 '진짜' 경고들이 묻히지 않도록 신호대잡음비를 잘 유지하는 것이 필수이다.

이를 위해 컴파일러는 특정 경고들의 발생을 억제하는 수단을 제공하는데, #pragma warning 지시문이 바로 그것이다. 다음은 컴파일러에게 Message 필드가 사용되지 않았다는 경고를 내지 말라고 지시하는 예이다.

```
public class Foo
{
  static void Main() { }

  #pragma warning disable 414
  static string Message = "Hello";
  #pragma warning restore 414
}
```

#pragma warning 지시문에서 경고 번호를 생략하면 모든 경고가 비활성화 또는 활성화된다.

프로젝트 전체에 이 지시문을 일관되게 적용해서 불필요한 경고들을 비활성화했다면, 컴파일 시 /warnaserror 옵션을 주는 것도 고려할 만하다. 그 옵션을 지정하면 컴파일러는 모든(비활성화되지 않은) 경고를 오류로 간주한다.

XML 문서화

문서화 주석(documentation comment)이란 형식이나 멤버를 설명하는 XML 코드 조각을 소스 코드에 포함시킨 것이다. 문서화 주석은 형식 선언이나 멤버 선언

바로 앞에 위치하며, 슬래시 세 개로 시작한다.

```
/// <summary>실행 중인 질의를 취소한다.</summary>
public void Cancel() { ... }
```

다음처럼 문서화 주석을 여러 줄로 작성할 수도 있다.

```
/// <summary>
/// 실행 중인 질의를 취소한다.
/// </summary>
public void Cancel() { ... }
```

아니면 다음처럼 블록 주석 형태의 문서화 주석도 가능하다(주석 시작에 별표가 두 개임을 주목할 것).

```
/**
    <summary> 실행 중인 질의를 취소한다.</summary>
*/
public void Cancel() { ... }
```

컴파일 시 /doc 옵션을 주면(Visual Studio에서는 **프로젝트 속성**의 **빌드** 탭에 해당 설정이 있다) 컴파일러는 이런 문서화 주석들을 모두 추출해서 하나의 XML 파일로 합친다. 이 파일의 주된 용도는 다음 두 가지이다.

- 이 XML 파일을 컴파일된 어셈블리와 같은 폴더에 두면 Visual Studio(그리고 LINQPad)는 자동으로 그 파일을 읽어 들여서, 해당 어셈블리를 사용하는 코드를 프로그래머가 입력할 때 IntelliSense 기능으로 멤버들을 나열하는 용도로 그 정보를 사용한다.
- 서드파티 도구들(Sandcastle이나 NDoc 등)을 이용해서 XML 파일을 HTML 도움말 파일로 변환한다.

표준 XML 문서화 주석 태그

다음은 Visual Studio와 문서화 생성기들이 인식하는 표준적인 XML 문서화 주석 태그들이다.

<summary>

```
<summary>...</summary>
```

형식이나 멤버에 대해 IntelliSense가 표시할 도구 설명(tool tip; 풍선 도움말)의 내용을 지정한다. 흔히 하나의 문구 또는 문장이다.

<remarks>

<remarks>...</remarks>

형식이나 멤버를 설명하는 추가적인 텍스트를 지정한다. 문서화 생성기는 이 텍스트를 취합해서 형식이나 멤버의 주된 설명문으로 사용한다.

<param>

<param name="*이름*">...</param>

메서드의 한 매개변수를 설명한다.

<returns>

<returns>...</returns>

메서드의 반환값을 설명한다.

<exception>

<exception [cref="*형식*"]>...</exception>

메서드가 던질 수 있는 예외를 제시한다(cref에 예외 형식을 지정한다).

<permission>

<permission [cref="*형식*"]>...</permission>

문서화된 형식 또는 멤버에 필요한 IPermission 형식을 제시한다.

<example>

<example>...</example>

예제를 제시한다(문서화 생성기가 사용한다). 흔히 설명문과 소스 코드를 포함한다(소스 코드는 흔히 <c>나 <code> 태그에 담는다).

<c>

<c>...</c>

한 줄짜리 코드 조각을 제시한다. 이 태그는 흔히 <example> 블록 안에 쓰인다.

<code>

<code>...</code>

여러 줄짜리 코드 예제를 제시한다. 이 태그는 흔히 <example> 블록 안에 쓰인다.

<see>

`<see cref="형식 또는 멤버">...</see>`

다른 형식이나 멤버에 대한 인라인 교차참조(cross-reference; 상호참조)를 삽입한다. HTML 문서화 생성기는 흔히 이를 하이퍼링크로 변환한다. 컴파일러는 만일 주어진 형식 또는 멤버가 유효하지 않으면 경고를 발생한다. 제네릭 형식은 중괄호를 이용해서 지정한다(이를테면 `cref="Foo{T,U}"`).

<seealso>

`<seealso cref="형식 또는 멤버">...</seealso>`

다른 형식이나 멤버에 대한 교차참조를 제시한다. 문서화 생성기는 흔히 이를 페이지 하단의 개별적인 "See Also(기타 참조)" 섹션에 삽입한다.

<paramref>

`<paramref name="이름"/>`

`<summary>`나 `<remarks>` 태그 안에서 매개변수를 지칭하는 데 쓰인다.

<list>

```
<list type=[ bullet | number | table ]>
  <listheader>
    <term>...</term>
    <description>...</description>
  </listheader>
  <item>
    <term>...</term>
    <description>...</description>
  </item>
</list>
```

문서 생성기는 이를 불릿 목록(`bullet`)이나 번호 붙은 목록(`number`), 표 형식 목록(`table`)으로 변환한다.

<para>

`<para>...</para>`

문서 생성기는 태그 내용을 개별 문단으로 서식화한다.

<include>

`<include file='파일이름' path='태그경로[@name="id"]'>...</include>`

문서화를 담은 외부 XML 파일을 현재 위치에 포함시킨다. `path` 특성에는 그 파일의 특정 요소를 가리키는 XPath 질의문을 지정한다.

사용자 정의 태그

앞에서 본 미리 정의된 XML 태그들을 C# 컴파일러가 딱히 특별하게 취급하는 것은 아니다. 필요하다면 독자 스스로 태그를 정의해서 사용할 수 있다. 미리 정의된 XML 태그 중 컴파일러가 특별하게 취급하는 것은 `<param>` 태그(컴파일러는 지정된 매개변수 이름이 유효한지, 그리고 메서드의 모든 매개변수가 문서화되었는지 점검한다)와 `cref` 특성(컴파일러는 그 특성이 가리키는 형식이나 멤버가 실제로 있는지 점검하고, 있는 경우 그것을 완전히 한정된 형식 또는 멤버 ID로 확장한다) 뿐이다. `cref` 특성은 독자가 직접 정의한 태그에서도 사용할 수 있으며, 컴파일러는 미리 정의된 `<exception>`이나 `<permission>`, `<see>`, `<seealso>` 태그에서와 마찬가지 방식으로 그 특성을 점검, 확장한다.

형식 또는 멤버 교차참조

컴파일러는 문서화 주석에 있는 형식 이름과 형식 또는 멤버 교차참조를, 해당 형식 또는 멤버를 고유하게 정의하는 ID로 변환한다. 그 ID는 참조 대상의 종류를 나타내는 접두사와 그 대상을 나타내는 서명으로 이루어진다. 대상 종류 접두사들은 다음과 같다.

XML 종류 접두사	대상
N	이름공간
T	형식(클래스, 구조체, 열거형, 인터페이스, 대리자)
F	필드
P	속성(인덱서 포함)
M	메서드(특수 메서드들 포함)
E	이벤트
!	오류

대상의 서명을 생성하는 방법은 잘 문서화되어 있긴 하지만 상당히 복잡하다.

다음은 종류별 예이다.

```
// 이름공간에는 독립적인 서명이 없다.
namespace NS
{
  /// T:NS.MyClass
  class MyClass
  {
```

```
    /// F:NS.MyClass.aField
    string aField;

    /// P:NS.MyClass.aProperty
    short aProperty {get {...} set {...}}

    /// T:NS.MyClass.NestedType
    class NestedType {...};

    /// M:NS.MyClass.X()
    void X() {...}

    /// M:NS.MyClass.Y(System.Int32,System.Double@,System.Decimal@)
    void Y(int p1, ref double p2, out decimal p3) {...}

    /// M:NS.MyClass.Z(System.Char[ ],System.Single[0:,0:])
    void Z(char[ ] 1, float[,] p2) {...}

    /// M:NS.MyClass.op_Addition(NS.MyClass,NS.MyClass)
    public static MyClass operator+(MyClass c1, MyClass c2) {...}

    /// M:NS.MyClass.op_Implicit(NS.MyClass)~System.Int32
    public static implicit operator int(MyClass c) {...}

    /// M:NS.MyClass.#ctor
    MyClass() {...}

    /// M:NS.MyClass.Finalize
    ~MyClass() {...}

    /// M:NS.MyClass.#cctor
    static MyClass() {...}
  }
}
```

5장

C# 6.0 in a Nutshell

.NET Framework 개요

.NET Framework의 거의 모든 능력은 다종다양한 '관리되는 형식(managed type)'들을 통해서 제공된다. 이 형식들은 계통구조(hierarchy) 형태의 이름공간들로 조직화되어 있으며, 일단의 어셈블리 파일들로 배포, 설치된다. 이들과 CLR(공용 언어 런타임)을 합친 것이 바로 .NET 플랫폼이다.

.NET Framework의 형식들 일부는 CLR이 직접 사용한다. 이들은 관리되는 호스팅 환경에 필수적인 형식들로, *mscorlib.dll*이라는 어셈블리 안에 들어 있다. C#의 내장 형식들과 기본 컬렉션 클래스들, 그리고 스트림 처리나 직렬화, 반영(reflection), 스레드 적용, 네이티브 상호운용성을 위한 형식들이 여기에 속한다("mscorlib"는 Multi-language Standard Common Object Runtime Library를 줄인 것이라고 한다).

이보다 한 수준 위에는 CLR 수준의 기능성에 "살을 붙이는" 추가적인 형식들이 있다. 이들은 이를테면 XML 처리나 네트워킹, LINQ 같은 기능을 제공한다. 이 형식들은 주로 *System.dll*, *System.Xml.dll*, *System.Core.dll*에 있으며, 일부는 *mscorlib*에 있다. 이들은 .NET Framework의 나머지 부분을 구축하는 데 쓰이는 풍부한 프로그래밍 환경을 제공한다. 이 책의 나머지 부분은 대부분 이 '핵심 프레임워크(core framework;)'†를 설명한다.

† (옮긴이) 2015년 발표된 .NET Core와 혼동할 수도 있는데, 이 책에서 말하는 핵심 프레임워크는 말 그대로 .NET Framework 중 '핵심'이 되는 부분을 말한다.

.NET Framework의 그 나머지 부분은 응용 API들로 구성되어 있는데, 이들 대부분은 크게 다음과 같은 세 가지 기능 영역으로 분류된다.

- 사용자 인터페이스 기술
- 뒷단(backend) 기술
- 분산 시스템 기술

표 5.1은 C#과 CLR, .NET Framework 사이의 버전 호환성 역사를 보여준다. C# 6.0은 CLR 4.6을 대상으로 하는데, CLR 4.6 자체는 CLR 4.0에 '패치(부분 업데이트)'를 가한 버전이다. 따라서 CLR 4.0을 대상으로 하는 응용 프로그램은 CLR 4.6을 설치한 환경에서도 잘 작동된다. 이는 Microsoft가 하위 호환성을 보장하는 데 신경을 많이 썼음을 뜻한다.

표 5-1 C#, CLR, .NET Framework 버전들

C# 버전	CLR 버전	.NET Framework 버전
1.0	1.0	1.0
1.2	1.1	1.1
2.0	2.0	2.0, 3.0
3.0	2.0 (SP2)	3.5
4.0	4.0	4.0
5.0	4.5 (CLR 4.0에 대한 패치)	4.5
6.0	4.6 (CLR 4.0에 대한 패치)	4.6

이번 장은 .NET Framework의 주요 영역을 모두 훑는다. 우선 이 책에서 다루는 핵심 형식들을 살펴보고, 끝부분에서는 응용 기술들도 개괄한다.

.NET Framework 4.6의 새로운 기능

- 쓰레기 수거기가 수거를 실행하는(또는 하지 않는) 시점을 좀 더 세밀하게 제어할 수 있는 새 메서드들이 GC 클래스에 추가되었다. 또한, `GC.Collect` 호출 시 좀 더 세밀한 옵션을 지정할 수 있다.
- 새롭고 더 빠른 64비트 JIT 컴파일러가 도입되었다.
- `System.Numerics` 이름공간에 하드웨어 가속 행렬 및 벡터 형식들이 추가되었다.
- 라이브러리 작성자를 위해 `System.AppContext`라는 새로운 클래스가 추가되었다. 이를 이용해서 라이브러리를 작성하면, 라이브러리 사용자가 새로운 API 기능들을 선택적으로 전환할 수 있다.

- Task 인스턴스 생성 시 현재 스레드의 문화 설정과 UI 문화 설정이 반영된다.
- 더 많은 컬렉션 형식들이 `IReadOnlyCollection<T>`를 구현한다.
- WPF가 개선되었다(더 나은 터치 및 고 DPI 처리 등).
- ASP.NET이 HTTP/2와 Windows 10의 TBP(Token Binding Protocol)를 지원한다.

.NET Framework 4.6과 함께 ASP.NET 5와 MVC 6도 나왔다(NuGet을 통해 설치할 수 있다). ASP.NET 5는 경량 모듈식 구조를 갖추었으며, 커스텀 프로세스에 직접 상주(호스팅)하는 기능과 크로스플랫폼 상호운용성, 오픈소스 라이선스를 제공한다. 이전 버전들과는 달리 ASP.NET 5는 `System.Web`과 관련 군더더기들(역사적인 이유로 존재하는)에 의존하지 않는다.

.NET Framework의 어셈블리들과 이름공간들은 **상호 교차**(cross-cut)한다. 가장 극단적인 예는 *mscorlib.dll*과 *System.Core.dll*이다. 둘 다 수십 개의 이름공간들에서 형식들을 정의하는데, 그중 *mscorlib*나 *System.Core*라는 접두사가 붙은 것은 하나도 없다. 덜 명백한, 그러나 더 혼란스러운 예로는 `System.Security.Cryptography` 이름공간의 형식들을 들 수 있다. 이 이름공간의 형식들은 대부분 *System.dll* 어셈블리에 들어 있지만, 몇 개는 *System.Security.dll*에 있다. 이 책의 독자 지원 웹사이트에 .NET Framework 이름공간들과 어셈블리들의 완전한 대응관계가 나와 있으니 참고하기 바란다.

핵심 형식 중 다수는 *mscorlib.dll*과 *System.dll*, *System.Core.dll*에 들어 있다. 첫 어셈블리인 *mscorlib.dll*은 런타임 환경 자체가 요구하는 형식들로 이루어져 있으며, *System.dll*과 *System.Core.dll*에는 독자(프로그래머)에게 필요한 추가적인 핵심 형식들이 들어 있다. 후자의 형식들이 두 개의 어셈블리로 따로 존재하는 데에는 역사적인 이유가 있다. .NET Framework 3.5에서 Microsoft는 새로운 형식들을 **가산적인**(additive) 형태로 도입하기로 했다(그것들이 기존의 CLR 2.0 위에 놓인 하나의 계층으로 실행된다는 이유로). 그래서 모든 새 핵심 형식들(이를테면 LINQ를 지원하는 클래스들)은 Microsoft가 *System.Core.dll*이라고 부르는 새로운 어셈블리에 들어가게 되었다.

.NET Framework 4.5의 새로운 기능

다음은 .NET Framework 4.5의 새로운 주요 기능과 특징이다.

- Task를 돌려주는 메서드들을 통한 광범위한 비동기성 지원.
- ZIP 압축 프로토콜(제15장)을 지원.

- 새로운 HttpClient 클래스(제16장)를 통한 HTTP 지원 개선.
- 쓰레기 수거기와 어셈블리 자원 조회 성능 향상.
- WinRT 상호운용성 및 Windows 스토어 모바일 앱 구축을 위한 API 지원.

또한, 새로운 TypeInfo 클래스(제19장)가 추가되었고 정규 표현식 부합(제26장) 시 만료시간을 지정하는 능력도 추가되었다.

병렬 컴퓨팅 부분에서는 생산자-소비자 스타일의 네트워크 구축을 위한 Dataflow라는 특화된 라이브러리가 새로 추가되었다.

그 외에 WPF, WCF, WF(Workflow Foundation) 라이브러리들도 여러모로 개선되었다.

CLR과 핵심 프레임워크

System 이름공간의 형식들

가장 근본적인 형식들은 System 이름공간에 직접 포함되어 있다. C#의 내장 형식들과 Exception, Enum, Array, Delegate 같은 주요 기반 클래스들, 그리고 Nullable, Type, DateTime, TimeSpan, Guid 등이 여기에 속한다. System 이름공간에는 또한 수학 연산을 위한 형식(Math)과 난수 발생을 위한 형식(Random), 여러 형식 사이의 변환을 위한 형식들(Convert와 BitConverter)도 들어 있다.

이 형식들은 제6장에서 설명한다. 제6장에서는 또한 .NET Framework 전반에 쓰이는 표준 프로토콜들을 정의하는 인터페이스들, 이를테면 서식화를 위한 IFormattable이나 순서 비교를 위한 IComparable 등도 소개한다.

System 이름공간은 쓰레기 수거기와의 상호작용을 위한 IDisposable 인터페이스와 GC 클래스도 정의한다. 이 주제들은 제12장에서 다룬다.

텍스트 처리

System.Text 이름공간에는 StringBuilder 클래스(string의 **가변이**(mutable) 버전, 즉 수정 가능 버전)와 UTF-8 같은 텍스트 부호화에 관련된 형식들(Encoding과 그 파생 형식들)이 정의되어 있다. 이들은 제6장에서 다룬다.

System.Text.RegularExpressions 이름공간에는 고급 패턴 기반 검색 및 치환 연산들을 수행하는 형식들이 있는데, 제26장에서 설명한다.

컬렉션

.NET Framework는 항목들의 컬렉션collection을 관리하는 데 사용하는 다양한 클래스를 제공한다. 목록 기반 자료구조들은 물론 사전 기반 자료구조들도 제공한다. 또한, 이 컬렉션들이 가진 공통의 특징을 통합하는 일단의 표준 인터페이스들도 제공하므로 서로 다른 컬렉션들을 일관된 방식으로 사용할 수 있다. 컬렉션 형식들은 다음과 같은 이름공간들에 정의되어 있는데, 제7장에서 좀 더 자세히 설명한다.

```
System.Collections                  // 비제네릭 컬렉션
System.Collections.Generic          // 제네릭 컬렉션
System.Collections.Specialized      // 강한 형식 컬렉션
System.Collections.ObjectModel      // 커스텀 컬렉션을 위한 기반 클래스들
System.Collections.Concurrent       // 스레드에 안전한 컬렉션(제23장)
```

LINQ

LINQ(Language Integrated Query; 언어에 통합된 질의)는 .NET Framework 3.5에 추가된 기능으로, 이것을 이용하면 지역 컬렉션과 원격 컬렉션(이를테면 SQL 서버 테이블)에 대해 형식에 안전한 방식으로 질의를 수행할 수 있다. LINQ는 제8, 9, 10장에서 다룬다. LINQ의 큰 장점 하나는 다양한 영역에 대해 일관된 질의 API를 제공한다는 것이다. LINQ 질의 처리에 관련된 형식들은 다음 이름공간들에 들어 있다.

```
System.Linq                 // LINQ to Objects(Object들에 대한 LINQ) 및 PLINQ
System.Linq.Expressions     // 질의 표현식을 직접 구축하는 데 필요한 형식들
System.Xml.Linq             // LINQ to XML(XML에 대한 LINQ)
```

전체 .NET 프로파일에는 다음도 포함되어 있다.

```
System.Data.Linq            // LINQ to SQL(SQL에 대한 LINQ)
System.Data.Entity          // LINQ to Entity(Entity Framework의
                            // 엔터티들에 대한 LINQ)
```

(Windows 스토어 프로파일에는 `System.Data.*` 이름공간 전체가 빠져 있다.)

SQL에 대한 LINQ와 Entity Framework API는 `System.Data` 이름공간에 있는 저수준 ADO.NET 형식들을 활용한다.

XML

.NET Framework는 내부적으로 XML을 많이 사용하며, 또한 XML 활용을 위한 기능도 다양하게 제공한다. 제10장은 LINQ를 통해서 구축, 질의할 수 있는 경량

XML 문서 객체 모형(DOM)인 LINQ to XML(XML에 대한 LINQ)을 집중적으로 다룬다. 제11장은 기존의 W3C DOM을 설명하며, 성능 효율적인 저수준 읽기/쓰기 클래스들과 .NET Framework의 XML 스키마, 스타일시트, XPath 지원 기능들도 이야기한다. XML 관련 이름공간들은 다음과 같다.

```
System.Xml                  // XmlReader, XmlWriter와 기존 W3C DOM
System.Xml.Linq             // LINQ to XML DOM
System.Xml.Schema           // XSD 지원
System.Xml.Serialization    // .NET 형식들에 대한 선언적 XML 직렬화 기능
```

데스크톱 .NET 프로파일에서는 다음 이름공간들도 사용할 수 있다(Windows 스토어에는 없음).

```
System.Xml.XPath            // XPath 질의 언어
System.Xml.Xsl              // 스타일시트 지원
```

진단 및 코드 계약

제13장은 .NET Framework의 로깅logging 및 단언(assertion) 기능들과 .NET Framework 4.0에서 도입된 코드 계약(code contract)을 다룬다. 또한, 다른 프로세스들과의 상호작용 방법, Windows 이벤트 로그에 로그를 기록하는 방법, 그리고 성능 감시를 위한 사용자 성능 카운터 사용 방법도 설명한다. 이에 관련된 형식들은 `System.Diagnostics` 이름공간에 있다.

동시성과 비동기성

대부분의 현대적인 응용 프로그램은 한 번에 여러 개의 일을 수행해야 한다. C# 5.0부터는 비동기 함수들과 작업(task), 작업 조합기(task combinator) 같은 고수준 구축 요소들 덕분에 그런 동시성 기능을 구현하기가 편해졌다. 이에 관한 모든 것을 제14장에서 다중 스레드 적용의 기초부터 시작해서 자세히 설명한다. 스레드와 비동기 연산을 다루는 형식들은 `System.Threading` 이름공간과 `System.Threading.Tasks` 이름공간에 있다.

스트림과 입출력

.NET Framework는 저수준 입출력(I/O)을 위한 스트림 기반 모형을 제공한다. 스트림stream의 주된 용도는 파일이나 네트워크 연결에 대해 자료를 직접 읽고 쓰는 것이다. 여러 스트림을 연결하거나, 한 스트림을 장식자(decorator) 스트림

으로 감싸서 압축이나 암호화 기능을 추가하는 등의 처리도 가능하다. 제16장에서는 .NET Framework의 스트림 구조와 함께 파일과 디렉터리, 압축, 격리된 저장소, 파이프, 메모리 대응 파일을 다루는 구체적인 기능들도 설명한다. .NET의 Stream과 입출력 관련 형식들은 System.IO 이름공간에 정의되어 있으며, WinRT의 파일 입출력 관련 형식들은 Windows.Storage에 있다.

네트워킹

System.Net에는 HTTP나 FTP, TCP/IP, SMTP 같은 표준 네트워크 프로토콜에 직접 접근할 수 있는 형식들이 있다. 제16장에서는 이 프로토콜들 각각을 이용한 구체적인 통신 방법을 설명한다. 웹 페이지를 내려받는 간단한 과제에서부터 시작해서 TCP/IP를 직접 이용해서 POP3 이메일을 가져오는 예제로 마무리할 것이다. 다음은 제16장에서 다루는 이름공간들이다.

```
System.Net
System.Net.Http          // HttpClient
System.Net.Mail          // SMTP로 이메일을 주고받기 위한 형식들
System.Net.Sockets       // TCP, UDP, IP
```

마지막 두 이름공간은 Windows 스토어 응용 프로그램에서는 사용할 수 없다. Windows 스토어 앱에서 이메일을 보내려면 서드파티 라이브러리를 사용해야 한다. 그리고 WinRT의 경우에는 소켓 관련 형식들이 Windows.Networking.Sockets에 있다.

직렬화

.NET Framework는 객체를 이진 또는 텍스트 형태로 저장하고 복원하는 여러 시스템을 제공한다. 그런 시스템들은 WCF나 Web Services, Remoting 같은 분산 응용 기술들에 필요하다. 또한, 객체를 파일에 저장하거나 복원하는 데에도 필요하다. 제17장에서는 세 가지 직렬화 엔진, 즉 자료 계약 직렬화, 이진 직렬화, XML 직렬화 엔진을 모두 다룬다. 직렬화를 위한 형식들은 다음 이름공간들에 들어 있다.

```
System.Runtime.Serialization
System.Xml.Serialization
```

Windows 스토어 프로파일에는 이진 직렬화 엔진이 빠져 있다.

어셈블리, 반영, 특성

어셈블리는 실행 가능한 명령들(중간 언어, 즉 IL 형태로 저장됨)과 메타자료(프로그램의 형식들과 멤버들, 특성들을 서술한다)로 구성되며, C# 프로그램을 컴파일할 때 프로그램에 링크된다. C# 프로그램에서는 실행시점에서 반영(reflection) 기능을 이용해서 어셈블리의 메타자료(metadata)를 조사할 수 있으며, 이를 통해서 메서드를 동적으로 호출하는 등의 일을 수행할 수 있다. 또한, `Reflection.Emit`을 이용하면 실행시점에서 즉석으로 새 실행 코드를 만들어 낼 수 있다.

제18장에서는 어셈블리를 작성하고 서명하는 방법, 전역 어셈블리 캐시와 자원을 사용하는 방법, 파일 참조를 해소하는 방법을 설명한다. 제19장에서는 반영과 특성을 다룬다. 메타자료를 조사하는 방법, 동적으로 함수를 호출하는 방법, 커스텀 특성을 만드는 방법, 새 형식을 산출하는 방법, 원시 IL 코드를 파싱하는 방법 등을 배우게 될 것이다. 반영을 사용하는 형식들과 어셈블리를 다루는 형식들은 다음 이름공간들에 들어 있다.

```
System
System.Reflection
System.Reflection.Emit  (데스크톱 전용)
```

동적 프로그래밍

제20장에서는 동적 프로그래밍과 DLR(Dynamic Language Runtime; 동적 언어 런타임)을 활용하는 패턴 몇 가지를 살펴본다. DLR은 .NET Framework 4.0에서 CLR에 추가되었다. 제20장에서는 방문자(visitor) 패턴을 구현하는 방법, 커스텀 동적 객체를 작성하는 방법, 그리고 IronPython과 연동하는 방법을 설명한다. 동적 프로그래밍을 위한 형식들은 `System.Dynamic`에 있다.

보안

.NET Framework는 독자적인 보안 계층을 제공한다. 이를 통해서 프로그램은 다른 어셈블리를 모래상자 안에 넣고 안전하게 사용할 수 있으며, 프로그램 자신을 모래상자에 넣을 수도 있다. 제21장은 우선 CLR 4.0에서 도입된 코드 접근, 역할, 신원 보안 및 투명성 모형을 설명한다. 그런 다음에는 .NET Framework의 암·복호화 기능을 소개하는데, 특히 자료 암호화와 해싱, 보호를 다룬다. 관련 형식들은 다음 이름공간들에 정의되어 있다.

```
System.Security
System.Security.Permissions
System.Security.Policy
System.Security.Cryptography
```

Windows 스토어 앱에서는 `System.Security`만 사용할 수 있다. WinRT의 암·복호화 형식들은 `Windows.Security.Cryptography`에 있다.

고급 스레드 적용

C#의 비동기 함수들을 이용하면 저수준 기법들을 동원할 필요가 줄어들기 때문에 동시성 프로그래밍이 한결 쉬워진다. 그렇긴 하지만 신호 전달이나 스레드 지역 저장소, 읽기/쓰기 자물쇠 같은 요소들이 필요할 때가 종종 있다. 제22장에서는 이들을 자세히 설명한다. 스레드 적용에 관한 형식들은 `System.Threading` 이름공간에 있다.

병렬 프로그래밍

제23장에서는 다중 코어 프로세서 활용을 위한 라이브러리들과 형식들을 자세히 다룬다. 작업 병렬성, 명령식 자료 병렬성, 함수적 병렬성(PLINQ)을 위한 API들을 만나게 될 것이다.

응용 프로그램 도메인

CLR은 프로세스 안에 또 다른 수준의 실행 코드 격리 단위를 제공한다. 응용 프로그램 도메인(application domain)이 바로 그것이다. 제24장에서는 프로그램에서 상호작용할 수 있는 응용 프로그램 도메인의 속성들을 조사하고, 같은 프로세스 안에서 단위 검사(unit testiong) 등을 목적으로 추가적인 응용 프로그램 도메인을 생성하고 사용하는 방법을 보여준다. 또한, *Remoting* 기능을 이용해서 그런 응용 프로그램 도메인들과 통신하는 방법도 설명한다. Windows 스토어 앱에서는 `System` 이름공간에 정의되어 있는 `AppDomain` 형식을 사용할 수 없다.

네이티브 및 COM 상호운용성

C# 프로그램에서 네이티브 코드나 COM 코드를 사용할 수 있다. 네이티브 상호운용성(interoperability) 기능을 이용하면 비관리 DLL 안의 함수를 호출하거나, 콜백을 등록하거나, 자료구조를 매핑하거나, 네이티브 자료 형식들을 사용하는

것이 가능하다. COM 상호운용성을 이용하면 COM 형식의 메서드를 호출하거나 .NET 형식을 COM으로 노출하는 등이 가능하다. 이런 기능을 지원하는 형식들은 `System.Runtime.InteropServices`에 있으며, 제25장에서 설명한다.

응용 기술

UI(사용자 인터페이스) 기술

UI 기반 응용 프로그램은 크게 두 범주로 나뉜다. 하나는 **신 클라이언트**thin client로,† 간단히 말하면 웹 사이트에 해당한다. 또 하나는 **리치 클라이언트**rich client로, 사용자가 자신의 컴퓨터나 이동기기에 내려받아서 설치해야 하는 프로그램을 말한다.

.NET Framework에서 신 클라이언트 응용 프로그램을 만드는 수단으로는 ASP.NET 라이브러리가 있다.

Windows 데스크톱을 대상으로 하는 리치 클라이언트 응용 프로그램을 작성하는 데 쓰이는 .NET Framework의 구성요소로는 WPF와 Windows Forms API가 있다. 이동 기기용 리치 클라이언트 앱을 만들려면 Windows RT(Windows 스토어 앱 전용)나 Xamarin™(크로스플랫폼 앱)을 사용하면 된다.

마지막으로, Silverlight라는 혼성 기술이 존재한다. 그러나 HTML5가 등장하면서 Silverlight는 거의 쓸모가 없어진 상태이다.

ASP.NET

ASP.NET으로 작성된 응용 프로그램은 Windows IIS(ASP.NET 5부터는 커스텀 프로세스도 가능)에 호스팅되며, 임의의 웹 브라우저를 통해서 접근할 수 있다. 다음은 리치 클라이언트 기술에 비한 ASP.NET의 장점이다.

- 클라이언트에 배포하고 설치할 필요가 전혀 없다.
- Windows가 아닌 운영체제의 클라이언트도 사용할 수 있다.
- 갱신이 간단하다.

† (옮긴이) '씬 클라이언트'라고 표기하기도 하지만, 현행 외래어 표기법으로는 '신 클라이언트'가 맞다. 이 책에 나오는 신 클라이언트는 항상 thin client를 뜻한다(예를 들어 新 클라이언트나 神 클라이언트는 없다).

더 나아가서, ASP.NET 응용 프로그램을 위해 독자가 작성하는 코드는 대부분 서버에서 실행되므로, 같은 응용 프로그램 도메인 안에서 실행하는 자료 접근 계층을 독자가 직접 만들 수 있다. 보안이나 규모가변성(scalability)을 제한하지 않고 얼마든지 원하는 방식으로 설계하고 구현할 수 있는 것이다. 반면, 리치 클라이언트의 자료 접근 계층은 그 정도 수준의 보안이나 규모가변성을 제공하지 못하는 경우가 많다. (이를 극복하기 위해 리치 클라이언트에 쓰이는 해법은 클라이언트와 데이터베이스 사이에 **중간층**(middle tier)을 끼워 넣는 것이다. 중간층은 원격 응용 프로그램 서버에서 실행되며(흔히 데이터베이스 서버와 함께), WCF나 Web Services, Remoting 기술을 통해서 리치 클라이언트와 통신한다.)

ASP.NET으로 웹 페이지를 작성할 때에는 전통적인 Web Forms를 사용할 수도 있고 좀 더 최근의 MVC(Model-View-Controller) API를 사용할 수도 있다. 둘 다 ASP.NET 기반구조를 바탕으로 한다. Web Forms는 처음부터 .NET Framework의 일부였다. MVC API는 훨씬 나중에, Ruby on Rails와 MonoRail의 성공에 반응해서 작성된 것이다. 대체로 MVC API가 Web Forms보다 더 나은 프로그래밍 추상을 제공한다. 또한, HTML 생성을 좀 더 세밀하게 제어할 수 있다. 단, Web Forms의 디자이너 같은 편리한 도구는 제공하지 않는다. 그래서 주로 정적인 내용으로 구성된 웹 페이지를 만들 때에는 Web Forms가 여전히 좋은 선택이다.

다음은 ASP.NET의 한계들이다. 대체로 이들은 신 클라이언트 시스템의 한계들에서 비롯된 것이다.

- HTML5와 AJAX 덕분에 웹 브라우저로도 풍부한 인터페이스를 제공할 수 있지만, 그래도 그 능력이나 성능이 WPF 같은 네이티브 리치 클라이언트 API보다는 못하다.
- 상태를 클라이언트 쪽에(또는 클라이언트를 대신해서) 유지하기가 번거롭다.

ASP.NET 응용 프로그램 작성을 위한 형식들은 `System.Web.UI` 이름공간과 그 하위 이름공간들, 그리고 *System.Web.dll* 어셈블리에 있다. ASP.NET 5는 NuGet을 통해서 제공된다.

WPF(Windows Presentation Foundation)

리치 클라이언트 응용 프로그램 작성을 위한 WPF는 .NET Framework 3.0에서 도입되었다. 그 전신前身인 Windows Forms에 비한 WPF의 장점은 다음과 같다.

- 임의 변환, 3차원 렌더링, 진짜 투명(transparency) 등의 정교한 그래픽 기능을 지원한다.
- 기본 측정 단위가 픽셀이 아니라서 그 어떤 DPI(dots per inch; 인치당 도트 수) 설정에서도 응용 프로그램이 제대로 표시된다.
- 동적 레이아웃을 잘 지원한다. 덕분에 응용 프로그램을 현지화(지역화)해도 UI 요소들이 겹칠 위험이 없다.
- 렌더링에 DirectX를 사용하기 때문에 속도가 빠르다. 그래픽 하드웨어 가속을 잘 활용한다.
- 사용자 인터페이스를 '내부 코드' 파일들과는 독립적으로 관리할 수 있는 XAML 파일에 선언적으로 서술할 수 있다. 이는 응용 프로그램의 모양을 기능성에서 분리하는 데 도움이 된다.

그러나 WPF는 크고 복잡해서 학습 곡선이 가파르다.

WPF 응용 프로그램 작성을 위한 형식들은 `System.Windows` 이름공간과 그 아래의 모든 하위 이름공간에 있다(단, `System.Windows.Forms`는 예외이다).

Windows Forms

Windows Forms는 .NET Framework만큼이나 오래된 리치 클라이언트 API이다. WPF에 비해 Windows Forms는 상당히 간단한 기술이지만, 전통적인 Windows 응용 프로그램 작성에 필요한 거의 모든 기능을 제공한다. 구식 응용 프로그램의 유지보수를 위해서는 여전히 이 기술이 필요하다. 물론 WPF에 비해 단점이 많다.

- 컨트롤의 위치와 크기를 픽셀 단위로 지정해야 하기 때문에 DPI 설정이 개발자의 것과는 다른 클라이언트에서는 응용 프로그램의 모양이 깨지기 쉽다.
- 비표준 컨트롤을 그리는 데 쓰이는 API는 GDI+인데, GDI+는 상당히 유연하긴 하지만 넓은 영역을 렌더링할 때 속도가 느리다(또한, 이중 버퍼링을 사용하지 않으면 그리기 영역이 깜박거릴 수 있다).
- 컨트롤들이 진정한 투명성을 지원하지 않는다.
- 동적 레이아웃을 안정적으로 구현하기 어렵다.

마지막 단점을 생각하면 Windows Forms보다는 WPF를 사용하는 것이 훨씬 바람직하다. 심지어 '사용자 체험(UX)'이 아니라 그냥 사용자 인터페이스(UI)만 있으면 되는 업무용 응용 프로그램을 작성할 때에도 그렇다. `Grid` 같은 WPF의 레이아웃 요소들에 복잡한 논리를 적용하지 않아도 레이블들과 텍스트 상자들이 항상 잘 정렬되며, 껌벅임 없이 잘 표시된다. 언어가 바뀌는 지역화를 거쳐도 여전히 그렇다. 게다가 사용자들의 화면 해상도 최소공통분모에 얽매일 필요도 없다. WPF 레이아웃 요소들은 애초에 크기 변화에 잘 적응하도록 설계되었다.

Windows Forms의 장점이라면 배우기가 비교적 쉽다는 점과 아직도 다양한 서드파티 컨트롤들이 지원한다는 점을 들 수 있다.

Windows Forms 형식들은 `System.Windows.Forms` 이름공간(*System.Windows.Forms.dll*)과 `System.Drawing` 이름공간(*System.Drawing.dll*)에 있다. 후자에는 커스텀 컨트롤 그리기에 쓰이는 GDI+ 형식들도 담겨 있다.

WinRT와 Xamarin

엄밀히 말해 .NET Framework의 일부는 아니지만, Windows 8 이상에는 이동기기용 터치 위주 사용자 인터페이스 작성을 위한 WinRT(Windows Runtime)가 포함되어 있다(제1장의 'C#과 WinRT(p.6)' 참고). WinRT의 리치 클라이언트 API는 WPF에서 영감을 얻은 것으로, WPF처럼 XAML으로 레이아웃을 서술한다. WinRT API를 이용해서 작성한 응용 프로그램은 Windows 스토어를 통해서 배포된다(그래서 이런 응용 프로그램들을 'Windows 스토어 앱'이라고 부른다). 관련 이름공간들은 `Windows.UI`와 `Windows.UI.Xaml`이다.

이동기기용 응용 프로그램 개발에 흔히 쓰이는 또 다른 기술로 Xamarin™이 있다. 이 서드파티 제품을 이용하면 Windows Phone은 물론이고 iOS나 Android용 앱도 C#으로 작성할 수 있다.

Silverlight

Silverlight는 주된 .NET Framework의 일부가 아니라 개별적인 프레임워크이다. Silverlight는 .NET Framework의 핵심 기능 중 일부를 포함하고 있으며 웹 브라우저 플러그인 형태로 실행되는 능력을 추가로 갖추었다. Silverlight의 그래픽 모형은 사실상 WPF의 부분집합이며, 이 덕분에 기존 지식을 Silverlight 응용 프로그램 개발에 활용할 수 있다. Silverlight는 웹 브라우저를 위한 작은 크로스플랫폼 다운로드 형태로 제공된다. Macromedia의 Flash와 상당히 비슷하다.

HTML5가 뜨면서 Microsoft는 Silverlight에 대한 지원을 거의 중단한 상태이다.

뒷단(backend) 기술들

ADO.NET

ADO.NET는 관리되는 자료 접근 API이다. 그 이름은 1990년대의 ADO(ActiveX Data Objects)에서 비롯된 것이지만, 기술 자체는 ADO와 완전히 다르다. ADO.NET에는 다음과 같은 주요 저수준 구성요소 두 가지가 들어 있다.

공급자 계층

ADO.NET의 공급자(provider) 모형은 데이터베이스 공급자에 대한 저수준 접근을 위한 공통의 클래스들과 인터페이스들을 정의한다. 데이터베이스 연결, 명령, 어댑터, 판독기(reader; 데이터베이스에 대한 전진 전용, 읽기 전용 커서)를 위한 인터페이스들이 있다. Microsoft SQL Server에 대한 지원은 .NET Framework 자체에 내장되어 있고, 그 밖의 데이터베이스들에 대한 서드파티 드라이버들도 많이 있다.

DataSet 모형

DataSet은 구조화된 자료 캐시이다. 테이블, 행, 열, 관계, 제약, 뷰 같은 SQL 요소들을 정의한다는 점에서 기본적인 형태의 메모리 내부 데이터베이스(in-memory database)와 비슷하다. 프로그램에서 이런 자료 캐시를 활용하면 서버와의 자료 교환 횟수를 줄일 수 있으므로 서버의 규모가변성과 리치 클라이언트 UI의 반응성이 좋아진다. DataSet은 직렬화를 지원하며, 클라이언트와 서버 응용 프로그램이 연결을 통해서 주고받을 수 있도록 설계되었다.

공급자 계층 위에는 다음 두 API가 놓여 있다. 이들은 LINQ를 통해서 데이터베이스를 질의하는 기능을 제공한다.

- Entity Framework (.NET Framework 3.5 SP1에서 도입됨)
- LINQ to SQL (.NET Framework 3.5에서 도입됨)

두 기술 모두 *ORM*(object/relational mapping; 객체-관계형 데이터베이스 대응)을 포함한다. 즉, 이들은 자동으로 C# 프로그램 안의 객체들을 데이터베이스의 행들에 대응시킨다. 이 덕분에 SQL `select` 문을 작성할 필요 없이 LINQ를 이용해서 객체들에 대해(따라서 데이터베이스에 대해) 질의를 수행할 수 있으며, SQL `insert`/`delete`/`update` 문을 작성하지 않고 객체들을(따라서 데이터베이스

행들을) 갱신할 수 있다. 이를 활용하면 응용 프로그램의 자료 접근층의 코드(특히 '배관(plumbing)' 코드)를 줄일 수 있으며, 강한 정적 형식 안전성도 얻을 수 있다. 또한, 이 기술들을 이용하면 DataSet을 자료 저장소로 사용해야 하는 필요성도 없어진다. 비록 DataSet이 상태 변화를 저장하고 직렬화하는 독특한 기능(다층 응용 프로그램에 특히나 유용한)을 제공하긴 하지만, 일반적인 자료 저장과 접근이라면 이 기술들이 더 낫다. 필요하다면 Entity Framework나 LINQ to SQL을 DataSet과 함께 사용할 수도 있다. 그러나 그 과정이 다소 지저분하고, 본질적으로 DataSet을 다루기가 좀 까다롭다. 다른 말로 하면, Microsoft의 ORM을 이용해서 *n*층 응용 프로그램을 간편하게 작성할 수 있는 '기성(out-of-the-box)' 해법은 아직 없다.

LINQ to SQL은 Entity Framework보다 간단하고 빠르다. 그리고 예전부터 더 나은 SQL을 생성했다(비록 Entity Framework이 더 많은 업데이트로 향상되긴 했지만). Entity Framework의 장점은 유연성이다. 데이터베이스와 질의할 클래스들 사이의 대응 관계(매핑)를 LINQ to SQL보다 더 정교하게 만들 수 있으며, SQL Server 이외의 데이터베이스를 위한 서드파티 라이브러리를 사용할 수 있는 모형을 제공한다.

Windows Workflow

Windows Workflow는 오랫동안 실행될 가능성이 있는 업무 프로세스의 모형화와 관리를 위한 프레임워크이다. 표준 런타임 라이브러리를 표방하는 Windows Workflow는 일관성과 상호운용성을 제공한다. 또한, Windows Workflow는 동적으로 제어되는 의사결정 트리(decision-making tree)를 좀 더 적은 양의 코드로 구현하는 데 도움이 된다.

Windows Workflow가 전적으로 뒷단 기술인 것은 아니다. 다른 곳에도(이를테면 UI의 페이지 흐름 등) 얼마든지 사용할 수 있다.

Windows Workflow는 .NET Framework 3.0에서 처음 도입되었다. 해당 형식들은 `System.WorkFlow` 이름공간에 있다. .NET Framework 4.0에서는 Windows Workflow가 크게 개정되었는데, 새로운 형식들은 `System.Activities` 이름공간과 그 하위 이름공간들에 들어 있다.

COM+과 MSMQ

.NET Framework의 `System.EnterpriseServices` 이름공간에 있는 형식들을 이용하면 분산 트랜잭션 같은 서비스를 COM+과 연동해서 구현할 수 있다. 또한, `System.Messaging`에 있는 형식들을 이용하면 비동기 단방향 메시징을 위한 MSMQ(Microsoft Message Queuing)도 사용할 수 있다.

분산 시스템 기술

WCF

WCF(Windows Communication Foundation)는 .NET Framework 3.0에 도입된 정교한 통신 기반구조이다. WCF는 유연성과 구성 능력이 좋기 때문에 그 전신인 Remoting을 완전히 대체할 수 있으며, 또 다른 전신인 Web Services(.ASMX)도 거의 대체할 수 있다.

WCF와 Remoting, Web Services는 클라이언트와 서버 사이의 통신을 위한 동일한 기본 모형을 구현한다는 공통점이 있다. 그 모형은 다음과 같다.

- 서버에서는 원격 클라이언트 응용 프로그램이 호출하길 원하는 메서드들을 공표한다.
- 클라이언트에서는 그중 호출하고자 하는 서버 메서드의 **서명**을 지정 또는 추론한다.
- 서버와 클라이언트 모두, 원하는 전송 및 통신 프로토콜을 선택한다(WCF에서는 이것이 **바인딩**을 통해서 일어난다).
- 클라이언트가 서버에 연결한다.
- 클라이언트가 원격 메서드를 호출한다. 메서드는 서버에서 투명하게 실행된다.

WCF는 클라이언트와 서버의 결합도를 서비스 계약과 자료 계약을 통해서 더욱 낮춘다. 개념적으로, 클라이언트는 원격 **메서드**를 직접 호출하는 것이 아니라 원격 **서비스**의 한 종점(endpoint)에 메시지(이진 또는 XML)를 보낸다. 이러한 분리(decoupling)의 한 가지 장점은, 클라이언트가 .NET 플랫폼이나 독점적인 통신 프로토콜들에 얽매일 필요가 없다는 것이다.

WCF는 구성 능력이 아주 좋다. 또한, 관련 기술 중 표준화된 메시징 프로토콜들(WS-* 프로토콜들도 포함해서)을 가장 광범위하게 지원하는 것이 바로 WCF

이다. 이 덕분에 독자가 만든 프로그램이 그와는 다른 소프트웨어들(잠재적으로 다른 플랫폼에서 실행되는)과 통신할 수 있으며, 그러면서도 암호화 같은 고급 기능들을 여전히 사용할 수 있다. 그러나 현실적으로 이런 프로토콜들은 너무 복잡하기 때문에 이를 지원하는 다른 플랫폼들이 많지 않다. 그래서 현재로서는, 상호운용적 메시징을 위한 가장 나은 선택은 HTTP 기반 REST이다. Microsoft는 ASP.NET 위의 Web API 계층을 통해서 REST를 지원한다.

그러나 .NET 대 .NET 통신의 경우에는 WCF가 REST API들보다 더 풍부한 직렬화 기능과 더 나은 도구들을 지원한다. 또한, WCF는 HTTP에 얽매이지 않고 이진 직렬화를 사용할 수 있으므로 잠재적으로 더 빠르다.

WCF를 이용한 통신에 쓰이는 형식들은 `System.ServiceModel` 이름공간과 그 하위 이름공간들에 있다.

Web API

ASP.NET 위에서 실행되는 한 계층인 Web API는 구조가 Microsoft의 MVC API와 비슷하다. 단, 웹 페이지가 아니라 서비스와 자료를 제공하도록 설계되었다는 점이 다르다. WCF에 비한 장점은 대중적인 HTTP 기반 REST 규약을 따를 수 있다는 것이다. 그러면 최대한 많은 플랫폼과의 상호운용성을 손쉽게 얻을 수 있다.

내부적으로, REST를 이용한 구현이 WCF가 상호운용성을 위해 의존하는 SOAP나 WS-* 프로토콜들을 이용한 구현보다 더 간단하다. 또한, 느슨히 결합된 시스템에서는 REST API들의 구조가 더 우아하다. REST API는 업계의 사실상 표준들에 기초하며, HTTP가 이미 제공하는 기능들을 아주 잘 활용한다.

Remoting과 .ASMX Web Services

Remoting과 .ASMX Web Services는 WCF의 전신들이다. Remoting으로 할 수 있는 거의 모든 일을 WCF로 할 수 있으며, .ASMX Web Services로 할 수 있는 모든 일을 WCF로 할 수 있다.

Remoting에 아직 남아 있는 '틈새시장'은, 같은 프로세스 안의 응용 프로그램 도메인들(제24장 참고) 사이의 통신이다. Remoting은 강하게 결합된 응용 프로그램들 사이의 통신을 염두에 두고 설계되었다. 전형적인 예는, 클라이언트와 서버 둘 다 동일한 회사가(또는, 같은 어셈블리들을 공유하는 회사들이) 작성한 .NET 응용 프로그램들인 경우이다. 그런 경우에서 통신은 흔히 복잡한 커스텀 .NET 객체들을 주고받는 식으로 일어난다. 이때 직렬화와 역직렬화를 Remoting 기반구조가 알아서 처리해 주므로 프로그래머가 따로 개입할 필요가 없다.

Remoting 관련 형식들은 `System.Runtime.Remoting` 이름공간과 그 하위 이름공간들에, Web Services 관련 형식들은 `System.Web.Services` 이름공간과 그 하위 이름공간들에 있다.

6장

C# 6.0 in a Nutshell

.NET Framework의 기초

C#으로 프로그램을 작성하는 데 필요한 핵심 기능 중 다수는 C# 언어 자체가 아니라 .NET Framework의 형식들이 제공한다. 이번 장에서는 가상 상등 비교, 순서(대소) 비교, 형식 변환 같은 근본적인 프로그래밍 작업에서 .NET Framework가 차지하는 역할을 살펴본다. 또한 `String`과 `DateTime`, `Enum` 같은 기본적인 .NET Framework 형식들도 설명한다.

이번 장에서 다루는 형식들은 `System` 이름공간에 있다. 단, 다음은 예외이다.

- `StringBuilder`는 `System.Text`에 정의되어 있다. `System.Text`에는 텍스트 부호화(text encodings)를 위한 형식들도 있다.
- `CultureInfo`와 관련 형식들은 `System.Globalization`에 정의되어 있다.
- `XmlConvert`는 `System.Xml`에 정의되어 있다.

문자열과 텍스트 처리

Char

.NET Framework `System.Char` 구조체의 별칭인 C#의 `char`는 유니코드 문자 하나를 나타내는 형식이다. `char` 리터럴을 표기하는 방법은 제2장에서 설명했다. 예를 들면 다음과 같다.

```
char c = 'A';
char newLine = '\n';
```

System.Char에는 문자를 다루는 다양한 정적 메서드가 정의되어 있다. 이를테면 ToUpper, ToLower, IsWhiteSpace가 그것이다. 이들을 System.Char 형식은 물론, 그 별칭인 char에 대해서도 호출할 수도 있다.

```
Console.WriteLine (System.Char.ToUpper ('c'));    // C
Console.WriteLine (char.IsWhiteSpace ('\t'));     // True
```

ToUpper와 ToLower는 최종 사용자의 로캘locale 설정을 존중하는데, 이 때문에 미묘한 버그가 생길 수 있다. 예를 들어 터키어 환경에서는 다음 표현식이 false로 평가된다.

```
char.ToUpper ('i') == 'I'
```

이는 터키어 환경에서 char.ToUpper ('i')가 'İ'이기 때문이다(상단의 점에 주목!). 이런 문제를 피하기 위해, System.Char는(그리고 System.String은) ToUpper와 ToLower의 문화권 불변(culture-invariant) 버전들도 제공한다. 그 버전들은 메서드 이름이 *Invariant*로 끝나며, 항상 영어권 규칙을 적용한다.

```
Console.WriteLine (char.ToUpperInvariant ('i'));    // I
```

다음은 위의 문장을 좀 더 명시적으로 표현한 것이다.

```
Console.WriteLine (char.ToUpper ('i', CultureInfo.InvariantCulture))
```

로캘과 문화권 설정에 관해서는 이번 장의 '서식화와 파싱(p.300)'에서 좀 더 설명한다.

char의 나머지 정적 메서드들은 대부분 문자 범주의 분류에 관한 것들이다. 표 6-1에 그 메서드들이 나와 있다.

표 6-1 문자 범주 분류를 위한 정적 메서드들

정적 메서드	포함되는 문자들	해당 유니코드 범주
IsLetter	영문(로마자) A-Z, a-z와 기타 알파벳들의 글자들	UpperCaseLetter LowerCaseLetter TitleCaseLetter ModifierLetter OtherLetter
IsUpper	대문자	UpperCaseLetter
IsLower	소문자	LowerCaseLetter

정적 메서드	포함되는 문자들	해당 유니코드 범주
IsDigit	0-9와 기타 알파벳들의 숫자들	DecimalDigitNumber
IsLetterOrDigit	글자와 숫자	(IsLetter, IsDigit)
IsNumber	모든 숫자와 유니코드 분수 문자 및 로마 숫자 기호	DecimalDigitNumber LetterNumber OtherNumber
IsSeparator	빈칸(space)과 모든 유니코드 분리자 문자	LineSeparator ParagraphSeparator
IsWhiteSpace	모든 분리자(separator)와 \n, \r, \t, \f, \v	LineSeparator ParagraphSeparator
IsPunctuation	서구어와 기타 알파벳들에서 문장부호로 쓰이는 기호들	DashPunctuation ConnectorPunctuation InitialQuotePunctuation FinalQuotePunctuation
IsSymbol	그 밖의 대부분의 인쇄 가능 기호들	MathSymbol ModifierSymbol OtherSymbol
IsControl	0x20 미만의 인쇄 불가능 '제어 문자'들(\r, \n, \t, \0 등)과 0x7F에서 0x9A 사이의 문자들	(없음)

좀 더 세밀한 분류를 위해 char는 GetUnicodeCategory라는 정적 메서드를 제공한다. 이 메서드는 UnicodeCategory 열거형 상수 멤버를 돌려주는데, 표 6-1의 제일 오른쪽 열에 나온 것이 바로 그 상수 멤버들이다.

char를 명시적으로 정수로 캐스팅함으로써, 유니코드 문자집합에 속하지 않는 문자 값을 char 변수에 배정하는 것도 가능하다. 주어진 문자가 유효한 유니코드 문자인지 알고 싶으면 char.GetUnicodeCategory 메서드를 사용하면 된다. 이 메서드를 호출한 결과가 UnicodeCategory.OtherNotAssigned이면 유효한 문자가 아닌 것이다.

char의 너비는 16비트이다. 이는 **기본 다국어 평면**(Basic Multilingual Plane, BMP)에 있는 모든 유니코드 문자를 표현하기에 충분한 크기이다. 그 밖의 문자를 표현하려면 유니코드 대체 쌍(surrogate pair; 또는 대리 쌍)을 사용해야 한다. 이 방법은 이번 장의 '텍스트 부호화와 유니코드(p.278)'에서 설명한다.

String

System.String의 별칭인 C#의 string은 불변이(immutable, 즉 변경 불가) 문자열이다. 제2장에서는 문자열 리터럴 표기 방법과 두 문자열의 상등 비교 및 결합(연결) 방법을 이야기했다. 이번 절에서는 문자열을 다루는 나머지 기능들을 설명한다. 이 기능들은 대부분 System.String 클래스의 정적 멤버들과 인스턴스 멤버들이 제공한다.

문자열 생성

문자열을 생성하는 가장 간단한 방법은 제2장에서처럼 그냥 문자열 리터럴을 배정하는 것이다.

```
string s1 = "Hello";
string s2 = "First Line\r\nSecond Line";
string s3 = @"\\server\fileshare\helloworld.cs";
```

같은 문자가 여러 번 되풀이된 문자열을 원한다면 다음과 같이 인수를 두 개 받는 string의 생성자를 사용하면 된다.

```
Console.Write (new string ('*', 10));      // **********
```

또한, 다음 예처럼 char 배열로부터 문자열을 생성할 수도 있다. 반대로 문자열을 char 배열로 바꿀 수도 있는데, ToCharArray 메서드를 사용하면 된다.

```
char[] ca = "Hello".ToCharArray();
string s = new string (ca);              // s = "Hello"
```

string은 여러 (비안전) 포인터 형식들을 받는 생성자들도 제공한다. 이들을 이용해서, 이를테면 char* 같은 형식으로부터 문자열을 만들어 낼 수 있다.

널과 빈 문자열

빈(empty) 문자열이란 길이가 0인 문자열이다. 빈 문자열은 리터럴을 이용해서 만들 수도 있고 정적 string.Empty 필드를 이용해서 만들 수도 있다. 주어진 문자열이 빈 문자열인지는 상등 비교로 판정할 수도 있고 Length 속성으로 판정할 수도 있다.

```
string empty = "";
Console.WriteLine (empty == "");              // True
Console.WriteLine (empty == string.Empty);    // True
Console.WriteLine (empty.Length == 0);        // True
```

string은 참조 형식이므로 null을 배정할 수도 있다.

```
string nullString = null;
Console.WriteLine (nullString == null);        // True
Console.WriteLine (nullString == "");          // False
Console.WriteLine (nullString.Length == 0);    // NullReferenceException
```

주어진 문자열이 널이어도 되고 빈 문자열이어도 되는 경우에는 정적 string.IsNullOrEmpty 메서드가 유용하다.

문자열 안의 문자에 접근

문자열의 인덱서는 주어진 색인 위치에 있는 문자 하나를 돌려준다. 문자열에 대해 작동하는 다른 모든 함수와 마찬가지로, 첫 문자의 색인은 0이다.

```
string str  = "abcde";
char letter = str[1];        // letter == 'b'
```

string은 또한 IEnumerable<char>도 구현하므로 foreach를 이용해서 문자들을 훑을 수 있다.

```
foreach (char c in "123") Console.Write (c + ",");    // 1,2,3,
```

문자열 내부 검색

문자열 안에서 뭔가를 찾는 가장 간단한 방법은 StartsWith나 EndsWith, Contains 메서드를 사용하는 것이다. 이들은 모두 true 또는 false를 돌려준다.

```
Console.WriteLine ("quick brown fox".EndsWith ("fox"));      // True
Console.WriteLine ("quick brown fox".Contains ("brown"));    // True
```

StartsWith와 EndsWith에는 대소문자 구분 여부와 문화권 구분 여부(이번 장의 '서수 비교와 문화권 감지 비교(p.274) 참고)를 위해 StringComparison 열거형이나 CultureInfo 객체를 받는 중복적재 버전이 있다. 그런 인수를 받지 않는 기본 버전은 현재(지역화된) 문화권 설정 규칙에 기초해서 대소문자 구분 없는 검색을 수행한다. 반면 다음은 대소문자 구분 없이 **불변** 문화권을 기준으로 검색을 수행한다.

```
"abcdef".StartsWith ("abc", StringComparison.InvariantCultureIgnoreCase)
```

Contains 메서드는 이런 편의용 중복적재를 제공하지 않는다. 대신 IndexOf 메서드를 이용해서 같은 결과를 얻을 수 있다.

IndexOf는 좀 더 강력하다. 이 메서드는 주어진 문자 또는 부분 문자열이 처음 출현한 위치의 색인을 돌려준다(그런 부분 문자열이 없으면 -1을 돌려준다).

```
Console.WriteLine ("abcde".IndexOf ("cd"));   // 2
```

IndexOf에는 StringComparison 열거형과 함께 검색 시작 위치를 지정하는 startPosition 매개변수를 받는 중복적재 버전이 있다.

```
Console.WriteLine ("abcde abcde".IndexOf ("CD", 6,
                   StringComparison.CurrentCultureIgnoreCase));    // 8
```

LastIndexOf는 IndexOf와 같되, 문자열을 끝에서부터 거꾸로 검색한다는 점이 다르다.

IndexOfAny는 주어진 문자들 중 임의의 하나가 처음 등장하는 위치를 돌려준다.

```
Console.Write ("ab,cd ef".IndexOfAny (new char[] {' ', ','} ));       // 2
Console.Write ("pas5w0rd".IndexOfAny ("0123456789".ToCharArray() ));  // 3
```

LastIndexOfAny는 같은 일을 역방향으로 수행한다.

문자열 조작

String 형식의 문자열은 불변이 객체이므로, 문자열을 '조작'하는 모든 메서드는 새로운 문자열 인스턴스를 돌려준다. 원본은 변경되지 않는다. (문자열 변수에 문자열을 다시 배정하는 경우에도 마찬가지이다.)

Substring 메서드는 문자열의 일부를 추출해서 돌려준다.

```
string left3 = "12345".Substring (0, 3);     // left3 = "123";
string mid3  = "12345".Substring (1, 3);     // mid3 = "234";
```

길이(마지막 인수)를 생략하면 문자열의 나머지 부분을 얻게 된다.

```
string end3  = "12345".Substring (2);        // end3 = "345";
```

Insert 메서드와 Remove 메서드는 주어진 위치에(서) 문자들을 삽입, 삭제한다.

```
string s1 = "helloworld".Insert (5, ", ");    // s1 = "hello, world"
string s2 = s1.Remove (5, 2);                 // s2 = "helloworld";
```

PadLeft와 PadRight는 문자열이 주어진 길이가 될 때까지 지정된 문자를 문자열 앞 또는 뒤에 채워 넣는다(아무 문자도 지정하지 않으면 빈칸이 채워진다).

```
Console.WriteLine ("12345".PadLeft (9, '*'));  // ****12345
Console.WriteLine ("12345".PadLeft (9));       //     12345
```

입력 문자열이 지정된 길이보다 길면 원래의 문자열이 그대로(변경 없이) 반환된다.

TrimStart와 TrimEnd는 문자열의 시작과 끝에서 지정된 문자들을 제거한다. Trim은 양쪽에서 제거한다. 기본적으로 이 함수들은 공백 문자들(빈칸, 탭, 새 줄, 그리고 이들의 유니코드 변종들)을 제거한다.

```
Console.WriteLine ("  abc \t\r\n ".Trim().Length);   // 3
```

Replace는 첫 인수로 지정된 문자 또는 부분 문자열의 모든(겹치지 않는) 출현들을 둘째 인수로 지정된 문자열로 대체한다.

```
Console.WriteLine ("to be done".Replace (" ", " | ") );  // to | be | done
Console.WriteLine ("to be done".Replace (" ", "")    );  // tobedone
```

ToUpper와 ToLower는 입력 문자열의 대문자 버전과 소문자 버전을 돌려준다. 기본적으로 이 메서드들은 최종 사용자의 현재 언어 설정을 존중한다. 반면 ToUpperInvariant와 ToLowerInvariant는 항상 영어 알파벳 규칙을 적용한다.

문자열의 분할과 결합

Split은 하나의 문자열을 여러 조각으로 분할한다.

```
string[] words = "The quick brown fox".Split();

foreach (string word in words)
  Console.Write (word + "|");    // The|quick|brown|fox|
```

기본적으로 Split는 공백 문자들을 구분자(delimeter)로 사용하지만, char 또는 string 구분자들의 params 배열을 받는 중복적재 버전도 제공한다. Split에는 또한 StringSplitOptions 열거형 형식의 선택적 매개변수도 있는데, 이 매개변수는 빈 항목들의 제거 여부를 결정한다. 이것은 한 문자열 안에 구분자들이 연달아 나올 수 있는 문자열을 다룰 때 유용하다.

정적 Join 메서드는 Split과 정반대의 일을 수행한다. 이 메서드는 구분자 하나와 문자열 배열을 받는다.

```
string[] words = "The quick brown fox".Split();
string together = string.Join (" ", words);      // The quick brown fox
```

정적 Concat 메서드는 Join과 비슷하되 params 문자열 배열 하나만 받고, 구분자는 적용하지 않는다. Concat는 + 연산자와 정확히 동등하다(실제로 컴파일러는 +를 Concat로 바꾸어 컴파일한다).

```
string sentence     = string.Concat ("The", " quick", " brown", " fox");
string sameSentence = "The" + " quick" + " brown" + " fox";
```

String.Format과 복합 서식 문자열

여러 변수 값을 서식 문자열의 특정 위치에 끼워 넣은 형태의 문자열을 구축할 때 편리한 수단이 바로 정적 Format 메서드이다. 그 어떤 형식의 변수 값도 문자열에 내장할 수 있다. Format 메서드는 그냥 주어진 값에 대해 ToString을 호출해서 문자열을 얻는다.

값들을 내장할 전체 패턴에 해당하는 문자열을 **복합 서식 문자열**(composite format string)이라고 부른다. String.Format을 호출할 때에는 값들이 내장될 위치를 나타내는 '변수'들이 포함된 복합 서식 문자열 다음에 그 위치 변수들에 대입할 값들을 지정한다. 다음이 그러한 예이다.†

```
string composite = "It's {0} degrees in {1} on this {2} morning";
string s = string.Format (composite, 35, "Perth", DateTime.Now.DayOfWeek);

// s == "It's 35 degrees in Perth on this Friday morning"
```

(35도는 섭씨 단위임!)

C# 6에서부터는 보간된 문자열 리터럴로도 이런 효과를 얻을 수 있다(제2장의 '문자열 형식(p.47)' 참고). 다음처럼 문자열을 $ 기호로 시작하고, 원하는 표현식을 중괄호로 감싸서 문자열 안에 내장하면 된다.

```
string s = $"It's hot this {DateTime.Now.DayOfWeek} morning";
```

† (옮긴이) 기본 언어가 한국어인 환경에서도 DateTime.Now.DayOfWeek가 "금요일"이 아니라 "Friday"로 변환된다는 점을 주의하기 바란다. 이는 DateTime.Now.DayOfWeek 속성의 형식인 DayOfWeek 열거형에 대한 ToString 메서드가 현재 로캘 설정을 무시하기 때문이다. '금' 같은 지역화된 요일 이름을 얻으려면 로캘이나 문화권을 존중하는 문자열 변환 메서드를 사용해야 하는데, 관련 내용이 이번 장에 나온다.

복합 서식 문자열 안에서 중괄호로 감싼 번호를 **서식 항목**(format item)이라고 부른다. 서식 항목들의 번호는 복합 서식 문자열 다음에 지정된 인수들의 위치에 대응된다. 인수 번호 다음에 다음과 같은 요소를 추가할 수도 있다.

- 쉼표와 **최소 너비** 수치
- 콜론(:)과 **서식 문자열**

최소 너비는 출력의 열(column)을 정렬(alignment)하는 데 유용하다. 음수를 지정하면 해당 자료가 왼쪽으로 정렬되고, 양수를 지정하면 오른쪽으로 정렬된다. 다음 예를 보자.

```
string composite = "Name={0,-20} Credit Limit={1,15:C}";

Console.WriteLine (string.Format (composite, "Mary", 500));
Console.WriteLine (string.Format (composite, "Elizabeth", 20000));
```

이 코드의 출력은 다음과 같다.

```
Name=Mary                Credit Limit=        ₩500
Name=Elizabeth           Credit Limit=     ₩20,000
```

다음은 `string.Format`을 사용하지 않고 같은 결과를 내는 예이다.

```
string s = "Name=" + "Mary".PadRight (20) +
           " Credit Limit=" + 500.ToString ("C").PadLeft (15);
```

`Credit Limit=` 항목의 원화 표시는 서식 문자열 `"C"` 때문에 나타난 것이다. 서식 문자열에 관해서는 이번 장의 '서식화와 파싱(p.300)'에서 상세하게 설명한다.

문자열 비교

두 값을 비교할 때 .NET Framework는 **상등 비교**(equality comparison)와 **순서 비교**(order comparision; 또는 대소 비교)를 구분한다. 상등 비교는 두 인스턴스가 의미론적으로 같은지 판정한다. 반면 순서 비교는 두 인스턴스를 내림차순 또는 오름차순으로 나열할 때 두 인스턴스 중 어떤 것이 더 앞에 와야 하는지 판정한다(둘 중 어떤 것도 더 앞에 오지 않는다는 결과가 날 수도 있다).

상등 비교가 순서 비교의 **부분집합**인 것은 아니다. 두 비교 체계는 그 목적이 다르다. 예를 들어 서로 같지 않은 두 값의 순서가 동일할 수도 있다. 이 주제에 관해서는 이번 장의 '상등 비교(p.335)'에서 좀 더 이야기하겠다.

문자열 상등 비교에는 == 연산자를 사용할 수도 있고 string의 Equals 메서드들 중 하나를 사용할 수도 있다. 후자가 대소문자 구분 여부 같은 옵션들을 지정할 수 있다는 점에서 좀 더 유연하다.

> 또 다른 차이점은, object 형식으로 캐스팅한 문자열 인스턴스들에 대해서는 == 연산자의 결과가 신뢰성이 좀 떨어진다는 점이다. 왜 그런지는 이번 장의 '상등 비교'에서 설명한다.

문자열 순서 비교에는 인스턴스 메서드인 CompareTo나 정적 메서드인 Compare 또는 CompareOrdinal을 사용할 수 있다. 이들은 첫 문자열이 둘째 문자열보다 앞이어야 하면 양수, 뒤여야 하면 음수, 같은 위치이어야 하면 0을 돌려준다.

각 방법을 세부적으로 살펴보기 전에, 먼저 .NET의 근본적인 문자열 비교 알고리즘들부터 이해할 필요가 있다.

서수 비교와 문화권 감지 비교

기본적인 문자열 비교 알고리즘은 크게 두 가지로 나뉘는데, 하나는 **서수**(ordinal) 비교이고 또 하나는 **문화권 감지**(culture-sensitive) 비교이다. 서수 비교에서는 문자들을 그냥 수치로 해석해서(해당 유니코드 부호 수치 값에 따라) 비교한다. 문화권 감지 비교에서는 문자들을 특정 알파벳을 기준으로 해석한다. 특별한 문화권 설정이 두 가지 있는데, 하나는 '현재 문화권'이고 또 하나는 '불변 문화권(invariant culture)'이다. 전자는 최종 사용자가 선택한(자신의 컴퓨터의 제어판에서) 설정에 기초한 것이고, 후자는 모든 컴퓨터에서 동일하다(그리고 북미 문화에 아주 가깝다).

상등 비교에서는 서수 비교 알고리즘과 문화권 감지 비교 알고리즘이 모두 유용하다. 그러나 순서 비교에서는 거의 항상 문화권 감지 비교가 더 낫다. 문자열을 알파벳순으로 정렬하려면 기준이 되는 알파벳이 있어야 한다. 서수 비교는 유니코드 부호의 수치 값에 의존한다. 영문자들의 수치 값들은 알파벳순으로 되어 있지만, 그래도 일상적인 의미의 알파벳순과는 다른 결과가 나온다. 예를 들어 문자열 "Atom", "atom", "Zamia"를 대소문자를 구분해서 알파벳 오름차순으로 정렬한다고 하자. 불변 문화권을 기준으로 하면 다음과 같은 순서가 된다.

```
"Atom", "atom", "Zamia"
```

그러나 서수 비교 방식에서는 다음과 같은 순서가 된다.

```
"Atom", "Zamia", "atom"
```

불변 문화권은 영문 알파벳에 해당하는 알파벳을 기준으로 하며, 그 알파벳은 대문자와 소문자가 연달아 나온다고 간주한다(aAbBcCdD...). 반면 서수 비교 알고리즘에서는 모든 대문자가 모든 소문자보다 앞이다(A...Z, a...z). 이는 1960년대에 고안된 ASCII 문자 집합으로 퇴보한 것에 해당한다.

문자열 상등 비교

이처럼 서수 비교에는 단점이 있지만, string의 == 연산자는 항상 **서수·대소문자 구분** 비교를 수행한다. string.Equals의 중복적재들 중 매개변수가 없는 버전 역시 그런 방식을 사용하는데, string 형식의 '기본' 상등 비교 행동을 정의하는 것이 바로 그 버전이다.

string의 ==와 Equals에 서수 비교 알고리즘을 사용하기로 한 것은, 그 방식이 아주 효율적이고 **결정론적**(deterministic)이기 때문이다. 문자열 상등 비교는 근본적인 연산으로 간주되며, 순서 비교보다 훨씬 자주 수행된다.

'엄격한' 의미에서의 상등 개념은 또한 == 연산자의 일반적 용법과도 부합한다.

문화권 감지 방식이나 대소문자를 구분하지 않는 방식으로 상등을 비교하려면 다음 메서드들을 사용하면 된다.

```
public bool Equals(string value, StringComparison comparisonType);
public static bool Equals (string a, string b,
                           StringComparison comparisonType);
```

정적 버전은 두 문자열 중 하나 또는 둘 다 null일 때에도 작동한다는 장점이 있다. StringComparison은 다음과 같이 정의된 열거형이다.

```
public enum StringComparison
{
  CurrentCulture,              // 대소문자 구분
  CurrentCultureIgnoreCase,
  InvariantCulture,            // 대소문자 구분
  InvariantCultureIgnoreCase,
  Ordinal,                     // 대소문자 구분
  OrdinalIgnoreCase
}
```

다음은 이들을 사용하는 예이다.

```
Console.WriteLine (string.Equals ("foo", "FOO",
                   StringComparison.OrdinalIgnoreCase));   // True

Console.WriteLine ("ü" == "ǖ");                            // False

Console.WriteLine (string.Equals ("ü", "ǖ",
                   StringComparison.CurrentCulture));      // ?
```

(셋째 예제의 결과는 컴퓨터의 현재 언어 설정에 따라 달라진다.)

문자열 순서 비교

String의 CompareTo 인스턴스 메서드는 **문화권 감지·대소문자 구분** 방식으로 순서를 비교한다. == 연산자와는 달리 CompareTo는 서수 비교를 사용하지 않는다. 순서 비교에서는 문화권 감지 알고리즘이 훨씬 유용하다.

이 메서드의 서명은 다음과 같다.

```
public int CompareTo (string strB);
```

CompareTo 인스턴스 메서드는 .NET Framework 전반에서 표준 비교 프로토콜로 쓰이는 제네릭 인터페이스 IComparable를 구현한다. 따라서 string의 CompareTo는 이를테면 정렬된 컬렉션 같은 응용 자료구조에 저장되는 문자열들의 기본적인 순서 관계를 정의한다. IComparable에 대해서는 이번 장의 '순서 비교(p.348)'에서 좀 더 이야기한다.

다른 종류의 비교에는 정적 메서드 Compare나 CompareOrdinal을 사용하면 된다.

```
public static int Compare (string strA, string strB,
                           StringComparison comparisonType);

public static int Compare (string strA, string strB, bool ignoreCase,
                           CultureInfo culture);

public static int Compare (string strA, string strB, bool ignoreCase);

public static int CompareOrdinal (string strA, string strB);
```

마지막 두 메서드는 처음 두 메서드를 좀 더 짧은 구문으로 호출하기 위한 것일 뿐이다.

순서 비교 메서드들은 모두 첫 문자열이 둘째 문자열보다 뒤, 앞, 같은 위치인지에 따라 양수, 음수, 0을 돌려준다.

```
Console.WriteLine ("Boston".CompareTo ("Austin"));    // 1
Console.WriteLine ("Boston".CompareTo ("Boston"));    // 0
Console.WriteLine ("Boston".CompareTo ("Chicago"));   // -1
Console.WriteLine ("ṻ".CompareTo ("ǖ"));              // 0
Console.WriteLine ("foo".CompareTo ("FOO"));          // -1
```

다음은 현재 문화권을 기준으로 대소문자를 구분하지 않는 순서 비교를 수행하는 예이다.

```
Console.WriteLine (string.Compare ("foo", "FOO", true));   // 0
```

현재 문화권의 알파벳이 아닌 다른 알파벳을 사용하고 싶으면 다음처럼 CultureInfo 객체를 지정하면 된다.

```
// CultureInfo는 System.Globalization 이름공간에 정의되어 있다.

CultureInfo german = CultureInfo.GetCultureInfo ("de-DE");
int i = string.Compare ("Müller", "Muller", false, german);
```

StringBuilder 클래스

StringBuilder 클래스(System.Text 이름공간)은 가변이(mutable; 즉 수정 가능) 문자열을 나타낸다. StringBuilder를 이용하면 문자열 전체를 새 문자열로 대체하지 않고도 문자열에 부분문자열을 추가(Append 메서드) 또는 삽입(Insert 메서드)할 수 있고, 문자열의 일부를 삭제(Remove)할 수도 있다.

StringBuilder 생성자 호출 시 원한다면 초기 문자열을 지정할 수 있으며, 초기 내부 용량(기본은 영문자 16개)을 지정할 수도 있다. 문자열이 그보다 더 길어지면 StringBuilder는 그에 맞게 자동으로 자신의 내부 자료구조를 확장한다. 단, 최대 용량(기본은 int.MaxValue)을 넘지는 못한다.

StringBuilder의 인기 있는 용법 하나는 Append를 거듭 호출해서 긴 문자열을 구축하는 것이다. 이 접근방식은 보통의 string 형식 문자열을 되풀이해서 연결하는 것보다 훨씬 효율적이다.

```
StringBuilder sb = new StringBuilder();
for (int i = 0; i < 50; i++) sb.Append (i + ",");
```

최종 결과를 얻으려면 ToString()을 호출해야 한다.

```
Console.WriteLine (sb.ToString());

0,1,2,3,4,5,6,7,8,9,10,11,12,13,14,15,16,17,18,19,20,21,22,23,24,25,26,
27,28,29,30,31,32,33,34,35,36,37,38,39,40,41,42,43,44,45,46,47,48,49,
```

지금 예제에는 i + ","라는 표현식이 있다. 이는 이 예제가 여전히 문자열을 거듭 연결한다는 뜻이다. 그러나 해당 문자열은 길이가 짧을 뿐만 아니라 루프가 반복될때마다 점점 길어지는 것이 아니므로 이 문자열 연결이 성능에 미치는 영향은 미미하다. 그렇긴 하지만, 성능을 극대화하고 싶다면 루프 본문을 다음과 같이 바꾸는 것이 좋다.

```
{ sb.Append (i); sb.Append (","); }
```

AppendLine은 Append와 비슷하되, 새 줄 문자열(Windows의 경우 "\r\n")을 추가한다는 점이 다르다. AppendFormat은 String.Format처럼 복합 서식 문자열을 받는다.

string처럼 StringBuilder에도 Insert, Remove, Replace 메서드(Replace는 string의 Replace처럼 작동한다)가 있다. 또한 StringBuilder는 Length 속성과 개별 문자의 설정/조회를 위한 쓰기 가능 인덱서도 정의한다.

StringBuilder의 내용을 비우려면 새 StringBuilder 인스턴스를 배정하거나 Length 속성을 0으로 설정하면 된다.

StringBuilder의 Length 속성을 0으로 설정해도 **내부** 용량이 줄어들지는 않는다. 따라서 영문자 100만 개를 담고 있는 StringBuilder 인스턴스의 Length를 0으로 설정해도 그 인스턴스는 여전히 약 2MB의 메모리를 차지하게 된다. 그 메모리를 해제하려면 새 StringBuilder 인스턴스를 생성하고, 기존 인스턴스가 범위 밖으로 나가게(쓰레기 수거기가 수거할 수 있도록) 해야 한다.

텍스트 부호화와 유니코드

문자 집합(character set)은 일단의 문자들에 수치 부호를 부여한 것이다. 그런 수치 부호를 **부호점**(code point)이라고 부르기도 한다. 흔히 쓰이는 문자 집합은 두 가지로, 유니코드와 ASCII이다. 유니코드는 약 100만 개의 문자를 담을 수 있는 주소 공간을 가지고 있는데, 현재 그중 10만자 정도가 할당되어 있다. 전세계의 대부분의 구어(spoken language)들이 유니코드에 포함되어 있으며, 몇몇 역사적 언어들과 특수 기호들도 포함되어 있다. ASCII 문자 집합은 유니코드의 처음 128자에 해당하는데, 북미 스타일 키보드에서 볼 수 있는 영문자들과 기호들이 이 ASCII 문자 집합에 속한다. ASCII는 유니코드보다 약 30년 전에 나온 것으로, 문자 하나가 1바이트에 대응된다는 단순함과 효율성 때문에 지금도 종종 쓰인다.

.NET의 형식 체계는 유니코드 문자 집합에 맞게 작동하도록 설계되어 있다. .NET Framework는 암묵적으로 ASCII를 지원하나, 이는 단지 ASCII가 유니코드의 부분집합이기 때문이다.

텍스트 부호화(text encoding)는 문자의 수치 부호점을 그 이진 표현으로 대응시키는 것을 말한다. .NET에서 텍스트 부호화는 주로 텍스트 파일이나 스트림을 다룰 때 중요하게 쓰인다. 텍스트 파일의 내용을 문자열로 읽어 들일 때 **텍스트 부호화기**(text encoder)가 파일의 이진 자료를 내부 유니코드 문자 표현(`char`와 `string` 형식이 기대하는)으로 변환한다. 어떤 텍스트 부호화 방식을 사용하느냐에 따라 표현 가능한 문자들이 달라지며, 텍스트 저장 효율성도 달라진다.

.NET의 텍스트 부호화 방식들은 크게 두 범주로 나뉜다.

- 유니코드 문자를 다른 문자 집합에 대응시키는 부호화들
- 표준 유니코드 부호화 방식을 사용하는 부호화들

첫 범주에는 IBM의 EBCDIC 같은 구식 부호화나 상위 128자 영역에 확장 문자들이 있는 8비트 문자 집합들(유니코드 이진에 널리 쓰였던)로의 부호화가 속한다. ASCII 부호화 역시 이 범주에 해당한다. ASCII 방식은 처음 128자를 부호화하며, 나머지는 폐기한다. 또한 2000년부터 중국에서 작성된(또는 중국에서 팔리는) 응용 프로그램의 필수 표준인 **비구식**(nonlegacy) GB18030도 이 범주에 속한다.

둘째 범주의 부호화 방식들은 UTF-8과 UTF-16, UTF-32(그리고 폐기된 UTF-7)이다. UTF-8은 대부분의 텍스트에서 공간 효율성이 가장 좋은 부호화 방식이다. UTF-8은 한 문자를 **최소 1바이트, 최대 4바이트**로 표현한다. UTF-8은 유니코드의 처음 128자를 1바이트만으로 표현하며, 그래서 ASCII와 호환된다. 텍스트 파일이나 스트림에서 가장 인기 있는 부호화가 UTF-8이다(특히 인터넷에서). UTF-8은 .NET 스트림 입출력의 기본 부호화 방식이다(스트림 입출력뿐만 아니라, 사실 암묵적으로 부호화를 사용하는 거의 모든 것의 기본 부호화 방식이다).

UTF-16은 한 문자를 16비트 워드 하나 또는 두 개로 표현한다. UTF-16은 .NET 내부에서 문자와 문자열을 표현하는 데 쓰인다. 파일을 UTF-16으로 기록하는 프로그램들도 있다.

UTF-32는 유니코드의 각 부호점을 그대로 32비트 수치에 대응시키기 때문에 공간 효율성이 가장 낮다. 그래서 거의 쓰이지 않는다. 그러나 모든 문자가 같은 수의 바이트를 차지하기 때문에 임의 접근이 아주 쉽다는 장점이 있다.

Encoding 객체 얻기

System.Text의 Encoding 클래스는 텍스트 부호화를 캡슐화하는 클래스들의 공통 기반 형식이다. .NET Framework에는 Encoding을 상속한 파생 클래스들이 많이 있는데, 이 파생 클래스들의 목적은 비슷한 특징을 가진 부호화 부류들을 캡슐화하는 것이다. 적절히 설정된 Encoding 객체(Encoding 파생 클래스의 인스턴스)를 얻는 가장 쉬운 방법은 표준 IANA(Internet Assigned Numbers Authority) 문자 집합 이름으로 Encoding.GetEncoding 메서드를 호출하는 것이다.

```
Encoding utf8 = Encoding.GetEncoding ("utf-8");
Encoding chinese = Encoding.GetEncoding ("GB18030");
```

흔히 쓰이는 부호화들에 해당하는 Encoding 객체는 Encoding의 정적 속성들로도 얻을 수 있다.

부호화 이름	Encoding의 정적 속성
UTF-8	Encoding.UTF8
UTF-16	Encoding.Unicode (UTF16이 아님)
UTF-32	Encoding.UTF32
ASCII	Encoding.ASCII

정적 메서드 GetEncodings는 지원되는 모든 부호화 방식들의 목록을 돌려준다. 목록의 각 항목(EncodingInfo 객체)에는 표준 IANA 이름이 들어 있다.

```
foreach (EncodingInfo info in Encoding.GetEncodings())
  Console.WriteLine (info.Name);
```

Encoding 객체를 얻는 또 다른 방법은 구체적인 Encoding 파생 클래스를 직접 인스턴스화하는 것이다. 이 방법에는 생성자 인수들을 통해서 다음과 같은 다양한 옵션을 선택할 수 있다는 장점이 있다.

- 복호화(decoding) 과정에서 유효하지 않은 바이트열을 만났을 때 예외를 던질 것인지의 여부. 기본은 `false`(던지지 않음)이다.
- UTF-16/UTF-32 부호화/복호화 시 최상위 바이트(most significant byte)들을 앞에 둘 것인지 아니면 최하위 바이트(least significant byte)들을 앞에 둘 것인지의 여부. 전자를 **빅엔디안**big endian 방식, 후자를 **리틀엔디안**little endian 방식이라고 부른다. 기본은 Windows 운영체제의 표준인 리틀엔디안이다.
- BOM(byte-order mark; 바이트 순서 표식—파일의 제일 처음에 두는, **엔디안** 방식을 나타내는 바이트열) 적용 여부.

파일 및 스트림 입출력에 대한 Encoding 객체

`Encoding` 객체의 가장 흔한 용도는 파일이나 스트림에서 텍스트를 읽거나 기록하는 방식을 제어하는 것이다. 예를 들어 다음은 *data.txt*라는 파일에 "Testing..." 라는 문자열을 UTF-16 부호화 방식으로 기록하는 코드이다.

```
System.IO.File.WriteAllText ("data.txt", "Testing...", Encoding.Unicode);
```

마지막 인수를 생략하면 `WriteAllText`는 보편적인 UTF-8 부호화를 적용한다.

UTF-8은 모든 파일 및 스트림 입출력의 기본 부호화 방식이다.

이 주제에 관해서는 제15장의 '스트림 적응자(p.794)'에서 좀 더 이야기하겠다.

바이트 배열에 대한 Encoding 객체

문자열과 바이트 배열 사이의 변환에도 `Encoding` 객체를 사용할 수 있다. `GetBytes` 메서드는 `string`을 주어진 부호화 방식에 따라 `byte[]`로 변환한다. `GetString`은 `byte[]`를 `string`으로 변환한다.

```
byte[] utf8Bytes  = System.Text.Encoding.UTF8.GetBytes    ("0123456789");
byte[] utf16Bytes = System.Text.Encoding.Unicode.GetBytes ("0123456789");
byte[] utf32Bytes = System.Text.Encoding.UTF32.GetBytes   ("0123456789");

Console.WriteLine (utf8Bytes.Length);    // 10
Console.WriteLine (utf16Bytes.Length);   // 20
Console.WriteLine (utf32Bytes.Length);   // 40

string original1 = System.Text.Encoding.UTF8.GetString    (utf8Bytes);
string original2 = System.Text.Encoding.Unicode.GetString (utf16Bytes);
string original3 = System.Text.Encoding.UTF32.GetString   (utf32Bytes);
```

```
Console.WriteLine (original1);          // 0123456789
Console.WriteLine (original2);          // 0123456789
Console.WriteLine (original3);          // 0123456789
```

UTF-16과 유니코드 대체 쌍

앞에서 이야기했듯이, .NET은 문자와 문자열을 UTF-16으로 저장한다. 그런데 UTF-16은 문자 하나를 16비트 워드 하나 또는 두 개로 표현하지만 char는 길이가 16비트밖에 되지 않는다. 따라서 일부 유니코드 문자를 표현하려면 char 두 개가 필요하다. 이로부터 다음과 같은 두 가지 결과가 비롯된다.

- 문자열의 Length 속성이 실제 문자 개수보다 클 수 있다.
- 하나의 유니코드 문자를 완전히 표현하는데 항상 char 하나로 충분한 것은 아니다.

대부분의 응용 프로그램은 이 두 사항을 무시한다. 흔히 쓰이는 거의 모든 문자는 유니코드 문자 공간 중 **기본 다국어 평면**(Basic Multilingual Plane, BMP)이라고 부르는 영역에 속하며, 그 평면의 모든 문자는 UTF-16에서 16비트 워드 하나로 표현할 수 있기 때문이다. 이 평면에 속하지 않는 문자들로는 일부 고대 언어 문자들과 음악 표기용 기호들, 그리고 덜 자주 쓰이는 한자漢字들이 있다.

2워드 문자(워드 두 개짜리 문자)를 지원해야 한다면 다음과 같은 char의 정적 메서드들이 필요하다. 첫째 것은 32비트 부호점을 char 두 개짜리 문자열로 변환하고, 둘째 것은 그 반대로 변환한다.

```
string ConvertFromUtf32 (int utf32)
int    ConvertToUtf32   (char highSurrogate, char lowSurrogate)
```

이처럼 한 문자를 워드 두 개로 표현한 것을 **대체 쌍**(surrogate pair)이라고 부른다. 대체 쌍을 식별하는 것은 간단하다. 두 워드 모두 0xD800에서 0xDFFF까지의 값이기 때문이다. 또는 char의 다음과 같은 정적 메서드들을 사용해서 식별할 수도 있다.

```
bool IsSurrogate     (char c)
bool IsHighSurrogate (char c)
bool IsLowSurrogate  (char c)
bool IsSurrogatePair (char highSurrogate, char lowSurrogate)
```

System.Globalization 이름공간의 StringInfo 클래스도 2워드 문자를 다루는 다양한 메서드와 속성을 제공한다.

대체로 BMP 바깥의 문자들은 특별한 글꼴(font)이 있어야 화면에 표시되며, 운영체제의 지원도 제한적이다.

날짜와 시간

System 이름공간에는 날짜와 시간을 표현하는 불변이 구조체가 세 개 있다. 바로 DateTime과 DateTimeOffset, TimeSpan이다. 이에 대응되는 C# 형식 별칭들은 없다.

TimeSpan

TimeSpan은 일정한 길이의 시간 구간(interval of time) 또는 하루 중 시간('시각')을 나타낸다. 후자의 경우에는 그냥 '시계' 시간(날짜는 없는), 즉 자정에서부터 흐른 시간에 해당한다. 여기에 일광절약시간 설정은 반영되지 않는다. TimeSpan의 해상도는 100ns(나노초, 즉 10억분의 1초)이고 최댓값은 약 1천만 일(days)에 해당하는 시간이다. 그리고 양수뿐만 아니라 음수도 지원한다.

TimeSpan 객체를 구축하는 방법은 크게 세 가지이다.

- 생성자 중 하나를 호출한다.
- 정적 From... 메서드 중 하나를 호출한다.
- 두 DateTime 객체를 더하거나 뺀다.

다음은 TimeSpan의 주요 생성자이다.

```
public TimeSpan (int hours, int minutes, int seconds);
public TimeSpan (int days, int hours, int minutes, int seconds);
public TimeSpan (int days, int hours, int minutes, int seconds,
                                                   int milliseconds);
public TimeSpan (long ticks);   // 1틱(tick)은 100ns
```

분이나 초 같은 하나의 단위만으로 시간 구간을 지정할 때에는 다음과 같은 정적 From... 메서드들이 더 편리하다.

```
public static TimeSpan FromDays (double value);
public static TimeSpan FromHours (double value);
public static TimeSpan FromMinutes (double value);
public static TimeSpan FromSeconds (double value);
public static TimeSpan FromMilliseconds (double value);
```

예를 들면 다음과 같다.

```
Console.WriteLine (new TimeSpan (2, 30, 0));     // 02:30:00
Console.WriteLine (TimeSpan.FromHours (2.5));    // 02:30:00
Console.WriteLine (TimeSpan.FromHours (-2.5));   // -02:30:00
```

TimeSpan은 <와 > 연산자를 중복적재하며, +와 - 연산자도 중복적재한다. 다음 표현식은 2.5시간에 해당하는 TimeSpan으로 평가된다.

```
TimeSpan.FromHours(2) + TimeSpan.FromMinutes(30);
```

다음 표현식은 10일에서 1초를 뺀 시간 구간으로 평가된다.

```
TimeSpan.FromDays(10) - TimeSpan.FromSeconds(1);   // 9.23:59:59
```

TimeSpan에는 일, 시, 분, 초, 밀리초에 해당하는 정수 속성 Days, Hours, Minutes, Seconds, Milliseconds가 있다. 다음은 앞의 표현식을 이용해서 이 속성들을 시연하는 예이다.

```
TimeSpan nearlyTenDays = TimeSpan.FromDays(10) - TimeSpan.FromSeconds(1);

Console.WriteLine (nearlyTenDays.Days);          // 9
Console.WriteLine (nearlyTenDays.Hours);         // 23
Console.WriteLine (nearlyTenDays.Minutes);       // 59
Console.WriteLine (nearlyTenDays.Seconds);       // 59
Console.WriteLine (nearlyTenDays.Milliseconds);  // 0
```

한편, 앞의 정수 속성들과는 달리 Total... 속성들은 double 형식의 값을 돌려주기 때문에 해당 요소의 값을 온전하게 표현한다.

```
Console.WriteLine (nearlyTenDays.TotalDays);          // 9.99998842592593
Console.WriteLine (nearlyTenDays.TotalHours);         // 239.999722222222
Console.WriteLine (nearlyTenDays.TotalMinutes);       // 14399.9833333333
Console.WriteLine (nearlyTenDays.TotalSeconds);       // 863999
Console.WriteLine (nearlyTenDays.TotalMilliseconds);  // 863999000
```

정적 Parse 메서드는 ToString과 반대되는 일을 한다. 즉, 문자열을 TimeSpan으로 변환한다. TryParse도 같은 일을 하되, 변환 실패 시 예외를 던지는 대신 false를 돌려준다. XmlConvert 클래스에도 TimeSpan과 문자열 사이의 변환을 수행하는 메서드들이 있는데, 이들은 표준 XML 서식화 규약을 따른다.

TimeSpan의 기본값은 TimeSpan.Zero이다.

TimeSpan으로 하루 중 시간(자정에서부터 흐른 시간)을 나타낼 수 있다. 현재 시간(시각)을 얻으려면 DateTime.Now.TimeOfDay를 호출하면 된다.

DateTime과 DateTimeOffset

DateTime과 DateTimeOffset은 날짜와 시간(선택적)을 나타내는 불변이 구조체들이다. 이들의 해상도는 100ns이고, 범위는 0001년에서 9999년까지 포괄한다.

DateTimeOffset은 .NET Framework 3.5에서 추가되었는데, 근본적으로는 DateTime과 비슷하다. 특징은 UTC 오프셋도 저장한다는 것이다. 이 덕분에 서로 다른 시간대의 값들을 비교할 때 좀 더 의미 있는 결과를 얻을 수 있다.

DateTimeOffset을 도입한 이유를 잘 설명하는 글이 MSDN BCL 블로그에 있다. 제목은 "A Brief History of DateTime" 이고 저자는 앤서니 무어Anthony Moore이다.

DateTime과 DateTimeOffset의 선택

DateTime과 DateTimeOffset은 시간대 처리 방식이 다르다. DateTime에는 DateTime 인스턴스에 담긴 시간의 기준을 나타내는 3상태 플래그가 있다. 가능한 기준 설정은 총 세 가지이다.

- 현재 컴퓨터의 지역 시간
- UTC(협정세계시; 예전의 그리니치 표준시에 해당)
- 기준이 명시되지 않음

DateTimeOffset은 이보다 좀 더 구체적이다. DateTimeOffset은 다음과 같은 UTC 시간으로부터의 오프셋을 하나의 TimeSpan 객체에 저장한다.

```
July 01 2007 03:00:00 -06:00
```

이러한 차이는 상등 비교에 영향을 미친다. DateTime과 DateTimeOffset 중 하나를 선택할 때 주된 고려 사항이 바로 상등 비교 특징이다. 상등 비교와 관련된 둘의 차이를 좀 더 구체적으로 설명하자면 다음과 같다.

- DateTime은 비교 시 3상태 플래그를 무시하고, 만일 두 값의 연, 월, 일, 시, 분 등이 같으면 둘이 같다고 간주한다.
- DateTimeOffset은 두 값이 **시간상의 같은 지점**을 가리킬 때에만 같다고 간주한다.

독자의 응용 프로그램이 한 가지 시간대만 고려한다고 해도, 일광절약시간제(DST)를 시행하는 국가에서 실행된다면 이런 구분이 중요할 수 있다.

예를 들어 DateTime은 다음 두 값이 다르다고 간주하지만 DateTimeOffset은 같다고 간주한다.

```
July 01 2007 09:00:00 +00:00 (GMT)
July 01 2007 03:00:00 -06:00 (중앙아메리카 지역 시간대)
```

대부분의 경우에는 DateTimeOffset의 상등 논리가 바람직하다. 예를 들어 두 국제 행사 중 어느 것이 더 최근인지 계산하는 경우 DateTimeOffset을 사용하면 별다른 처리 없이도 올바른 답을 얻을 수 있다. 마찬가지로 전 세계적인 분산 서비스 거부(DDoS) 공격을 준비하는 해커라면 DateTimeOffset을 선택할 것이다. DateTime으로 같은 일을 하려면 응용 프로그램 전체에서 모든 시간을 특정한 하나의 시간대로(흔히 UTC가 쓰인다) 정규화해야 한다. 이런 접근방식은 문제의 소지가 있는데, 그 이유는 다음 두 가지이다.

- 사용자 친화적인 응용 프로그램을 만들기 위해서는 시간을 표시할 때 UTC 기준 DateTime을 지역 시간대에 맞게 명시적으로 변환해야 한다.
- 지역 DateTime을 항상 UTC 기준으로 정규화하는 것을 까먹기 쉽다.

그러나 실행시점에서 지역 컴퓨터에 상대적인 시간 값을 지정할 때에는 DateTime이 더 낫다. 예를 들어 모든 해외 지사가 각자 다음 일요일 새벽 3시(활동이 가장 적은 시간)에 자료를 백업해야 하는 경우에는 각 지사의 시간대를 기준으로 작동하는 DateTime이 바람직하다.

내부적으로 DateTimeOffset은 분 단위의 UTC 오프셋을 짧은 정수에 저장한다. 지역 정보는 전혀 저장하지 않으므로, 예를 들어 +08:00이라는 오프셋이 싱가포르 시간대인지 퍼스(서호주) 시간대인지는 알 수 없다.

시간대와 상등 비교는 이번 장의 '날짜와 시간대(p.292)'에서 좀 더 이야기하겠다.

DateTimeOffset을 직접 지원하기 위해, SQL Server 2008에는 같은 이름의 새 자료 형식이 도입되었다.

DataTime 객체 생성

DateTime에는 연, 월, 일에 해당하는 정수들을 받는 생성자와 시, 분, 초, 밀리초(ms) 정수들까지 받는 생성자가 있다.

```
public DateTime (int year, int month, int day);

public DateTime (int year, int month, int day,
                 int hour, int minute, int second, int millisecond);
```

날짜 요소들만 지정하는 경우 시간은 암묵적으로 자정(0:00)으로 설정된다.

DateTime은 또한 DateTimeKind 열거형 값을 받는 생성자들도 제공한다. 가능한 값은 다음 세 가지이다.

```
Unspecified, Local, Utc
```

이들은 이전 절에서 말한 3상태 플래그에 대응된다. Unspecified가 기본값으로, 이 경우 DateTime 객체는 시간대를 무시한다. Local은 현재 컴퓨터의 지역 시간대가 기준임을 뜻한다. 지역 DateTime은 현재 컴퓨터의 지역 시간대가 구체적으로 어떤 시간대인지에 대한 정보를 담지 않으며, DateTimeOffset과는 달리 UTC 기준 수치 오프셋도 담지 않는다.

DateTime의 Kind 속성은 설정된 DateTimeKind 값을 돌려준다.

DateTime은 또한 Calendar 객체를 받는 생성자도 제공한다. 이를 통해서 System.Globalization에 정의되어 있는 임의의 Calendar 파생 클래스들을 이용해서 날짜를 지정할 수 있다. 예를 들면 다음과 같다.

```
DateTime d = new DateTime (5767, 1, 1,
                           new System.Globalization.HebrewCalendar());

Console.WriteLine (d);    // 2006-09-23 오전 12:00:00
```

(주석에 제시된 날짜 서식은 하나의 예일 뿐이다. 실제 날짜 서식은 독자의 컴퓨터의 제어판 설정에 따라 다를 수 있다.) DateTime은 항상 기본 그레고리력(Gregorian calendar)†을 사용한다. 지금 예는 주어진 날짜를 객체 생성 도중 히브리력에서 그레고리력으로 변환한다. 다른 역법을 기준으로 계산을 수행하기 위해서는 Calendar 파생 클래스 자체의 메서드들을 사용해야 한다.

† (옮긴이) 흔히 쓰이는 '양력'에 해당한다.

long 형식의 틱 수(ticks)를 지정해서 DateTime 객체를 생성할 수도 있다. 여기서 틱 수는 0001-01-01(서기 1년 1월 1일) 자정(00:00)으로부터 주어진 시간까지 흐른 틱들의 개수이고, 1틱은 100ns(나노초)이다.

상호운용성을 위해 DateTime은 Windows 파일 시간(long 형식의 값으로 지정)과의 변환을 위한 정적 FromFileTime과 FromFileTimeUtc 메서드, 그리고 OLE 자동화 날짜/시간(double 형식의 값으로 지정)과의 변환을 위한 정적 FromOADate 메서드를 제공한다.

문자열로부터 DateTime을 생성할 때에는 정적 Parse 메서드나 ParseExact 메서드를 호출한다. 두 메서드 모두 선택적인 플래그들과 서식 공급자를 받는다. ParseExact는 서식 문자열도 받는다. 파싱에 관해서는 '서식화와 파싱(p.300)'에서 훨씬 자세히 이야기하겠다.

DateTimeOffset 객체 생성

DateTimeOffset에도 앞에서 말한 것과 비슷한 생성자들이 있다. 차이는, UTC 오프셋에 해당하는 TimeSpan도 지정한다는 것이다.

```
public DateTimeOffset (int year, int month, int day,
                       int hour, int minute, int second,
                       TimeSpan offset);

public DateTimeOffset (int year, int month, int day,
                       int hour, int minute, int second, int millisecond,
                       TimeSpan offset);
```

여기서 TimeSpan은 반드시 분 단위로 떨어지는 값이어야 한다. 그렇지 않으면 예외가 발생한다.

DateTimeOffset에도 Calendar 객체나 long 형식의 틱 수를 받는 생성자들이 있으며, 문자열을 받는 정적 Parse/ParseExact 메서드도 있다.

기존의 DateTime으로부터 DateTimeOffset을 생성하는 것도 가능하다. 다음 두 생성자를 이용하거나,

```
public DateTimeOffset (DateTime dateTime);
public DateTimeOffset (DateTime dateTime, TimeSpan offset);
```

다음과 같이 암묵적 변환을 이용하면 된다.

```
DateTimeOffset dt = new DateTime (2000, 2, 3);
```

대부분의 .NET Framework 구성요소들이 DateTimeOffset이 아니라 DateTime을 지원한다는 점에서 DateTime에서 DateTimeOffset으로의 암묵적 형식 변환은 아주 유용하다.

오프셋을 지정하지 않으면(첫 생성자 또는 암묵적 변환) DateTime 값으로부터 다음과 같은 규칙에 따라 오프셋을 결정한다.

- DateTime의 DateTimeKind가 Utc이면 오프셋은 0이다.
- DateTime의 DateTimeKind가 Local이나 Unspecified(기본값)이면 현재 지역 시간대의 오프셋을 사용한다.

반대 방향의 변환을 위해서는 DateTimeOffset의 다음 세 속성을 사용하면 된다. 셋 다 DateTime 객체를 돌려준다.

- UtcDateTime 속성은 UTC 기준의 DateTime을 돌려준다.
- LocalDateTime 속성은 현재 지역 시간대 기준의 DateTime을 돌려준다(필요하다면 시간대를 변환해서).
- DateTime 속성은 지정된 시간대의 DateTime을 돌려준다. 그 DateTime의 Kind는 Unspecified로 설정되어 있다(즉, UTC 시간 더하기 오프셋에 해당하는 DateTime을 돌려준다).

현재 DateTime/DateTimeOffset

DateTime과 DateTimeOffset 모두, 현재 날짜 및 시간을 돌려주는 Now라는 속성이 있다.

```
Console.WriteLine (DateTime.Now);         // 2015-11-11 오후 1:23:45
Console.WriteLine (DateTimeOffset.Now);   // 2015-11-11 오후 1:23:45 +09:00
```

DateTime에는 날짜 부분만 돌려주는 Today라는 속성도 있다.

```
Console.WriteLine (DateTime.Today);       // 2015-11-11 오후 1:23:45
```

정적 UtcNow 속성은 UTC 기준 현재 날짜 및 시간을 돌려준다.

```
Console.WriteLine (DateTime.UtcNow);        // 2015-11-11 오전 4:23:45
Console.WriteLine (DateTimeOffset.UtcNow);  // 2015-11-11 오전 4:23:45 +00:00
```

이 메서드들의 정밀도는 운영체제에 따라 다른데, 대체로 10~20ms 정도이다.

날짜와 시간 다루기

DateTime은 다양한 날짜/시간 요소들을 돌려주는 인스턴스 속성들을 제공한다. DateTimeOffset도 이런 인스턴스 속성들을 제공한다.

```
DateTime dt = new DateTime (2000, 2, 3,
                            10, 20, 30);

Console.WriteLine (dt.Year);         // 2000
Console.WriteLine (dt.Month);        // 2
Console.WriteLine (dt.Day);          // 3
Console.WriteLine (dt.DayOfWeek);    // Thursday
Console.WriteLine (dt.DayOfYear);    // 34

Console.WriteLine (dt.Hour);         // 10
Console.WriteLine (dt.Minute);       // 20
Console.WriteLine (dt.Second);       // 30
Console.WriteLine (dt.Millisecond);  // 0
Console.WriteLine (dt.Ticks);        // 630851700300000000
Console.WriteLine (dt.TimeOfDay);    // 10:20:30  (TimeSpan을 돌려줌)
```

DateTimeOffset에는 TimeSpan 형식의 Offset 속성도 있다.

두 형식 모두, 날짜 계산을 위한 다음과 같은 인스턴스 메서드들을 제공한다(대부분 double이나 int 형식의 인수 하나를 받는다).

```
AddYears  AddMonths   AddDays
AddHours  AddMinutes  AddSeconds  AddMilliseconds  AddTicks
```

이들은 모두 새 DateTime 또는 DateTimeOffset을 돌려주며, 계산 시 윤년 같은 요인들을 고려한다. 뺄셈을 원하면 음의 값을 인수로 넣으면 된다.

Add 메서드는 DateTime이나 DateTimeOffset에 TimeSpan을 더한다. + 연산자도 동일한 연산을 수행하도록 중복적재되어 있다.

```
TimeSpan ts = TimeSpan.FromMinutes (90);
Console.WriteLine (dt.Add (ts));
Console.WriteLine (dt + ts);             // 위와 같음
```

DateTime이나 DateTimeOffset에서 TimeSpan을 뺄 수도 있고, 두 DateTime/DateTimeOffset 사이의 뺄셈도 가능하다.

```
DateTime thisYear = new DateTime (2015, 1, 1);
```

```
DateTime nextYear = thisYear.AddYears (1);
TimeSpan oneYear = nextYear - thisYear;
```

파싱과 서식화

DateTime 객체에 대해 ToString을 호출하면 **짧은 날짜**(년, 월, 일이 숫자로 된) 다음에 **긴 시간**(초 포함)이 오는 형태의 결과가 반환된다. 예를 들면 다음과 같다.†

```
2015-11-11 오전 11:50:30
```

연·월·일의 순서나 선행 0 여부, 12시간 또는 24시간 여부 등은 운영체제의 제어판 설정을 따른다.

DateTimeOffset에 대한 ToString도, 오프셋이 추가된다는 점만 빼고는 동일한 결과를 돌려준다.

```
2015-11-11 오전 11:50:30 +09:00
```

ToShortDateString 메서드와 ToLongDateString 메서드는 날짜 부분만 돌려준다. 후자는 긴 날짜를 돌려주는데, 그 서식은 역시 제어판이 결정한다. 영어권에서는 이를테면 "Wednesday, 11 November 2015" 같은 문자열이 반환된다. ToShortTimeString과 ToLongTimeString은 이를테면 17:10:10같은 시간 부분만 돌려준다(전자는 초 부분이 없음).

방금 설명한 네 메서드는 사실 네 가지 서로 다른 **서식 문자열**들로 ToString을 호출하는 코드의 단축 버전에 해당한다. ToString에는 서식 문자열과 공급자를 받는 중복적재 버전이 있다. 이 버전을 이용하면 다양한 범위의 옵션들을 지정할 수 있으며, 지역 설정이 적용되는 방식도 제어할 수 있다. 이에 관해서는 '서식화와 파싱(p.300)'에서 설명한다.

> **!** DateTime과 DateTimeOffset을 파싱하거나 서식화할 때 문화권 설정들 때문에 의도와는 다른 결과가 나올 수 있다. 이를 피하는 한 가지 방법은 다음처럼 문화권 설정들을 무시하는 서식 문자열(이를테면 "o")을 지정해서 ToString을 호출하는 것이다.

```
DateTime dt1 = DateTime.Now;
string cannotBeMisparsed = dt1.ToString ("o");
DateTime dt2 = DateTime.Parse (cannotBeMisparsed);
```

† (옮긴이) 원서의 출력 예는 북미 문화권 설정이 적용된 11/11/2015 11:50:30 AM -06:00이다. 참고로 11월 11일은 1년 중 선행 0 여부와 무관하게 월과 일의 표현이 같은 유일한 날이다. 예를 들어 1월 1일은 선행 0 설정에 따라서는 "1월 01일"처럼 월과 일의 표현이 달라지지만, 11월 11일은 그럴 수 없다.

정적 Parse/TryParse와 ParseExact/TryParseExact 메서드들은 ToString과 반대되는 변환을 수행한다. 즉, 문자열을 DateTime이나 DateTimeOffset으로 변환한다. 이 메서드들에는 서식 공급자를 받도록 중복적재된 버전들도 있다. Try* 메서드들은 FormatException을 던지는 대신 false를 돌려준다.

널 값을 가진 DateTime과 DateTimeOffset

DateTime과 DateTimeOffset은 구조체이므로 그 자체로 널 가능 형식은 아니다. 널 값이 필요한 상황이라면 다음 두 가지 우회책 중 하나를 사용하면 된다.

- Nullable 형식(즉, DateTime? 또는 DateTimeOffset?)을 사용한다.
- 정적 필드 DateTime.MinValue나 DateTimeOffset.MinValue를 널처럼 사용한다(이 형식들의 기본값에 해당).

일반적으로는 널 가능 형식을 선택하는 것이 최선이다. 컴파일러가 널 관련 실수를 방지해 주기 때문이다. DateTime.MinValue는 C# 2.0 전에(즉, 널 가능 형식이 도입되기 전에) 작성된 코드와의 하위 호환성에 유용하다.

! DateTime.MinValue가 배정된 DateTime 인스턴스에 대해 ToUniversalTime이나 ToLocalTime을 호출하면 그 인스턴스는 더 이상 DateTime.MinValue가 아니게 될 수 있다. 이는 현재 시간대가 UTC의 어느 쪽이냐에 따라 다른데, 만일 딱 UTC이면(즉, 현재 지역 설정이 잉글랜드이고 일광절약시간이 적용되지 않으면) 이런 문제가 발생하지 않는다. 그런 경우에는 지역 시간과 UTC 시간이 동일하기 때문이다. 잉글랜드가 기후는 나쁘지만, 이런 장점도 있다.

날짜와 시간대

이번 절에서는 시간대가 DateTime과 DateTimeOffset에 미치는 영향을 좀 더 자세히 조사한다. 또한, 시간대 오프셋과 일광절약시간에 관한 정보를 제공하는 TimeZone 형식과 TimeZoneInfo 형식도 살펴본다.

DateTime과 시간대

DateTime은 시간대를 아주 단순하게만 처리한다. 내부적으로 DateTime은 두 가지 정보를 저장한다.

- 0001-01-01에서부터 흐른 틱 수를 뜻하는 62비트 수치
- DateTimeKind를 나타내는 2비트 열거형 값(Unspecified나 Local, Utc).

두 DateTime 인스턴스를 비교할 때에는 틱 수만 비교한다. DateTimeKind는 무시된다.

```
DateTime dt1 = new DateTime (2015, 1, 1, 10, 20, 30, DateTimeKind.Local);
DateTime dt2 = new DateTime (2015, 1, 1, 10, 20, 30, DateTimeKind.Utc);
Console.WriteLine (dt1 == dt2);          // True
DateTime local = DateTime.Now;
DateTime utc = local.ToUniversalTime();
Console.WriteLine (local == utc);        // False
```

인스턴스 메서드 ToUniversalTime과 ToLocalTime은 컴퓨터의 현재 시간대 설정에 기초해서 시간을 각각 UTC 시간과 지역 시간으로 변환한다. 이 메서드들은 DateTimeKind가 Utc 또는 Local인 새 DateTime을 돌려준다. 이미 Utc인 DateTime에 대해 ToUniversalTime을 호출하면 아무런 변환도 일어나지 않는다. 이미 Local인 DateTime에 대한 ToLocalTime 호출 역시 아무런 변환도 수행하지 않는다. 그러나 Unspecified인 DateTime에 대해 ToUniversalTime이나 ToLocalTime을 호출하면 변환이 일어난다.

정적 메서드 DateTime.SpecifyKind를 이용하면, 주어진 DateTime과 Kind만 다른 새 DateTime을 생성할 수 있다.

```
DateTime d = new DateTime (2015, 12, 12);  // Unspecified
DateTime utc = DateTime.SpecifyKind (d, DateTimeKind.Utc);
Console.WriteLine (utc);            // 2015-12-12 오전 12:00:00
```

DateTimeOffset과 시간대

내부적으로 DateTimeOffset은 DateTime 필드 하나와 16비트 정수 필드 하나로 구성된다. DateTime 필드의 값은 항상 UTC 기준이며, 정수 필드의 값은 분 단위 UTC 오프셋이다. 두 DateTimeOffset 인스턴스들을 비교할 때에는 DateTime(UTC)만 본다. Offset은 기본적으로 서식화를 위한 것이다.

ToUniversalTime/ToLocalTime 메서드는 시간상의 같은 지점을 나타내는 DateTimeOffset 인스턴스들을 돌려주나, 전자가 돌려주는 인스턴스는 오프셋이 UTC이고 후자는 지역 시간대이다. DateTime과는 달리 이 메서드들은 바탕 날짜/시간 값에 영향을 미치지 않는다. 오직 오프셋에만 영향을 미친다.

```
DateTimeOffset local = DateTimeOffset.Now;
DateTimeOffset utc   = local.ToUniversalTime();
```

```
Console.WriteLine (local.Offset);   // -06:00:00 (중앙아메리카의 경우)
Console.WriteLine (utc.Offset);     // 00:00:00

Console.WriteLine (local == utc);                 // True
```

오프셋까지 고려해서 비교하고 싶다면 EqualsExact 메서드를 사용해야 한다.

```
Console.WriteLine (local.EqualsExact (utc));      // False
```

TimeZone과 TimeZoneInfo

TimeZone 클래스와 TimeZoneInfo 클래스는 시간대 이름, UTC 오프셋, 일광절약시간제 규칙에 관한 정보를 제공한다. 둘 중 TimeZoneInfo가 더 강력하다. TimeZoneInfo는 .NET Framework 3.5에서 도입되었다.

두 형식의 가장 큰 차이점은, TimeZone으로는 현재 지역 시간대에 관한 정보만 얻을 수 있지만 TimeZoneInfo로는 세계의 모든 시간대에 관한 정보를 얻을 수 있다는 점이다. 그리고 일광절약시간제에 관해서 TimeZoneInfo가 좀 더 풍부한(종종 더 어색한 경우도 있지만) 규칙 기반 모형을 제공한다.

TimeZone 클래스

정적 TimeZone.CurrentTimeZone 메서드는 현재 지역 설정이 반영된 TimeZone 객체를 돌려준다. 이하의 예제들에서 주석에 나온 출력은 해당 코드를 미국 캘리포니아에서 실행한 결과이다.

```
TimeZone zone = TimeZone.CurrentTimeZone;
Console.WriteLine (zone.StandardName);      // 태평양 표준시
Console.WriteLine (zone.DaylightName);      // 태평양 일광 절약 시간
```

다음은 IsDaylightSavingTime 메서드와 GetUtcOffset 메서드의 작동 방식을 보여주는 예제이다.

```
DateTime dt1 = new DateTime (2015, 1, 1);
DateTime dt2 = new DateTime (2015, 6, 1);
Console.WriteLine (zone.IsDaylightSavingTime (dt1));     // True
Console.WriteLine (zone.IsDaylightSavingTime (dt2));     // False
Console.WriteLine (zone.GetUtcOffset (dt1));             // 08:00:00
Console.WriteLine (zone.GetUtcOffset (dt2));             // 09:00:00
```

GetDaylightChanges 메서드는 주어진 연도의 구체적인 일광절약시간제 정보를 돌려준다.

```
DaylightTime day = zone.GetDaylightChanges (2015);
Console.WriteLine (day.Start.ToString ("M"));       // 3월 8일
Console.WriteLine (day.End.ToString ("M"));         // 11월 1일
Console.WriteLine (day.Delta);                      // 01:00:00
```

TimeZoneInfo 클래스

TimeZoneInfo 클래스도 TimeZone 클래스와 비슷한 방식으로 작동한다. TimeZoneInfo.Local은 현재 지역 시간대를 돌려준다.

```
TimeZoneInfo zone = TimeZoneInfo.Local;
Console.WriteLine (zone.StandardName);      // 태평양 표준시
Console.WriteLine (zone.DaylightName);      // 태평양 일광 절약 시간
```

TimeZoneInfo 역시 IsDaylightSavingTime 메서드와 GetUtcOffset 메서드를 제공한다. 차이는 DateTime을 받는 버전뿐만 아니라 DateTimeOffset을 받는 버전도 있다는 점이다.

세계의 특정 시간대에 관한 TimeZoneInfo를 얻으려면 지역 ID를 인수로 해서 정적 메서드 FindSystemTimeZoneById를 호출하면 된다. 이 메서드는 TimeZoneInfo에만 있으며, 아래의 내용은 모두 TimeZoneInfo에만 해당한다. 다음은 서호주(Western Australia; 호주 서부) 시간대의 정보를 출력하는 예인데, 서호주를 선택한 이유는 잠시 후에 명확해질 것이다.

```
TimeZoneInfo wa = TimeZoneInfo.FindSystemTimeZoneById
                  ("W. Australia Standard Time");

Console.WriteLine (wa.Id);                   // W. Australia Standard Time
Console.WriteLine (wa.DisplayName);          // (UTC+08:00) 퍼스
Console.WriteLine (wa.BaseUtcOffset);        // 08:00:00
Console.WriteLine (wa.SupportsDaylightSavingTime);     // True
```

Id 속성은 FindSystemTimeZoneById 호출 시 지정한 값과 동일하다. 정적 GetSystemTimeZones 메서드는 세계의 모든 시간대를 담은 목록을 돌려준다. 모든 유효한 지역 ID 문자열을 이 목록으로부터 얻을 수 있다. 다음이 그러한 예이다.

```
foreach (TimeZoneInfo z in TimeZoneInfo.GetSystemTimeZones())
  Console.WriteLine (z.Id);
```

또한 TimeZoneInfo.CreateCustomTimeZone 메서드를 이용해서 커스텀 시간대를 만드는 것도 가능하다. TimeZoneInfo는 불변이 형식이므로, 필요한 모든 정보를 메서드 인수들로 지정해야 한다.

미리 정의된 시간대나 커스텀 시간대를 사람이 읽을 수 있는(어느 정도는) 문자열로 직렬화할 수도 있다. ToSerializedString 메서드를 호출하면 된다. 역직렬화, 즉 그 반대의 변환을 위한 메서드는 TimeZoneInfo.FromSerializedString이다.

정적 ConvertTime 메서드는 DateTime이나 DateTimeOffset의 시간대를 변환한다. 호출 시 대상(변환 후) 시간대를 나타내는 TimeZoneInfo 하나만 지정할 수도 있고, 원본(변환 전) TimeZoneInfo와 대상 TimeZoneInfo를 모두 지정할 수도 있다. 또한 UTC와의 변환들도 가능한데, ConvertTimeFromUtc 메서드나 ConvertTimeToUtc 메서드를 사용하면 된다.

일광절약시간제와 관련해서 TimeZoneInfo는 다음과 같은 추가적인(TimeZone에는 없는) 메서드들을 제공한다.

- IsInvalidTime은 만일 주어진 DateTime이 일광절약시간제 때문에 앞당겨진(따라서 시간선상에서 사라진) 시간 구간(delta)에 속하면 true를 돌려준다.
- IsAmbiguousTime은 만일 DateTime이나 DateTimeOffset이 일광절약시간제 때문에 뒤로 돌아간(따라서 되풀이된) 시간 구간에 속하면 true를 돌려준다.
- GetAmbiguousTimeOffsets는 애매한(즉, IsAmbiguousTime이 true인) DateTime이나 DateTimeOffset에 대해 선택할 수 있는 유효한 오프셋들을 나타내는 TimeSpan 배열을 돌려준다.

TimeZone과는 달리, TimeZoneInfo로부터 일광절약시간제의 시작과 끝을 나타내는 간단한 날짜들을 얻을 수는 없다. 대신 반드시 GetAdjustmentRules를 호출해서 모든 해(year)에 적용되는 모든 선언적 시간 조정 규칙을 나타내는 AdjustmentRule 객체들을 얻어야 한다. 각 규칙 객체에는 그 규칙을 적용하는 기간의 시작 날짜와 끝 날짜에 해당하는 DateStart 속성과 DateEnd 속성이 있다.

```
foreach (TimeZoneInfo.AdjustmentRule rule in wa.GetAdjustmentRules())
  Console.WriteLine ("Rule: applies from " + rule.DateStart +
                                    " to " + rule.DateEnd);
```

서호주는 2006년 **미드시즌**midseason에 처음으로 일광절약제를 도입했다(그리고 2009년에 취소했다). 첫해에 특별한 규칙이 필요했기 때문에 총 두 개의 규칙이 존재한다.†

† (옮긴이) 일광절약시간제 시행은 유동적이므로, 독자가 이 책을 읽는 시점에서는 다른 결과가 나올 수 있다. 이번 장의 다른 모든 일광절약제 관련 예제들도 마찬가지이다.

```
Rule: applies from 1/01/2006 12:00:00 AM to 31/12/2006 12:00:00 AM
Rule: applies from 1/01/2007 12:00:00 AM to 31/12/2009 12:00:00 AM
```

각 AdjustmentRule에는 TimeSpan 형식의 DaylightDelta 속성(거의 모든 경우에서 한 시간)이 있으며, DaylightTransitionStart와 DaylightTransitionEnd라는 속성들도 있다. 두 후자의 형식은 TimeZoneInfo.TransitionTime인데, 이 형식에는 다음과 같은 속성들이 있다.

```
public bool IsFixedDateRule { get; }
public DayOfWeek DayOfWeek { get; }
public int Week { get; }
public int Day { get; }
public int Month { get; }
public DateTime TimeOfDay { get; }
```

전이 시간(transition time)†은 고정된 날짜(fixed date)뿐만 아니라 유동적인 날짜(floating date)로 표현해야 할 수도 있기 때문에 다소 복잡하다. 유동적인 날짜는 이를테면 "3월의 마지막 일요일" 같은 것이다. 다음은 이동 시간을 해석하는 규칙들이다.

1. 만일 전이 종료(end transition) 날짜에 대해 IsFixedDateRule이 true이면 Day는 1, Month는 1, TimeOfDay는 DateTime.MinValue이다. 이 경우 그해에는 일광절약시간제가 끝나지 않는 것이다(이런 일은 남반구에서만, 그리고 해당 지역에 일광절약시간제를 처음 도입한 경우에만 일어날 수 있다).
2. 그렇지 않고 만일 IsFixedDateRule이 true이면 Month, Day, TimeOfDay 속성들이 조정 규칙의 시작 또는 종료 날짜를 결정한다.
3. 그렇지 않고 만일 IsFixedDateRule이 false이면 Month, DayOfWeek, Week, TimeOfDay 속성들이 조정 규칙의 시작 또는 종료 날짜를 결정한다.

마지막 경우(3번)에서 Week는 해당 날짜가 그달의 몇째 주에 속하는지를 뜻한다. 5는 마지막 주이다. 다음과 같은 코드로 앞에서 얻은 wa 시간대의 조정 규칙들의 각 속성을 표시해 보면 이해하는 데 도움이 될 것이다.

```
foreach (TimeZoneInfo.AdjustmentRule rule in wa.GetAdjustmentRules())
{
  Console.WriteLine ("Rule: applies from " + rule.DateStart +
                                   " to " + rule.DateEnd);
```

† (옮긴이) 표준 시간에서 일광절약시간으로 넘어가는, 그리고 일광절약시간에서 다시 표준 시간으로 넘어가는 시간을 말한다.

```
    Console.WriteLine ("    Delta: " + rule.DaylightDelta);

    Console.WriteLine ("    Start: " + FormatTransitionTime
                                   (rule.DaylightTransitionStart, false));

    Console.WriteLine ("    End:   " + FormatTransitionTime
                                   (rule.DaylightTransitionEnd, true));
    Console.WriteLine();
  }
```

이 코드가 사용하는 FormatTransitionTime 메서드의 정의는 다음과 같다. 이 메서드는 앞에서 말한 세 가지 규칙을 준수한다.

```
static string FormatTransitionTime (TimeZoneInfo.TransitionTime tt,
                                    bool endTime)
{
  if (endTime && tt.IsFixedDateRule
            && tt.Day == 1 && tt.Month == 1
            && tt.TimeOfDay == DateTime.MinValue)
    return "-";

  string s;
  if (tt.IsFixedDateRule)
    s = tt.Day.ToString();
  else
    s = "The " +
        "first second third fourth last".Split() [tt.Week - 1] +
        " " + tt.DayOfWeek + " in";

  return s + " " + DateTimeFormatInfo.CurrentInfo.MonthNames [tt.Month-1]
         + " at " + tt.TimeOfDay.TimeOfDay;
}
```

서호주에 관한 결과는 고정 날짜 규칙과 유동 날짜 규칙을 모두 보여준다는 점에서, 게다가 전이 종료 날짜가 없는 경우까지 보여준다는 점에서 흥미롭다.

```
Rule: applies from 1/01/2006 12:00:00 AM to 31/12/2006 12:00:00 AM
   Delta: 01:00:00
   Start: 3 December at 02:00:00
   End:   -

Rule: applies from 1/01/2007 12:00:00 AM to 31/12/2009 12:00:00 AM
   Delta: 01:00:00
   Start: The last Sunday in October at 02:00:00
   End:   The last Sunday in March at 03:00:00
```

사실 이런 경우는 서호주 시간대가 유일하다. 다음은 이 시간대를 찾는 데 사용한 코드이다.

```
from zone in TimeZoneInfo.GetSystemTimeZones()
let rules = zone.GetAdjustmentRules()
where
```

```
    rules.Any
     (r => r.DaylightTransitionEnd.IsFixedDateRule) &&
    rules.Any
     (r => !r.DaylightTransitionEnd.IsFixedDateRule)
  select zone
```

일광절약시간제와 DateTime

DateTimeOffset이나 UTC DateTime을 사용하는 경우에는 일광절약시간제가 상등 비교에 영향을 미치지 않는다. 그러나 지역 DateTime을 사용할 때에는 일광절약시간제 때문에 문제가 생길 수 있다.

관련 규칙을 요약하자면 다음과 같다.

- 일광절약시간제는 지역 시간에 영향을 미치나 UTC 시간에는 영향을 미치지 않는다.
- 시계가 다시 뒤로 돌아갔을 때, 시계가 앞당겨졌다는 가정하에서 수행되는 비교는 지역 DateTime을 사용한 경우에만 부정확한 결과를 낸다.
- 시계가 다시 뒤로 돌아갔다고 해도, UTC 시간과 지역 시간 사이의 상호 변환(같은 컴퓨터에서)은 항상 신뢰성 있는 결과를 낸다.

주어진 지역 DateTime에 일광절약시간제가 적용되는지의 여부는 IsDaylight SavingTime 메서드로 알아낼 수 있다. UTC 시간에 대해서는 이 메서드가 항상 false를 돌려준다.

```
Console.Write (DateTime.Now.IsDaylightSavingTime());     // True 또는 False
Console.Write (DateTime.UtcNow.IsDaylightSavingTime());  // 항상 False
```

dto가 DateTimeOffset 인스턴스라고 할 때, 다음도 같은 결과를 돌려준다.

```
dto.LocalDateTime.IsDaylightSavingTime
```

지역 시간을 사용하는 알고리즘의 경우, 일광절약시간제가 끝나는(즉, 다시 표준 시간으로 돌아가는) 시점을 제대로 처리하려면 알고리즘이 아주 복잡해진다. 시계가 다시 뒤로 돌아가면 같은 시(hour)가(좀 더 정확하게는 같은 Delta가) 한 번 더 반복된다. 독자의 컴퓨터에서 '중간대(twilight zone)'에 해당하는 DateTime을 생성하고 거기에서 Delta를 빼보면 그런 상황을 흉내 낼 수 있다(실제로 일광절약시간제가 시행되는 나라에서 살고 있지 않으면 이 예제가 그리 흥미로운 결과를 보여주지 않을 것이다).

```
DaylightTime changes = TimeZone.CurrentTimeZone.GetDaylightChanges (2010);
TimeSpan halfDelta = new TimeSpan (changes.Delta.Ticks / 2);
DateTime utc1 = changes.End.ToUniversalTime() - halfDelta;
DateTime utc2 = utc1 - changes.Delta;
```

이 변수들을 지역 시간으로 변환해 보면, 시간이 앞당겨졌다는 사실에 의존하는 코드를 작성할 때 지역 시간이 아니라 UTC 시간을 사용해야 하는 이유가 명확해진다.

```
DateTime loc1 = utc1.ToLocalTime();  // (태평양 표준시)
DateTime loc2 = utc2.ToLocalTime();
Console.WriteLine (loc1);            // 2/11/2010 1:30:00 AM
Console.WriteLine (loc2);            // 2/11/2010 1:30:00 AM
Console.WriteLine (loc1 == loc2);    // True
```

이 코드는 loc1과 loc2가 같다고 판정하지만, 사실 내부적으로 둘은 같지 않다. DateTime은 자신이 모호한 지역 날짜가 속하는 중간대의 어느 쪽에 있는지를 나타내는 특별한 비트 하나를 관리한다. 그런데 앞의 결과에서 보듯이 상등 비교는 그 비트를 무시한다. DateTime을 서식화해서 출력해 보면 이 비트의 존재가 명확해진다.

```
Console.Write (loc1.ToString ("o"));  // 2010-11-02T02:30:00.0000000-08:00
Console.Write (loc2.ToString ("o"));  // 2010-11-02T02:30:00.0000000-07:00
```

이 비트는 지역 시간을 다시 UTC로 변환해도 유지된다(이에 의해, 지역 시간과 UTC 시간 사이의 상호 변환이 신뢰성 있는 결과를 내게 된다).

```
Console.WriteLine (loc1.ToUniversalTime() == utc1);   // True
Console.WriteLine (loc2.ToUniversalTime() == utc2);   // True
```

임의의 두 DateTime을 비교할 때 먼저 각자에 ToUniversalTime을 호출하면 둘을 신뢰성 있게 비교할 수 있다. 단, 이 전략은 만일 둘 중 딱 하나의 DateTimeKind가 Unspecified이면, 그리고 오직 그럴 때에만, 실패한다. 이처럼 실패의 여지가 있다는 점은 DateTime 대신 DateTimeOffset을 사용하는 것이 바람직한 또 다른 이유이다.

서식화와 파싱

서식화(formatting)는 뭔가를 문자열로 바꾸는 것이고, 파싱parsing은 문자열을 뭔가로 바꾸는 것이다. 프로그래밍에서는 다양한 상황에서 서식화나 파싱이 요구되기 때문에, .NET Framework는 다음과 같은 다양한 서식화 및 파싱 메커니즘을 제공한다.

`ToString`과 `Parse`

여러 형식들에서, 이 두 인스턴스 메서드는 해당 형식의 기본적인 서식화 기능과 파싱 기능을 제공한다.

서식 공급자

서식 공급자(format provider)는 **서식 문자열** 하나 또는 **서식 공급자** 하나(또는 둘 다)를 받는 추가적인 `ToString`, `Parse` 메서드들을 제공한다. 서식 공급자는 아주 유연하며, 문화권 설정을 반영한다. .NET Framework에는 수치 형식들과 `DateTime`, `DateTimeOffset`에 대한 서식 공급자들이 포함되어 있다.

`XmlConvert`

이것은 XML 표준에 따라 서식화와 파싱을 수행하는 메서드들을 제공하는 정적 클래스이다. `XmlConvert`는 또한 문화권에 독립적인 변환이나 파싱이 실패할 여지가 없는 변환 등의 범용 변환에도 유용하다. `XmlConvert`는 수치 형식들과 `bool`, `DateTime`, `DateTimeOffset`, `TimeSpan`, `Guid`를 지원한다.

형식 변환기

형식 변환기(type converter)는 디자이너들과 XAML 파서들을 위한 것이다.

이번 절에서는 처음 두 메커니즘을 논의한다. 주로 서식 공급자에 초점을 둘 것이다. `XmlConvert`와 형식 변환기는 다음 절에서 다른 여러 변환 메커니즘들과 함께 설명한다.

ToString과 Parse

가장 간단한 서식화 메커니즘은 `ToString` 메서드이다. 이 메서드는 모든 단순 값 형식(`bool`, `DateTime`, `DateTimeOffset`, `TimeSpan`, `Guid`와 모든 수치 형식)에 대해 이해할 만한 결과를 돌려준다. 그 반대의 변환에는 모든 단순 값 형식에 정의되어 있는 정적 `Parse` 메서드를 사용하면 된다. 예를 들면 다음과 같다.

```
string s = true.ToString();     // s = "True"
bool b = bool.Parse (s);        // b = true
```

파싱이 실패하면 `FormatException` 예외가 발생한다. `Parse` 외에 `TryParse` 메서드를 제공하는 형식들도 많은데, 이 메서드는 변환 실패 시 예외를 던지는 대신 `false`를 돌려준다.

```
int i;
bool failure = int.TryParse ("qwerty", out i);
bool success = int.TryParse ("123", out i);
```

파싱에서 오류가 발생할 여지가 있음을 미리 알고 있는 경우에는 예외 처리 블록 안에서 Parse를 호출하는 것보다 이 TryParse를 호출해서 반환값을 점검하는 방식이 더 빠르다.

DateTime과 DateTimeOffset(이하 이 둘을 DateTime(Offset)으로 표기한다), 수치 형식들에 대한 Parse와 TryParse는 지역 문화권 설정을 존중한다. 현재 설정된 문화권 이외의 문화권을 적용하고 싶으면 적절한 CultureInfo 객체를 지정하면 된다. 불변 문화권을 지정하는 것이 바람직한 경우가 많다. 예를 들어 독일에서는 "1.234"를 double로 변환하면 1234가 된다.

```
Console.WriteLine (double.Parse ("1.234"));   // 1234  (독일에서)
```

이는 독일어권에서 마침표가 소수점이 아니라 천 단위 구분자이기 때문이다. **불변 문화권**(invariant culture)을 지정하면 이 문제가 해결된다.

```
double x = double.Parse ("1.234", CultureInfo.InvariantCulture);
```

이는 ToString을 호출할 때에도 마찬가지이다.

```
string x = 1.234.ToString (CultureInfo.InvariantCulture);
```

서식 공급자

서식화나 파싱이 작동하는 방식을 좀 더 세밀하게 제어해야 하는 경우가 있다. 예를 들어 DateTime(Offset)을 서식화하는 방법은 수십 가지이다. 서식 공급자를 이용하면 서식화와 파싱을 아주 세밀하게 제어할 수 있다. 서식 공급자는 수치 형식들과 날짜/시간을 지원한다. 서식 공급자는 또한 사용자 인터페이스 컨트롤의 서식화와 파싱에도 쓰인다.

서식 공급자를 사용하려면 IFormattable이라는 인터페이스를 거쳐야 한다. 모든 수치 형식과 DateTime(Offset)은 이 인터페이스를 구현한다.

```
public interface IFormattable
{
  string ToString (string format, IFormatProvider formatProvider);
}
```

이 인터페이스의 ToString 메서드의 첫 인수는 **서식 문자열**이고 둘째 인수는 **서식 공급자**이다. 서식 문자열은 서식화를 위한 명령들을 제공하고, 서식 공급자는 그 명령들을 해석하는 방식을 결정한다. 다음 예를 보자.

```
NumberFormatInfo f = new NumberFormatInfo();
f.CurrencySymbol = "$$";
Console.WriteLine (3.ToString ("C", f));          // $$ 3.00
```

첫 인수의 "C"는 **통화**(currency; 화폐)를 뜻한다. 둘째 인수로 지정한 NumberFormatInfo 객체는 화폐와 기타 여러 수치 표현을 처리하는 방법을 말해주는 서식 공급자이다. 이러한 메커니즘을 이용하면 응용 프로그램을 세계화(globalization)할 수 있다.

수치와 날짜에 대한 모든 표준 서식 문자열이 이번 장의 '표준 서식 문자열과 파싱 플래그 (p.308)'에 나와 있다.

서식 문자열이나 서식 공급자로 null을 지정하면 기본 서식 문자열 또는 공급자가 적용된다. 기본 서식 공급자는 CultureInfo.CurrentCulture이다. 다른 값을 배정되지 않았다고 할 때, 이 속성은 현재 컴퓨터의 제어판 설정을 반영한다. 예를 들어 다음은 저자의 컴퓨터에서 얻은 결과이다.

```
Console.WriteLine (10.3.ToString ("C", null));  // $10.30
```

편의를 위해, 대부분의 형식은 null 공급자를 생략할 수 있는 버전의 ToString도 제공한다.

```
Console.WriteLine (10.3.ToString ("C"));     // $10.30
Console.WriteLine (10.3.ToString ("F4"));    // 10.3000 (소수부를 네 자리로)
```

DateTime(Offset)이나 수치 형식에 인수 없이 ToString을 호출하는 것은 빈 서식 문자열과 기본 서식 공급자를 지정하는 것과 같다.

.NET Framework에는 다음 세 가지 서식 공급자가 정의되어 있다(모두 IFormatProvider를 구현한다)

```
NumberFormatInfo
DateTimeFormatInfo
CultureInfo
```

 모든 enum 형식도 서식화가 가능하지만, 특별한 IFormatProvider 클래스는 없다.

서식 공급자와 CultureInfo

서식 공급자의 문맥 안에서 CultureInfo는 다른 두 서식 공급자에 대한 간접 메커니즘으로 작용한다. CultureInfo는 현재 문화권의 지역 설정에 적용 가능한 NumberFormatInfo 객체 또는 DateTimeFormatInfo 객체를 돌려준다.

다음은 특정 문화권을 명시적으로 지정한 예이다. "en-GB"는 영국(*G*reat *B*ritain) 영어(*e*nglish)를 뜻한다.

```
CultureInfo uk = CultureInfo.GetCultureInfo ("en-GB");
Console.WriteLine (3.ToString ("C", uk));      // £3.00
```

이 코드는 en-GB 문화권에 적용 가능한 기본 NumberFormatInfo 객체를 이용해서 서식화를 수행한다.

다음 예제는 불변 문화권으로 DateTime을 서식화한다. 불변 문화권은 컴퓨터의 설정과 무관하게 항상 동일하다.

```
DateTime dt = new DateTime (2000, 1, 2);
CultureInfo iv = CultureInfo.InvariantCulture;
Console.WriteLine (dt.ToString (iv));            // 01/02/2000 00:00:00
Console.WriteLine (dt.ToString ("d", iv));       // 01/02/2000
```

 불변 문화권은 북미 문화권에 기초하지만, 다음과 같은 차이가 있다.

- 통화 기호(화폐 기호)가 $가 아니라 ¤이다.
- 날짜와 시간에 선행 0이 붙는다(단, 월이 일보다 앞이라는 점은 같다).
- 시간을 표시할 때 AM/PM 표시 대신 24시간 형식을 사용한다.

NumberFormatInfo 또는 DateTimeFormatInfo의 활용

다음 예제는 NumberFormatInfo 인스턴스를 생성한 후 천 단위 구분자를 쉼표에서 빈칸으로 변경한다. 그런 다음 그것을 이용해서 주어진 수치를 소수점 이하 세 자리까지 서식화한다.

```
NumberFormatInfo f = new NumberFormatInfo ();
f.NumberGroupSeparator = " ";
Console.WriteLine (12345.6789.ToString ("N3", f));   // 12 345.679
```

NumberFormatInfo나 DateTimeFormatInfo의 기본 설정들은 불변 문화권 설정을 따른다. 그러나 불변 문화권 이외의 문화권을 기본으로 삼는 것이 더 유용할 때가 종종 있다. 그런 경우 다음처럼 Clone 메서드를 이용해서 기존 서식 공급자를 복제하면 된다.

```
NumberFormatInfo f = (NumberFormatInfo)
                     CultureInfo.CurrentCulture.NumberFormat.Clone();
```

복제된 서식 공급자는 항상 쓰기 가능이다. 원래의 공급자가 읽기 전용인 경우에도 그렇다.

복합 서식화

복합 서식 문자열(composite format string)은 서식 문자열에 변수 대입(variable substitution)을 결합한 것이다. 정적 string.Format 메서드는 복합 서식 문자열을 받는다. 이에 관해서는 이번 장의 'String.Format과 복합 서식 문자열(p.272)'에서 이야기했다.

```
string composite = "Credit={0:C}";
Console.WriteLine (string.Format (composite, 500));   // Credit=$500.00
```

Console 클래스 자체도 복합 서식 문자열을 받는 Write와 WriteLine 중복적재 버전들을 제공한다. 이들을 이용하면 앞의 예를 다음과 같이 좀 더 간결히 표기할 수 있다.

```
Console.WriteLine ("Credit={0:C}", 500);   // Credit=$500.00
```

또한 복합 서식 문자열을 StringBuilder에 추가하거나(AppendFormat을 통해서), 입출력을 위한 TextWriter(제15장 참고)에 추가할 수도 있다.

string.Format은 첫 인수로 서식 공급자를 받는 중복적재 버전들을 제공한다. 이들 중 가장 간단한 것은 그냥 서식 공급자와 서식 문자열 다음에 서식화할 임의의 객체 하나만 지정하는 것이다. 다음이 그러한 예이다.

```
string s = string.Format (CultureInfo.InvariantCulture, "{0}", someObject);
```

이는 다음과 같은 결과를 낸다.

```
string s;
if (someObject is IFormattable)
```

```
    s = ((IFormattable)someObject).ToString (null,
                                             CultureInfo.InvariantCulture);
  else if (someObject == null)
    s = "";
  else
    s = someObject.ToString();
```

서식 공급자를 이용한 파싱

서식 공급자를 이용해서 파싱을 수행하는 표준적인 인터페이스는 없다. 대신, 파싱 시 서식 공급자를 지원하는 형식마다 서식 공급자를 인수로 받도록 중복적재된 Parse(그리고 TryParse) 메서드를 제공한다. 또한, NumberStyles나 DateTimeStyles 열거형을 받는 버전들을 제공하기도 한다.

NumberStyles와 DateTimeStyles는 파싱 작동 방식을 제어한다. 이를테면 괄호나 화폐 기호를 포함한 입력 문자열의 허용 여부 등을 이들을 통해서 지정한다. (기본적으로는 둘 다 허용되지 않는다). 예를 들면 다음과 같다.

```
int error = int.Parse ("(2)");   // 예외 발생

int minusTwo = int.Parse ("(2)", NumberStyles.Integer |
                                 NumberStyles.AllowParentheses);   // OK

decimal fivePointTwo = decimal.Parse ("£5.20", NumberStyles.Currency,
                       CultureInfo.GetCultureInfo ("en-GB"));
```

다음 절('표준 서식 문자열과 파싱 플래그')에서 NumberStyles와 DateTimeStyles의 모든 멤버와 각 형식에 대한 기본 파싱 규칙을 제시하겠다.

IFormatProvider와 ICustomFormatter

모든 서식 공급자는 IFormatProvider를 구현한다.

```
public interface IFormatProvider { object GetFormat (Type formatType); }
```

GetFormat 메서드의 목적은 간접층을 제공하는 것이다. CultureInfo가 구체적인 작업을 적절한 NumberFormatInfo 객체나 DateTimeInfo 객체에 위임할 수 있는 것은 바로 이 덕분이다.

IFormatProvider를(그와 함께 ICustomFormatter를) 구현하면, 기존 형식들과 연동되는 독자만의 고유한 서식 공급자를 작성할 수 있다. ICustomFormatter는 다음과 같은 메서드 하나만 선언한다.

```
string Format (string format, object arg, IFormatProvider formatProvider);
```

예를 들어 다음은 주어진 수치를 영어 문구로 변환하는 커스텀 서식 공급자이다.

```
// 전체 프로그램을 http://www.albahari.com/nutshell/에서 내려받을 수 있다.

public class WordyFormatProvider : IFormatProvider, ICustomFormatter
{
  static readonly string[] _numberWords =
   "zero one two three four five six seven eight nine minus point".Split();

  IFormatProvider _parent;   // 소비자가 서식 공급자들을 연달아 적용할 수 있게 한다.

  public WordyFormatProvider () : this (CultureInfo.CurrentCulture) { }
  public WordyFormatProvider (IFormatProvider parent)
  {
    _parent = parent;
  }

  public object GetFormat (Type formatType)
  {
    if (formatType == typeof (ICustomFormatter)) return this;
    return null;
  }

  public string Format (string format, object arg, IFormatProvider prov)
  {
    // 이 공급자가 지원하는 서식 문자열이 아니면 부모 공급자에게 위임한다.
    if (arg == null || format != "W")
      return string.Format (_parent, "{0:" + format + "}", arg);

    StringBuilder result = new StringBuilder();
    string digitList = string.Format (CultureInfo.InvariantCulture,
                                      "{0}", arg);
    foreach (char digit in digitList)
    {
      int i = "0123456789-.".IndexOf (digit);
      if (i == -1) continue;
      if (result.Length > 0) result.Append (' ');
      result.Append (_numberWords[i]);
    }
    return result.ToString();
  }
}
```

Format 메서드에서 string.Format을 이용해서 입력 수치를 문자열로 변환한다는 점과 이때 InvariantCulture를 지정한다는 점을 주목하기 바란다. 그냥 arg에 대해 ToString을 호출하는 것이 훨씬 간단하겠지만, 그러면 CurrentCulture가 적용된다. 불변 문화권을 적용해야 하는 이유는 몇 행 다음에 있는 아래와 같은 코드를 보면 명백해진다.

```
int i = "0123456789-.".IndexOf (digit);
```

이 코드는 수치 문자열이 오직 0123456789-. 문자들로만 이루어져 있다고 가정한다. 그 외의 국제화된 문자들이 끼어 있으면 원하는 결과가 나오지 않는다.

다음은 이 WordyFormatProvider를 사용하는 예이다.

```
double n = -123.45;
IFormatProvider fp = new WordyFormatProvider();
Console.WriteLine (string.Format (fp, "{0:C}의 영어 표현은 {0:W}", n));
```

출력:

```
-$123.45의 영어 표현은 one two three point four five
```

커스텀 서식 공급자는 복합 서식 문자열에만 사용할 수 있다.

표준 서식 문자열과 파싱 플래그

.NET Framework에는 수치 형식이나 DateTime, DateTimeOffset을 문자열로 변환하는 방법을 담은 여러 표준 서식 문자열들이 정의되어 있다. 서식 문자열은 크게 두 종류로 나뉜다.

표준 서식 문자열

이들은 전반적인 지침을 제공하는 역할을 한다. 표준 서식 문자열은 글자 하나 또는 글자 하나와 숫자 하나(그 숫자의 의미는 앞의 숫자에 따라 다르다)로 구성된다. 이를테면 "C"나 "F2"가 표준 서식 문자열이다.

커스텀 서식 문자열

커스텀 서식 문자열로는 형판(template)을 통해서 모든 문자를 세밀하게 제어할 수 있다. 예를 들면 "0:#.000E+00" 같은 커스텀 서식 문자열이 가능하다.

커스텀 서식 문자열은 커스텀 서식 공급자와는 무관하다.

수치 서식 문자열

표 6-2에 모든 표준 수치 서식 문자열이 나열되어 있다.

표 6-2 표준 수치 서식 문자열

글자	의미	예제 입력	결과	참고
G 또는 g	"일반(General)"	1.2345, "G" 0.00001, "G" 0.00001, "g" 1.2345, "G3" 12345, "G3"	1.2345 1E-05 1e-05 1.23 1.23E04	작은 수나 큰 수일 때 지수 표기로 전환한다. G3은 유효 자릿수(정밀도) **전체**(즉, 소수점 앞과 뒤 모두)를 3으로 제한한다.
F	고정소수점	2345.678, "F2" 2345.6, "F2"	2345.68 2345.60	F2는 주어진 수를 소수점 둘째 자리로 반올림한다.
N	**그룹 구분자**가 있는 고정 소수점(N은 "Numeric")	2345.678, "N2" 2345.6, "N2"	2,345.68 2,345.60	위와 같되, 그룹(천 단위) 구분자가 있다(구체적인 기호는 서식 공급자가 결정)
D	선행 0 채움	123, "D5" 123, "D1"	00123 123	정수 형식에만 적용된다. D5는 전체 자릿수가 5가 되도록 왼쪽에 0들을 채운다. D 때문에 수치 문자열이 잘리지는 않는다.
E 또는 e	지수(exponential) 표기를 강제한다.	56789, "E" 56789, "e" 56789, "E2"	5.678900E+004 5.678900e+004 5.68E+004	여섯 자리 기본 정밀도
C	통화(화폐)	1.2, "C" 1.2, "C4"	$1.20 $1.2000	C만 있고 숫자는 없을 때의 소수점 이하 유효 자릿수는 서식 공급자의 기본 설정을 따른다.
P	퍼센트	.503, "P" .503, "P0"	50.30 % 50 %	구체적인 퍼센트(백분율) 기호와 서식은 서식 공급자의 설정을 따른다. 소수부를 다르게 지정할 수도 있다.
X 또는 x	16진수	47, "X" 47, "x" 47, "X4"	2F 2f 002F	16진 숫자의 영문자를 대문자로 하고 싶으면 X, 소문자로 하고 싶으면 x를 사용한다. 정수 형식에만 적용된다.
R	복원 가능(순환소수)	1f / 3f, "R"	0.3333333**43**	float 형식이나 double 형식의 경우 R이나 G17은 정확한 순환소수 표현을 위해 최대한 많은 유효숫자를 동원한다.

수치에 대한 서식 문자열에 이런 표준 수치 서식 문자열이 포함되어 있지 않으면(또는 서식 문자열 자체를 널이나 빈 문자열로 지정하면) "G" 다음에 숫자가 없는 표준 서식 문자열을 지정했을 때와 같은 결과가 나온다. 특히, 다음과 같은 규칙이 적용된다.

- 10^{-4}보다 작거나 형식의 정밀도보다 큰 수는 지수 표기법(과학 표기법)으로 표현된다.
- `float`나 `double`의 정밀도 한계에 놓인 두 유효숫자는 버려진다(round away). 이는 바탕 이진 값에서 십진 소수로의 변환에 내재하는 부정확성을 숨기기 위한 것이다.

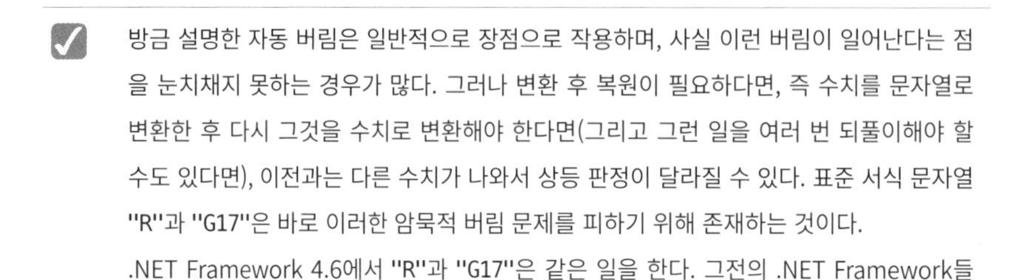

방금 설명한 자동 버림은 일반적으로 장점으로 작용하며, 사실 이런 버림이 일어난다는 점을 눈치채지 못하는 경우가 많다. 그러나 변환 후 복원이 필요하다면, 즉 수치를 문자열로 변환한 후 다시 그것을 수치로 변환해야 한다면(그리고 그런 일을 여러 번 되풀이해야 할 수도 있다면), 이전과는 다른 수치가 나와서 상등 판정이 달라질 수 있다. 표준 서식 문자열 "R"과 "G17"은 바로 이러한 암묵적 버림 문제를 피하기 위해 존재하는 것이다.

.NET Framework 4.6에서 "R"과 "G17"은 같은 일을 한다. 그전의 .NET Framework들에서 "R"은 본질적으로 "G17"의 버그 있는 버전이므로 사용하지 말아야 한다.

표 6-3은 커스텀 수치 서식 문자열들이다.

표 6-3 커스텀 수치 서식 문자열

지정자	의미	예제 입력	결과	참고
`#`	숫자 자리표 (placeholder)	`12.345, ".##"` `12.345, ".####"`	`12.35` `12.345`	소수점 이하 자릿수를 제한한다.

`0`	0 자리표	`12.345, ".00"`
		`12.345, ".0000"`
		`99, "000.00"`
			`12.35`
			`12.3450`
			`099.00`
				위와 같되 소수점 이전과 이후에 0들을 채운다.

`.`	소수점			소수점을 표시한다. 구체적인 소수점 기호는 `NumberFormatInfo`를 따른다.
`,`	그룹 구분자	`1234, "#,###,###"` `1234, "0,000,000"`	`1,234` `0,001,234`	구체적인 기호는 `NumberFormatInfo`를 따른다.
`,` (위와 같음)	승수(multiplier)	`1000000, "#,"` `1000000, "#,,"`	`1000` `1`	서식 문자열의 끝이나 소수점 앞에 있는 쉼표는 승수로 작용한다. 주어진 수치를 1,000이나 1,000,000 등으로 나눈 결과가 서식화된다.

지정자	의미	예제 입력	결과	참고
%	퍼센트 표기	0.6, "00%"	60%	우선 수치에 100을 곱하고, NumberFormatInfo에서 얻은 구체적인 퍼센트 기호를 %에 대입한다.
E0, e0, E+0, e+0 E-0, e-0	지수 표기	1234, "0E0" 1234, "0E+0" 1234, "0.00E00" 1234, "0.00e00"	1E3 1E+3 1.23E03 1.23e03	
\	리터럴 문자 인용	50, @"\#0"	#50	문자열의 @ 접두사와 함께 쓰인다. @ 접두사가 없는 문자열에서는 \\를 사용하면 된다.
'xx''xx'	리터럴 문자열 인용	50, "0 '...'"	50 ...	
;	섹션 구분자	15, "#;(#);zero" -5, "#;(#);zero" 0, "#;(#);zero"	15 (5) zero	(양수이면) (음수이면) (영이면)
그 외의 문자	그대로 출력	35.2, "$0 . 00c"	$35 . 20c	

NumberStyles 열거형

모든 수치 형식은 NumberStyles 인수를 받는 정적 Parse 메서드를 제공한다. NumberStyles는 플래그 열거형(Flags 특성이 지정된 enum 형식)으로, 문자열을 수치 형식으로 변환할 때 적용되는 규칙들을 지정하는 용도로 쓰인다. 이 열거형의 멤버들은 다음과 같다.

```
AllowLeadingWhite    AllowTrailingWhite
AllowLeadingSign     AllowTrailingSign
AllowParentheses     AllowDecimalPoint
AllowThousands       AllowExponent
AllowCurrencySymbol  AllowHexSpecifier
```

NumberStyles에는 또한 이 멤버들의 적절한 조합으로 이루어진 합성 멤버들도 정의되어 있다.

```
None  Integer  Float  Number  HexNumber  Currency  Any
```

None을 제외한 모든 합성 멤버는 AllowLeadingWhite와 AllowTrailingWhite를 포함한다. 이들의 구체적인 조합이 그림 6-1에 나와 있다. 가장 유용한 멤버 세 개를 굵은 글씨로 표시해 두었다.

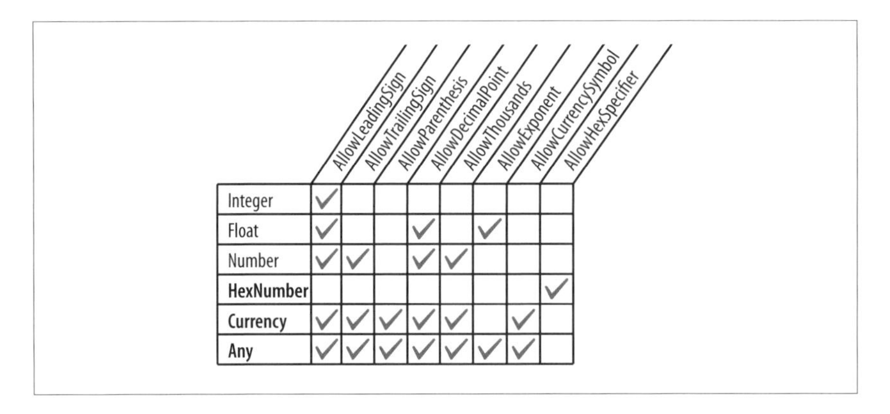

그림 6-1 NumberStyles의 합성 멤버들

Parse를 호출할 때 이런 플래그들을 전혀 지정하지 않으면 그림 6-2에 나온 기본값들이 적용된다.

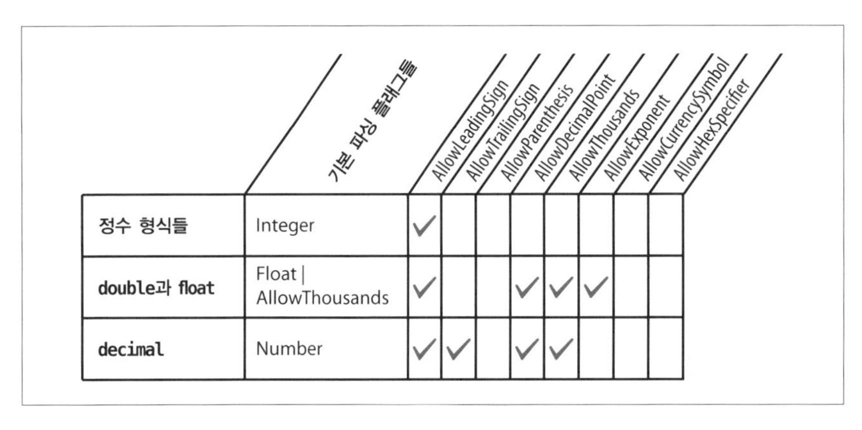

그림 6-2 수치 형식들의 기본 파싱 플래그

그림 6-2에 나온 기본값들을 적용하고 싶지 않다면 다음 예처럼 NumberStyles를 명시적으로 지정해야 한다.

```
int thousand = int.Parse ("3E8", NumberStyles.HexNumber);
int minusTwo = int.Parse ("(2)", NumberStyles.Integer |
                                 NumberStyles.AllowParentheses);
double aMillion = double.Parse ("1,000,000", NumberStyles.Any);
decimal threeMillion = decimal.Parse ("3e6", NumberStyles.Any);
decimal fivePointTwo = decimal.Parse ("$5.20", NumberStyles.Currency);
```

이 예에서는 서식 공급자를 지정하지 않았으므로, 화폐 기호나 그룹 구분자, 소수점 기호 등은 독자의 지역 설정을 따른다. 다음은 유로화 기호와 빈 그룹 구분자를 명시적으로 지정해서 화폐 수치를 파싱하는 예이다.

```
NumberFormatInfo ni = new NumberFormatInfo();
ni.CurrencySymbol = "€";
ni.CurrencyGroupSeparator = " ";
double million = double.Parse ("€1 000 000", NumberStyles.Currency, ni);
```

날짜·시간 서식 문자열

DateTime이나 DateTimeOffset을 위한 서식 문자열들은 문화권과 서식 공급자 설정을 따르는지의 여부에 따라 크게 두 부류로 나뉜다. 표 6-4는 문화권과 서식 공급자 설정을 존중하는 서식 문자열들이고, 표 6-5는 그렇지 않은 것들이다. 출력 예들은 다음과 같은 DateTime을 서식화한 것이다(표 6-4의 경우에는 **불변 문화권** 기준).

```
new DateTime (2000, 1, 2,  17, 18, 19);
```

표 6-4 문화권 감지 날짜·시간 서식 문자열

서식 문자열	의미	출력 예
d	짧은 날짜	01/02/2000
D	긴 날짜	Sunday, 02 January 2000
t	짧은 시간	17:18
T	긴 시간	17:18:19
f	긴 날짜 + 짧은 시간	Sunday, 02 January 2000 17:18
F	긴 날짜 + 긴 시간	Sunday, 02 January 2000 17:18:19
g	짧은 날짜 + 짧은 시간	01/02/2000 17:18
G (기본)	짧은 날짜 + 긴 시간	01/02/2000 17:18:19
m, M	월과 일	02 January
y, Y	연도와 일	January 2000

표 6-5 문화권 무시 날짜·시간 서식 문자열

서식 문자열	의미	출력 예	참고
o	복원 가능	2000-01-02T17:18:19.0000000	DateTimeKind가 Unspecified가 아닌 한, 시간대 정보를 붙인다.
r, R	RFC 1123 표준	Sun, 02 Jan 2000 17:18:19 GMT	DateTime.ToUniversalTime을 이용해서 명시적으로 UTC로 변환해야 한다.
s	정렬 가능 ISO 8601	2000-01-02T17:18:19	텍스트 기반 정렬을 지원한다.

서식 문자열	의미	출력 예	참고
u	정렬 가능 UTC	2000-01-02 17:18:19Z	위와 같다. 반드시 UTC로 정렬해야 한다.
U	UTC	Sunday, 02 January 2000 17:18:19	UTC로 변환된 긴 날짜 + 짧은 시간.

서식 문자열 "r"과 "R", "u"는 UTC를 고려한 시간대 접미사를 붙인다. 그렇지만 지역 시간을 자동으로 UTC DateTime으로 변환하지는 않는다(따라서 그 전에 직접 변환해 주어야 한다). 이상하게도 "U"는 자동으로 UTC로 변환하지만 시간대 접미사는 붙이지 않는다! 사실 이 부류의 서식 문자열 중에서 DateTime을 프로그래머의 개입 없이 애매모호하지 않게 출력하는 것은 "o" 뿐이다.

DateTimeFormatInfo도 커스텀 서식 문자열을 지원한다. 이들은 수치 커스텀 서식 문자열들과 비슷한데, 상당히 많기 때문에 여기서 나열하지는 않겠다. MSDN을 검색해 보기 바란다. 다음은 DateTimeFormatInfo를 위한 커스텀 서식 문자열의 예이다.

```
yyyy-MM-dd HH:mm:ss
```

DateTime의 파싱 및 파싱 오해

일이나 월이 연도보다 앞인 날짜 문자열은 중의적이므로(두 가지로 해석이 가능) 파싱 '오해'가 발생할 수 있다. 특히 미합중국 이외의 국가에 사는 사용자들이 이 부분을 혼동하기 쉽다. 이것이 사용자 인터페이스 컨트롤에서는 문제가 되지 않는데, 왜냐하면 그런 경우에는 애초에 서식화에 쓰인 것과 동일한 설정이 파싱에 적용되기 때문이다. 그러나 예를 들어 날짜를 파일에 기록하는 경우에는 월/일 오해가 실제로 문제가 될 수 있다. 해결책은 다음 두 가지이다.

- 서식화와 파싱을 수행할 때 항상 동일한 문화권(이를테면 불변 문화권)을 명시적으로 지정한다.
- DateTime과 DateTimeOffset을 문화권에 **독립적**인 방식으로 서식화한다.

둘째 해결책이 더 안정적이다. 특히 네 자리 연도가 제일 먼저 나오는 서식을 사용한다면 더욱 그런데, 왜냐하면 그런 문자열은 다른 사람들이나 프로그램이 잘못 해석할 여지가 아주 적기 때문이다. 더 나아가서, **표준들을 준수하는** 연도 우선 서식(이를테면 "o")은 지역 설정 기준으로 서식화된 문자열들도 정확히 파싱할 수 있다. 이는 마치 O형이 누구에게나 피를 줄 수 있는 것과 비슷하다. (또한, "s"나 "u"로 서식화된 문자열들은 정렬(sorting)이 가능하다는 추가적인 장점이 있다.)

이 점을 보여주는 한 예로, DateTime을 문화권과 무관하게 서식화해서 문자열 변수 s에 배정한다고 하자.

```
string s = DateTime.Now.ToString ("o");
```

"o" 서식 문자열의 출력에는 밀리초가 포함된다. 다음은 밀리초 부분을 제외하고 "o"와 같은 결과를 내는 커스텀 서식 문자열이다.

```
yyyy-MM-ddTHH:mm:ss K
```

이 문자열을 다시 파싱하는 방법은 두 가지이다. 하나는 ParseExact 메서드를 이용하는 것인데, 이 메서드는 지정된 서식 문자열을 엄격히 따른다.

```
DateTime dt1 = DateTime.ParseExact (s, "o", null);
```

(XmlConvert의 ToString과 ToDateTime 메서드들로도 비슷한 결과를 얻을 수 있다.)

반면 Parse 메서드는 암묵적으로 "o" 서식과 CurrentCulture 서식을 모두 적용한다.

```
DateTime dt2 = DateTime.Parse (s);
```

이는 DateTime뿐만 아니라 DateTimeOffset에도 마찬가지이다.

파싱할 문자열의 서식을 미리 알고 있다면 ParseExact 메서드가 더 낫다. 이 메서드는 잘못 서식화된 문자열이 입력되면 예외를 던진다. 날짜를 잘못 파싱할 위험을 감수하는 것보다는 예외가 발생하게 하는 것이 대체로 낫다.

DateTimeStyles 열거형

DateTimeStyles는 플래그 열거형으로, DateTimeOffset에 Parse를 호출할 때 서식에 관한 추가적인 지시사항을 제공하는 데 쓰인다. 다음은 이 열거형의 멤버들이다.

```
None,
AllowLeadingWhite, AllowTrailingWhite, AllowInnerWhite,
AssumeLocal, AssumeUniversal, AdjustToUniversal,
NoCurrentDateDefault, RoundTripKind
```

또한, 이들 중 일부를 조합한 AllowWhiteSpaces라는 복합 멤버도 있다.

```
AllowWhiteSpaces = AllowLeadingWhite | AllowTrailingWhite | AllowInnerWhite
```

기본값은 None으로, 이는 여분의 공백을 허용하지 않는다는 뜻이다(단, 표준 DateTime 패턴 자체에 포함된 공백은 허용된다).

문자열에 시간대 접미사(Z나 +9:00 같은)가 없으면 AssumeLocal과 AssumeUniversal이 적용된다. AdjustToUniversal은 여전히 시간대 접미사를 존중하나, 현재 지역 설정을 이용해서 UTC로 변환한다.

날짜가 없고 시간만 있는 문자열을 파싱할 때에는 기본적으로 오늘 날짜가 적용된다. 그러나 NoCurrentDateDefault 플래그를 지정하면 0001-01-01이 적용된다.

열거형 서식 문자열

제3장의 '열거형'에서 열거형 값의 서식화와 파싱을 설명했다. 표 6-6에 각 서식 문자열과 그 출력 예가 나와 있는데, 출력 예들은 다음과 같은 표현식의 결과이다.

```
Console.WriteLine (System.ConsoleColor.Red.ToString (서식-문자열));
```

표 6-6 열거형 서식 문자열

서식 문자열	의미	출력 예	참고
G 또는 g	일반("General")	Red	기본 서식
F 또는 f	Flags 특성이 적용된 것처럼 취급	Red	enum에 Flags 특성이 없어도 조합된 멤버들에 작동
D 또는 d	십진수	12	바탕 정수 값을 조회함
X 또는 x	십육진수	0000000C	바탕 정수 값을 조회함

기타 변환 메커니즘

앞의 두 절에서는 .NET Framework의 기본적인 서식화 및 파싱 메커니즘인 서식 공급자를 설명했다. 그 밖에도 여러 형식과 이름공간들에 중요한 변환 메커니즘들이 흩어져 있다. string과의 변환을 수행하는 것들도 있고 문자열이 아닌 형식과의 변환을 수행하는 것들도 있다. 이번 절에서는 다음과 같은 주제들을 논의한다.

- Convert 클래스와 그 기능들:
  - 버림(절단) 대신 반올림을 사용하는 실수-정수 변환
  - 2, 8, 16진수 파싱
  - 동적 변환
  - Base64 부호화
- XmlConvert, 그리고 XML 서식화 및 파싱에서 XmlConvert의 역할
- 형식 변환기, 그리고 디자이너와 XAML을 위한 서식화 및 파싱에서 형식 변환기의 역할
- 이진 자료 변환을 위한 BitConverter

Convert 클래스

.NET Framework는 다음과 같은 형식들을 **기반 형식**(base type)†이라고 부른다.

- bool, char, string, System.DateTime, System.DateTimeOffset
- C#의 모든 수치 형식

정적 Convert 클래스는 모든 기반 형식에서 다른 모든 기반 형식으로의 변환을 수행하는 메서드들을 정의한다. 안타깝게도 그 메서드들은 대부분 쓸모가 없다. 그 메서드들은 예외를 던지거나, 아니면 그냥 암묵적 캐스팅에 맡기면 되는 일을 수행할 뿐이다. 그렇긴 하지만 유용한 메서드들도 몇 개 있다. 그럼 Convert의 유용한 변환 메서드들을 차례로 살펴보자.

모든 기반 형식은 IConvertible 인터페이스를 명시적으로 구현한다. 이 인터페이스는 다른 모든 기반 형식으로의 변환을 수행하는 메서드들을 정의하고 있다. 대부분의 경우 이 메서드들의 구현은 그냥 Convert의 해당 메서드를 호출한다. 드물긴 하지만, IConvertible 형식의 인수를 받는 메서드를 작성하는 것이 유용한 경우도 있다.

† (옮긴이) 이 문맥에서 기반 형식은 제3장에서 상속을 설명할 때 말한, 부모 형식이나 상위 형식과 같은 뜻의 기반 형식(base type)과는 다른 것임을 주의하기 바란다.

실수에서 정수로의 반올림 변환

제2장에서 암묵적/명시적 캐스팅을 통한 수치 형식 변환을 설명했다. 요약하자면 다음과 같다.

- 무손실 변환(이를테면 int에서 double)에는 암묵적 캐스팅이 허용된다.
- 유손실 변환(이를테면 double에서 int)에는 반드시 명시적 캐스팅이 필요하다.

캐스팅은 효율성을 위해 최적화된다. 이 때문에, 크기가 대상 형식에 맞지 않는 자료는 **절단**(truncation; 끝이 잘림)된다. 실수를 정수로 변환할 때 이 점이 문제가 될 수 있는데, 왜냐하면 일반적으로 그런 경우 절단(버림)이 아니라 **반올림**(rounding)을 기대하기 때문이다. 이 문제의 해결책은 Convert의 수치 변환 메서드들이다. 이 메서드들은 **항상** 반올림을 적용한다.

```
double d = 3.9;
int i = Convert.ToInt32 (d);    // i == 4
```

그런데 Convert는 중간 값(0.5)을 가장 가까운 짝수 정수에 대응시키는† '은행원 반올림(banker's rounding)'을 사용한다는 점을 주의하기 바란다(은행원 반올림에는 통계적으로 양이나 음으로의 편향이 없다는 장점이 있다). 그것이 문제가 된다면, Math.Round의 중복적재들 중에 중간 반올림(midpoint rounding) 방식을 제어하는 추가적인 인수를 받는 버전을 먼저 실수에 대해 호출하면 된다.

2, 8, 16진수 파싱

To(*정수-형식*) 메서드의 중복적재 중에는 다른 기수(base; 밑)의 수를 파싱하는 버전이 있다.

```
int thirty = Convert.ToInt32  ("1E", 16);    // 십육진수로서 파싱
uint five  = Convert.ToUInt32 ("101", 2);    // 이진수로서 파싱
```

둘째 인수는 기수를 지정한다. 지정 가능한 기수는 2, 8, 10, 16이다.

동적 변환

변환한 형식들이 실행시점에서야 결정되는 경우가 종종 있다. 이를 위해 Convert 클래스는 ChangeType이라는 메서드를 제공한다.

† (옮긴이) 예를 들어 1.5와 2.5 둘 다 2가 된다.

```
public static object ChangeType (object value, Type conversionType);
```

원본 형식(첫 인수의 형식)과 대상 형식(둘째 인수)은 '기반 형식'들이어야 한다. ChangeType에는 추가로 IFormatProvider 인수를 받는 버전도 있다. 다음 예를 보자.

```
Type targetType = typeof (int);
object source = "42";

object result = Convert.ChangeType (source, targetType);

Console.WriteLine (result);              // 42
Console.WriteLine (result.GetType());    // System.Int32
```

이러한 동적 변환 기법은 예를 들어 여러 가지 형식을 지원하는 역직렬화기(deserializer)를 작성할 때 유용하다. 또한, 임의의 열거형을 바탕 정수 형식(제3장의 '열거형(p.137)' 참고)으로 변환할 때에도 이런 동적 변환이 유용하다.

ChangeType의 한계는 서식 문자열이나 파싱 플래그를 지정할 수 없다는 것이다.

Base64 변환

비트맵 같은 이진 자료를 XML 파일이나 이메일 메시지 같은 텍스트 문서에 내장해야 하는 경우가 종종 있다. 이런 용도로 널리 쓰이는 것이 Base64이다. Base64는 이진 자료를 ASCII 문자 집합의 문자 64개를 이용해서† 읽기 가능 텍스트로 부호화한다.

Convert의 ToBase64String 메서드는 바이트 배열을 Base64로 변환하고, FromBase64String은 그 반대의 변환을 수행한다.

XmlConvert

XML 파일에서 비롯된 자료나 XML 파일에 저장할 자료를 다룰 때에는 System.Xml 이름공간에 있는 XmlConvert 클래스가 유용하다. 이 클래스는 그러한 자료의 서식화와 파싱에 아주 적합한 메서드들을 제공한다. XmlConvert의 메서드들은 특별한 서식 문자열를 지정하지 않아도 XML 서식화를 세밀하게 처리해 준다. 예를 들어 XML에서는 true의 문자열 표현이 "True"가 아니라 "true"이다. .NET Framework 자체도 내부적으로 XmlConvert를 많이 사용한다. XmlConvert는 또한 범용, 문화권 독립적 직렬화에도 적합하다.

---

† (옮긴이) 이는 곧 기수(base)가 64인 수 체계에 해당한다. 이 점에서 Base64라는 이름이 비롯되었다.

XmlConvert의 서식화 기능은 모두 적절히 중복적재된 ToString 메서드의 형태로 제공된다. 한편 파싱 메서드들은 ToBoolean, ToDateTime 같은 이름으로 되어 있다. 예를 들면 다음과 같다.

```
string s = XmlConvert.ToString (true);         // s = "true"
bool isTrue = XmlConvert.ToBoolean (s);
```

DateTime과의 변환을 수행하는 메서드들은 XmlDateTimeSerializationMode 형식의 인수를 받는다. 이 형식은 다음과 같은 값들을 가진 하나의 열거형이다.

```
Unspecified, Local, Utc, RoundtripKind
```

Local이나 Utc를 지정하면 서식화 메서드는 먼저 지역 시간 또는 UTC 시간으로 변환을 수행한 후(주어진 DateTime이 해당 시간대가 아닌 경우) 시간대 접미사를 붙인다.

```
2010-02-22T14:08:30.9375          // Unspecified
2010-02-22T14:07:30.9375+09:00    // Local
2010-02-22T05:08:30.9375Z         // Utc
```

Unspecified를 지정하면 서식화 메서드는 DateTime에 내장된 시간대 정보(즉, DateTimeKind)를 제거한 후 서식화를 수행한다. RoundtripKind를 지정하면 서식화 메서드는 DateTime의 DateTimeKind를 존중한다. 따라서 서식화 결과를 다시 파싱하면 원래의 DateTime과 동일한 DateTime이 복원된다.

형식 변환기

형식 변환기(type converter)는 디자인 시점 환경에서 서식화와 파싱을 수행하는 데 쓰인다. 형식 변환기는 또한 WPF나 Workflow Foundation에 쓰이는 형태의 XAML(Extensible Application Markup Language) 문서에 들어 있는 값들을 파싱하는 데에도 쓰인다.

.NET Framework에는 색상, 이미지, URI 등을 다루는 100종 이상의 형식 변환기가 있다. 반면 서식 공급자들은 그리 많지 않은 단순 값 형식들에 대해서만 구현되어 있다.

대체로 형식 변환기들은 힌트를 제공하지 않아도 문자열을 다양한 방식으로 파싱한다. 예를 들어 Visual Studio에서 ASP.NET 응용 프로그램을 개발하는 도

중에 어떤 컨트롤의 속성 창에서 BackColor 속성의 값으로 **"Beige"**를 입력하면 Color 형식을 담당하는 형식 변환기는 그것이 RGB 문자열이나 시스템 색상 이름이 아닌 색상 이름임을 감지한다. 이러한 유연성 때문에 디자이너나 XAML 문서 이외의 맥락에서도 형식 변환기가 유용하게 쓰이곤 한다.

모든 형식 변환기는 System.ComponentModel의 TypeConverter를 상속한다. 원하는 TypeConverter 객체는 TypeDescriptor.GetConverter를 호출해서 얻을 수 있다. 다음은 Color 형식(*System.Drawing.dll*의 System.Drawing 이름공간에 속한)을 위한 TypeConverter를 얻는 예이다.

```
TypeConverter cc = TypeDescriptor.GetConverter (typeof (Color));
```

TypeConverter에는 여러 메서드들이 있는데, 지금 논의에서 중요한 것은 ConvertToString 메서드와 ConvertFromString 메서드이다. 다음은 후자를 호출하는 예이다.

```
Color beige  = (Color) cc.ConvertFromString ("Beige");
Color purple = (Color) cc.ConvertFromString ("#800080");
Color window = (Color) cc.ConvertFromString ("Window");
```

형식 변환기 클래스의 이름은 항상 *Conveter*로 끝나는 것이 관례이며, 보통의 경우 지원하는 형식과 같은 이름공간에 들어 있다. 형식과 해당 형식 변환기 사이의 연관 관계는 TypeConverterAttribute 특성으로 지정한다. 디자이너는 이 특성을 이용해서 적절한 형식 변환기를 자동으로 선택한다.

형식 변환기는 디자이너 안의 드롭다운 목록에 채울 표준값 목록을 생성하거나 코드 직렬화를 돕는 등의 디자인 시점 서비스들도 제공할 수 있다.

BitConverter

대부분의 기반 형식은 BitConverterGetBytes를 호출해서 바이트 배열로 변환할 수 있다.

```
foreach (byte b in BitConverter.GetBytes (3.5))
  Console.Write (b + " ");                          // 0 0 0 0 0 0 12 64
```

BitConverter는 또한 그 반대 방향의 변환을 수행하는 메서드들도 제공한다. 이를테면 ToDouble이 있다.

decimal 형식과 DateTime(Offset) 형식들은 BitConverter가 지원하지 않는다. 그러나 decimal.GetBits를 이용하면 decimal을 int 배열로 변환할 수 있다. 그 반대 방향의 변환을 원한다면 int 배열을 받는 decimal 생성자를 사용하면 된다.

DateTime의 경우에는 인스턴스 메서드 ToBinary를 호출해서 long 값을 얻고, 그것에 대해 BitConverter를 사용하면 된다. 그 반대의 변환을 위한 수단으로는 정적 메서드 DateTime.FromBinary가 있다.

국제화

응용 프로그램의 **국제화**(internationalization)에는 두 가지 측면이 있는데, 하나는 **전역화**(globalization; 또는 세계화)이고 또 하나는 **지역화**(localization; 또는 현지화)이다.

전역화의 과제는 다음 세 가지이다(중요도 내림차순).

1. 독자의 프로그램이 다른 문화권에서 **깨지지**(break) 않게 한다.
2. 지역 문화권의 서식화 규칙들을 존중한다(이를테면 날짜를 표시할 때)
3. 문화권 고유 자료나 문자열들을 위성 어셈블리(나중에 작성해서 따로 배포할 수 있는)에서 가져오도록 프로그램을 설계한다.

지역화는 3번 과제를 수행하는 것을 말한다. 즉, 특정 문화권에 맞는 위성 어셈블리들을 실제로 작성하는 것이 지역화이다. 이러한 지역화는 프로그램 작성을 완료한 **후**에 수행할 수 있다. 구체적인 사항은 제18장의 '자원과 위성 어셈블리(p.953)'에서 설명한다.

2번 과제를 돕기 위해, .NET Framework는 문화권 고유 규칙들을 기본으로 적용한다. DateTime이나 수치 형식에 ToString을 호출하면 기본적으로 지역 서식화 규칙이 적용된다는 점을 앞에서 이미 보았다. 안타깝게도, 이 때문에 오히려 1번 과제에서 문제가 생기기도 한다. 날짜나 수치가 프로그램을 작성할 때 기준으로 삼았던 것과는 다른 서식화 규칙들로 서식화될 수 있기 때문이다. 해결책은 이전에도 말했듯이 서식화나 파싱 시 항상 특정 문화권(이를테면 불변 문화권)을 지정하거나, 아니면 XmlConvert의 메서드들 같이 문화권에 독립적인 메서드들을 사용하는 것이다.

전역화 점검 사항

전역화에서 주의할 사항들은 이미 이번 장의 여러 절에서 이야기했다. 다음은 필수 사항들을 요약한 것이다.

- 유니코드와 텍스트 부호화를 이해한다('텍스트 부호화와 유니코드(p.278)' 참고).
- char나 string에 대한 ToUpper나 ToLower 같은 메서드들이 문화권을 감지해서 작동한다는 점을 염두에 두어야 한다. 문화권 감지를 정말로 원하는 것이 아닌 한 ToUpperInvariant나 ToLowerInvariant를 사용할 것.
- DateTime과 DateTimeOffset에 대해서는 ToString("o")나 XmlConvert 같은 문화권 독립적 서식화와 파싱 메커니즘을 사용하라.
- 또는, 수치나 날짜/시간을 서식화/파싱할 때 항상 문화권을 지정하라(지역 문화권 기준 행동방식을 원하는 것이 아닌 한).

검사

다양한 문화권에 대해 프로그램을 시험해 보려면 Thread의 CurrentCulture 속성(System.Threading)을 적절히 변경하면 된다. 다음은 현재 문화권을 터키로 변경하는 예이다.

```
Thread.CurrentThread.CurrentCulture = CultureInfo.GetCultureInfo ("tr-TR");
```

전역화를 검사하는 데 터키 문화권이 좋은 이유는 다음과 같다.

- "i".ToUpper() != "I"이고 "I".ToLower() != "i"이다.
- 날짜 서식이 **일.월.연도**이다(날짜 요소들을 마침표로 구분한다는 점을 주목).
- 소수점이 쉼표이다(마침표가 아니라).

또한, Windows 제어판에서 수치와 날짜 서식 설정을 바꾸어 보는 것도 좋은 방법이다. 이 설정은 기본 문화권(CultureInfo.CurrentCulture)에 반영된다.

CultureInfo.GetCultures 메서드는 사용 가능한 모든 문화권의 배열을 돌려준다.

Thread와 CultureInfo는 또한 CurrentUICulture라는 속성도 제공한다. 이 속성은 지역화에 좀 더 관련이 있는데, 이에 관해서는 제18장에서 논의한다.

수치 다루기

변환

수치 변환은 이전의 여러 장과 절에서 다루었다. 표 6-7에 모든 옵션이 정리되어 있다.

표 6-7 수치 변환 정리

과제	함수	예

십진수 파싱	`Parse`
	`TryParse`
		`double d = double.Parse ("3.5");`
		`int i;`
		`bool ok = int.TryParse ("3", out i);`

2, 8, 16진수 파싱	`Convert.To`*정수형식*	`int i = Convert.ToInt32 ("1E", 16);`
십육진수로 서식화	`ToString ("X")`	`string hex = 45.ToString ("X");`
무손실 수치 변환	암묵적 캐스팅	`int i = 23;` `double d = i;`
버림(절단) 수치 변환	명시적 캐스팅	`double d = 23.5;` `int i = (int) d;`
반올림 수치 변환(실수에서 정수로)	`Convert.To`*정수형식*	`double d = 23.5;` `int i = Convert.ToInt32 (d);`

Math 클래스

표 6-8은 정적 `Math` 클래스의 멤버들이다. 삼각함수 메서드들은 `double` 형식의 인수들을 받는다. `Max` 같은 그 외의 메서드들은 모든 수치 형식에 대해 작동하도록 중복적재되어 있다. `Math` 클래스는 또한 수학 상수 `E`(e)와 `PI`도 정의한다.

표 6-8 정적 Math 클래스의 메서드들

범주	메서드
반올림	`Round, Truncate, Floor, Ceiling`
최대/최소	`Max, Min`
절댓값과 부호	`Abs, Sign`
제곱근	`Sqrt`
거듭제곱	`Pow, Exp`
로그	`Log, Log10`

삼각함수	`Sin, Cos, Tan`
	`Sinh, Cosh, Tanh`
	`Asin, Acos, Atan`

Round 메서드를 호출할 때에는 반올림할 자릿수를(즉, 몇째 자리로 반올림할 것인지를) 지정할 수 있으며, 중간 값 처리 방식(0에서 먼 쪽 또는 은행원의 반올림)도 지정할 수 있다. Floor와 Ceiling은 가장 가까운 정수를 돌려주는데, Floor는 항상 내림(rounding down)을 적용하고 Ceiling은 항상 올림(rounding up)을 적용한다. '항상'에는 음수도 포함된다.

Max와 Min은 인수 두 개만 받는다. 만일 배열이나 수열의 최댓값이나 최솟값을 구해야 한다면 System.Linq.Enumerable에 있는 Max, Min 확장 메서드들을 사용하면 된다.

BigInteger 구조체

BigInteger 구조체는 특화된 수치 형식으로, .NET Framework 4.0에 새로 도입되었다. *System.Numerics.dll*의 새로운 System.Numerics 이름공간에 있는 이 형식을 이용하면 아무리 큰 정수도 정밀도 손실 없이 표현할 수 있다.

BigInteger는 C#의 내장 형식이 아니기 때문에, C# 코드에서 BigInteger 리터럴을 직접 표기하는 방법은 없다. 그러나 임의의 정수 형식에서 BigInteger로의 암묵적 변환은 허용된다. 예를 들면 다음과 같다.

```
BigInteger twentyFive = 25;      // 정수에서 BigInteger로의 암묵적 변환
```

1구골(10^{100})처럼 더욱 큰 수를 표현하고 싶다면 BigInteger의 정적 메서드 중 하나인 Pow(주어진 지수만큼의 거듭제곱)를 사용하면 된다.

```
BigInteger googol = BigInteger.Pow (10, 100);
```

아니면 문자열을 Parse로 파싱하는 방법도 있다.

```
BigInteger googol = BigInteger.Parse ("1".PadRight (100, '0'));
```

이 값에 대해 ToString을 호출하면 모든 유효숫자가 손실 없이 출력된다.

```
Console.WriteLine (googol.ToString()); /* 10000000000000000000000000000000000
000000000000000000000000000000000000000000000000000000000000000000 */
```

BigInteger와 표준 수치 형식 사이의 변환 시 정보가 손실이 손실될 가능성이 있을 때에는 다음 예처럼 명시적 캐스팅 연산자를 사용해야 한다.

```
double g2 = (double) googol;        // 명시적 캐스팅
BigInteger g3 = (BigInteger) g2;    // 명시적 캐스팅
Console.WriteLine (g3);
```

출력을 보면 실제로 정밀도가 손실되었음을 알 수 있다.

```
9999999999999999673361688041166912...
```

BigInteger는 나머지 연산자(%)를 포함한 모든 산술 연산자를 중복적재하며, 비교 연산자들과 상등 연산자들도 중복적재한다.

바이트 배열로 BigInteger를 구축하는 것도 가능하다. 다음 코드는 암·복호화에 사용할 수 있는 32비트 난수를 생성해서 BigInteger 변수에 배정한다.

```
// 이 코드는 System.Security.Cryptography 이름공간을 사용함
RandomNumberGenerator rand = RandomNumberGenerator.Create();
byte[] bytes = new byte [32];
rand.GetBytes (bytes);
var bigRandomNumber = new BigInteger (bytes);   // BigInteger로 변환
```

이런 수치를 바이트 배열 대신 BigInteger에 담으면 값 형식 의미론을 얻게 된다는 장점이 생긴다. BigInteger를 다시 바이트 배열로 변환하려면 BigInteger의 ToByteArray 메서드를 호출하면 된다.

Complex 구조체

Complex 구조체도 특화된 수치 형식으로, 역시 .NET Framework 4.0에 새로 도입되었다. 이 형식은 복소수를 표현하는데, 실수부와 허수부의 형식은 double이다. Complex는 *System.Numerics.dll* 어셈블리에 있다(BigInteger와 함께).

Complex 인스턴스를 생성하는 기본적인 방법은 다음처럼 실수부와 허수부를 지정해서 생성자를 호출하는 것이다.

```
var c1 = new Complex (2, 3.5);
var c2 = new Complex (3, 0);
```

Complex는 또한 표준 수치 형식들로부터의 암묵적 변환도 지원한다.

Complex 구조체는 실수부와 허수부에 해당하는 속성들과 함께 복소평면 상의 위상(phase)과 크기(magnitude)에 해당하는 속성들도 노출한다.

```
Console.WriteLine (c1.Real);       // 2
Console.WriteLine (c1.Imaginary);  // 3.5
Console.WriteLine (c1.Phase);      // 1.05165021254837
Console.WriteLine (c1.Magnitude);  // 4.03112887414927
```

다음 예처럼 위상과 크기를 지정해서 Complex 인스턴스를 생성할 수도 있다.

```
Complex c3 = Complex.FromPolarCoordinates (1.3, 5);
```

Complex는 표준적인 산술 연산자들을 복소수에 맞게 중복적재한다.

```
Console.WriteLine (c1 + c2);    // (5, 3.5)
Console.WriteLine (c1 * c2);    // (6, 10.5)
```

또한, Complex 구조체는 좀 더 고급의 복소수 연산을 위한 정적 메서드들도 제공하는데, 이를테면 다음과 같은 것들이 있다.

- 삼각함수(Sin, Asin, Sinh, Tan 등).
- 로그와 지수
- 켤레 복소수(Conjugate)

Random 클래스

Random 클래스는 byte나 integer, double 형식의 난수들로 이루어진 의사난수열(pseudorandom sequence)을 생성한다.

Random을 사용하려면 먼저 인스턴스를 생성해야 하는데, 이때 난수열 생성에 쓰이는 종잣값(seed)을 지정할 수 있다. 같은 종잣값을 지정하면 항상 같은 난수열이 나온다(같은 CLR 버전에서 실행한다고 할 때). 재현성(reproducibility)이 필요한 경우에는 그런 난수열이 유용할 수 있다.

```
Random r1 = new Random (1);
Random r2 = new Random (1);
Console.WriteLine (r1.Next (100) + ", " + r1.Next (100));      // 24, 11
Console.WriteLine (r2.Next (100) + ", " + r2.Next (100));      // 24, 11
```

재현성이 필요하지 않을 때에는 종잣값 없이 Random 생성자를 호출하면 된다. 그러면 Random은 현재 시스템 시간을 이용해서 종자값을 만든다.

시스템 클록의 해상도가 그리 세밀하지 않기 때문에, Random 인스턴스 두 개를 짧은 간격으로(보통 10ms 이내) 생성하면 같은 난수열이 만들어질 위험이 있다. 특히, **같은** Random

객체를 재사용하는 것이 아니라 난수가 필요할 때마다 새로운 Random 객체를 생성하다 보면 그런 함정에 빠지기 쉽다.
바람직한 패턴은 정적 Random 인스턴스를 하나만 선언해서 재사용하는 것이다. 그러나 Random이 스레드에 안전하지 않으므로 다중 스레드 환경에서는 이런 접근방식이 문제가 될 수 있다. 이에 대한 우회책 하나가 제22장의 '스레드 지역 저장소(p.1161)'에 나온다.

Next(*n*)을 호출하면 0에서 *n*-1 사이의 정수 난수가 생성된다. NextDouble은 0 이상 1 미만의 double 형식 난수를 생성한다. NextBytes는 바이트 배열에 무작위한 값들을 채워 넣는다.

Random이 암·복호화처럼 보안 요구 수준이 높은 응용에 적합할 정도로 무작위한 것은 아니다. 그래서 .NET Framework는 **암호학적으로 강한** 난수 발생기를 제공한다(System.Security.Cryptography에 있다). 다음은 그 난수 발생기를 사용하는 예이다.

```
var rand = System.Security.Cryptography.RandomNumberGenerator.Create();
byte[] bytes = new byte [32];
rand.GetBytes (bytes);        // 바이트 배열에 난수들을 채워 넣는다.
```

이 발생기의 단점은 유연성이 떨어진다는 것이다. 바이트 배열을 채우는 것이 이 발생기로 난수를 얻는 유일한 방법이다. 정수 난수를 얻으려면 BitConverter를 사용해야 한다.

```
byte[] bytes = new byte [4];
rand.GetBytes (bytes);
int i = BitConverter.ToInt32 (bytes, 0);
```

열거형과 System.Enum

제3장에서 C#의 열거형을 소개하고, 멤버들을 조합하는 방법과 상등 판정, 논리 연산자 사용, 변환 수행 방법을 보여 주었다. .NET Framework는 열거형에 대한 C#의 지원을 System.Enum 형식을 통해서 더욱 확장한다. 이 형식의 역할은 다음 두 가지이다.

- 모든 enum 형식을 통합하는 기준이 된다.
- 편의용 정적 메서드들을 정의한다.

여기서 형식 통합(type unification)은, 임의의 열거형 멤버를 System.Enum 인스턴스로 암묵적으로 변환할 수 있음을 뜻한다.

```
enum Nut  { Walnut, Hazelnut, Macadamia }
enum Size { Small, Medium, Large }

static void Main()
{
  Display (Nut.Macadamia);     // Nut.Macadamia
  Display (Size.Large);        // Size.Large
}

static void Display (Enum value)
{
  Console.WriteLine (value.GetType().Name + "." + value.ToString());
}
```

System.Enum에 대한 편의용 정적 메서드들은 기본적으로 변환 수행과 멤버 목록 얻기에 관련된 것들이다.

열거형의 변환

코드에서 열거형 값을 표현하는 방법은 다음 세 가지이다.

- enum의 한 멤버로 표현한다.
- 바탕 정수 값으로 표현한다.
- 문자열로 표현한다.

이번 절에서는 이런 표현들 사이의 변환 방법을 설명한다.

열거형 멤버를 정수로 변환

enum 형식의 한 멤버와 해당 정수 값 사이의 변환에는 명시적 캐스팅이 필요하다는 점을 기억하고 있을 것이다. enum 형식을 컴파일 시점에서 알고 있다면 이러한 명시적 캐스팅이 올바른 접근방식이다.

```
[Flags] public enum BorderSides { Left=1, Right=2, Top=4, Bottom=8 }
...
int i = (int) BorderSides.Top;            // i == 4
BorderSides side = (BorderSides) i;       // side == BorderSides.Top
```

System.Enum 인스턴스도 마찬가지 방식으로 바탕 정수 형식으로 캐스팅할 수 있다. 이때 핵심은 System.Enum 인스턴스를 먼저 object로 캐스팅한 후에 정수 형식으로 캐스팅한다는 것이다.

```
static int GetIntegralValue (Enum anyEnum)
{
  return (int) (object) anyEnum;
}
```

이 방법은 해당 정수 형식을 프로그래머가 알고 있다는 가정에 기초한다. 예를 들어 바탕 정수 형식이 int가 아니라 long인 enum으로 위의 메서드를 호출하려 하면 컴파일 시점 오류가 발생한다. enum의 바탕 정수 형식에 무관하게 잘 작동하는 메서드를 작성하는 접근방식은 크게 세 가지이다. 첫째는 다음처럼 Convert.ToDecimal을 호출하는 것이다.

```
static decimal GetAnyIntegralValue (Enum anyEnum)
{
  return Convert.ToDecimal (anyEnum);
}
```

이 방법이 유효한 이유는, 모든 정수 형식(ulong도 포함)을 정보의 손실 없이 decimal로 변환할 수 있기 때문이다. 둘째 접근방식은 Enum.GetUnderlyingType을 호출해서 enum의 정수 형식을 얻고 그것으로 Convert.ChangeType을 호출하는 것이다.

```
static object GetBoxedIntegralValue (Enum anyEnum)
{
  Type integralType = Enum.GetUnderlyingType (anyEnum.GetType());
  return Convert.ChangeType (anyEnum, integralType);
}
```

이 방법에서는 원래의 정수 형식이 보존된다. 다음은 이 점을 보여주는 예이다.

```
object result = GetBoxedIntegralValue (BorderSides.Top);
Console.WriteLine (result);                              // 4
Console.WriteLine (result.GetType());                    // System.Int32
```

앞의 GetBoxedIntegralType 메서드는 사실 아무런 값 변환도 수행하지 않는다. 이 메서드는 그냥 같은 값을 다른 형식으로 **다시 박싱한다**. 즉, 이 메서드는 **열거형**의 탈을 쓴 정수 값을 **정수 형식**의 탈을 쓴 정수 값으로 바꿀 뿐이다. 이에 관해서는 이번 장의 '열거형의 작동 방식(p.332)'에서 좀 더 이야기한다.

셋째 접근방식은 서식 문자열 "d"나 "D"를 지정해서 Format이나 ToString을 호출하는 것이다. 그러면 enum의 정수 값을 표현한 문자열이 반환된다. 이 방법은 커스텀 직렬화 서식화 클래스를 작성할 때 유용하다.

```
static string GetIntegralValueAsString (Enum anyEnum)
{
  return anyEnum.ToString ("D");      // "4" 같은 문자열을 반환
}
```

정수를 열거형으로 변환

Enum.ToObject는 정수 값을 주어진 enum 형식의 인스턴스로 변환한다.

```
object bs = Enum.ToObject (typeof (BorderSides), 3);
Console.WriteLine (bs);                              // Left, Right
```

이는 다음과 같은 명시적 캐스팅의 동적 버전에 해당한다.

```
BorderSides bs = (BorderSides) 3;
```

ToObject는 모든 정수 형식에 대해 중복적재되어 있으며, object를 받도록 중복적재된 버전도 있다. (후자는 임의의 박싱된 정수 형식에 대해 작동한다.)

문자열 변환

enum을 문자열로 변환할 때에는 정적 Enum.Format 메서드를 호출하거나 enum 인스턴스에 대해 ToString을 호출한다. 두 메서드 모두 서식 문자열을 받는데, "G"를 지정하면 표준적인 표현이 나오고 "D"를 지정하면 바탕 정수 값을 표현하는 문자열이 나온다. "X"는 같은 값의 십육진수 표현이다. "F"를 지정하면 Flags 특성이 지정되지 않은 열거형이라도 조합된 멤버의 구성 멤버들이 나열된다. 이러한 서식 문자열들은 이번 장의 '표준 서식 문자열과 파싱 플래그(p.308)'에서 나열한 바 있다.

Enum.Parse 메서드는 문자열을 enum 인스턴스로 변환한다. 이 메서드는 enum 형식과 멤버 이름을 담은 문자열을 받는데, 다음 예처럼 여러 개의 멤버 이름들이 나열된 문자열을 지정하는 것도 가능하다.

```
BorderSides leftRight = (BorderSides) Enum.Parse (typeof (BorderSides),
                                                  "Left, Right");
```

선택적(생략 가능) 셋째 인수로 파싱 시 대소문자 구분 여부를 지정할 수 있다. 이 메서드는 지정된 멤버를 찾을 수 없으면 ArgumentException 예외를 던진다.

열거형 값들의 열거(나열)

Enum.GetValues 메서드는 주어진 enum 형식의 모든 멤버를 담은 배열을 돌려준다.

```
foreach (Enum value in Enum.GetValues (typeof (BorderSides)))
  Console.WriteLine (value);
```

결과 배열에는 LeftRight = Left | Right 같은 조합된 멤버들도 포함된다.

Enum.GetNames도 같은 일을 하되, 문자열 배열을 돌려준다.

내부적으로 CLR의 GetValues, GetNames 구현들은 enum 형식의 필드들을 반영 기능을 이용해서 조회한다. 효율성을 위해, 조회 결과를 캐시에 담아 둔다.

열거형의 작동 방식

enum의 의미론은 대부분 컴파일러가 강제한다. 실행시점에서 CLR은 enum 인스턴스(박싱되지 않은)와 바탕 정수 형식을 전혀 구별하지 못한다. 더 나아가서, CLR에서 enum은 그냥 System.Enum의 한 하위 형식(각 멤버마다 정수 형식 정적 필드가 하나 있는)으로 정의될 뿐이다. 이 덕분에 enum의 통상적인 용도는 고도로 효율적이다. 실행시점 비용이 정수 상수의 것에 비견할 정도이다.

이러한 전략의 단점은, enum이 **정적** 형식 안전성을 제공하긴 하지만 **강한** 형식 안전성을 제공하지는 못한다는 것이다. 이에 관해, 제3장에서 다음과 같은 예를 제시했었다.

```
public enum BorderSides { Left=1, Right=2, Top=4, Bottom=8 }
...
BorderSides b = BorderSides.Left;
b += 1234;                          // 오류가 발생하지 않음!
```

지금 예처럼 컴파일러가 열거형 연산의 유효성을 검증하지 못하는 상황에서는, CLR 역시 예외를 던져서 문제를 알려주지 못한다.

그런데 다음 예를 생각하면 실행시점에서 enum 인스턴스와 바탕 정수 형식이 구분되지 않는다는 말이 좀 틀린 것 같다.

```
[Flags] public enum BorderSides { Left=1, Right=2, Top=4, Bottom=8 }
...
Console.WriteLine (BorderSides.Right.ToString());        // Right
Console.WriteLine (BorderSides.Right.GetType().Name);    // BorderSides
```

실행시점에서 enum 인스턴스의 정의를 생각하면 이 코드가 2와 Int32를 출력해야 할 것이다. 위와 같은 결과가 나온 것은 컴파일 시점에서 컴파일러가 손을 댔기 때문이다. C#은 enum 인스턴스에 대해 ToString이나 GetType 같은 가상 메서드를 호출하기 전에, 먼저 그 인스턴스를 **박싱**하는 코드를 추가한다. 그리고 enum 인스턴스를 박싱하면 enum 형식에 관한 정보가 추가된다. CLR은 그 정보를 이용해서 위와 같은 결과를 내는 것이다.

튜플

.NET Framework 4.0에는 서로 다른 형식의 요소들을 '튜플tuple'이라는 단위로 묶는 제네릭 클래스들이 도입되었다. 다음과 같이 총 8개의 제네릭 Tuple 클래스들이 존재한다.

```
public class Tuple <T1>
public class Tuple <T1, T2>
public class Tuple <T1, T2, T3>
public class Tuple <T1, T2, T3, T4>
public class Tuple <T1, T2, T3, T4, T5>
public class Tuple <T1, T2, T3, T4, T5, T6>
public class Tuple <T1, T2, T3, T4, T5, T6, T7>
public class Tuple <T1, T2, T3, T4, T5, T6, T7, TRest>
```

각 클래스에는 Item1, Item2 등의 읽기 전용 속성들이 있다(형식 매개변수당 하나씩).

튜플을 생성하는 방법은 여러 가지이다. 다음처럼 생성자를 이용할 수도 있고,

```
var t = new Tuple<int,string> (123, "Hello");
```

다음처럼 편의용 정적 메서드 Tuple.Create를 이용할 수도 있다.

```
Tuple<int,string> t = Tuple.Create (123, "Hello");
```

후자에 대해서는 제네릭 형식 추론을 활용할 수 있다. 즉, 다음처럼 형식 인수들을 생략할 수 있는 것이다.

```
var t = Tuple.Create (123, "Hello");
```

생성된 튜플의 속성들에는 다음과 같이 접근한다(각 속성의 형식이 정적으로 정의되어 있음을 주목할 것).

```
Console.WriteLine (t.Item1 * 2);         // 246
Console.WriteLine (t.Item2.ToUpper());   // HELLO
```

튜플은 한 메서드에서 둘 이상의 값을 돌려줄 때 유용하며, 값 쌍#(pair)들의 컬렉션을 만들 때에도 유용하다(컬렉션은 제7장에서 설명한다).

튜플 대신 object 배열을 사용할 수도 있다. 그러나 그렇게 하면 정적 형식 안전성이 사라지고, 값 형식에 대해서는 박싱/언박싱 비용이 발생하며, 컴파일러가 검증할 수 없는 지저분한 캐스팅들이 끼어들게 된다.

```
object[] items = { 123, "Hello" };
Console.WriteLine ( ((int)    items[0]) * 2       );   // 246
Console.WriteLine ( ((string) items[1]).ToUpper() );   // HELLO
```

튜플의 비교

튜플은 클래스이다(따라서 참조 형식이다). 그래서 서로 다른 인스턴스를 상등 연산자로 비교하면 false가 반환된다. 그러나 Equals는 개별 요소를 비교하도록 재정의되어 있다.

```
var t1 = Tuple.Create (123, "Hello");
var t2 = Tuple.Create (123, "Hello");
Console.WriteLine (t1 == t2);           // False
Console.WriteLine (t1.Equals (t2));     // True
```

튜플의 Equals에는 둘째 인수로 커스텀 상등 비교자를 받는 버전도 있다(이는 튜플이 IStructuralEquatable을 구현하기 때문이다). 상등과 순서 비교는 이번 장에서 나중에 좀 더 이야기한다.

Guid 구조체

Guid 구조체는 전 지구적으로 고유한 식별자(globally unique identifier, GUID)를 나타낸다. 구체적으로 말하면, 이 구조체로부터 생성된 인스턴스는 전 세계에서 고유할 것이 거의 확실한 16바이트 값이다. 흔히 Guid는 응용 프로그램이나 데이터베이스에서 다양한 종류의 키key로 쓰인다. 고유한(유일한) Guid 값은 총 2^{128}개(약 3.4×10^{38}개)이다.

정적 Guid.NewGuid 메서드는 고유한 Guid 인스턴스를 생성한다.

```
Guid g = Guid.NewGuid ();
Console.WriteLine (g.ToString());  // 0d57629c-7d6e-4847-97cb-9e2fc25083fe
```

이미 알고 있는 값을 가진 인스턴스를 생성하려면 생성자를 사용하면 된다. 다음은 가장 유용한 두 생성자이다.

```
public Guid (byte[] b);     // 16바이트 배열을 받는다.
public Guid (string g);     // 서식화된 문자열을 받는다.
```

둘째 생성자는 십육진 숫자 32개로 이루어진 GUID 문자열을 인식한다. 또한 8, 12, 16, 20번째 숫자 다음에 빼기 기호가 포함되어 있거나 전체를 중괄호나 대괄호로 감싼 문자열도 잘 인식한다. 예를 들면 다음과 같다.

```
Guid g1 = new Guid ("{0d57629c-7d6e-4847-97cb-9e2fc25083fe}");
Guid g2 = new Guid ("0d57629c7d6e484797cb9e2fc25083fe");
Console.WriteLine (g1 == g2);  // True
```

Guid는 구조체이므로 값 형식 의미론을 따른다. 위의 예에서 상등 연산자가 두 인스턴스를 같다고 판정한 것은 그 때문이다.

ToByteArray 메서드는 Guid를 바이트 배열로 변환한다.

정적 Guid.Empty 속성은 빈 Guid(모든 바이트가 0인)를 돌려준다. 빈 Guid를 흔히 null 값 대신 사용한다.

상등 비교

지금까지는 상등 비교를 상등 연산자들, 즉 == 연산자와 != 연산자를 위주로 설명했다. 그런데 상등 비교라는 주제는 그보다 좀 더 복잡하고 미묘해서, 때에 따라서는 추가적인 메서드들과 인터페이스들이 요구되기도 한다. 이번 절에서는 상등에 관한 C#과 .NET Framework의 프로토콜들을 살펴본다. 특히 다음 두 질문에 초점을 둔다.

- 상등 비교에 ==와 !=가 적합한 때와 적합하지 않은 때는 언제이고, 대안은 무엇인가?
- 어떤 형식의 상등 논리를 커스텀화하는 것이 좋은 때는 언제이고, 어떻게 커스텀화하는가?

상등 프로토콜들과 커스텀화 방법을 세부적으로 설명하기 전에, 먼저 값 상등과 참조 상등이라는 기본 개념부터 짚고 넘어가자.

값 상등 대 참조 상등

다음과 같은 두 종류의 상등이 있다.

값 상등(value equality)

어떤 의미로든 두 값이 **동치**(equivalent; 동등)이다.

참조 상등(referential equality)

두 참조가 **정확히 같은 객체**를 가리킨다.

기본적으로,

- 값 형식은 **값 상등**을 사용하고
- 참조 형식은 **참조 상등**을 사용한다.

사실 값 형식은 값 상등**만** 사용할 수 있다(박싱되지 않았다고 할 때). 값 상등의 전형적인 예는 다음처럼 두 수치의 상등을 판정하는 것이다.

```
int x = 5, y = 5;
Console.WriteLine (x == y);   // True (값 상등에 의해)
```

좀 더 정교한 예로는 두 DateTimeOffset 구조체의 비교를 들 수 있다. 다음은 True를 출력하는데, 이는 두 DateTimeOffset이 **시간상의 같은 지점**을 지칭하며, 따라서 동치로 간주되기 때문이다.

```
var dt1 = new DateTimeOffset (2010, 1, 1, 1, 1, 1, TimeSpan.FromHours(8));
var dt2 = new DateTimeOffset (2010, 1, 1, 2, 1, 1, TimeSpan.FromHours(9));
Console.WriteLine (dt1 == dt2);   // True
```

DateTimeOffset 구조체의 상등 의미론이 조금 조율되었다. 기본적으로 구조체는 **구조체 상등**(structural equality)이라고 부르는 특별한 종류의 값 상등 의미론을 따른다. 구조체 상등에서는 두 인스턴스의 모든 멤버가 상등이면 둘을 상등으로 간주한다. (구조체 인스턴스를 생성해서 Equals 메서드를 호출해 보면 이 점을 알 수 있는데, 이에 관해서는 나중에 좀 더 이야기하겠다.)

참조 형식은 기본적으로 참조 상등을 따른다. 다음 예에서 f1과 f2는 비록 같은 내용의 객체들을 가리키지만, 서로 같다고 간주되지는 않는다.

```
class Foo { public int X; }
...
Foo f1 = new Foo { X = 5 };
```

```
Foo f2 = new Foo { X = 5 };
Console.WriteLine (f1 == f2);   // False
```

반면 f3과 f1은 같은 객체를 참조하므로 상등이다.

```
Foo f3 = f1;
Console.WriteLine (f1 == f3);   // True
```

값 상등 의미론을 따르도록 참조 형식을 **커스텀화**하는 방법은 이번 절에서 나중에 설명하겠다. 그런 참조 형식의 예로 System 이름공간의 Uri 클래스가 있다.

```
Uri uri1 = new Uri ("http://www.linqpad.net");
Uri uri2 = new Uri ("http://www.linqpad.net");
Console.WriteLine (uri1 == uri2);              // True
```

표준 상등 프로토콜

상등 비교를 지원하기 위해 형식이 구현할 수 있는 표준 상등 프로토콜은 다음 세 가지이다.

- == 연산자와 != 연산자
- 가상 Equals 메서드
- IEquatable<T> 인터페이스

그 외에 **교체 가능**(pluggable) 프로토콜들과 IStructuralEquatable 인터페이스도 있는데, 이에 관해서는 제7장에서 설명한다.

== 연산자와 != 연산자

표준 ==, != 연산자를 이용한 상등/부등 비교에 관한 예제는 이미 많이 나왔다. ==와 !=에 관련된 미묘한 문제들은 이들이 **연산자**이기 때문에 그 의미가 정적으로 결정된다는 사실(실제로 이들은 static 함수로 구현된다)에서 비롯된다. 즉, ==나 !=를 이용해서 비교를 수행하는 코드에 대해 C# 컴파일러는 그 비교를 수행할 형식을 **컴파일 시점**에서 결정하며, 여기에는 동적 다형성(virtual 메서드에 의한)이 전혀 끼어들지 않는다. 보통은 이것이 바람직한 방식이다. 다음 예에서 x와 y가 모두 int이므로 컴파일러는 == 연산자를 int 형식에 연결한다.

```
int x = 5;
int y = 5;
Console.WriteLine (x == y);      // True
```

반면 다음 예제에서 컴파일러는 == 연산자를 object 형식에 연결한다.

```
object x = 5;
object y = 5;
Console.WriteLine (x == y);      // False
```

object는 클래스이므로(따라서 참조 형식이므로) object의 ==는 **참조 상등**을 이용해서 x와 y를 비교한다. x와 y가 힙에 있는 서로 다른 박싱된 객체들을 참조하므로, 그 결과는 false이다.

가상 Object.Equals 메서드

앞의 예제에서 x와 y가 같다는 판정을 얻는 한 가지 방법은 가상 Equals 메서드를 사용하는 것이다. Equals는 System.Object에 정의되어 있으므로 모든 형식이 이 메서드를 제공한다.

```
object x = 5;
object y = 5;
Console.WriteLine (x.Equals (y));      // True
```

Equals의 의미는 실행시점에서, 해당 객체의 실제 형식에 근거해서 결정된다. 지금 예에서 런타임은 Int32의 Equals를 호출하는데, 그 메서드는 피연산자들에게 값 상등을 적용하며, 따라서 true를 돌려준다. 반면 참조 형식에 대한 Equals는 기본적으로 참조 상등을 적용하며, 구조체에 대한 Equals는 구조체 상등을 적용한다(즉, 구조체 인스턴스들의 각 필드에 대해 Equals를 호출한다).

왜 이렇게 복잡할까?

C# 설계자들이 그냥 ==를 가상으로 만들어서, 다시 말해 Equals와 동일한 방식으로 작동하게 만들어서 이런 문제들을 피하지 않은 이유가 궁금한 독자도 있을 것이다. 그 이유는 다음 세 가지이다.

- 만일 첫 피연산자가 널이면 NullReferenceException 예외가 발생해서 Equals의 호출이 실패한다. 정적 연산자는 그렇지 않다.
- == 연산자의 의미는 정적으로 결정되므로 실행 속도가 대단히 빠르다. 이는 계산량이 많은 코드에서 == 연산자를 사용해도 성능상의 피해가 발생하지 않음을(따라서 속도를 높이기 위해 C++ 같은 다른 언어를 배울 필요가 없음을) 뜻한다.

- ==와 Equals에게 각자 다른 의미의 상등 비교를 수행하게 하는 것이 유용한 경우가 종종 있다. 이에 관해서는 이번 절에서 나중에 좀 더 이야기하겠다.

본질적으로, 이러한 설계의 복잡성은 상황 자체의 복잡성(상등 개념이 경우에 따라 여러 가지일 수 있다는)을 반영한다.

따라서 가상 Equals는 형식에 구애받지 않고 두 객체를 비교하는 데 적합하다. 다음은 임의의 형식의 두 객체의 상등을 비교하는 방법을 보여주는 메서드이다.

```
public static bool AreEqual (object obj1, object obj2)
  => obj1.Equals (obj2);
```

그런데 이 방법이 실패하는 경우가 하나 있다. 만일 첫 인수가 null이면 NullReferenceException 예외가 발생한다. 다음은 이에 대한 해결책이다.

```
public static bool AreEqual (object obj1, object obj2)
{
  if (obj1 == null) return obj2 == null;
  return obj1.Equals (obj2);
}
```

이를 다음과 같이 좀 더 간결하게 표기할 수도 있다.

```
public static bool AreEqual (object obj1, object obj2)
  => obj1 == null ? obj2 == null : obj1.Equals (obj2);
```

정적 object.Equals 메서드

object 클래스는 앞의 AreEqual 예제와 동일한 일을 수행하는 편의용 정적 메서드를 하나 제공한다. 그 메서드의 이름은 가상 메서드와 같은 Equals이지만, 인수를 두 개 받기 때문에 이름 충돌은 일어나지 않는다.

```
public static bool Equals (object objA, object objB)
```

이 메서드를 이용하면 형식들을 컴파일 시점에서 미리 알 수 없는 상황에서도 널에 안전한 방식으로 상등을 비교할 수 있다. 예를 들면 다음과 같다.

```
object x = 3, y = 3;
Console.WriteLine (object.Equals (x, y));   // True
x = null;
Console.WriteLine (object.Equals (x, y));   // False
```

```
y = null;
Console.WriteLine (object.Equals (x, y));   // True
```

이 메서드는 이를테면 제네릭을 이용해서 일반적 형식을 작성할 때 유용하다. 다음 코드는 만일 object.Equals를 ==나 != 연산자로 대체하면 컴파일되지 않는다.

```
class Test <T>
{
  T _value;
  public void SetValue (T newValue)
  {
    if (!object.Equals (newValue, _value))
    {
      _value = newValue;
      OnValueChanged();
    }
  }
  protected virtual void OnValueChanged() { ... }
}
```

이 예에서는 정적인 상등 연산자를 사용할 수 없다. 컴파일러가 연산자를 구체적으로 어떤 형식의 정적 메서드에 연결시켜야 할지 알 수 없기 때문이다.

이러한 비교를 좀 더 정교하게 구현하는 방법은 EqualityComparer<T> 클래스를 사용하는 것이다. 이 방법에는 박싱을 피할 수 있다는 장점이 있다.

```
if (!EqualityComparer<T>.Default.Equals (newValue, _value))
```

EqualityComparer<T>는 제7장의 '상등 및 순서 비교 플러그인(p.408)'에서 좀 더 이야기한다.

정적 object.ReferenceEquals 메서드

경우에 따라서는 참조 상등 비교를 강제해야 할 수도 있다. 이를 위해 .NET Framework는 정적 object.ReferenceEquals 메서드를 제공한다.

```
class Widget { ... }

class Test
{
  static void Main()
  {
    Widget w1 = new Widget();
    Widget w2 = new Widget();
    Console.WriteLine (object.ReferenceEquals (w1, w2));     // False
  }
}
```

이처럼 참조 상등을 강제하는 수단이 필요한 이유는, 참조 형식이라고 해서 반드시 참조 상등을 따른다는 보장이 없다는 것이다. 예를 들어 Widget이 w1.Equals(w2)가 true를 돌려주도록 가상 Equals 메서드를 재정의했을 수도 있다. 더 나아가서, w1==w2 역시 true를 돌려주도록 == 연산자를 중복적재했을 수도 있다. 그런 경우에도 object.ReferenceEquals는 항상 보통의 참조 상등 의미론에 따라 상등을 비교한다.

참조 상등 비교를 강제하는 또 다른 방법은 피연산자들을 먼저 object로 캐스팅한 후 == 연산자를 적용하는 것이다.

IEquatable〈T〉 인터페이스

object.Equals를 호출하면 값 형식의 피연산자들에 대해 반드시 박싱이 적용된다. 성능에 민감한 상황에서는 이것이 바람직하지 않다. 박싱은 실제 비교에 비해 비싼 연산이기 때문이다. 이 문제를 해결하기 위해, IEquatable<T>라는 인터페이스가 C# 2.0에 도입되었다.

```
public interface IEquatable<T>
{
  bool Equals (T other);
}
```

이 메커니즘의 핵심은, IEquatable<T>를 구현한 형식에 대해 Equals를 호출하면 object의 가상 Equals를 호출할 때와 같은 결과가 나올 뿐만 아니라, 그 속도가 더 빠르다는 것이다. .NET Framework의 기본 형식들은 대부분 IEquatable<T>를 구현한다. IEquatable<T>를 제네릭 형식의 한 제약조건으로 둘 수도 있다.

```
class Test<T> where T : IEquatable<T>
{
  public bool IsEqual (T a, T b)
  {
    return a.Equals (b);      // 제네릭 T에 대해 박싱이 일어나지 않음
  }
}
```

제네릭 제약조건을 제거해도 클래스가 여전히 컴파일되지만, a.Equals(b)는 더 느린(T가 값 형식일 때) object.Equals에 연결된다.

Equals와 == 연산자가 같지 않은 경우

앞에서 ==와 Equals가 서로 다른 의미의 상등을 적용하는 것이 유용한 때가 있다고 말했다. 다음 예를 보자.

```
double x = double.NaN;
Console.WriteLine (x == x);            // False
Console.WriteLine (x.Equals (x));      // True
```

double 형식의 == 연산자는 NaN을 그 어떤 것과도 같지 않다고 판정한다. 심지어 두 NaN도 상등이 아니다. 이는 수학적 관점에서 가장 자연스러운 방식이며, 바탕 CPU의 행동 방식을 잘 반영한다. 반면 Equals 메서드는 **반사적**(reflexive) 상등을 따른다. 다른 말로 하면,

> x.Equals (x)는 항상 true를 돌려 주어야 한다.

컬렉션이나 사전 자료구조는 Equals가 이런 식으로 행동한다고 가정한다. 만일 그렇지 않으면 그런 자료구조는 자신에 저장되어 있는 항목을 찾지 못하게 된다.

값 형식에서는 Equals와 ==가 다른 의미의 상등을 적용하는 경우가 드물다. 좀 더 흔한 경우는, 참조 형식의 작성자가 Equals를 값 형식을 따르도록 커스텀화하고, ==는 기본 방식인 참조 상등을 적용하도록 그대로 두는 것이다. StringBuilder 클래스가 딱 그런 식으로 작동한다.

```
var sb1 = new StringBuilder ("foo");
var sb2 = new StringBuilder ("foo");
Console.WriteLine (sb1 == sb2);          // False (참조 상등)
Console.WriteLine (sb1.Equals (sb2));    // True  (값 상등)
```

그럼 상등을 커스텀화하는 방법으로 넘어가자.

상등과 커스텀 형식

기본적인 상등 비교 행동방식을 다시 떠올려 보자.

- 값 형식은 **값 상등**을 사용하고
- 참조 형식은 **참조 상등**을 사용한다.

더 나아가서,

- 구조체의 Equals 메서드는 기본적으로 값 상등의 특수한 경우인 **구조체 상등**을 사용한다(즉, 구조체의 각 필드를 비교한다).

그런데 형식을 직접 작성할 때에는 이러한 기본 행동방식 이외의 방식을 구현하는 것이 바람직할 때가 있다. 그 목적은 크게 두 가지이다.

- 상등의 의미를 바꾸기 위해
- 구조체들의 상등 비교를 좀 더 빨리 수행하기 위해

상등의 의미를 변경

==와 Equals의 기본 행동방식이 독자가 만드는 형식에 대해 자연스럽지 않다면, 그리고 **최종 사용자가 기대하는 것과는 다르다면**, 상등의 의미를 변경하는 것이 합리적이다. 좋은 예가 DateTimeOffset 구조체이다. 이 구조체에는 두 개의 전용(private) 필드가 있는데, 하나는 UTC DateTime이고 또 하나는 시간대를 나타내는 정수 오프셋이다. DateTimeOffset 형식을 독자가 직접 작성한다고 하면, 아마도 상등 비교 시 UTC DateTime 필드만 고려하고 오프셋 필드는 고려하지 않도록 구현해야 하겠다는 생각이 들 것이다. 또 다른 예는 float와 double처럼 NaN 값을 지원하는 수치 형식이다. 그런 형식을 독자가 직접 작성한다면, 상등 비교에서 NaN 비교 논리를 지원해야 할 것이다.

한편, 클래스를 대해 기본 방식인 **참조 상등** 대신 **값 상등**을 적용하는 것이 자연스러울 때가 있다. System.Uri나 System.String처럼 간단한 자료 조각 하나를 담는 작은 클래스에서 그런 경우가 많다.

구조체 상등 비교 속도 높이기

구조체에 기본적으로 적용되는 **구조체 상등** 비교 알고리즘은 비교적 느리다. Equals를 적절히 재정의하면 상등 비교 속도를 다섯 배 높일 수 있다. == 연산자를 중복적재하고 IEquatable<T>를 구현하면 박싱 없는 상등 비교가 가능해지며, 이를 통해서 속도를 또다시 다섯 배 높일 수 있다.

참조 형식에 대해서는 상등 의미론을 재정의해도 성능이 향상되지 않는다. 기본적인 참조 상등 알고리즘 자체가 이미 아주 빠르다(그냥 32비트 또는 64비트 참조 두 개를 비교할 뿐이다).

다소 독특한 경우의 상등 커스텀화도 존재한다. 바로, 구조체의 해싱hasing 알고리즘을 개선함으로써 해시테이블의 성능을 높이는 것이다. 이는 상등 비교와 해싱이 바늘과 실처럼 함께 다닌다는 사실에서 비롯된 것인데, 해싱은 잠시 후에 살펴보겠다.

상등 의미론의 재정의 방법

상등의 의미를 변경하는 과정을 요약하자면 다음과 같다.

1. GetHashCode와 Equals를 재정의한다.
2. (생략 가능) !=와 ==를 중복적재한다.
3. (생략 가능) IEquatable<T>를 구현한다.

GetHashCode의 재정의

System.Object가 멤버 수가 많지 않은 작은 형식이라는 점을 생각하면, 용도가 국한된 특별한 메서드가 존재한다는 것이 다소 이상하게 느껴진다. Object의 가상 메서드인 GetHashCode가 바로 그러한 메서드에 해당한다. 이 메서드는 기본적으로 다음 두 형식에만 유용하다.

```
System.Collections.Hashtable
System.Collections.Generic.Dictionary<TKey,TValue>
```

이들은 **해시테이블**hashtable이라고 부르는 자료구조에 해당한다. 해시테이블의 각 요소에는 조회와 저장에 쓰이는 키가 있다. 해시테이블은 각 요소를 그 키에 기초해서 효율적으로 할당하며, 이를 위해 아주 구체적인 전략을 사용한다. 좀 더 구체적으로, 각 키에는 **해시 코드**(hash code)라고 부르는 Int32 값이 있다. 각 키의 해시 코드가 고유할 필요는 없다(즉, 해시 코드가 같은 키가 여러 개 있을 수도 있다). 그러나 해시테이블의 성능이 좋으려면 해시 코드들이 충분히 다양해야 한다. .NET Framework가 해시테이블을 아주 중요시하기 때문에, GetHashCode 메서드를 아예 System.Object에 집어넣었다. 이 덕분에 모든 형식이 해시 코드를 제공할 수 있다.

 해시테이블은 제7장의 '사전(p.393)'에서 설명한다.

참조 형식들과 값 형식들 모두, 이 GetHashCode의 기본 구현이 갖추어져 있다. 따라서 독자가 이 메서드를 직접 재정의할 필요는 없다. 단, **Equals를 재정의한다면 이 메서드도 재정의해야 할 것이다.** (마찬가지로, GetHashCode를 직접 재정의한다면 Equals 역시 재정의하는 것이 바람직할 가능성이 아주 크다.)

그 밖에, object.GetHashCode를 재정의한다면 다음과 같은 규칙들도 반드시 따라야 한다.

- Equals가 true를 돌려주는 두 객체에 대해 GetHashCode도 반드시 true를 돌려주어야 한다(GetHashCode와 Equals를 함께 재정의해야 하는 이유가 바로 이것이다).
- 예외를 던지면 안 된다.
- 같은 객체에 대해 되풀이해서 호출했을 때 항상 같은 값을 돌려주어야 한다(그 사이에 객체가 **변경되지** 않았다고 할 때).

해시테이블의 성능을 극대화하려면, 서로 다른 두 값에 대해 같은 해시코드를 돌려줄 확률이 최소가 되도록 GetHashCode를 작성해야 한다. 이로부터, 구조체에 대해 Equals와 GetHashCode를 재정의하는 세 번째 이유가 나온다. 구조체에 대한 기본 해싱 알고리즘보다 효율이 높은 커스텀 알고리즘을 제공한다는 것이 바로 세 번째 이유이다. 구조체에 대한 기본 GetHashCode 구현은 런타임이 결정하는데, 구조체의 모든 필드를 해싱하는(따라서 좀 더 느린) 방식의 구현이 적용될 수도 있다.

반면 **클래스**에 대한 기본 GetHashCode 구현은 내부 객체 토큰에 기초한다. 각 인스턴스의 토큰은 CLR의 현재 구현 안에서는 고유하다.

해시코드를 키로 해서 객체를 사전에 추가한 후에 객체의 해시코드가 변경되면 사전에서 더 이상 그 객체에 접근할 수 없게 된다. 객체의 불변이 필드에 기초해서 해시코드를 생성하면 이런 문제를 피할 수 있다.

GetHashCode를 재정의하는 방법을 보여주는 구체적인 예제가 잠시 후에 나온다.

Equals를 재정의할 때 지켜야 할 규칙

object.Equals에는 다음과 같은 공리(axiom)들이 성립한다.

- 객체와 null은 상등이 되지 않는다(널 가능 형식이 아닌 한).
- 상등은 **반사적**(reflexiv)이다(객체는 자신과 상등이다).
- 상등은 **가환적**(commutative)이다(만일 a.Equals(b)이면 b.Equals(a)도 참이다.)
- 상등은 **추이적**(transitive; 또는 전이적)이다(만일 a.Equals(b)이고 b.Equals(c)이면 a.Equals(c)이다.)
- 상등 연산은 되풀이할 수 있고 안정적이다(예외를 던지지 않는다).

==와 !=의 중복적재

Equals를 재정의하는 것과 더불어, 필요하다면 상등 연산자와 부등 연산자를 중복적재할 수도 있다. 구조체에서는 거의 항상 이 연산자들도 중복적재한다. 이들을 적절히 중복하지 않으면 해당 구조체에 대해 ==와 !=가 합리적으로 작동하지 않기 때문이다.

클래스의 경우에는 두 가지 선택지가 있다.

- ==와 !=를 그대로 둔다. 즉, 기본 방식인 참조 상등을 적용한다.
- ==와 !=를 Equals에 맞게 중복적재한다.

커스텀 형식들, 특히 **가변이**(mutable) 형식들에는 주로 첫 접근방식을 사용한다. 이는 참조 형식에 대한 ==와 !=가 참조 상등 의미론을 따를 것이라는 소비자(이 형식의 사용자)들의 일반적인 기대에 부합하므로 불필요한 혼란을 피할 수 있다. 이에 관해서는 앞에서 다음과 같은 예를 제시했었다.

```
var sb1 = new StringBuilder ("foo");
var sb2 = new StringBuilder ("foo");
Console.WriteLine (sb1 == sb2);          // False (참조 상등)
Console.WriteLine (sb1.Equals (sb2));    // True  (값 상등)
```

소비자가 참조 상등을 절대로 원하지 않을 형식에 대해서는 둘째 접근방식이 바람직하다. 대체로, string이나 System.Uri 클래스 같은 불변이 형식들이 그런 형식들이고, 일부 struct들도 그런 형식일 수 있다.

첨언하자면, !=를 !(==)와는 다른 의미로 중복적재하는 것도 가능하다. 그러나, float.NaN의 비교 같은 경우를 제외하면 실무에서 그런 식으로 중복적재할 일은 거의 없다.

IEquatable〈T〉의 구현

완전함을 위해서는, Equals를 재정의할 때 IEquatable<T>도 구현하는 것이 좋다. 물론 재정의된 Equals 메서드와 항상 부합하는 결과를 내도록 구현해야 한다. Equals를 다음에 나오는 예제처럼 체계적으로 재정의한다면, IEquatable<T>를 구현하는 데에는 별다른 프로그래밍 비용이 들지 않는다.

예제: Area 구조체

너비와 높이를 맞바꿀 수 있는 직사각형 영역(area)을 나타내는 구조체를 작성한다고 하자. 너비와 높이를 맞바꿀 수 있다는 것은, 이를테면 5×10 영역과 10

×5 영역을 같다고 간주한다는 뜻이다. (이런 형식은 직사각형 형태의 물품들을 배치하는 알고리즘에 유용할 것이다).

다음은 그러한 구조체인 Area의 전체 정의이다.

```
public struct Area : IEquatable <Area>
{
  public readonly int Measure1;
  public readonly int Measure2;

  public Area (int m1, int m2)
  {
    Measure1 = Math.Min (m1, m2);
    Measure2 = Math.Max (m1, m2);
  }

  public override bool Equals (object other)
  {
    if (!(other is Area)) return false;
    return Equals ((Area) other);        // 아래의 메서드를 호출
  }

  public bool Equals (Area other)        // IEquatable<Area>를 구현
    => Measure1 == other.Measure1 && Measure2 == other.Measure2;

  public override int GetHashCode()
    => Measure2 * 31 + Measure1;    // 31은 임의로 선택한 소수(prime number)

  public static bool operator == (Area a1, Area a2) => a1.Equals (a2);

  public static bool operator != (Area a1, Area a2) => !a1.Equals (a2);
}
```

다음은 Equals 메서드의 또 다른 구현 방법으로, 널 가능 형식을 활용한다.

```
Area? otherArea = other as Area?;
return otherArea.HasValue && Equals (otherArea.Value);
```

GetHashCode의 구현에서는 두 치수(너비와 높이) 중 더 큰 것에 어떤 소수를 곱한(이때 넘침은 무시한다) 후에 두 치수를 합한다. 이는 고유한 해시코드가 생성될 가능성을 높이기 위한 것이다. 구조체에 필드가 이보다 더 많다면, 조슈아 블로크Joshua Bloch가 제안한 다음과 같은 패턴을 따르면 비교적 괜찮은 성능으로 좋은 결과를 얻을 수 있다.

```
int hash = 17;                                    // 17 = 임의의 소수
hash = hash * 31 + field1.GetHashCode();    // 31 = 또 다른 소수
hash = hash * 31 + field2.GetHashCode();
```

```
hash = hash * 31 + field3.GetHashCode();
...
return hash;
```

(소수와 해시코드에 관해서는 *http://albahari.com/hashprimes*에 링크된 논의를 참고하기 바란다.)

다음은 이 Area 구조체를 사용하는 예이다.

```
Area a1 = new Area (5, 10);
Area a2 = new Area (10, 5);
Console.WriteLine (a1.Equals (a2));    // True
Console.WriteLine (a1 == a2);          // True
```

교체 가능한 상등 비교자

특정한 상황에서만 임시로 어떤 형식에 대해 다른 방식의 상등 의미론을 적용해야 한다면, 교체 가능한 IEqualityComparer를 사용하면 된다. 이는 표준 컬렉션 클래스들과 함께 사용할 때 특히나 유용한데, 제7장의 '상등 및 순서 비교 플러그인(p.408)'에서 설명하겠다.

순서 비교

C#과 .NET Framework는 상등을 위한 표준 프로토콜들뿐만 아니라 두 객체의 상대적 순서를 결정하는 데 쓰이는 표준 프로토콜들도 정의한다. 기본적인 프로토콜들은 다음과 같다.

- IComparable 인터페이스들(IComparable과 IComparable<T>).
- > 연산자와 < 연산자

IComparable 인터페이스들은 범용 정렬 알고리즘에 쓰인다. 다음 예에서 정적 Array.Sort 메서드가 정렬을 제대로 수행하는 것은 System.String이 IComparable 인터페이스들을 구현하고 있기 때문이다.

```
string[] colors = { "Green", "Red", "Blue" };
Array.Sort (colors);
foreach (string c in colors) Console.Write (c + " ");   // Blue Green Red
```

<, > 연산자는 좀 더 특화된 프로토콜인데, 주로는 수치 형식들을 위한 것이다. 이들은 그 의미가 정적으로 결정되기 때문에 고도로 효율적인 바이트코드로 컴파일될 수 있다. 따라서 계산량이 많은 알고리즘에 적합하다.

.NET Framework는 또한 교체 가능 순서 결정 프로토콜들도 제공한다. 제7장의 마지막 절에서 설명하는 IComparer 인터페이스들이 바로 그것이다.

IComparable

IComparable 인터페이스들은 다음과 같이 정의되어 있다.

```
public interface IComparable       { int CompareTo (object other); }
public interface IComparable<in T> { int CompareTo (T other);      }
```

이 두 인터페이스는 같은 기능성을 제공한다. 값 형식의 경우에는 형식에 안전한 제네릭 인터페이스가 비제네릭 인터페이스보다 빠르다. 두 인터페이스 모두, CompareTo 메서드는 다음과 같이 작동한다.

- 만일 a가 b보다 뒤에 와야 하면 a.CompareTo(b)는 양수를 돌려준다.
- 만일 a가 b와 같은 위치이어야 하면 a.CompareTo(b)는 0을 돌려준다.
- 만일 a가 b보다 앞에 와야 하면 a.CompareTo(b)는 음수를 돌려준다.

예를 들면 다음과 같다.

```
Console.WriteLine ("Beck".CompareTo ("Anne"));      // 1
Console.WriteLine ("Beck".CompareTo ("Beck"));      // 0
Console.WriteLine ("Beck".CompareTo ("Chris"));     // -1
```

대부분의 기반 형식들은 두 IComparable 인터페이스를 모두 구현한다. 또한, 커스텀 형식을 작성할 때 이 인터페이스들을 구현하는 경우도 있다. 잠시 후에 그 예를 하나 제시하겠다.

IComparable 대 Equals

Equals를 재정의할 뿐만 아니라 IComparable 인터페이스들도 구현한 형식이 있다고 하자. 만일 그 형식의 두 인스턴스에 대해 Equals가 true를 돌려준다면, CompareTo 역시 반드시 0을 돌려주어야 할 것으로 생각할 것이다. 맞는 말이다. 반면, false를 돌려줄 때에는 상황이 좀 다르다.

- Equals가 false를 돌려줄 때 CompareTo는 어떤 결과라도 돌려줄 수 있다(내부적으로 일관된 결과이기만 하면).

다른 말로 하면, 상등은 비교보다 "더 까다로울(fussier)" 수 있지만, 비교가 상등보다 더 까다로울 수는 없다(이를 위반하면 정렬 알고리즘이 오작동하게 된다).

즉, CompareTo가 “모든 객체가 상등이다”라고 말하는 상황이라도, Equals는 “그러나 어떤 객체는 다른 객체보다 더 상등이다”†라고 말할 수 있다.

좋은 예가 System.String이다. String의 Equals 메서드와 == 연산자는 **서수** 비교를 이용해서 각 문자의 유니코드 부호점 값을 비교한다. 반면 CompareTo 메서드는 덜 까다로운 **문화권 의존적** 비교를 수행한다. 예를 들어 대부분의 컴퓨터에서 문자열 “ṻ”와 “ǖ”는 Equals에 따르면 서로 다르지만 CompareTo에 따르면 서로 같다.

제7장에서 교체 가능 순서 결정 프로토콜인 IComparer를 설명할 것이다. 이것을 이용하면 컬렉션을 정렬하거나 정렬된 컬렉션을 인스턴스화할 때 기본과는 다른 순서 결정 알고리즘을 지정할 수 있다. 커스텀 IComparer를 이용해서 CompareTo와 Equals의 간격을 더욱 넓일 수도 있다. 예를 들어 대소문자를 구분하지 않는 문자열 비교자는 "A"와 "a"의 순서 비교에 대해 0을 돌려줄 것이다. 그러나 그 반대 방향의 규칙은 여전히 적용된다. 즉, CompareTo가 Equals보다 더 까다로울 수는 없다.

커스텀 형식에서 IComparable 인터페이스들을 구현할 때 CompareTo의 첫 줄을 다음과 같이 작성하면 이 규칙을 위반할 위험이 사라진다.

```
if (Equals (other)) return 0;
```

그다음에는 어떤 결과라도 돌려줄 수 있다. 물론 일관된 결과이기만 하다면!

< 연산자와 > 연산자

형식 중에는 < 연산자와 > 연산자를 정의한 것들이 있다. 예를 들면 다음과 같다.

```
bool after2010 = DateTime.Now > new DateTime (2010, 1, 1);
```

일반적으로 <와 >는 IComparable과 모순되지 않는 결과를 내도록 구현된다. 이것이 .NET Framework 전반에 쓰이는 표준적인 관행이다.

또한, <와 >를 중복적재하는 경우에는 IComparable 인터페이스들도 구현한다는 것 역시 표준적인 관행이다. 그러나 그 역은 참이 아니다. 실제로, IComparable

† (옮긴이) 원문 “But some are more equal than others”로, 조지 오웰의 소설 *1984*에 나오는 “모든 동물은 평등하지만 어떤 동물은 다른 동물보다 더 평등하다”를 연상케 한다. 소설과는 달리 Equals의 이러한 ‘상등관’은 정당하고 유용하다.

을 구현하는 대부분의 .NET Framework 형식은 <와 >를 구현하지 않는다. 이는 Equals를 재정의한다면 ==도 중복적재하는 것이 관례인 상등 비교와의 차이점이다.

대체로 >와 <는 다음과 같은 경우에서만 중복적재한다.

- 형식에 고유한 '초과'와 '미만' 개념이 아주 강하다(IComparable의 '더 앞에'나 '더 뒤에'라는 좀 더 넓은 개념에 비해).
- 순서 비교를 수행하는 방법 또는 문맥이 단 하나이다.
- 결과가 문화권과 관계없이 동일하다.

System.String은 마지막 조건을 만족하지 않는다. 문자열 비교는 언어(자연어)에 따라 다를 수 있다. 그래서 string은 >와 < 연산자를 지원하지 않는다.

```
bool error = "Beck" > "Anne";       // 컴파일 시점 오류
```

IComparable 인터페이스 구현

다음은 음표(musical note)를 나타내는 구조체이다. 이 구조체는 IComparable 인터페이스들을 구현하며, 연산자 <와 >도 중복적재한다. 완전함을 위해, Equals와 GetHashCode를 재정의하고 ==와 !=도 중복적재한다.

```
public struct Note : IComparable<Note>, IEquatable<Note>, IComparable
{
  int _semitonesFromA;
  public int SemitonesFromA { get { return _semitonesFromA; } }

  public Note (int semitonesFromA)
  {
    _semitonesFromA = semitonesFromA;
  }

  public int CompareTo (Note other)            // 제네릭 IComparable<T>
  {
    if (Equals (other)) return 0;    // 실패의 여지가 없는 점검
    return _semitonesFromA.CompareTo (other._semitonesFromA);
  }

  int IComparable.CompareTo (object other)     // 비제네릭 IComparable
  {
    if (!(other is Note))
      throw new InvalidOperationException ("CompareTo: 음표가 아님!");
    return CompareTo ((Note) other);
  }
```

```
  public static bool operator < (Note n1, Note n2)
     => n1.CompareTo (n2) < 0;

  public static bool operator > (Note n1, Note n2)
    => n1.CompareTo (n2) > 0;

  public bool Equals (Note other)    // IEquatable<Note>를 위해
    => _semitonesFromA == other._semitonesFromA;

  public override bool Equals (object other)
  {
    if (!(other is Note)) return false;
    return Equals ((Note) other);
  }

  public override int GetHashCode() => _semitonesFromA.GetHashCode();

  public static bool operator == (Note n1, Note n2) => n1.Equals (n2);

  public static bool operator != (Note n1, Note n2) => !(n1 == n2);
}
```

편의용 클래스들

Console 클래스

정적 Console 클래스는 콘솔 기반 응용 프로그램의 표준 입·출력을 처리한다. 명령줄(콘솔) 응용 프로그램에서, 사용자가 키보드로 입력한 내용을 이 클래스의 Read나 ReadKey, ReadLine 메서드를 이용해서 읽어 들일 수 있으며, Write나 WriteLine 메서드를 이용해서 텍스트를 콘솔 창에 출력할 수 있다. 또한, 이 클래스의 WindowLeft, WindowTop, WindowHeight, WindowWidth 속성을 이용해서 콘솔 창의 위치와 크기를 조회하거나 변경할 수 있다. BackgroundColor 속성과 ForegroundColor 속성으로 배경색과 전경색을 변경하거나 CursorLeft, CursorTop, CursorSize 속성으로 커서를 조작하는 것도 가능하다.

```
Console.WindowWidth = Console.LargestWindowWidth;
Console.ForegroundColor = ConsoleColor.Green;
Console.Write ("시험 중... 50%");
Console.CursorLeft -= 3;
Console.Write ("90%");     // 시험 중... 90%
```

Write 메서드와 WriteLine 메서드에는 복합 서식 문자열('문자열과 텍스트 처리(p.265)'의 String.Format 참고)을 받는 중복적재 버전도 있다. 그러나 서식 공급

자를 받는 중복적재는 없다. 즉, 항상 CultureInfo.CurrentCulture가 적용된다. (물론 우회책은 string.Format을 명시적으로 호출하는 것이다).

Console.Out 속성은 텍스트 기록자(text writer)를 나타내는 TextWriter 객체를 돌려준다. TextWriter를 인수로 받는 메서드에 Console.Out을 넘겨주는 것은 진단(diagnostic) 메시지들을 콘솔 창에 출력할 때 유용한 방법이다.

또한, Console의 입출력 스트림을 SetIn과 SetOut 메서드를 이용해서 다른 곳으로 재지정(redirection)할 수도 있다.

```
// 우선 기존의 출력 기록자(writer)를 저장해 둔다.
System.IO.TextWriter oldOut = Console.Out;

// 콘솔의 출력을 파일로 재지정한다.
using (System.IO.TextWriter w = System.IO.File.CreateText
                                ("e:\\output.txt"))
{
  Console.SetOut (w);
  Console.WriteLine ("Hello world");
}

// 표준 콘솔 출력을 복원한다.
Console.SetOut (oldOut);

// output.txt 파일을 메모장으로 연다.
System.Diagnostics.Process.Start ("e:\\output.txt");
```

스트림과 텍스트 기록자의 작동 방식은 제15장에서 설명한다.

Visual Studio에서 WPF나 Windows Forms 응용 프로그램을 작성하는 도중에는 Console의 출력이 자동으로 Visual Studio의 출력 창으로 재지정된다(디버그 모드일 때). 이 덕분에 Console.Write를 진단용으로 유용하게 사용할 수 있다. 단, 대부분의 경우 System.Diagnostics 이름공간의 Debug 클래스와 Trace 클래스(제13장)가 더 적합하다.

Environment 클래스

정적 System.Environment 클래스는 유용한 여러 속성을 제공한다. 주요 속성들은 다음과 같다.

파일과 폴더

CurrentDirectory, SystemDirectory, CommandLine

컴퓨터와 운영체제

MachineName, ProcessorCount, OSVersion, NewLine

사용자 로그인

UserName, UserInteractive, UserDomainName

진단

TickCount, StackTrace, WorkingSet, Version

위에 나온 것 이외의 시스템 특수 폴더들의 경로도 얻을 수 있다. 이 클래스의 GetFolderPath 메서드를 사용하면 된다. 구체적인 방법은 제15장의 '파일과 디렉터리 연산(p.808)'에서 설명한다.

운영체제의 환경 변수들(명령 프롬프트에서 set을 실행하면 나오는 것들)은 세 메서드 GetEnvironmentVariable, GetEnvironmentVariables, SetEnvironmentVariable로 얻거나 설정할 수 있다.

ExitCode 속성을 이용하면 프로그램을 명령줄이나 일괄 실행 파일(batch file)에서 실행했을 때 운영체제에 반환될 프로그램 종료 코드를 설정할 수 있다. FailFast 메서드는 프로그램을 즉시 종료한다. 이 경우 객체 해제 등의 마무리 작업은 수행되지 않는다.

Windows 스토어 앱을 위한 Environment 클래스는 지금까지 말한 멤버들 중 일부만(이 글을 쓰는 현재 ProcessorCount, NewLine, FailFast) 제공한다.

Process 클래스

System.Diagnostics 이름공간의 Process 클래스는 새 프로세스를 띄우는 기능을 제공한다.

정적 Process.Start 메서드에는 여러 가지 중복적재 버전이 있는데, 가장 간단한 버전은 다음처럼 파일 이름 하나와 선택적 인수 하나를 받는다.

```
Process.Start ("notepad.exe");
Process.Start ("notepad.exe", "e:\\file.txt");
```

다음처럼 실행 파일이 아닌 파일 이름 하나만 지정하면 파일 확장자에 해당하는 등록된 프로그램이 실행된다.

```
Process.Start ("e:\\file.txt");
```

가장 유연한 버전은 ProcessStartInfo 인스턴스를 받는 버전이다. 이 버전을 이용하면 실행된 프로세스의 입력과 출력, 그리고 오류 출력을 갈무리 및 재지정할 수 있다(이를 위해서는 UseShellExecute를 false로 설정해야 한다). 다음은 ipconfig의 출력을 갈무리하는 예이다.

```
ProcessStartInfo psi = new ProcessStartInfo
{
  FileName = "cmd.exe",
  Arguments = "/c ipconfig /all",
  RedirectStandardOutput = true,
  UseShellExecute = false
};
Process p = Process.Start (psi);
string result = p.StandardOutput.ReadToEnd();
Console.WriteLine (result);
```

이러한 기능을 이용해서 csc(C# 컴파일러)를 실행할 수도 있다. Filename 속성을 다음과 같이 설정하면 된다.

```
psi.FileName = System.IO.Path.Combine (
  System.Runtime.InteropServices.RuntimeEnvironment.GetRuntimeDirectory(),
  "csc.exe");
```

출력을 재지정하지 않으면, Process.Start는 주어진 프로그램을 호출자와 병렬로 실행한다. 새 프로세스가 종료되길 기다리고 싶다면 Process 객체에 대해 WaitForExit를 호출하면 된다. 이때 선택적 인수로 만료 대기 시간을 지정할 수도 있다.

Process 클래스는 또한 현재 컴퓨터에서 실행되고 있는 다른 프로세스들을 조회하고 상호작용하는 수단들도 제공한다. 이에 관해서는 제13장을 보기 바란다.

보안 문제 때문에 Windows 스토어 앱에서는 Process 클래스를 사용할 수 없다. 애초에 Windows 스토어 앱에서는 보통의 프로그램에서 다른 프로세스를 직접 실행하는 것이 불가능하다. 대신 Windows.System.Launcher를 이용해서, 접근 권한이 있는 URI나 파일을 '실행해야' 한다. 예를 들면 다음과 같다.

```
Launcher.LaunchUriAsync (new Uri ("http://albahari.com"));

var file = await KnownFolders.DocumentsLibrary
                             .GetFileAsync ("foo.txt");
Launcher.LaunchFileAsync (file);
```

이렇게 하면 해당 URI 스킴이나 파일 확장자에 연관된 프로그램이 실행된다. 이런 작동이 가능하려면 프로그램이 반드시 전경에 있어야 한다.

AppContext 클래스

System.AppContext는 .NET Framework 4.6에 새로 도입된 클래스이다. 이 클래스는 문자열 키들과 부울 값들로 이루어진 전역 사전(dictionary) 하나를 제공한다. 이 사전은 라이브러리의 소비자가 새 기능들을 선택적으로 켜고 끌 수 있도록 라이브러리를 작성하고 싶을 때 사용할 수 있는 표준적인 메커니즘 역할을 한다. 이런 선택적 기능 활성화 접근방식은 대다수의 사용자에게는 아직 알리고 싶지 않은 실험적인 기능을 라이브러리에 추가하려고 할 때 유용하다.

라이브러리 소비자는 다음과 같이 특정 '스위치'를 설정함으로써 특정 기능을 활성화한다.

```
AppContext.SetSwitch ("MyLibrary.SomeBreakingChange", true);
```

라이브러리 안의 코드에서는 다음과 같은 방식으로 해당 스위치가 켜져 있는지 점검한다.

```
bool isDefined, switchValue;
isDefined = AppContext.TryGetSwitch ("MyLibrary.SomeBreakingChange",
                                     out switchValue);
```

TryGetSwitch는 만일 지정된 스위치가 정의되어 있지 않으면 false를 돌려준다. 이 덕분에 스위치의 값 자체가 false로 설정된 경우와 스위치가 아예 정의되지 않은 경우를 구분할 수 있다.

모순적이게도, TryGetSwitch는 잘못 설계된 API의 예이다. 사실 out 매개변수는 없어도 된다. 대신 반환 형식을 널 가능 bool로 해서, 스위치가 정의되어 있으면 해당 값(true나 false)을 돌려 주고, 정의되어 있지 않으면 null을 돌려주면 된다. 그러면 다음과 같은 용법이 가능해진다.

```
bool switchValue = AppContext.GetSwitch ("...") ?? false;
```

7장

C# 6.0 in a Nutshell

컬렉션

.NET Framework는 컬렉션(collection), 즉 다수의 객체를 담는 자료구조를 저장하고 관리하기 위한 일단의 표준적인 형식들을 제공한다. 제공하는 컬렉션으로는 크기를 변경할 수 있는 목록, 연결 목록(linked list), 정렬된/되지 않은 사전 등이 있다. 또한, 배열도 컬렉션의 일종이다. 모든 컬렉션에서 C# 언어 자체의 일부인 것은 배열이 유일하다. 나머지 컬렉션은 모두 다른 클래스들처럼 인스턴스화할 수 있는 클래스이다.

컬렉션에 관련된 .NET Framework의 형식들은 크게 다음 세 범주로 나뉜다.

- 표준 컬렉션 프로토콜을 정의하는 인터페이스
- 바로 사용할 수 있는 컬렉션 클래스(목록, 사전 등)
- 응용 프로그램에 특화된 커스텀 컬렉션을 작성하는 데 사용하는 기반 클래스

이번 장에서는 세 범주 모두 설명한다. 또한, 컬렉션 요소들의 상등과 순서를 비교하는 데 쓰이는 형식들도 설명한다.

컬렉션 이름공간들은 다음과 같다.

이름공간	내용
System.Collections	비제네릭 컬렉션 클래스들과 인터페이스들
System.Collections.Specialized	강한 형식의 비제네릭 컬렉션 클래스들
System.Collections.Generic	제네릭 컬렉션 클래스들과 인터페이스들
System.Collections.ObjectModel	커스텀 컬렉션을 위한 프록시들과 기반 클래스들
System.Collections.Concurrent	스레드에 안전한 컬렉션들(제23장 참고)

열거

컴퓨팅에는 배열이나 연결 목록 같은 간단한 자료구조에서부터 적흑 트리(red/black tree)나 해시테이블 같은 복잡한 것에 이르기까지 다양한 종류의 컬렉션이 쓰인다. 이런 자료구조들의 내부 구현과 외부 특징은 아주 다양하지만, 컬렉션의 내용을 운행하는(traverse) 능력, 다시 말해서 컬렉션에 담긴 요소들에 차례로 접근할 수 있는 기능을 제공해야 한다는 점은 거의 보편적이다. .NET Framework는 이를 위해 한 쌍의 인터페이스(`IEnumerable`과 `IEnumerator`, 그리고 해당 제네릭 인터페이스들)를 제공한다. 이들을 구현함으로써, 내부 구현과 외부 특징이 서로 다른 자료구조들이라도 공통의 운행 API를 소비자에게 노출할 수 있다. 이 인터페이스들은 그림 7-1에 나온 좀 더 큰 컬렉션 인터페이스 집합의 일부이다.

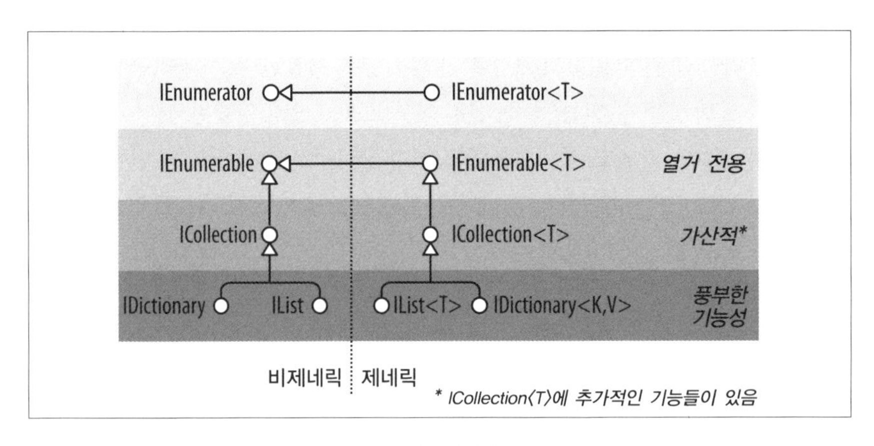

그림 7-1 컬렉션 인터페이스들

IEnumerable과 IEnumerator

열거자(enumerator)를 대표하는 `IEnumerator` 인터페이스는 컬렉션의 요소들을 운행하는, 즉 **열거하는**(enumerate) 기본적인 방법을 규정하는 저수준 프로토콜들을 정의한다. 이 인터페이스는 전진(forward) 운행만 지원한다. 선언은 다음과 같다.

```
public interface IEnumerator
{
  bool MoveNext();
  object Current { get; }
  void Reset();
}
```

MoveNext 메서드는 현재 요소를 가리키는 '커서'를 다음 위치로 옮긴다. 만일 컬렉션에 더 이상의 요소가 없으면 false를 돌려준다. Current는 현재 위치의 요소를 돌려준다(흔히 object에서 좀 더 구체적인 형식으로 캐스팅한다). 첫 요소를 조회하기 전에 반드시 MoveNext를 호출해야 한다. 빈(empty) 컬렉션을 허용하려면 이러한 제약이 필요하다. Reset 메서드는(구현되어 있다면) 커서를 다시 컬렉션의 시작 위치로 되돌린다. 그러면 컬렉션을 다시 열거할 수 있다. Reset은 주로 COM과의 상호운용을 위해 존재하는 것이다. 모든 컬렉션이 이 메서드를 구현하지는 않으므로(사실 꼭 구현할 필요도 없다; 컬렉션을 다시 열거하려면 그냥 새 열거자를 인스턴스화하면 된다), 이를 직접 호출하는 것은 피해야 한다.

대체로 컬렉션들은 열거자를 **구현**하는 것이 아니라, IEnumerable 인터페이스를 통해서 열거자를 **제공**한다.

```
public interface IEnumerable
{
  IEnumerator GetEnumerator();
}
```

열거자를 돌려주는 메서드 하나를 정의하는 IEnumerable 인터페이스 덕분에, 코드의 열거 논리를 다른 클래스에 맡길 수 있다는 유연성이 생긴다. 더 나아가서, 여러 소비자가 하나의 컬렉션을 서로 간섭하지 않고 열거할 수 있는 능력도 생긴다. "IEnumeratorProvider"(열거자 제공자 인터페이스)라고 불러도 좋을 이 IEnumerable은 컬렉션 클래스들이 구현하는 가장 기본적인 인터페이스이다.

다음은 IEnumerable과 IEnumerator의 저수준 용법을 보여주는 예이다.

```
string s = "Hello";

// string은 IEnumerable을 구현하므로 GetEnumerator를 호출할 수 있다:
IEnumerator rator = s.GetEnumerator();

while (rator.MoveNext())
{
  char c = (char) rator.Current;
  Console.Write (c + ".");
}
```

출력:

```
H.e.l.l.o.
```

그런데 이처럼 열거자의 메서드를 직접 호출하는 경우는 드물다. C#이 제공하는 단축 구문인 foreach 문이 있기 때문이다. 다음은 앞의 예제를 foreach로 다시 작성한 것이다.

```
string s = "Hello";      // string은 IEnumerable를 구현한다.

foreach (char c in s)
  Console.Write (c + ".");
```

IEnumerable<T>와 IEnumerator<T>

IEnumerator와 IEnumerable은 거의 항상 그에 해당하는 확장된 제네릭 버전들과 연계해서 구현된다.

```
public interface IEnumerator<T> : IEnumerator, IDisposable
{
  T Current { get; }
}

public interface IEnumerable<T> : IEnumerable
{
  IEnumerator<T> GetEnumerator();
}
```

이 인터페이스들은 Current와 GetEnumerator의 형식 있는 버전들을 정의한다. 이 덕분에 정적 형식 안정성이 강해지고, 값 형식 요소의 박싱 비용을 피할 수 있으며, 소비자가 사용하기에도 편하다. 배열은 자동으로 IEnumerable<T>를 구현한다(이때 T는 배열 원소의 형식이다).

정적 형식 안전성이 향상된 덕분에, char 배열을 인수로 해서 다음 메서드를 호출하면 컴파일 시점 오류가 발생한다.

```
void Test (IEnumerable<int> numbers) { ... }
```

컬렉션 클래스들에서는, IEnumerable<T>는 공용으로 노출하되 비제네릭 IEnumerable은 명시적 인터페이스 구현을 통해서 "숨기는(가리는)" 것이 표준적인 관행이다. 이 관행에 따라 작성된 컬렉션에 대해 GetEnumerator를 직접 호출하면 형식에 안전한 제네릭 IEnumerator<T>가 반환된다. 그러나 하위 호환성 때문에 이러한 관행을 따르지 않는 경우도 종종 있다(제네릭은 C# 2.0에서야 도입되었다). 좋은 예가 배열이다. 구식 코드가 제대로 컴파일되려면 배열은 반드시 제네릭이 아닌(좋게 말해서 '고전적인') IEnumerator를 돌려주어야 한다. 제네릭 IEnumerator<T>를 얻으려면 다음과 같이 캐스팅을 이용해서 명시적 인터페이스를 드러내야 한다.

```
int[] data = { 1, 2, 3 };
var rator = ((IEnumerable <int>)data).GetEnumerator();
```

다행히 이런 종류의 코드를 작성해야 할 일은 드물다. 그냥 foreach 문을 사용하면 된다.

IEnumerable〈T〉와 IDisposable

IEnumerator<T>는 IDisposable을 상속한다. 데이터베이스 연결 같은 자원에 대한 참조들을 열거자를 이용해서 열거할 때, 열거가 완료되면(또는 중간에 열거가 일찍 끝나면) 그 자원들이 자동으로 해제된다. foreach 문도 이러한 의미론을 지원한다. 컴파일러는 다음과 같은 코드를

```
foreach (var element in somethingEnumerable) { ... }
```

논리적으로 다음과 같은 코드로 바꾸어서 컴파일한다.

```
using (var rator = somethingEnumerable.GetEnumerator())
  while (rator.MoveNext())
  {
    var element = rator.Current;
    ...
  }
```

using 블록은 삭제(disposal; 해제)를 보장한다. IDisposable에 관해서는 제12장에서 좀 더 자세히 이야기한다.

비제네릭 인터페이스는 언제 사용할까?

IEnumerable<T> 같은 제네릭 컬렉션 인터페이스가 제공하는 추가적인 형식 안전성을 생각한다면, 비제네릭 IEnumerable(또는 ICollection이나 IList)을 굳이 사용할 필요가 있을까 하는 의문이 들 것이다.

IEnumerable을 구현할 때에는 반드시 IEnumerable<T>와 연계해서 구현해야 한다. 후자가 전자를 상속하기 때문이다. 그러나 커스텀 형식을 만들 때 실제로 이 인터페이스

들을 처음부터 직접 구현하는 경우는 아주 드물다. 거의 대부분은 반복자 메서드들이나 Collection<T>, LINQ 같은 고수준 접근방식을 사용해서 해결한다.

소비자는 어떨까? 거의 모든 경우에서 제네릭 인터페이스로 충분하다. 그렇지만 비제네릭 인터페이스가 제공하는, 모든 요소 형식에 대한 컬렉션의 형식 통합 능력이 유용할 때가 종종 있다. 예를 들어 다음 메서드는 임의의 컬렉션의 요소 개수를 **재귀적으로** 계산한다.

```
public static int Count (IEnumerable e)
{
  int count = 0;
  foreach (object element in e)
  {
    var subCollection = element as IEnumerable;
    if (subCollection != null)
      count += Count (subCollection);
    else
      count++;
  }
  return count;
}
```

C#은 제네릭 인터페이스에 대한 공변성(covariance)을 지원하므로, 이 메서드가 IEnumerable이 아니라 IEnumerable<object> 형식의 인수를 받게 해도 괜찮을 것으로 생각할 수 있다. 그러나 그렇게 하면 값 형식의 요소들을 담은 컬렉션이나 IEnumerable<T>를 구현하지 않는 구식 컬렉션들(이를테면 Windows Forms의 ControlCollection)로는 이 메서드를 호출할 수 없다.

잠깐 곁가지로, 이 예제에 잠재적인 버그가 있음을 눈치챈 독자도 있을 것이다. 이 메서드는 **순환** 참조(cyclic reference) 때문에 재귀가 무한히 반복되어서 프로그램이 충돌할 수 있다. 이 문제를 해결하는 가장 쉬운 방법은 HashSet을 이용하는 것이다(이번 장의 'HashSet<T> 클래스와 SortedSet<T> 클래스(p.390)' 참고).

열거 인터페이스들의 구현

커스텀 형식을 작성할 때, 다음 이유 중 하나 이상에 해당한다면 IEnumerable이나 IEnumerable<T>를 구현하는 것이 바람직하다.

- foreach 문을 지원한다.
- 표준 컬렉션을 지원하는 임의의 코드 요소와 연동한다.
- 좀 더 정교한 컬렉션 인터페이스의 요구조건들을 만족한다.
- 컬렉션 초기치 구문을 지원한다.

IEnumerable/ IEnumerable<T>를 구현하려면 반드시 열거자를 제공해야 한다. 그 방법은 다음 세 가지이다.

- 다른 컬렉션을 "감싸는" 래퍼wrapper 클래스라면, 감싼 컬렉션의 열거자를 돌려준다.
- yield return을 이용하는 반복자를 통해서 열거자를 제공한다.
- 직접 구현한 IEnumerator/IEnumerator<T>의 인스턴스를 돌려준다.

✓ 또는 기존 컬렉션을 상속할 수도 있다. 그런 용도로 .NET Framework가 제공하는 것이 바로 Collection<T> 클래스이다(이에 관해서는 '커스텀화 가능한 컬렉션과 프록시(p.401)'를 보라). 또 다른 접근방식은 다음 장에서 다루는 LINQ 질의 연산자들을 사용하는 것이다.

커스텀 형식이 감싸고 있는 내부 컬렉션의 열거자를 돌려주는 것은 간단하다. 내부 컬렉션의 GetEnumerator 메서드를 호출하면 된다. 그러나 이런 접근방식은 내부 컬렉션의 항목들을 그대로 열거하는 아주 간단한 시나리오에만 적합하다. 좀 더 유연한 접근방식은 C#의 yield return 문을 사용해서 반복자를 작성하는 것이다. **반복자**(iterator)는 C# 언어의 한 기능으로, foreach 문이 컬렉션을 소비할 때 유용한 것과 마찬가지 방식으로, 반복자는 컬렉션을 작성할 때 유용하다. 반복자는 IEnumerable과 IEnumerator(또는 해당 제네릭 버전들의) 구현을 자동으로 처리해준다. 간단한 예를 보자.

```
public class MyCollection : IEnumerable
{
  int[] data = { 1, 2, 3 };

  public IEnumerator GetEnumerator()
  {
    foreach (int i in data)
      yield return i;
  }
}
```

GetEnumerator가 열거자를 돌려주지는 않는다는 점에 주목하기 바란다. 여기에 반복자의 마법이 숨어 있다. C# 컴파일러는 yield return 문을 만나면 숨겨진 내부 열거자 클래스를 즉석에서 작성하고, GetEnumerator가 그 클래스의 인스턴스를 생성해서 돌려주는 코드를 삽입한다. 반복자는 강력하고도 간단하다(또한 LINQ to Object의 표준 질의 연산자들을 구현하는 데 많이 쓰인다).

제네릭 인터페이스 IEnumerable<T>도 이런 방식으로 구현할 수 있다.

```
public class MyGenCollection : IEnumerable<int>
{
  int[] data = { 1, 2, 3 };

  public IEnumerator<int> GetEnumerator()
  {
    foreach (int i in data)
      yield return i;
  }

  IEnumerator IEnumerable.GetEnumerator()     // 이번에도 비제네릭 버전은
  {                                           // 명시적 구현으로 숨긴다.
    return GetEnumerator();
  }
}
```

IEnumerable<T>는 IEnumerable을 상속하므로, GetEnumerator의 제네릭 버전과 비제네릭 버전을 모두 구현해야 한다. 이 예제는 표준 관행에 따라 비제네릭 버전을 명시적으로 구현했다. IEnumerator<T>가 IEnumerator를 상속하므로, 이처럼 그냥 GetEnumerator를 호출하기만 하면 된다.

방금 작성한 클래스는 좀 더 정교한 컬렉션 클래스를 작성하는 데 사용할 기반 클래스로 적합할 것이다. 그러나 그냥 간단한 IEnumerable<T> 구현만으로 충분하다면, yield return 문을 조금 변형하는 것으로도 원하는 결과를 얻을 수 있다. 컬렉션 클래스를 따로 작성하는 대신, 반복 논리를 제네릭 IEnumerable<T>를 돌려주는 메서드로 옮기고 나머지는 컴파일러에 맡기면 된다. 다음이 그러한 예이다.

```
public class Test
{
  public static IEnumerable <int> GetSomeIntegers()
  {
    yield return 1;
    yield return 2;
    yield return 3;
  }
}
```

다음은 이 메서드를 사용하는 예이다.

```
foreach (int i in Test.GetSomeIntegers())
  Console.WriteLine (i);
```

출력:

```
1
2
3
```

GetEnumerator를 작성하는 마지막 접근방식은 IEnumerator를 직접 구현하는 클래스를 작성하는 것이다. 반복자를 사용하는 코드를 컴파일할 때 컴파일러가 내부적으로 사용하는 방식이 바로 이것이다. (다행히 독자가 직접 이런 방식을 사용해야 하는 경우는 드물다.) 다음 예제는 정수 1, 2, 3을 담도록 하드코딩된 컬렉션을 정의한다.

```
public class MyIntList : IEnumerable
{
  int[] data = { 1, 2, 3 };

  public IEnumerator GetEnumerator()
  {
    return new Enumerator (this);
  }

  class Enumerator : IEnumerator       // 열거자를 위한 내부 클래스를
  {                                    // 정의한다.
    MyIntList collection;
    int currentIndex = -1;

    public Enumerator (MyIntList collection)
    {
      this.collection = collection;
    }

    public object Current
    {
      get
      {
        if (currentIndex == -1)
          throw new InvalidOperationException ("열거가 시작되지 않았음!");
        if (currentIndex == collection.data.Length)
          throw new InvalidOperationException ("목록의 끝을 지나쳤음!");
        return collection.data [currentIndex];
      }
    }

    public bool MoveNext()
    {
      if (currentIndex >= collection.data.Length - 1) return false;
      return ++currentIndex < collection.data.Length;
    }

    public void Reset() { currentIndex = -1; }
```

```
    }
  }
```

Reset의 구현은 생략할 수 있다. 대신 NotSupportedException을 던지면 된다.

MoveNext를 처음 호출했을 때 커서를 목록의 첫 항목으로(둘째 항목이 아니라) 이동해야 한다는 점을 주의하기 바란다.

반복자와 동등한 수준의 기능성을 제공하기 위해서는 IEnumerator<T>도 구현해야 한다. 다음이 그러한 예인데, 간결함을 위해 색인 범위 점검은 생략했다.

```
class MyIntList : IEnumerable<int>
{
  int[] data = { 1, 2, 3 };

  // 이 일반적 반복자는 IEnumerable과 IEnumerable<T> 모두에
  // 호환된다. 이름 충돌을 피하기 위해, 비제네릭 GetEnumerator 메서드는
  // 명시적으로 구현한다.

  public IEnumerator<int> GetEnumerator() { return new Enumerator(this); }
  IEnumerator IEnumerable.GetEnumerator() { return new Enumerator(this); }

  class Enumerator : IEnumerator<int>
  {
    int currentIndex = -1;
    MyIntList collection;

    public Enumerator (MyIntList collection)
    {
      this.collection = collection;
    }

    public int Current => collection.data [currentIndex];
    object IEnumerator.Current => Current;

    public bool MoveNext() => ++currentIndex < collection.data.Length;

    public void Reset() => currentIndex = -1;

    // 이 예에서처럼 Dispose 메서드가 필요하지 않을 때에는 명시적으로
    // 구현해서 공용 인터페이스에서 숨겨지게 하는 것이 좋은 관행이다.
    void IDisposable.Dispose() {}
  }
}
```

제네릭 버전의 속도가 더 빠르다. IEnumerator<int>.Current에 int에서 object로의 캐스팅이 필요하지 않으므로 박싱의 추가부담이 없기 때문이다.

ICollection 인터페이스와 IList 인터페이스

열거 인터페이스들은 컬렉션의 전진 전용 반복(운행)을 위한 프로토콜을 제공할 뿐, 컬렉션 크기 조회나 색인을 이용한 요소 접근, 컬렉션 검색이나 수정 같은 작업을 위한 메커니즘은 제공하지 않는다. 그런 기능성을 위해 .NET Framework에는 `ICollection`과 `IList`, `IDictionary`라는 인터페이스들이 정의되어 있다. 인터페이스마다 제네릭 버전과 비제네릭 버전이 있는데, 대부분의 경우 비제네릭 버전은 구식 코드를 지원하기 위해 존재하는 것일 뿐이다.

이 인터페이스들의 상속 계통구조가 그림 7-1에 나와 있다. 다음은 이 인터페이스들을 아주 간단하게 요약한 것이다.

`IEnumerable<T>`*(그리고* `IEnumerable`*)*

최소한의 기능성(딱 열거만을 위한) 제공한다.

`ICollection<T>` *(그리고* `ICollection`*)*

중간 정도의 기능성을 제공한다(이를테면 `Count` 속성).

`IList <T>/IDictionary <K,V>`*와 해당 비제네릭 버전들*

최대의 기능성을 제공한다(색인/키에 의한 '임의' 접근도 포함해서).

이 인터페이스 중 어떤 것이라도 독자가 직접 **구현**해야 하는 경우는 드물다. 거의 모든 경우에서, 독자가 컬렉션 클래스를 작성할 때에는 그냥 `Collection<T>`를 상속하면 된다(이번 장의 '커스텀화 가능한 컬렉션과 프록시(p.401)' 참고). 또한, 컬렉션 클래스를 직접 작성하는 대신 LINQ를 이용해서 해결할 수 있는 상황들도 많다.

제네릭 버전과 비제네릭 버전에는 독자가 예상한 것 이상의 차이가 있다. 특히 `ICollection`의 경우가 그렇다. 이런 차이가 생긴 이유는 대부분 역사적이다. C#에 제네릭이 나중에 추가되었기 때문에, .NET 개발팀은 기존의 경험에 기초해서 제네릭 인터페이스들을 좀 더 잘 개발할 수 있었다. 특히 이전과는 다른(그리고 더 나은) 멤버들을 선택했다. `ICollection<T>`가 `ICollection`을 확장(상속)하지 않는 것은 이 때문이다. 마찬가지로 이유로 `IList<T>`는 `IList`를 확장하지 않으며, `IDictionary<TKey, TValue>`는 `IDictionary`를 확장하지 않는다. 물론 컬렉션 클래스 자체는 한 인터페이스의 두 버전을 모두 구현해도 된다(그것이 도움이 된다면—그런데 실제로 그런 경우가 많다).

IList<T>가 IList를 확장하지 않는 또 다른 미묘한 이유 하나는, 만일 확장한다면 IList<T>로의 캐스팅 시 Add(T) 멤버와 Add(object) 멤버를 모두 가진 인터페이스가 반환된다는 것이다. 그러면 임의의 형식의 객체로 Add를 호출할 수 있으므로 정적 형식 안전성이 사실상 깨져버린다.

이번 절에서는 ICollection<T>와 IList<T>, 그리고 해당 비제네릭 버전들을 설명한다. 사전 인터페이스들(IDictionary <K,V>와 해당 비제네릭 버전)은 이번 장의 '사전(p.393)'에서 다룬다.

.NET Framework 전체에서 **컬렉션**이라는 용어와 **목록**(list)이라는 용어가 쓰이는 방식은 그리 일관적이지 않다. 예를 들어 IList<T>가 ICollection<T>보다 기능이 더 많으므로, List<T> 클래스가 Collection<T> 클래스보다 기능이 더 많으리라고 예상할 수 있다. 그러나 실제로는 그 반대이다. **컬렉션**과 **목록**은 대체로 같은 말이되, 구체적인 형식이 관여하는 경우에는 그렇지 않을 수도 있다는 정도로 생각하는 것이 최선일 것이다.

ICollection<T> 인터페이스와 ICollection 인터페이스

ICollection<T>는 가산(countable) 컬렉션(저장된 요소들의 개수를 셀 수 있는 컬렉션)을 위한 표준 인터페이스이다. 이 인터페이스는 컬렉션의 크기를 파악하는 기능(Count 속성)과 주어진 항목(요소)이 컬렉션에 존재하는지 판단하는 기능(Contains 메서드), 컬렉션을 배열로 복사하는 기능(ToArray 메서드), 읽기 전용 여부를 판단하는 기능(IsReadOnly 속성) 등을 제공한다. 쓰기 가능 컬렉션의 경우에는 컬렉션에 항목을 추가하거나(Add), 컬렉션에서 항목을 제거하거나(Remove), 컬렉션을 아예 비우는(Clear) 기능도 제공한다. 그리고 이 인터페이스는 IEnumerable<T>를 확장하므로, foreach 문을 이용해서 요소들을 훑는 기능도 제공한다.

```
public interface ICollection<T> : IEnumerable<T>, IEnumerable
{
  int Count { get; }

  bool Contains (T item);
  void CopyTo (T[] array, int arrayIndex);
  bool IsReadOnly { get; }

  void Add(T item);
  bool Remove (T item);
  void Clear();
}
```

이와 비슷하게 비제네릭 ICollection도 가산 컬렉션 기능을 제공하지만, 목록을 변경하거나 요소의 존재 여부를 판정하는 등의 추가 기능은 제공하지 않는다.

```
public interface ICollection : IEnumerable
{
   int Count { get; }
   bool IsSynchronized { get; }
   object SyncRoot { get; }
   void CopyTo (Array array, int index);
}
```

비제네릭 인터페이스의 특징이라면 동기화(제14장 참고)를 돕는 속성들이 정의되어 있다는 것이다. 제네릭 버전들에서는 이 속성들이 폐기되었는데, 스레드 안전성이라는 것이 컬렉션 자체가 제공해야 할 무엇은 아니라는 깨달음 때문이다.

두 인터페이스 모두 구현하기가 상당히 간단하다. 읽기 전용 ICollection<T>를 구현할 때에는 Add와 Remove, Clear 메서드가 반드시 NotSupportedException을 던지게 해야 한다.

보통의 경우 이 인터페이스들은 IList나 IDictionary 인터페이스와 함께 구현한다.

IList<T> 인터페이스와 IList 인터페이스

IList<T>는 특정 위치에 있는 요소에 접근하는 기능을 제공하는 컬렉션을 위한 표준 인터페이스이다. ICollection<T>와 IEnumerable<T>에서 물려받은 기능성 외에, 이 인터페이스는 특정 위치에 있는 요소를 읽고 쓰는 기능(인덱서를 통해서)과 특정 위치에 요소를 삽입하거나 제거하는 기능을 제공한다.

```
public interface IList<T> : ICollection<T>, IEnumerable<T>, IEnumerable
{
  T this [int index] { get; set; }
  int IndexOf (T item);
  void Insert (int index, T item);
  void RemoveAt (int index);
}
```

IndexOf 메서드는 선형 검색(linear search)을 이용해서 목록의 특정 요소에 접근한다. 만일 지정된 요소를 찾지 못하면 -1을 돌려준다.

비제네릭 인터페이스 IList는 더 많은 멤버를 정의하는데, 이는 ICollection에서 물려받은 멤버가 적기 때문이다.

```
public interface IList : ICollection, IEnumerable
{
  object this [int index] { get; set }
  bool IsFixedSize { get; }
  bool IsReadOnly  { get; }
  int  Add      (object value);
  void Clear();
  bool Contains (object value);
  int  IndexOf  (object value);
  void Insert   (int index, object value);
  void Remove   (object value);
  void RemoveAt (int index);
}
```

비제네릭 IList 인터페이스의 Add 메서드는 정수를 돌려준다. 그 정수는 새로 추가된 항목의 색인이다. 반면 ICollection<T>의 Add 메서드는 반환 형식이 void이다.

범용 List<T> 클래스는 IList<T>와 IList의 최소한의 구현에 해당한다. C# 배열도 IList의 제네릭 버전과 비제네릭 버전을 모두 구현한다(비록 요소를 추가, 제거하는 메서드들은 명시적 인터페이스 구현에 의해 숨겨져 있으며 호출 시 NotSupportedException을 던지지만).

IList의 인덱서를 통해서 다차원 배열에 접근하려 하면 ArgumentException 예외가 발생한다. 그래서 다음과 같은 메서드는 문제가 있다.

```
public object FirstOrNull (IList list)
{
  if (list == null || list.Count == 0) return null;
  return list[0];
}
```

언뜻 보면 별문제가 없지만, 다차원 배열로 이 메서드를 호출하면 예외가 발생한다. 주어진 객체가 다차원 배열인지를 실행시점에서 판단하려면 다음과 같은 표현식을 사용하면 된다(좀 더 자세한 사항은 제19장에 나온다).

```
list.GetType().IsArray && list.GetType().GetArrayRank()>1
```

IReadOnlyList<T> 인터페이스

읽기 전용 WinRT 컬렉션들과의 상호운용성을 위해, .NET Framework 4.5에는 IReadOnlyList<T>라는 새로운 컬렉션 인터페이스가 도입되었다. 이 인터페이스는 그런 컬렉션을 지원하는 데 유용할 뿐만 아니라, 그 자체로도 유용하다. 목록에 대한 읽기 전용 연산들에 필요한 멤버들만 노출하는, IList<T>의 축소 버전이라고 생각하면 될 것이다.

```
public interface IReadOnlyList<out T> : IEnumerable<T>, IEnumerable
{
  int Count { get; }
  T this[int index] { get; }
}
```

형식 매개변수들이 출력 위치에만 쓰이므로, 이 인터페이스에는 공변이다. 그래서 이를테면 고양이들의 목록을 동물들의 읽기 전용 목록으로 취급할 수 있다. 반면 IList<T>의 T는 출력 위치뿐만 아니라 입력 위치에도 쓰이므로 공변이 아니다.

IReadOnlyList<T>는 목록에 대한 하나의 읽기 전용 **시각**(view뷰)을 나타낸다. 바탕 구현 자체가 읽기 전용일 필요는 없다.

논리적으로는 IList<T>가 IReadOnlyList<T>를 상속해야 마땅하다. 그러나 실제로 그렇게 하려면 IList<T>의 멤버들을 IReadOnlyList<T>로 옮겨야 하는데, 그러면 CLR 4.5에 대한 하위호환성이 깨진다(기존 프로그램을 다시 컴파일하지 않으면 런타임 오류가 발생한다). 그래서 Microsoft는 그런 상속을 포기하고, IList<T>를 구현하는 클래스를 작성할 때 반드시 IReadOnlyList<T>를 클래스가 구현하는 인터페이스 목록에 포함해야 한다는 제약을 추가했다.

IReadOnlyList<T>에 대응되는 WinRT의 인터페이스는 IVectorView<T>이다.

Array 클래스

Array 클래스는 모든 배열(1차원과 다차원 모두)의 암묵적인 기반 클래스이며, 표준 컬렉션 인터페이스를 구현하는 가장 근본적인 형식 중 하나이다. Array 클래스는 형식 통합을 제공한다. 이 덕분에 배열 선언 방식이나 원소 형식과 무관하게 모든 배열에는 공통의 메서드들이 존재한다.

배열이 아주 근본적인 자료구조이기 때문에, C#에는 배열의 선언과 초기화를 위한 특별한 구문이 존재한다. 이에 대해서는 제2장과 제3장에서 이야기했다. C#의 구문으로 선언된 배열에 대해 CLR은 내부적으로 Array 클래스의 파생 클래스를 만들어 낸다. 즉, CLR은 배열의 차원들과 원소 형식에 적합한 **유사 형식**(pseudotype)을 합성해 낸다. 이 유사 형식은 IList<string> 같은 형식 있는 제네릭 컬렉션 인터페이스를 구현한다.

배열은 생성 시점에서도 특별한 취급을 받는다. CLR은 배열에 대해 메모리의 연속된 공간을 할당한다. 이 덕분에 색인으로 배열에 접근하는 속도가 아주 빠르다. 대신, 일단 생성된 배열의 크기는 변경하지 못한다.

Array는 IList<T>까지의 컬렉션 인터페이스들(제네릭 버전과 비제네릭 버전 모두)을 구현한다. 단, IList<T> 자체는 명시적으로 구현한다. 이는 Array의 공용(public) 인터페이스들에 Add나 Remove 같은 메서드가 포함되지 않게 하기 위한 것이다. 그런 메서드들은 배열 같은 고정 길이 컬렉션에 대해 호출되었을 때 예외를 던지도록 구현되어 있다. 사실 Array는 정적 Resize 메서드를 제공하지만, 이 메서드는 기존 배열의 크기를 변경하는 것이 아니라 새 배열을 생성한 후 기존 원소들을 새 배열에 복사한다. 이는 비효율적이다. 게다가, 프로그램의 어딘가에서 배열을 가리키던 참조들은 여전히 기존 배열을 가리키므로 문제가 발생하게 된다. 크기를 변경할 수 있는 컬렉션을 원한다면 List<T> 클래스(다음 절에서 설명한다)를 사용하는 것이 더 나은 방법이다.

배열은 값 형식 원소들을 담을 수도 있고 참조 형식 원소들을 담을 수도 있다. 값 형식 원소들은 배열 자체에 저장된다. 따라서 긴 정수(8바이트 정수) 세 개를 담는 배열은 연속된 메모리 24바이트를 차지한다. 반면 참조 형식 원소는 배열 안에서 참조 하나 크기(32비트 환경에서는 4바이트, 64비트 환경에서는 8바이트)의 공간만 차지한다. 그림 7-2는 다음 예제의 배열들이 메모리 안에 저장되는 방식을 나타낸 것이다.

```
StringBuilder[] builders = new StringBuilder [5];
builders [0] = new StringBuilder ("builder1");
builders [1] = new StringBuilder ("builder2");
builders [2] = new StringBuilder ("builder3");

long[] numbers = new long [3];
numbers [0] = 12345;
numbers [1] = 54321;
```

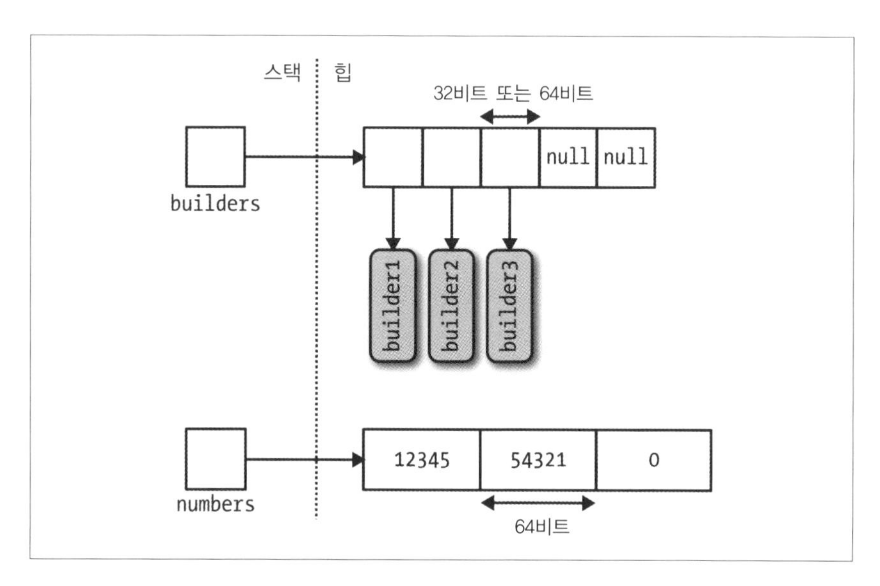

그림 7-2 메모리 안의 배열들

Array는 클래스이므로, 배열 원소의 형식이 어떻든 배열 자체는 항상 참조 형식이다. 따라서 arrayB = arrayA 같은 배정문이 실행되면 두 변수가 같은 배열을 참조하게 된다. 또한, 서로 다른 두 배열의 상등 판정은 항상 거짓으로 평가된다. 물론 커스텀 상등 비교자를 사용한다면 다른 결과가 나올 수 있다. .NET Framework 4.0에서는 배열이나 튜플의 상등을 그 원소들을 비교해서 판정하는 커스텀 상등 비교자 하나가 도입되었다. 다음 예에서 보듯이, StructuralComparisons 형식을 통해서 그 상등 비교자에 접근할 수 있다.

```
object[] a1 = { "string", 123, true };
object[] a2 = { "string", 123, true };

Console.WriteLine (a1 == a2);                                  // False
Console.WriteLine (a1.Equals (a2));                            // False

IStructuralEquatable se1 = a1;
Console.WriteLine (se1.Equals (a2,
 StructuralComparisons.StructuralEqualityComparer));   // True
```

배열을 복제하는 한 가지 방법은 arrayB = arrayA.Clone()처럼 Clone 메서드를 사용하는 것이다. 그러나 이 메서드는 '얕은 복제(shallow clone)' 또는 얕은 복사(shallow copy)를 수행한다. 즉, 배열에 할당된 메모리만 복사한다. 값 형식 원소들을 담은 배열이면 그 원소들도 복사되므로 배열 전체를 복제하는 결과가 나오지만, 참조 형식 원소들을 담은 배열은 그냥 참조들만 복사될 뿐 그 참조가 가리키는 객체들은 복제되지 않는다(따라서 같은 객체들을 가리키는 참조들을 담은 배열 두 개가 생긴다). 그림 7-3은 앞의 예제에 다음과 같은 코드가 추가로 실행되었을 때의 메모리 구성을 나타낸 것이다.

```
StringBuilder[] builders2 = builders;
StringBuilder[] shallowClone = (StringBuilder[]) builders.Clone();
```

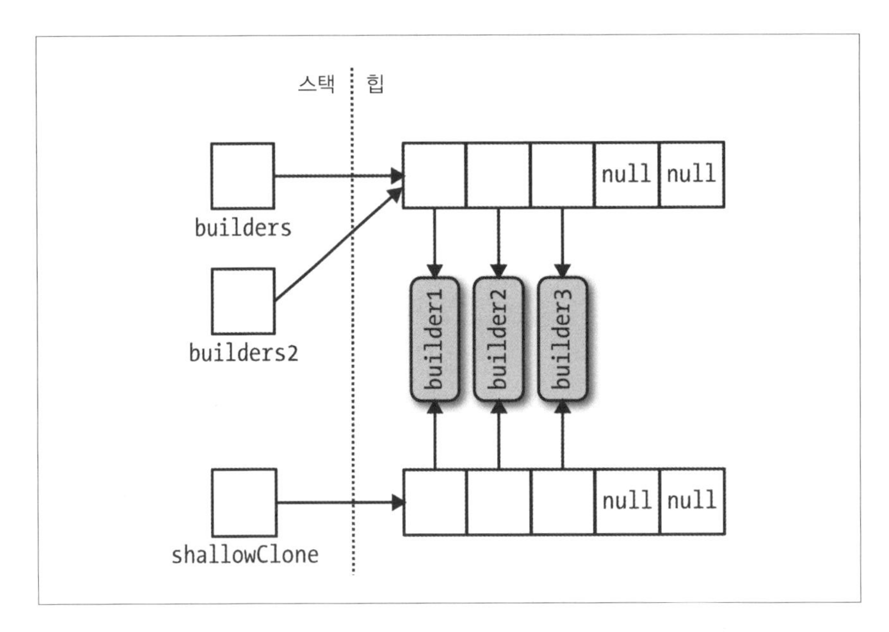

그림 7-3 배열의 얕은 복제

깊은 복사본(deep copy)을 얻으려면, 즉 참조들이 가리키는 객체들도 복제하려면, 직접 배열을 훑으면서 각 원소를 실제로 복제해야 한다. 이는 다른 .NET 컬렉션 형식들에서도 마찬가지이다.

Array는 기본적으로 32비트 인덱서와 함께 사용하도록 설계된 것이지만, 몇몇 메서드는 Int32와 Int64 매개변수를 받는 중복적재 버전들을 제공한다. 즉, Array는 64비트 인덱서도 제한적이나마 지원한다. 그러나 이러한 중복적재 버전들은 현실적으로 쓸모가 없다. 어차피 CLR은 크기가 2GB를 넘는 객체(배열도 포함된다)를 허용하지 않기 때문이다(32비트 환경뿐만 아니라 64비트 환경에서도).

> Array 클래스에는 인스턴스 메서드인 것이 자연스럽지만 실제로는 정적 메서드인 것들이 많이 있다. Microsoft가 이 클래스를 설계할 때 다소 이상한 결정을 내렸다고밖에 할 수 없

는데, 어쨌든 Array의 어떤 메서드를 찾아볼 때에는 인스턴스 메서드들뿐만 아니라 정적 메서드들도 살펴봐야 한다.

배열의 생성과 색인 접근

배열을 생성하고 색인으로 특정 원소에 접근하는 가장 간단한 방법은 다음처럼 C# 언어 자체의 구문을 이용하는 것이다.

```
int[] myArray = { 1, 2, 3 };
int first = myArray [0];
int last = myArray [myArray.Length - 1];
```

물론 Array.CreateInstance를 호출해서 동적으로 배열 인스턴스를 생성할 수도 있다. 이렇게 하면 배열의 원소 형식과 차수(rank; 차원 수)를 실행시점에서 지정할 수 있다. 또한, 배열의 하계(lower bound)를 지정함으로써 첫 색인이 0이 아닌 정수에서 시작하는 배열을 만들 수도 있다. 단, 첫 색인이 0이 아닌 배열은 CLS(Common Language Specification; 공용 언어 사양)를 만족하지 않는다.

동적으로 생성된 배열의 원소에 접근하는 수단으로는 GetValue 메서드와 SetValue 메서드가 있다(이들을 보통의 배열에 대해 사용하는 것도 가능하다).

```
// 길이(원소 개수)가 2인 문자열 배열을 생성한다.
Array a = Array.CreateInstance (typeof(string), 2);
a.SetValue ("hi", 0);                             //  → a[0] = "hi";
a.SetValue ("there", 1);                          //  → a[1] = "there";
string s = (string) a.GetValue (0);               //  → s = a[0];

// 동적으로 생성한 배열을 C# 배열로 캐스팅하는 것도 가능하다.
string[] cSharpArray = (string[]) a;
string s2 = cSharpArray [0];
```

동적으로 생성한 0-색인 배열(zero-indexed array; 첫 색인이 0인 배열)은 그와 부합 또는 호환되는 형식의 C# 배열로 캐스팅할 수 있다(호환 여부는 표준적인 배열 가변성(array-variance) 규칙들을 따른다). 예를 들어 Apple이 Fruit의 파생 클래스이면, Apple[]을 Fruit[]로 캐스팅할 수 있다. 그렇다면 Array 클래스가 아니라 object[]를 배열 형식들의 통합을 위한 기반 형식으로 사용하지 않는 이유가 무엇인지 궁금할 것이다. 그 답은, object[]는 다차원 배열이나 값 형식 배열과(그리고 물론 첫 색인이 0이 아닌 배열과도) 호환되지 않는다는 것이다. int[]를 object[]로 캐스팅할 수는 없다. 이 때문에, 완전한 형식 통합을 위해서는 Array라는 클래스가 필요하다.

GetValue와 SetValue는 컴파일러가 생성한 배열에도 사용할 수 있다. 이 메서드들은 임의의 형식과 차수의 배열을 다루는 메서드를 작성할 때 유용하다. 다차원 배열의 경우에는 인덱서들의 배열을 받는 버전을 사용하면 된다.

```
public object GetValue (params int[] indices)
public void   SetValue (object value, params int[] indices)
```

다음 메서드는 임의의(차수와 무관하게) 배열의 첫 원소를 출력한다.

```
void WriteFirstValue (Array a)
{
  Console.Write (a.Rank + "차원 배열; ");

  // indexers 배열의 모든 원소는 자동으로 0으로 초기화된다.
  // 따라서 이 배열을 GetValue나 SetValue에 넘겨주면 배열의
  // 0번 원소(0 기반 배열의 첫 원소)가 조회 또는 설정된다.

  int[] indexers = new int[a.Rank];
  Console.WriteLine ("첫 값은 " +  a.GetValue (indexers));
}

void Demo()
{
  int[]  oneD = { 1, 2, 3 };
  int[,] twoD = { {5,6}, {8,9} };

  WriteFirstValue (oneD);   // 1차원 배열; 첫 값은 1
  WriteFirstValue (twoD);   // 2차원 배열; 첫 값은 5
}
```

형식은 모르지만 차수는 알고 있는 배열을 다루어야 한다면 다음 예처럼 제네릭을 이용하는 것이 더 간단하고 효율적이다.

```
void WriteFirstValue<T> (T[] array)
{
  Console.WriteLine (array[0]);
}
```

SetValue는 배열의 원소 형식과 호환되지 않는 형식의 입력이 주어지면 예외를 던진다.

C# 구문을 사용하든 아니면 Array.CreateInstance를 사용하든, 배열을 인스턴스화하면 그 원소들이 자동으로 초기화된다. 원소가 참조 형식이면 모든 원소는 널로 설정되고, 값 형식이면 원소마다 해당 값 형식의 기본 생성자가 호출된

다(사실상 모든 원소가 '0'에 해당하는 표현으로 설정된다). Array 클래스는 이미 생성된 배열의 모든 원소를 그런 식으로 초기화하는 메서드도 제공하는데, 바로 Clear이다.

```
public static void Clear (Array array, int index, int length);
```

이 메서드는 배열의 크기에는 영향을 미치지 않는다. 이는 컬렉션의 요소 개수를 0으로 줄이는 통상적인 Clear 메서드들(ICollection<T>.Clear 등)과는 다른 면이다.

열거

foreach 문을 이용하면 간단하게 배열의 모든 원소를 열거할 수 있다.

```
int[] myArray = { 1, 2, 3};
foreach (int val in myArray)
  Console.WriteLine (val);
```

또한, 다음과 같은 정적 Array.ForEach 메서드를 이용해서 열거할 수도 있다.

```
public static void ForEach<T> (T[] array, Action<T> action);
```

이 메서드가 둘째 매개변수로 받는 Action 대리자의 서명은 다음과 같다.

```
public delegate void Action<T> (T obj);
```

다음은 앞의 foreach 문 예제를 Array.ForEach를 이용해서 다시 작성한 것이다.

```
Array.ForEach (new[] { 1, 2, 3 }, Console.WriteLine);
```

길이와 차수

다음은 길이와 차수의 조회를 위해 Array가 제공하는 메서드들과 속성들이다.

```
public int  GetLength     (int dimension);
public long GetLongLength (int dimension);

public int  Length       { get; }
public long LongLength   { get; }

public int GetLowerBound (int dimension);
public int GetUpperBound (int dimension);

public int Rank { get; }    // 배열의 차수(차원 개수)를 돌려준다.
```

GetLength와 GetLongLength는 주어진 차원(1차원 배열의 경우 0)의 길이를 돌려주고, Length와 LongLength는 배열의 모든 원소(모든 차원을 포함한)의 개수를 돌려준다.

GetLowerBound와 GetUpperBound는 첫 색인이 0이 아닌 배열에 유용하다. GetUpperBound는 주어진 차원의 GetLowerBound와 GetLength를 더한 결과를 돌려준다.

검색

Array 클래스는 1차원 배열 안에서 특정 원소들을 찾기 위한 여러 메서드들을 제공하는데, 크게 다음 세 부류로 나뉜다.

BinarySearch *메서드들*
  정렬된 배열에서 특정 원소 하나를 빠르게 찾는다.

IndexOf / LastIndex *메서드들*
  정렬되지 않은 배열에서 특정 원소 하나를 찾는다.

Find / FindLast / FindIndex / FindLastIndex / FindAll / Exists / TrueForAll
  정렬되지 않은 배열에서 주어진 Predicate<T>를 만족하는 원소들을 찾는다.

이러한 배열 검색 메서드들 중 요청된 값을 찾지 못했을 때 예외를 던지는 것은 하나도 없다. 그런 경우, 반환 형식이 정수인 메서드들은 -1을 돌려주고(첫 색인이 0이라고 가정할 때), 반환 형식이 제네릭인 메서드들은 해당 형식의 기본값(int의 경우 0, string의 경우 null 등)을 돌려준다.

이진 검색 메서드(여러 BinarySearch들)는 빠르긴 하지만 정렬된 배열에만 작동하며, 배열 원소들에 대해 단순한 **상등** 비교가 아니라 **순서** 비교가 가능해야 한다는 제약이 있다. 다행히 이진 검색 메서드들 중에는 원소들의 순서 비교를 수행해 주는 비교자(IComparer나 IComparer<T> 객체; 이번 장의 '상등 및 순서 비교 플러그인(p.408)' 참고)를 받는 버전이 있으므로, 원소 형식 자체가 순서 비교를 지원하지 않아도 이진 검색이 가능하다. 단, 그 비교자는 애초에 배열을 정렬할 때 사용했던 것과 같은 방식으로 순서를 비교하는 것이어야 한다. 비교자를 제공하지 않으면 이진 검색 메서드는 원소 형식의 기본 순서 비교 알고리즘(원소 형식 자체의 IComparable 또는 IComparable<T> 구현에 기초한)을 적용한다.

IndexOf 메서드와 LastIndexOf 메서드는 그냥 배열의 원소들을 차례로 훑으면서 주어진 값과 부합하는(match) 첫(또는 마지막) 원소의 색인을 돌려준다.

Predicate<T>를 받는 검색 메서드들은 주어진 원소가 원하는 값과 '부합'하는지의 여부를 주어진 술어(predicate)를 이용해서 판정한다. 술어는 그냥 객체 하나를 받고 true나 false를 돌려주는 대리자이다.

```
public delegate bool Predicate<T> (T object);
```

다음 예제는 문자열 배열에서 영문자 "a"가 담긴 원소를 찾는다.

```
static void Main()
{
  string[] names = { "Rodney", "Jack", "Jill" };
  string match = Array.Find (names, ContainsA);
  Console.WriteLine (match);     // Jack
}
static bool ContainsA (string name) { return name.Contains ("a"); }
```

다음은 이를 익명 메서드를 이용해서 좀 더 짧게 표현한 것이다.

```
string[] names = { "Rodney", "Jack", "Jill" };
string match = Array.Find (names, delegate (string name)
  { return name.Contains ("a"); } );
```

람다 표현식을 이용하면 코드를 더욱 줄일 수 있다.

```
string[] names = { "Rodney", "Jack", "Jill" };
string match = Array.Find (names, n => n.Contains ("a"));     // Jack
```

FindAll 메서드는 주어진 술어를 만족하는 모든 원소를 담은 배열을 돌려준다. 사실 이 메서드는 System.Linq 이름공간의 Enumerable.Where와 같은 일을 한다. 단, FindAll은 부합하는 항목들의 배열을 돌려주지만 Enumerable.Where는 그런 항목들의 IEnumerable<T>를 돌려준다.

Exists는 주어진 술어를 만족하는 원소가 하나라도 있으면 true를 돌려준다. System.Linq.Enumerable의 Any에 해당한다.

TrueForAll은 주어진 술어를 배열의 모든 원소가 만족하면 true를 돌려준다. System.Linq.Enumerable의 All에 해당한다.

정렬

다음은 Array의 정렬(sorting) 메서드들이다.

```
// 배열 하나를 정렬하는 메서드들

public static void Sort<T> (T[] array);
public static void Sort    (Array array);

// 한 쌍의 배열들을 정렬하는 메서드들

public static void Sort<TKey,TValue> (TKey[] keys, TValue[] items);
public static void Sort              (Array keys, Array items);
```

각 메서드마다 다음과 같은 매개변수들도 받는 중복적재 버전들이 있다.

```
int index                   // 정렬을 시작할 색인
int length                  // 정렬할 원소 개수
IComparer<T> comparer       // 순서를 결정하는 객체
Comparison<T> comparison    // 순서를 결정하는 대리자
```

다음 예제는 Sort의 가장 간단한 용법을 보여준다.

```
int[] numbers = { 3, 2, 1 };
Array.Sort (numbers);            // numbers 배열은 이제 { 1, 2, 3 }
```

배열 쌍을 받는 메서드들은 첫 배열을 정렬하면서 원소들의 위치 변경을 둘째 배열의 원소들에 그대로 적용한다. 다음 예는 수사(수를 나타내는 단어)들의 배열을 실제 수치들의 순서대로 정렬하는 예이다.

```
int[] numbers = { 3, 2, 1 };
string[] words = { "셋", "둘", "하나" };
Array.Sort (numbers, words);

// 이제 numbers 배열은 { 1, 2, 3 }
// 이제 words   배열은 { "하나", "둘", "셋" }
```

이상의 Array.Sort 메서드들에는 배열 원소 형식이 IComparable 인터페이스(제6장의 '순서 비교(p.348)' 참고)를 구현해야 한다는 제약이 있다. 따라서 대부분의 C# 형식(앞의 예에 나온 int를 포함)을 이 메서드들로 정렬할 수 있다. 그렇지 않은 형식의 원소들이라면, 또는 기본 순서 비교 방식 이외의 방식으로 배열을 정렬하고 싶다면, Sort를 호출할 때 두 원소의 상대적 위치 관계를 알려주는 커스텀 Comparison 공급자도 지정해야 한다. 그러한 공급자를 지정하는 방법은 두 가지이다.

- IComparer/IComparer<T>를 구현하는 보조 객체를 사용한다(이번 장의 '상등 및 순서 비교 플러그인(p.408)' 참고).
- 다음과 같은 서명의 Comparison 대리자를 사용한다.

```
public delegate int Comparison<T> (T x, T y);
```

Comparison 대리자의 작동 방식은 IComparer<T>.CompareTo와 같다. 즉, 만일 x가 y보다 앞이어야 하면 음의 정수를 돌려주고, x가 y보다 뒤여야 하면 양의 정수를, x와 y가 같은 위치이어야 하면 0을 돌려준다.

다음은 홀수들이 앞에 오도록 정수들을 정렬하는 예이다.

```
int[] numbers = { 1, 2, 3, 4, 5 };
Array.Sort (numbers, (x, y) => x % 2 == y % 2 ? 0 : x % 2 == 1 ? -1 : 1);

// 이제 numbers 배열은 { 1, 3, 5, 2, 4 }
```

Sort를 호출하는 대신 LINQ의 OrderBy나 ThenBy 연산자를 이용해서 배열을 정렬할 수도 있다. Array.Sort와는 달리 LINQ의 연산자들은 원래의 배열을 변경하지 않는다. 대신 정렬된 결과를 담은 새로운 IEnumerable<T> 순차열을 돌려준다.

원소 순서 뒤집기

다음의 Array 메서드들은 배열의 모든 원소 또는 일부분의 순서를 뒤집는다.

```
public static void Reverse (Array array);
public static void Reverse (Array array, int index, int length);
```

복사

Array에는 얕은 복사(shallow copy)를 수행하는 메서드들이 있다. 바로 Clone, CopyTo, Copy, ConstrainedCopy이다. 앞의 둘은 인스턴스 메서드이고 나머지 둘은 정적 메서드이다.

Clone 메서드는 얕게 복사된, 완전히 새로운 배열을 돌려준다. CopyTo와 Copy 메서드는 배열의 연속된 일부분을 복사한다. 다차원 사각형 배열을 복사하려면 다차원 색인을 선형 색인으로 사상(mapping)해야 한다. 예를 들어 3×3 배열의 정중앙 원소([1,1])의 선형 색인은 4(= 1×3+1)이다. 복사 시 원본 영역과 대상 영역이 겹쳐도 문제가 되지는 않는다.

ConstrainedCopy 메서드는 **원자적**(atomic) 연산을 수행한다. 즉, 요청된 원소들을 모두 성공적으로 복사한 경우에만 복사가 완료되며, 중간에 문제가 생기면 (이를테면 형식 오류 때문에) 복사 연산 전체가 철회(roll back; 취소)된다.

Array는 또한 AsReadOnly라는 메서드도 제공하는데, 이 메서드는 원소 재배정이 금지된 래퍼wrapper를 돌려준다.

형식 변환과 크기 변경

Array.ConvertAll 메서드는 모든 원소를 다른 형식으로 변환해서 복사해서 만든 새로운 배열을 돌려준다. 형식 변환은 둘째 인수로 주어진 Converter 대리자가 담당한다. Converter 대리자의 서명은 다음과 같은데, TOutput이 새 원소 형식이다.

```
public delegate TOutput Converter<TInput,TOutput> (TInput input)
```

다음은 float 배열을 int 배열로 변환하는 예이다.

```
float[] reals = { 1.3f, 1.5f, 1.8f };
int[] wholes = Array.ConvertAll (reals, r => Convert.ToInt32 (r));

// wholes 배열은 { 1, 2, 2 }
```

배열의 크기를 변경하는 Resize 메서드는 주어진 크기의 배열을 새로 생성해서 기존 원소들을 새 배열에 복사하고 새 배열을 참조 매개변수를 통해서 돌려준다. 단, 다른 객체에 있던 기존 배열 원소에 대한 참조는 변경되지 않으므로 주의가 필요하다.

System.Linq 이름공간에는 배열 형식 변환에 적합한 다양한 확장 메서드들이 정의되어 있다. 이 메서드들은 IEnumerable<T>를 돌려주는데, 필요하다면 Enumerable의 ToArray 메서드를 이용해서 다시 배열로 변환할 수 있다.

목록, 대기열, 스택, 집합

.NET Framework는 기본적인 컬렉션 클래스들을 제공한다. 이들은 이번 장에서 설명한 인터페이스들을 구현하는 구체적인 컬렉션 클래스들이다. 이번 절에서는 **목록류**(list-like) 컬렉션들에 초점을 둔다. 이와 대조되는 **사전류**(dictionary-like) 컬렉션들은 이번 장의 '사전(p.393)' 절에서 설명한다. 앞에서 설명한 인터

페이스들처럼, 대부분의 경우 이러한 컬렉션 형식들에는 제네릭 버전과 비 제네릭 버전이 있다. 성능과 유연성 면에서 제네릭 버전이 우월하므로 비제네릭 버전은 주로 하위 호환성을 위해서나 쓰인다. 이는 비제네릭 버전도 나름대로 쓸모가 있는 컬렉션 인터페이스들의 경우와는 대비되는 특징이다.

이번 절에서 설명하는 클래스 중 가장 흔히 쓰이는 것은 제네릭 List 클래스이다.

List<T> 클래스와 ArrayList 클래스

컬렉션 클래스 중 가장 자주 쓰이는 제네릭 List 클래스와 비제네릭 ArrayList 클래스는 크기를 동적으로 변경할 수 있는 배열을 나타낸다. ArrayList는 IList를 구현하는 반면 List<T>는 IList와 IList<T>를 모두 구현한다(또한, 새로운 읽기 전용 버전 IReadOnlyList<T>도 구현한다). 보통의 배열과 다른 점은 모든 인터페이스를 공용으로 구현한다는 것과 Add나 Remove 같은 메서드들도 제공한다는(그리고 기대한 대로 작동한다는) 것이다.

List<T>와 ArrayList는 내부적으로 객체들의 배열을 관리한다. 만일 용량을 늘려야 하면 그 배열을 더 큰 배열로 대체한다. 요소를 추가하는 것은 효율적이지만(대부분의 경우 끝에 빈칸이 남아 있으므로), 중간에 요소를 삽입하는 것은 느릴 수 있다(삽입할 칸을 마련하려면 그 위치 이후의 모든 요소를 이동해야 하므로). 정렬 성능 특성은 배열과 비슷하다. 정렬된 목록에 대해 BinarySearch 메서드를 이용하는 것은 효율적이지만, 그렇지 않은 방법은 개별 항목을 일일이 점검해야 하므로 느리다.

T가 값 형식이면 List<T>가 ArrayList보다 몇 배 빠르다. 그런 경우 List<T>는 요소들의 박싱과 언박싱을 생략할 수 있기 때문이다.

List<T>와 ArrayList는 기존 컬렉션들을 받는 생성자들을 제공한다. 이 생성자들은 기존 컬렉션의 요소들을 새 List<T>나 ArrayList에 복사한다.

```
public class List<T> : IList<T>, IReadOnlyList<T>
{
  public List ();
  public List (IEnumerable<T> collection);
  public List (int capacity);

  // 추가 및 삽입
  public void Add         (T item);
```

```
  public void AddRange    (IEnumerable<T> collection);
  public void Insert      (int index, T item);
  public void InsertRange (int index, IEnumerable<T> collection);

  // 제거
  public bool Remove      (T item);
  public void RemoveAt    (int index);
  public void RemoveRange (int index, int count);
  public int  RemoveAll   (Predicate<T> match);

  // 색인화
  public T this [int index] { get; set; }
  public List<T> GetRange (int index, int count);
  public Enumerator<T> GetEnumerator();

  // 배열로 복사 및 형식 변환
  public T[] ToArray();
  public void CopyTo (T[] array);
  public void CopyTo (T[] array, int arrayIndex);
  public void CopyTo (int index, T[] array, int arrayIndex, int count);
  public ReadOnlyCollection<T> AsReadOnly();
  public List<TOutput> ConvertAll<TOutput> (Converter <T,TOutput>
                                            converter);
  // 기타:
  public void Reverse();            // 목록 요소들의 순서를 뒤집는다.
  public int Capacity { get;set; }  // 내부 배열의 크기를 강제로 늘린다.
  public void TrimExcess();         // 내부 배열을 제 크기로 되돌린다.
  public void Clear();              // 모든 요소를 제거한다. Count가 0이 된다.
}

public delegate TOutput Converter <TInput, TOutput> (TInput input);
```

이 멤버들 외에, List<T>는 Array의 모든 검색 및 정렬 메서드의 인스턴스 메서드 버전들도 제공한다.

다음은 List의 속성들과 메서드들을 보여주는 예제이다. 검색과 정렬에 관한 예는 'Array 클래스(p.371)'의 예제를 보기 바란다.

```
List<string> words = new List<string>();    // 새로운 string 목록

words.Add ("melon");
words.Add ("avocado");
words.AddRange (new[] { "banana", "plum" } );
words.Insert (0, "lemon");                           // 시작 위치에 삽입
words.InsertRange (0, new[] { "peach", "nashi" });   // 시작 위치에 삽입

words.Remove ("melon");
words.RemoveAt (3);                         // 네 번째 요소 제거
words.RemoveRange (0, 2);                   // 처음 두 요소 제거

// 'n'으로 시작하는 모든 문자열을 제거
```

```
words.RemoveAll (s => s.StartsWith ("n"));

Console.WriteLine (words [0]);                         // 첫 단어
Console.WriteLine (words [words.Count - 1]);           // 마지막 단어
foreach (string s in words) Console.WriteLine (s);     // 모든 단어
List<string> subset = words.GetRange (1, 2);     // 두 번째 단어부터 두 단어
                                                 // (즉 두 번째, 세 번째 단어)

string[] wordsArray = words.ToArray();    // 새로운 형식 있는 배열을 생성

// 처음 두 단어를 기존 배열의 끝에 복사
string[] existing = new string [1000];
words.CopyTo (0, existing, 998, 2);

List<string> upperCastWords = words.ConvertAll (s => s.ToUpper());
List<int> lengths = words.ConvertAll (s => s.Length);
```

비제네릭 ArrayList 클래스는 주로 .NET Framework 1.x 코드와의 하위 호환성을 위해 쓰인다. 다음 예에서 보듯이 지저분한 캐스팅이 필요하다.

```
ArrayList al = new ArrayList();
al.Add ("hello");
string first = (string) al [0];
string[] strArr = (string[]) al.ToArray (typeof (string));
```

이런 캐스팅은 컴파일러가 검증하지 못한다. 예를 들어 다음 코드는 잘 컴파일되지만 실행시점에서 오류를 낸다.

```
int first = (int) al [0];    // 실행시점 예외
```

ArrayList는 List<object>와 기능이 비슷하다. 둘 다, 공통의 기반 형식을 공유하지 않는(object를 제외할 때) 다양한 형식의 요소들로 이루어진 목록이 필요할 때 유용하다. 그런 경우, 반영 기능(제19장 참고)을 이용해서 목록을 다루어야 한다면 둘 중 ArrayList가 조금 낫다. 반영 기능을 사용하기에는 List<object>보다 비제네릭 ArrayList가 더 쉽기 때문이다.

System.Linq 이름공간을 도입한다면, Cast 메서드와 ToList 메서드를 차례로 호출함으로써 ArrayList를 제네릭 List로 변환할 수 있다.

```
ArrayList al = new ArrayList();
al.AddRange (new[] { 1, 5, 9 } );
List<int> list = al.Cast<int>().ToList();
```

Cast와 ToList는 System.Linq.Enumerable 클래스에 있는 확장 메서드이다.

LinkedList<T> 클래스

LinkedList<T>는 이중 연결 목록(doubly linked list; 이중으로 연결된 목록) 자료구조를 나타내는 제네릭 클래스이다. 이중 연결 목록은 여러 개의 노드가 연결된 자료구조인데, 각 노드는 자신보다 앞과 뒤에 있는 노드들을 가리키는 참조들과 실제 요소로 구성된다. 이 자료구조의 주된 장점은 새 요소를 목록의 어디에나 빠르게 삽입할 수 있다는 것이다. 삽입 시 그냥 새 노드를 생성하고 참조 몇 개만 갱신하면 되기 때문이다. 그러나 애초에 노드를 삽입할 위치를 찾는 것은 느릴 수 있다. 색인을 이용해서 특정 노드에 직접 접근할 방법이 없기 때문에 노드들을 일일이 훑어야 한다. 마찬가지 이유로 효율적인 이진 검색도 불가능하다.

LinkedList<T>는 IEnumerable<T>와 ICollection<T>(그리고 해당 비제네릭 버전들)를 구현하나, 앞에서 말했듯이 색인 접근이 불가능하므로 IList<T>는 구현하지 않는다. 목록 노드는 다음과 같은 클래스로 구현된다.

```
public sealed class LinkedListNode<T>
{
  public LinkedList<T> List { get; }
  public LinkedListNode<T> Next { get; }
  public LinkedListNode<T> Previous { get; }
  public T Value { get; set; }
}
```

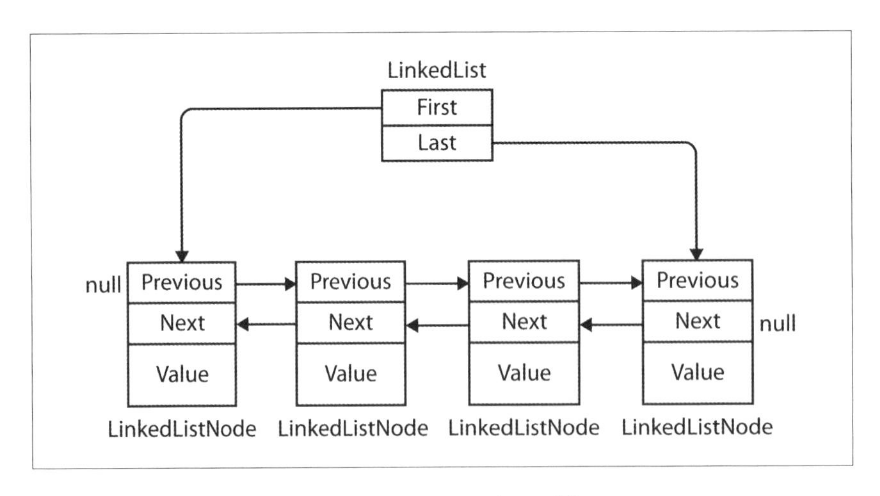

그림 7-4 LinkedList<T>의 노드 배치

목록에 새 노드를 추가(삽입)할 때에는 목록의 시작이나 끝에 추가할 수도 있고 기존 노드의 앞이나 뒤에 추가할 수도 있다. 다음은 LinkedList<T>의 해당 메서드들이다.

```
public void AddFirst(LinkedListNode<T> node);
public LinkedListNode<T> AddFirst (T value);

public void AddLast (LinkedListNode<T> node);
public LinkedListNode<T> AddLast (T value);

public void AddAfter (LinkedListNode<T> node, LinkedListNode<T> newNode);
public LinkedListNode<T> AddAfter (LinkedListNode<T> node, T value);

public void AddBefore (LinkedListNode<T> node, LinkedListNode<T> newNode);
public LinkedListNode<T> AddBefore (LinkedListNode<T> node, T value);
```

노드를 제거하는 메서드들도 비슷하게 갖추어져 있다.

```
public void Clear();

public void RemoveFirst();
public void RemoveLast();

public bool Remove (T value);
public void Remove (LinkedListNode<T> node);
```

LinkedList<T>에는 목록의 내부 개수를 담는 필드와 목록의 머리(head), 즉 첫 노드와 꼬리(tail), 즉 마지막 노드에 해당하는 내부 필드들이 있다. 다음은 이들에 접근하기 위한 속성들이다.

```
public int Count { get; }                        // 빠름
public LinkedListNode<T> First { get; }          // 빠름
public LinkedListNode<T> Last { get; }           // 빠름
```

LinkedList<T>는 또한 다음과 같은 검색 메서드들도 지원한다(이들은 모두, 목록이 내부적으로 열거 가능해야 한다는 요구조건을 가지고 있다).

```
public bool Contains (T value);
public LinkedListNode<T> Find (T value);
public LinkedListNode<T> FindLast (T value);
```

마지막으로, LinkedList<T>는 색인 접근을 위해 요소들을 배열로 복사하는 메서드와 foreach 문을 위한 열거자를 돌려주는 메서드를 제공한다.

```
public void CopyTo (T[] array, int index);
public Enumerator<T> GetEnumerator();
```

다음은 LinkedList<string>의 사용법을 보여주는 예이다.

```
var tune = new LinkedList<string>();
tune.AddFirst ("도");                             // 도
```

```
tune.AddLast ("솔");                          // 도 - 솔

tune.AddAfter (tune.First, "레");             // 도 - 레- 솔
tune.AddAfter (tune.First.Next, "mi");        // 도 - 레 - 미- 솔
tune.AddBefore (tune.Last, "fa");             // 도 - 레 - 미 - 파- 솔

tune.RemoveFirst();                           // 레 - 미 - 파 - 솔
tune.RemoveLast();                            // 레 - 미 - 파

LinkedListNode<string> miNode = tune.Find ("미");
tune.Remove (miNode);                         // 레 - 파
tune.AddFirst (miNode);                       // 미- 레 - 파

foreach (string s in tune) Console.WriteLine (s);
```

Queue<T> 클래스와 Queue 클래스

Queue<T>와 Queue는 선입선출(first-in, first-out; FIFO) 방식의 대기열(queue) 자료구조를 나타내는 클래스들로, 새 항목을 대기열의 꼬리에 추가하는 Enqueue 메서드와 대기열의 머리에 있는 요소를 제거하고 그 요소를 돌려주는 Dequeue 메서드를 제공한다. 또한, 대기열의 머리에 있는 요소를 제거하지 않고 돌려주는 Peek 메서드와 대기열의 길이, 즉 요소 개수를 돌려주는 Count 속성(Dequeue로 요소를 뽑기 전에 대기열에 요소가 남아 있는지 점검하는 용도로 유용하다)도 제공한다.

대기열은 열거 가능 컬렉션이지만 IList<T>와 IList를 구현하지는 않는다. 색인으로 특정 요소에 직접 접근할 수 없기 때문이다. 대신 ToArray 메서드를 제공하므로, 임의 접근이 필요하다면 이 메서드로 요소들을 배열에 복사하면 된다.

```
public class Queue<T> : IEnumerable<T>, ICollection, IEnumerable
{
  public Queue();
  public Queue (IEnumerable<T> collection);   // 기존 요소들을 복사한다.
  public Queue (int capacity);                // 자동 크기 변경이 덜 자주
                                              // 일어나게 하는 데 쓰인다.
  public void Clear();
  public bool Contains (T item);
  public void CopyTo (T[] array, int arrayIndex);
  public int Count { get; }
  public T Dequeue();
  public void Enqueue (T item);
  public Enumerator<T> GetEnumerator();       // foreach 문을 위한 열거자
  public T Peek();
  public T[] ToArray();
  public void TrimExcess();
}
```

다음은 Queue<int>를 사용하는 예이다.

```
var q = new Queue<int>();
q.Enqueue (10);
q.Enqueue (20);
int[] data = q.ToArray();         // 요소들을 배열로 복사한다.
Console.WriteLine (q.Count);      // "2"
Console.WriteLine (q.Peek());     // "10"
Console.WriteLine (q.Dequeue());  // "10"
Console.WriteLine (q.Dequeue());  // "20"
Console.WriteLine (q.Dequeue());  // 예외를 던진다(대기열이 비어 있음)
```

대기열은 내부적으로 배열로 구현된다. 제네릭 List 클래스와 비슷하게, 요소들을 담을 공간이 부족해지면 대기열은 내부 배열을 더 큰 배열로 대체한다. 대기열은 머리 요소와 꼬리 요소를 직접 가리키는 색인들을 유지한다. 따라서 대기열에 대한 요소 삽입, 삭제는 아주 효율적이다(단, 삽입 때문에 내부 배열의 크기를 변경해야 하는 경우는 예외이다).

Stack<T> 클래스와 Stack 클래스

Stack<T>와 Stack은 후입선출(last-in, first-out; LIFO) 방식의 스택 자료구조를 나타내는 클래스로, 스택 최상위에 항목을 추가하는 Push 메서드와 스택 최상위의 항목을 제거해서 돌려주는 Pop 메서드를 제공한다. 또한, 스택 최상위 항목을 제거하지 않고 돌려주는 Peek 메서드와 요소 개수를 돌려주는 Count 속성, 그리고 임의 접근을 위해 요소들을 배열로 복사하는 ToArray 메서드도 제공한다.

```
public class Stack<T> : IEnumerable<T>, ICollection, IEnumerable
{
  public Stack();
  public Stack (IEnumerable<T> collection);   // 기존 요소들을 복사한다.
  public Stack (int capacity);                // 자동 크기 변경이 덜 자주
                                              // 일어나게 하는 데 쓰인다.
  public void Clear();
  public bool Contains (T item);
  public void CopyTo (T[] array, int arrayIndex);
  public int Count { get; }
  public Enumerator<T> GetEnumerator();       // foreach 문을 위한 열거자
  public T Peek();
  public T Pop();
  public void Push (T item);
  public T[] ToArray();
  public void TrimExcess();
}
```

다음은 Stack<int>의 사용법을 보여주는 예제이다.

```
var s = new Stack<int>();
s.Push (1);                      //          스택: 1
s.Push (2);                      //          스택: 1,2
s.Push (3);                      //          스택: 1,2,3
Console.WriteLine (s.Count);     // 출력: 3
Console.WriteLine (s.Peek());    // 출력: 3,  스택: 1,2,3
Console.WriteLine (s.Pop());     // 출력: 3,  스택: 1,2
Console.WriteLine (s.Pop());     // 출력: 2,  스택: 1
Console.WriteLine (s.Pop());     // 출력: 1,  스택: <비었음>
Console.WriteLine (s.Pop());     // 예외를 던진다.
```

Queue<T>나 List<T>처럼 스택은 내부적으로 요소들을 배열에 저장하며, 필요에 따라 배열의 크기를 변경한다.

BitArray 클래스

BitArray는 bool 값들을 빽빽하게 저장하는 컬렉션으로, 컬렉션 크기의 동적 변경을 지원한다. bool 값 하나에 비트 하나만 사용하므로, 각 값을 1바이트에 저장하는 보통의 bool 배열이나 bool 형식의 제네릭 List보다 메모리를 효율적으로 사용한다.

BitArray의 인덱서는 개별 비트를 읽거나 쓴다.

```
var bits = new BitArray(2);
bits[1] = true;
```

이 클래스는 비트별 연산자 메서드 And, Or, Xor, Not를 제공한다. 처음 세 메서드는 다른 BitArray 객체를 받는다. 다음 예처럼 자신과의 비트별 연산도 가능하다.

```
bits.Xor (bits);                // 자신과의 비트별 XOR 연산을 수행한다.
Console.WriteLine (bits[1]);    // False
```

HashSet<T> 클래스와 SortedSet<T> 클래스

HashSet<T>와 SortedSet<T>는 각각 .NET Framework 3.5와 4.0에 새로 추가된 제네릭 컬렉션이다. 둘 다 다음과 같은 특징을 가지고 있다.

- Contains 메서드는 해시 기반 조회(hash-based lookup)를 이용해서 빠르게 실행된다.
- 중복된 원소를 저장하지 않으며,† 중복된 원소를 추가하는 요청은 소리 없이 무시한다.

† (옮긴이) 이는 수학의 집합(set)이 가진 특성이다. 이 때문에 set이라는 이름이 붙었다.

- 색인으로 특정 원소에 접근할 수 없다.

SortedSet<T>는 원소들을 정렬된 순서로 저장하는 반면 HashSet<T>는 그렇지 않다.

이 두 형식의 공통성은 ISet<T> 인터페이스에 기인한다.
역사적인 이유로, HashSet<T>는 *System.Core.dll*에 있는 반면 SortedSet<T>는(그리고 ISet<T>도) *System.dll*에 있다.

HashSet<T>는 키들만 저장하는 해시테이블로 구현되고, SortedSet<T>는 적흑 트리로 구현된다.

두 컬렉션 모두 ICollection<T>를 구현하며, Contains와 Add, Remove 같이 통상적인 컬렉션 메서드들을 제공한다. 또한 술어에 기초해서 특정 원소를 제거하는 RemoveWhere라는 메서드도 있다.

다음 코드는 기존 컬렉션으로 HashSet<char>를 생성하고, 특정 값의 집합 소속 여부를 판정하고, 컬렉션의 모든 원소를 나열한다(중복된 원소들이 없음을 주목할 것).

```
var letters = new HashSet<char> ("the quick brown fox");

Console.WriteLine (letters.Contains ('t'));      // True
Console.WriteLine (letters.Contains ('j'));      // False

foreach (char c in letters) Console.Write (c);   // the quickbrownfx
```

(string을 HashSet<char>의 생성자에 전달할 수 있는 이유는, string이 IEnumerable<char>를 구현하기 때문이다.)

이 클래스들에서 정말로 흥미로운 메서드들은 집합 연산을 수행하는 메서드들이다. 다음은 순서대로 합집합, 교집합, 차집합, 대칭차집합을 계산하는 메서드들인데, 이들은 기존 집합을 수정한다는 의미에서 **파괴적**(destructive)이다.

```
public void UnionWith           (IEnumerable<T> other);   // 원소 추가
public void IntersectWith       (IEnumerable<T> other);   // 원소 제거
public void ExceptWith          (IEnumerable<T> other);   // 원소 제거
public void SymmetricExceptWith (IEnumerable<T> other);   // 원소 제거
```

반면 다음 메서드들은 그냥 집합에 대한 질의를 수행하므로 파괴적이지 않다.

```
public bool IsSubsetOf         (IEnumerable<T> other);
public bool IsProperSubsetOf   (IEnumerable<T> other);
public bool IsSupersetOf       (IEnumerable<T> other);
```

```
public bool IsProperSupersetOf (IEnumerable<T> other);
public bool Overlaps           (IEnumerable<T> other);
public bool SetEquals          (IEnumerable<T> other);
```

UnionWith 메서드는 둘째 집합의 모든 원소를 첫 집합에 추가한다(중복 원소는 빼고). IntersectWith는 둘 중 한 집합에만 있는 원소들을 제거한다. 다음은 영문자들의 집합에서 자음들을 모두 제거하고 모음만 남기는 예이다.

```
var letters = new HashSet<char> ("the quick brown fox");
letters.IntersectWith ("aeiou");
foreach (char c in letters) Console.Write (c);     // euio
```

ExceptWith 메서드는 둘째 집합의 원소들을 첫 집합에서 제거한다. 다음은 모음을 모두 제거하는 예이다.

```
var letters = new HashSet<char> ("the quick brown fox");
letters.ExceptWith ("aeiou");
foreach (char c in letters) Console.Write (c);     // th qckbrwnfx
```

SymmetricExceptWith 메서드는 두 집합에 모두 있는 원소들을 첫 집합에서 제거한다.

```
var letters = new HashSet<char> ("the quick brown fox");
letters.SymmetricExceptWith ("the lazy brown fox");
foreach (char c in letters) Console.Write (c);     // quicklazy
```

HashSet<T>와 SortedSet<T>는 IEnumerable<T>를 구현하므로, 이 집합 연산 메서드들은 모두 다른 형식의 집합(또는 컬렉션)도 인수로 받는다는 점을 주목하기 바란다.

SortedSet<T>는 HashSet<T>의 모든 멤버를 제공하며, 다음과 같은 멤버들도 추가로 제공한다.

```
public virtual SortedSet<T> GetViewBetween (T lowerValue, T upperValue)
public IEnumerable<T> Reverse()
public T Min { get; }
public T Max { get; }
```

SortedSet<T>는 또한 추가로 IComparer<T>를(상등 비교자가 아니라) 받는 생성자도 제공한다.

다음은 앞의 예제들에서와 같은 영문자들을 SortedSet<char>에 추가하는 예이다.

```
var letters = new SortedSet<char> ("the quick brown fox");
foreach (char c in letters) Console.Write (c);   //  bcefhiknoqrtuwx
```

이로부터 *f*에서 *j*까지의 범위에 있는 영문자들을 얻을 수 있다.

```
foreach (char c in letters.GetViewBetween ('f', 'j'))
  Console.Write (c);                                 //  fhi
```

사전

사전(dictionary)은 각 요소가 키-값 쌍인 컬렉션으로, 주된 용도는 조회(lookup) 또는 정렬된 목록이다.

.NET Framework는 사전을 위한 하나의 표준 프로토콜을 정의한다. 그 프로토콜은 인터페이스 `IDictionary`와 `IDictionary<TKey,TValue>` 및 일단의 범용 사전 클래스들로 구성된다. 범용 사전 클래스들은 다음과 같은 기준에 따라 분류할 수 있다.

- 항목(요소)들을 정렬된 순서로 저장하는지의 여부
- 키뿐만 아니라 위치(색인)로도 항목들에 접근할 수 있는지의 여부
- 제네릭인지 아니면 비제네릭인지의 여부
- 큰 사전에서 키로 항목을 추출하는 것이 빠른지 아니면 느린지의 여부

표 7-1은 이러한 기준들에 따라 사전 클래스들을 분류한 것이다. '속도' 열들의 수치는 1.5GHz PC에서 키와 값이 모두 정수인 사전에 대해 50,000회의 연산을 수행하는 데 걸린 시간(밀리초 단위)이다. (같은 바탕 컬렉션 자료구조를 사용하는 제네릭 버전과 비제네릭 버전의 성능 차이는 박싱 때문에 생기는 것으로, 이러한 차이는 값 형식 요소들에서만 나타난다.)

표 7-1 사전 클래스들

형식	내부 자료구조	색인으로 조회 가능?	메모리 추가부담(요소 당 평균 바이트 수)	속도: 무작위 삽입	속도: 순차 삽입	속도: 키로 조회
정렬되지 않은 사전						
`Dictionary <K,V>`	해시테이블	아니요	22	30	30	20
`Hashtable`	해시테이블	아니요	38	50	50	30
`ListDictionary`	연결 목록	아니요	36	50,000	50,000	50,000
`OrderedDictionary`	해시테이블 + 배열	예	59	70	70	40

형식	내부 자료구조	색인으로 조회 가능?	메모리 추가부담(요소 당 평균 바이트 수)	속도: 무작위 삽입	속도: 순차 삽입	속도: 키로 조회
정렬된 사전						
SortedDictionary <K,V>	적흑 트리	아니요	20	130	100	120
SortedList <K,V>	배열 두 개	예	2	3,300	30	40
SortedList	배열 두 개	예	27	4,500	100	180

키로 조회하는 시간을 대문자 O 표기법으로 표현하면 다음과 같다.

- `Hashtable`과 `Dictionary`, `OrderedDictionary`는 O(1)
- `SortedDictionary`와 `SortedList`는 O(log *n*)
- `ListDictionary`는(그리고 `List<T>` 같은 비사전 형식들은) O(*n*)

여기서 *n*은 컬렉션의 요소 개수이다.

IDictionary<TKey,TValue> 인터페이스

`IDictionary<TKey,TValue>`는 모든 키-값 쌍 기반 컬렉션의 표준 프로토콜을 정의한다. 이 인터페이스는 임의의 형식의 키에 기초해서 요소들에 접근하는 메서드들과 속성들을 추가해서 `ICollection<T>`를 확장한다.

```
public interface IDictionary <TKey, TValue> :
  ICollection <KeyValuePair <TKey, TValue>>, IEnumerable
{
   bool ContainsKey (TKey key);
   bool TryGetValue (TKey key, out TValue value);
   void Add         (TKey key, TValue value);
   bool Remove      (TKey key);

   TValue this [TKey key]      { get; set; }  // 주 인덱서(키로 접근)
   ICollection <TKey> Keys     { get; }       // 키들만 돌려준다.
   ICollection <TValue> Values { get; }       // 값들만 돌려준다.
}
```

.NET Framework 4.5에는 `IReadOnlyDictionary<TKey,TValue>`라는 인터페이스도 추가되었다. 이 인터페이스는 사전 멤버들의 읽기 전용 부분집합을 정의한다. 이 인터페이스는 WinRT의 `IMapView<K,V>` 형식에 대응되는데, 사실 그것이 이 인터페이스가 도입된 주된 이유이다.

사전에 어떤 항목을 추가할 때에는 Add 메서드를 호출할 수도 있고 인덱서의 설정 접근자를 사용할 수도 있다. 후자는 주어진 키가 사전에 존재하지 않으면 해당 항목을 사전에 추가하고, 존재하면 기존 항목을 갱신한다. 모든 사전 구현은 중복된 키들을 허용하지 않으므로, 같은 키로 Add를 두 번 호출하면 예외가 발생한다.

사전에서 어떤 항목을 조회하는 방법도 두 가지이다. 인덱서를 사용할 수도 있고, TryGetValue 메서드를 호출해도 된다. 지정된 키가 존재하지 않으면 인덱서는 예외를 던지지만 TryGetValue는 false를 돌려준다. ContainsKey를 호출해서 키의 존재 여부를 명시적으로 파악할 수도 있다. 그러나 그다음에 해당 항목을 조회할 것이라면, ContainsKey를 먼저 호출하는 것은 쓸데없이 조회를 두 번 수행하는 셈이 된다.

IDictionary<TKey,TValue>를 직접 열거하면 다음과 같은 KeyValuePair 구조체들의 순차열을 얻게 된다.

```
public struct KeyValuePair <TKey, TValue>
{
  public TKey Key     { get; }
  public TValue Value { get; }
}
```

사전의 Keys 속성이나 Values 속성을 이용해서 키들 또는 값들을 따로 열거할 수도 있다.

이 인터페이스의 용법에 관한 예제는 잠시 후 제네릭 클래스 Dictionary를 설명할 때 제시하겠다.

IDictionary 인터페이스

비제네릭 IDictionary 인터페이스는 기본적으로 IDictionary<TKey,TValue>와 같되, 기능상으로 다음과 같은 중요한 차이점이 두 개 있다. IDictionary를 구식 코드에서(.NET Framework 자체의 여러 곳도 포함해서) 종종 볼 수 있다는 점에서, 이 차이점들을 잘 이해하는 것이 중요하다.

- 존재하지 않는 키를 조회하려는 경우 인덱서는 null을 돌려준다(예외를 던지는 대신).
- 키의 존재 여부를 판정하는 메서드가 ContainsKey가 아니라 Contains이다.

비제네릭 IDictionary에 대해 열거를 수행하면 DictionaryEntry 구조체들의 순차열이 반환된다.

```
public struct DictionaryEntry
{
  public object Key   { get; set; }
  public object Value { get; set; }
}
```

Dictionary<TKey,TValue> 클래스와 Hashtable 클래스

제네릭 Dictionary 클래스는 아주 흔히 쓰이는(List<T> 컬렉션만큼이나) 컬렉션이다. 이 클래스는 해시테이블 자료구조에 키들과 값들을 저장하므로 빠르고 효율적이다.

Dictionary<TKey,TValue>의 비제네릭 버전의 이름은 Hashtable이다. .NET Framework에 Dictionary라는 이름의 비제네릭 클래스는 없다. 이 책에서 그냥 Dictionary라고 표기하는 클래스는 제네릭 Dictionary<TKey,TValue> 클래스를 뜻한다.

Dictionary는 IDictionary 인터페이스의 제네릭 버전과 비제네릭 버전을 모두 구현하되, 제네릭 IDictionary 버전만 공용으로 노출한다. 사실 Dictionary는 제네릭 IDictionary의 '교과서적' 구현이다.

다음은 이 인터페이스의 사용법을 보여주는 예이다.

```
var d = new Dictionary<string, int>();

d.Add("One", 1);
d["Two"] = 2;     // "Two"라는 키가 없으므로 사전에 추가된다.
d["Two"] = 22;    // "Two"가 이미 있으므로 기존 값이 갱신된다.
d["Three"] = 3;

Console.WriteLine (d["Two"]);                // 22
Console.WriteLine (d.ContainsKey ("One"));   // True (빠른 연산)
Console.WriteLine (d.ContainsValue (3));     // True (느린 연산)
int val = 0;
if (!d.TryGetValue ("onE", out val))
  Console.WriteLine ("그런 값 없음");          // 그런 값 없음 (대소문자 구분)

// 사전을 열거하는 세 가지 방식:

foreach (KeyValuePair<string, int> kv in d)          //  One ; 1
  Console.WriteLine (kv.Key + "; " + kv.Value);      //  Two ; 22
                                                     //  Three ; 3
```

```
foreach (string s in d.Keys) Console.Write (s);      // OneTwoThree
Console.WriteLine();
foreach (int i in d.Values) Console.Write (i);       // 1223
```

이 클래스의 바탕 해시테이블은 이런 식으로 작동한다. 요소를 추가할 때 해시테이블은 주어진 요소의 키를 정수 해시코드(일종의 유사고유(pseudounique) 값)으로 변환하고, 그 해시코드를 적당한 알고리즘을 이용해서 해시 키로 변환한다. 그리고 내부적으로 이 해시 키를 이용해서 주어진 요소의 값을 집어넣을 '통(bucket)'을 결정한다. 요소를 조회할 때에는 요소의 키를 이용해서 '통'을 결정한다. 만일 통에 여러 개의 값이 들어 있으면 선형 검색을 이용해서 해당 값을 찾는다. 좋은 해시 함수는 진정으로 고유한 해시코드를 계산하는 데 주력하는 대신(일반적으로 그런 일은 불가능하다), 32비트 정수 공간에 고르게 분포되는 해시코드들을 생성하는 데 주력한다. 그러면 몇몇 통에 값들이 몰리는(따라서 조회의 효율성이 떨어지는) 현상을 피할 수 있다.

사전의 키 형식으로는, 키들 사이의 상등 비교가 가능하고 키로부터 해시 코드를 얻을 수 있는 형식이기만 하면 어떤 형식도 가능하다. 기본적으로 상등 비교에는 키의 `object.Equals` 메서드가 쓰이며, 유사고유 해시코드를 얻는 데에는 키의 `GetHashCode` 메서드가 쓰인다. 이 기본 방식 이외의 방식을 원한다면 두 메서드를 재정의하거나 사전을 생성할 때 적절한 `IEqualityComparer` 객체를 제공하면 된다. 다음은 이러한 접근방식의 흔한 응용 사례로, 문자열 키들을 대소문자 구분 없이 비교하는 상등 비교자를 지정해서 사전을 생성한다.

```
var d = new Dictionary<string, int> (StringComparer.OrdinalIgnoreCase);
```

이에 관해서는 '상등 및 순서 비교 플러그인(p.408)'에서 좀 더 논의하겠다.

다른 여러 컬렉션 형식들과 마찬가지로, 사전 생성 시 컬렉션의 예상 크기를 지정해서 내부적인 크기 변경 연산의 횟수를 줄이면 사전의 성능을 조금 향상할 수 있다.

이 클래스의 비제네릭 버전은 `Hashtable`이다. 이 클래스는 `Dictionary`와 비슷한 기능을 제공하되, 앞에서 말한 `IDictionary` 인터페이스의 비제네릭 버전만 구현한다는 점에서 비롯된 차이점들이 있다.

`Dictionary`와 `Hashtable`의 단점은 항목들이 정렬되지 않는다는 것이다. 또한, 항목들이 저장된 순서가 애초에 항목들을 추가한 순서와는 다르다는 점도 단점이

될 수 있다. 다른 모든 사전 클래스들과 마찬가지로, 이 두 클래스는 중복된 키를 허용하지 않는다.

.NET Framework 2.0에 제네릭 컬렉션들을 도입할 때 CLR 팀은 컬렉션의 내부 구현 방식(해시테이블/`Hashtable`, 배열/`ArrayList`)이 아니라 컬렉션이 나타내는 대상을 반영해서 이름을 지었다(사전/`Dictionary`, 목록/`List`). 이러한 명명법은 나중에 이름에 구애받지 않고 구현 방식을 변경해도 된다는 점에서 바람직하지만, 종종 컬렉션 중 하나를 선택할 때 중요한 기준이 되는 **성능 계약**(performance contract)을 반영하지 못한다는 단점도 있다.

OrderedDictionary 클래스

`OrderedDictionary`는 비제네릭 사전 클래스로, 요소들의 저장 순서가 추가 순서와 동일하다는 특징이 있다. 이 덕분에 키뿐만 아니라 색인으로도 요소에 접근할 수 있다.

`OrderedDictionary`가 **정렬된**(sorted) 사전은 아니다.

`OrderedDictionary`는 `Hashtable`과 `ArrayList`의 조합이다. 그래서 이 클래스는 `Hashtable`의 모든 기능뿐만 아니라 `RemoveAt` 같은 추가적인 메서드와 정수 인덱서도 제공한다. 또한, 키들과 값들을 원래 순서대로 돌려주는 `Keys` 속성과 `Values` 속성도 제공한다.

이 클래스는 .NET Framework 2.0에서 도입되었지만, 이상하게도 제네릭 버전은 없다.

ListDictionary 클래스와 HybridDictionary 클래스

`ListDictionary`는 단일하게 연결된 목록(singly linked list), 줄여서 단일 연결 목록 자료구조에 바탕 자료를 저장한다. 이 클래스는 정렬 기능을 제공하지는 않지만, 애초에 항목들이 추가된 순서는 유지한다. 목록이 클 경우 `ListDictionary`는 극도로 느리다. 유일한 '자랑거리'는 아주 작은 목록(요소가 10개 미만)에서 효율적이라는 점이다.

`HybridDictionary`는 `ListDictionary`와 `Hashtable`의 조합이다. 이 사전은 처음에는 `ListDictionary`이지만, 일정한 크기가 되면 `Hashtable`로 전환한다(목록 크기에 따른 `ListDictionary`의 성능 문제를 피하기 위해). 이 클래스의 요지는 사전

이 작을 때에는 메모리를 적게 먹는 방식을 사용하고 사전이 클 때에는 성능이 좋은 방식을 사용한다는 것이다. 그러나 두 방식의 전환에 따르는 추가부담 때문에, 그리고 대체로 Dictionary의 메모리 사용량이나 성능이 그리 나쁘지는 않다는 점 때문에, 비합리적일 정도로 극단적인 상황이 아니라면 그냥 Dictionary를 사용해도 큰 문제는 없다.

두 클래스 모두 비제네릭 버전만 있다.

정렬된 사전

.NET Framework에는 요소들을 항상 키를 기준으로 정렬된 상태로 유지하는 사전 클래스가 두 개 있다. 다음이 그 두 클래스이다.

- SortedDictionary<TKey,TValue>
- SortedList<TKey,TValue>[1]

(이번 절에서는 <TKey,TValue>를 간략히 <,>로 표기한다.)

SortedDictionary<,>는 적흑 트리를 사용한다. 적흑 트리(red/black tree)는 모든 삽입 또는 조회 상황에서 일관된 성능을 내도록 설계된 자료구조이다.

SortedList<,>는 내부적으로 배열 두 개에 키들과 값들을 담는다. 정렬된 배열에 대해 이진 검색을 적용하므로 조회가 빠르지만, 새 항목을 추가할 때마다 기존 항목들을 옮겨서 자리를 만들어야 하기 때문에 삽입 성능은 나쁘다.

무작위한 순차열에 요소들을 삽입하는 속도는 SortedDictionary<,>가 SortedList<,>보다 훨씬 빠르다. 그러나 SortedList<,>는 키뿐만 아니라 색인으로도 요소에 접근하는 추가적인 능력을 갖추고 있다. 정렬된 목록에서는 정렬된 순차열의 *n*번째 요소에 직접 접근하는 것이 가능하다(Keys 속성이나 Values 속성에 대한 인덱서를 통해서). SortedDictionary<,>에서는 최대 *n*개의 항목을 차례로 훑어야 한다. (아니면, 정렬된 사전과 목록을 결합한 커스텀 클래스를 직접 작성해서 사용할 수도 있다.)

이 세 컬렉션 모두 중복 키는 허용하지 않는다(다른 모든 사전 클래스도 마찬가지이다).

---

1 또한 이와 기능이 동일한 비제네릭 버전인 *SortedList* 클래스도 있다.

다음 예제는 System.Object에 정의되어 있는 모든 메서드를 반영 기능을 이용해서 정렬된 목록에 채우고 그 키들과 값들을 나열(열거)한다.

```
// MethodInfo는 System.Reflection 이름공간에 있다.

var sorted = new SortedList <string, MethodInfo>();

foreach (MethodInfo m in typeof (object).GetMethods())
  sorted [m.Name] = m;

foreach (string name in sorted.Keys)
  Console.WriteLine (name);

foreach (MethodInfo m in sorted.Values)
  Console.WriteLine (m.Name + "의 반환 형식은 " + m.ReturnType);
```

다음은 첫 열거(둘째 foreach 문)의 결과이다.

```
Equals
GetHashCode
GetType
ReferenceEquals
ToString
```

다음은 둘째 열거(마지막 foreach 문)의 결과이다.

```
Equals의 반환 형식은 System.Boolean
GetHashCode의 반환 형식은 System.Int32
GetType의 반환 형식은 System.Type
ReferenceEquals의 반환 형식은 System.Boolean
ToString의 반환 형식은 System.String
```

정렬된 목록에 메서드 정보를 채울 때 인덱서를 사용했다는 점에 주목하기 바란다. 만일 Add 메서드를 사용했다면 예외가 발생했을 것이다. System.Object 클래스에는 Equals 메서드의 여러 중복적재 버전이 있으므로 루프 도중에 이미 존재하는 키를 다시 추가하는 일이 발생하는데, 그런 경우 Add는 예외를 던진다. 반면 인덱서는 그냥 기존 항목을 갱신할 뿐 예외는 던지지 않는다.

하나의 키에 여러 개의 값을 대응시키고 싶다면 다음처럼 값을 목록으로 만들면 된다.

```
SortedList <string, List<MethodInfo>>
```

앞의 예제를 이어서, 다음은 키가 "GetHashCode"인 MethodInfo 항목을 조회하는 예이다.

```
Console.WriteLine (sorted ["GetHashCode"]);      // Int32 GetHashCode()
```

지금까지의 코드는 정렬된 목록 대신 정렬된 사전(SortedDictionary<,>)을 사용해도 잘 작동한다. 그러나 컬렉션의 마지막 키와 값을 조회하는 다음 두 줄의 코드는 정렬된 목록에서만 가능하다.

```
Console.WriteLine (sorted.Keys  [sorted.Count - 1]);            // ToString
Console.WriteLine (sorted.Values[sorted.Count - 1].IsVirtual);  // True
```

커스텀화 가능한 컬렉션과 프록시

지금까지 설명한 컬렉션 클래스들은 바로 인스턴스화해서 써먹을 수 있다는 점에서 편리하지만, 컬렉션에 항목이 추가되거나 기존 항목이 제거될 때 일어나는 일을 프로그래머가 세밀하게 제어할 수 없다는 한계가 있다. 강한 형식이 적용된 컬렉션을 응용 프로그램에서 사용할 때에는 종종 그러한 제어가 필요하다. 이를테면 다음과 같은 용법을 생각해 볼 수 있다.

- 항목이 추가되거나 제거되면 이벤트를 발동한다.
- 추가 또는 제거된 항목에 맞게 속성들을 갱신한다.
- '적법하지 않는' 추가/제거 연산(예를 들어 업무 규칙을 위반하는 연산)을 검출해서 예외를 던진다.

.NET Framework는 바로 이런 용도를 위한 일단의 컬렉션 클래스들을 제공한다. System.Collections.ObjectModel 이름공간에 있는 이 클래스들은 IList<T>나 IDictionary<,>를 구현하는 래퍼wrapper 또는 프록시proxy로, 메서드들을 바탕 컬렉션에 전달하는 역할을 한다. 이들은 Add, Remove, Clear 연산을 일종의 '관문(gateway)' 역할을 하는 가상 메서드들에 연결하며, 커스텀 컬렉션을 만들 때에는 그 가상 메서드들을 적절히 재정의함으로써 원하는 기능성을 구현한다.

이러한 커스텀화 가능한 컬렉션 클래스들을 이용한 커스텀 컬렉션 작성 방법은 주로 공용(public)으로 노출되는 컬렉션들을 만드는 데 쓰인다. 좋은 예가 System.Windows.Form 클래스에 공용으로 노출된 컨트롤들의 컬렉션이다.

Collection<T> 클래스와 CollectionBase 클래스

Collection<T> 클래스는 List<T>에 대한 커스텀화 가능 래퍼이다.

이 클래스는 IList<T>와 IList를 구현하며, 다음과 같은 가상 메서드들과 보호된 속성도 정의한다.

```
public class Collection<T> :
  IList<T>, ICollection<T>, IEnumerable<T>, IList, ICollection, IEnumerable
{
   // ...

   protected virtual void ClearItems();
   protected virtual void InsertItem (int index, T item);
   protected virtual void RemoveItem (int index);
   protected virtual void SetItem (int index, T item);

   protected IList<T> Items { get; }
}
```

이 가상 메서드들은 일종의 관문 역할을 한다. 커스텀 컬렉션 구현자는 이들을 '후킹hooking' 지점으로 사용해서 기본 행동 방식을 변경하거나 개선한다. 보호된 Items 속성은 커스텀 컬렉션 클래스가 '바탕 목록(내부 목록)'에 직접 접근하는 수단으로 쓰인다. 이를 통해서, 가상 메서드를 호출하지 않고도 바탕 목록을 직접 변경할 수 있다.

가상 메서드들을 반드시 재정의해야 하는 것은 아니다. 기본 행동 방식을 바꾸어야 하는 경우에만 재정의하면 된다. 다음은 Collection<T>를 활용하는 전형적인 '뼈대'를 보여주는 예제이다.

```
public class Animal
{
  public string Name;
  public int Popularity;

  public Animal (string name, int popularity)
  {
    Name = name; Popularity = popularity;
  }
}

public class AnimalCollection : Collection <Animal>
{
  // AnimalCollection은 '동물들의 목록'으로 작동하는 데
  // 충분한 기능을 갖추고 있다. 더 이상의 코드는 필요하지 않다.
}

public class Zoo    // AnimalCollection을 노출하는 클래스.
{                   // 이런 클래스는 흔히 바탕 컬렉션(AnimalCollection)에는
                    // 없는 멤버들을 추가한다.
```

```
  public readonly AnimalCollection Animals = new AnimalCollection();
}

class Program
{
  static void Main()
  {
    Zoo zoo = new Zoo();
    zoo.Animals.Add (new Animal ("캥거루", 10));
    zoo.Animals.Add (new Animal ("바다사자", 20));
    foreach (Animal a in zoo.Animals) Console.WriteLine (a.Name);
  }
}
```

이 예제의 AnimalCollection 클래스는 단순한 List<Animal>과 기능상 다를 바 없다. 이 클래스는 이후의 확장을 위한 기반으로 쓰인다. 확장 방법을 보여주기 위해, 다음 예제는 Animal 클래스에 Zoo 형식의 속성을 하나 추가한다. 그러면 각 동물은 자신이 살고 있는 동물원에 접근할 수 있다. 또한 AnimalCollection 클래스는 Collection<Animal>의 각 가상 메서드를 그 속성을 자동으로 갱신하도록 재정의한다.

```
public class Animal
{
  public string Name;
  public int Popularity;
  public Zoo Zoo { get; internal set; }
  public Animal(string name, int popularity)
  {
    Name = name; Popularity = popularity;
  }
}

public class AnimalCollection : Collection <Animal>
{
  Zoo zoo;
  public AnimalCollection (Zoo zoo) { this.zoo = zoo; }

  protected override void InsertItem (int index, Animal item)
  {
    base.InsertItem (index, item);
    item.Zoo = zoo;
  }
  protected override void SetItem (int index, Animal item)
  {
    base.SetItem (index, item);
    item.Zoo = zoo;
  }
  protected override void RemoveItem (int index)
  {
    this [index].Zoo = null;
```

```
      base.RemoveItem (index);
    }
    protected override void ClearItems()
    {
      foreach (Animal a in this) a.Zoo = null;
      base.ClearItems();
    }
  }

  public class Zoo
  {
    public readonly AnimalCollection Animals;
    public Zoo() { Animals = new AnimalCollection (this); }
  }
```

Collection<T>에는 기존의 IList<T>를 받는 생성자도 있다. 다른 컬렉션 클래스들과는 달리, 그 생성자는 주어진 목록(IList<T>)를 **복사**하는 대신 그냥 자신을 그 목록의 **프록시**(proxy)로 삼기만 한다. 다른 말로 하면, 그때부터 목록에 생긴 변화는 해당 Collection<T>에 반영되며(단, Collection<T>의 가상 메서드의 호출은 일어나지 않는다), 반대로 Collection<T>에 가해진 변경은 해당 목록에도 가해진다.

CollectionBase 클래스

.NET Framework 1.0부터 있던 CollectionBase는 Collection<T>의 비제네릭 버전이다. 이 클래스는 Collection<T>의 기능들을 거의 다 제공하지만, 사용하기가 좀 거추장스럽다. 이 클래스에는 제네릭 메서드 InsertItem과 RemoveItem, SetItem, ClearItem 대신 OnInsert, OnInsertComplete, OnSet, OnSetComplete, OnRemove, OnRemoveComplete, OnClear, OnClearComplete라는 '후킹' 메서드들이 있다. 구현해야 할 메서드가 제네릭 버전의 두 배인 셈이다. CollectionBase는 비제네릭 클래스이므로 이 클래스를 상속할 때에는 형식 있는 메서드들도 구현해야 한다. 적어도 형식 있는 인덱서와 Add 메서드는 반드시 구현해야 한다.

KeyedCollection<TKey,TItem> 클래스와 DictionaryBase 클래스

키 기반 컬렉션을 대표하는 KeyedCollection<TKey,TItem>은 Collection<TItem>의 파생 클래스로, Collection<TItem>에 비해 추가된 기능도 있고 제거된 기능도 있다. 추가된 기능은 마치 사전처럼 키로 항목에 접근하는 능력이고, 제거된 기능은 내부 목록의 프록시가 되는 능력이다.

키 기반 컬렉션은 선형 목록과 해시테이블을 결합한다는 점에서 OrderedDictionary와 비슷한 면이 있다. 그러나 OrderedDictionary와는 달리 키 기반 컬렉션은 IDictionary를 구현하지 않으며, 키-값 쌍이라는 개념을 지원하지 않는다. 키 기반 컬렉션에서는 요소에 키가 따로 있는 것이 아니라, 요소 자체에서 키를 얻는다(추상 메서드 GetKeyForItem을 통해서). 따라서 키 기반 컬렉션을 열거하는 것은 보통의 목록을 열거하는 것과 같다.

KeyedCollection<TKey,TItem>은 Collection<TItem>의 기능에 빠른 키 기반 조회 능력을 추가한 것이라고 생각하는 것이 최선이다.

이 클래스는 Collection<>의 파생 클래스이므로 Collection<>의 모든 기능을 물려받는다. 단, 기존 목록을 받는 생성자는 제공하지 않는다. 또한, 이 키 기반 컬렉션 클래스는 다음과 같은 추가적인 멤버들도 정의한다.

```
public abstract class KeyedCollection <TKey, TItem> : Collection <TItem>

  // ...

  protected abstract TKey GetKeyForItem(TItem item);
  protected void ChangeItemKey(TItem item, TKey newKey);

  // 빠른 키 기반 조회 - 색인뿐만 아니라 키로도 요소에 접근할 수 있다.
  public TItem this[TKey key] { get; }

  protected IDictionary<TKey, TItem> Dictionary { get; }
}
```

GetKeyForItem 메서드는 바탕 객체로부터 항목의 키를 계산해서 돌려주는 역할을 한다. 커스텀 컬렉션 클래스 작성자는 이 추상 메서드를 반드시 구현해야 한다. ChangeItemKey 메서드는 항목의 키를 변경하는 데 쓰인다(내부 사전의 갱신을 위해). Dictionary 속성은 조회를 구현하는 데 쓰이는 내부 사전을 돌려준다. 기본적으로 내부 사전은 첫 항목이 추가될 때 생성되는데, 만일 그러한 기본 방식이 마음에 들지 않는다면 컬렉션 생성 시 생성 문턱값(creation threshold)을 지정하면 된다. 그러면 요소 개수가 해당 문턱값에 도달해야 내부 사전이 생성된다(그 이전에는 키 기반 조회를 그냥 선형 검색으로 해결한다). 그러나 내부 사전이 만들어져 있으면 Dictionary의 Keys 속성을 통해서 키 컬렉션(ICollection<>)을 얻을 수 있다는(그리고 그것을 공용 속성을 통해 사용자에게 노출할 수 있다는) 장점이 있으므로, 특별한 이유가 없는 한 생성 문턱값은 지정하지 않는 것이 좋다.

KeyedCollection<,>의 가장 흔한 용도는 색인과 이름 모두로 접근할 수 있는 컬렉션을 만드는 것이다. 다음은 이 점을 보여주기 위해 이전에 나온 동물원 예제를 수정한 것이다. 이번에는 AnimalCollection을 KeyedCollection<string,Animal>로 구현한다.

```
public class Animal
{
  string name;
  public string Name
  {
    get { return name; }
    set {
      if (Zoo != null) Zoo.Animals.NotifyNameChange (this, value);
      name = value;
    }
  }
  public int Popularity;
  public Zoo Zoo { get; internal set; }

  public Animal (string name, int popularity)
  {
    Name = name; Popularity = popularity;
  }
}

public class AnimalCollection : KeyedCollection <string, Animal>
{
  Zoo zoo;
  public AnimalCollection (Zoo zoo) { this.zoo = zoo; }

  internal void NotifyNameChange (Animal a, string newName)
  {
    this.ChangeItemKey (a, newName);
  }

  protected override string GetKeyForItem (Animal item)
  {
    return item.Name;
  }

  // 다음 메서드들은 이전 예제에서처럼 구현한다.
  protected override void InsertItem (int index, Animal item)...
  protected override void SetItem (int index, Animal item)...
  protected override void RemoveItem (int index)...
  protected override void ClearItems()...
}

public class Zoo
{
  public readonly AnimalCollection Animals;
  public Zoo() { Animals = new AnimalCollection (this); }
}
```

```
class Program
{
  static void Main()
  {
    Zoo zoo = new Zoo();
    zoo.Animals.Add (new Animal ("Kangaroo", 10));
    zoo.Animals.Add (new Animal ("Mr Sea Lion", 20));
    Console.WriteLine (zoo.Animals [0].Popularity);               // 10
    Console.WriteLine (zoo.Animals ["Mr Sea Lion"].Popularity);   // 20
    zoo.Animals ["Kangaroo"].Name = "Mr Roo";
    Console.WriteLine (zoo.Animals ["Mr Roo"].Popularity);        // 10
  }
}
```

DictionaryBase 클래스

KeyedCollection의 비제네릭 버전은 DictionaryBase라는 클래스이다. 이 구식 클래스는 KeyedCollection과는 아주 다른 접근방식을 취한다. 이 클래스는 IDictionary를 구현하며, CollectionBase처럼 지저분한 후킹 메서드들, 즉 OnInsert, OnInsertComplete, OnSet, OnSetComplete, OnRemove, OnRemoveComplete, OnClear, OnClearComplete를 사용한다(그리고 추가로 OnGet도 있다). KeyedCollection의 접근방식을 취하는 대신 IDictionary를 구현하는 것의 주된 장점은 클래스 파생 없이도 키들을 얻을 수 있다는 것이다. 그러나 애초에 DictionaryBase는 기반 클래스 용도로 만들어진 것이므로, 이것은 사실 장점이 아니다. KeyedCollection이 더 늦게 나왔으므로 기존 방식의 단점을 보완할 수 있었을 것이라고 충분히 짐작할 수 있다는 점에서, KeyedCollection의 모형이 더 낫다고 보는 것이 안전하다. 결론적으로, DictionaryBase는 하위 호환성을 위해서나 유용하다고 간주하는 것이 최선이다.

ReadOnlyCollection<T> 클래스

ReadOnlyCollection<T>는 기존 컬렉션의 읽기 전용 시각을 제공하는 하나의 래퍼 또는 **프록시**이다. 이 클래스는 읽기 전용 컬렉션 클래스, 즉 소비자에게는 기존 컬렉션에 대해 읽기 전용 접근만 제공하되, 클래스 자체는 여전히 컬렉션을 내부적으로 수정할 수 있어야 하는 클래스를 만들 때 유용하다.

읽기 전용 컬렉션의 생성자는 입력 컬렉션을 인수로 받아서 그 컬렉션에 대한 참조를 계속 유지한다. 입력 컬렉션의 정적 복사본을 받는 것이 아니므로, 입력 컬렉션이 바뀌면 읽기 전용 컬렉션에도 그 변경이 반영된다.

이 점을 보여주는 예로, Names라는 문자열 목록에 대한 읽기 전용 공용 접근을 제공하는 클래스를 작성한다고 하자. 다음은 첫 번째 시도이다.

```
public class Test
{
  public List<string> Names { get; private set; }
}
```

이 구현에는 문제점이 있다. 비록 외부에서 Names 속성에 다른 목록을 배정할 수는 없지만, 목록에 대해 Add나 Remove, Clear를 호출하는 것은 여전히 가능하다. 다음처럼 ReadOnlyCollection<T> 클래스를 이용하면 이 문제가 해결된다.

```
public class Test
{
  List<string> names;
  public ReadOnlyCollection<string> Names { get; private set; }

  public Test()
  {
    names = new List<string>();
    Names = new ReadOnlyCollection<string> (names);
  }

  public void AddInternally() { names.Add ("test"); }
}
```

이제는 Test 클래스의 멤버들만 이름 목록을 변경할 수 있다.

```
Test t = new Test();

Console.WriteLine (t.Names.Count);       // 0
t.AddInternally();
Console.WriteLine (t.Names.Count);       // 1

t.Names.Add ("test");                    // 컴파일 시점 오류
((IList<string>) t.Names).Add ("test");  // NotSupportedException
```

상등 및 순서 비교 플러그인

이번 장의 '상등 비교(p.335)'와 제6장의 '순서 비교(p.348)'에서 형식의 상등 비교와 해시 계산, 순서 비교를 가능하게 하는 표준 .NET 프로토콜들을 설명했다. 이 프로토콜들을 구현하는 형식은 '자동으로' 사전이나 정렬된 목록 안에서 잘 작동하게 된다. 좀 더 구체적으로 말하면 다음과 같다.

- Equals와 GetHashCode가 의미 있는 결과를 돌려주는 형식은 Dictionary나 Hashtable에서 키로 쓰일 수 있다.
- IComparable/IComparable<T>를 구현하는 형식은 임의의 정렬된 사전이나 목록에서 키로 쓰일 수 있다.

대체로, 형식의 기본적인 상등·순서 비교 구현은 그 형식에 가장 '자연스러운' 행동방식을 반영한다. 그러나 그러한 기본 행동방식이 적합하지 않은 경우가 종종 생긴다. 예를 들어 키 형식이 string인 사전에서 어떤 단어를 대소문자 구분 없이 검색하고 싶을 수 있다. 또는, 어떤 고객 목록을 고객의 이름이 아니라 고객의 우편번호순으로 정렬하고 싶을 수도 있다. 이러한 요구를 만족하기 위해 .NET Framework는 일단의 '플러그인plug-in' 프로토콜들을 제공한다. 이 플러그인 프로토콜은 다음 두 가지 역할을 한다.

- 기본 방식과는 다른 방식의 상등 비교 또는 순서 비교를 적용할 수 있게 한다.
- 상등 비교나 순서 비교 능력이 갖추어져 있지 않은 형식을 사전이나 정렬된 목록의 키 형식으로 사용할 수 있게 한다.

다음은 플러그인 프로토콜을 구성하는 인터페이스들이다.

IEqualityComparer와 IEqualityComparer<T>

- 플러그인 상등 비교와 해싱 기능을 담당한다.
- Hashtable과 Dictionary가 지원한다.

IComparer와 IComparer<T>

- 플러그인 순서 비교 기능을 담당한다.
- 정렬된 사전과 컬렉션, 그리고 Array.Sort가 지원한다.

인터페이스마다 제네릭 버전과 비제네릭 버전이 있다. IEqualityComparer 인터페이스에는 EqualityComparer라는 이름의 기본 구현 클래스도 있다.

또한 .NET Framework 4.0에는 IStructuralEquatable과 IStructuralComparable이라는 새로운 두 인터페이스도 도입되었다. 이들은 클래스와 배열에 대한 구조적 비교 능력을 제공한다.

IEqualityComparer 인터페이스와 EqualityComparer 클래스

이들은 기본 방식 이외의 상등 비교와 해시 계산 구현을 위한 상등 비교자(equality comparer)를 만드는 데 쓰인다. 그러한 상등 비교자는 주로 Dictionary 클래스와 Hashtable 클래스에 유용하다.

해시테이블 기반 사전의 요구사항들을 기억할 것이다. 그런 사전은 임의의 키가 주어졌을 때 다음 두 질문의 답을 얻을 수 있어야 한다.

- 그 키와 같은(상등) 키가 존재하는가?
- 그 키의 정수 해시코드는 무엇인가?

상등 비교자는 IEqualityComparer 인터페이스들을 구현함으로써 그러한 질문에 답한다.

```
public interface IEqualityComparer<T>
{
   bool Equals (T x, T y);
   int GetHashCode (T obj);
}

public interface IEqualityComparer     // 비제네릭 버전
{
   bool Equals (object x, object y);
   int GetHashCode (object obj);
}
```

상등 비교자를 작성할 때에는 이 두 인터페이스 중 하나 또는 둘 다를 구현한다(둘 다 구현하면 상호운용성이 극대화된다). 그런데 그 두 인터페이스를 구현하는 것은 다소 지루한 일이다. 그 대신, 다음과 같이 정의된 추상 클래스 EqualityComparer를 상속하는 방법도 있다.

```
public abstract class EqualityComparer<T> : IEqualityComparer,
                                            IEqualityComparer<T>
{
  public abstract bool Equals (T x, T y);
  public abstract int GetHashCode (T obj);

  bool IEqualityComparer.Equals (object x, object y);
  int IEqualityComparer.GetHashCode (object obj);

  public static EqualityComparer<T> Default { get; }
}
```

EqualityComparer 클래스는 두 인터페이스를 모두 구현하고 있으므로, 상등 비교자 클래스 작성자는 그냥 추상 메서드 두 개만 재정의하면 된다.

Equals와 GetHashCode의 의미론은 제6장에서 설명한 object.Equals 및 object.GetHashCode와 동일한 규칙을 따른다. 다음은 고객을 뜻하는 Customer 클래스와 두 고객의 상등을 판정하는 상등 비교자의 예이다. 고객 클래스에는 성(last name)과 이름(first name)을 뜻하는 두 필드가 있으며, 상등 비교자는 성과 이름 둘 다 같을 때에만 두 고객이 상등이라고 판정한다.

```
public class Customer
{
  public string LastName;
  public string FirstName;

  public Customer (string last, string first)
  {
    LastName = last;
    FirstName = first;
  }
}
public class LastFirstEqComparer : EqualityComparer <Customer>
{
  public override bool Equals (Customer x, Customer y)
    => x.LastName == y.LastName && x.FirstName == y.FirstName;

  public override int GetHashCode (Customer obj)
    => (obj.LastName + ";" + obj.FirstName).GetHashCode();
}
```

이 클래스의 작동 방식을 보여주는 예로, 다음과 같이 고객 둘을 생성하자.

```
Customer c1 = new Customer ("Bloggs", "Joe");
Customer c2 = new Customer ("Bloggs", "Joe");
```

object.Equals를 재정의하지 않았기 때문에, 이 둘에 대해 보통의 참조 상등 의미론이 적용된다.

```
Console.WriteLine (c1 == c2);               // False
Console.WriteLine (c1.Equals (c2));         // False
```

이 고객들을 상등 비교자를 지정하지 않고 Dictionary에 사용하면, 역시 동일한 참조 상등 의미론이 적용된다.

```
var d = new Dictionary<Customer, string>();
d [c1] = "Joe";
Console.WriteLine (d.ContainsKey (c2));         // False
```

그러나 커스텀 상등 비교자를 지정하면 두 고객이 같다는 결과를 얻을 수 있다.

```
var eqComparer = new LastFirstEqComparer();
var d = new Dictionary<Customer, string> (eqComparer);
d [c1] = "Joe";
Console.WriteLine (d.ContainsKey (c2));         // True
```

이 예에는 나와 있지 않지만, 고객이 사전에 담겨 있을 때 고객의 FirstName과 LastName이 수정되지 않게 하는 장치를 두는 것이 바람직하다. 그런 장치가 없다면 고객의 해시코드가 변해서 Dictionary가 오작동하는 결과가 빚어질 수 있다.

EqualityComparer<T>.Default 메서드

EqualityComparer<T>.Default를 호출하면 정적 object.Equals 메서드 대신 사용할 수 있는 범용 상등 비교자가 반환된다. 그 상등 비교자의 장점은, 먼저 T가 IEquatable<T>를 구현하는지 점검해서 만일 구현한다면 해당 구현을 사용하므로 박싱 부담이 없다는 것이다. 이는 제네릭 메서드에서 특히나 유용하다.

```
static bool Foo<T> (T x, T y)
{
  bool same = EqualityComparer<T>.Default.Equals (x, y);
  ...
```

IComparer 인터페이스와 Comparer 클래스

이들은 기본 방식 이외의 순서 비교 구현을 위한 순서 비교자를 만드는 데 쓰인다. 그러한 순서 비교자는 주로 정렬된 사전과 컬렉션에 유용하다.

순서 비교자는 Dictionary나 Hashtable 같은 정렬되지 않은 사전에는 쓸모가 없음을 주의하기 바란다. 그런 사전에 필요한 것은 해시코드를 얻기 위한 IEqualityComparer이다. 마찬가지로, 상등 비교자는 정렬된 사전과 컬렉션에는 쓸모가 없다.

다음은 IComparer 인터페이스의 정의이다.

```
public interface IComparer
{
  int Compare(object x, object y);
}
public interface IComparer <in T>
{
  int Compare(T x, T y);
}
```

상등 비교자처럼, 인터페이스들을 직접 구현하는 대신 상속을 통해서 순서 비교자를 만드는 데 사용할 수 있는 추상 클래스가 있다.

```
public abstract class Comparer<T> : IComparer, IComparer<T>
{
   public static Comparer<T> Default { get; }

   public abstract int Compare (T x, T y);       // 작성자가 직접 구현해야 함
   int IComparer.Compare (object x, object y);   // 구현이 제공됨
}
```

다음은 소원(wish)을 나타내는 클래스와 소원들을 그 우선순위(priority)대로 정렬하기 위한 순서 비교자의 예이다.

```
class Wish
{
  public string Name;
  public int Priority;

  public Wish (string name, int priority)
  {
    Name = name;
    Priority = priority;
  }
}

class PriorityComparer : Comparer <Wish>
{
  public override int Compare (Wish x, Wish y)
  {
    if (object.Equals (x, y)) return 0;          // 안전을 위한 점검
    return x.Priority.CompareTo (y.Priority);
  }
}
```

순서 비교자는 먼저 `object.Equals`를 호출해서 두 소원의 상등을 판정한다. 이는 `Equals` 메서드와 모순되는 결과를 내지 않기 위한 장치이다. 이 경우 `x.Equals`를 호출하는 것보다 정적 `object.Equals` 메서드를 호출하는 것이 더 낫다. 후자는 `x`가 널일 때에도 작동하기 때문이다.

다음은 이 `PriorityComparer`를 이용해서 `List`를 정렬하는 예이다.

```
var wishList = new List<Wish>();
wishList.Add (new Wish ("평화", 2));
wishList.Add (new Wish ("부자 되기", 3));
wishList.Add (new Wish ("사랑", 2));
wishList.Add (new Wish ("소원 세 개 더", 1));
```

```
wishList.Sort (new PriorityComparer());
foreach (Wish w in wishList) Console.Write (w.Name + " | ");

// OUTPUT: 소원 세 개 더 | 사랑 | 평화 | 부자 되기 |
```

또 다른 예로, 다음의 SurnameComparer는 주어진 성(surname) 문자열들을 전화번호부에 적합한 순서로 정렬하기 위한 것이다.

```
class SurnameComparer : Comparer <string>
{
  string Normalize (string s)
  {
    s = s.Trim().ToUpper();
    if (s.StartsWith ("MC")) s = "MAC" + s.Substring (2);
    return s;
  }

  public override int Compare (string x, string y)
    => Normalize (x).CompareTo (Normalize (y));
}
```

다음은 이 SurnameComparer를 정렬된 사전에 사용하는 예이다.

```
var dic = new SortedDictionary<string,string> (new SurnameComparer());
dic.Add ("MacPhail", "둘째!");
dic.Add ("MacWilliam", "셋째!");
dic.Add ("McDonald", "첫째!");

foreach (string s in dic.Values)
  Console.Write (s + " ");              // 첫째! 둘째! 셋째!
```

StringComparer 클래스

StringComparer는 미리 정의된 플러그인 클래스이다. 이것을 이용하면 문자열의 상등 비교나 순서 비교 시 언어나 대소문자 구별 여부를 임의로 지정할 수 있다. StringComparer 클래스는 IEqualityComparer와 IComparer를(그리고 해당 제네릭 버전들도) 모두 구현하므로, 그 어떤 형식의 사전이나 정렬된 컬렉션에도 사용할 수 있다.

```
// CultureInfo는 System.Globalization에 정의되어 있다.

public abstract class StringComparer : IComparer, IComparer <string>,
                                       IEqualityComparer,
                                       IEqualityComparer <string>
{
  public abstract int Compare (string x, string y);
  public abstract bool Equals (string x, string y);
```

```
    public abstract int GetHashCode (string obj);

    public static StringComparer Create (CultureInfo culture,
                                         bool ignoreCase);
    public static StringComparer CurrentCulture { get; }
    public static StringComparer CurrentCultureIgnoreCase { get; }
    public static StringComparer InvariantCulture { get; }
    public static StringComparer InvariantCultureIgnoreCase { get; }
    public static StringComparer Ordinal { get; }
    public static StringComparer OrdinalIgnoreCase { get; }
  }
```

StringComparer는 추상 클래스이므로 직접 인스턴스화할 수는 없다. 대신 적절한 인스턴스를 돌려주는 정적 메서드들과 속성들이 갖추어져 있는데, StringComparer.Ordinal은 기본 방식의 문자열 상등 비교 구현에 해당하고 StringComparer.CurrentCulture는 기본 방식의 문자열 순서 비교 구현에 해당한다.

다음 예는 대소문자를 구분하지 않는 순서 있는 사전을 생성한다. 대소문자를 구분하지 않으므로 dict["Joe"]와 dict["JOE"]는 같은 항목으로 간주된다.

```
var dict = new Dictionary<string, int> (StringComparer.OrdinalIgnoreCase);
```

다음은 이름들의 목록을 호주식 영어를 이용해서 정렬하는 예이다.

```
string[] names = { "Tom", "HARRY", "sheila" };
CultureInfo ci = new CultureInfo ("en-AU");
Array.Sort<string> (names, StringComparer.Create (ci, false));
```

마지막으로, 다음 예는 이전 절에서 작성한 SurnameComparer(전화번호부에 적합한 순서로 이름들을 비교하는 비교자)를 문화권 설정을 반영하도록 수정한 것이다.

```
class SurnameComparer : Comparer <string>
{
  StringComparer strCmp;

  public SurnameComparer (CultureInfo ci)
  {
    // 대소문자를 구분하지 않고 문화권을 감지하는 문자열 비교자
    strCmp = StringComparer.Create (ci, false);
  }

  string Normalize (string s)
  {
    s = s.Trim();
    if (s.ToUpper().StartsWith ("MC")) s = "MAC" + s.Substring (2);
```

```
    return s;
  }

  public override int Compare (string x, string y)
  {
    // 문화권 감지 StringComparer의 Compare를 직접 호출한다.
    return strCmp.Compare (Normalize (x), Normalize (y));
  }
}
```

IStructuralEquatable 인터페이스와 IStructuralComparable 인터페이스

제6장에서 이야기했듯이, 구조체의 기본적인 상등 비교 방식은 **구조적 비교**(structural comparison)이다. 이 상등 비교 방식에서 두 구조체는 그 필드들이 모두 상등이면 상등이다. 순서 비교 역시, 모든 필드를 차례로 비교하는 방식으로 진행된다. 그런데 이러한 구조적 상등 및 순서 비교 방식을 배열이나 튜플처럼 구조체가 아닌 형식에 적용하고 싶을 때가 있다. .NET Framework 4.0에는 구조적 비교 의미론을 플러그인 형태로 적용하기 위한 다음과 같은 인터페이스들이 추가되었다.

```
public interface IStructuralEquatable
{
  bool Equals (object other, IEqualityComparer comparer);
  int GetHashCode (IEqualityComparer comparer);
}

public interface IStructuralComparable
{
  int CompareTo (object other, IComparer comparer);
}
```

이 인터페이스의 메서드들은 인수로 주어진 IEqualityComparer 또는 IComparer 객체를 합성 객체의 각 요소에 적용한다. 그럼 이 인터페이스들을 구현하는 배열과 튜플의 예를 보자. 다음 예제는 두 배열의 상등을 처음에는 기본 Equals 메서드를 이용해서 판정하고, 그다음에는 IStructuralEquatable 버전을 이용해서 판정한다.

```
int[] a1 = { 1, 2, 3 };
int[] a2 = { 1, 2, 3 };
IStructuralEquatable se1 = a1;
Console.Write (a1.Equals (a2));                                 // False
Console.Write (se1.Equals (a2, EqualityComparer<int>.Default));  // True
```

다음은 또 다른 예이다.

```
string[] a1 = "the quick brown fox".Split();
string[] a2 = "THE QUICK BROWN FOX".Split();
IStructuralEquatable se1 = a1;
bool isTrue = se1.Equals (a2, StringComparer.InvariantCultureIgnoreCase);
```

튜플도 같은 방식으로 작동한다.

```
var t1 = Tuple.Create (1, "foo");
var t2 = Tuple.Create (1, "FOO");
IStructuralEquatable se1 = t1;
bool isTrue = se1.Equals (t2, StringComparer.InvariantCultureIgnoreCase);
IStructuralComparable sc1 = t1;
int zero = sc1.CompareTo (t2, StringComparer.InvariantCultureIgnoreCase);
```

배열과 다른 점이라면, 튜플은 **기본** 상등 및 비교 구현들이 이미 구조적 비교를 사용한다는 점이다.

```
var t1 = Tuple.Create (1, "FOO");
var t2 = Tuple.Create (1, "FOO");
Console.WriteLine (t1.Equals (t2));   // True
```

C# 6.0 in a Nutshell

8장 LINQ 질의

LINQ(Language Integrated Query; 언어에 통합된 질의)는 지역 객체 컬렉션과 원격 자료 저장소에 대한 형식에 안전한 구조적 질의(질의문)를 작성하는 데 사용하는 C# 언어 기능들과 .NET Framework 기능들을 통칭하는 용어이다. LINQ는 C# 3.0과 .NET Framework 3.5에 도입되었다.

LINQ를 이용하면 IEnumerable<T>를 구현하는 임의의 컬렉션(목록, 배열)과 XML DOM에 대해 질의를 수행할 수 있으며, SQL Server 데이터베이스의 테이블 같은 원격 자료 저장소에 대한 질의도 수행할 수 있다. LINQ는 컴파일 시점 형식 점검의 장점과 동적인 질의 작성의 장점을 모두 제공한다.

이번 장에서는 LINQ의 구조와 기본적인 질의 작성 방법을 설명한다. LINQ의 모든 핵심 형식은 System.Linq 이름공간과 System.Linq.Expressions 이름공간에 정의되어 있다.

이번 장과 다음 두 장의 예제들은 LINQPad라고 하는 대화식 질의 도구에 포함되어 있다. LINQPad는 *www.linqpad.net*에서 내려받을 수 있다.

첫걸음

LINQ의 기본적인 자료 단위는 **순차열**(sequence; 서열)과 **요소**(element)이다. 순차열은 IEnumerable<T>를 구현하는 임의의 객체이고 요소는 그 순차열에 들어 있는 항목이다. 다음 예에서 names는 순차열이고 "Tom", "Dick", "Harry"는 요소들이다.

```
string[] names = { "Tom", "Dick", "Harry" };
```

메모리 안에 있는 객체들의 지역 컬렉션이라는 점에서, 이런 순차열을 **지역 순차열**이라고 부른다.

질의 연산자(query operator)는 순차열에 어떠한 변환(transformation) 연산을 적용하는 메서드이다. 전형적인 질의 연산자는 **입력 순차열** 하나를 받아서 **출력 순차열**을 산출한다. System.Linq의 Enumerable 클래스에는 약 40개의 질의 연산자가 있는데, 이들은 모두 정적 확장 메서드로 구현되어 있다. 이들을 통틀어 **표준 질의 연산자**라고 부른다.

지역 순차열에 대해 작용하는 질의를 지역 질의(local query) 또는 **객체 대상** *LINQ*(LINQ-to-objects) 질의라고 부른다.

LINQ는 또한 SQL Server 데이터베이스 같은 원격 자료 저장소에서 동적으로 자료를 공급받는 순차열도 지원한다. 그런 순차열은 IQueryable<T> 인터페이스를 추가로 구현하는데, 이 인터페이스에 대응되는 일단의 표준 질의 연산자들이 Queryable 클래스에 있다. 이에 관해서는 이번 장의 '해석식 질의(p.454)'에서 좀 더 논의한다.

LINQ에서 말하는 질의는 순차열들과 질의 연산자들로 이루어진 하나의 표현식이다. 그 표현식을 평가하면 순차열들이 연산자들에 의해 변환된다. 예를 들어, Where 연산자를 이용하면 이름들을 담은 배열에서 길이가 영문자 네 개 이상인 이름만 추출할 수 있다.

```
string[] names = { "Tom", "Dick", "Harry" };
IEnumerable<string> filteredNames = System.Linq.Enumerable.Where
                                    (names, n => n.Length >= 4);
foreach (string n in filteredNames)
  Console.WriteLine (n);

Dick
Harry
```

표준 질의 연산자들은 확장 메서드로 구현되므로, Where를 마치 인스턴스 메서드인 것처럼 names에 대해 직접 호출할 수도 있다.

```
IEnumerable<string> filteredNames = names.Where (n => n.Length >= 4);
```

이 코드를 컴파일하려면 반드시 System.Linq 이름공간을 도입해야 한다. 다음은 전체 예제 코드이다.

```
using System;
usign System.Collections.Generic;
using System.Linq;

class LinqDemo
{
  static void Main()
  {
    string[] names = { "Tom", "Dick", "Harry" };

    IEnumerable<string> filteredNames = names.Where (n => n.Length >= 4);
    foreach (string name in filteredNames) Console.WriteLine (name);
  }
}
```

출력:

```
Dick
Harry
```

✓ 다음처럼 filteredNames의 형식을 암묵적으로 지정하면 코드를 더욱 줄일 수 있다.

```
var filteredNames = names.Where (n => n.Length >= 4);
```

그러나 이러한 방식은 코드의 가독성을 떨어뜨린다. IDE 바깥의 환경, 즉 온라인 도움말이나 풍선 도움말 같은 보조 수단이 없는 환경에서는 더욱 그렇다.

이번 장의 예제들에서는 꼭 필요하거나(이번 장의 '투영 전략(p.451)'에 그러한 경우가 나온다) 또는 질의의 형식이 중요하지 않은 경우에만 질의 결과의 형식을 암묵적으로 지정한다.

대부분의 질의 연산자는 람다식(람다 표현식)을 인수로 받는다. 그 람다식은 질의 수행의 지침이 되거나 질의의 형태를 결정한다. 지금 예제에는 다음과 같은 람다식이 쓰였다.

```
n => n.Length >= 4
```

입력 순차열의 각 요소가 람다식의 입력 인수가 된다. 지금 예에서 입력 인수 n은 문자열 배열의 각 이름으로, 그 형식은 string이다. Where 연산자에 지정하는 람다식은 반드시 하나의 bool 값을 돌려주어야 한다. 그 값이 true이면 Where는 해당 요소를 출력 순차열에 포함시킨다. 다음은 Where의 서명이다.

```
public static IEnumerable<TSource> Where<TSource>
  (this IEnumerable<TSource> source, Func<TSource,bool> predicate)
```

다음 질의는 영문자 'a'가 있는 모든 이름을 추출한다.

```
IEnumerable<string> filteredNames = names.Where (n => n.Contains ("a"));

foreach (string name in filteredNames)
  Console.WriteLine (name);            // Harry
```

지금까지는 확장 메서드와 람다식을 이용해서 LINQ 질의를 만들었다. 잠시 후에 보겠지만, 이러한 전략을 사용하면 질의 연산자들의 연쇄(chaining)가 가능하므로 질의를 작성하기가 아주 편해진다. 이 책에서는 이러한 방식을 **유창한 구문**(fluent syntax)[1]이라고 부른다. C#은 또한 **질의 표현식** 구문이라고 부르는 또 다른 질의 작성 구문을 제공한다. 다음은 앞의 질의를 질의 표현식 구문으로 다시 만든 것이다.

```
IEnumerable<string> filteredNames = from n in names
                                    where n.Contains ("a")
                                    select n;
```

유창한 구문과 질의 표현식 구문은 상호보완적이다. 그럼 이 두 구문을 각각 좀 더 자세히 살펴보자.

유창한 구문

두 구문 중 유창한 구문이 더 유연하고 근본적이다. 이번 절에서는 질의 연산자들을 사슬처럼 이어서 좀 더 복잡한 질의를 만드는 방법을 설명하고, 이러한 작업에 확장 메서드가 중요한 이유도 제시한다. 또한, 질의 연산자에 지정할 람다식을 만드는 방법을 설명하고 새로운 질의 연산자도 몇 개 소개한다.

질의 연산자 연쇄

이전 절에 나온 간단한 질의 예제들은 질의 연산자를 하나씩만 사용했다. 그러한 간단한 질의 표현식에 질의 연산자들을 더 추가해서 일종의 '사슬'을 형성함으로써 좀 더 복잡한 질의를 만들 수 있다. 이 점을 보여주는 예로, 다음 질의는 문자열 배열에서 영문자 'a'가 있는 모든 문자열을 추출해서 길이순으로 정렬한 후 그 결과를 대문자로 변환한다.

1 이 용어는 유창한 인터페이스(fluent interface)에 관한 에릭 에번스Eric Evans와 마틴 파울러Martin Fowler의 연구에 기초한 것이다.

```
using System;
using System.Collections.Generic;
using System.Linq;

class LinqDemo
{
  static void Main()
  {
    string[] names = { "Tom", "Dick", "Harry", "Mary", "Jay" };

    IEnumerable<string> query = names
      .Where   (n => n.Contains ("a"))
      .OrderBy (n => n.Length)
      .Select  (n => n.ToUpper());

    foreach (string name in query) Console.WriteLine (name);
  }
}
```

출력:

```
JAY
MARY
HARRY
```

이 예에서 변수 n은 각 람다식의 지역 변수이다. 식별자 n을 이처럼 재활용할 수 있는 이유는 다음 메서드에서 식별자 c를 재활용할 수 있는 이유과 동일하다.

```
void Test()
{
  foreach (char c in "string1") Console.Write (c);
  foreach (char c in "string2") Console.Write (c);
  foreach (char c in "string3") Console.Write (c);
}
```

Where와 OrderBy, Select는 표준 질의 연산자이다. 질의를 평가하면 이들은 Enumerable 클래스의 해당 확장 메서드들로 연결된다(물론 System.Linq 이름공간을 도입했다고 할 때).

Where 연산자는 앞에서 이미 나왔다. 이 질의 연산자는 입력 순차열에서 특정 요소들만 필터filter로 선별해서 출력 연산자에 포함시킨다. OrderBy 연산자는 입력 순차열을 정렬한 버전을 산출한다. Select 메서드는 입력 순차열의 각 요소를 주어진 람다식으로 변환 또는 **투영**(projection)한 결과를 산출한다. 자료는 연산자들의 사슬을 따라 왼쪽에서 오른쪽으로 흐르므로, 이 예의 경우 자료는 먼저 선별되고, 정렬되고, 투영된다.

> 질의 연산자는 입력 순차열을 전혀 변경하지 않는다. 대신 새 순차열을 돌려준다. 이는 LINQ에 영감을 준 **함수형 프로그래밍**(functional programming) 패러다임에 부합하는 특징이다.

다음은 이 확장 메서드들의 서명이다(OrderBy 서명은 약간 단순화되었다).

```
public static IEnumerable<TSource> Where<TSource>
  (this IEnumerable<TSource> source, Func<TSource,bool> predicate)

public static IEnumerable<TSource> OrderBy<TSource,TKey>
  (this IEnumerable<TSource> source, Func<TSource,TKey> keySelector)

public static IEnumerable<TResult> Select<TSource,TResult>
  (this IEnumerable<TSource> source, Func<TSource,TResult> selector)
```

이번 예제에서처럼 질의 연산자들을 연결한 경우, 한 연산자의 출력 순차열이 그다음 연산자의 입력 순차열로 쓰인다. 그림 8-1에서 보듯이, 전체적인 질의는 공장의 컨베이어 벨트 조립라인과 비슷한 모습이다.

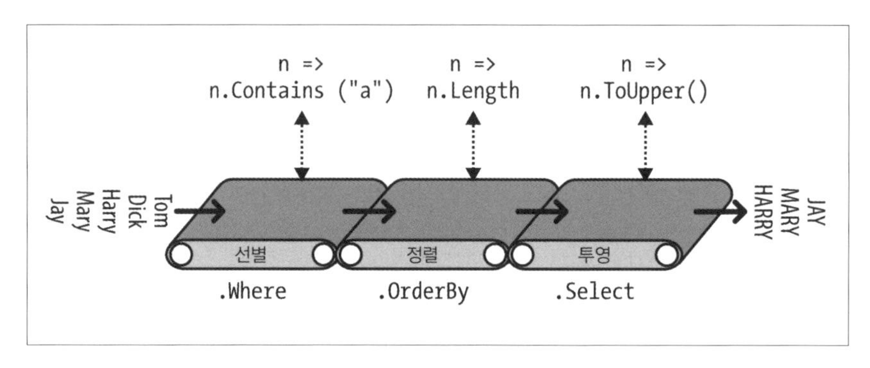

그림 8-1 질의 연산자 연쇄

동일한 질의를 다음처럼 **점진적으로** 구축할 수도 있다.

```
// 다음 코드를 컴파일하려면 반드시 System.Linq 이름공간을 도입해야 함

IEnumerable<string> filtered   = names   .Where   (n => n.Contains ("a"));
IEnumerable<string> sorted     = filtered.OrderBy (n => n.Length);
IEnumerable<string> finalQuery = sorted  .Select  (n => n.ToUpper());
```

finalQuery는 앞에서 본 query와 같은 기능을 하는 질의이다. 또한, 다음 예에서 보듯이 각각의 중간 단계는 실제로 실행할 수 있는 유효한 질의이다.

```
foreach (string name in filtered)
  Console.Write (name + "|");         // Harry|Mary|Jay|
```

```
Console.WriteLine();
foreach (string name in sorted)
  Console.Write (name + "|");        // Jay|Mary|Harry|

Console.WriteLine();
foreach (string name in finalQuery)
  Console.Write (name + "|");        // JAY|MARY|HARRY|
```

확장 메서드의 중요성

확장 메서드 구문을 사용하지 않고 통상적인 정적 메서드 구문을 사용해서 질의 연산자들을 호출하는 것도 가능하다. 다음이 그러한 예이다.

```
IEnumerable<string> filtered = Enumerable.Where (names,
                                       n => n.Contains ("a"));
IEnumerable<string> sorted = Enumerable.OrderBy (filtered, n => n.Length);
IEnumerable<string> finalQuery = Enumerable.Select (sorted,
                                       n => n.ToUpper());
```

실제로 컴파일러는 확장 메서드 호출들을 이런 형태의 코드로 바꾸어서 컴파일한다. 그러나 이처럼 확장 메서드 대신 정적 메서드를 사용하면 앞에서처럼 하나의 질의를 하나의 문장으로 표현하는 것이 불가능해진다. 그럼 앞에 나온, 확장 메서드 구문을 이용한 단일 문장 질의를 다시 보자.

```
IEnumerable<string> query = names.Where   (n => n.Contains ("a"))
                                 .OrderBy (n => n.Length)
                                 .Select  (n => n.ToUpper());
```

이 코드는 왼쪽에서 오른쪽으로의 자료 흐름을 잘 보여주며, 각 람다식이 해당 질의 연산자 바로 다음에 온다는 장점(**중위**(infix) 표기법에 따른)도 있다. 그러나 확장 메서드를 사용하지 않으면 질의의 이러한 **유창함**이 사라진다.

```
IEnumerable<string> query =
  Enumerable.Select (
    Enumerable.OrderBy (
      Enumerable.Where (
        names, n => n.Contains ("a")
      ), n => n.Length
    ), n => n.ToUpper()
  );
```

람다 표현식 작성

이전 예제에서 Where 연산자에 다음과 같은 람다식을 넣었다.

```
n => n.Contains ("a")       // 입력 형식은 string, 반환 형식은 bool.
```

값 하나를 받고 bool을 돌려주는 람다식을 **술어**(predicate)라고 부른다.

질의 연산자의 인수로 지정하는 람다식의 용도는 질의 연산자마다 다르다. Where 연산자의 경우 람다식은 주어진 요소를 출력 순차열에 포함시킬지의 여부를 결정한다. OrderBy 연산자의 람다식은 입력 순차열의 각 요소를 해당 정렬 키에 대응시킨다. Select 연산자의 람다식은 입력 순차열의 각 요소를 출력 순차열에 넣기 전에 변환하는 방식을 결정한다.

질의 연산자의 람다식은 항상 입력 순차열의 개별 요소에 대해 작동한다. 순차열 전체에 대해 작동하는 것이 아니다.

질의 연산자는 람다식을 요구에 따라(on demand) 적용한다. 보통의 경우 람다식은 입력 순차열의 요소당 한 번씩 실행된다. 람다식 덕분에 소비자는 질의 연산자에 자신만의 논리를 집어넣을 수 있다. 결과적으로 질의 연산자가 다재다능해지며, 내부 구조도 단순해진다. 다음은 Enumerable.Where의 전체 구현이다(예외 처리는 생략했음).

```
public static IEnumerable<TSource> Where<TSource>
  (this IEnumerable<TSource> source, Func<TSource,bool> predicate)
{
  foreach (TSource element in source)
    if (predicate (element))
      yield return element;
}
```

람다 표현식과 Func 대리자

표준 질의 연산자는 제네릭 Func 대리자를 활용한다. Func는 System 이름공간에 있는 일단의 범용 제네릭 대리자들을 통칭하는 이름이다. 이들은 다음과 같은 의도로 정의되었다.

> Func의 형식 인수들은 람다식의 것들과 같은 순서로 나타난다.

즉, Func<TSource,bool>은 TSource=>bool 형식의 람다식, 즉 TSource 인수 하나를 받고 bool을 돌려주는 람다식과 부합한다. 마찬가지로 Func<TSource,TResult>는 TSource=>TResult 람다식과 부합한다.

제4장의 '람다 표현식(p.180)'에 여러 Func 대리자들이 나온다.

람다 표현식과 요소 형식 결정

표준 질의 연산자는 다음과 같은 형식 매개변수 이름들을 사용한다.

제네릭 형식 매개변수	의미
TSource	입력 순차열의 요소 형식
TResult	출력 순차열의 요소 형식(TSource와 다른 경우)
TKey	정렬, 분류, 결합에 쓰이는 **키** 요소의 형식

컴파일러는 TSource를 입력 순차열에 따라 결정하고, TResult와 TKey는 일반적으로 람다식에서 추론한다.

예를 들어 Select 질의 연산자의 서명을 생각해 보자.

```
public static IEnumerable<TResult> Select<TSource,TResult>
  (this IEnumerable<TSource> source, Func<TSource,TResult> selector)
```

Func<TSource,TResult>는 TSource=>TResult 람다식, 즉 입력 요소를 출력 요소로 사상(대응)하는 람다식과 부합한다. 그런데 TSource와 TResult가 서로 다른 형식일 수 있다. 이는 람다식에서 입력 요소의 형식과는 다른 형식의 요소를 산출할 수 있으며, 결과적으로 람다식이 출력 순차열 자체의 형식을 결정한다는 뜻이다. 예를 들어 다음 질의는 Select 연산자를 이용해서 문자열 요소들의 순차열을 정수 요소들의 순차열로 변환한다.

```
string[] names = { "Tom", "Dick", "Harry", "Mary", "Jay" };
IEnumerable<int> query = names.Select (n => n.Length);

foreach (int length in query)
  Console.Write (length + "|");    // 3|4|5|4|3|
```

컴파일러는 람다식의 반환 형식으로부터 TResult의 형식을 추론(inference)할 수 있다. 지금 예에서 n.Length는 int 값을 돌려주므로 TResult는 int 형식으로 추론된다.

Where 질의 연산자는 이보다 더 간단하다. 입력 요소와 출력 요소가 같은 형식이므로 출력 형식을 추론할 필요가 없다. 이 연산자는 요소들을 선별할 뿐 요소 자체를 변환하지는 않는다는 점을 생각하면 당연한 일이다.

```
public static IEnumerable<TSource> Where<TSource>
  (this IEnumerable<TSource> source, Func<TSource,bool> predicate)
```

마지막으로, 다음은 OrderBy 연산자의 서명이다.

```
// 조금 단순화했음
public static IEnumerable<TSource> OrderBy<TSource,TKey>
  (this IEnumerable<TSource> source, Func<TSource,TKey> keySelector)
```

Func<TSource,TKey>는 주어진 입력 요소를 하나의 **정렬 키**(sorting key)로 사상한다. 컴파일러는 TKey를 람다식으로부터 추론한다. 이 TKey는 입력 요소 형식이나 출력 형식 요소와는 다른 형식일 수 있다. 예를 들어 이름들의 목록을 길이순으로(int 키) 정렬할 수도 있고 알파벳순으로(string 키) 정렬할 수도 있다.

```
string[] names = { "Tom", "Dick", "Harry", "Mary", "Jay" };
IEnumerable<string> sortedByLength, sortedAlphabetically;
sortedByLength       = names.OrderBy (n => n.Length);   // int 키
sortedAlphabetically = names.OrderBy (n => n);          // string 키
```

Enumerable 기반 컬렉션들에 대해서는 질의 연산자에 람다식 대신 전통적인 대리자(특정 메서드를 가리키는)를 사용할 수 있다. 특정 종류의 지역 질의에서는 그냥 대리자를 사용하는 것이 더 간단할 수 있는데, 제10장에서 보겠지만 XML 대상 LINQ(LINQ to XML)에서 그런 경우가 많다. 그러나 IQueryable<T> 기반 순차열에는(즉, 데이터베이스를 질의할 때에는) 이런 접근방식이 통하지 않는다. Queryable의 연산자들은 표현식 트리 생성을 위해 람다식을 요구하기 때문이다. 이에 관해서는 이번 장의 '해석식 질의(p.454)'에서 논의한다.

자연스러운 순서

LINQ에서는 입력 순차열에 있는 요소들의 원래 순서가 중요하다. Take나 Skip, Reverse 같은 일부 질의 연산자들의 작동은 이 순서에 의존한다.

Take 연산자는 처음 x개의 요소를 출력하고 나머지는 무시한다.

```
int[] numbers  = { 10, 9, 8, 7, 6 };
IEnumerable<int> firstThree = numbers.Take (3);     // { 10, 9, 8 }
```

Skip 연산자는 처음 x개의 요소를 무시하고 나머지를 출력한다.

```
IEnumerable<int> lastTwo    = numbers.Skip (3);     // { 7, 6 }
```

Reverse는 요소들의 순서를 뒤집는다.

```
IEnumerable<int> reversed   = numbers.Reverse();    // { 6, 7, 8, 9, 10 }
```

지역 질의(객체 대상 LINQ)에서 Where나 Select 같은 연산자들은 입력 순차열의 원래 순서를 유지한다(사실 순서를 변경하는 것이 목표인 연산자를 제외한 모든 질의 연산자가 그런 성질을 가지고 있다).

기타 연산자

순차열을 출력하지 않는 질의 연산자도 있다. **요소 연산자**라고 부르는 질의 연산자들은 입력 순차열에서 요소를 딱 하나만 추출한다. First, Last, ElementAt이 그런 연산자에 속한다.

```
int[] numbers    = { 10, 9, 8, 7, 6 };
int firstNumber  = numbers.First();                       // 10
int lastNumber   = numbers.Last();                        // 6
int secondNumber = numbers.ElementAt(1);                  // 9
int secondLowest = numbers.OrderBy(n=>n).Skip(1).First(); // 7
```

집계(aggregation) 연산자는 스칼라값(보통은 수치 형식의)을 돌려준다.

```
int count = numbers.Count();          // 5;
int min = numbers.Min();              // 6;
```

한정사(quantifier; 양화사) 연산자는 bool 값을 돌려준다.

```
bool hasTheNumberNine = numbers.Contains (9);          // true
bool hasMoreThanZeroElements = numbers.Any();          // true
bool hasAnOddElement = numbers.Any (n => n % 2 != 0);  // true
```

이 연산자들은 하나의 객체를 돌려주므로, 그 객체 자체가 컬렉션이 아닌 한 이 연산자의 결과에 대해 또 다른 연산자를 호출하는 경우는 드물다.

또한, 입력 순차열을 두 개 받는 질의 연산자도 있다. 좋은 예가 두 순차열을 합치는 Concat 연산자와 두 순차열을 중복 요소 없이 합치는 Union 연산자이다.

```
int[] seq1 = { 1, 2, 3 };
int[] seq2 = { 3, 4, 5 };
IEnumerable<int> concat = seq1.Concat (seq2);    //  { 1, 2, 3, 3, 4, 5 }
IEnumerable<int> union  = seq1.Union (seq2);     //  { 1, 2, 3, 4, 5 }
```

결합(joining) 연산자들도 이 부류에 속한다. 제9장에서 모든 질의 연산자를 상세하게 다룰 것이다.

질의 표현식

C#은 LINQ 질의를 좀 더 간결하게 표기할 수 있는 단축 구문을 지원하는데, 이를 **질의 표현식**(query expression) 구문이라고 부른다. 흔한 오해와는 달리, 질의 표현식은 SQL 질의문을 C# 코드에 내장하는 수단이 아니다. 사실, 질의 표현식은 기본적으로 LISP나 Haskell 같은 함수형 프로그래밍 언어의 **목록 함축**(list comprehension)에서 영감을 얻은 것이다. 단, 구문의 겉모습에 SQL이 영향을 미치긴 했다.

 이 책에서는 질의 표현식 구문을 그냥 간단하게 '질의 구문'이라고 부르기로 한다.

앞 절에서, 영문자 'a'가 있는 문자열들을 길이순으로 정렬한 후 대문자로 변환하는 유창한 구문 질의의 예를 보았다. 다음은 그 질의를 질의 구문으로 다시 작성한 것이다.

```
using System;
using System.Collections.Generic;
using System.Linq;

class LinqDemo
{
  static void Main()
  {
    string[] names = { "Tom", "Dick", "Harry", "Mary", "Jay" };

    IEnumerable<string> query =
      from    n in names
      where   n.Contains ("a")     // 요소들을 선별한다.
      orderby n.Length             // 요소들을 정렬한다.
      select  n.ToUpper();         // 각 요소를 변환한다(투영).

    foreach (string name in query) Console.WriteLine (name);
  }
}
```

출력:

```
JAY
MARY
HARRY
```

질의 표현식은 항상 `from` 절(clause)로 시작하고 `select` 절이나 `group` 절로 끝난다. `from` 절은 입력 순차열의 모든 요소를 차례로 훑는 **범위 변수**(range variable; 지금 예에서는 n)를 선언한다. `foreach`의 범위 변수를 연상하면 이해하기 쉬울 것이다. 그림 8-2는 완전한 질의 구문을 철도 선로 도식(railroad diagram) 형태로 표현한 것이다.

> 이 도식을 읽는 방법은 간단하다. 왼쪽 중간의 검은 사각형에서 시작해서, 마치 자신이 기차인 것처럼 선로를 따라가면 된다. 예를 들어 반드시 있어야 하는 `from` 절을 지난 후에는 `orderby`나 `where`, `let`, `join` 절 중 하나로 나아간다. 그런 다음에는 `select`나 `group` 절 중 하나로 가거나, 아니면 다시 또 다른 `from`이나 `orderby`, `where`, `let`, `join` 절로 돌아간다.

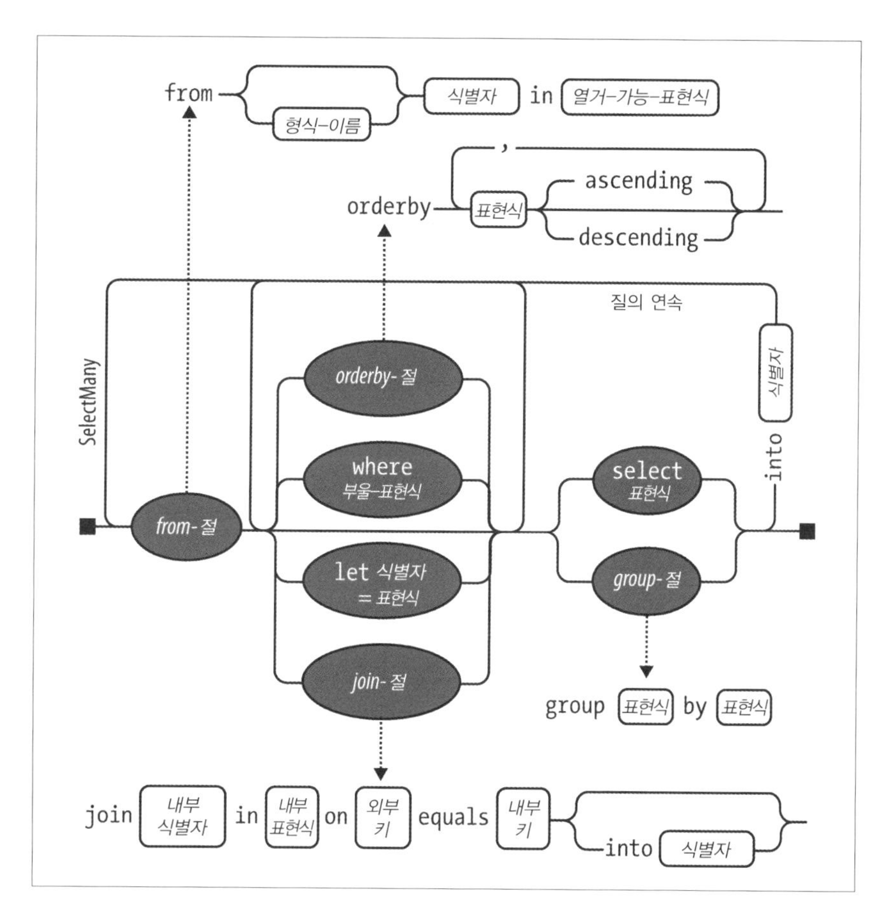

그림 8-2 질의 구문

컴파일러는 질의 표현식을 유창한 구문의 코드로 바꾸어서 컴파일한다. 컴파일러는 `foreach`를 `GetEnumerator` 호출과 `MoveNext` 호출로 바꿀 때처럼 상당히 기계적으로 이러한 코드 변환을 수행한다. 이는, 질의 구문으로 작성할 수 있는 모든 것을 유창한 구문으로도 작성할 수 있다는 뜻이기도 하다. 개념적으로, 앞의 예제 질의를 컴파일러는 일단 다음과 같은 형태로 바꾼다.

```
IEnumerable<string> query = names.Where   (n => n.Contains ("a"))
                                 .OrderBy (n => n.Length)
                                 .Select  (n => n.ToUpper());
```

그런 다음 컴파일러는 Where, OrderBy, Select 연산자의 의미론을 유창한 구문으로 작성된 질의에서와 마찬가지 방식으로 결정한다. 지금 예의 경우 System.Linq 이름공간이 도입되어 있고 names가 IEnumerable<string>을 구현하므로, 이 연산자들은 Enumerable 클래스의 확장 메서드들에 연결된다. 그런데 컴파일러가 질의 표현식을 변환할 때 Enumerable 클래스를 특별히 선호하는 것은 아니다. 컴파일러는 단지 질의문에 단어 "Where", "OrderBy", "Select"를 주입하고, 그것들을 마치 프로그래머가 직접 입력한 메서드 이름인 것처럼 취급해서 컴파일할 뿐이다. 이 덕분에 해당 연산자들의 의미론 결정에 유연성이 생긴다. 예를 들어 잠시 후 작성해 볼 데이터베이스 질의의 연산자들은 Enumerable이 아니라 Queryable 클래스의 확장 메서드들에 묶인다.

프로그램에서 using System.Linq 지시문을 제거하면 질의가 컴파일되지 않는다. Where와 OrderBy, Select를 연결할 확장 메서드가 없기 때문이다. 질의 표현식은 System.Linq 이름공간 또는 이 질의 메서드들의 구현이 들어 있는 다른 이름공간을 도입해야 컴파일된다.

범위 변수

from 키워드 바로 다음에 오는 식별자를 **범위 변수**라고 부른다. 범위 변수는 연산자들을 적용할 순차열의 현재 요소를 참조한다.

지금 예에서는 질의의 모든 절에 범위 변수 n이 나온다. 그렇긴 하지만 그 n들은 각 절에서 **서로 다른** 순차열을 훑게 된다.

```
from    n in names           // n은 범위 변수
where   n.Contains ("a")     // 이 n은 원래의 요소들(names 배열)을 훑는다.
orderby n.Length             // 이 n은 선별된 요소들을 훑는다.
select  n.ToUpper()          // 이 n은 정렬된 요소들을 훑는다.
```

컴파일러가 이 코드를 기계적으로 유창한 구문으로 바꾼 결과를 보면 이 점이 명확해진다.

```
names.Where   (n => n.Contains ("a"))      // n은 람다식의 지역 변수
     .OrderBy (n => n.Length)              // n은 람다식의 지역 변수
     .Select  (n => n.ToUpper())           // n은 람다식의 지역 변수
```

이 예에서 보듯이, 각각의 n은 해당 람다식 안에서만 존재하는 지역 변수이다.

다음의 절들을 이용해서 질의 표현식에 새로운 범위 변수를 도입하는 것도 가능하다.

- `let`
- `into`
- 또 다른 `from` 절
- `join`

이에 대해서는 이번 장의 '질의 작성 전략(p.446)' 절에서, 그리고 제9장의 '투영(p.490)' 및 '결합(p.490)' 절에서 좀 더 이야기한다.

질의 구문 대 SQL 구문

겉으로 보기에 질의 표현식은 SQL과 비슷하지만, 사실 둘은 많이 다르다. LINQ 질의는 하나의 C# 표현식으로 바뀌어서 컴파일되므로 표준적인 C# 규칙들을 따른다. 예를 들어 LINQ에서는 변수를 사용하는 코드가 그 변수를 선언하는 코드보다 뒤에 나와야 한다. 그러나 SQL에서는 `FROM` 절에서 정의하는 테이블 별칭을 `FROM` 절보다 앞에 있는 `SELECT` 절에서 사용할 수 있다.

LINQ의 부분 질의(subquery)는 또 다른 C# 표현식일 뿐이므로 특별한 구문이 필요하지 않다. 그러나 SQL의 부분 질의에는 특별한 규칙이 적용된다.

LINQ에서는 질의 안에서 자료가 논리적으로 좌에서 우로 흐른다. SQL에서는 자료 흐름과 관련해서 그 순서가 덜 구조적이다.

LINQ 질의는 일련의 연산자들이 순차열을 입, 출력하는 하나의 컨베이어 벨트 또는 **파이프라인**을 형성하며, 순차열 안 요소들의 순서가 연산 결과에 영향을 미친다. SQL 질의는 절들의 **네트워크**를 형성하며, 그 절들은 주로 **순서 없는 자료 집합**(unordered data set)을 다룬다.

질의 구문 대 유창한 구문

질의 구문과 유창한 구문에는 각자 나름의 장단점이 있다.

다음 두 조건 중 하나라도 해당하는 질의라면 질의 구문이 더 간단하다.

- 범위 변수 이외의 변수를 let 절로 도입하는 질의
- SelectMany나 Join, GroupJoin 다음에 외부 범위 변수 참조가 오는 질의

(let 절은 이번 장의 '질의 작성 전략(p.446)'에서 설명한다. SelectMany, Join, GroupJoin은 제9장에서 설명한다.)

Where나 OrderBy, Select를 간단하게 사용하는 질의라면 어떤 구문이든 비슷하다. 이 경우 선택은 대체로 개인적인 취향 문제이다.

질의 연산자가 하나만 있는 질의라면 유창한 구문이 더 짧고 군더더기가 적다.

마지막으로, 질의 구문에는 해당하는 키워드가 없는 질의 연산자들이 많이 있다. 구체적으로, 다음 질의 연산자들 이외의 질의 연산자들은 질의 구문의 키워드가 존재하지 않는다. 그런 연산자들을 사용하려면 유창한 구문을 사용해야 한다(적어도 부분적으로라도).

```
Where, Select, SelectMany
OrderBy, ThenBy, OrderByDescending, ThenByDescending
GroupBy, Join, GroupJoin
```

혼합 구문 질의

질의 구문이 지원하지 않는 질의 연산자를 사용해야 하는 경우 질의 구문과 유창한 구문을 섞어 쓰는 것도 한 방법이다. 이때 유일한 제약은 각각의 질의 구문 구성요소가 완결적이어야 한다는 것이다(즉, 하나의 from 절로 시작해서 select나 group 절로 끝나야 한다).

다음과 같이 영문 이름들을 담은 배열이 있다고 하자.

```
string[] names = { "Tom", "Dick", "Harry", "Mary", "Jay" };
```

다음은 영문자 'a'가 있는 이름들의 개수를 세는 혼합 구문 질의이다.

```
int matches = (from n in names where n.Contains ("a") select n).Count();
// 3
```

다음 질의는 이름들을 알파벳순으로 정렬했을 때의 첫 번째 이름을 추출한다.

```
string first = (from n in names orderby n select n).First();   // Dick
```

좀 더 복잡한 질의에서는 이러한 혼합 구문(mixed-syntax) 접근방식이 유리한 경우가 종종 있다. 그러나 방금 본 간단한 예들이라면 그냥 유창한 구문만 사용해도 해가 될 것이 없다.

```
int matches = names.Where (n => n.Contains ("a")).Count();   // 3
string first = names.OrderBy (n => n).First();               // Dick
```

기능과 단순함의 관점에서, 혼합 구문 질의가 "투자 대비 수익이 최대"가 되는 경우가 종종 있다. 중요한 것은, 질의 구문과 유창한 구문 중 하나만 맹목적으로 선호하지는 말아야 한다는 것이다. 하나만 편애하다 보면 필요에 따라 혼합 구문 질의를 작성할 때 쓸데없이 죄책감을 느끼게 된다.

이번 장의 나머지 부분에서는 유창한 구문과 질의 구문 모두에서 핵심적인 개념들을 설명한다.

지연된 실행

대부분의 질의 연산자들의 한 가지 중요한 특징은, 질의 연산자는 질의를 구축(생성)할 때가 아니라 **열거할 때**(다시 말해 해당 열거자에 대해 MoveNext가 호출될 때) 실행된다는 점이다. 다음 질의를 생각해 보자.

```
var numbers = new List<int>();
numbers.Add (1);

IEnumerable<int> query = numbers.Select (n => n * 10);    // 질의를 구축한다.

numbers.Add (2);                     // 또 다른 요소를 추가한다.

foreach (int n in query)
  Console.Write (n + "|");           // 10|20|
```

결과를 보면 질의를 구축한 **다음**에 목록에 집어넣은 요소가 포함되어 있다. 이는 foreach 문이 실행될 때 비로소 질의 연산자가 실행되었음을 보여주는 증거이다. 이런 방식을 **지연된**(deferred) 실행 또는 **게으른**(lazy) 실행이라고 부른다. 대리자에도 이런 지연된 실행이 적용된다.

```
Action a = () => Console.WriteLine ("Foo");
// 콘솔에는 아직 아무것도 출력되지 않았다. 이제 대리자를 실제로 실행하자:
a();  // 지연된 실행!
```

모든 표준 질의 연산자는 이러한 실행 지연 기능을 제공한다. 단, 다음은 예외이다.

- 하나의 요소나 스칼라값을 돌려주는 집계 연산자(`First`나 `Count` 등).
- 다음과 같은 **형식 변환 연산자**(conversion operator)들:
  `ToArray, ToList, ToDictionary, ToLookup`

이런 연산자들이 포함된 질의는 구축 즉시 실행된다. 이런 연산자의 결과 형식에는 실행 지연 기능을 제공하는 메커니즘이 없기 때문이다. 예를 들어 `Count` 메서드는 그냥 정수 하나를 돌려줄 뿐이며, 그 정수에 대해 또 다른 열거가 적용되지는 않는다. 다음 질의는 즉시 실행된다.

```
int matches = numbers.Where (n => n < 2).Count();    // 1
```

지연된 실행은 질의의 **구축**과 **실행**을 분리한다는 점에서 중요하다. 이러한 분리 덕분에 하나의 질의를 여러 단계로 구축할 수 있다. 또한, 데이터베이스 질의가 가능한 것도 이러한 분리 덕분이다.

부분 질의는 또 다른 수준의 간접층을 제공한다. 부분 질의의 모든 것에는 지연된 실행이 적용된다. 심지어 집계 연산자나 형식 변환 연산자도 지연 실행된다. 이에 관해서는 이번 장의 '부분 질의(p.442)'에서 설명하겠다.

재평가

지연된 실행의 또 다른 효과는, 지연 실행 질의를 다시 열거하면 질의가 다시 평가된다는 점이다. 다음은 이 점을 보여주는 예이다.

```
var numbers = new List<int>() { 1, 2 };

IEnumerable<int> query = numbers.Select (n => n * 10);
foreach (int n in query) Console.Write (n + "|");   // 10|20|

numbers.Clear();
foreach (int n in query) Console.Write (n + "|");   // <출력 없음>
```

그런데 때에 따라서는 이러한 재평가가 단점이 되기도 한다. 예를 들면 다음과 같다.

- 시간상의 특정 시점에서의 실행 결과를 '동결' 또는 보관하고 싶을 때가 있다.
- 계산량이 많은(또는 원격 데이터베이스 질의에 의존하는) 질의를 쓸데없이 다시 수행하고 싶지는 않을 수 있다.

재평가를 피하는 한 가지 방법은 질의 끝에서 ToArray나 ToList 같은 변환 연산자를 호출하는 것이다. ToArray는 질의의 출력을 하나의 배열에 복사하고, ToList는 제네릭 List<T>에 복사한다.

```
var numbers = new List<int>() { 1, 2 };

List<int> timesTen = numbers
  .Select (n => n * 10)

  .ToList();          // 질의를 즉시 실행해서 결과를 List<int>에 복사한다.

numbers.Clear();
Console.WriteLine (timesTen.Count);      // 여전히 2
```

갈무리된 변수

질의의 람다식이 외부 변수를 갈무리(capture)하는 경우, 질의 구축 시 그 외부 변수의 값이 질의에 고정되지는 않는다. 외부 변수는 질의를 실행할 때 비로소 평가된다.

```
int[] numbers = { 1, 2 };

int factor = 10;
IEnumerable<int> query = numbers.Select (n => n * factor);
factor = 20;
foreach (int n in query) Console.Write (n + "|");   // 20|40|
```

그런데 for 루프 안에서 질의를 구축하다 보면 이 점이 문제가 될 수 있다. 예를 들어 문자열에서 모든 영문자 모음을 제거한다고 하자. 다음은 비록 비효율적이긴 하지만 정확한 결과를 낸다.

```
IEnumerable<char> query = "Not what you might expect";

query = query.Where (c => c != 'a');
query = query.Where (c => c != 'e');
query = query.Where (c => c != 'i');
query = query.Where (c => c != 'o');
query = query.Where (c => c != 'u');

foreach (char c in query) Console.Write (c);  // Nt wht y mght xpct
```

그러나 이를 for 루프를 이용해서 리팩터링하면 기대와는 다른 결과가 나온다.

```
IEnumerable<char> query = "Not what you might expect";
string vowels = "aeiou";
```

```
for (int i = 0; i < vowels.Length; i++)
  query = query.Where (c => c != vowels[i]);

foreach (char c in query) Console.Write (c);
```

이 코드를 실행하면 질의 열거 시 IndexOutOfRangeException 예외가 발생한다. 그 이유는, 제4장의 '외부 변수 갈무리(p.182)'에서 보았듯이 컴파일러는 for 루프의 반복 변수를 루프 **바깥** 범위에서 선언된 것처럼 취급하기 때문이다. 이 때문에 루프의 각 반복에서 닫힘(람다식)이 갈무리하는 변수 i는 모두 동일한 변수이며, 이후 질의를 실행(열거)하는 시점에서 이 변수의 값은 5이다. 이 문제를 해결하려면 루프 변수를 반복문 **내부**에서 선언된 또 다른 변수에 배정해야 한다.

```
for (int i = 0; i < vowels.Length; i++)
{
  char vowel = vowels[i];
  query = query.Where (c => c != vowel);
}
```

이러면 루프 반복마다 새로운 지역 변수가 람다식에 갈무리된다.

C# 5.0부터는 이 문제의 또 다른 해결책이 생겼다. 바로, for 루프 대신 foreach 루프를 사용하는 것이다.

```
foreach (char vowel in vowels)
  query = query.Where (c => c != vowel);
```

이 코드는 C# 5.0 이상에서는 작동하지만 그 이전 버전에서는 작동하지 않는데, 그 이유는 제4장에서 이야기했다.

지연된 실행의 작동 방식

질의 연산자는 **장식자**(decorator) 순차열을 돌려줌으로써 실행을 지연한다.

배열이나 연결 목록 같은 전통적인 컬렉션 클래스와는 달리, 장식자 순차열은 (일반적으로) 요소들을 저장할 내부 저장소를 따로 마련하지 않는다. 대신, 실행 시점에서 지정된 다른 순차열을 영구적으로 참조하면서 그 순차열에 대한 래퍼 역할만 수행한다. 장식자 순차열의 어떤 요소를 조회하면 장식자 순차열은 자신이 감싸고 있는 내부 순차열의 자료를 적절히 꾸며서 돌려준다.

질의 연산자가 수행하는 변환은 '장식(decoration)'에 해당한다. 단, 요소들을 변환하지 않고 출력하는 경우는 장식자가 아니라 **프록시**라고 불러야 마땅하다.

질의 연산자 Where는 입력 순차열을 감싸는 장식자 순차열을 돌려준다. 그 장식자는 입력 순차열에 대한 참조와 람다식, 그리고 기타 인수들을 간직하고 있다. 입력 순차열은 장식자가 열거될 때에만 열거된다.

그림 8-3은 다음 질의를 도식화한 것이다.

```
IEnumerable<int> lessThanTen = new int[] { 5, 12, 3 }.Where (n => n < 10);
```

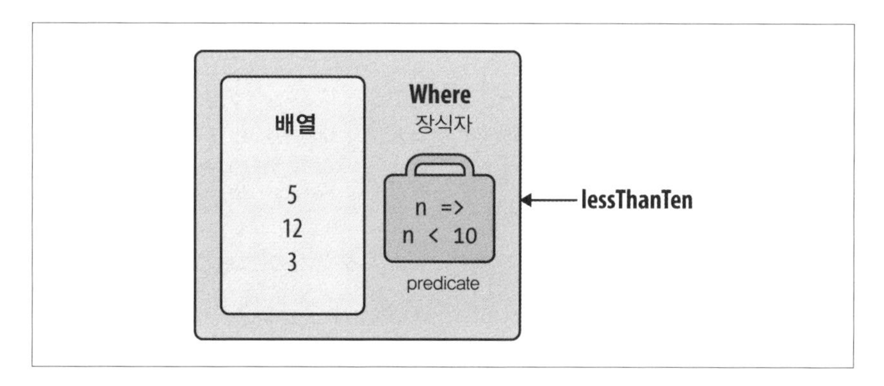

그림 8-3 장식자 순차열

이후 이 lessThanTen을 열거하면, 결과적으로는 Where의 장식자(주어진 정수 배열에 대해 Where가 돌려준 장식자 순차열)를 열거하게 된다.

만일 독자가 질의 연산자를 직접 작성해야 한다면, 한 가지 좋은 소식이 있다. 바로, C# 반복자를 이용하면 장식자 순차열을 손쉽게 구현할 수 있다는 점이다. 다음은 Select 메서드를 직접 작성한 것이다.

```
public static IEnumerable<TResult> Select<TSource,TResult>
  (this IEnumerable<TSource> source, Func<TSource,TResult> selector)
{
  foreach (TSource element in source)
    yield return selector (element);
}
```

yield return 문이 있으므로 이 메서드는 하나의 반복자이다. 개념적으로, 이 메서드는 다음과 같은 메서드를 간결하게 표현한 것이다.

```
public static IEnumerable<TResult> Select<TSource,TResult>
  (this IEnumerable<TSource> source, Func<TSource,TResult> selector)
{
  return new SelectSequence (source, selector);
}
```

여기서 *SelectSequence*는 반복자 메서드의 논리를 캡슐화한 열거자를 가진 순차열 클래스로, 컴파일 도중에 컴파일러가 작성한다.

정리하자면, Select나 Where 같은 연산자를 호출하는 것은 그냥 입력 순차열을 장식하는 열거 가능 클래스의 인스턴스를 생성하는 것일 뿐이다.

장식자 연쇄

질의 연산자들을 사슬처럼 연결하면 장식자들이 중첩된다. 다음 질의를 생각해 보자.

```
IEnumerable<int> query = new int[] { 5, 12, 3 }.Where   (n => n < 10)
                                               .OrderBy (n => n)
                                               .Select  (n => n * 10);
```

각 질의 연산자는 이전 순차열을 감싸는 새로운 장식자 인스턴스를 생성한다(겹겹이 겹쳐지는 러시아 인형을 생각하면 이해에 도움이 될 것이다). 이 질의의 객체 모형이 그림 8-4에 나와 있다. 이 객체 모형은 열거를 수행하기 전에도 완전히 구축된다는 점을 주의하기 바란다.

이 query를 열거하면 원래의 배열이 일련의 질의 연산자들을 거쳐가면서, 또는 겹쳐진 장식자들을 통과하면서 변환된다.

이 질의 끝에 ToList를 추가하면 이전의 연산자들이 즉시 실행되며, 결과적으로 전체 객체 모형이 하나의 목록으로 축약된다.

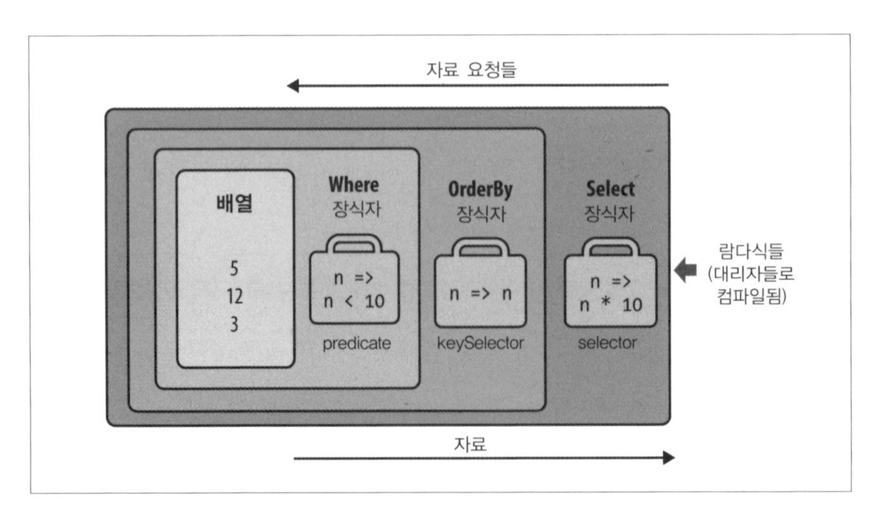

그림 8-4 중첩된 장식자 순차열들

그림 8-5는 같은 객체 구성을 UML 문법으로 표현한 것이다. Select의 장식자는 OrderBy의 장식자를 참조하고, 그 장식자는 Where의 장식자를 참조하고, 그 장식자는 배열을 참조한다. 지연된 실행 기능 덕분에, 다음과 같이 질의를 점진적으로 구축해도 이와 동일한 객체 모형을 얻게 된다.

```
IEnumerable<int>
  source    = new int[] { 5, 12, 3 },
  filtered  = source   .Where   (n => n < 10),
  sorted    = filtered .OrderBy (n => n),
  query     = sorted   .Select  (n => n * 10);
```

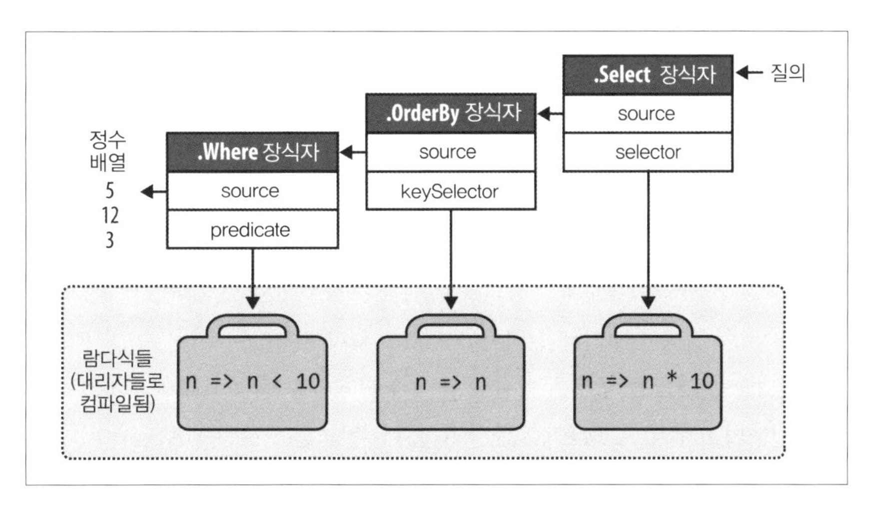

그림 8-5 UML 장식자 구성

질의가 실행되는 방식

앞의 질의를 열거해 보자.

```
foreach (int n in query) Console.WriteLine (n);
```

출력:

```
30
50
```

내부적으로 foreach는 Select의 장식자에 대해 GetEnumerator를 호출한다. 그러면 실질적인 질의 실행 절차가 시작된다. 그 결과는 장식자 순차열들의 중첩 구조 또는 연쇄 구조를 반영한 열거자들의 사슬이다. 그림 8-6에 열거가 진행되는 동안의 실행의 흐름이 나와 있다.

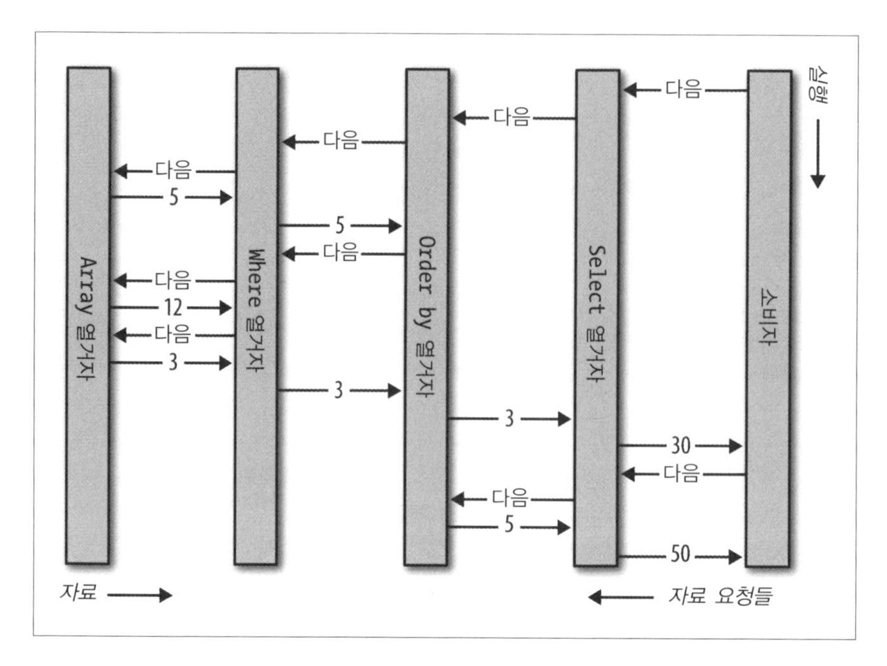

그림 8-6 지역 질의의 실행

이번 장의 첫 절에서 질의를 컨베이어 벨트 조립라인에 비유했다. 그 비유를 연장해서, LINQ 질의는 게으른 조립라인, 즉 **요청이 있을 때에만**(on demand) 돌아가는 컨베이어 벨트 조립라인이라 할 수 있다. 질의를 구축하면 모든 설비가 갖추어진 조립라인이 만들어지지만, 벨트는 아직 돌아가지 않는다. 소비자가 한 요소를 요청하면(질의를 열거함으로써) 가장 오른쪽 컨베이어 벨트가 돌아가기 시작하며, 그러면 나머지 벨트들도 차례로 돌아가게 된다. 더 이상 요청이 없으면 모든 벨트가 멈춘다. LINQ는 공급이 주도하는 **밀어 넣기** 모형이 아니라 수요(요구)에 기초한 **끌어오기** 모형(pull model)을 따른다. 이 점이 중요하다. 나중에 다시 보겠지만, LINQ를 SQL 데이터베이스 질의로까지 확장할 수 있는 것은 바로 이러한 모형 덕분이기 때문이다.

부분 질의

다른 질의의 람다식 안에 포함된 질의를 부분 질의(subquery)라고 부른다. 다음은 부분 질의를 이용해서 음악가들을 성(last name)을 기준으로 정렬하는 예이다.

```
string[] musos =
```

```
    { "David Gilmour", "Roger Waters", "Rick Wright", "Nick Mason" };

IEnumerable<string> query = musos.OrderBy (m => m.Split().Last());
```

m.Split은 각 문자열을 단어들의 컬렉션으로 변환한다. 그에 대해 Last 질의 연산자를 호출해서 컬렉션의 마지막 단어†를 얻는다. 람다식에 있는 m.Split().Last가 바로 부분 질의이다. 부분 질의의 관점에서 query는 **외부 질의**(outer query)이다.

이러한 부분 질의에 어떤 특별한 메커니즘이 작용하는 것은 아니다. 람다식의 우변에는 유효한 C# 표현식이라면 그 어떤 표현식도 올 수 있는데, 부분 질의는 그냥 또 다른 C# 표현식일 뿐이다. 다른 말로 하면, 부분 질의에 적용되는 규칙들은 그냥 람다 표현식에 적용되는 규칙들(일반적인 질의 연산자들의 일반적인 작동 방식)에서 비롯된 것일 뿐이다.

LINQ 이외의 분야에서 **부분 질의**는 좀 더 광범위한 의미를 가지고 있다. 이 책의 LINQ 관련 문맥에서는 오직 다른 질의의 람다식 안에 있는 질의만 부분 질의라고 부른다. 질의 표현식 구문에서 부분 질의는 from 절 이외의 절 안 있는 질의에 해당한다.

부분 질의에는 그것이 포함된 람다식의 범위가 적용되며, 따라서 그 람다식의 매개변수들을(또한, 질의 표현식의 범위 변수들도) 참조할 수 있다.

앞의 m.Split().Last는 아주 간단한 부분 질의이다. 좀 더 복잡한 예로, 다음 질의는 문자열 배열 중 가장 짧은 문자열과 같은 길이의 문자열들을 추출한다.

```
string[] names = { "Tom", "Dick", "Harry", "Mary", "Jay" };

IEnumerable<string> outerQuery = names
  .Where (n => n.Length == names.OrderBy (n2 => n2.Length)
                                .Select  (n2 => n2.Length).First());
```

결과:

```
{ "Tom", "Jay"}
```

다음은 이를 질의 표현식 구문으로 표기한 것이다.

```
IEnumerable<string> outerQuery =
  from   n in names
```

† (옮긴이) Vicent van Gogh 같은 경우가 아니라면 마지막 단어가 곧 마지막 이름, 즉 성이다.

```
where  n.Length ==
         (from n2 in names orderby n2.Length select n2.Length).First()
select n;
```

외곽 범위 변수 n이 부분 질의의 범위 안에 있으므로, n을 부분 질의 자체의 범위 변수로 다시 사용할 수는 없다.

부분 질의는 그것을 포함하는 람다식이 평가될 때마다 실행된다. 이는 부분 질의가 그 외부 질의의 재량에 따라 '요구 기반'으로 실행됨을 뜻한다. 실행의 흐름이 바깥에서 안으로 진행된다고 말해도 좋을 것이다. 지역 질의는 이러한 모형을 문자 그대로 따른다. 반면 나중에 설명하는 해석식 질의(데이터베이스 질의 등)는 이 모형을 개념적으로만 따른다.

부분 질의는 외부 질의가 자료를 요구할 때 비로소 실행된다. 지금 예의 부분 질의(그림 8-7의 상단 컨베이어 벨트)는 외부 루프가 반복될 때마다 한 번씩 실행된다. 이 점이 그림 8-7과 그림 8-8에 나와 있다.

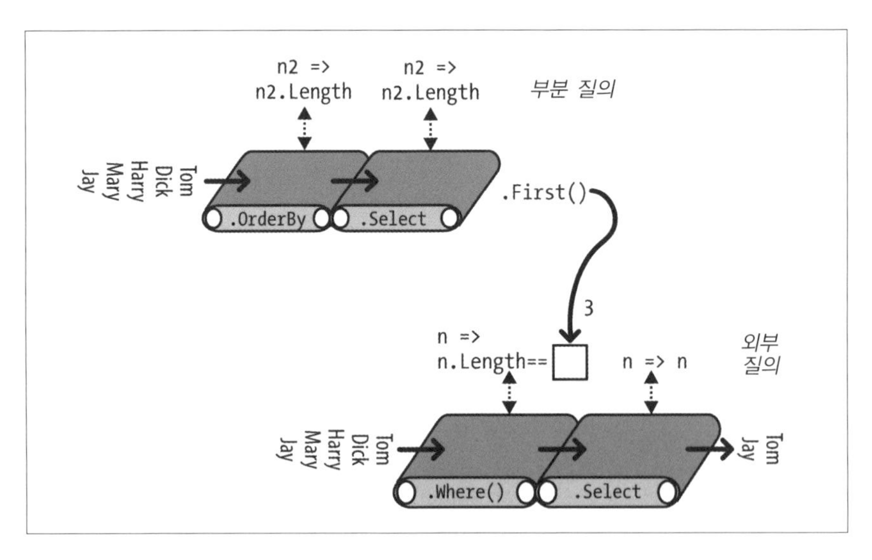

그림 8-7 부분 질의의 구성

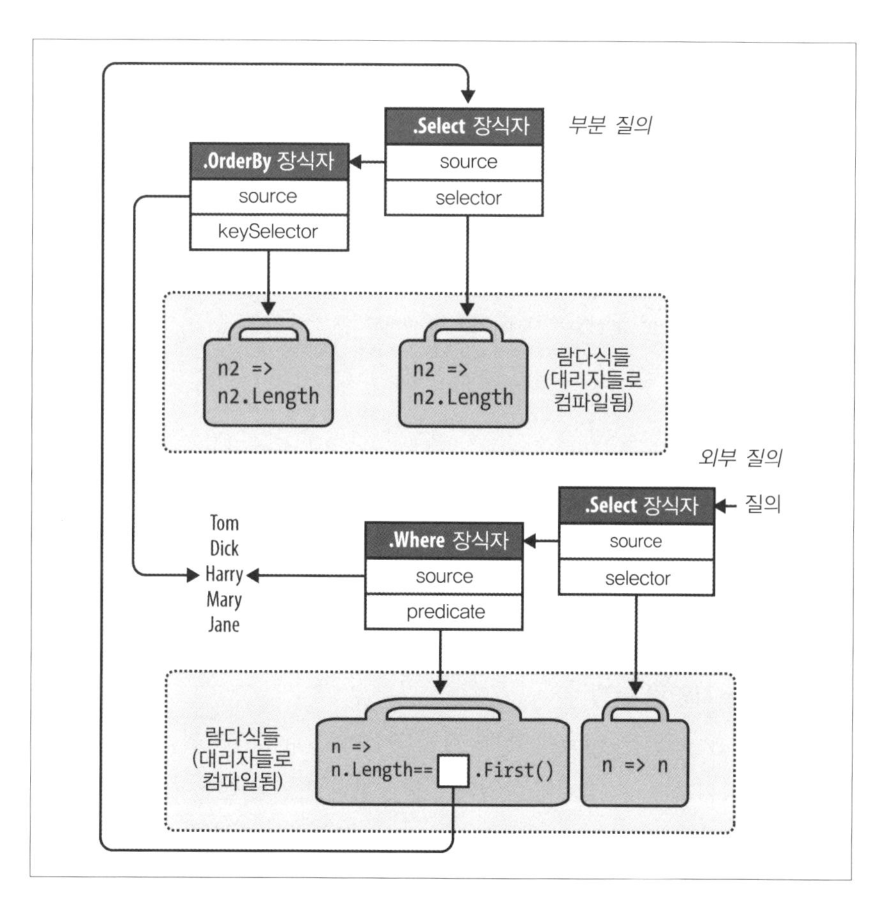

그림 8-8 UML 부분 질의 구성도

지금 예의 질의를 다음과 같이 좀 더 간결하게 표기할 수도 있다.

```
IEnumerable<string> query =
  from   n in names
  where  n.Length == names.OrderBy (n2 => n2.Length).First().Length
  select n;
```

집계 함수 Min을 이용하면 질의를 더욱 간단하게 만들 수 있다.

```
IEnumerable<string> query =
  from   n in names
  where  n.Length == names.Min (n2 => n2.Length)
  select n;
```

이번 장의 '해석식 질의(p.454)'에서는 SQL 데이터베이스 테이블 같은 원격 자료 공급원에 대한 질의를 수행하는 방법을 설명한다. 하나의 단위로 처리된다는 점과 데이터베이스 서버와의 왕복 통신(round trip) 횟수가 단 1회라는 점에서, 지금 예의 질의는 데이터베이스 질의에 이상적이다. 그러나 지역 컬렉션에는 이 질의가 비효율적이다. 외부 루프의 반복마다 부분 질의를 다시 계산해야 하기 때문이다. 다음처럼 부분 질의를 따로 실행하면(따라서 더 이상 부분 질의가 아니게 만들면) 이러한 비효율성을 제거할 수 있다.

```
int shortest = names.Min (n => n.Length);

IEnumerable<string> query = from   n in names
                            where  n.Length == shortest
                            select n;
```

지역 컬렉션을 질의할 때에는 이처럼 부분 질의를 밖으로 빼내는 것이 거의 항상 바람직하다. 단, 부분 질의와 외부 질의 사이에 **상관관계**(correlation)가 존재하는 경우, 쉽게 말해서 부분 질의가 외부 범위 변수를 참조하는 경우는 예외이다. 상관 부분 질의는 제9장의 '투영(p.490)'에서 살펴본다.

부분 질의와 지연된 실행

부분 질의에 요소 연산자(First 등)나 집계 연산자(Count 등)가 있어도 **외부** 질의가 즉시 실행되지는 않는다. 외부 질의에는 여전히 지연된 실행이 적용된다. 이는 부분 질의가 **간접적으로** 호출되기 때문이다. 지역 질의의 부분 질의는 대리자를 통해 호출되고, 해석식 질의의 부분 질의는 표현식 트리를 통해서 호출된다.

그런데 Select 표현식 안에 부분 질의를 포함하면 흥미로운 상황이 벌어진다. 지역 질의의 경우 이는 **질의들의 순차열을 투영**하는 결과가 되어서 각각의 질의가 지연 실행된다. 대체로 이 효과는 투명하며, 효율성을 좀 더 개선하는 역할을 한다. Select 부분 질의에 대해서는 제9장에서 좀 더 자세히 살펴볼 것이다.

질의 작성 전략

이번 절에서는 좀 더 복잡한 질의를 구축하는 전략 세 가지를 설명한다. 세 전략은 다음과 같다.

- 점진적인 질의 구축
- into 키워드 활용
- 질의 감싸기

이들은 모두 **연쇄**(chaining) 전략이며, 실행시점에서 실제로 실행되는 질의는 모두 같다.

점진적인 질의 구축

이번 장 시작 부분에서 유창한 구문을 이용해서 질의를 점진적으로 구축하는 예를 제시했다.

```
var filtered   = names    .Where   (n => n.Contains ("a"));
var sorted     = filtered .OrderBy (n => n);
var query      = sorted   .Select  (n => n.ToUpper());
```

이 질의에 관여하는 모든 질의 연산자는 장식자 순차열을 돌려주므로, 최종적인 질의는 이를 그냥 하나의 표현식으로 작성했을 때와 동일한 장식자 사슬(또는 중첩)이다. 그러나 이처럼 질의를 단계별로 구축하는 데에는 다음과 같은 잠재적인 장점 두 가지가 있다.

- 질의를 작성하기가 좀 더 쉬워진다.
- **조건에 따라** 질의 연산자를 선택적으로 추가할 수 있다. 예를 들면 다음과 같다.

```
if (includeFilter) query = query.Where (...)
```

이 방식에서는 `includeFilter`가 거짓일 때 추가적인 질의 연산자가 포함되지 않으므로, 다음과 같이 만든 질의보다 더 효율적이다.

```
query = query.Where (n => !includeFilter || <표현식>)
```

점진적 접근방식은 질의 함축(query comprehension)에 유용한 경우가 많다. 한 예로, 이름들의 목록에서 영문자 모음을 모두 제거한 후, 길이가 세 글자 이상인 요소들을 알파벳순으로 나열하는 질의를 작성한다고 하자. 다음은 유창한 구문을 이용해서 그러한 질의를 표현식 하나로 작성한 것인데, 요소들을 `Where` 연산자로 선별하기 **전에** `Select` 연산자로 투영한다는 점을 주목하기 바란다.

```
IEnumerable<string> query = names
  .Select  (n => n.Replace ("a", "").Replace ("e", "").Replace ("i", "")
                  .Replace ("o", "").Replace ("u", ""))
  .Where   (n => n.Length > 2)
  .OrderBy (n => n);
```

결과:

```
{ "Dck", "Hrry", "Mry" }
```

모음들을 제거하기 위해 string의 Replace 메서드를 다섯 번 호출하는 대신 다음과 같은 정규 표현식을 사용하면 코드의 효율성이 좋아진다.

```
n => Regex.Replace (n, "[aeiou]", "")
```

단, string의 Replace 메서드에는 데이터베이스 질의에도 사용할 수 있다는 장점이 있다.

이 질의를 질의 표현식 구문으로 다시 쓴다면 select 절이 반드시 where 절과 orderby 절 뒤에 와야 하는데, 그렇게 하기가 쉽지 않다. 만일 다음처럼 투영을 더 나중에 실행하도록 순서를 바꾼다면 이전과는 다른 결과가 나온다.

```
IEnumerable<string> query =
  from    n in names
  where   n.Length > 2
  orderby n
  select  n.Replace ("a", "").Replace ("e", "").Replace ("i", "")
           .Replace ("o", "").Replace ("u", "");
```

결과:

```
{ "Dck", "Hrry", "Jy", "Mry", "Tm" }
```

다행히, 질의 표현식 구문으로도 원래의 결과를 얻는 방법이 몇 가지 있다. 그중 하나가 다음처럼 질의를 점진적으로 구축하는 것이다.

```
IEnumerable<string> query =
  from   n in names
  select n.Replace ("a", "").Replace ("e", "").Replace ("i", "")
          .Replace ("o", "").Replace ("u", "");

query = from n in query where n.Length > 2 orderby n select n;
```

결과:

```
{ "Dck", "Hrry", "Mry" }
```

into 키워드 활용

질의 표현식의 into 키워드는 문맥에 따라 서로 아주 다른 두 가지 방식으로 해석된다. 지금 논의에서는 into 키워드가 **질의 연속**(query continuation)을 신호하는 의미로 쓰인다(또 다른 의미는 GroupJoin을 신호하는 것이다).

into 키워드를 이용하면 투영 이후에도 질의를 계속 진행할 수 있다. 이를 질의 연속(query continuation)이라고 부른다. 이런 능력 덕분에, 이 키워드는 점진적 질의 구축 코드를 좀 더 간결하게 표기하는 수단이라 할 수 있다. 다음은 앞의 질의를 into를 이용해서 다시 작성한 것이다.

```
IEnumerable<string> query =
  from   n in names
  select n.Replace ("a", "").Replace ("e", "").Replace ("i", "")
          .Replace ("o", "").Replace ("u", "")
  into noVowel
    where noVowel.Length > 2 orderby noVowel select noVowel;
```

into는 select 절이나 group 절 다음에만 올 수 있다. into는 질의를 '재시작'한다. 즉, into 다음에 새로운 where 절이나 orderby 절, select 절을 도입할 수 있다.

질의 표현식의 관점에서는 into를 질의를 재시작하는 수단으로 간주할 수 있지만, 유창한 구문으로의 변환을 거치면 결국에는 **하나의 질의**가 된다. 따라서 into 때문에 본질적으로 성능에 피해가 가지는 않는다(그러므로 into를 사용한다고 해서 프로그래머를 나쁘게 평가해서는 안 된다). into에 대응되는 유창한 구문은 그냥 더 긴 연산자들의 사슬일 뿐이다.

범위 규칙

모든 범위 변수는 into 키워드까지만 유효하다. 예를 들어 다음은 컴파일되지 않는다.

```
var query =
  from n1 in names
  select n1.ToUpper()
  into n2                              // 여기서부터는 n2만 볼 수 있다.
    where n1.Contains ("x")            // 위법: n1은 현재 범위에 없음
    select n2;
```

이에 대응되는 유창한 구문 질의를 살펴보면 이런 범위 규칙이 이해가 될 것이다.

```
var query = names
  .Select (n1 => n1.ToUpper())
  .Where  (n2 => n1.Contains ("x"));     // 오류: n1은 현재 범위에 없음
```

원래의 이름(n1)은 Where 필터가 시작되면서 사라진다. Where의 입력 순차열에는 대문자 이름들만 들어 있으므로, n1에 근거해서 요소들을 선별할 수는 없다.

질의 감싸기

점진적으로 구축한 질의를, 한 질의를 다른 질의로 감싸서(wrapping) 하나의 문장으로 만들 수 있다. 일반화하자면, 다음과 같은 형태의 질의를

```
var tempQuery = tempQueryExpr
var finalQuery = from ... in tempQuery ...
```

다음과 같이 통합할 수 있다.

```
var finalQuery = from ... in (tempQueryExpr)
```

이러한 감싸기(포장)의 의미 자체는 점진적으로 구축한 질의나 into 키워드를 사용하는 질의(단, 임시 변수가 없는)와 동일하다. 모든 경우에서 최종 결과는 그냥 질의 연산자들이 선형으로 이어진 사슬이다. 예를 들어 다음과 같은 질의를 생각해 보자.

```
IEnumerable<string> query =
  from   n in names
  select n.Replace ("a", "").Replace ("e", "").Replace ("i", "")
         .Replace ("o", "").Replace ("u", "");

query = from n in query where n.Length > 2 orderby n select n;
```

이를 감싼 형태로 다시 표기하면 다음과 같다.

```
IEnumerable<string> query =
  from n1 in
  (
    from   n2 in names
    select n2.Replace ("a", "").Replace ("e", "").Replace ("i", "")
             .Replace ("o", "").Replace ("u", "")
  )
  where n1.Length > 2 orderby n1 select n1;
```

이를 유창한 구문으로 변환하면 이전 예와 동일한 선형 질의 연산자 사슬이 된다.

```
IEnumerable<string> query = names
  .Select  (n => n.Replace ("a", "").Replace ("e", "").Replace ("i", "")
                  .Replace ("o", "").Replace ("u", ""))
  .Where   (n => n.Length > 2)
  .OrderBy (n => n);
```

(컴파일러가 무의미한 마지막 `.Select (n => n)`를 생략했다는 점도 주목하기 바란다.)

이런 감싼 질의가 이전에 작성한 **부분 질의**와 모습이 비슷해서 혼동이 올 수도 있다. 둘 다 내부 질의와 외부 질의라는 개념이 있다는 점도 비슷하다. 그러나 유창한 구문으로 변환한 결과를 보면 둘의 차이가 드러난다. 유창한 구문을 보면, 감싸기는 그냥 연산자들을 차례로(선형으로) 잇는 한 전략일 뿐임을 알 수 있다. 반면 부분 질의를 변환한 결과는 내부 질의가 외부 질의의 **람다식** 안에 들어가 있는 형태이다.

이전에 사용한 조립라인의 비유를 적용하자면, 질의 감싸기에서 '내부' 질의는 이전 컨베이어 벨트에 해당한다. 그에 비해 부분 질의는 컨베이어 벨트를 타고 흘러가다가 컨베이어 벨트의 '람다' 직공이 필요에 따라 활성화하는 것이라 할 수 있다(그림 8-7에 나와 있듯이).

투영 전략

객체 초기치

지금까지 나온 모든 예제에서는 select 절이 결과를 스칼라 원소 형식에 투영했다. C#의 객체 초기치 구문을 이용하면 결과를 좀 더 복잡한 형식에 투영할 수 있다. 예를 들어 이름들의 목록에 대한 어떤 질의의 첫 단계에서 이름들의 영문자 모음(vowel)을 모두 제거하되, 이후의 질의들을 위해 원래의 이름들도 유지하고 싶다고 하자. 우선 다음과 같은 보조 클래스를 하나 작성한다.

```
class TempProjectionItem
{
  public string Original;    // 원래의 이름
  public string Vowelless;   // 모음을 제거한 이름
}
```

이제 객체 초기치를 이용해서 질의를 이 클래스에 투영한다.

```
string[] names = { "Tom", "Dick", "Harry", "Mary", "Jay" };

IEnumerable<TempProjectionItem> temp =
  from n in names
  select new TempProjectionItem
  {
    Original  = n,
    Vowelless = n.Replace ("a", "").Replace ("e", "").Replace ("i", "")
               .Replace ("o", "").Replace ("u", "")
  };
```

그 결과는 IEnumerable<TempProjectionItem> 형식의 순차열이다. 이에 대해 다음과 같이 추가적인 질의를 수행할 수 있다.

```
IEnumerable<string> query = from   item in temp
                            where  item.Vowelless.Length > 2
                            select item.Original;
```

결과:

```
{ "Dick", "Harry", "Mary"}
```

익명 형식

익명 형식 구문을 이용하면 앞에서처럼 특별한 클래스를 작성하지 않고도 중간 결과를 구조화할 수 있다. 다음은 앞의 예제에서 TempProjectionItem 클래스를 없애고, 익명 형식을 이용해서 질의를 다시 구축한 예이다.

```
var intermediate = from n in names

  select new
  {
    Original = n,
    Vowelless = n.Replace ("a", "").Replace ("e", "").Replace ("i", "")
                 .Replace ("o", "").Replace ("u", "")
  };

IEnumerable<string> query = from   item in intermediate
                            where  item.Vowelless.Length > 2
                            select item.Original;
```

이렇게 하면 일회용 클래스를 작성하지 않고도 앞에서와 같은 결과를 얻게 된다. 일회용 클래스는 컴파일러가 작성해 준다. 컴파일러는 투영의 구조에 부합하는 필드들을 가진 임시 클래스를 생성한다. 앞의 방식과의 차이라면, 그 클래스의 이름을 독자가 알 수 없다는 것이다. 즉, intermediate 질의의 형식은 다음과 같은 형태이다.

```
IEnumerable <컴파일러가-생성한-임의의-이름>
```

이 형식의 변수를 선언하는 유일한 방법은 var 키워드를 사용하는 것이다. 이 경우 var는 단지 코드의 군더더기를 줄여주는 수단이 아니라 코드 작성에 꼭 필요한 수단이다.

더 나아가서, into 키워드를 이용하면 전체 질의를 좀 더 간결하게 작성할 수 있다.

```
var query = from n in names
  select new
  {
     Original = n,
     Vowelless = n.Replace ("a", "").Replace ("e", "").Replace ("i", "")
                  .Replace ("o", "").Replace ("u", "")
  }
  into temp
  where temp.Vowelless.Length > 2
  select temp.Original;
```

또한, 질의 표현식 구문은 이런 종류의 질의를 작성하는 데 유용한 단축 수단을 제공한다. 바로 let 키워드이다.

let 키워드

let 키워드는 범위 변수 이외의 새로운 변수를 질의에 도입한다.

다음은 앞의 예와 동일한 질의, 즉 모음을 제외한 글자 수가 2보다 큰 모든 문자열을 추출하는 질의를 let을 이용해서 작성한 것이다.

```
string[] names = { "Tom", "Dick", "Harry", "Mary", "Jay" };

IEnumerable<string> query =
  from n in names
  let vowelless = n.Replace ("a", "").Replace ("e", "").Replace ("i", "")
                   .Replace ("o", "").Replace ("u", "")
  where vowelless.Length > 2
  orderby vowelless
  select n;       // let 덕분에 n이 여전히 현재 범위에 살아 있다.
```

컴파일러는 let 절을 만나면 범위 변수와 새 표현식 변수 모두를 담은 임시 익명 형식으로 투영하는 코드를 생성한다. 다른 말로 하면, 컴파일러는 이 질의를 앞에서 본 예제 질의와 동일한 코드로 바꾸어서 컴파일한다.

let 키워드는 두 가지 용도로 쓰인다.

- 기존 요소들과 함께 새 요소들을 투영하고자 할 때.
- 표현식을 중복해서 작성하지 않고 질의 안에서 여러 번 사용하려 할 때

select 절에서 원래의 이름(n)과 모음을 제거한 버전(vowelless)을 함께 투영할 수 있다는 점에서, 이번 예제에는 let 접근방식이 특히나 유용하다.

where 문 전후에 얼마든지 많은 let 문을 둘 수 있다(그림 8-2 참고). 그리고 한 let 문에서 도입한 변수를 그 이후의 let 문에서 참조할 수 있다(물론 into 절에 의한 경계를 넘지 않는 한에서). let은 기존의 모든 변수를 투명하게 **재투영한다**(reproject).

let 문의 우변이 반드시 스칼라 형식으로 평가되는 표현식이어야 하는 것은 아니다. 이를테면 하나의 부분 순차열로 평가되는 표현식이 유용한 경우도 있다.

해석식 질의

LINQ는 서로 비슷한 두 가지 질의 구조를 제공한다. 하나는 지역 객체 컬렉션을 대상으로 하는 **지역** 질의(local query)이고 또 하나는 원격 자료원(data source)을 대상으로 하는 **해석식** 질의(interpreted query; 또는 해석되는 질의)이다. 지금까지는 IEnumerable<T>를 구현하는 컬렉션들에 대해 작동하는 지역 질의의 구조를 살펴보았다. 지역 질의는 Enumerable 클래스의 질의 연산자들의 사슬로 환원되고, 그 사슬은 장식자 순차열들의 사슬로 환원된다. 질의에 적용된 대리자(질의 구문을 따르는 표현식이든, 유창한 구문의 람다식이든, 아니면 전통적인 대리자이든)는 다른 모든 C# 메서드처럼 전적으로 IL(Intermediate Language; 중간 언어) 코드의 범위 안에서 실행된다.

그와는 달리 해석식 질의는 **서술적**(descriptive)이다. 해석식 질의는 IQueryable<T>를 구현하는 순차열에 대해 작동하며, Queryable 클래스의 질의 연산자들로 환원된다. 그 질의 연산자들은 **표현식 트리**를 산출하며, 그 트리를 실행시점에서 .NET Framework가 해석해서 실행한다.

Enumerable의 질의 연산자들을 IQueryable<T> 순차열에 사용하는 것도 가능하다. 그러나 그런 식으로 만든 질의는 항상 클라이언트에서 지역적으로 실행되므로 제대로 활용하기가 어렵다. Queryable 클래스로 또 다른 종류의 질의 연산자들을 제공하는 이유가 바로 이것이다.

IQueryable<T>를 구현하는 .NET Framework의 구성요소는 다음 두 가지이다.

- LINQ to SQL(SQL 대상 LINQ)
- Entity Framework(EF)

이들을 통칭해서 *DB 대상 LINQ*(LINQ-to-db)라고 부른다. 둘의 LINQ 지원 정도는 비슷하다. 이 책에 나오는 DB(데이터베이스) 대상 LINQ 예제들은 특별한 언급이 없는 한 LINQ to SQL과 EF 모두에 대해 작동한다.

보통의 열거 가능 컬렉션을 감싼 `IQueryable<T>` 래퍼를 얻는 것도 가능하다. `AsQueryable` 메서드가 그러한 컬렉션을 돌려주는데, 이에 관해서는 이번 장의 '질의 표현식 구축(p.480)'에서 이야기한다.

이번 절에서는 LINQ to SQL을 이용해서 해석식 질의를 설명한다. LINQ to SQL을 선택한 이유는, EF와는 달리 EDM(Entity Data Model; 엔터티 자료 모형)을 작성하지 않고도 질의를 수행할 수 있기 때문이다. 그러나 예제 질의들은 EF에 대해서도(또한, 여러 서드파티 제품들에 대해서도) 잘 작동한다.

`IQueryable<T>`는 표현식 트리 구축을 위한 메서드들을 추가해서 `IEnumerable<T>`를 확장한 인터페이스이다. 대부분의 경우 추가된 메서드들의 세부사항은 몰라도 된다. 그 메서드들은 간접적으로 .NET Framework가 호출하기 때문이다. `IQueryable<T>`는 '질의 표현식 구축(p.480)'에서 좀 더 자세히 설명하겠다.

다음과 같은 SQL 스크립트를 이용해서 SQL Server에 간단한 고객 테이블을 하나 만들고 이름 몇 개를 채워 넣었다고 하자.

```
create table Customer
(
  ID int not null primary key,
  Name varchar(30)
)
insert Customer values (1, 'Tom')
insert Customer values (2, 'Dick')
insert Customer values (3, 'Harry')
insert Customer values (4, 'Mary')
insert Customer values (5, 'Jay')
```

이러한 테이블이 갖추어져 있다고 할 때, 다음은 이름에 영문자 'a'가 있는 고객들을 조회하는 해석식 LINQ 질의를 C#으로 작성한 것이다.

```
using System;
using System.Linq;
using System.Data.Linq;           // System.Data.Linq.dll에 있음
using System.Data.Linq.Mapping;

[Table] public class Customer
```

```
{
  [Column(IsPrimaryKey=true)] public int ID;
  [Column]                    public string Name;
}

class Test
{
  static void Main()
  {
    DataContext dataContext = new DataContext ("연결 문자열");
    Table<Customer> customers = dataContext.GetTable <Customer>();

    IQueryable<string> query = from c in customers
      where   c.Name.Contains ("a")
      orderby c.Name.Length
      select  c.Name.ToUpper();

    foreach (string name in query) Console.WriteLine (name);
  }
}
```

LINQ to SQL은 이 질의를 다음과 같은 SQL 질의문으로 바꾼다.

```
SELECT UPPER([t0].[Name]) AS [value]
FROM [Customer] AS [t0]
WHERE [t0].[Name] LIKE @p0
ORDER BY LEN([t0].[Name])
```

질의 결과는 다음과 같다.

```
JAY
MARY
HARRY
```

해석식 질의의 작동방식

그럼 이 질의가 처리되는 과정을 살펴보자.

우선 컴파일러는 질의 구문을 다음과 같은 유창한 구문으로 바꾼다. 이는 지역 질의에서와 같다.

```
IQueryable<string> query = customers.Where   (n => n.Name.Contains ("a"))
                                    .OrderBy (n => n.Name.Length)
                                    .Select  (n => n.Name.ToUpper());
```

다음으로 컴파일러는 질의 연산자 메서드들의 바인딩을 결정한다. 여기서부터 지역 질의와 해석식 질의가 달라진다. 해석식 질의는 `Enumerable` 클래스가 아니라 `Queryable` 클래스의 질의 연산자들로 환원된다.

왜 그런지 이해하려면 전체 질의의 입력인 customers 변수를 봐야 한다. customers의 형식은 Table<T>로, 이것은 IQueryable<T>를 구현하는 클래스이다. 그리고 IQueryable<T>는 IEnumerable<T>의 파생 형식이다. 따라서 Where를 묶을 수 있는 대상은 두 가지이다. 하나는 Enumerable의 확장 메서드이고 또 하나는 Queryable의 다음과 같은 확장 메서드이다.

```
public static IQueryable<TSource> Where<TSource> (this
  IQueryable<TSource> source, Expression <Func<TSource,bool>> predicate)
```

컴파일러는 Queryable.Where를 선택하는데, 이는 이 메서드의 서명이 주어진 입력 순차열과 **좀 더 구체적**으로 부합하기 때문이다.

Queryable.Where는 Expression<TDelegate> 형식에 감싸인 하나의 술어(predicate)를 받는다. 그 술어의 형식을 보고 컴파일러는 주어진 람다식(n=>n.Name.Contains("a"))을 통상적인 대리자가 아니라 **표현식 트리**(expression tree)로 변환해야 한다고 판단한다. 표현식 트리는 System.Linq.Expressions에 있는 형식들에 기초한 하나의 객체 모형으로, 실행시점에서 조사하고 해석할 수 있다는 특징을 가지고 있다(LINQ to SQL이나 EF가 실행시점에서 이 트리로부터 SQL 질의문을 생성할 수 있는 것은 바로 이런 특징 덕분이다).

Queryable.Where 역시 IQueryable<T>를 돌려주므로, 컴파일러는 그다음의 OrderBy 연산자와 Select 연산자도 같은 방식으로 처리한다. 최종 결과가 그림 8-9에 나와 있다. 그림 오른쪽의 점선으로 감싸인 영역에는 실행시점에서 운행(traversal)할 수 있는, 전체 질의를 서술하는 **표현식 트리**가 들어 있다.

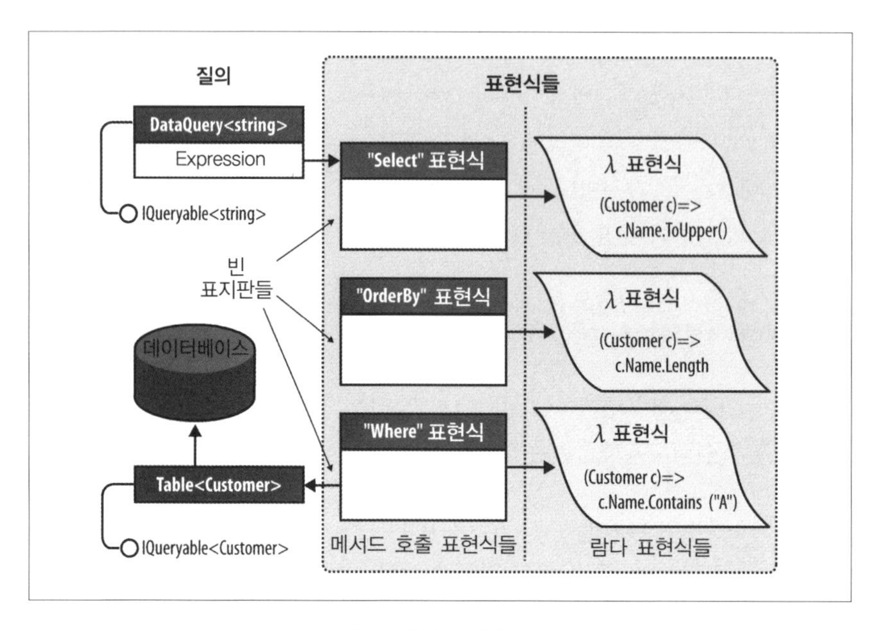

그림 8-9 해석식 질의의 구성

실행

지역 질의와 마찬가지로, 해석식 질의는 지연된 실행 모형을 따른다. 따라서 SQL 질의문은 질의를 실제로 열거해야 비로소 생성된다. 또한, 같은 질의를 두 번 열거하면 데이터베이스 질의도 두 번 실행된다.

내부로 더 들어가면 해석식 질의와 지역 질의는 그 실행 방식이 서로 다르다. 해석식 질의를 열거할 때 가장 바깥에 있는 순차열은 전체 표현식 트리를 운행하는 하나의 프로그램을 실행해서, 전체 트리를 하나의 단위로서 처리한다. 지금 예에서 LINQ to SQL은 표현식 트리를 SQL 질의문으로 바꾸어서 데이터베이스에 대해 실행하고, 그 결과를 하나의 순차열에 담아서 돌려준다.

LINQ to SQL 질의가 제대로 작동하려면 데이터베이스 스키마에 대한 정보를 제공해야 한다. `Customer` 클래스에 부여한 `Table`, `Column` 특성들이 바로 그러한 역할을 한다. 이 속성들은 이번 장의 'LINQ to SQL과 Entity Framework(p.462)'에서 좀 더 자세히 설명하겠다. EF 질의도 같은 방식으로 작동하나, 데이터베이스와 엔터티 사이의 대응 관계를 서술한 EDM(XML 파일 형태로 작성된)이 필요하다는 차이가 있다.

앞에서 LINQ 질의를 제품 조립라인에 비유했다. 그런데 지역 질의에서와는 달리, `IQueryable` 컨베이어 벨트 하나를 열거해도 조립라인 전체가 돌아가지는 않는다. 그냥 해당 IQueryable 벨트만 돌아가며, 이때 특별한 열거자가 조립 관리자를 호출한다. 그러면 관리자는 전체 조립라인을 점검하는데, 조립라인에는 당장 실행 가능한 컴파일된 코드가 아니라 표지판(메서드 호출 표현식)들만 있으며, 각 표지판에는 조립 명령들이 적힌 쪽지(표현식 트리)가 붙어 있다. 관리자는 모든 표지판을 훑으면서 명령 쪽지를 SQL 질의문으로 바꾸어서 실행한 후 그 결과를 소비자에게 돌려준다. 실제로 돌아가는 벨트는 단 하나이고, 조립라인의 나머지는 그냥 해야 할 일이 적혀 있는 표지판들의 네트워크이다.

이러한 구조는 실무에 여러 가지 영향을 미친다. 예를 들어 지역 질의에서는 프로그래머가 자신만의 질의 연산자(확장 메서드)를 작성해서(반복자를 이용하면 쉽게 작성할 수 있다) 미리 정의된 질의 연산자들과 함께 사용할 수 있다. 그러나 원격 질의에서는 그렇게 하기가 어려우며, 바람직하지도 않다. 예를 들어 독자가 IQueryable<T>를 받는 MyWhere라는 확장 메서드를 작성한다는 것은 새로운 종류의 표지판을 만들어서 제품 조립라인에 배치하는 것에 해당한다. 그런데 조립 관리자는 그 표지판을 처리하는 방법을 알지 못한다. 독자가 여기에 개입해서 구체적인 지시를 내린다고 해도, 그러한 접근방식은 LINQ to SQL 같은 특정 공급자에만 작동하고 그 외의 IQueryable 구현들에는 작동하지 않는 해결책이 될 가능성이 크다. 표준적인 메서드들을 Queryable에 모아 둠으로써 생기는 한 가지 장점은 임의의 원격 컬렉션에 대한 질의에 사용할 수 있는 표준 어휘가 정의된다는 것이다. 그러나 그 어휘를 독자가 확장하려 하면 상호운용성을 기대할 수 없게 된다.

이 모형의 또 다른 영향은, IQueryable 공급자에 따라서는 일부 질의를 제대로 수행하지 못할 수 있다는 것이다. 표준 메서드들만 사용한다고 해도 그렇다. LINQ to SQL과 EF 모두, 그 능력은 데이터베이스 서버 자체의 능력에 제한된다. 그리고 SQL로 옮기지 못하는 LINQ 질의도 존재한다. SQL에 익숙한 독자라면 그런 질의들을 직관적으로 파악할 수 있겠지만, 그렇다고 해도 실행시점 오류의 발생 여부를 통해서 여러 가지 질의를 시험해 보아야 할 것이다. 예상외로 실행되지 않는 것들도 있고, 반대로 예상외로 실행**되는** 것들도 발견하게 될 것이다.

해석식 질의와 지역 질의의 조합

하나의 질의에서 해석식 질의 연산자와 지역 질의 연산자를 함께 사용할 수도 있다. 그런 경우 지역 연산자들을 **외부**에 두고 해석식 연산자들은 **내부**에 두는 패턴이 흔히 쓰인다. 다른 말로 하면, 해석식 질의의 결과를 지역 질의의 입력으로 공급하는 것이다. 이 패턴은 DB 대상 LINQ 질의들에 잘 작동한다.

예를 들어 어떤 컬렉션의 문자열들을 두 개씩 한 쌍으로 묶어서 출력한다고 하자. 이를 위한 확장 메서드를 작성한다면 다음과 같은 모습이 될 것이다.

```
public static IEnumerable<string> Pair (this IEnumerable<string> source)
{
  string firstHalf = null;
  foreach (string element in source)
    if (firstHalf == null)
      firstHalf = element;
    else
    {
      yield return firstHalf + ", " + element;
      firstHalf = null;
    }
}
```

다음은 이 확장 메서드를, LINQ to SQL 연산자들과 지역 연산자들을 함께 사용하는 질의에서 사용하는 예이다.

```
DataContext dataContext = new DataContext ("연결 문자열");
Table<Customer> customers = dataContext.GetTable <Customer>();

IEnumerable<string> q = customers
  .Select (c => c.Name.ToUpper())
  .OrderBy (n => n)
  .Pair()                          // 여기서부터는 지역 질의
  .Select ((n, i) => "Pair " + i.ToString() + " = " + n);

foreach (string element in q) Console.WriteLine (element);
```

출력:

```
Pair 0 = HARRY, MARY
Pair 1 = TOM, DICK
```

customers는 IQueryable<T>를 구현하는 형식의 변수이므로, Select 연산자는 Queryable.Select로 환원된다. 이 메서드가 출력하는 순차열 역시 IQueryable<T>를 구현하는 형식이므로, 마찬가지 이유로 OrderBy 연산자는 Queryable.OrderBy로 환원된다. 그런데 그다음 질의 연산자인 Pair에는 IQueryable<T>를 받는 중복적재 버전이 없다. 덜 구체적인 IEnumerable<T>를 받는 버전뿐이다. 따라서 이 연산자는 지역 Pair 메서드로 환원된다. 결과적으로, 지역 질의가 해석식 질의를 감싸게 된다. Pair는 IEnumerable을 돌려주므로, 그다음의 Select는 또 다른 지역 질의 연산자로 환원된다.

이 질의의 LINQ to SQL 부분은 다음에 해당하는 SQL 문으로 변환된다.

```
SELECT UPPER (Name) FROM Customer ORDER BY UPPER (Name)
```

나머지 작업은 지역에서 일어난다. 전체적으로 이 질의는 해석식 질의(내부)의 결과를 입력으로 받는 하나의 지역 질의(외부)라 할 수 있다.

AsEnumerable 메서드

가장 간단한 질의 연산자는 바로 Enumerable.AsEnumerable 메서드이다. 이 메서드의 정의는 다음이 전부이다.

```
public static IEnumerable<TSource> AsEnumerable<TSource>
              (this IEnumerable<TSource> source)
{
    return source;
}
```

이 메서드의 용도는 IQueryable<T> 순차열을 IEnumerable<T>로 캐스팅하는 것이다. 그러면 이후의 질의 연산자들은 Queryable의 연산자들이 아니라 Enumerable의 연산자들로 환원되며, 결과적으로 질의의 나머지 부분이 지역에서 실행된다.

이 점을 보여주는 예로, SQL 서버에 의학 논문들을 담은 MedicalArticles 테이블에서 초록(abstract)이 100단어 미만인 독감(influenza) 논문들을 LINQ to SQL 이나 EF 질의로 조회한다고 하자. 우선, 단어 수를 세는 술어를 만들려면 정규 표현식(regular expression)이 필요하다.

```
Regex wordCounter = new Regex (@"\b(\w|[-'])+\b");

var query = dataContext.MedicalArticles
  .Where (article => article.Topic == "influenza" &&
                   wordCounter.Matches (article.Abstract).Count < 100);
```

그런데 SQL Server는 정규 표현식을 지원하지 않으므로 DB 대상 LINQ 공급자들은 해당 질의를 SQL로 변환할 수 없다는 뜻의 예외를 던질 것이다. 해결책은 질의를 두 부분으로 나누는 것이다. 첫 질의는 LINQ to SQL 질의를 이용해서 독감 관련 논문을 모두 가져오고, 둘째 질의는 그중 초록이 100단어 미만인 것들을 지역에서 뽑는다.

```
Regex wordCounter = new Regex (@"\b(\w|[-'])+\b");

IEnumerable<MedicalArticle> sqlQuery = dataContext.MedicalArticles
  .Where (article => article.Topic == "influenza");
```

```
IEnumerable<MedicalArticle> localQuery = sqlQuery
  .Where (article => wordCounter.Matches (article.Abstract).Count < 100);
```

sqlQuery의 형식은 IEnumerable<MedicalArticle>이므로, 두 번째 질의는 지역 질의 연산자들로 환원된다. 따라서 논문 선별 작업은 클라이언트에서 실행된다.

AsEnumerable 메서드를 이용하면 이를 하나의 질의로 수행할 수 있다.

```
Regex wordCounter = new Regex (@"\b(\w|[-'])+\b");

var query = dataContext.MedicalArticles
  .Where (article => article.Topic == "influenza")

  .AsEnumerable()
  .Where (article => wordCounter.Matches (article.Abstract).Count < 100);
```

AsEnumerable 대신 ToArray나 ToList를 호출할 수도 있다. 그러나 AsEnumerable에는 질의의 실행이 지연된다는 장점과 중간 결과를 담기 위한 자료구조가 생성되지 않는다는 장점이 있다.

질의 처리를 데이터베이스 서버에서 클라이언트로 옮기면 성능이 떨어질 수 있다. 특히 필요 이상으로 많은 행을 조회한다면 그렇다. 지금 예제에 대한 좀 더 효율적인(더 복잡하긴 하지만) 해법은 SQL CLR 통합 기능을 이용해서 정규 표현식을 구현한 함수를 데이터베이스 쪽에 노출하는 것이다.

해석식 질의와 지역 질의의 조합은 제10장에서 좀 더 살펴볼 것이다.

LINQ to SQL과 Entity Framework

이번 장과 다음 장에서는 LINQ to SQL(L2S)과 Entity Framework(EF)를 이용해서 해석식 질의를 설명한다. 그럼 그 두 기술의 핵심적인 특징들을 살펴보자.

L2S에 익숙한 독자라면 이번 절 끝의 표 8-1에 나온 질의 관련 API 차이점들을 미리 보는 것도 좋을 것이다.

LINQ to SQL 대 Entity Framework

LINQ to SQL과 Entity Framework 모두 LINQ를 지원하는 객체-관계 매퍼(object-relational mapper)이다. 둘의 본질적인 차이는, EF에서는 질의하고자 하는 데이터베이스 스키마와 클래스 사이의 결합을 아주 느슨하게 만들 수 있다는 점이다. EF에서는 데이터베이스 스키마를 거의 그대로 따르는 클래스에 대해 질의를 수행하는 것이 아니라 *EDM*(Entity Data Model; 엔터티 자료 모형)으로 서술된 좀 더 높은 수준의 추상에 대해 질의를 수행한다. 이 덕분에 유연성이 커지지만, 대신 성능상의 비용과 복잡성이 높아진다.

L2S는 C# 팀이 작성한 것으로, .NET Framework 3.5에서 도입되었다. EF는 ADO.NET 팀이 작성했고 서비스 팩 1의 일부로 제공되었다. 이후 L2S를 ADO.NET 팀이 맡게 되었는데, ADO.NET 팀이 EF에 좀 더 집중하다 보니 L2S는 사소한 부분만 개선되었다.

EF는 이후 버전들에서 상당히 개선되었지만, L2S도 여전히 나름의 장점이 있다. L2S는 사용하기 쉽고, 간단하고, 성능이 좋고, SQL 문의 품질이 좋다. 한편, EF의 장점은 데이터베이스와 엔터티 클래스 사이의 대응 관계를 좀 더 정교하게 만들 수 있는 유연성이다. 또한, EF에서는 **공급자 모형**(provider model)을 통해서 SQL Server 이외의 데이터베이스도 질의할 수 있다(L2S에도 공급자 모형이 있지만, 서드파티들이 EF에 집중하도록 권장하는 용도로 쓰일 뿐 일반 사용자에게까지 공개되지는 않았다).

L2S는 LINQ로 데이터베이스를 질의하는 방법을 배우는 용도로 아주 좋다. 객체-관계 매핑 부분을 단순하게 유지하면서, EF에도 적용되는 원칙적인 질의 방법들에 집중할 수 있기 때문이다.

LINQ to SQL의 엔터티 클래스

적절한 특성들을 부여하기만 한다면 그 어떤 클래스라도 L2S 질의를 위한 자료원(data soruce)으로 사용할 수 있다. 간단한 예를 보자.

```
[Table]
public class Customer
{
  [Column(IsPrimaryKey=true)]
  public int ID;

  [Column]
  public string Name;
}
```

[Table]은 System.Data.Linq.Mapping 이름공간에 있는 특성이다. L2S는 이 특성이 지정된 형식을 데이터베이스 테이블의 한 행(row)을 나타내는 형식으로 간주한다. 기본적으로 L2S는 테이블 이름이 클래스 이름과 일치한다고 가정한다. 두 이름이 다르다면 다음처럼 테이블 이름을 명시적으로 지정하면 된다.

```
[Table (Name="Customers")]
```

[Table] 특성이 부여된 클래스를 L2S에서는 **엔터티**entity라고 부른다. 원격 질의에 제대로 활용하려면, 엔터티 클래스의 구조가 데이터베이스 테이블의 구조와 밀접하게 또는 정확하게 부합해야 한다. 이 때문에 엔터티 클래스는 저수준 코드 요소로 분류된다.

[Column] 특성은 클래스의 필드나 속성을 테이블의 한 열(colum; 필드)에 대응시킨다. 열 이름과 필드 또는 속성 이름이 다르다면 다음처럼 열 이름을 명시적으로 지정하면 된다.

```
[Column (Name="FullName")]
public string Name;
```

[Column] 특성의 **IsPrimaryKey** 속성은 해당 필드가 테이블의 기본 키(primary key)를 구성하며 객체의 신원(identiy)을 유지하는 데 꼭 필요한 열에 해당하는지의 여부를 뜻한다. 이 속성을 true로 설정하면 엔터티에 가해진 변화를 다시 데이터베이스에 반영할 수 있게 되는 효과도 생긴다.공용(public) 필드 대신, 전용(private) 필드에 연결된 공용 속성에 [Column] 특성을 지정할 수도 있다. 그런 접근방식을 사용한 경우, 필요하다면 L2S에게 데이터베이스를 채울 때 속성 접근자를 무시하고 바탕 필드를 직접 기록하라고 지시하는 것도 가능하다.

```
string _name;

[Column (Storage="_name")]
public string Name { get { return _name; } set { _name = value; } }
```

Column(Storage="_name") 때문에, L2S는 개체를 채울 때 Name 속성이 아니라 _name 필드에 값을 직접 기록한다. L2S는 반영(reflection) 기능을 이용하기 때문에 이번 예처럼 전용 필드를 지정해도 문제가 되지 않는다.

데이터베이스로부터 엔터티 클래스를 자동으로 생성할 수 있다. Visual Studio에서 프로젝트에 새 "LINQ to SQL 클래스" 항목을 추가하거나, 명령줄 도구 *SqlMetal*을 이용하면 된다.

Entity Framework의 엔터티 클래스

L2S처럼 EF에서도 임의의 클래스로 자료를 표현할 수 있다(단, 내비게이션 속성 같은 기능성을 원한다면 특별한 인터페이스들을 구현해야 한다).

예를 들어 다음은 고객을 나타내는 엔터티 클래스로, 궁극적으로는 데이터베이스의 *Customer* 테이블에 대응된다.

```
// 이 코드를 컴파일하려면 System.Data.Entity.dll을 참조해야 함

[EdmEntityType (NamespaceName = "NutshellModel", Name = "Customer")]
public partial class Customer
{
  [EdmScalarPropertyAttribute (EntityKeyProperty=true, IsNullable=false)]
  public int ID { get; set; }

  [EdmScalarProperty (EntityKeyProperty = false, IsNullable = false)]
  public string Name { get; set; }
}
```

L2S와의 중요한 차이점은, 이런 클래스만으로는 충분하지 않다는 것이다. EF에서는 데이터베이스를 직접 질의하는 것이 아니라 *EDM*(Entity Data Model; 엔터티 자료 모형)이라는 고수준 모형을 질의한다는 점을 기억할 것이다. EDM을 서술하는 방법은 여러 가지이지만, 가장 흔히 쓰이는 것은 확장자가 *.edmx*인 XML 파일을 작성하는 것이다. 그러한 XML 파일은 다음 세 부분으로 구성된다.

- 데이터베이스와는 독립적으로 EDM을 서술하는 **개념 모형**(conceptual model)
- 데이터베이스 스키마를 서술하는 **저장소 모형**(store model)
- 개념 모형과 저장소 사이의 **대응 관계**(mapping)

.edmx 파일을 작성하는 가장 쉬운 방법은 Visual Studio에서 프로젝트에 새 'ADO.NET 엔터티 데이터 모델'을 추가하는 것이다. Visual Studio가 제시하는 마법사 대화상자를 잘 따라 하면 데이터베이스로부터 EDM이 만들어지는데, *.edmx* 파일뿐만 아니라 엔터티 클래스들도 생성된다.

EF의 엔터티 클래스는 **개념 모형**에 대응된다. 개념 모형의 질의와 갱신을 지원하는 형식들을 통칭해서 **객체 서비스**(Object Services)라고 부른다.

기본적으로 Visual Studio의 디자이너는 테이블들과 엔터티들이 일대일 대응된다고 가정하고 EDM을 생성한다. 일대일이 아닌 대응 관계를 원한다면 디자이너에서 직접 EDM을 수정하거나, 생성된 *.edmx* 파일을 수정하면 된다. 이를테면 다음과 같은 관계를 형성할 수 있다.

- 다수의 테이블을 하나의 엔터티에 대응

- 하나의 테이블을 다수의 엔터티에 대응
- 파생 형식을 테이블들에 대응(ORM 분야에서 흔히 쓰이는 세 가지 표준적인 전략에 따라)

마지막 항목에서 언급한 세 가지 상속 전략은 다음과 같다.

계통구조당 테이블 하나
: 하나의 테이블이 전체 클래스 계통구조에 대응된다. 이 경우 테이블에는 각 행이 어떤 형식에 대응되어야 하는지를 나타내는 구별용 열(dicriminator column)이 하나 있다.

형식당 테이블 하나
: 테이블 하나를 형식 하나에 대응시킨다. 따라서 파생 형식 하나가 다수의 테이블에 대응된다. 엔터티 질의 시 EF는 해당 형식의 모든 기반 형식을 병합하는 SQL JOIN 문을 생성한다.

구체 형식당 테이블 하나
: 각각의 구체 형식마다 개별적인 테이블을 대응시킨다. 따라서 기반 형식 하나가 다수의 테이블에 대응되며, 기반 형식의 엔터티를 질의할 때 EF는 SQL UNION 문을 생성한다.

(이와는 대조적으로, L2S는 '계통구조당 테이블 하나' 전략만 지원한다.)

EDM은 복잡하다. EDM을 제대로 설명하려면 수백 페이지가 필요할 것이다! EDM을 잘 설명하는 책으로는 줄리아 러만Julia Lerman의 *Programming Entity Framework*가 있다.

또한, EF에서는 LINQ를 사용하지 않고 대신 ESQL(Entity SQL)이라는 텍스트 언어를 이용해서 EDM을 질의할 수도 있다. 이 접근방식은 질의를 동적으로 구축하려 할 때 유용하다.

DataContext 클래스와 ObjectContext 클래스

일단 엔터티 클래스를(그리고 EF의 경우 EDM도) 정의했다면, 이제 질의를 수행할 수 있다. 첫 단계는 `DataContext`(L2S)나 `ObjectContext`(EF)를 인스턴스화하는 것이다. 이때 데이터베이스 또는 엔터티와의 연결에 필요한 연결 문자열을 지정한다.

```
var l2sContext = new DataContext ("데이터베이스 연결 문자열");
var efContext = new ObjectContext ("엔터티 연결 문자열");
```

지금처럼 DataContext/ObjectContext를 직접 인스턴스화하는 것은 저수준 접근방식이며, 이 클래스들의 작동 방식을 설명하는 용도로는 좋지만 실무에서 흔히 쓰이지는 않는다. 그보다는 **형식 있는 문맥**(typed context) 클래스(이 클래스들의 파생 버전)를 인스턴스화하는 방식이 더 많이 쓰이는데, 이에 관해서는 잠시 후에 이야기하겠다.

L2S에서는 데이터베이스 연결 문자열을 지정하고, EF에서는 **엔터티 연결 문자열**을 지정해야 한다. 엔터티 연결 문자열은 데이터베이스 연결 문자열에 EDM이 있는 위치를 추가한 것이다. (EDM을 Visual Studio에서 만들었다면, *app.config* 파일에 그 EDM의 엔터티 연결 문자열이 들어 있다.)

다음으로, GetTable(L2S의 경우) 또는 CreateObjectSet(EF의 경우)을 호출해서 질의 가능 객체를 얻는다. 다음은 L2S의 예로, 앞에서 정의한 Customer 클래스를 사용한다.

```
var context = new DataContext ("데이터베이스 연결 문자열");
Table<Customer> customers = context.GetTable <Customer>();

Console.WriteLine (customers.Count());              // 테이블의 행 수

Customer cust = customers.Single (c => c.ID == 2);  // ID가 2인 고객의
                                                    // 정보를 조회한다.
```

다음은 같은 일을 EF로 수행하는 예이다.

```
var context = new ObjectContext ("엔터티 연결 문자열");
context.DefaultContainerName = "NutshellEntities";
ObjectSet<Customer> customers = context.CreateObjectSet<Customer>();

Console.WriteLine (customers.Count());              // 테이블의 행 수

Customer cust = customers.Single (c => c.ID == 2);  // ID가 2인 고객의
                                                    // 정보를 조회한다.
```

Single 연산자는 기본 키로 한 행을 조회할 때 아주 적합하다. First와는 달리 이 연산자는 만일 둘 이상의 요소가 반환되면 예외를 던진다.

DataContext/ObjectContext 객체는 두 가지 일을 한다. 우선 이 객체들은 질의할 수 있는 객체들을 생성하는 공장(팩토리) 역할을 한다. 둘째로, 이 객체들은

엔터티에 가한 변경들을 추적한다(이후에 그 변경들을 실제 저장소에 반영할 수 있도록). 앞의 예제를 이어서, 다음은 L2S에서 고객을 갱신하는 예이다.

```
Customer cust = customers.OrderBy (c => c.Name).First();
cust.Name = "갱신된 이름";
context.SubmitChanges();
```

갱신 메서드 이름이 SaveChanges라는 점만 제외하면 EF에서도 같은 코드로 고객을 갱신할 수 있다.

```
Customer cust = customers.OrderBy (c => c.Name).First();
cust.Name = "갱신된 이름";
context.SaveChanges();
```

형식 있는 문맥

그런데 질의 가능 객체를 얻기 위해 매번 GetTable<Customer>()나 CreateObjectSet<Customer>()를 호출해야 한다는 것은 좀 번거롭다. 더 나은 접근방식은 DataContext/ObjectContext를 구체적인 데이터베이스에 맞게 파생하고, 각 엔터티마다 질의 가능 객체를 얻어 주는 속성을 추가하는 것이다. 그런 클래스를 형식 있는 문맥(typed context) 클래스라고 부른다.

```
class NutshellContext : DataContext    // L2S용 형식 있는 문맥
{
  public Table<Customer> Customers => GetTable<Customer>();
  // ... 데이터베이스의 테이블마다 이런 속성을 마련한다.
}
```

다음은 EF용 버전이다.

```
class NutshellContext : ObjectContext   // EF용 형식 있는 문맥
{
  public ObjectSet<Customer> Customers => CreateObjectSet<Customer>();
  // ... 개념 모형의 엔터티마다 이런 속성을 마련한다.
}
```

이제 다음과 같은 간결한 코드가 가능하다.

```
var context = new NutshellContext ("연결 문자열");
Console.WriteLine (context.Customers.Count());
```

Visual Studio를 이용해서 'LINQ to SQL 클래스' 항목이나 'ADO.NET 엔터티 데이터 모델'을 생성했다면, 형식 있는 문맥 클래스도 자동으로 생성된다. Visual

Studio의 디자이너는 또한 식별자들을 복수형으로 만드는 등의 추가적인 손질도 자동으로 처리해 준다. 지금 예제에서 SQL 테이블과 엔터티 클래스 둘 다 Customer이지만, 속성 이름은 context.Customer가 아니라 's'가 붙은 context.Customers이다.

DataContext/ObjectContext의 처분

문맥 클래스 DataContext와 ObjectContext가 IDisposable을 구현하긴 하지만, 이런 문맥 클래스들을 사용할 때 인스턴스들을 명시적으로 처분(삭제)하는 경우는 별로 없다. 인스턴스를 처분하면 해당 문맥의 연결이 닫힌다. 그런데 L2S와 EF는 질의의 결과를 다 조회하고 나면 자동으로 연결을 닫아주므로, 일반적으로 프로그래머가 그런 처리를 직접 해 줄 필요는 없다.

오히려, 문맥 인스턴스를 직접 처분하면 게으른 평가 때문에 문제가 생길 수 있다. 다음 예를 생각해 보자.

```
IQueryable<Customer> GetCustomers (string prefix)
{
  using (var dc = new NutshellContext ("연결 문자열"))
    return dc.GetTable<Customer>()
             .Where (c => c.Name.StartsWith (prefix));
}
...
foreach (Customer c in GetCustomers ("a"))
  Console.WriteLine (c.Name);
```

이 코드는 제대로 작동하지 않는다. 질의는 열거될 때 비로소 평가되는데, 열거는 해당 DataContext가 처분된 **이후**의 foreach 문에서 일어나기 때문이다.

그렇지만 문맥을 처분하는 것이 필요한 때도 있다.

- 문맥 클래스들은 연결 객체에 대해 Close 메서드를 호출하면 연결 객체가 모든 비관리 자원(unmanaged resource)을 해제한다고 가정한다. SqlConnection의 경우에는 실제로 그렇지만, 이론적으로 서드파티 연결 객체의 경우 Close만 호출하고 Dispose를 호출하지 않으면 자원들이 계속 남아 있을 가능성이 있다(이를 IDbConnection.Close가 정의하는 계약을 위반하는 것이라고 볼 수도 있겠지만).
- 질의에 대해 GetEnumerator를 직접 호출해서(foreach를 사용하는 대신) 열거를 수행하다가 순차열을 다 소비하지 않고 열거를 끝내거나 중간에 열거자를 처분하면 연결이 열린 채로 남는다. 그런 경우 DataContext와 ObjectContext의 처분이 대비책이 된다.

- 문맥을(그리고 IDisposable을 구현하는 모든 객체를) 직접 처분하는 것이 더 깔끔하다고 느끼는 사람들이 있다.

문맥을 명시적으로 처분하고 싶다면, GetCustomers 같은 메서드를 호출할 때 DataContext/ObjectContext 인스턴스를 넘겨 주어야 앞에서 말한 문제점이 발생하지 않는다.

객체 추적

DataContext/ObjectContext 인스턴스는 인스턴스화된 모든 엔터티를 추적한다. 이 덕분에 코드에서 테이블의 같은 행들을 요청할 때마다 같은 결과를 돌려준다. 다른 말로 하면, 한 문맥의 전체 수명에서 그 문맥이 테이블의 같은 행을 참조하는 서로 다른 두 엔터티를 돌려주는 경우는 없다(테이블이 행들을 기본 키로 식별한다고 할 때).

이런 추적을 비활성화하고 싶다면, L2S에서는 DataContext 인스턴스의 ObjectTrackingEnabled를 false로 설정하면 된다. EF에서는 개별 인스턴스가 아니라 형식 자체에 대해서만 객체 추적을 비활성화할 수 있다.

```
context.Customers.MergeOption = MergeOption.NoTracking;
```

객체 추적을 비활성화하면 갱신된 자료를 저장소에 제출하는 능력도 사라진다.

객체 추적의 이해를 돕는 예로, 알파벳순으로 이름이 첫 번째인 고객이 ID도 가장 작다는 규칙이 있는 테이블을 생각해 보자. 다음 코드에서 a와 b는 같은 객체를 참조한다.

```
var context = new NutshellContext ("연결 문자열");

Customer a = context.Customers.OrderBy (c => c.Name).First();
Customer b = context.Customers.OrderBy (c => c.ID).First();
```

이러한 시나리오에는 흥미로운 점이 두 가지 있다. 첫째로, L2S나 EF가 두 번째 질의를 수행할 때 어떤 일이 생길지 생각해 보자. 문맥은 먼저 데이터베이스를 질의해서 하나의 행을 얻는다. 그런 다음 그 행의 기본 키를 읽어서 문맥의 엔터티 캐시를 조회한다. 기본 키에 부합하는 기존 객체가 캐시에 있으므로 문맥은 그 어떤 값도 갱신하지 않고 그 객체를 돌려준다. 따라서, 다른 어떤 사용자가 방금 데이터베이스에서 그 고객의 Name 열을 갱신했다면, 현재 코드는 갱신된 새 값을 보지 못한다. 이러한 행동 방식은 예상치 못한 부작용(Customer 객체가 다른 곳에서도 쓰일 수 있다는 점에서 생기는)을 피하는 데 꼭 필요하며, 동시성을 관리하는 데에도 꼭 필요하다. 만일 Customer 객체의 속성들을 변경했는데 아직 SubmitChanges나 SaveChanges를 호출하지 않은 상황에서, 변경된 속성들이 자동으로 덮어 쓰이길 원하지는 않을 것이다.

데이터베이스에서 최신 정보를 얻으려면 새 문맥 객체를 인스턴스화하거나 문맥 인스턴스에 대해 Refresh 메서드를 호출해야 한다(새로 고칠 엔터티 또는 엔터티들을 지정해서).

또 다른 흥미로운 점은, 행의 일부 열들만 선택하기 위해 엔터티 형식에 대해 명시적 투영을 수행하면 문제가 발생할 수 있다는 것이다. 예를 들어 고객의 이름만 얻고 싶을 때, 다음 접근방식들은 모두 유효하다.

```
customers.Select (c => c.Name);
customers.Select (c => new { Name = c.Name } );
customers.Select (c => new MyCustomType { Name = c.Name } );
```

그러나 다음은 그렇지 않다.

```
customers.Select (c => new Customer { Name = c.Name } );
```

왜냐하면 Customer 엔터티들이 부분적으로만 채워질 수 있기 때문이다. 즉, 다음에 고객의 모든 열을 요청하는 질의를 수행하면 캐시에 있던 기존의 Customer 객체가 반환되는데, 그 객체에는 Name 속성만 채워져 있으므로 모든 열을 얻고자 하는 목적을 달성할 수 없다.

다층(multitier) 응용 프로그램에서, 중간층에 DataContext나 ObjectContext의 정적 인스턴스 하나만 두고 그것으로 모든 요청을 처리하는 구조는 바람직하지 않다. 이는 문맥 객체가 스레드에 안전하지 않기 때문이다. 대신 중간층 메서드는 반드시 클라이언트 요청마다 새로운 문맥 인스턴스를 생성해야 한다. 그러면 동시적인 갱신들을 처리하는 부담이 데이터베이스 서버에 넘어가므로, 그리고 애초에 데이터베이스 서버는 그런 일을 더 잘 처리할 수 있는 능력을 갖추고 있으므로, 전체적으로 이득이 된다. 예를 들어 데이터베이스 서버는 트랜잭션 격리 수준(transaction isolation-level) 의미론을 적용한다.

연관 관계

엔터티 클래스 자동 생성 도구들은 또 다른 유용한 작업을 수행해 준다. 이 도구들은 데이터베이스에 정의되어 있는 관계마다 그 관계를 질의하는 데 사용할 수 있는 속성들을 관계의 양쪽에 만들어 준다. 예를 들어, 다음과 같이 일대다 관계로 연관된(associated) 고객 테이블과 구매(purchase) 테이블이 있다고 하자.

```
create table Customer
(
  ID int not null primary key,
  Name varchar(30) not null
)

create table Purchase
(
  ID int not null primary key,
  CustomerID int references Customer (ID),
  Description varchar(30) not null,
  Price decimal not null
)
```

자동으로 생성된 엔터티 클래스들을 이용하면 다음과 같은 질의들을 작성할 수 있다.

```
var context = new NutshellContext ("연결 문자열");

// 알파벳순으로 이름이 첫 번째인 고객의 모든 주문 정보를 조회한다.

Customer cust1 = context.Customers.OrderBy (c => c.Name).First();
foreach (Purchase p in cust1.Purchases)
  Console.WriteLine (p.Price);

// 구매 금액이 가장 작은 고객을 조회한다.

Purchase cheapest = context.Purchases.OrderBy (p => p.Price).First();
Customer cust2 = cheapest.Customer;
```

또한, 만일 cust1과 cust2가 같은 고객을 참조한다면, c1과 c2도 같은 객체를 참조한다. 즉, cust1==cust2는 true를 돌려준다.

그럼 자동으로 생성된 Customer 엔터티 클래스의 Purchases 속성의 서명을 살펴보자. L2S에서는 다음과 같다.

```
[Association (Storage="_Purchases", OtherKey="CustomerID")]
public EntitySet <Purchase> Purchases { get {...} set {...} }
```

다음은 EF의 경우이다.

```
[EdmRelationshipNavigationProperty ("NutshellModel", "FK...", "Purchase")]
public EntityCollection<Purchase> Purchases { get {...} set {...} }
```

EntitySet이나 EntityCollection은 연관된 엔터티들을 추출하는 Where 절이 있는, 미리 정의된 질의에 비유할 수 있다. [Association] 특성은 L2S에게 SQL 질의문을 작성해야 한다고 알려주는 역할을 한다. [EdmRelationshipNavigation Property] 특성은 EF에게 EDM에서 해당 관계에 대한 정보가 있는 위치를 알려준다.

다른 종류의 질의와 마찬가지로, L2S와 EF의 질의는 지연 실행된다. L2S의 경우 EntitySet은 열거를 실행해야 비로소 채워지며, EF의 경우 EntityCollection은 명시적으로 Load 메서드를 호출해야 채워진다.

그럼 관계의 반대편에 있는 속성도 살펴보자. 다음은 L2S의 Purchases.Customer 속성이다.

```
[Association (Storage="_Customer",ThisKey="CustomerID",IsForeignKey=true)]
public Customer Customer { get {...} set {...} }
```

이 속성의 형식은 Customer이지만 바탕 필드(_Customer)의 형식은 EntityRef이다. EntityRef 형식은 지연된 적재(deferred loading)를 구현하므로, 관련 Customer 속성은 실제로 접근이 일어나야 비로소 데이터베이스에서 조회된다.

EF도 마찬가지 방식으로 작동한다. 단, 그냥 접근하기만 한다고 속성이 채워지지는 않는다. 해당 EntityReference 객체에 대해 명시적으로 Load를 호출해야 한다. 이 때문에 EF의 문맥은 실제 부모 객체와 해당 EntityReference 래퍼 모두에 대해 속성들을 노출해야 한다.

```
[EdmRelationshipNavigationProperty ("NutshellModel", "FK..., "Customer")]
public Customer Customer { get {...} set {...} }

public EntityReference<Customer> CustomerReference { get; set; }
```

L2S처럼 EF에서도 속성에 접근하기만 하면 EntityCollection과 EntityReference가 채워지게 할 수 있다. 다음과 같이 설정하면 된다.

```
context.ContextOptions.DeferredLoadingEnabled = true;
```

L2S와 EF의 지연된 실행

지역 질의들처럼 L2S와 EF의 질의들에는 지연된 실행이 적용된다. 따라서 질의를 점진적으로 구축할 수 있다. 그런데 L2S/EF에는 특별한 지연 실행 의미론이 존재한다. 좀 더 구체적으로, Select 표현식 안에 부분 질의가 있을 때에는 다음과 같은 차이가 생긴다.

- 지역 질의에서는 실행이 이중으로 지연된다. 기능적인 관점에서 볼 때 그런 Select 절은 **질의들**의 순차열을 선택하는 것이기 때문이다. 즉, 외곽의 결과 순차열을 열거하되 안쪽 순차열을 열거하지 않는다면, 부분 질의는 전혀 실행되지 않는다.
- L2S/EF에서는 부분 질의가 주된 외곽 질의와 함께 실행된다. 이 덕분에 서버와의 불필요한 왕복 통신이 방지된다.

예를 들어 다음 질의는 첫 foreach 문에 도달했을 때 왕복 1회로 실행된다.

```
var context = new NutshellContext ("연결 문자열");

var query = from c in context.Customers
            select
               from p in c.Purchases
               select new { c.Name, p.Price };

foreach (var customerPurchaseResults in query)
  foreach (var namePrice in customerPurchaseResults)
    Console.WriteLine (namePrice.Name + " spent " + namePrice.Price);
```

명시적으로 투영한 모든 EntitySet이나 EntityCollection은 왕복 1회로 완전히 채워진다.

```
var query = from c in context.Customers
            select new { c.Name, c.Purchases };

foreach (var row in query)
  foreach (Purchase p in row.Purchases)   // 추가 왕복 없음
    Console.WriteLine (row.Name + " spent " + p.Price);
```

그러나 이처럼 명시적으로 투영하지 않고 EntitySet/EntityCollection 속성을 열거하면 통상적인 지연 실행 규칙들이 적용된다. 다음 예에서 L2S와 EF는 루프 반복마다 Purchases 질의를 수행한다.

```
context.ContextOptions.DeferredLoadingEnabled = true;  // EF에만 필요함

foreach (Customer c in context.Customers)
  foreach (Purchase p in c.Purchases)    // 데이터베이스와의 추가 왕복
    Console.WriteLine (c.Name + " spent " + p.Price);
```

이러한 접근방식은 내부 루프를 클라이언트에서만 판정할 수 있는 조건에 기초해서 선택적으로 실행하려 할 때 유용하다.

```
foreach (Customer c in context.Customers)
  if (myWebService.HasBadCreditHistory (c.ID))
    foreach (Purchase p in c.Purchases)   // 데이터베이스와의 추가 왕복
      Console.WriteLine (...);
```

(제9장의 '투영(p.490)'에서 Select 부분 질의를 좀 더 살펴볼 것이다.)

앞에서 보았듯이, 연관 관계(association)들을 명시적으로 투영하면 불필요한 왕복 통신을 피할 수 있다. 그런데 L2S와 EF는 그 밖의 메커니즘들도 제공한다. 다음 두 절에서 추가적인 메커니즘들을 살펴보겠다.

DataLoadOptions 클래스

DataLoadOptions 클래스는 L2S에만 해당한다. 이 클래스의 주된 용도는 다음 두 가지이다.

- EntitySet 연관 관계들을 위한 필터를 미리 지정한다(AssociateWith 메서드).
- 왕복을 줄이기 위해 EntitySet을 즉시 적재한다(LoadWith 메서드).

필터를 미리 지정

이전의 예제를 다음과 같이 고쳐 보자.

```
foreach (Customer c in context.Customers)
  if (myWebService.HasBadCreditHistory (c.ID))
    ProcessCustomer (c);
```

그리고 ProcessCustomer 메서드를 다음과 같이 정의하자.

```
void ProcessCustomer (Customer c)
{
  Console.WriteLine (c.ID + " " + c.Name);
  foreach (Purchase p in c.Purchases)
    Console.WriteLine ("  - purchased a " + p.Description);
}
```

이제 각 고객의 구매 정보 중 일부만, 이를테면 고가(1,000달러를 넘는) 구매 정보만 ProcessCustomer에 공급한다고 하자. 이를 이런 식으로 해결할 수도 있다.

```
foreach (Customer c in context.Customers)
  if (myWebService.HasBadCreditHistory (c.ID))
```

```
    ProcessCustomer (c.ID,
                     c.Name,
                     c.Purchases.Where (p => p.Price > 1000));
...
void ProcessCustomer (int custID, string custName,
                      IEnumerable<Purchase> purchases)
{
  Console.WriteLine (custID + " " + custName);
  foreach (Purchase p in purchases)
    Console.WriteLine ("  - purchased a " + p.Description);
}
```

그러나 이 코드는 지저분하다. 만일 ProcessCustomer가 Customer의 다른 필드들도 고려한다면 코드가 더욱 지저분해질 것이다. 더 나은 해법은 다음처럼 DataLoadOptions의 AssociateWith 메서드를 사용하는 것이다.

```
DataLoadOptions options = new DataLoadOptions();
options.AssociateWith <Customer>
 (c => c.Purchases.Where (p => p.Price > 1000));
context.LoadOptions = options;
```

이렇게 하면 DataContext 인스턴스는 항상 주어진 술어로 Customer의 Purchases를 선별하게 된다. 이제 원래 버전의 ProcessCustomer를 사용해서 질의를 수행하면 원하는 결과가 나온다.

AssociateWith가 지연된 실행 의미론을 변경하지는 않는다. 이 메서드는 특정 관계가 쓰일 때 그냥 특정 필터를 암묵적으로 공식에 추가하라고 지시하는 역할을 할 뿐이다.

즉시 적재

DataLoadOptions의 둘째 용도는 특정 EntitySet을 그 부모와 함께 즉시 적재(eager load; 적극적 적재)하게 만드는 것이다. 예를 들어 모든 고객과 그 구매 정보를 데이터베이스와의 왕복 통신 1회로 적재하고 싶다고 하자. 다음이 바로 그러한 일을 수행하는 질의이다.

```
DataLoadOptions options = new DataLoadOptions();
options.LoadWith <Customer> (c => c.Purchases);
context.LoadOptions = options;

foreach (Customer c in context.Customers)     // 왕복 통신 1회
  foreach (Purchase p in c.Purchases)
    Console.WriteLine (c.Name + " bought a " + p.Description);
```

이 예의 LoadWith 호출은 Customer를 조회할 때마다 해당 Purchases도 함께 조회하라고 지시한다. LoadWith를 AssociateWith와 함께 사용할 수도 있다. 다음은 고객을 조회할 때마다 고가 구매 정보도 같은 왕복에서 조회하라고 지시하는 예이다.

```
options.LoadWith <Customer> (c => c.Purchases);
options.AssociateWith <Customer>
  (c => c.Purchases.Where (p => p.Price > 1000));
```

EF의 즉시 적재

EF에서 연관 관계들을 즉시 적재하려면 Include 메서드를 호출하면 된다. 다음은 SQL 질의문을 하나만 생성해서 각 고객의 구매 정보를 열거하는 예이다.

```
foreach (Customer c in context.Customers.Include ("Purchases"))
  foreach (Purchase p in c.Purchases)
    Console.WriteLine (p.Description);
```

Include를 얼마든지 더 깊고 넓게 사용할 수 있다. 예를 들어 Purchase마다 PurchaseDetails와 SalesPersons라는 추가적인 내비게이션 속성들이 있다고 할 때, 다음은 내포된 계통구조 전체를 즉시 적재하는 예이다.

```
context.Customers.Include ("Purchases.PurchaseDetails")
                 .Include ("Purchases.SalesPersons")
```

갱신

L2S와 EF는 프로그램이 엔터티에 가한 모든 변경을 추적한다. 이후 DataContext 객체에 대해 SubmitChanges 메서드를 호출하거나 ObjectContext 객체에 대해 SaveChanges 메서드를 호출하면 그 변경들이 데이터베이스에 기록된다.

L2S의 Table<T> 클래스는 테이블에 행을 삽입하는 InsertOnSubmit 메서드와 테이블에서 행을 삭제하는 DeleteOnSubmit 메서드를 제공한다. EF의 ObjectSet<T> 클래스는 마찬가지 일을 하는 AddObject 메서드와 DeleteObject 메서드를 제공한다. 다음은 행을 하나 삽입하는 방법을 보여주는 예제이다.

```
var context = new NutshellContext ("연결 문자열");

Customer cust = new Customer { ID=1000, Name="Bloggs" };
context.Customers.InsertOnSubmit (cust);   // EF에서는 AddObject
context.SubmitChanges();                   // EF에서는 SaveChanges
```

다음은 그 행을 나중에 조회하고, 갱신하고, 삭제하는 예이다.

```
var context = new NutshellContext ("연결 문자열");

Customer cust = context.Customers.Single (c => c.ID == 1000);
cust.Name = "Bloggs2";
context.SubmitChanges();                    // 고객 정보를 갱신한다.

context.Customers.DeleteOnSubmit (cust);  // EF에서는 DeleteObject
context.SubmitChanges();                    // 이제 고객을 삭제한다.
```

SubmitChanges/SaveChanges는 문맥이 생성된 후(또는 마지막으로 저장된 후) 엔터티에 가해진 모든 변경을 취합한 후 그것을 데이터베이스에 기록하는 적절한 SQL 질의문을 실행한다. 이때 유효한 모든 트랜잭션 범위(TransactionScope 클래스를 이용한†)가 반영된다. 트랜잭션 범위가 없으면 이 메서드들은 모든 SQL 명령을 하나의 새 트랜잭션 범위 안에서 실행한다.

새 행 또는 기존 행을 EntitySet/EntityCollection에 추가할 때에는 Add 메서드를 사용한다. 이때 L2S와 EF는 외래 키(foreign key; 또는 외부 키)들을 자동으로 채워준다(SubmitChanges나 SaveChanges를 호출한 후에).

```
Purchase p1 = new Purchase { ID=100, Description="Bike",  Price=500 };
Purchase p2 = new Purchase { ID=101, Description="Tools", Price=100 };

Customer cust = context.Customers.Single (c => c.ID == 1);

cust.Purchases.Add (p1);
cust.Purchases.Add (p2);

context.SubmitChanges();  //  (EF에서는 SaveChanges)
```

고유 키(유일 키)를 만들어서 할당하는 것이 부담스럽다면 자동 증가 필드(auto-incrementing field; SQL Server의 경우 IDENTITY)나 Guid를 기본 키에 사용하면 된다.

이 예에서 L2S/EF는 각각의 새 구매 행의 CustomerID 열에 자동으로 1을 기록한다(L2S는 앞에서 정의한 Purchases 속성에 부여된 특성에 기초해서 이런 일을 수행한다. EF는 EDM에 있는 정보에 기초해서 이런 일을 수행한다).

```
[Association (Storage="_Purchases", OtherKey="CustomerID")]
public EntitySet <Purchase> Purchases { get {...} set {...} }
```

† (옮긴이) 이 책에서 TransactionScope 클래스는 따로 설명하지 않는다. MSDN을 참고하기 바란다.

만일 Customer 엔터티와 Purchase 엔터티를 Visual Studio 디자이너나 명령줄 도구 *SqlMetal*을 이용해서 생성했다면, 생성된 클래스들에는 관계의 양쪽 편을 동기화 해주는 코드도 포함되어 있다. 다른 말로 하면, Purchase.Customer 속성에 값을 배정하면 Customer.Purchases 엔터티 집합에 새 고객 정보가 추가되고, 그 역도 마찬가지이다. 다음은 이를 시험해 보기 위해 이전의 예제를 수정한 코드이다.

```
var context = new NutshellContext ("연결 문자열");

Customer cust = context.Customers.Single (c => c.ID == 1);
new Purchase { ID=100, Description="Bike",  Price=500, Customer=cust };
new Purchase { ID=101, Description="Tools", Price=100, Customer=cust };

context.SubmitChanges();   // (EF에서는 SaveChanges)
```

EntitySet이나 EntityCollection에서 한 행을 제거하면 해당 외래 키 필드에 자동으로 null이 설정된다. 다음 코드는 방금 추가한 두 구매 정보를 해당 고객 정보에서 떼어내는 예이다.

```
var context = new NutshellContext ("연결 문자열");

Customer cust = context.Customers.Single (c => c.ID == 1);

cust.Purchases.Remove (cust.Purchases.Single (p => p.ID == 100));
cust.Purchases.Remove (cust.Purchases.Single (p => p.ID == 101));

context.SubmitChanges(); // SQL 문을 데이터베이스에 제출(EF에서는 SaveChanges)
```

이 코드는 각 구매 정보의 CustomerID 필드를 null로 설정하려 하므로, 데이터베이스 테이블에서 Purchase.CustomerID에 해당하는 열은 반드시 널을 허용하도록 설정되어 있어야 한다. 그렇지 않으면 예외가 발생한다. (또한, 엔터티 클래스의 CustomerID 필드 또는 속성은 반드시 널 가능 형식이어야 한다.)

자식 엔터티들을 아예 삭제하려면 해당 Table<T> 또는 ObjectSet<T>에서 제거해야 한다(이를 위해서는 해당 엔터티를 먼저 조회해야 한다). L2S에서는 다음과 같다.

```
var c = context;
c.Purchases.DeleteOnSubmit (c.Purchases.Single (p => p.ID == 100));
c.Purchases.DeleteOnSubmit (c.Purchases.Single (p => p.ID == 101));
c.SubmitChanges();          // SQL 문을 데이터베이스에 제출
```

다음은 EF의 경우이다.

```
var c = context;
c.Purchases.DeleteObject (c.Purchases.Single (p => p.ID == 100));
```

```
c.Purchases.DeleteObject (c.Purchases.Single (p => p.ID == 101));
c.SaveChanges();          // SQL 문을 데이터베이스에 제출
```

L2S와 EF의 API 차이

지금까지 보았듯이 L2S와 EF의 LINQ 질의와 갱신 수행 방식은 비슷하다. 표 8-1은 API 상의 차이점들을 요약한 것이다.

표 8-1 L2S와 EF의 API 차이

용도	LINQ to SQL	Entity Framework
모든 CRUD(생성, 읽기, 갱신, 삭제) 연산의 관문에 해당하는 클래스	DataContext	ObjectContext
저장소에서 주어진 형식의 모든 엔터티를 조회하는(게으른 방식으로) 메서드	GetTable	CreateObjectSet
위 메서드의 반환 형식	Table<T>	ObjectSet<T>
엔터티 객체의 모든 변경(추가, 수정, 삭제) 사항을 적용해서 저장소를 갱신하는 메서드	SubmitChanges	SaveChanges
문맥 갱신 시 새 엔터티를 저장소에 추가하는 메서드	InsertOnSubmit	AddObject
문맥 갱신 시 저장소에서 엔터티를 삭제하는 메서드	DeleteOnSubmit	DeleteObject
일대다 관계 속성에서 '다'에 해당하는 쪽을 나타내는 형식	EntitySet<T>	EntityCollection<T>
일대다 관계 속성에서 '일'에 해당하는 쪽을 나타내는 형식	EntityRef<T>	EntityReference<T>
관계 속성의 기본 적재 전략	게으른 적재	명시적 적재(즉시 적재)
즉시 적재를 활성화하는 수단	DataLoadOptions	.Include()

질의 표현식 구축

이번 장의 지금까지의 내용에서, 질의를 동적으로 구축하는 방법은 질의 연산자들을 조건부로 연결하는 것뿐이었다. 이런 접근방식이 통하는 경우가 많긴 하지만, 질의를 좀 더 세밀하게 구축해야 하거나 연산자에 지정하는 람다식을 동적으로 구성해야 하는 경우도 있다.

이번 절에서는 다음과 같은 Product 클래스를 예로 들어서 동적인 질의 구축 방법을 설명한다.

```
[Table] public partial class Product
{
  [Column(IsPrimaryKey=true)] public int ID;
  [Column]                    public string Description;
```

```
    [Column]                    public bool Discontinued;
    [Column]                    public DateTime LastSale;
  }
```

대리자 대 표현식 트리

지역 질의와 해석식 질의의 다음과 같은 차이를 다시 떠올려 보자.

- 지역 질의는 Enumerable의 연산자들을 사용하며, 대리자를 받는다.
- 해석식 질의는 Queryable의 연산자들을 사용하며, 표현식 트리를 받는다.

Queryable과 Enumerable의 Where 연산자의 서명을 비교해 보면 이 차이를 확인할 수 있다.

```
public static IEnumerable<TSource> Where<TSource> (this
  IEnumerable<TSource> source, Func<TSource,bool> predicate)

public static IQueryable<TSource> Where<TSource> (this
  IQueryable<TSource> source, Expression<Func<TSource,bool>> predicate)
```

질의 안에 내장된 람다식 자체는 Enumerable의 연산자에 묶이든 Queryable의 연산자에 묶이든 다를 바가 없어 보인다.

```
IEnumerable<Product> q1 = localProducts.Where (p => !p.Discontinued);
IQueryable<Product>  q2 = sqlProducts.Where   (p => !p.Discontinued);
```

그러나 람다식을 임시 변수에 배정할 때에는 구체적인 형식을 지정해야 한다. 즉, 람다식을 대리자(Func<>)에 대응시킬 것인지 아니면 표현식 트리(Expression<Func<>>)에 대응시킬 것인지를 명시적으로 밝혀야 한다. 다음 예에서 predicate1과 predicate2는 그대로 맞바꾸어 사용할 수는 없는 술어들이다.

```
Func <Product, bool> predicate1 = p => !p.Discontinued;
IEnumerable<Product> q1 = localProducts.Where (predicate1);

Expression <Func <Product, bool>> predicate2 = p => !p.Discontinued;
IQueryable<Product> q2 = sqlProducts.Where (predicate2);
```

표현식 트리의 컴파일

그러나 표현식 트리를 대리자로 바꾸는 것은 가능하다. 표현식 트리에 대해 Compile 메서드를 호출하면 된다. 이 방법은 재사용할 표현식을 돌려주는 메서드를 작성할 때 특히나 유용하다. 이 점을 보여주는 예로, 우선 만일 제품

(product)이 단종되지 않았으며 지난 30일간 팔린 적이 있으면 true로 평가되는 술어를 돌려주는 정적 메서드를 앞의 Product 클래스에 추가해 보자.

```
public partial class Product
{
  public static Expression<Func<Product, bool>> IsSelling()
  {
    return p => !p.Discontinued && p.LastSale > DateTime.Now.AddDays (-30);
  }
}
```

(Visual Studio의 코드 생성기 같은 자동 DataContext 생성기가 Product 클래스를 다시 생성해서 원래 형태로 되돌릴 수도 있으므로, 이 메서드를 개별적인 부분 클래스로 정의했다.)

다음 예에서 보듯이, 이 메서드를 해석식 질의와 지역 질의 모두에서 사용할 수 있다.

```
void Test()
{
  var dataContext = new NutshellContext ("연결 문자열");
  Product[] localProducts = dataContext.Products.ToArray();

  IQueryable<Product> sqlQuery =
    dataContext.Products.Where (Product.IsSelling());

  IEnumerable<Product> localQuery =
    localProducts.Where (Product.IsSelling.Compile());
}
```

반대 방향의 변환을 수행하는, 즉 대리자를 표현식 트리로 바꾸는 API는 .NET Framework에 없다. 그러므로 표현식 트리가 더 용도가 많다고 할 수 있다.

AsQueryable 연산자

AsQueryable 연산자를 이용하면 하나의 질의 전체를 지역 순차열과 원격 순차열 모두에 사용할 수 있다.

```
IQueryable<Product> FilterSortProducts (IQueryable<Product> input)
{
  return from p in input
         where ...
         order by ...
         select p;
}
```

```
void Test()
{
  var dataContext = new NutshellContext ("연결 문자열");
  Product[] localProducts = dataContext.Products.ToArray();

  var sqlQuery   = FilterSortProducts (dataContext.Products);
  var localQuery = FilterSortProducts (localProducts.AsQueryable());
  ...
}
```

AsQueryable은 지역 순차열을 IQueryable<T>로 감싼다. 따라서 이후의 질의 연산자들은 표현식 트리로 환원된다. 나중에 결과 순차열을 열거하면 그 표현식 트리가 암묵적으로 컴파일되며(이때 성능이 약간 감소한다), 결국에는 지역 순차열이 보통의 경우와 마찬가지로 열거된다.

표현식 트리

앞에서, 람다식에서 Expression<TDelegate>로의 암묵적 변환이 일어날 때 C# 컴파일러가 표현식 트리를 구축하는 코드를 산출한다고 말했다. 약간의 프로그래밍 노력을 동원하면 그런 과정을 실행시점에서 명시적으로 진행할 수 있다. 다른 말로 하면, 표현식 트리를 C# 코드로 직접 구축하는 것이 가능하다. 그렇게 구축한 표현식 트리를 Expression<TDelegate>로 캐스팅할 수 있으며, 그런 다음에는 DB 대상 LINQ 질의에 사용하거나 Compile을 호출해서 보통의 대리자로 컴파일할 수 있다.

표현식 DOM

표현식 트리는 일종의 축소판 코드 DOM이다. 트리의 각 노드는 System.Linq.Expressions 이름공간에 있는 형식들로 표현된다. 표 8-10에 그 형식들이 요약되어 있다.

.NET Framework 4.0에서, 코드 블록 안에 나타날 수 있는 언어 요소들을 지원하는 추가적인 표현식 형식들과 메서드들이 이 이름공간에 추가되었다. 이들은 람다식이 아니라 DLR을 위한 것이다. 다른 말로 하면, 코드 블록 스타일의 람다식을 표현식 트리로 변환하는 것은 여전히 불가능하다.

```
Expression<Func<Custom er,bool>> invalid =
  c => { return true; }  // 코드 블록은 허용되지 않음
```

모든 노드 형식의 기반 형식은 비제네릭 Expression 클래스이다. 제네릭 Expression <TDelegate> 클래스는 사실 '형식 있는 람다식'을 의미하며, 다음 예처럼 코드가 너무 지저분해지는 문제만 없다면 이름을 LambdaExpression<TDelegate>로 하는 것이 나았을 것이다.

```
LambdaExpression<Func<Customer,bool>> f = ...
```

Expression<T>의 기반 형식은 비제네릭 LambdaExpression 클래스이다. LambdaExpression은 람다 표현식 트리들을 위한 형식 통합 능력을 제공한다. 특히, 임의의 형식 있는 Expression<T>를 LambdaExpression으로 캐스팅할 수 있다.

LambdaExpression과 보통의 Expression의 차이는, 람다 표현식에는 **매개변수**들이 있다는 점이다.

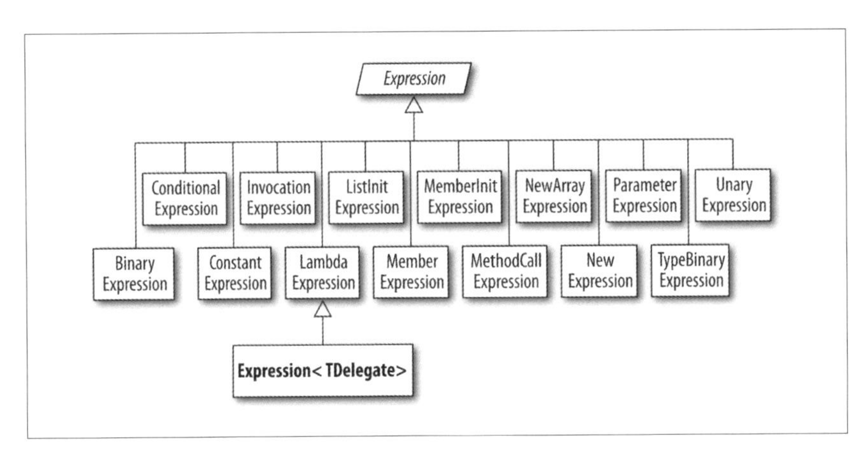

그림 8-10 표현식 트리 노드 형식들

표현식 트리를 만들 때 이 노드 형식들을 직접 인스턴스화할 필요는 없다. 대신 Expression 클래스가 제공하는 정적 메서드들을 사용하는 것이 바람직하다. 다음이 그런 정적 메서드들이다.

```
Add            ElementInit          MakeMemberAccess   Or
AddChecked     Equal                MakeUnary          OrElse
And            ExclusiveOr          MemberBind         Parameter
AndAlso        Field                MemberInit         Power
ArrayIndex     GreaterThan          Modulo             Property
ArrayLength    GreaterThanOrEqual   Multiply           PropertyOrField
Bind           Invoke               MultiplyChecked    Quote
Call           Lambda               Negate             RightShift
```

```
Coalesce          LeftShift         NegateChecked     Subtract
Condition         LessThan          New               SubtractChecked
Constant          LessThanOrEqual   NewArrayBounds    TypeAs
Convert           ListBind          NewArrayInit      TypeIs
ConvertChecked    ListInit          Not               UnaryPlus
Divide            MakeBinary        NotEqual
```

그림 8-11은 다음 배정문이 만들어 내는 표현식 트리를 나타낸 것이다.

```
Expression<Func<string, bool>> f = s => s.Length < 5;
```

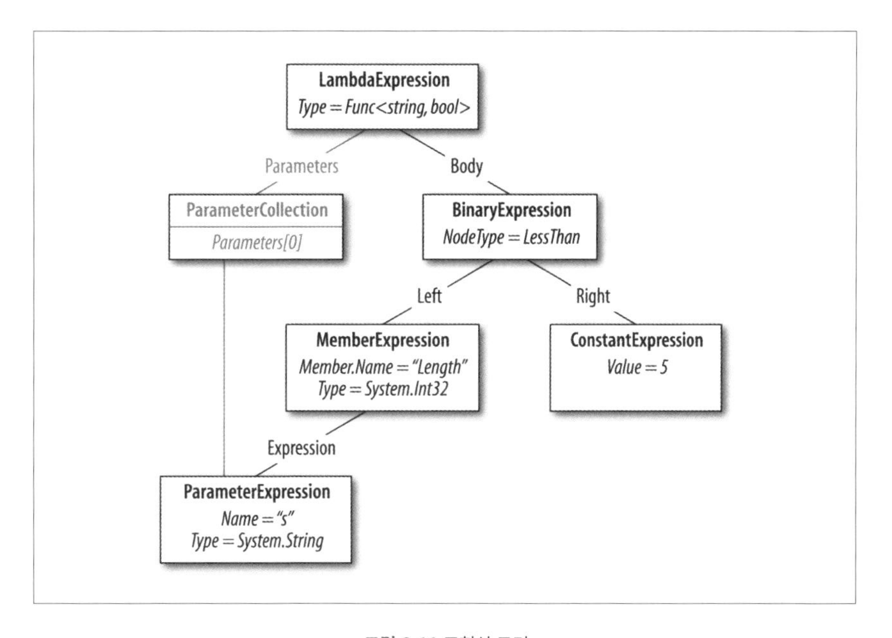

그림 8-11 표현식 트리

트리의 몇몇 노드를 다음과 같이 확인해 볼 수 있다.

```
Console.WriteLine (f.Body.NodeType);                    // LessThan
Console.WriteLine (((BinaryExpression) f.Body).Right);   // 5
```

이제 이 표현식 트리를 처음부터 직접 구축해 보자. 원칙은 트리의 제일 아래 노드들에서 시작해서 뿌리(루트 노드)를 향해 올라가면서 표현식 트리를 구축한다는 것이다. 지금 트리에서 가장 밑에 있는 것은 string 형식의 람다 표현식 매개변수 "s"를 나타내는 ParameterExpression 노드이다.

```
ParameterExpression p = Expression.Parameter (typeof (string), "s");
```

다음으로, 그 위 수준에 있는 MemberExpression 노드와 ConstantExpression 노드를 생성한다. 전자를 위해서는 매개변수 "s"의 Length 속성에 접근해야 함을 주목하기 바란다.

```
MemberExpression stringLength = Expression.Property (p, "Length");
ConstantExpression five = Expression.Constant (5);
```

다음으로, 이 둘에 대해 LessThan 비교를 수행하는 BinaryExpression 노드를 만든다. 이 노드가 표현식의 본문(Body)에 해당한다.

```
BinaryExpression comparison = Expression.LessThan (stringLength, five);
```

마지막으로, 표현식 본문에 매개변수 컬렉션(p)을 연결해서 하나의 람다 표현식 트리를 생성한다.

```
Expression<Func<string, bool>> lambda
  = Expression.Lambda<Func<string, bool>> (comparison, p);
```

그럼 이 람다 표현식 트리를 시험해 보자. 먼저 대리자로 컴파일하면 다루기가 편하다.

```
Func<string, bool> runnable = lambda.Compile();

Console.WriteLine (runnable ("kangaroo"));          // False
Console.WriteLine (runnable ("dog"));               // True
```

표현식 트리를 구축할 때 적절한 표현식 노드 형식을 알아내는 가장 쉬운 방법은 기존 람다 표현식을 Visual Studio의 디버거로 살펴보는 것이다.

표현식 구축에 관한 추가 논의를 *http://www.albahari.com/expressions/*에서 볼 수 있다.

C# 6.0 in a Nutshell

LINQ 질의 연산자

이번 장에서는 모든 LINQ 질의 연산자를 설명한다. 이번 장의 대부분은 질의 연산자들의 참고자료에 해당하는 내용이지만, 개념을 설명하는 절도 두 개 있다. '투영(p.490)' 절과 '결합(p.490)' 절에서는 다음과 같은 개념들을 소개한다.

- 객체 계통구조의 투영(projection)
- Select, SelectMany, Join, GroupJoin을 이용한 결합 연산
- 범위 변수가 여러 개인 질의 표현식

이번 장의 모든 예제는 names 배열이 다음과 같이 정의되어 있다고 가정한다.

```
string[] names = { "Tom", "Dick", "Harry", "Mary", "Jay" };
```

데이터베이스를 질의하는 예제들은 dataContext라는 이름의 변수가 다음과 같이 인스턴스화되어 있다고 가정한다.

```
var dataContext = new NutshellContext ("연결 문자열...");

...

public class NutshellContext : DataContext
{
  public NutshellContext (string cxString) : base (cxString) {}

  public Table<Customer> Customers { get { return GetTable<Customer>(); } }
  public Table<Purchase> Purchases { get { return GetTable<Purchase>(); } }
}

[Table] public class Customer
```

```
{
  [Column(IsPrimaryKey=true)]  public int ID;
  [Column]                     public string Name;

  [Association (OtherKey="CustomerID")]
  public EntitySet<Purchase> Purchases = new EntitySet<Purchase>();
}

[Table] public class Purchase
{
    [Column(IsPrimaryKey=true)]  public int ID;
    [Column]                     public int? CustomerID;
    [Column]                     public string Description;
    [Column]                     public decimal Price;
    [Column]                     public DateTime Date;

  EntityRef<Customer> custRef;

  [Association (Storage="custRef",ThisKey="CustomerID",IsForeignKey=true)]
  public Customer Customer
  {
    get { return custRef.Entity; } set { custRef.Entity = value; }
  }
}
```

LINQPad에 이번 장의 모든 예제가 포함되어 있으며, 또한 예제가 가정하는 것과 동일한 스키마를 가진 예제 데이터베이스도 포함되어 있다. LINQPad는 *http://www.linqpad.net*에서 내려받을 수 있다.

예제 엔터티 클래스들은 흔히 LINQ to SQL 도구들이 생성하는 엔터티 클래스를 단순화한 버전으로, 엔터티가 수정되었을 때 때 관계의 반대편을 갱신하는 코드는 포함되어 있지 않다.

다음은 이에 대응되는 SQL 테이블 정의들이다.

```
create table Customer
(
  ID int not null primary key,
  Name varchar(30) not null
)
create table Purchase
(
  ID int not null primary key,
  CustomerID int references Customer (ID),
  Description varchar(30) not null,
  Price decimal not null
)
```

특별한 언급이 없는 한, 이번 장의 모든 예제는 Entity Framework에서도 잘 돌아간다. 이 테이블들로부터 EF용 ObjectContext를 자동으로 생성하는 것이 가능한데, Visual Studio에서 프로젝트에 새 'ADO.NET 엔터티 데이터 모델' 항목을 추가한 후 테이블들을 디자이너 창 안에 끌어다 놓으면 된다.

개요

이번 절에서는 표준 질의 연산자들을 개괄한다.

표준 질의 연산자들은 다음 세 범주로 나뉜다.

- 순차열을 입력받고 순차열을 출력하는 연산자(순차열→순차열)
- 순차열을 입력받고 요소 하나 또는 스칼라값 하나를 출력하는 연산자
- 입력 없이 순차열을 출력하는 연산자(생성 메서드)

우선 이 세 범주와 그에 속한 질의 연산자들을 소개하고, 각 질의 연산자를 좀 더 자세히 설명하겠다.

순차열→순차열

이 범주의 질의 연산자는 하나 이상의 순차열을 입력받고 하나의 순차열을 산출한다. 대부분의 질의 연산자가 이 범주에 속한다. 그림 9-1은 이 범주의 질의 연산자 중 순차열의 형태를 바꾸는 것들을 나타낸 것이다.

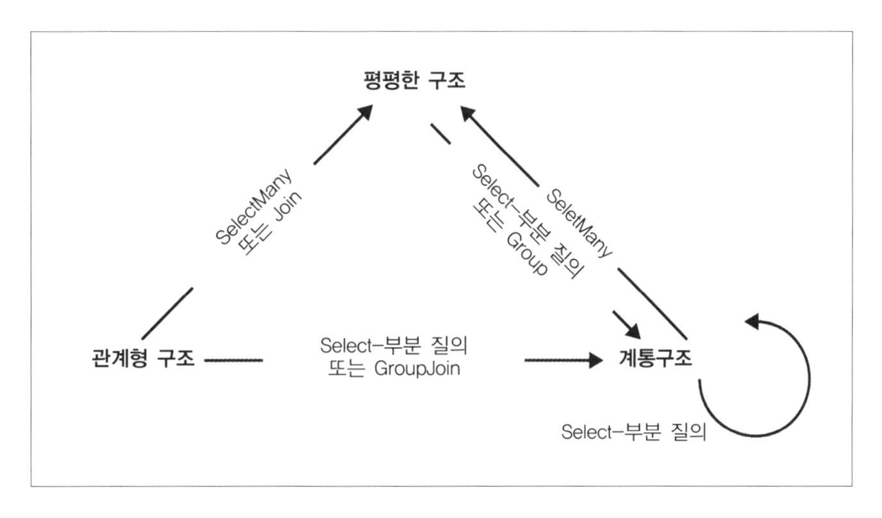

그림 9-1 순차열의 형태를 바꾸는 질의 연산자들

필터링(선별)

IEnumerable<TSource> →IEnumerable<TSource>

원래 요소들의 부분집합을 출력한다.

```
Where, Take, TakeWhile, Skip, SkipWhile, Distinct
```

투영

IEnumerable<TSource> →IEnumerable<TResult>

주어진 람다 함수를 이용해서 각 요소를 변환한다. SelectMany는 중첩된 순차열들을 평평한 순차열로 만든다(평탄화). LINQ to SQL이나 EF에 대한 Select와 SelectMany는 내부 결합(inner join), 왼쪽 외부 결합(left outer join), 교차 결합(cross join), 비등가 결합(non-equi join)을 수행한다.

```
Select, SelectMany
```

결합

IEnumerable<TOuter>, IEnumerable<TInner>→ IEnumerable<TResult>

두 순차열의 요소들을 합친다. Join과 GroupJoin 연산자는 지역 질의에 효율적으로 작동하도록 설계된 것으로, 내부 결합과 왼쪽 외부 결합을 지원한다. Zip 연산자는 두 순차열을 동시에 열거하면서 각 요소 쌍에 함수를 적용한다. Zip 연산자에서는 두 형식 매개변수의 이름이 TOuter와 TInner가 아니라 TFirst와 TSecond이다.

IEnumerable<TFirst>, IEnumerable<TSecond>→ IEnumerable<TResult>

```
Join, GroupJoin, Zip
```

정렬

IEnumerable<TSource> →IOrderedEnumerable<TSource>

입력 순차열 요소들의 순서를 바꾼다.

```
OrderBy, ThenBy, Reverse
```

그룹화

IEnumerable<TSource> →IEnumerable<IGrouping<TKey,TElement>>

입력 순차열의 요소들을 적절히 묶어서 여러 개의 부분 순차열들을 출력한다.

```
GroupBy
```

집합 연산

IEnumerable<TSource>, IEnumerable<TSource>→ IEnumerable<TSource>

같은 형식의 순차열 두 개를 입력받아서 합집합, 교집합, 차집합을 출력한다.

```
Concat, Union, Intersect, Except
```

변환 메서드: 가져오기

IEnumerable→IEnumerable<TResult>

```
OfType, Cast
```

변환 메서드: 내보내기

IEnumerable<TSource> →배열, 목록, 사전, 조회 객체(lookup), 순차열

```
ToArray, ToList, ToDictionary, ToLookup, AsEnumerable, AsQueryable
```

순차열→요소 또는 값

이 범주의 질의 연산자들은 순차열 하나를 입력받아서 하나의 요소 또는 값을 출력한다.

요소 연산자

IEnumerable<TSource> →TSource

순차열에서 특정 요소 하나를 선택해서 출력한다.

```
First, FirstOrDefault, Last, LastOrDefault, Single, SingleOrDefault,
ElementAt, ElementAtOrDefault, DefaultIfEmpty
```

집계 메서드

IEnumerable<TSource> →*scalar*

입력 순차열의 요소들에 대해 특정한 계산을 수행한 후 하나의 스칼라값(보통은 수치 형식)을 돌려준다.

`Aggregate, Average, Count, LongCount, Sum, Max, Min`

한정사(quantifier; 양화사)

IEnumerable<TSource> →*bool*

true 또는 false를 돌려준다.

`All, Any, Contains, SequenceEqual`

void→순차열

세 번째이자 마지막 범주의 질의 연산자들은 입력 없이 순차열을 출력한다.

생성 메서드

void→IEnumerable<TResult>

간단한 순차열을 출력한다.

`Empty, Range, Repeat`

필터링

IEnumerable<TSource>→ IEnumerable<TSource>

메서드	설명	해당 SQL 구문
Where	주어진 조건을 만족하는 요소들로만 이루어진 결과 집합을 돌려준다.	WHERE
Take	처음 count개의 요소를 취하고 나머지는 버린다.	WHERE ROW_NUMBER()... 또는 TOP *n* 부분 질의
Skip	처음 count개의 요소를 무시하고 나머지를 돌려준다.	WHERE ROW_NUMBER()... 또는 NOT IN (SELECT TOP *n*...)

메서드	설명	해당 SQL 구문
TakeWhile	술어가 거짓이 될 때까지만 요소들을 취한다.	(예외 발생)
SkipWhile	술어가 거짓이 될 때까지만 요소들을 무시하고 나머지 요소들을 돌려준다.	(예외 발생)
Distinct	중복 요소들을 제거한 순차열을 돌려준다.	SELECT DISTINCT...

이번 장의 표들에서 '해당 SQL 구문' 열에 나온 SQL 구문이 실제 SQL 질의문(LINQ to SQL 같은 IQueryable 구현이 생성하는)에 그대로 대응되는 것은 아니다. 이 열의 구문은 독자가 직접 SQL 질의문을 작성한다면 사용했을 만한 것에 해당한다. 그 열이 비어 있으면 간단한 대응 구문이 없다는 뜻이고, '(예외 발생)'이면 SQL로 옮기는 것이 불가능하다는 뜻이다. 또한, 이번 장에 나오는 Enumerable 구현 코드 예에는 널 인수나 색인화 술어의 점검이 생략되어 있음을 주의하기 바란다.

이번 절에서 소개하는 필터링 연산자들은 항상 입력 순차열과 같은 또는 더 적은 수의 요소들을 출력한다. 요소가 더 많아지는 경우는 없다. 또한, 출력된 요소들은 입력 순차열에 있는 것과 동일하다. 즉, 이 연산자들은 그 어떤 변환도 수행하지 않는다.

Where

인수	형식
입력 순차열	IEnumerable<TSource>
술어	TSource => bool 또는 (TSource,int) => bool

질의 구문

```
where bool-표현식
```

Enumerable.Where 구현

Enumerable.Where의 내부 구현은 기능상 다음과 같다(널 점검은 생략했음).

```
public static IEnumerable<TSource> Where<TSource>
  (this IEnumerable<TSource> source, Func <TSource, bool> predicate)
{
  foreach (TSource element in source)
    if (predicate (element))
      yield return element;
}
```

개요

Where는 입력 순차열의 요소 중 주어진 술어를 만족하는 요소들을 돌려준다.

예:

```
string[] names = { "Tom", "Dick", "Harry", "Mary", "Jay" };
IEnumerable<string> query = names.Where (name => name.EndsWith ("y"));
```

결과:

```
{ "Harry", "Mary", "Jay" }
```

질의 구문:

```
IEnumerable<string> query = from n in names
                            where n.EndsWith ("y")
                            select n;
```

한 질의 안에 where 절이 여러 개 있을 수 있으며, 여러 where 절 사이에 let이나 orderby, join 절이 끼어들 수 있다.

```
from n in names
where n.Length > 3
let u = n.ToUpper()
where u.EndsWith ("Y")
select u;                   // 결과: { "HARRY", "MARY" }
```

이런 질의들에는 표준 C# 범위 규칙이 적용된다. 즉, 범위 변수나 let 절로 미리 선언하지 않은 변수를 지칭할 수는 없다.

색인화된 필터링

Where에 int 형식의 두 번째 매개변수를 받는 술어를 지정할 수 있다. 그 매개변수에는 입력 순차열 안에서의 현재 요소의 위치(색인)가 전달된다. 이는 필터링 판정 시 요소의 위치를 고려해야 할 때에 유용하다. 예를 들어 다음 질의는 모든 두 번째 요소(색인이 홀수인 요소)를 건너뛴다.

```
IEnumerable<string> query = names.Where ((n, i) => i % 2 == 0);
```

결과:

```
{ "Tom", "Harry", "Jay" }
```

LINQ to SQL이나 EF에 이런 색인화된 필터링을 적용하면 예외가 발생한다.

LINQ to SQL과 EF의 SQL LIKE 비교 구문

string에 대한 다음 메서드들은 SQL의 LIKE 연산자에 대응된다.

```
Contains, StartsWith, EndsWith
```

예를 들어 c.Name.Contains ("abc")는 customer.Name LIKE '%abc%'으로(좀 더 정확하게는 이 문구의 매개변수화된 버전으로) 바뀐다. Contains로는 지역에서 평가되는 표현식과의 비교만 가능하다. 다른 열과의 비교를 위해서는 SqlMethods.Like 메서드를 사용해야 한다.

```
... where SqlMethods.Like (c.Description, "%" + c.Name + "%")
```

또한, SqlMethods.Like를 이용하면 좀 더 복잡한 비교도 수행할 수 있다(이를테면 LIKE 'abc%def%' 등).

LINQ to SQL과 EF의 문자열 순서 비교(〈, 〉)

CompareTo 메서드를 이용하면 string 인스턴스들의 순서를 비교할 수 있다. 이는 SQL의 <, > 연산자에 대응된다.

```
dataContext.Purchases.Where (p => p.Description.CompareTo ("C") < 0)
```

LINQ to SQL과 EF의 WHERE x IN (..., ..., ...) 구문

LINQ to SQL과 EF에서는 필터 술어 안에서 지역 컬렉션에 대해 Contains 연산자를 적용할 수 있다. 예를 들면 다음과 같다.

```
string[] chosenOnes = { "Tom", "Jay" };

from c in dataContext.Customers
where chosenOnes.Contains (c.Name)
...
```

이는 SQL의 IN 연산자에 대응된다. 즉, 위의 WHERE 절은 다음과 같은 SQL 문구가 된다.

```
WHERE customer.Name IN ("Tom", "Jay")
```

지역 컬렉션이 엔터티들의 배열이나 비非스칼라 형식의 배열이면 LINQ to SQL이나 EF가 EXISTS 절을 산출할 수도 있다.

Take와 Skip

인수	형식
입력 순차열	IEnumerable<TSource>
출력하거나 건너뛸 요소 개수	int

Take는 처음 *n*개의 요소를 출력하고 나머지는 버린다. Skip은 처음 *n*개의 요소를 버리고 나머지를 출력한다. 이를테면 다수의 검색 결과를 사용자에게 일정 분량씩 여러 페이지에 걸쳐 보여주는 기능을 구현할 때 이 두 연산자의 조합이 유용하다. 한 예로, 사용자가 서적 데이터베이스에서 'mercury'를 검색했는데 그에 부합하는 항목이 100개라고 하자. 다음은 처음 20건을 돌려주는 질의이다.

```
IQueryable<Book> query = dataContext.Books
  .Where   (b => b.Title.Contains ("mercury"))
  .OrderBy (b => b.Title)
  .Take (20);
```

다음 질의는 21번 항목에서 40번 항목까지를 돌려준다.

```
IQueryable<Book> query = dataContext.Books
  .Where   (b => b.Title.Contains ("mercury"))
  .OrderBy (b => b.Title)
  .Skip (20).Take (20);
```

LINQ to SQL과 EF는 Take와 Skip을 SQL Server 2005의 ROW_NUMBER 함수로 옮긴다. 단, 그 이전 버전의 SQL Server에서는 TOP *n* 부분 질의로 옮긴다.

TakeWhile과 SkipWhile

인수	형식
입력 순차열	IEnumerable<TSource>
술어	TSource => bool 또는 (TSource,int) => bool

TakeWhile은 입력 순차열을 열거하면서 주어진 술어가 참인 동안만 요소들을 출력하고, 주어진 술어가 거짓이 되면 출력을 마친다(나머지 요소들은 무시된다).

```
int[] numbers      = { 3, 5, 2, 234, 4, 1 };
var takeWhileSmall = numbers.TakeWhile (n => n < 100);   // { 3, 5, 2 }
```

SkipWhile은 입력 순차열을 열거하면서 주어진 술어가 참인 동안은 요소들을 버리고, 거짓이 되면 나머지 요소들을 출력한다.

```
int[] numbers      = { 3, 5, 2, 234, 4, 1 };
var skipWhileSmall = numbers.SkipWhile (n => n < 100);   // { 234, 4, 1 }
```

TakeWhile과 SkipWhile에 대응되는 SQL 구문은 없다. DB 대상 LINQ 질의에 이들을 사용하면 예외가 발생한다.

Distinct

Distinct는 입력 순차열에서 중복 요소들을 제거한 결과를 출력한다. 원한다면 커스텀 비교자를 인수로 지정할 수 있다. 다음은 문자열의 서로 다른 영문자를 돌려주는 예이다.

```
char[] distinctLetters = "HelloWorld".Distinct().ToArray();
string s = new string (distinctLetters);                    // HeloWrd
```

이 예에서처럼 문자열에 LINQ 메서드들을 직접 호출할 수 있는데, 이는 string이 IEnumerable<char>를 구현하기 때문이다.

투영

IEnumerable<TSource>→ IEnumerable<TResult>

메서드	설명	해당 SQL 구문
Select	주어진 람다식을 이용해서 각 입력 요소를 변환한다.	SELECT
SelectMany	주어진 람다식을 이용해서 각 입력 요소를 변환하고, 그 결과로 생긴 부분 순차열들을 평탄화하고 연결한다.	INNER JOIN, LEFT OUTER JOIN, CROSS JOIN

데이터베이스 질의에서 Select와 SelectMany 질의는 가장 다재다능한 순차열 결합 수단이다. 한편, Join과 GroupJoin은 지역 질의에서 가장 **효율적인** 결합 수단이다.

Select

인수	형식
입력 순차열	IEnumerable<TSource>
결과 선택자	TSource => TResult 또는 (TSource,int) => TResult

질의 구문

```
select 투영-표현식
```

Enumerable 구현

```
public static IEnumerable<TResult> Select<TSource,TResult>
  (this IEnumerable<TSource> source, Func<TSource,TResult> selector)
{
  foreach (TSource element in source)
    yield return selector (element);
}
```

개요

Select는 항상 입력 순차열과 같은 개수의 요소들을 돌려준다. 단, 각 요소를 람다 함수를 이용해서 임의의 방식으로 변환할 수 있다.

다음은 컴퓨터에 설치된 모든 글꼴(font) 이름을 선택하는 예이다(FontFamily는 System.Drawing 이름공간의 한 클래스이다).

```
IEnumerable<string> query = from f in FontFamily.Families
                            select f.Name;

foreach (string name in query) Console.WriteLine (name);
```

이 예에서 select 절은 FontFamily 객체를 해당 글꼴 이름으로 변환한다. 다음은 이 질의를 람다식을 이용해서 다시 작성한 것이다.

```
IEnumerable<string> query = FontFamily.Families.Select (f => f.Name);
```

다음 예처럼 Select를 익명 형식으로의 투영에 사용하는 경우도 많다.

```
var query =
  from f in FontFamily.Families
  select new { f.Name, LineSpacing = f.GetLineSpacing (FontStyle.Bold) };
```

질의 구문에서는, 하나의 질의가 반드시 select나 group 절로 끝나야 한다는 요구조건을 만족하기 위해 아무런 변환도 수행하지 않는 투영을 사용하기도 한다. 다음은 취소선(strikeout)을 지원하는 글꼴들을 선택하는 예이다.

```
IEnumerable<FontFamily> query =
  from f in FontFamily.Families
  where f.IsStyleAvailable (FontStyle.Strikeout)
```

```
    select f;

foreach (FontFamily ff in query) Console.WriteLine (ff.Name);
```

질의 구문을 유창한 구문으로 옮길 때 컴파일러는 이런 투영을 그냥 무시한다.

색인화된 투영

지역 질의의 경우, 정수 형식의 두 번째 매개변수가 있는 selector 표현식(궁극적으로 Enumerable 구현의 selector 매개변수에 전달되는 람다 표현식)을 사용할 수 있다. 그 매개변수에는 입력 순차열에서 현재 요소의 위치, 즉 현재 요소의 색인이 전달된다.

```
string[] names = { "Tom", "Dick", "Harry", "Mary", "Jay" };

IEnumerable<string> query = names
  .Select ((s,i) => i + "=" + s);     //  { "0=Tom", "1=Dick", ... }
```

Select 부분 질의와 객체 계통구조

하나의 select 절에 부분 질의를 내포해서 객체 계통구조를 형성하는 것이 가능하다. 다음 예는 *D:\source*의 하위 디렉터리들을 서술하는 컬렉션을 돌려주는데, 그 컬렉션의 각 항목은 해당 하위 디렉터리에 있는 파일들을 서술하는 또 다른 컬렉션이다.

```
DirectoryInfo[] dirs = new DirectoryInfo (@"d:\source").GetDirectories();

var query =
  from d in dirs
  where (d.Attributes & FileAttributes.System) == 0
  select new
  {
    DirectoryName = d.FullName,
    Created = d.CreationTime,

    Files = from f in d.GetFiles()
            where (f.Attributes & FileAttributes.Hidden) == 0
            select new { FileName = f.Name, f.Length, }
  };

foreach (var dirFiles in query)
{
  Console.WriteLine ("Directory: " + dirFiles.DirectoryName);
  foreach (var file in dirFiles.Files)
    Console.WriteLine ("  " + file.FileName + " Len: " + file.Length);
}
```

이 질의의 안쪽 부분을 **상관 부분 질의**(correlated subquery)라고 부른다. 상관 부분 질의는 바깥쪽 질의(외부 질의)의 객체를 참조하는 부분 질의이다. 지금 예에서는 부분 질의가 외부 질의의 d(현재 열거 중인 디렉터리)를 참조한다.

> Select 안의 부분 질의에서 한 객체 계통구조를 다른 객체 계통구조로 투영하거나 관계형 객체 모형을 계통적(계통구조 형태의) 객체 모형으로 투영하는 것도 가능하다.

지역 질의의 Select에 부분 질의가 있으면 실행이 이중으로 지연된다. 지금 예에서는, 안쪽 foreach 문이 열거되어야 비로소 파일들이 선별 또는 투영된다.

LINQ to SQL과 EF의 부분 질의와 결합

LINQ to SQL과 EF에서도 부분 질의 투영이 잘 작동한다. 이 경우 SQL 스타일의 결합(join)을 수행하는 목적으로 부분 질의를 활용할 수 있다.

```
var query =
  from c in dataContext.Customers
  select new {
               c.Name,
               Purchases = from p in dataContext.Purchases
                           where p.CustomerID == c.ID && p.Price > 1000
                           select new { p.Description, p.Price }
             };

foreach (var namePurchases in query)
{
  Console.WriteLine ("Customer: " + namePurchases.Name);
  foreach (var purchaseDetail in namePurchases.Purchases)
    Console.WriteLine ("  - $$$: " + purchaseDetail.Price);
}
```

> 이런 스타일의 질의는 해석식 질의에 아주 적합하다. 외부 질의와 부분 질의가 한 단위로 처리되므로 불필요한 통신 왕복이 발생하지 않는다. 그러나 지역 질의에서는 이런 방식이 비효율적이다. 최종 결과에 포함되는 요소가 몇 개 되지 않더라도, 그 요소들을 산출하려면 외부 순차열 요소들과 내부 순차열 요소들의 모든 조합을 열거해야 하기 때문이다. 지역 질의에서는 이번 장에서 나중에 설명할 Join이나 GroupJoin을 사용하는 것이 더 낫다.

이 질의는 서로 다른 두 컬렉션의 요소들을 묶어서 출력한다. 따라서 이를 SQL의 '결합(join)' 연산으로 볼 수 있다. 단, 통상적인 데이터베이스 결합(또는 부분 질의) 연산과는 달리 이 질의는 출력 순차열을 하나의 2차원 결과 집합으로 평

탄화하지 않는다. 즉, 관계형 자료를 계통적 자료로 투영하는 것이지 평평한 구조의 자료로 투영하는 것이 아니다.

다음은 이 질의를 Customer 엔터티에 대한 Purchases 연관 속성을 이용해서 좀 더 간단하게 표기한 것이다.

```
from c in dataContext.Customers
select new
{
  c.Name,
  Purchases = from p in c.Purchases  // Purchases의 형식은 EntitySet<Purchase>
              where p.Price > 1000
              select new { p.Description, p.Price }
};
```

두 질의 모두, 바깥쪽 열거에서 고객의 구매 레코드와는 무관하게 모든 고객을 얻게 된다는 점에서 SQL의 왼쪽 외부 결합(left outer join)에 해당한다고 할 수 있다. 내부 결합(inner join)을 흉내 내려면, 즉 1,000달러를 넘는 고가 구매 내역이 없는 고객들을 제외하려면, 구매 컬렉션에 필터 조건을 추가해야 한다.

```
from c in dataContext.Customers
where c.Purchases.Any (p => p.Price > 1000)
select new {
             c.Name,
             Purchases = from p in c.Purchases
                         where p.Price > 1000
                         select new { p.Description, p.Price }
           };
```

그런데 같은 술어(Price > 1000)가 두 번 나온다는 점에서 코드가 다소 지저분하다. let 절을 이용하면 중복 코드를 제거할 수 있다.

```
from c in dataContext.Customers
let highValueP = from p in c.Purchases
                 where p.Price > 1000
                 select new { p.Description, p.Price }
where highValueP.Any()
select new { c.Name, Purchases = highValueP };
```

이런 스타일의 질의는 유연하다. 예를 들어 Any를 Count로 바꾸면 고가 구매가 두 건 이상인 고객들만 조회할 수 있다.

```
...
where highValueP.Count() >= 2
select new { c.Name, Purchases = highValueP };
```

구체 형식으로의 투영

익명 형식으로의 투영은 중간 결과를 얻는 데에는 유용하지만, 결과를 클라이언트에 전달하는 데에는 그리 유용하지 않다. 익명 형식은 오직 메서드 안의 지역 변수로만 존재할 수 있기 때문이다. 대안은 DataSet류 클래스나 커스텀 업무 엔터티 클래스 같은 구체적인 형식으로 투영하는 것이다. 커스텀 업무 엔터티(business entity) 클래스는 프로그래머가 몇몇 속성을 직접 작성해서 만든 엔터티 클래스로, LINQ to SQL에서 `[Table]` 특성을 부여한 클래스나 EF의 엔터티 클래스와 비슷하되 저수준(데이터베이스 관련) 세부사항을 숨기는 것을 목적으로 한다. 예를 들어 업무 엔터티 클래스에서는 외래 키 필드들을 배제할 수 있다. 독자가 `CustomerEntity`와 `PurchaseEntity`라는 커스텀 엔터티 클래스들을 작성해 두었다고 가정하고, 다음은 이들에 대해 투영하는 방법을 보여주는 예이다.

```
IQueryable<CustomerEntity> query =
  from c in dataContext.Customers
  select new CustomerEntity
  {
    Name = c.Name,
    Purchases =
      (from p in c.Purchases
       where p.Price > 1000
       select new PurchaseEntity {
                                    Description = p.Description,
                                    Value = p.Price
                                  }
      ).ToList()
  };

// 다음처럼 List로 변환하면 질의 실행 결과를 좀 더 편하게 사용할 수 있다.
List<CustomerEntity> result = query.ToList();
```

지금까지는 `Join`이나 `SelectMany` 문을 사용할 필요가 없었다. 이는 그림 9-2에 나온 자료의 계통적 형태를 계속 유지했기 때문이다. 전통적인 SQL 접근방식에서는 테이블들을 평탄화해서 2차원 결과 집합으로 만들어야 했지만, LINQ에서는 굳이 그럴 필요가 없는 경우가 많다.

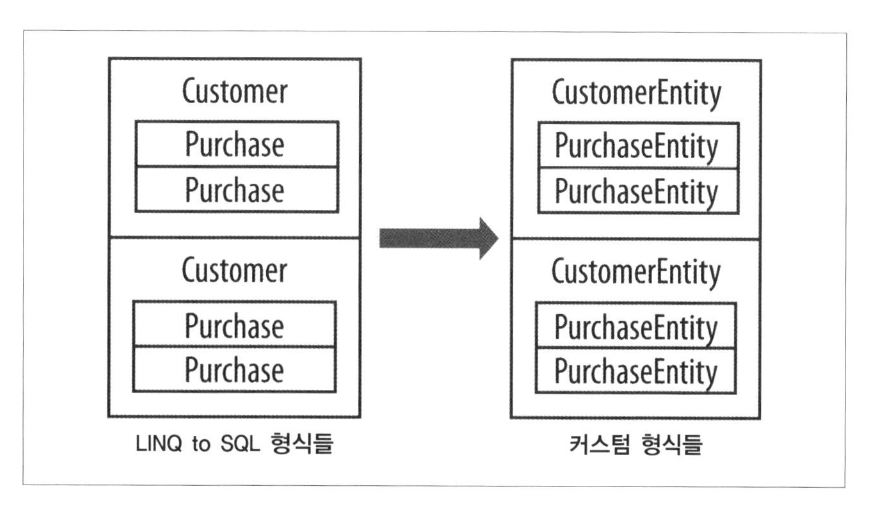

그림 9-2 객체 계통구조로의 투영

SelectMany

인수	형식
입력 순차열	`IEnumerable<TSource>`
결과 선택자	`TSource => IEnumerable<TResult>` 또는 `(TSource,int) => IEnumerable<TResult>`

질의 구문

```
from 식별자1 in 열거-가능-표현식1
from 식별자2 in 열거-가능-표현식2
 ...
```

Enumerable 구현

```
public static IEnumerable<TResult> SelectMany<TSource,TResult>
  (IEnumerable<TSource> source,
   Func <TSource,IEnumerable<TResult>> selector)
{
  foreach (TSource element in source)
    foreach (TResult subElement in selector (element))
      yield return subElement;
}
```

개요

SelectMany는 부분 순차열들을 하나의 평평한 순차열로 연결해서 출력한다.

Select의 출력 순차열은 입력 순차열과 같은 개수의 요소들로 구성된다. 반면 SelectMany의 출력 순차열은 요소가 *0..n*개(0개 이상, *n*개 이하)이다. 그 *0..n*개의 요소들은 람다식이 만들어 낸 부분 순차열 또는 자식 순차열에서 온 것이다.

SelectMany를 이용하면 자식 순차열들을 확장(전개)하거나, 중첩된 컬렉션들을 평평하게 만들거나, 두 컬렉션을 평평한 출력 순차열로 결합할 수 있다. 컨베이어 벨트에 비유하자면, SelectMany는 여러 원자재를 하나의 컨베이어 벨트로 투입하는 깔때기라 할 수 있다. SelectMany에서 입력 순차열의 각 요소는 원자재의 유입을 **촉발**한다. SelectMany의 selector 표현식은 입력 순차열의 **요소**마다 하나의 **자식 순차열**을 출력해야 한다. SelectMany의 최종 결과는, 입력 요소마다 산출된 자식 순차열들을 모두 연결해서 하나의 순차열로 만든 것이다.

간단한 예로 시작하자. 우선, 다음과 같은 이름들의 배열이 있다고 하자.

```
string[] fullNames = { "Anne Williams", "John Fred Smith", "Sue Green" };
```

목표는 이 이름들을 구성하는 모든 단어가 평평하게 나열된 컬렉션을 얻는 것이다.

```
"Anne", "Williams", "John", "Fred", "Smith", "Sue", Green"
```

이 과제에서는 입력 요소를 가변적인 개수의 출력 요소들에 대응시켜야 한다. SelectMany는 이런 종류의 작업에 아주 적합하다. 각 입력 요소를 자식 순차열로 변환하는 selector 표현식만 지정해 주면 된다. 그런 용도로 적합한 것이 string.Split 메서드이다. 이 메서드는 주어진 문자열을 개별 단어들로 분리한 결과를 담은 배열을 돌려준다.

```
string testInputElement = "Anne Williams";
string[] childSequence  = testInputElement.Split();

// childSequence는 { "Anne", "Williams" };
```

다음은 이 메서드를 이용한 SelectMany 질의와 그 결과이다.

```
IEnumerable<string> query = fullNames.SelectMany (name => name.Split());

foreach (string name in query)
  Console.Write (name + "|");  // Anne|Williams|John|Fred|Smith|Sue|Green|
```

이 질의의 SelectMany를 Select로 대체하면 같은 단어들이 계통적 형태로 구성된 순차열이 나온다. 다음 질의는 문자열 **배열**들의 순차열을 돌려주며, 그것을 열거하려면 중첩된 foreach 문들이 필요하다.

```
IEnumerable<string[]> query =
  fullNames.Select (name => name.Split());

foreach (string[] stringArray in query)
  foreach (string name in stringArray)
    Console.Write (name + "|");
```

반면 SelectMany는 하나의 **평평한** 결과 순차열을 출력하므로 열거하기가 편하다.

질의 구문도 SelectMany의 기능을 지원한다. 질의에 **생성기**(generator)를 **추가하면**, 다시 말해 또 다른 from 절을 두면 된다. 질의 구문에서 from 키워드는 두 가지 의미로 쓰인다. 질의의 제일 처음 부분에 나오는 from은 기본 범위 변수와 입력 순차열을 도입하는 역할을 한다. **그 외의 모든** 장소에 있는 from은 SelectMany로 번역된다. 다음은 앞의 질의를 질의 구문으로 표현한 것이다.

```
IEnumerable<string> query =
  from fullName in fullNames
  from name in fullName.Split()     // SelectMany로 번역됨
  select name;
```

추가 생성기가 새로운 범위 변수를 도입함을 주목하기 바란다. 지금 예에서는 name이 바로 그것이다. 기존 범위 변수도 여전히 유효하며, 두 변수 모두 이후의 표현식에서 접근할 수 있다.

다수의 범위 변수

앞의 예제에서 변수 name과 fullName은 둘 다 질의의 끝(또는 into 절의 시작)까지 유효한 범위에 있다. 이처럼 변수들의 범위가 연장된다는 점은 유창한 구문에 비한 질의 구문의 **결정적인** 장점이다.

이 점을 보여주기 위해 앞의 질의를 조금 수정해보자. 최종 투영에 fullName을 포함했음을 주목하기 바란다.

```
IEnumerable<string> query =
  from fullName in fullNames
  from name in fullName.Split()
  select name + "의 성명은 " + fullName;
```

결과는 다음과 같다.

```
Anne의 성명은 Anne Williams
Williams의 성명은 Anne Williams
John의 성명은 John Fred Smith
...
```

최종 투영 문구에서 두 변수 모두에 접근할 수 있는 것은 내부적으로 컴파일러가 마법을 부린 덕분이다. 이것이 얼마나 편리한 특혜인지는 같은 질의를 독자가 직접 유창한 구문으로 옮겨 보면 실감할 수 있다. 아마 쉽지 않을 것이다. 만일 다음처럼 투영 앞에 where 절이나 orderby 절을 삽입한다면 유창한 구문으로 번역하기가 더욱 어려워진다.

```
from fullName in fullNames
from name in fullName.Split()
orderby fullName, name
select name + "의 성명은 " + fullName;
```

문제는, SelectMany가 자식 순차열들을 연결해서 평평하게 한 순차열(지금 예에서는 단어들의 평평한 컬렉션)을 출력한다는 것이다. 그 과정에서, 출력 요소들이 비롯된 원래의 '외부' 요소(fullName)는 사라진다. 해결책은, 임시적인 익명 형식을 이용해서 각 자식 요소가 외부 요소를 "달고 다니게" 만드는 것이다.

```
from fullName in fullNames
from x in fullName.Split().Select (name => new { name, fullName } )
orderby x.fullName, x.name
select x.name + "의 성명은 " + x.fullName;
```

이전과 다른 점은 각 자식 요소(name)를 외부 요소(fullName)와 함께 하나의 익명 형식으로 감싼다는 것뿐이다. 이는 let 절이 환원되는 방식과 비슷하다. 다음은 이 질의를 유창한 구문으로 옮긴 최종 버전이다.

```
IEnumerable<string> query = fullNames
  .SelectMany (fName => fName.Split()
                               .Select (name => new { name, fName } ))
  .OrderBy (x => x.fName)
  .ThenBy  (x => x.name)
  .Select  (x => x.name + "의 성명은 " + x.fName);
```

질의 구문으로 생각하기

방금 보았듯이, 범위 변수가 여러 개인 질의는 질의 구문을 이용해서 작성하는 것이 여러모로 유리하다. 그런 경우 질의 구문은 질의를 구체적으로 작성할 때뿐만 아니라, 애초에 질의를 머릿속에서 구상하고 고찰하는 데에도 도움이 된다.

추가 생성기를 작성하는 패턴은 기본적으로 두 가지이다. 첫 번째 패턴은 **부분 순차열들의 확장과 평탄화**이다. 추가 생성기 안에서 기존 범위 변수에 대해 속성 또는 메서드를 호출하는 것이 이 패턴에 해당한다. 실제로 앞의 예제에서 이 패턴을 사용했다.

```
from fullName in fullNames
from name in fullName.Split()
```

이에 의해 전체 이름이 단어들의 배열로 확장된다. DB 대상 LINQ 질의에서는 자식 연관 관계 속성을 확장하는 것이 이 패턴에 해당한다. 다음 질의는 모든 고객을 해당 구매 레코드와 함께 나열한다.

```
IEnumerable<string> query = from c in dataContext.Customers
                            from p in c.Purchases
                            select c.Name + "의 구매 상품: " + p.Description;
```

질의 결과는 다음과 같다.

```
Tom의 구매 상품:  Bike
Tom의 구매 상품: Holiday
Dick의 구매 상품: Phone
Harry의 구매 상품: Car
...
```

이 질의는 각 고객을 구매 레코드들의 부분 순차열로 확장한다.

둘째 패턴은 **데카르트 곱**(cartesian product) 또는 **교차 결합**(cross join)을 수행하는 것, 다시 말해 한 순차열의 모든 요소를 각각 다른 순차열의 모든 요소와 대응시키는 것이다. 범위 변수와는 무관한 `selector` 표현식을 돌려주는 추가 생성기를 도입하는 것이 이 패턴에 해당한다.

```
int[] numbers = { 1, 2, 3 };  string[] letters = { "a", "b" };

IEnumerable<string> query = from n in numbers
                            from l in letters
                            select n.ToString() + l;
```

결과:

```
{ "1a", "1b", "2a", "2b", "3a", "3b" }
```

이런 스타일의 질의는 `SelectMany` 스타일 결합의 기초가 된다.

SelectMany 스타일의 결합

SelectMany를 이용해서 두 순차열을 결합하는 간단한 방법은 교차 결합의 결과를 필터링하는 것이다. 예를 들어 모든 선수가 다른 모든 선수와 한 번씩 시합한다고 하자. 다음은 모든 대진 조합을 출력하는 질의의 첫 버전이다.

```
string[] players = { "Tom", "Jay", "Mary" };

IEnumerable<string> query = from name1 in players
                            from name2 in players
                            select name1 + " vs " + name2;
```

결과:

```
{ "Tom vs Tom", "Tom vs Jay", "Tom vs Mary",
  "Jay vs Tom", "Jay vs Jay", "Jay vs Mary",
  "Mary vs Tom", "Mary vs "Jay", "Mary vs Mary" }
```

이 질의를 말로 표현하면, "모든 선수 각각에 대해 다른 모든 선수를 열거하면서 선수 1 대 선수 2의 시합을 출력한다"이다. 그런데 이 질의는 교차 결합이므로, 자신과의 시합들과 두 선수의 순서만 다른 시합들이 중복되어 나온다. 제대로 된 결과를 얻으려면 다음처럼 필터를 추가해야 한다.

```
IEnumerable<string> query = from name1 in players
                            from name2 in players
                            where name1.CompareTo (name2) < 0
                            orderby name1, name2
                            select name1 + " vs " + name2;
```

결과:

```
{ "Jay vs Mary", "Jay vs Tom", "Mary vs Tom" }
```

이 경우 필터 술어는 **결합 조건**(join condition)으로 작용한다. 결합 조건에 상등 연산자가 쓰이지 않았다는 점에서, 이 질의를 **비등가 질의**(non-equi join)라고 불러도 좋을 것이다.

그럼 LINQ to SQL에서 SelectMany로 수행할 수 있는 나머지 결합 연산들을 살펴보자(외래 키 필드를 명시적으로 사용하는 경우를 제외하면 이들은 EF에서도 작동한다).

LINQ to SQL과 EF의 SelectMany

LINQ to SQL과 EF의 SelectMany로 교차 결합, 비등가 결합, 내부 결합, 왼쪽 외부 결합을 수행할 수 있다. Select와 마찬가지로, SelectMany는 미리 정의된 연관 관계뿐만 아니라 임시적인 관계도 지원한다. Select와의 차이점은, SelectMany는 계통적 형태의 결과 집합이 아니라 평평한 결과 집합을 돌려준다는 것이다.

DB 대상 LINQ의 교차 결합을 작성하는 방법은 이미 앞 절에서 보았다. 다음 질의는 모든 고객과 모든 구매 레코드의 모든 쌍을 나열한다(교차 결합).

```
var query = from c in dataContext.Customers
            from p in dataContext.Purchases
            select c.Name + "의 구매 상품(아마도): " + p.Description;
```

그런데 실제 응용에서는 각 고객을 고객 자신의 구매 레코드들에만 대응시키는 것이 일반적이다. 그렇게 하려면 결합용 술어가 있는 where 절을 추가하면 된다. 그러면 다음과 같이 표준적인 SQL 스타일 등가 결합 질의가 만들어진다.

```
var query = from c in dataContext.Customers
            from p in dataContext.Purchases
            where c.ID == p.CustomerID
            select c.Name + "의 구매 상품: " + p.Description;
```

이 질의는 SQL 질의문으로 잘 번역된다. 다음 절에서는 외부 결합을 지원하도록 이를 확장하는 방법이 나온다. 이런 스타일의 질의를 LINQ의 Join 연산자를 이용해서 다시 작성하면 오히려 확장성이 **떨어진다**. 이런 측면에서 LINQ는 SQL과 반대이다.

엔터티들의 관계에 대한 연관 속성이 엔터티 클래스에 존재한다면, 교차 결합 결과를 필터링하는 질의 대신 자식 컬렉션들을 확장하는 형태의 질의로도 같은 결과를 얻을 수 있다.

```
from c in dataContext.Customers
from p in c.Purchases
select new { c.Name, p.Description };
```

EF의 엔터티는 외래 키를 노출하지 않으므로, 알려진 관계들을 활용하려면 **반드시** 연관 속성을 사용해야 한다. 앞에서 한 것처럼 직접 결합을 수행할 수는 없다.

이 방식의 장점은 결합 조건에 해당하는 술어를 생략할 수 있다는 점이다. 교차 결합을 필터링하는 대신 자식 컬렉션들을 확장하고 평탄화했기 때문이다. 그러나 궁극적으로 두 질의는 동일한 SQL 문으로 환원된다.

확장/평탄화 질의에 추가적인 필터링을 위해 where 절을 도입하는 것도 가능하다. 예를 들어 이름이 'T'로 시작하는 고객들만 조회하고 싶다면 다음과 같이 필터를 추가하면 된다.

```
from c in dataContext.Customers
where c.Name.StartsWith ("T")
from p in c.Purchases
select new { c.Name, p.Description };
```

DB 대상 LINQ의 질의에서 where 절을 한 줄 아래로 옮겨도 차이가 생기지 않는다. 그러나 지역 질의에서는 where 절을 한 줄 아래로 옮기면 효율성이 떨어진다. 지역 질의에서는 필터링을 결합 전에 수행하는 것이 바람직하다.

또 다른 from 절을 이용해서 새로운 테이블들을 도입할 수도 있다. 예를 들어 구매 레코드마다 구매 항목(제품) 정보를 담은 자식 행들이 있다고 하자. 다음은 고객별 구매 정보와 구매 항목 상세 정보를 담은 평평한 형태의 순차열을 돌려주는 질의이다.

```
from c in dataContext.Customers
from p in c.Purchases
from pi in p.PurchaseItems
select new { c.Name, p.Description, pi.DetailLine };
```

각 from 절은 새로운 **자식** 테이블을 도입한다. **부모** 테이블의 자료를 포함시킬 때에는 from 절을 추가할 필요가 없다. 그냥 해당 연관 속성에 접근하면 된다. 예를 들어 고객마다 전담 영업사원(판매원)이 있다고 할 때, 다음은 고객 이름과 해당 영업사원 이름의 쌍들을 출력하는 질의이다.

```
from c in dataContext.Customers
select new { Name = c.Name, SalesPerson = c.SalesPerson.Name };
```

이 경우에는 평탄화할 부분 컬렉션들이 없으므로 SelectMany를 사용할 필요가 없다. 부모 연관 속성은 하나의 항목을 돌려준다.

SelectMany를 이용한 외부 결합

Select 부분 질의가 왼쪽 외부 결합에 해당하는 결과를 돌려준다는 점은 이미 앞에서 이야기했다. 예를 들면 다음과 같다.

```
from c  in dataContext.Customers
select new {
```

```
        c.Name,
        Purchases = from p in c.Purchases
                    where p.Price > 1000
                    select new { p.Description, p.Price }
      };
```

이 질의의 결과에는 모든 외부 요소(고객 정보)가 포함된다. 즉, 구매 기록이 하나도 없는 고객들까지 모두 포함되는 것이다. 이 질의를 SelectMany 스타일로 다시 작성하면 계통적인 결과 집합이 아니라 하나의 평평한 컬렉션을 얻게 된다.

```
from c in dataContext.Customers
from p in c.Purchases
where p.Price > 1000
select new { c.Name, p.Description, p.Price };
```

질의를 다시 작성하는 과정에서 결합의 종류가 왼쪽 외부 결합이 아니라 내부 결합으로 바뀌었다. 즉, 이제는 고가 구매 기록이 있는 고객들만 결과에 포함된다. 왼쪽 외부 결합에서 이런 평평한 결과를 얻으려면 반드시 내부 순차열에 대해 DefaultIfEmpty 질의 연산자를 적용해야 한다. DefaultIfEmpty 메서드는 만일 입력 순차열에 요소가 하나도 없으면 널 요소가 하나 있는 순차열을 돌려준다.

다음은 DefaultIfEmpty를 적용한 질의이다. 구매 가격 술어는 생략했다.

```
from c in dataContext.Customers
from p in c.Purchases.DefaultIfEmpty()
select new { c.Name, p.Description, Price = (decimal?) p.Price };
```

LINQ to SQL과 EF에서는 이 질의가 완벽하게 작동해서, 구매 기록이 없는 고객들까지 포함해서 모든 고객을 돌려준다. 그런데 이 질의를 지역 질의로 실행하면 예외가 발생할 수 있다. 만일 p가 널이면 p.Description과 p.Price가 NullReferenceException을 던진다. 다음과 같은 보호 수단을 추가하면 지역에서도 안정적으로 실행된다.

```
from c in dataContext.Customers
from p in c.Purchases.DefaultIfEmpty()
select new {
             c.Name,
             Descript = p == null ? null : p.Description,
             Price = p == null ? (decimal?) null : p.Price

           };
```

이제 가격 필터를 다시 도입하자. 이전처럼 그냥 where 절을 추가해서는 안 된다. 그렇게 하면 DefaultIfEmpty 이후에 필터가 적용될 것이기 때문이다.

```
from c in dataContext.Customers
from p in c.Purchases.DefaultIfEmpty()
where p.Price > 1000...
```

제대로 된 해결책은 부분 질의를 이용해서 Where 절을 DefaultIfEmpty 앞에 두는 것이다.

```
from c in dataContext.Customers
from p in c.Purchases.Where (p => p.Price > 1000).DefaultIfEmpty()
select new {
             c.Name,
             Descript = p == null ? null : p.Description,
             Price = p == null ? (decimal?) null : p.Price
           };
```

LINQ to SQL과 EF는 이를 왼쪽 외부 결합으로 바꾼다. 왼쪽 외부 결합을 수행하고 싶을 때에는 이 질의의 패턴을 따르는 것이 효과적이다.

SQL에서 외부 결합을 작성하는 데 익숙한 독자라면, 이런 스타일의 질의를 작성할 때 더 간단한 형태의 Select 부분 질의 대신 어색한, 그러나 SQL 경험자에게는 친숙한 '평평한 컬렉션' 접근방식 쪽으로 마음이 쏠릴 가능성이 있다. 그러나 외부 결합 스타일의 질의에는 Select 부분 질의가 돌려주는 계통적 결과 집합이 더 나은 경우가 많다. 그런 방식에서는 추가적인 널들을 다룰 필요가 없기 때문이다.

결합

메서드	설명	해당 SQL 구
Join	두 컬렉션의 요소들을 주어진 조회 전략(lookup strategy)을 이용해서 짝짓고, 그 결과를 평평한 형태로 출력한다.	INNER JOIN
GroupJoin	Join과 같되, 결과 집합이 **계통적**이다.	INNER JOIN, LEFT OUTER JOIN
Zip	두 순차열의 요소들을 차례로 짝지으면서(마치 지퍼를 채우듯이) 각 요소 쌍에 함수를 적용한다.	(예외 발생)

Join과 GroupJoin

IEnumerable<TOuter>, IEnumerable<TInner>→IEnumerable<TResult>

Join의 인수들

인수	형식
외부 순차열	IEnumerable<TOuter>
내부 순차열	IEnumerable<TInner>
외부 키 선택자	TOuter => TKey
내부 키 선택자	TInner => TKey
결과 선택자	(TOuter,TInner) => TResult

GroupJoin의 인수들

인수	형식
외부 순차열	IEnumerable<TOuter>
내부 순차열	IEnumerable<TInner>
외부 키 선택자	TOuter => TKey
내부 키 선택자	TInner => TKey
결과 선택자	(TOuter,**IEnumerable<TInner>**) => TResult

질의 구문

```
from 외부-변수 in 외부-열거-가능
join 내부-변수 in 내부-열거-가능 on 외부-키-표현식 equals 내부-키-표현식
     [ into 식별자 ]
```

개요

Join과 GroupJoin은 두 입력 순차열을 하나의 출력 순차열로 합친다. Join은 평평한 순차열을 출력하고 GroupJoin은 계통적 순차열을 출력한다.

Join과 GroupJoin의 용도는 Select 및 SelectMany의 용도와 비슷하다. Join과 GroupJoin의 장점은 클라이언트 메모리 안에 있는 지역 컬렉션에 대해 효율적으로 실행된다는 점이다. 이는 이 연산자들이 내부 순차열을 먼저 키 있는 조회 객체(keyed lookup)에 적재하기 때문이다. 그래서 모든 내부 요소를 되풀이해서 열거할 필요가 없다. 단점은, 내부 결합과 왼쪽 외부 결합만 지원한다는 점이다. 교차 결합이나 비등가 결합을 수행하려면 Select/SelectMany를 사용해야 한다. LINQ to SQL과 EF 질의에서는 Select/SelectMany보다 Join/GroupJoin이 더 나은 점이 사실상 없다.

표 9-1은 이 두 결합 전략들 사이의 차이점을 요약한 것이다.

표 9-1 결합 전략들

전략	결과 형태	지역 질의 효율성	내부 결합	왼쪽 외부 결합	교차 결합	비등가 결합
Select + SelectMany	평평함	나쁨	지원	지원	지원	지원
Select + Select	중첩됨	나쁨	지원	지원	지원	지원
Join	평평함	좋음	지원	-	-	-
GroupJoin	중첩됨	좋음	지원	지원	-	-
GroupJoin + SelectMany	평평함	좋음	지원	지원	-	-

Join

Join 연산자는 내부 결합을 수행해서 평평한 순차열을 출력한다.

EF에서는 외래 키 필드가 숨겨지므로 자연스러운 관계들에 대해 결합을 직접 수행할 수 없다(대신, 이전 두 절에서 설명한 것처럼 연관 속성들로 질의를 수행해야 한다).

Join이 지역 질의에 좋긴 하지만, 그 작동 방식을 설명하기에는 LINQ to SQL을 예로 드는 것이 더 간단하다. 다음은 연관 속성을 사용하지 않고 모든 고객과 그 구매 정보를 나열하는 질의이다.

```
IQueryable<string> query =
  from c in dataContext.Customers
  join p in dataContext.Purchases on c.ID equals p.CustomerID
  select c.Name + "의 구매 상품: " + p.Description;
```

이 질의는 SelectMany 스타일의 질의와 같은 결과를 출력한다.

```
Tom의 구매 상품:  Bike
Tom의 구매 상품: Holiday
Dick의 구매 상품: Phone
Harry의 구매 상품: Car
```

SelectMany에 비한 Join의 장점을 보여주려면 이를 지역 질의로 바꾸어야 한다. 다음은 모든 고객 정보와 구매 정보를 두 지역 배열에 복사하고 두 배열에 대해 질의를 구축한 예이다. Join을 사용하지 않는 버전도 추가했다.

```
Customer[] customers = dataContext.Customers.ToArray();
Purchase[] purchases = dataContext.Purchases.ToArray();
```

```
var slowQuery = from c in customers
                from p in purchases where c.ID == p.CustomerID
                select c.Name + "의 구매 상품: " + p.Description;

var fastQuery = from c in customers
                join p in purchases on c.ID equals p.CustomerID
                select c.Name + "의 구매 상품: " + p.Description;
```

두 질의는 같은 결과를 내지만, Join을 사용한 질의가 훨씬 더 빠르다. 이는 해당 Enumerable 구현이 내부 컬렉션(purchases)을 키 있는 조회 객체에 미리 적재해 두기 때문이다.

다음은 질의 구문의 join 절의 일반적인 형태이다.

```
join 내부-변수 in 내부-순차열 on 외부-키-선택자 equals 내부-키-선택자
```

LINQ의 결합 연산자들은 **외부 순차열**과 **내부 순차열**을 구분한다. 구문상으로,

- **외부 순차열**은 입력 순차열이다(지금 예에서는 customers).
- **내부 순차열**은 join 절이 새로 도입하는 컬렉션이다(지금 예에서는 purchases).

Join은 내부 결합을 수행한다. 즉, 구매 기록이 없는 고객은 출력에 포함되지 않는다. 내부 결합에서는 질의의 내부 순차열과 외부 순차열을 맞바꾸어도 같은 결과가 나온다.

```
from p in purchases                                // 이제는 p가 외부
join c in customers on p.CustomerID equals c.ID    // 이제는 c가 내부
...
```

하나의 질의에 여러 개의 join 절을 둘 수 있다. 예를 들어 각 구매에 하나 이상의 구매 항목 정보가 존재한다면, 구매 항목들을 다음과 같이 결합할 수 있다.

```
from c in customers
join p in purchases on c.ID equals p.CustomerID          // 첫 결합
join pi in purchaseItems on p.ID equals pi.PurchaseID    // 둘째 결합
...
```

이 경우 purchases는 첫 결합에서는 내부 순차열, 둘째 결합에서는 외부 순차열로 작용한다. 다음과 같은 내포된 foreach 문들로도 같은 결과를 얻을 수 있다(단, 더 비효율적이다).

```
foreach (Customer c in customers)
  foreach (Purchase p in purchases)
```

```
    if (c.ID == p.CustomerID)
      foreach (PurchaseItem pi in purchaseItems)
        if (p.ID == pi.PurchaseID)
          Console.WriteLine (c.Name + "," + p.Price + "," + pi.Detail);
```

SelectMany 스타일의 질의에서와 마찬가지로, 질의 구문에서는 이전 결합의 변수들이 여전히 유효 범위에 있다. 또한, join 절들 사이에 where 절이나 let 절들을 끼워 넣는 것도 허용된다.

다중 키 결합

다음 예처럼 익명 형식을 이용하면 여러 개의 키로 결합을 수행할 수 있다.

```
from x in sequenceX
join y in sequenceY on new { K1 = x.Prop1, K2 = x.Prop2 }
                equals new { K1 = y.Prop3, K2 = y.Prop4 }
...
```

이런 질의가 작동하려면, 두 익명 형식의 구조가 동일해야 한다. 그러면 컴파일러가 둘을 동일한 내부 형식으로 구현하며, 따라서 결합 키들이 호환된다.

유창한 구문의 결합

다음과 같은 질의 구문 결합 질의를 생각해 보자.

```
from c in customers
join p in purchases on c.ID equals p.CustomerID
select new { c.Name, p.Description, p.Price };
```

이를 유창한 구문으로 바꾸면 다음과 같은 형태가 된다.

```
customers.Join (                // 외부 순차열
      purchases,                // 내부 순차열
      c => c.ID,                // 외부 키 선택자
      p => p.CustomerID,        // 내부 키 선택자
      (c, p) => new
         { c.Name, p.Description, p.Price }    // 결과 선택자
);
```

질의 끝의 결과 선택자 표현식은 출력 순차열의 각 요소를 생성한다. 그런데 투영 전에 또 다른 절이, 예를 들어 다음과 같이 orderby 절이 있는 질의를 유창한 구문으로 옮기려면,

```
from c in customers
join p in purchases on c.ID equals p.CustomerID
```

```
orderby p.Price
select c.Name + "의 구매 상품: " + p.Description;
```

다음처럼 임시 익명 형식을 도입할 필요가 있다. 그래야 그 이후의 결합에서 c와 p가 여전히 유효한 범위 안에 있게 된다.

```
customers.Join (                    // 외부 순차열
      purchases,                    // 내부 순차열
      c => c.ID,                    // 외부 키 선택자
      p => p.CustomerID,            // 내부 키 선택자
      (c, p) => new { c, p } )      // 결과 선택자
  .OrderBy (x => x.p.Price)
  .Select  (x => x.c.Name + "의 구매 상품: " + x.p.Description);
```

대체로, 결합을 수행할 때에는 코드가 덜 장황한 질의 구문이 더 낫다.

GroupJoin

GroupJoin은 Join과 같은 일을 하되, 평평한 결과가 아니라 외부 요소마다 자식 순차열이 있는 형태의 계통적인 결과를 낸다. 또한, GroupJoin은 왼쪽 외부 결합을 지원한다.

GroupJoin의 질의 구문은 Join 구문에 into 절이 붙는 형태이다.

다음은 아주 기본적인 예이다.

```
IEnumerable<IEnumerable<Purchase>> query =
  from c in customers
  join p in purchases on c.ID equals p.CustomerID
  into custPurchases
  select custPurchases;   // custPurchases는 하나의 순차열
```

into 절은 join 절 바로 다음에 있을 때에만 GroupJoin으로 해석된다. select나 group 절 다음의 into는 **질의 연속**(query continuation)을 뜻한다. into 키워드의 이 두 용법은 그 의미가 아주 다르다. 단, 둘 다 새로운 범위 변수를 도입한다는 공통점이 있다.

이 질의의 결과는 순차열들의 순차열이다. 다음은 그러한 계통적 순차열을 열거하는 예이다.

```
foreach (IEnumerable<Purchase> purchaseSequence in query)
  foreach (Purchase p in purchaseSequence)
    Console.WriteLine (p.Description);
```

그런데 이 결과 순차열은 그리 유용하지 않다. purchaseSequence의 구매 레코드들이 어떤 고객에 속한 것인지가 빠져 있기 때문이다. 일반적으로는 다음 예처럼 고객 이름을 함께 묶어서 출력하는 것이 더 유용하다.

```
from c in customers
join p in purchases on c.ID equals p.CustomerID
into custPurchases
select new { CustName = c.Name, custPurchases };
```

이 질의는 다음의(덜 효율적인) Select 부분 질의와 같은 결과를 출력한다.

```
from c in customers
select new
{
  CustName = c.Name,
  custPurchases = purchases.Where (p => c.ID == p.CustomerID)
};
```

GroupJoin은 기본적으로 왼쪽 외부 결합에 해당하는 일을 수행한다. 내부 결합을 원한다면, 즉 구매 기록이 없는 고객들을 제외하려면, custPurchases에 대해 필터를 적용해야 한다.

```
from c in customers join p in purchases on c.ID equals p.CustomerID
into custPurchases
where custPurchases.Any()
select ...
```

GroupJoin에 해당하는 질의의 into 다음에 있는 절들은 **개별** 자식 요소들이 아니라 자식 요소들의 **부분 순차열**에 대해 작동한다. 이 때문에, 개별 구매 레코드를 걸러내려면 결합 **전에** Where를 호출해야 한다.

```
from c in customers
join p in purchases.Where (p2 => p2.Price > 1000)
  on c.ID equals p.CustomerID
into custPurchases ...
```

GroupJoin에서 람다 질의를 구축하는 방법은 Join에서와 같다.

평평한 외부 결합

외부 결합을 수행하되, 평평한 결과 집합을 얻고 싶다면 어떻게 해야 할까? 외부 결합을 지원하는 것은 GroupJoin이고, 평평한 결과 집합을 제공하는 것은 Join이다. 둘을 섞는 방법은, 우선 GroupJoin을 실행하고, 각 자식 순차열에 대해

DefaultIfEmpty를 호출하고, 최종적으로 그 결과에 대해 SelectMany를 적용하는 것이다.

```
from c in customers
join p in purchases on c.ID equals p.CustomerID into custPurchases
from cp in custPurchases.DefaultIfEmpty()
select new
{
  CustName = c.Name,
  Price = cp == null ? (decimal?) null : cp.Price
};
```

DefaultIfEmpty는 자식 순차열(구매 레코드들)이 비어 있으면 널 요소 하나로 된 순차열을 돌려준다. 두 번째 from 절은 SelectMany로 번역된다. 이 질의에서 SelectMany는 모든 구매 레코드 자식 순차열을 **확장하고 평탄화해서**, 구매 레코드 요소들로 이루어진 하나의 순차열을 출력한다.

조회 객체를 이용한 결합

Enumerable의 Join과 GroupJoin 메서드는 두 단계로 작동한다. 첫째로, 이 메서드들은 내부 순차열을 하나의 **조회 객체**(lookup)에 적재한다. 둘째로, 이들은 그 조회 객체를 이용해서 외부 순차열을 질의한다.

조회 객체는 키를 이용해서 개별 순차열에 접근할 수 있는 키-순차열 쌍들의 순차열이다. 이를 하나의 키에 여러 개의 값(요소)을 대응시킬 수 있는, '순차열들의 사전'이라고 생각해도 좋다(그래서 **중복사전**(multidictionary)†이라고 부르기도 한다). 조회 객체는 읽기 전용이며, 다음과 같은 인터페이스로 정의된다.

```
public interface ILookup<TKey,TElement> :
   IEnumerable<IGrouping<TKey,TElement>>, IEnumerable
{
  int Count { get; }
  bool Contains (TKey key);
  IEnumerable<TElement> this [TKey key] { get; }
}
```

순차열을 출력하는 다른 여러 질의 연산자들처럼, 결합 연산자들은 지연된 실행(게으른 실행) 의미론을 따른다. 따라서 조회 객체는 출력 순차열을 열거하기 시작해야 비로소 구축된다(그리고 그 시점에서 조회 객체 **전체**가 구축된다).

† (옮긴이) '중복사전'은 같은 원소가 여러 개 있을 수 있는 집합을 뜻하는 multiset을 흔히 '중복집합'이라고 옮기는 데에서 착안한 용어이다.

지역 컬렉션을 다룰 때에는 결합 연산자를 사용하는 대신 조회 객체를 직접 구축해서 질의하는 접근방식도 가능하다. 이러한 접근방식의 장점은 다음 두 가지이다.

- 같은 조회 객체에 대해 여러 가지 질의를 적용할 수 있다. 또한, 통상적인 명령식(imperative) 코드를 이용해서 결과를 열거할 수도 있다.
- 조회 객체를 직접 질의해 보면 Join과 GroupJoin의 작동 방식을 이해하는 데 크게 도움이 된다.

질의 객체를 생성하는 한 가지 방법은 확장 메서드 ToLookup을 호출하는 것이다. 다음 예는 CustomerID를 키로 사용해서 모든 구매 레코드를 질의 객체에 적재한다.

```
ILookup<int?,Purchase> purchLookup =
  purchases.ToLookup (p => p.CustomerID, p => p);
```

첫 인수는 키를 선택한다. 둘째 인수는 조회 객체에 '값'들로써 적재되는 요소들을 선택한다.

조회 객체에서 값을 조회하는 것은 보통의 사전에서 값을 조회하는 것과 비슷하다. 단, 이 경우 인덱서는 키에 부합하는 **하나의** 항목이 아니라 그런 항목들의 **순차열**을 돌려준다. 다음은 ID가 1인 고객의 모든 구매 정보를 열거하는 예이다.

```
foreach (Purchase p in purchLookup [1])
  Console.WriteLine (p.Description);
```

일단 조회 객체를 마련했다면, Join/GroupJoin 질의 만큼이나 효율적으로 실행되는 SelectMany/Select 질의를 작성할 수 있다. 조회 객체에 대한 SelectMany 질의는 Join 질의와 동등하다.

```
from c in customers
from p in purchLookup [c.ID]
select new { c.Name, p.Description, p.Price };
```

결과:

```
Tom Bike 500
Tom Holiday 2000
Dick Bike 600
Dick Phone 300
...
```

여기에 DefaultIfEmpty 호출을 추가하면 외부 결합 질의가 된다.

```
from c in customers
from p in purchLookup [c.ID].DefaultIfEmpty()
 select new {
              c.Name,
              Descript = p == null ? null : p.Description,
              Price = p == null ? (decimal?) null : p.Price
            };
```

다음과 같이 투영 안에서 조회 객체를 읽는 것은 GroupJoin에 해당한다.

```
from c in customers
select new {
             CustName = c.Name,
             CustPurchases = purchLookup [c.ID]
           };
```

Enumerable 구현

다음은 Enumerable.Join의 유효한 구현으로는 가장 간단한 형태이다(널 점검은 생략했음).

```
public static IEnumerable <TResult> Join
                                    <TOuter,TInner,TKey,TResult> (
  this IEnumerable <TOuter>     outer,
  IEnumerable <TInner>          inner,
  Func <TOuter,TKey>            outerKeySelector,
  Func <TInner,TKey>            innerKeySelector,
  Func <TOuter,TInner,TResult>  resultSelector)
{
  ILookup <TKey, TInner> lookup = inner.ToLookup (innerKeySelector);
  return
    from outerItem in outer
    from innerItem in lookup [outerKeySelector (outerItem)]
    select resultSelector (outerItem, innerItem);
}
```

GroupJoin의 구현은 Join의 구현과 비슷하되 더 간단하다.

```
public static IEnumerable <TResult> GroupJoin
                                    <TOuter,TInner,TKey,TResult> (
  this IEnumerable <TOuter>     outer,
  IEnumerable <TInner>          inner,
  Func <TOuter,TKey>            outerKeySelector,
  Func <TInner,TKey>            innerKeySelector,
  Func <TOuter,IEnumerable<TInner>,TResult>  resultSelector)
{
  ILookup <TKey, TInner> lookup = inner.ToLookup (innerKeySelector);
```

```
    return
      from outerItem in outer
      select resultSelector
       (outerItem, lookup [outerKeySelector (outerItem)]);
  }
```

Zip 연산자

`IEnumerable<TFirst>`, `IEnumerable<TSecond>`→ `IEnumerable<TResult>`

Zip 연산자는 .NET Framework 4.0에 추가되었다. 이 질의 연산자는 두 순차열의 요소들을 한 단계씩 훑으면서(마치 지퍼를 채우듯이) 각 요소 쌍에 함수를 적용한 결과를 담은 순차열을 돌려준다. 예를 들어 다음 예는

```
int[] numbers = { 3, 5, 7 };
string[] words = { "삼", "오", "칠", "해당 없음" };
IEnumerable<string> zip = numbers.Zip (words, (n, w) => n + "=" + w);
```

다음과 같은 요소들로 이루어진 순차열을 산출한다.

```
3=삼
5=오
7=칠
```

두 입력 순차열의 길이가 다른 경우, 여분의 요소들은 무시된다. EF와 L2S는 Zip을 지원하지 않는다.

순서 결정

`IEnumerable<TSource>`→ `IOrderedEnumerable<TSource>`

메서드	설명	해당 SQL 구문
OrderBy, ThenBy	순차열을 오름차순으로 정렬한다.	ORDER BY ...
OrderByDescending, ThenByDescending	순차열을 내림차순으로 정렬한다.	ORDER BY ... DESC
Reverse	입력 순차열과 순서가 반대인 순차열을 돌려준다.	(예외 발생)

순서 결정(ordering) 연산자들은 입력 순차열의 요소들을 원래와는 다른 순서로 나열한 순차열을 돌려준다.

OrderBy, OrderByDescending, ThenBy, ThenByDescending

OrderBy와 OrderByDescending의 인수들

인수	형식
입력 순차열	IEnumerable<TSource>
키 선택자	TSource => TKey

반환 형식은 IOrderedEnumerable<TSource>이다.

ThenBy와 ThenByDescending의 인수들

인수	형식
입력 순차열	IOrderedEnumerable<TSource>
키 선택자	TSource => TKey

질의 구문

```
orderby 표현식1 [descending] [, 표현식2 [descending] ... ]
```

개요

OrderBy는 입력 순차열을 정렬한 버전을 출력한다. keySelector 표현식은 정렬 시 두 요소의 순서를 비교하는 데 쓰이는 정렬 키(sorting key)를 돌려준다. 다음 질의는 이름들의 순차열을 알파벳순으로 정렬한 결과를 출력한다.

```
IEnumerable<string> query = names.OrderBy (s => s);
```

다음 질의는 이름들을 길이순으로 정렬한다.

```
IEnumerable<string> query = names.OrderBy (s => s.Length);
```

결과:

```
{ "Jay", "Tom", "Mary", "Dick", "Harry" };
```

정렬 키가 같은 요소들(지금 예에서는 Jay와 Tom, Mary와 Dick)의 순서는 정의되지 않는다. 그런 순서를 지정하려면 ThenBy 연산자를 추가해야 한다.

```
IEnumerable<string> query = names.OrderBy (s => s.Length).ThenBy (s => s);
```

결과:

```
{ "Jay", "Tom", "Dick", "Mary", "Harry" };
```

ThenBy는 그 앞의 정렬에서 정렬 키가 같은 요소들의 순서만 바꾼다. ThenBy 연산자를 여러 개 이을 수도 있다. 다음은 이름들을 먼저 길이순으로 정렬하고, 그런 다음 둘째 문자를 기준으로 정렬하고, 마지막으로 첫 문자를 기준으로 정렬하는 예이다.

```
names.OrderBy (s => s.Length).ThenBy (s => s[1]).ThenBy (s => s[0]);
```

이를 질의 구문으로 표현하면 다음과 같다.

```
from s in names
orderby s.Length, s[1], s[0]
select s;
```

다음 버전은 **정확하지 않다**. 이 질의는 먼저 s[1]로 정렬한 후 s.Length로 정렬한다(게다가 데이터베이스 질의에서는 s[1]**로만** 정렬할 뿐, 그 앞에 지정된 정렬 기준은 무시한다).

```
from s in names
orderby s.Length
orderby s[1]
...
```

LINQ는 이들과 같은 일을 수행하되 '역순'의 결과를 돌려주는 두 연산자를 제공한다. 바로 OrderByDescending과 ThenByDescending이다. 다음 DB 대상 질의는 구매 레코드들을 가격의 내림차순으로 정렬하되, 가격이 같은 구매 레코드들은 알파벳순으로 정렬한다.

```
dataContext.Purchases.OrderByDescending (p => p.Price)
                     .ThenBy (p => p.Description);
```

이를 질의 구문으로 표현하면 다음과 같다.

```
from p in dataContext.Purchases
orderby p.Price descending, p.Description
select p;
```

비교자와 콜레이션

지역 질의에서 정렬 기준은 키 선택자 객체 자체의 기본 IComparable 구현(제7장 참고)이 결정한다. 다른 정렬 기준을 사용하고 싶다면 IComparer 파생 형식의 비교자 객체를 지정하면 된다. 다음은 이름들을 대소문자 구분 없이 정렬하는 예이다.

```
names.OrderBy (n => n, StringComparer.CurrentCultureIgnoreCase);
```

질의 구문에서는 비교자를 지정할 수 없다. 또한, LINQ to SQL과 EF에서는 어떤 구문이든 비교자 지정을 지원하지 않는다. 데이터베이스 질의에서 정렬 기준은 해당 열의 콜레이션collation 설정이 결정한다. 영문 대소문자를 비교하는 콜레이션이 설정된 열에 대해 대소문자를 구분하지 않는 정렬을 수행하는 한 가지 방법은 다음처럼 키 선택자에서 ToUpper를 호출하는 것이다.

```
from p in dataContext.Purchases
orderby p.Description.ToUpper()
select p;
```

IOrderedEnumerable과 IOrderedQueryable

순서 질의 연산자들은 특정한 IEnumerable<T> 파생 형식들을 돌려준다. Enumerable의 질의 연산자들은 IOrderedEnumerable<TSource>를 돌려주고 Queryable의 질의 연산자들은 IOrderedQueryable<TSource>를 돌려준다. 이 파생 형식들에서는, 기존 순서를 아예 대체하는 것이 아니라 일부만 다듬는 ThenBy 연산자를 뒤에 붙일 수 있다.

이 파생 형식들이 정의하는 추가적인 멤버들은 공용으로 노출되지 않으므로, 겉으로 보기에 이 형식들은 보통의 순차열과 다를 바가 없다. 그러나 질의를 점진적으로 구축해 보면 보통의 순차열과 다른 점이 드러난다.

```
IOrderedEnumerable<string> query1 = names.OrderBy (s => s.Length);
IOrderedEnumerable<string> query2 = query1.ThenBy (s => s);
```

만일 query1을 IEnumerable<string> 형식으로 선언했다면 둘째 줄이 컴파일되지 않는다. 확장 메서드 ThenBy는 IOrderedEnumerable<string> 형식의 인수를 받기 때문이다. 이런 차이점을 신경 쓰고 싶지 않다면, 다음처럼 질의 변수의 형식을 암묵적으로 지정하면 된다.

```
var query1 = names.OrderBy (s => s.Length);
var query2 = query1.ThenBy (s => s);
```

그러나 암묵적 형식 지정 때문에 문제가 생길 수도 있다. 다음 예는 컴파일되지 않는다.

```
var query = names.OrderBy (s => s.Length);
query = query.Where (n => n.Length > 3);        // 컴파일 시점 오류
```

컴파일러는 OrderBy의 출력 순차열 형식에 기초해서 query의 형식이 IOrdered Enumerable<string>이라고 추론한다. 그러나 그다음 줄의 Where는 보통의 IEnumerable<string>을 돌려주며, 그것을 다시 query에 배정할 수는 없다. 해결책은 명시적으로 형식을 지정하거나, 아니면 OrderBy 다음에 AsEnumerable을 호출하는 것이다.

```
var query = names.OrderBy (s => s.Length).AsEnumerable();
query = query.Where (n => n.Length > 3);                    // OK
```

해석식 질의에서는 AsEnumerable 대신 AsQueryable을 호출해야 한다.

그룹화

IEnumerable<TSource>→ IEnumerable<IGrouping<TKey,TElement>>

메서드	설명	해당 SQL 구문
GroupBy	입력 순차열의 요소들을 여러 그룹으로 분류한 부분 순차열들을 출력한다.	GROUP BY

GroupBy

인수	형식
입력 순차열	IEnumerable<TSource>
키 선택자	TSource => TKey
요소 선택자(선택적)	TSource => TElement
비교자(선택적)	IEqualityComparer<TKey>

질의 구문

group *요소-표현식* by *키-표현식*

개요

GroupBy는 평평한 입력 순차열을 **그룹**group들의 순차열들로 조직화한다. 예를 들어 다음은 *c:\temp*의 모든 파일을 확장자별로 조직화하는 질의이다.

```
string[] files = Directory.GetFiles ("c:\\temp");

IEnumerable<IGrouping<string,string>> query =
  files.GroupBy (file => Path.GetExtension (file));
```

암묵적 형식 지정에 익숙한 독자라면 다음과 같이 해도 된다.

```
var query = files.GroupBy (file => Path.GetExtension (file));
```

다음은 질의 결과를 열거하는 방법을 보여주는 예이다.

```
foreach (IGrouping<string,string> grouping in query)
{
  Console.WriteLine ("확장자: " + grouping.Key);
  foreach (string filename in grouping)
    Console.WriteLine ("  -- " + filename);
}
```

출력:

```
확장자: .pdf
  -- chapter03.pdf
  -- chapter04.pdf
확장자: .doc
  -- todo.doc
  -- menu.doc
  -- menu - 복사본.doc
...
```

Enumerable.GroupBy는 입력 요소들을 키별로 임시적인 목록들의 사전에 집어넣는다. 결과적으로, 키가 같은 요소들은 모두 사전의 같은 목록에 추가된다. 그런 다음 그 사전의 목록들을 **그룹화 객체**(grouping)들의 순차열로 변환해서 출력한다. 그룹화 객체(줄여서 그냥 그룹화)는 Key 속성이 있는, 다음과 같은 형식의 순차열이다.

```
public interface IGrouping <TKey,TElement> : IEnumerable<TElement>,
                                             IEnumerable
{
  TKey Key { get; }    // Key는 순차열의 모든 원소에 공통이다.
}
```

기본적으로 GroupBy는 입력 순차열 요소들을 변환 없이 각 그룹화에 집어넣는다. 변환을 원한다면 요소 선택자(elementSelector)를 지정하면 된다. 다음은 각 입력 요소(파일 이름)를 영문 대문자로 변환하는 예이다.

```
files.GroupBy (file => Path.GetExtension (file), file => file.ToUpper());
```

요소 선택자는 키 선택자(keySelector 인수)와는 독립적이다. 지금 예에서 각 그룹화의 Key는 여전히 원래의 대소문자 구성을 유지한다.

```
확장자: .pdf
  -- CHAPTER03.PDF
  -- CHAPTER04.PDF
확장자: .doc
  -- TODO.DOC
```

각 부분 컬렉션(그룹화)의 요소들이 키들의 알파벳순으로 정렬되어 있지는 않음을 주목하기 바란다. GroupBy는 그룹화만 수행할 뿐, **정렬**은 수행하지 않는다. 사실 GroupBy는 원래의 순서를 유지한다. 정렬을 원한다면 OrderBy 연산자를 추가해야 한다.

```
files.GroupBy (file => Path.GetExtension (file), file => file.ToUpper())
     .OrderBy (grouping => grouping.Key);
```

GroupBy에 해당하는 질의 구문은 다음과 같다. GroupBy 절의 구문과 거의 직접적으로 대응된다.

```
group 요소-표현식 by 키-표현식
```

다음은 앞의 예를 질의 구문으로 표현한 것이다.

```
from file in files
group file.ToUpper() by Path.GetExtension (file);
```

select처럼 group도 질의를 끝내는 역할을 한다. 단, 질의 연속(query continuation) 절을 추가하는 것도 가능하다.

```
from file in files
group file.ToUpper() by Path.GetExtension (file) into grouping
orderby grouping.Key
select grouping;
```

group by 질의에서는 이러한 질의 연속이 유용한 경우가 많다. 다음 질의는 파일이 다섯 개 미만인 그룹들을 출력에서 제외한다.

```
from file in files
group file.ToUpper() by Path.GetExtension (file) into grouping
where grouping.Count() >= 5
select grouping;
```

group by 다음의 where는 SQL의 HAVING에 해당한다. where는 개별 요소가 아니라 각각의 부분 순차열(그룹) 자체에 적용된다.

그룹화된 부분 순차열들 자체는 필요하지 않고, 그룹들에 대한 어떤 집계 정보만 얻는 것으로 충분한 때도 있다. 다음이 그러한 예이다.

```
string[] votes = { "Bush", "Gore", "Gore", "Bush", "Bush" };

IEnumerable<string> query = from vote in votes
                            group vote by vote into g
                            orderby g.Count() descending
                            select g.Key;

string winner = query.First();    // Bush
```

LINQ to SQL과 EF의 GroupBy

그룹화 질의 연산자들은 데이터베이스 질의에서도 지역 질의와 동일한 방식으로 작동한다. 그러나 엔터티 클래스에 연관 관계 속성들을 설정해 두었다면, 그룹화가 필요한 상황이 적어진다(표준 SQL을 사용할 때에 비해). 예를 들어 구매 기록이 2건 이상인 고객들을 선택한다고 할 때, group 절을 추가할 필요가 없다. 그냥 다음과 같은 질의로 충분하다.

```
from c in dataContext.Customers
where c.Purchases.Count >= 2
select c.Name + "의 구매 수: " + c.Purchases.Count + "건";
```

그룹화가 필요한 예로, 다음은 연도별 총 판매액을 구하는 질의이다.

```
from p in dataContext.Purchases
group p.Price by p.Date.Year into salesByYear
select new {
              Year       = salesByYear.Key,
              TotalValue = salesByYear.Sum()
           };
```

LINQ의 그룹화 기능은 SQL의 GROUP BY보다 강력하다. 예를 들어 LINQ에서는 다음처럼 집계(aggregation) 연산자 없이도 모든 상세 정보 행들을 가져올 수 있다.

```
from p in dataContext.Purchases
group p by p.Date.Year
```

이 질의는 EF에서도 잘 작동한다. 단, L2S에서는 불필요한 통신 왕복들이 발생한다. 한 가지 손쉬운 우회책은 그룹화 바로 전에 .AsEnumerable()을 호출하는 것이다. 그러면 그룹화가 클라이언트에서 일어난다. 필요한 모든 필터링을 그룹화 전에 수행해서, 작업에 꼭 필요한 자료만 서버에서 가져왔다면, 이렇게 해도 효율성이 떨어지지는 않는다.

전통적인 SQL과의 또 다른 차이점은, 그룹화나 정렬에 쓰이는 변수나 표현식을 투영할 필요가 없다는 점이다.

다중 키 그룹화

여러 키로 이루어진 복합 키로 그룹화를 수행할 수 있다. 다음처럼 익명 형식을 활용하면 된다.

```
from n in names
group n by new { FirstLetter = n[0], Length = n.Length };
```

커스텀 상등 비교자

지역 질의에서는 GroupBy에 커스텀 상등 비교자를 지정해서 키 비교 방식을 임의로 변경할 수 있다. 그러나 실제로 상등 비교자를 지정해야 할 일은 별로 없다. 그냥 키 선택자 표현식을 적절히 바꾸는 것으로 충분하기 때문이다. 예를 들어 다음은 대소문자를 구분하지 않고 그룹화를 수행한다.

```
group name by name.ToUpper()
```

집합 연산자

IEnumerable<TSource>, IEnumerable<TSource>→IEnumerable<TSource>

메서드	설명	해당 SQL 구문
Concat	두 순차열을 연결한 순차열, 즉 두 순차열의 모든 요소를 담은 순차열을 돌려준다.	UNION ALL
Union	두 순차열을 연결하되 중복 요소를 제외한 순차열을 돌려준다.	UNION
Intersect	두 순차열 모두에 있는 요소들을 담은 순차열을 돌려준다.	WHERE ... IN (...)
Except	첫 순차열에만 있고 둘째 순차열에는 없는 요소들을 담은 순차열을 돌려준다.	EXCEPT 또는 WHERE ... NOT IN (...)

Concat과 Union

Concat은 첫 순차열에 둘째 순차열을 연결(concatenation)한 순차열, 즉 첫 순차열의 모든 요소 다음에 둘째 순차열의 모든 요소가 있는 순차열을 돌려준다. Union은 그러한 순차열에서 중복된 요소들을 제거한 결과를 돌려준다.

```
int[] seq1 = { 1, 2, 3 }, seq2 = { 3, 4, 5 };

IEnumerable<int>
  concat = seq1.Concat (seq2),    // { 1, 2, 3, 3, 4, 5 }
  union  = seq1.Union  (seq2);    // { 1, 2, 3, 4, 5 }
```

이 예에서처럼 형식 인수를 명시적으로 지정하는 것은, 두 순차열의 형식이 다르지만 그 요소들은 공통의 기반 형식에서 파생된 형식일 때 유용하다. 예를 들어 반영 API(제9장)에서는 메서드와 속성을 각각 MethodInfo 클래스와 PropertyInfo 클래스로 나타내는데, 두 클래스에는 MemberInfo라는 공통의 기반 클래스가 있다. Concat을 호출할 때 그 기반 클래스를 명시적으로 지정하면 메서드들과 속성들을 하나의 순차열에 담을 수 있다.

```
MethodInfo[] methods = typeof (string).GetMethods();
PropertyInfo[] props = typeof (string).GetProperties();
IEnumerable<MemberInfo> both = methods.Concat<MemberInfo> (props);
```

다음 예는 연결 이전에 메서드들을 선별하는 예이다.

```
var methods = typeof (string).GetMethods().Where (m => !m.IsSpecialName);
var props = typeof (string).GetProperties();
var both = methods.Concat<MemberInfo> (props);
```

이 예는 인터페이스 형식 매개변수의 가변성(variance; 공변성과 반변성)에 의존한다. methods는 IEnumerable<MethodInfo> 형식인데, 이를 IEnumerable <MemberInfo>로 변환할 수 있어야 질의가 성공한다. 이는 가변성이 생각보다 더 많은 것을 가능하게 한다는 점을 잘 보여주는 예이다.

Intersect와 Except

Intersect는 두 순차열 모두에 있는 요소들을 출력한다. Except는 첫 순차열에만 있고 둘째 순차열에는 없는 요소들을 출력한다.

```
int[] seq1 = { 1, 2, 3 }, seq2 = { 3, 4, 5 };

IEnumerable<int>
  commonality = seq1.Intersect (seq2),    // { 3 }
```

```
difference1 = seq1.Except    (seq2),    // { 1, 2 }
difference2 = seq2.Except    (seq1);    // { 4, 5 }
```

내부적으로 Enumerable.Except는 첫 컬렉션의 모든 요소를 한 사전에 넣고, 둘째 순차열의 모든 요소를 그 사전에서 제거한다. 이에 해당하는 SQL 구문은 NOT EXISTS 부분 질의 또는 NOT IN 부분 질의이다.

```
SELECT number FROM numbers1Table
WHERE number NOT IN (SELECT number FROM numbers2Table)
```

변환 메서드들

LINQ는 기본적으로 순차열, 다시 말해 IEnumerable<T> 형식의 컬렉션을 다룬다. 변환 메서드들은 한 형식의 컬렉션을 다른 형식으로 변환한다.

메서드	설명
OfType	IEnumerable을 IEnumerable<T>로 변환한다. 호환되지 않는 형식의 요소들은 폐기한다.
Cast	IEnumerable을 IEnumerable<T>로 변환한다. 호환되지 않는 형식의 요소가 있으면 예외를 던진다.
ToArray	IEnumerable<T>를 T[]로 변환한다.
ToList	IEnumerable<T>를 List<T>로 변환한다.
ToDictionary	IEnumerable<T>를 Dictionary<TKey,TValue>로 변환한다.
ToLookup	IEnumerable<T>를 ILookup<TKey,TElement>로 변환한다.
AsEnumerable	IEnumerable<T>로 하향 캐스팅한다.
AsQueryable	IQueryable<T>로 캐스팅 또는 변환한다.

OfType과 Cast

OfType과 Cast는 비제네릭 IEnumerable 컬렉션을 받고 제네릭 IEnumerable<T> 순차열(추가적인 질의가 가능한)을 출력한다.

```
ArrayList classicList = new ArrayList();          // System.Collections에 있음
classicList.AddRange ( new int[] { 3, 4, 5 } );
IEnumerable<int> sequence1 = classicList.Cast<int>();
```

Cast와 OfType의 차이는 입력 순차열에서 호환되지 않는 형식의 요소를 만났을 때 드러난다. 그런 경우 Cast는 예외를 던지지만 OfType은 그런 요소를 그냥 무시한다. 앞의 예에 다음 코드를 추가해서 시험해 보자.

```
DateTime offender = DateTime.Now;
classicList.Add (offender);
IEnumerable<int>
  sequence2 = classicList.OfType<int>(), // OK - 호환되지 않은 DateTime 요소를 무시
  sequence3 = classicList.Cast<int>();   // 예외 발생
```

요소 형식 호환성 규칙은 C#의 is 연산자에 쓰이는 규칙들과 정확히 동일하다. 오직 참조 변환과 언박싱 변환만 고려된다. 실제로, OfType의 내부 구현을 보면 이 점을 확인한 수 있다.

```
public static IEnumerable<TSource> OfType <TSource> (IEnumerable source)
{
  foreach (object element in source)
    if (element is TSource)
      yield return (TSource)element;
}
```

Cast의 구현은 위에서 형식 호환성 판정만 뺀 것이다.

```
public static IEnumerable<TSource> Cast <TSource> (IEnumerable source)
{
  foreach (object element in source)
    yield return (TSource)element;
}
```

이러한 구현 방식 때문에, 수치 형식 변환이나 커스텀 변환에는 Cast를 사용할 수 없다(그런 용도로는 반드시 Select 연산을 실행해야 한다). 다른 말로 하면, Cast가 C#의 캐스팅 연산자만큼 유연하지는 않다.

```
int i = 3;
long l = i;         // int에서 long으로의 암묵적 수치 형식 변환
int i2 = (int) l;   // long에서 int로의 명시적 수치 형식 변환
```

이 점은 int들의 순차열을 OfType과 Cast를 이용해서 long들의 순차열로 변환해 보면 확인할 수 있다.

```
int[] integers = { 1, 2, 3 };

IEnumerable<long> test1 = integers.OfType<long>();
IEnumerable<long> test2 = integers.Cast<long>();
```

열거 시 test1은 요소를 하나도 출력하지 않고, test2는 예외를 던진다. OfType의 구현을 보면 왜 그런지가 확실해진다. 구현 코드의 TSource에 long을 대입하면 다음과 같은 표현식이 나온다.

```
(element is long)
```

element가 int이면 이 표현식은 false가 된다(int와 long 사이에는 상속 관계가 없으므로).

열거 시 test2가 예외를 던지는 이유는 좀 더 미묘하다. Cast의 구현에서 element의 형식이 object임을 주목하기 바란다. TSource가 값 형식이면 CLR은 이 변환을 **언박싱 변환**으로 간주해서 제3장의 '박싱과 언박싱(p.122)'에서 설명한 시나리오를 재현하는 메서드를 합성한다.

```
int value = 123;
object element = value;
long result = (long) element;  // 예외 발생
```

element 변수는 object 형식으로 선언되었으므로 int에서 long으로의 수치 형식 변환이 아니라 object에서 long으로의 캐스팅(언박싱)이 수행된다. 언박싱을 위해서는 형식이 정확히 일치해야 하므로, element가 int일 때에는 object에서 long으로의 언박싱이 실패한다.

앞에서 제시했듯이, 해결책은 보통의 Select를 사용하는 것이다.

```
IEnumerable<long> castLong = integers.Select (s => (long) s);
```

OfType과 Cast는 제네릭 입력 순차열의 요소들을 하향 캐스팅할 때에도 유용하다. 예를 들어 입력 순차열의 형식이 IEnumerable<Fruit>이면 OfType<Apple>은 사과(Apple 형식의 요소)들만 돌려준다. 이는 LINQ to XML(제10장 참고)에서 특히나 유용하다.

질의 구문은 Cast를 지원한다. 그냥 범위 변수 앞에 형식을 지정해 주면 된다.

```
from TreeNode node in myTreeView.Nodes
...
```

ToArray, ToList, ToDictionary, ToLookup

ToArray와 ToList는 주어진 순차열을 배열 또는 제네릭 목록으로 변환한다. 이 두 연산자가 호출되면 입력 순차열이 즉시 열거된다(부분 질의나 표현식 트리를 통해서 간접적으로 구축된 것이 아닌 한). 제8장의 '지연된 실행(p.435)'에 관련 예제들이 나온다.

ToDictionary와 ToLookup은 다음과 같은 인수들을 받는다.

인수	형식
입력 순차열	IEnumerable<TSource>
키 선택자	TSource => TKey
요소 선택자(선택적)	TSource => TElement
비교자(선택적)	IEqualityComparer<TKey>

ToDictionary도 입력 순차열의 즉시 열거를 강제한다. 이 연산자는 결과를 제네릭 Dictionary에 담아서 돌려준다. 키 선택자(keySelector 인수)에는 반드시 입력 순차열의 각 요소에 대해 고유한 값으로 평가되는 표현식을 지정해야 한다. 그렇지 않으면 예외가 발생한다. 반면, 조회 객체를 출력하는 ToLookup에서는 다수의 요소가 같은 키에 할당되어도 예외가 발생하지 않는다. 조회 객체는 이번 장의 '조회 객체를 이용한 결합(p.519)'에서 설명했다.

AsEnumerable과 AsQueryable

AsEnumerable은 순차열을 IEnumerable<T>로 상향 캐스팅한다. 그러면 컴파일러는 이후의 질의 연산자를 Queryable이 아니라 Enumerable에 있는 메서드에 묶게 된다. 제8장의 '해석식 질의와 지역 질의의 조합(p.459)'에 관련 예들이 나온다.

AsQueryable은 만일 입력 순차열이 IQueryable<T>를 구현한 형식이면 그 인터페이스로 하향 캐스팅하고, 그렇지 않으면 지역 질의를 감싸는 IQueryable<T> 래퍼의 인스턴스를 생성한다.

요소 연산자

IEnumerable<TSource>→ TSource

메서드	설명	해당 SQL 구문
First, FirstOrDefault	순차열의 첫 요소(술어가 지정되었으면 그 술어를 만족하는 첫 요소)를 돌려준다.	SELECT TOP 1 ... ORDER BY ...
Last, LastOrDefault	순차열의 마지막 요소(술어가 지정되었으면 그 술어를 만족하는 마지막 요소)를 돌려준다.	SELECT TOP 1 ... ORDER BY ... DESC
Single, SingleOrDefault	First/FirstOrDefault와 같되, 부합하는 요소가 둘 이상이면 예외를 던진다.	

메서드	설명	해당 SQL 구문
ElementAt, ElementAtOrDefault	지정된 위치에 있는 요소를 돌려준다.	(예외 발생)
DefaultIfEmpty	입력 순차열에 요소가 하나도 없으면, 값이 default (TSource)인 요소 하나만 있는 순차열을 돌려준다.	OUTER JOIN

'OrDefault'로 끝나는 메서드들은 입력 순차열이 비었거나 주어진 술어와 부합하는 요소가 없을 때 예외를 던지는 대신 default(TSource) 하나로 된 순차열을 출력한다.

default(TSource)는 요소가 참조 형식일 때에는 null이고 bool 형식일 때에는 false, 수치 형식일 때에는 0이다.

First, Last, Single

인수	형식
입력 순차열	IEnumerable<TSource>
술어(선택적)	TSource => bool

다음은 First와 Last의 용법을 보여주는 예이다.

```
int[] numbers  = { 1, 2, 3, 4, 5 };
int first      = numbers.First();                    // 1
int last       = numbers.Last();                     // 5
int firstEven  = numbers.First  (n => n % 2 == 0);   // 2
int lastEven   = numbers.Last   (n => n % 2 == 0);   // 4
```

다음은 First와 FirstOrDefault의 차이를 보여준다.

```
int firstBigError  = numbers.First          (n => n > 10);   // 예외 발생
int firstBigNumber = numbers.FirstOrDefault (n => n > 10);   // 0
```

Single은 부합하는 요소가 정확히 하나일 때에만 예외를 던지지 않고, SingleOrDefault는 부합하는 요소가 하나이거나 없을 때에만 예외를 던지지 않는다.

```
int onlyDivBy3 = numbers.Single (n => n % 3 == 0);   // 3
int divBy2Err  = numbers.Single (n => n % 2 == 0);  // 예외 발생: 2와 4가 부합함

int singleError = numbers.Single          (n => n > 10);      // 예외 발생
int noMatches   = numbers.SingleOrDefault (n => n > 10);      // 0
int divBy2Error = numbers.SingleOrDefault (n => n % 2 == 0);  // 예외 발생
```

Single은 이런 부류의 요소 연산자 중 '가장 까다로운' 연산자이다. 가장 관대한 것은 FirstOrDefault와 LastOrDefault이다.

LINQ to SQL과 EF에서는 기본 키로 테이블의 특정 행 하나를 조회할 때 흔히 Single이 쓰인다.

```
Customer cust = dataContext.Customers.Single (c => c.ID == 3);
```

ElementAt

인수	형식
입력 순차열	IEnumerable<TSource>
돌려줄 요소의 색인	int

ElementAt은 순차열에서 *n*번째 요소를 선택한다.

```
int[] numbers  = { 1, 2, 3, 4, 5 };
int third      = numbers.ElementAt (2);            // 3
int tenthError = numbers.ElementAt (9);            // 예외 발생
int tenth      = numbers.ElementAtOrDefault (9);   // 0
```

Enumerable.ElementAt은 입력 순차열이 IList<T> 인터페이스를 구현하는 형식이면 IList<T>의 인덱서를 호출하고, 그렇지 않으면 순차열에서 처음 *n*개의 요소를 열거한 후 그다음 요소를 돌려준다. LINQ to SQL과 EF는 ElementAt을 지원하지 않는다.

DefaultIfEmpty

DefaultIfEmpty는 입력 순차열이 비었으면(즉, 요소가 하나도 없으면) 값이 default(TSource)인 요소 하나만 담은 순차열을 돌려주고, 그렇지 않으면 입력 순차열을 변경 없이 돌려준다. 이 연산자는 평평한 외부 결합 질의를 작성하는 데 유용하다. 이번 장의 'SelectMany를 이용한 외부 결합(p.510)'과 '평평한 외부 결합(p.518)'을 참고하기 바란다.

집계 메서드

IEnumerable<TSource>→ *scalar*

메서드	설명	해당 SQL 구문
Count, LongCount	입력 순차열의 요소 개수(술어가 지정되었으면 그 술어를 만족하는 요소들의 개수)를 돌려준다.	COUNT (...)
Min, Max	입력 순차열에서 가장 작은 또는 가장 큰 요소를 돌려준다.	MIN (...), MAX (...)
Sum, Average	순차열 요소들의 수치 합 또는 평균을 계산한다.	SUM (...), AVG (...)
Aggregate	주어진 커스텀 집계 연산을 수행한다.	(예외 발생)

Count와 LongCount

인수	형식
입력 순차열	IEnumerable<TSource>
술어(선택적)	TSource => bool

Count는 그냥 순차열을 열거해서 요소 개수를 돌려준다.

```
int fullCount = new int[] { 5, 6, 7 }.Count();    // 3
```

Enumerable.Count의 내부 구현은 입력 순차열이 ICollection<T>를 구현하는 형식이면 그냥 ICollection<T>.Count를 호출하고, 그렇지 않으면 모든 요소를 열거해서 개수를 센다.

술어를 지정해서, 특정 조건을 만족하는 요소들만 셀 수도 있다.

```
int digitCount = "pa55w0rd".Count (c => char.IsDigit (c));   // 3
```

LongCount는 Count와 같은 일을 하되 64비트 정수를 돌려준다. 따라서 요소가 약 20억 개 이상인 순차열도 지원한다.

Min과 Max

인수	형식
입력 순차열	IEnumerable<TSource>
결과 선택자(선택적)	TSource => TResult

Min과 Max는 순차열의 가장 작은 요소 또는 가장 큰 요소를 돌려준다.

```
int[] numbers = { 28, 32, 14 };
int smallest = numbers.Min();  // 14;
int largest  = numbers.Max();  // 32;
```

결과 선택자를 지정하면 이들은 먼저 각 요소를 투영한다.

```
int smallest = numbers.Max (n => n % 10);  // 8;
```

순서 비교(대소 비교)를 지원하지 않는 형식의, 다시 말해 IComparable<T>를 구현하지 않는 형식의 요소들에 대해 이 연산자들을 사용하려면 반드시 결과 선택자를 지정해야 한다.

```
Purchase runtimeError = dataContext.Purchases.Min ();             // 오류
decimal? lowestPrice = dataContext.Purchases.Min (p => p.Price);  // OK
```

결과 선택자 표현식은 요소들의 비교 방식뿐만 아니라 최종 결과에도 영향을 미친다. 앞의 예에서 최종 결과가 구매 레코드(Purchase 객체)가 아니라 decimal 형식의 스칼라임을 주목하기 바란다. 가장 싼 구매 기록을 찾으려면 다음과 같이 부분 질의가 필요하다.

```
Purchase cheapest = dataContext.Purchases
  .Where (p => p.Price == dataContext.Purchases.Min (p2 => p2.Price))
  .FirstOrDefault();
```

이런 연산자들을 사용하지 않고도 같은 결과를 내는 질의를 만들 수 있다. OrderBy 다음에 FirstOrDefault 절을 두면 된다.

Sum과 Average

인수	형식
입력 순차열	IEnumerable<TSource>
결과 선택자(선택적)	TSource => TResult

집계 연산자 Sum과 Average의 사용법은 Min, Max와 비슷하다.

```
decimal[] numbers  = { 3, 4, 8 };
decimal sumTotal   = numbers.Sum();              // 15
decimal average    = numbers.Average();          // 5   (평균값)
```

다음 질의는 names 배열에 있는 문자열들의 총 길이를 돌려준다.

```
int combinedLength = names.Sum (s => s.Length);   // 19
```

Sum과 Average는 적용 가능한 형식이 상당히 제한적이다. 이들의 정의에는 여러 수치 형식들(int, long, float, double, decimal과 해당 널 가능 버전들)이 코드 자체에 고정되어 있다. 반면 Min과 Max는 IComparable<T>를 구현하는 형식이면 어떤 것이라도(이를테면 string도) 받아들인다.

더 나아가서, Average는 항상 decimal 아니면 float, double만 돌려준다. 구체적인 규칙은 다음과 같다.

선택자 형식	결과 형식
decimal	decimal
float	float
int, long, double	double

그래서 다음 코드는 컴파일되지 않는다(double을 int로 변환할 수 없다는 컴파일 오류가 발생한다).

```
int avg = new int[] { 3, 4 }.Average();
```

그러나 다음은 컴파일된다.

```
double avg = new int[] { 3, 4 }.Average();   // 3.5
```

Average는 정밀도 손실이 발생할 염려가 있으면 암묵적으로 입력 값들을 적절한 수치 형식으로 캐스팅한다. 위의 예는 정수들의 평균을 구하는 것인데, 예상대로 3.5가 나온다. 굳이 다음처럼 명시적으로 캐스팅해 줄 필요가 없다.

```
double avg = numbers.Average (n => (double) n);
```

데이터베이스 질의 시 Sum과 Average는 표준 SQL 집계 함수들로 번역된다. 다음 질의는 평균 구매 금액이 500달러를 넘는 고객들을 돌려주는 질의이다.

```
from c in dataContext.Customers
where c.Purchases.Average (p => p.Price) > 500
select c.Name;
```

Aggregate

Aggregate는 주어진 커스텀 누계(accumulation; 또는 누산) 알고리즘을 순차열에 적용한다. 흔치 않은 집계 연산을 구현하고자 할 때 유용하다. LINQ to SQL

과 EF는 Aggregate를 지원하지 않는다. 사실 Aggregate의 용도는 다소 특화되어 있다. 다음은 Aggregate를 이용해서 Sum과 같은 결과를 얻는 예이다.

```
int[] numbers = { 2, 3, 4 };
int sum = numbers.Aggregate (0, (total, n) => total + n);   // 9
```

Aggregate의 첫 인수는 누계의 초기 값으로 쓰이는 **종잣값**(seed)이다. 둘째 인수는 입력 순차열의 각 요소로 누계 결과를 갱신하는 표현식이다. 선택적인 셋째 인수를 지정해서, 누계 결과를 다른 형태의 최종 결과 값으로 투영할 수도 있다.

Aggregate로 풀 수 있는(설계 시 염두에 두었던) 대부분의 문제는 좀 더 친숙한 구문의 foreach 루프를 이용해서 쉽게 풀 수 있다. Aggregate의 장점은, 크거나 복잡한 집계 문제의 경우 PLINQ(제23장 참고)를 이용해서 누계를 자동으로 병렬화할 수 있다는 것이다.

종잣값 없는 집계

Aggregate 호출 시 종잣값을 생략할 수도 있다. 그런 경우 입력 순차열의 첫 요소가 **암묵적인** 종잣값이 되며, 누계는 둘째 요소부터 시작한다. 다음은 앞의 질의를 **종잣값 없이** 수행하는 예이다.

```
int[] numbers = { 1, 2, 3 };
int sum = numbers.Aggregate ((total, n) => total + n);   // 6
```

이 질의도 이전과 동일한 결과를 내지만, 실제로 수행하는 **계산은 이전과 다르다**. 이전 질의는 0+1+2+3을 계산하지만, 이 질의는 1+2+3을 계산한다. 덧셈 대신 곱셈을 적용하면 이 차이가 중요해진다.

```
int[] numbers = { 1, 2, 3 };
int x = numbers.Aggregate (0, (prod, n) => prod * n);   // 0*1*2*3 = 0
int y = numbers.Aggregate (   (prod, n) => prod * n);   //   1*2*3 = 6
```

제23장에서 보겠지만, 종잣값 없는 집계에는 특별한 중복적재 버전들을 사용하지 않고도 누계를 병렬화할 수 있다는 장점이 있다. 그러나 몇 가지 함정들도 있다.

종잣값 없는 집계의 함정

종잣값 없는 집계 메서드들은 **가환적**(commutative)이고 **결합적**(associative)인 대리자, 즉 교환법칙과 결합법칙을 만족하는 대리자와 함께 사용하도록 고안된 것이다. 그렇지 않은 대리자를 사용하면 결과는 **직관적이지 않거나**(보통의 질의의 경우) **비결정론적이다**(PLINQ로 질의를 병렬화한 경우). 예를 들어 다음 함수를 생각해 보자.

```
(total, n) => total + n * n
```

이 함수는 가환적이지도, 결합적이지도 않다. (예를 들어 1+2*2 != 2+1*1이다). 그럼 이를 이용해서 수 2, 3, 4의 제곱들의 합을 구해 보자.

```
int[] numbers = { 2, 3, 4 };
int sum = numbers.Aggregate ((total, n) => total + n * n);    // 27
```

이 질의는 다음이 아니라

```
2*2 + 3*3 + 4*4    // 29
```

다음을 계산한다.

```
2 + 3*3 + 4*4      // 27
```

이를 바로잡는 방법은 여러 가지이다. 우선, 첫 요소로 0을 포함하는 방법이 있다.

```
int[] numbers = { 0, 2, 3, 4 };
```

그러나 이는 우아하지 않을 뿐만 아니라, 병렬화하면 여전히 잘못된 결과를 낸다. PLINQ는 함수가 결합적이라는 가정을 활용해서 여러 개의 요소를 종자값들로 선택하기 때문이다. 예를 들어 누산 함수가 다음과 같다고 하자.

```
f(total, n) => total + n * n
```

그러면 객체 대상 LINQ는 이를 다음과 같이 계산하지만,

```
f(f(f(0, 2),3),4)
```

PLINQ는 다음과 같이 계산할 가능성이 있다.

```
f(f(0,2),f(3,4))
```

그런 경우 결과는 다음과 같다.

```
첫 분할:     a = 0 + 2*2  (= 4)
둘째 분할:   b = 3 + 4*4  (= 19)
```

```
최종 결과:        a + b*b  (= 365)
심지어는:         b + a*a  (= 35)
```

제대로 된 해법은 두 가지이다. 첫째는 종잣값 없는 집계를 종잣값 있는 집계로 바꾸는 것이다. 지금 예에서는 0을 종잣값으로 사용하면 된다. 이 방법의 유일한 단점은, PLINQ의 경우 질의가 순차적으로 실행되지 않게 하려면 특별한 중복적재 버전을 사용해야 한다는 것이다(제23장의 'PLINQ 최적화(p.1187)' 참고).

둘째 해법은 누계 함수가 교환법칙과 결합법칙을 만족하도록 질의의 구조를 개선하는 것이다. 지금 예에서는 다음과 같이 하면 된다.

```
int sum = numbers.Select (n => n * n).Aggregate ((total, n) => total + n);
```

물론 이런 간단한 시나리오에서는 그냥 Aggregate 대신 Sum 연산자를 사용하면 된다(그리고 그렇게 해야 마땅하다).

```
int sum = numbers.Sum (n => n * n);
```

사실 Sum과 Average만으로 수행할 수 있는 집계 연산도 많다. 예를 들어 다음은 Average를 이용해서 제곱평균제곱근을 계산하는 예이다.

```
Math.Sqrt (numbers.Average (n => n * n))
```

심지어 표준편차도 가능하다.

```
double mean = numbers.Average();
double sdev = Math.Sqrt (numbers.Average (n =>
              {
                double dif = n - mean;
                return dif * dif;
              }));
```

두 예 모두 안전하고 효과적이며 완전히 병렬화할 수 있다. 제23장에 Sum이나 Average로 환원할 수 없는 커스텀 집계의 실질적인 예가 나온다.

한정사

IEnumerable<TSource>→ *bool*

메서드	설명	해당 SQL 구문
Contains	만일 주어진 요소가 입력 순차열에 있으면 true를 돌려준다.	WHERE ... IN (...)
Any	만일 주어진 술어를 만족하는 요소가 하나라도 있으면 true를 돌려준다.	WHERE ... IN (...)

메서드	설명	해당 SQL 구문
All	만일 주어진 술어를 모든 요소가 만족하면 true를 돌려준다.	WHERE (...)
SequenceEqual	만일 둘째 순차열의 요소들이 입력 순차열과 요소들과 동일하면 true를 돌려준다.	

Contains와 Any

Contains 메서드는 TSource 형식의 인수를 받는다. Any는 술어를 받는다(생략 가능).

Contains는 주어진 요소가 순차열에 존재하면 true를 돌려준다.

```
bool hasAThree = new int[] { 2, 3, 4 }.Contains (3);       // true;
```

Any는 주어진 표현식이 참인 요소가 적어도 하나 있으면 true를 돌려준다. 다음은 앞의 질의를 Any를 이용해서 다시 작성한 것이다.

```
bool hasAThree = new int[] { 2, 3, 4 }.Any (n => n == 3);  // true;
```

Any는 Contains로 할 수 있는 모든 일을 할 수 있으며, Contains로 할 수 없는 일도 할 수 있다.

```
bool hasABigNumber = new int[] { 2, 3, 4 }.Any (n => n > 10);  // false;
```

술어 없이 호출한 경우 Any는 입력 순차열에 요소가 하나 이상 존재하면 true를 돌려준다. 이 점을 이용해서 앞의 질의를 다음과 같이 작성할 수 있다.

```
bool hasABigNumber = new int[] { 2, 3, 4 }.Where (n => n > 10).Any();
```

Any는 부분 질의에 특히나 유용하며, 데이터베이스 질의에 자주 쓰인다. 다음이 그러한 예이다.

```
from c in dataContext.Customers
where c.Purchases.Any (p => p.Price > 1000)
select c
```

All과 SequenceEqual

All은 모든 요소가 술어를 만족하면 true를 돌려준다. 다음은 모든 구매 기록의 구매 가격이 $100 미만인 고객들을 돌려준다.

```
dataContext.Customers.Where (c => c.Purchases.All (p => p.Price < 100));
```

SequenceEqual은 두 순차열을 비교해서, 모든 요소가 순서까지 동일한 경우에만 true를 돌려준다. 선택적 인수로 커스텀 상등 비교자를 지정할 수도 있다. 상등 비교자를 지정하지 않으면 EqualityComparer<T>.Default가 기본으로 쓰인다.

생성 메서드

void→IEnumerable<TResult>

메서드	설명
Empty	빈 순차열을 생성한다.
Repeat	같은 요소가 되풀이된 순차열을 생성한다.
Range	정수들의 순차열을 생성한다.

Empty와 Repeat, Range는 간단한 지역 순차열을 생성하는 정적 메서드들이다(확장 메서드가 아님).

Empty

Empty는 빈 순차열을 생성한다. 형식 인수만 지정하면 된다.

```
foreach (string s in Enumerable.Empty<string>())
  Console.Write (s);                              // <출력 없음>
```

??와 함께 사용한 Empty는 DefaultIfEmpty의 반대에 해당하는 일을 수행한다. 예를 들어 길이가 가변적인 정수 배열들의 배열에 담긴 정수들을 하나의 평평한 목록으로 출력한다고 하자. 다음과 같이 SelectMany를 이용한 질의는 내부 배열 중에 널이 하나라도 있으면 실패한다.

```
int[][] numbers =
{
  new int[] { 1, 2, 3 },
  new int[] { 4, 5, 6 },
  null                     // 이 널 배열 때문에 다음 질의가 실패한다.
};

IEnumerable<int> flat = numbers.SelectMany (innerArray => innerArray);
```

Empty와 ??의 조합을 사용하면 문제가 해결된다.

```
IEnumerable<int> flat = numbers
  .SelectMany (innerArray => innerArray ?? Enumerable.Empty <int>());

foreach (int i in flat)
  Console.Write (i + " ");     // 1 2 3 4 5 6
```

Range와 Repeat

Range는 시작 색인과 개수를 받는다(둘 다 정수).

```
foreach (int i in Enumerable.Range (5, 3))
  Console.Write (i + " ");                    // 5 6 7
```

Repeat는 되풀이할 요소 하나와 되풀이 횟수를 받는다.

```
foreach (bool x in Enumerable.Repeat (true, 3))
  Console.Write (x + " ");                    // True True True
```

10장

C# 6.0 in a Nutshell

LINQ to XML

NET Framework는 XML 자료를 다루는 여러 API를 제공한다. .NET Framework 3.5부터, 범용 XML 문서 처리의 주된 수단은 ***LINQ to XML***(XML 대상 LINQ)이다. LINQ to XML은 가볍고 LINQ 친화적인 DOM과 이를 보충하는 일단의 질의 연산자들로 구성되어 있다.

이번 장은 LINQ to XML에만 초점을 둔다. 좀 더 특화된 XML 형식들과 API들은 제11장에서 다루는데, 전진 전용 판독자/기록자라든가 스키마, 스타일시트, XPath 등을 위한 형식들, 그리고 구식 `XmlDocument` 기반 DOM 관련 API를 배우게 될 것이다.

LINQ to XML의 DOM은 설계가 대단히 좋고 성능도 아주 높다. LINQ를 사용하지 않는다고 해도, LINQ to XML DOM은 저수준 `XmlReader`/`XmlWriter` 클래스들을 위한 가벼운 퍼사드(façade)로서 그 자체로 가치 있는 도구이다.

LINQ to XML의 모든 형식은 `System.Xml.Linq` 이름공간에 있다.

전체적인 구조

이번 절에서는 DOM 개념을 아주 간단히 소개하고, LINQ to XML의 DOM에 깔린 원리를 설명한다.

DOM이란 무엇인가?

다음과 같은 XML 파일을 생각해 보자.

```
<?xml version="1.0" encoding="utf-8"?>
<customer id="123" status="archived">
  <firstname>Joe</firstname>
  <lastname>Bloggs</lastname>
</customer>
```

다른 모든 XML 파일처럼 이 파일은 하나의 XML **선언**(declaration)으로 시작한다. 그다음은 XML 문서 전체의 뿌리(루트)에 해당하는 **요소**(element)로, 그 이름† 은 `customer`이다. 이 `customer` 요소에는 두 개의 **특성**(attribute)이 있다. 각 특성은 이름(`id`와 `status`)과 값(`"123"`과 `"archived"`)으로 구성된다. `customer` 요소 안에는 두 자식 요소 `firstname`과 `lastname`이 있다. 이 요소들은 각자 단순 텍스트 내용(`"Joe"`와 `"Bloggs"`)을 담고 있다.

이러한 구성요소들(선언, 요소, 특성, 값, 텍스트 내용)을 각각 클래스로 나타낼 수 있다. 그리고 그런 클래스에 자식 내용을 저장할 수 있는 컬렉션 속성들을 부여한다면, 문서 전체를 나타내는 객체들의 **트리**를 형성할 수 있다. 그러한 트리가 바로 흔히 DOM이라고 줄여서 표기하는 **문서 객체 모형**(document object model)이다.

LINQ to XML DOM

LINQ to XML은 다음 두 가지로 이루어진다.

- XML DOM. 이 책에서는 이를 *X-DOM*이라고 부른다.
- 약 10개의 추가적인 질의 연산자들.

짐작했겠지만, X-DOM은 `XDocument`나 `XElement`, `XAttribute` 같은 형식들로 구성된다. 흥미롭게도 X-DOM의 형식들이 LINQ에 묶여 있지는 않다. 즉, LINQ 질의를 작성하지 않고도 X-DOM을 적재, 생성, 갱신, 저장할 수 있다.

반대로, LINQ 역시 X-DOM과 무관하게 사용할 수 있다. 즉, 구식의 W3C 표준 준수 형식들로 만든 DOM을 질의하는 데 LINQ를 사용할 수 있다. 그러나 그런

† (옮긴이) XML 요소의 이름을 흔히 태그tag(꼬리표)라고 부른다.

접근방식은 짜증스럽고 제한적이다. X-DOM의 특징은 *LINQ* **친화적**이라는 점이다. 좀 더 구체적으로 말하면,

- X-DOM에는 유용한(추가적인 질의가 가능하다는 점에서) `IEnumerable` 순차열을 출력하는 메서드들이 있다.
- X-DOM은 LINQ 투영을 통해서 X-DOM 트리를 구축할 수 있는 생성자들을 제공한다.

X-DOM의 개요

그림 10-1은 핵심 X-DOM 형식들과 그 관계를 나타낸 것이다. 이 중 가장 흔히 쓰이는 형식은 `XElement`이다. `XObject`는 **상속** 계통구조의 뿌리이고, `XElement`와 `XDocument`는 **포함 관계**(containership) 계통구조의 뿌리이다.

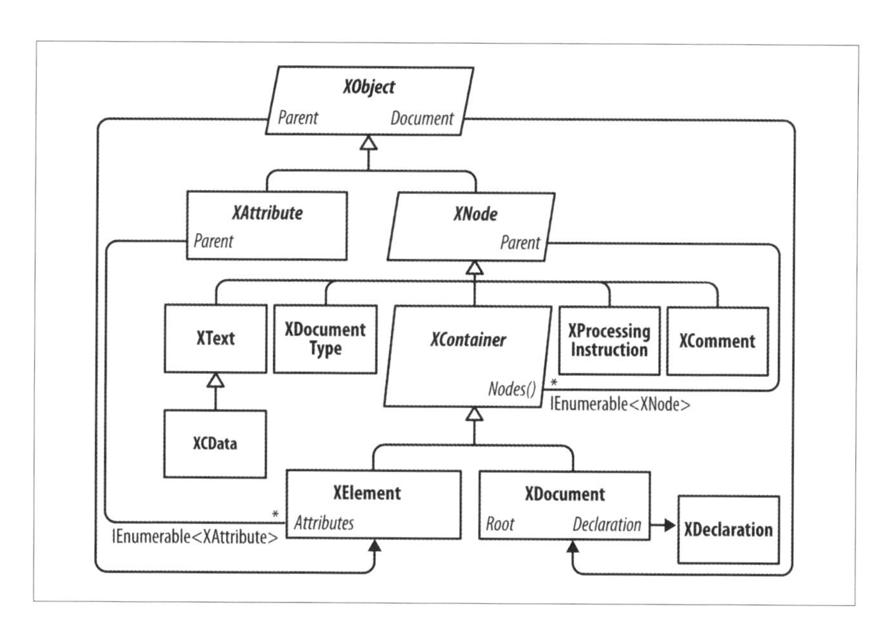

그림 10-1 핵심 X-DOM 형식들

그림 10-2는 다음 코드로부터 생성된 X-DOM 트리를 보여준다.

```
string xml = @"<customer id='123' status='archived'>
                <firstname>Joe</firstname>
                <lastname>Bloggs<!--멋진 이름--></lastname>
              </customer>";

XElement customer = XElement.Parse (xml);
```

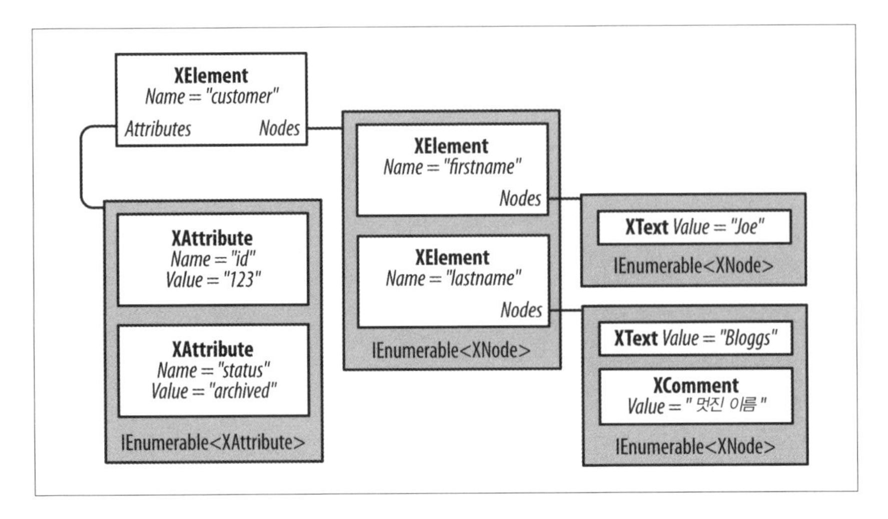

그림 10-2 간단한 X-DOM 트리

XObject는 모든 XML 내용을 위한 추상 기반 클래스이다. 이 클래스에는 포함 관계 트리에서 이 객체의 부모 요소를 가리키는 Parent 속성이 있으며, 생략 가능한 XDocument 형식의 속성도 있다.

XNode는 특성을 제외한 대부분의 XML 내용을 위한 기반 클래스이다. XNode의 특징은 서로 다른 XNode 파생 형식 객체들로 순서 있는 컬렉션을 구성할 수 있다는 점이다. 예를 들어 다음 XML을 생각해 보자.

```
<data>
  Hello world
  <subelement1/>
  <!--주석-->
  <subelement2/>
</data>
```

부모 요소 <data> 안에는 제일 먼저 하나의 XText 노드(Hello world)가 있고, 그다음에 XElement 노드와 XComment 노드가 있고, 그다음에 또 다른 XElement 노드가 있다. 반면 XAttribute 형식은 오직 XAttribute 형식의 객체들로만 목록을 구성할 수 있다.

XNode는 자신의 부모 요소(XElement)에 접근할 수 있을 뿐, 자식 노드들을 포함하지는 못한다. 자식 노드들을 가질 수 있는 것은 XNode의 파생 클래스인 XContainer이다. XContainer에는 자식들을 다루는 멤버들이 정의되어 있다. 그리고 XContainer는 XElement와 XDocument를 위한 추상 기반 클래스이다.

XElement에는 특성들을 관리하는 멤버들이 추가되었다. 또한, 이 클래스에는 Name 속성과 Value 속성이 있다. XText 형식의 자식 노드 하나만 있는 요소의 경우(이런 경우가 상당히 흔하다), XElement의 Value 속성은 그 자식 노드의 내용을 설정하고 조회하는 연산을 캡슐화한다. 이 덕분에 번거롭게 XText 노드를 거치지 않고도 요소의 텍스트 내용에 접근할 수 있다.

XDocument는 XML 트리의 뿌리 노드를 나타낸다. 좀 더 정확하게 말하면, 이 클래스는 뿌리 요소에 해당하는 XElement뿐만 아니라 문서의 XML 선언을 나타내는 XDeclaration과 처리 명령(processing instruction) 등등 루트 수준 '잡다한 추가 요소들'을 모두 감싼다. W3C DOM과는 달리 X-DOM에서는 이 노드를 생략할 수 있다. 즉, XDocument 객체를 생성하지 않고도 X-DOM을 적재, 조작, 저장할 수 있다. XDocument에 의존하지 않는다는 것은 하나의 부분 트리(subtree)를 다른 X-DOM 계통구조에 쉽고 효율적으로 옮길 수 있다는 뜻이기도 하다.

적재와 파싱

XElement과 XDocument 둘 다, 기존 XML 자료로부터 X-DOM 트리를 구축하는 정적 Load 메서드와 Parse 메서드를 제공한다.

- Load는 파일이나 URI, Stream, TextReader, XmlReader로부터 X-DOM을 구축한다.
- Parse는 문자열로부터 X-DOM을 구축한다.

다음은 이들을 사용하는 예이다.

```
XDocument fromWeb = XDocument.Load ("http://albahari.com/sample.xml");

XElement fromFile = XElement.Load (@"e:\media\somefile.xml");

XElement config = XElement.Parse (
@"<configuration>
    <client enabled='true'>
      <timeout>30</timeout>
    </client>
  </configuration>");
```

X-DOM을 운행하고 갱신하는 방법은 나중에 좀 더 자세히 이야기하겠다. 일단 지금은, 방금 채운 config 요소를 조작하는 간단한 예만 보고 넘어가자.

```
foreach (XElement child in config.Elements())
```

```
  Console.WriteLine (child.Name);                    // client

XElement client = config.Element ("client");

bool enabled = (bool) client.Attribute ("enabled");  // 특성을 조회
Console.WriteLine (enabled);                         // True
client.Attribute ("enabled").SetValue (!enabled);    // 특성을 갱신

int timeout = (int) client.Element ("timeout");      // 요소를 조회
Console.WriteLine (timeout);                         // 30
client.Element ("timeout").SetValue (timeout * 2);   // 요소를 갱신

client.Add (new XElement ("retries", 3));            // 새 요소를 추가한다.

Console.WriteLine (config);        // 암묵적으로 config.ToString()가 호출됨
```

마지막 Console.WriteLine 호출의 결과는 다음과 같다.

```
<configuration>
  <client enabled="false">
    <timeout>60</timeout>
    <retries>3</retries>
  </client>
</configuration>
```

XNode는 XmlReader에서 읽은 자료로 임의의 형식의 노드를 생성, 설정하는 정적 메서드 ReadFrom도 제공한다. Load와는 달리 이 메서드는 (완전한) 노드 하나만 읽고 멈추기 때문에, 같은 XmlReader를 계속 읽어서 노드들을 차례로 생성할 수 있다.

반대로, XNode로부터 XmlReader 객체나 XmlWriter 객체를 생성하는 것도 가능하다. XNode의 CreateReader 메서드나 CreateWriter 메서드를 사용하면 된다.

XML 판독기(reader)/기록기(writer)와 그것들을 X-DOM에 사용하는 방법은 제11장에서 설명한다.

저장과 직렬화

임의의 노드에 대해 ToString을 호출하면 노드의 내용을 나타내는 XML 문자열을 얻게 된다. 이때 ToString은 앞에서 본 XML 조각들처럼 줄 바꿈과 들여쓰기까지 적용된 XML 문자열을 돌려준다. (줄 바꿈과 들여쓰기를 원하지 않는다면 ToString 호출 시 SaveOptions.DisableFormatting을 지정하면 된다.)

XElement와 XDocument는 X-DOM을 파일이나 Stream, TextWriter, XmlWriter에 기록하는 Save 메서드도 제공한다. 대상이 파일인 경우에는 XML 선언도 자동으로 기록된다. 또한, XNode 클래스에는 WriteTo라는 메서드도 있는데, 이 메서드는 XmlWriter 객체 하나만 받는다.

저장 시의 XML 선언 처리 방식에 관해서는 이번 장의 '문서와 선언(p.569)'에서 좀 더 자세히 설명한다.

X-DOM의 인스턴스화

Load나 Parse 메서드를 사용하는 대신, 개별 노드 객체들을 직접 인스턴스화하고 XContainer의 Add 메서드를 통해서 부모 요소에 배정하는 식으로 X-DOM 트리를 손수 구축하는 것도 가능하다.

XElement나 XAttribute 객체는 이름과 값만 지정하면 생성할 수 있다.

```
XElement lastName = new XElement ("lastname", "Bloggs");
lastName.Add (new XComment ("멋진 이름"));

XElement customer = new XElement ("customer");
customer.Add (new XAttribute ("id", 123));
customer.Add (new XElement ("firstname", "Joe"));
customer.Add (lastName);

Console.WriteLine (customer.ToString());
```

결과(출력)는 다음과 같다.

```
<customer id="123">
  <firstname>Joe</firstname>
  <lastname>Bloggs<!--멋진 이름--></lastname>
</customer>
```

XElement를 생성할 때에는 값을 생략할 수 있다. 그냥 요소 이름만 지정하고, 내용은 나중에 추가해도 된다. 값을 지정하는 경우에는 그냥 문자열만 제공하면 된다. 명시적으로 XText 형식의 자식 노드를 생성해서 추가할 필요가 없다. X-DOM이 문자열을 자동으로 XText 노드로 바꾸어서 추가해 주므로, 그냥 '값'만 제공하면 된다.

함수적 생성

앞의 예제에서는, 코드만 봐서는 XML의 구조를 짐작하기 어렵다. X-DOM은 **함수적 생성**(functional construction; 'functional programming'을 흉내 낸 용어이다)이라고 하는 또 다른 인스턴스화 방식을 지원한다. 함수적 생성 방법으로는 XML 트리 전체를 하나의 표현식으로 구축할 수 있다.

```
XElement customer =
  new XElement ("customer", new XAttribute ("id", 123),
    new XElement ("firstname", "joe"),
    new XElement ("lastname", "bloggs",
      new XComment ("nice name")
    )
  );
```

이런 방식에는 두 가지 장점이 있다. 첫째로, 코드의 형태가 XML의 구조와 비슷하다. 둘째로, LINQ 질의의 select 절을 포함할 수 있다. 예를 들어 다음 코드는 LINQ to SQL 질의를 X-DOM 안으로 직접 투영한다.

```
XElement query =
  new XElement ("customers",
    from c in dataContext.Customers
    select
      new XElement ("customer", new XAttribute ("id", c.ID),
        new XElement ("firstname", c.FirstName),
        new XElement ("lastname", c.LastName,
          new XComment ("nice name")
        )
      )
  );
```

이에 관해서는 이번 장의 '질의를 X-DOM으로 투영(p.583)'에서 좀 더 이야기하겠다.

내용 지정

함수적 생성이 가능한 것은 params 객체 배열을 받도록 중복적재된 생성자가 XElement에(그리고 XDocument에) 있기 때문이다.

```
public XElement (XName name, params object[] content)
```

XContainer의 Add 메서드도 마찬가지이다.

```
public void Add (params object[] content)
```

따라서 하나의 X-DOM 노드를 생성 또는 추가할 때 임의의 형식의, 임의의 개수의 자식 객체들을 지정할 수 있다. 그래도 되는 이유는, XContainer가 그 어떤 형식의 객체도 유효한 내용으로 간주해서 적절히 처리해 주기 때문이다. 구체적으로, XContainer는 주어진 객체를 다음과 같은 순서로 처리한다.

1. 객체가 null이면 무시한다.

2. 객체가 XNode나 XStreamingElement 파생 형식이면 객체를 그대로 Nodes 컬렉션에 추가한다.
3. 객체가 XAttribute이면 Attributes 컬렉션에 추가한다.
4. 객체가 string이면 XText 노드로 감싸서 Nodes에 추가한다.[1]
5. 객체가 IEnumerable을 구현하는 형식이면 객체(순차열)를 열거해서 각 요소를 지금과 같은 규칙들에 따라 처리한다.
6. 그 외의 경우이면 객체를 문자열로 변환 후 XText 노드로 감싸서 Nodes에 추가한다.[2]

결과적으로, 널이 아닌 모든 객체는 결국에는 Nodes 아니면 Attributes에 들어간다. 또한, 널이 아닌 객체는 어떤 것이든 궁극적으로 ToString을 호출해서 XText 노드로 감쌀 수 있으므로 유효한 내용이 된다.

임의의 객체에 대해 ToString을 호출하기 전에 XContainer는 먼저 객체가 다음 형식 중 하나인지 점검한다.

```
float, double, decimal, bool,
DateTime, DateTimeOffset, TimeSpan
```

만일 객체가 이 형식 중 하나이면, XContainer는 객체 자체에 대해 ToString을 호출하는 대신 보조 클래스 XmlConvert에 있는 적절한 형식의 ToString 메서드를 호출한다. 이는 자료를 왕복 통신이 가능한, 그리고 표준 XML 서식화 규칙들을 만족하는 형태로 변환하기 위한 것이다.

자동적인 깊은 복제

노드나 특성을 어떤 요소에 추가하면(함수적 생성을 통해서든, Add 메서드를 통해서든) 그 노드나 특성의 Parent 속성이 그 요소로 설정된다. 한 노드의 부모 요소는 많아야 하나이다. 만일 이미 부모가 있는 노드를 또 다른 부모에 추가하면 그 노드는 자동으로 **깊게 복제된다**. 다음 예제에서 두 고객 요소(customer1 요소와 customer2 요소)는 각자 개별적인 address 복사본을 가지게 된다.

```
var address = new XElement ("address",
                  new XElement ("street", "Lawley St"),
```

---

1 사실 X-DOM은 그냥 단순 텍스트를 문자열에 담아두는 식으로 이 단계를 최적화한다. XTEXT 노드는 나중에 XContainer에 대해 Nodes가 호출될 때 비로소 생성된다.

2 각주 1을 보라.

```
                    new XElement ("town", "North Beach")
                );
var customer1 = new XElement ("customer1", address);
var customer2 = new XElement ("customer2", address);

customer1.Element ("address").Element ("street").Value = "Another St";
Console.WriteLine (
  customer2.Element ("address").Element ("street").Value);   // Lawley St
```

이러한 자동 깊은 복제(deep cloning) 덕분에, X-DOM 객체 인스턴스화에는 부수 효과(side effect; 부작용)가 없다. 이는 함수적 프로그래밍의 또 다른 중요한 특징이다.

내비게이션과 질의

짐작했겠지만, `XNode` 클래스와 `XContainer` 클래스에는 X-DOM 트리의 운행(traversing)을 위한 메서드들과 속성들이 정의되어 있다. 그런데 통상적인 DOM과는 달리 이 함수들은 `IList<T>`를 구현한 컬렉션을 돌려주지 않는다. 대신 이들은 하나의 값 또는 `IEnumerable<T>`를 구현하는 **순차열**을 돌려준다. 그러한 순차열에 대해 LINQ 질의를 수행할 수 있으며, 물론 `foreach` 문을 이용한 열거도 수행할 수 있다. 이 덕분에 간단한 내비게이션 작업은 물론이고 고급 질의도 익숙한 LINQ 질의 구문을 이용해서 처리할 수 있다.

XML과 마찬가지로, X-DOM에서 요소 이름과 특성 이름은 대소문자를 구분한다.

자식 노드 내비게이션

반환 형식	멤버	적용 대상
XNode	FirstNode { get; }	XContainer
	LastNode { get; }	XContainer
IEnumerable<XNode>	Nodes()	XContainer*
	DescendantNodes()	XContainer*
	DescendantNodesAndSelf()	XElement*
XElement	Element (XName)	XContainer
IEnumerable<XElement>	Elements()	XContainer*
	Elements (XName)	XContainer*
	Descendants()	XContainer*
	Descendants (XName)	XContainer*

반환 형식	멤버	적용 대상
	DescendantsAndSelf()	XElement*
	DescendantsAndSelf (XName)	XElement*
bool	HasElements { get; }	XElement

이 표의 셋째 열에서(그리고 비슷한 다른 표들에서), 끝에 별표가 붙은 함수들은 같은 형식의 **순차열**에 대해서도 작동한다. 예를 들어 XContainer 객체뿐만 아니라 XContainer 객체들의 순차열에도 Nodes를 호출할 수 있다. 이는 System.Xml.Linq에 정의되어 있는 확장 메서드들(이번 장 도입부에서 말한 추가적인 질의 연산자들) 덕분이다.

FirstNode, LastNode, Nodes

FirstNode 속성과 LastNode 속성을 통해서 첫째 자식 노드와 마지막 자식 노드에 직접 접근할 수 있다. Nodes 메서드는 모든 자식 노드를 담은 순차열을 돌려준다. 이 세 함수 모두, 오직 직접적인 자식 노드들만 고려한다. 다음은 이 점을 보여주는 예이다.

```
var bench = new XElement ("bench",
              new XElement ("toolbox",
                new XElement ("handtool", "Hammer"),
                new XElement ("handtool", "Rasp")
              ),
              new XElement ("toolbox",
                new XElement ("handtool", "Saw"),
                new XElement ("powertool", "Nailgun")
              ),
              new XComment ("못총(nailgun) 사용 시 주의 필요")
            );
foreach (XNode node in bench.Nodes())
  Console.WriteLine (node.ToString (SaveOptions.DisableFormatting) + ".");
```

출력은 다음과 같다.

```
<toolbox><handtool>Hammer</handtool><handtool>Rasp</handtool></toolbox>.
<toolbox><handtool>Saw</handtool><powertool>Nailgun</powertool></toolbox>.
<!--못총(nailgun) 사용 시 주의 필요-->.
```

요소 조회

Elements 메서드는 XElement 형식의 자식 노드들만 돌려준다.

```
foreach (XElement e in bench.Elements())
```

```
  Console.WriteLine (e.Name + "=" + e.Value);     // toolbox=HammerRasp
                                                  // toolbox=SawNailgun
```

다음의 LINQ 질의는 못총(nail gun; 타정기)이 있는 공구함(toolbox; 도구 상자)들을 찾는다.

```
IEnumerable<string> query =
  from toolbox in bench.Elements()
  where toolbox.Elements().Any (tool => tool.Value == "Nailgun")
  select toolbox.Value;

RESULT: { "SawNailgun" }
```

다음 질의는 SelectMany를 이용해서 모든 공구함의 수지공구(hand tool; 손에 쥐고 사용하는 공구)들을 조회한다.

```
IEnumerable<string> query =
  from toolbox in bench.Elements()
  from tool in toolbox.Elements()
  where tool.Name == "handtool"
  select tool.Value;

RESULT: { "Hammer", "Rasp", "Saw" }
```

Elements 자체는 Nodes에 대한 LINQ 질의에 해당한다. 앞의 질의를 다음과 같이 표현할 수도 있다.

```
from toolbox in bench.Nodes().OfType<XElement>()
where ...
```

Elements로 특정 이름의 요소들만 얻을 수도 있다. 예를 들면 다음과 같다.

```
int x = bench.Elements ("toolbox").Count();     // 2
```

이는 다음 질의와 동등하다.

```
int x = bench.Elements().Where (e => e.Name == "toolbox").Count();  // 2
```

또한, IEnumerable<XContainer>를 받는 확장 메서드로서의 Elements도 있다. 좀 더 정확히 말하면, 이 확장 메서드는 다음과 같은 형식의 인수를 받는다.

```
IEnumerable<T> where T : XContainer
```

이 덕분에 X-DOM 요소들의 순차열에 대해 Elements를 호출할 수 있다. 다음은 앞에 나온, 모든 공구함의 수지공구를 찾는 질의를 이 메서드를 이용해서 다시 작성한 것이다.

```
from tool in bench.Elements ("toolbox").Elements ("handtool")
select tool.Value.ToUpper();
```

첫 번째 Elements 호출은 XContainer의 인스턴스 메서드에 묶이고, 두 번째 Elements 호출은 확장 메서드에 묶인다.

단일 요소 조회

Element(이름이 단수형임) 메서드는 주어진 이름에 부합하는 첫 요소를 돌려준다. Element는 다음 예처럼 간단한 내비게이션에 유용하다.

```
XElement settings = XElement.Load ("databaseSettings.xml");
string cx = settings.Element ("database").Element ("connectString").Value;
```

Element는 Elements를 호출한 후 LINQ의 FirstOrDefault 질의 연산자(이름 판정 술어를 지정한)를 적용하는 것과 같다. 만일 그런 이름의 요소가 하나도 없으면 Element는 null을 돌려준다.

Element("xyz").Value는 만일 xyz라는 요소가 존재하지 않으면 NullReferenceException을 던진다. 예외보다는 null을 선호한다면, Value 속성을 사용하지 말고 XElement 자체를 string으로 캐스팅하는 것이 낫다. 즉, 다음과 같이 하면 된다.

```
string xyz = (string) settings.Element ("xyz");
```

이는 XElement가 명시적 string 변환을 정의하고 있기 때문에 가능한 일인데, 사실 그 명시적 string 변환은 딱 이런 용도를 위한 것이다.
C# 6부터는 널 조건부 연산자를 사용하는 해법도 가능하다. 즉, Element {"xyz"}?.Value를 사용하면 된다.

후손 노드 조회

XContainer는 직접적인 자식 노드들은 물론이고 그 노드들로부터 시작해서 트리 전체에 대해 재귀적으로 이어지는 모든 자식 노드, 즉 '후손(descendant)' 노드들을 돌려주는 Descendants 메서드와 DescendantNodes 메서드를 제공한다. Descendants 메서드는 선택적 인수를 하나 받는데, 이를 통해서 특정 이름의 자식 요소들만 얻을 수 있다. 다음은 이전의 모든 수지공구를 찾는 예제를 Descendants를 이용해서 다시 작성한 것이다.

```
Console.WriteLine (bench.Descendants ("handtool").Count());  // 3
```

다음 예에서 보듯이, 이 메서드들의 결과에는 더 이상 자식 노드가 없는 노드, 즉 '잎(leaf)' 노드 또는 말단 노드들에 이르는 경로의 모든 후손 노드가 포함된다.

```
foreach (XNode node in bench.DescendantNodes())
  Console.WriteLine (node.ToString (SaveOptions.DisableFormatting));

<toolbox><handtool>Hammer</handtool><handtool>Rasp</handtool></toolbox>
<handtool>Hammer</handtool>
Hammer
<handtool>Rasp</handtool>
Rasp
<toolbox><handtool>Saw</handtool><powertool>Nailgun</powertool></toolbox>
<handtool>Saw</handtool>
Saw
<powertool>Nailgun</powertool>
Nailgun
<!--못총(nailgun) 사용 시 주의 필요-->
```

다음 질의는 X-DOM의 모든 주석 중 단어 '주의'가 있는 주석들을 추출한다.

```
IEnumerable<string> query =
  from c in bench.DescendantNodes().OfType<XComment>()
  where c.Value.Contains ("주의")
  orderby c.Value
  select c.Value;
```

부모 내비게이션

모든 XNode에는 부모 쪽으로의 내비게이션을 위한 Parent 속성과 Ancestor*XXX* 메서드들이 있다. 모든 부모는 항상 XElement이다.

반환 형식	멤버	적용 대상
XElement	Parent { get; }	XNode*
Enumerable<XElement>	Ancestors()	XNode*
	Ancestors (XName)	XNode*
	AncestorsAndSelf()	XElement*
	AncestorsAndSelf (XName)	XElement*

만일 x가 XElement이면 다음은 항상 True를 출력한다.

```
foreach (XNode child in x.Nodes())
  Console.WriteLine (child.Parent == x);
```

그러나 x가 XDocument이면 상황이 다르다. XDocument는 좀 이상하다. 이 노드는 자식 노드들을 가질 수 있지만, 그 누구의 부모도 되지 못한다. XDocument에 접근하려면 Document 속성을 사용해야 한다. X-DOM 트리의 그 어떤 객체에서도 Document 속성으로 XDocument 노드에 접근할 수 있다.

Ancestors는 첫 요소가 Parent이고 그다음 요소가 Parent.Parent인 식으로 뿌리(루트) 요소에 이르기까지의 모든 '선조(ancestor)' 요소를 담은 순차열을 돌려준다.

뿌리 요소에는 LINQ 질의 AncestorsAndSelf().Last()를 통해서 접근할 수 있다.
또 다른 방법은 Document.Root 속성을 사용하는 것이다. 단, 이 방법은 X-DOM에 실제로 XDocument 노드가 있는 경우에만 유효하다.

동기 노드(부모가 같은 노드) 내비게이션

반환 형식	멤버	정의된 클래스
bool	IsBefore (XNode node)	XNode
	IsAfter (XNode node)	XNode
XNode	PreviousNode { get; }	XNode
	NextNode { get; }	XNode
IEnumerable<XNode>	NodesBeforeSelf()	XNode
	NodesAfterSelf()	XNode
IEnumerable<XElement>	ElementsBeforeSelf()	XNode
	ElementsBeforeSelf (XName name)	XNode
	ElementsAfterSelf()	XNode
	ElementsAfterSelf (XName name)	XNode

PreviousNode와 NextNode(그리고 FirstNode/LastNode)를 이용하면 같은 부모 요소의 자식 노드들을 마치 연결 목록에서처럼 운행할 수 있다. 이는 우연이 아니다. 실제로 자식 노드들은 내부적으로 연결 목록에 저장되어 있다.

XNode는 내부적으로 **단일** 연결 목록을 사용하므로, PreviousNode는 그리 성능이 좋지 않다.

특성 내비게이션

반환 형식	멤버	정의된 클래스
bool	HasAttributes { get; }	XElement
XAttribute	Attribute (XName name)	XElement
	FirstAttribute { get; }	XElement
	LastAttribute { get; }	XElement
IEnumerable<XAttribute>	Attributes()	XElement
	Attributes (XName name)	XElement

이들 외에, XAttribute는 Parent 속성뿐만 아니라 PreviousAttribute 속성과 NextAttribute 속성도 정의한다.

이름 하나를 인수로 받는 Attributes 메서드는 빈 순차열 또는 하나의 요소를 담은 순차열을 돌려준다. XML에서 한 요소에 같은 이름의 특성이 여러 개 있을 수는 없다.

X-DOM 갱신

X-DOM의 요소들과 특성들을 갱신하는 방법은 다음과 같이 여러 가지이다.

- SetValue를 호출하거나 Value 속성을 다시 배정한다.
- SetElementValue나 SetAttributeValue를 호출한다.
- Remove*XXX* 메서드들을 호출한다.
- 새로운 내용으로 Add*XXX* 메서드들이나 Replace*XXX* 메서드들을 호출한다.

또한, XElement 객체의 Name 속성에 다른 값을 배정할 수도 있다.

간단한 값 갱신

멤버	적용 대상
SetValue (object value)	XElement, XAttribute
Value { get; set }	XElement, XAttribute

SetValue 메서드는 요소나 특성의 내용을 단순한 값으로 대체한다. Value 속성을 설정하는 것으로도 같은 효과가 나지만, 이 경우에는 문자열 값만 사용할 수 있다. 이 두 함수는 이번 장의 '값 다루기(p.566)'에서 좀 더 자세히 설명한다.

SetValue를 호출하면(또는 Value 속성을 배정하면) 모든 자식 노드가 대체되는 효과가 난다.

```
XElement settings = new XElement ("settings",
                      new XElement ("timeout", 30)
                    );
settings.SetValue ("다른 값");
Console.WriteLine (settings.ToString());  // <settings>다른 값</settings>
```

자식 노드와 특성의 갱신

범주	멤버	적용 대상
추가	Add (params object[] content)	XContainer
	AddFirst (params object[] content)	XContainer
제거	RemoveNodes()	XContainer
	RemoveAttributes()	XElement
	RemoveAll()	XElement
갱신	ReplaceNodes (params object[] content)	XContainer
	ReplaceAttributes (params object[] content)	XElement
	ReplaceAll (params object[] content	XElement
	SetElementValue (XName name, object value)	XElement
	SetAttributeValue (XName name, object value)	XElement

이 부류의 메서드 중 가장 편리한 것은 마지막 두 개, 즉 SetElementValue와 SetAttributeValue이다. 이 두 메서드는 XElement나 XAttribute 인스턴스를 생성해서 추가하되, 같은 이름의 기존 요소나 특성이 있으면 새 값으로 대체하는 작업을 한 번의 호출로 수행하는 효과를 낸다. 다음은 SetElementValue를 사용하는 예이다.

```
XElement settings = new XElement ("settings");
settings.SetElementValue ("timeout", 30);     // 자식 노드를 추가한다.
settings.SetElementValue ("timeout", 60);     // 그 노드의 값을 60으로 갱신한다.
```

Add 메서드는 자식 노드를 요소나 문서의 끝에 추가한다. AddFirst도 같은 일을 하되, 컬렉션의 끝이 아니라 시작에 삽입한다.

RemoveNodes나 RemoveAttributes를 이용하면 모든 자식 노드나 특성을 단번에 제거할 수 있다. RemoveAll은 그 둘을 모두 호출한 것과 같은 효과를 낸다.

Replace*XXX* 메서드들은 기존 자식 노드들이나 특성들을 제거하고 새로운 노드들이나 특성들을 추가하는 것과 같다. 이들은 내부적으로 입력의 복사본을 유지하므로, e.ReplaceNodes(e.Nodes()) 같은 호출도 의도한 대로 작동한다.

부모를 거치는 갱신

멤버	적용 대상
AddBeforeSelf (params object[] content)	XNode
AddAfterSelf (params object[] content)	XNode
Remove()	XNode*, XAttribute*
ReplaceWith (params object[] content)	XNode

AddBeforeSelf, AddAfterSelf, Remove, ReplaceWith 메서드는 현재 노드의 자식 노드 컬렉션이 아니라 현재 노드가 속한 자식 노드 컬렉션에, 즉 현재 노드의 부모의 자식 노드들에 작용한다. 따라서 현재 노드에 반드시 부모 요소가 존재해야 한다. 그렇지 않으면 예외가 발생한다. AddBeforeSelf와 AddAfterSelf는 노드를 임의의 위치에 삽입할 때 유용하다.

```
XElement items = new XElement ("items",
                    new XElement ("one"),
                    new XElement ("three")
                  );
items.FirstNode.AddAfterSelf (new XElement ("two"));
```

결과는 다음과 같다.

```
<items><one /><two /><three /></items>
```

노드들이 아주 많이 있는 순차열 안의 임의의 위치에 노드를 삽입해도 효율이 떨어지지는 않는다. 내부적으로 노드들이 연결된 목록에 정의되어 있기 때문이다.

Remove 메서드는 현재 노드를 부모에서 제거한다. ReplaceWith는 현재 노드를 제거하고 그 위치에 다른 내용을 삽입한다. 다음은 이 점을 보여주는 예이다.

```
XElement items = XElement.Parse ("<items><one/><two/><three/></items>");
items.FirstNode.ReplaceWith (new XComment ("여기에 one이 있었음"));
```

결과는 다음과 같다.

```
<items><!--여기에 one이 있었음--><two /><three /></items>
```

노드 순차열 또는 특성 순차열 제거

System.Xml.Linq에 있는 확장 메서드들 덕분에, 노드들이나 특성들의 **순차열**에도 Remove를 호출할 수 있다. 다음 X-DOM을 생각해 보자.

```
XElement contacts = XElement.Parse (
@"<contacts>
    <customer name='Mary'/>
    <customer name='Chris' archived='true'/>
    <supplier name='Susan'>
      <phone archived='true'>012345678<!--기밀--></phone>
    </supplier>
  </contacts>");
```

다음은 모든 고객(customer 요소)을 제거한다.

```
contacts.Elements ("customer").Remove();
```

다음 문장은 연락처 항목(contacts의 자식 요소) 중 보관된(즉, archived 특성이 true인) 항목을 모두 제거한다.

```
contacts.Elements().Where (e => (bool?) e.Attribute ("archived") == true)
                   .Remove();
```

Elements()를 Descendants()로 대체하면 X-DOM 전체에서 보관된 요소들이 제거된다. 결과적으로 XML은 다음과 같은 모습이 된다.

```
<contacts>
  <customer name="Mary" />
  <supplier name="Susan" />
</contacts>
```

다음 예는 후손 중 '기밀'이라는 단어가 포함된 주석 노드가 있는 모든 연락처 항목을 제거한다.

```
contacts.Elements().Where (e => e.DescendantNodes()
                              .OfType<XComment>()
                              .Any (c => c.Value == "기밀")
                          ).Remove();
```

결과는 다음과 같다.

```
<contacts>
  <customer name="Mary" />
  <customer name="Chris" archived="true" />
</contacts>
```

이를, 다음과 같이 트리에서 모든 주석 노드를 제거하는 좀 더 간단한 질의와 비교해 보기 바란다.

```
contacts.DescendantNodes().OfType<XComment>().Remove();
```

Remove 메서드들은 내부적으로 조건에 부합하는 모든 요소를 임시 목록에 복사한 후 그 임시 목록을 훑으면서 삭제를 수행한다. 이 덕분에, 삭제와 질의를 동시에 수행할 때 발생할 수 있는 오류들이 방지된다.

값 다루기

XElement와 XAttribute에는 string 형식의 Value 속성이 있다. 요소에 XText 형식의 자식 노드 하나만 있는 경우, XElement의 Value 속성은 그 노드의 내용에 직접 접근하는 지름길 역할을 한다. XAttribute의 Value 속성은 그냥 해당 특성의 값이다.

요소들과 특성들은 비록 저장되는 장소가 다르지만, X-DOM에서는 같은 이름의 메서드와 속성을 이용해서 이들의 값에 접근할 수 있다.

값 설정

요소나 특성의 값을 설정하는 방법은 두 가지이다. 하나는 SetValue를 호출하는 것이고, 하나는 Value 속성에 배정하는 것이다. 문자열뿐만 아니라 다른 단순 자료 형식들도 받아들인다는 점에서 SetValue가 더 유연하다. 다음 예를 보자.

```
var e = new XElement ("date", DateTime.Now);
e.SetValue (DateTime.Now.AddDays(1));
Console.Write (e.Value);              // 2007-03-02T16:39:10.734375+09:00
```

이렇게 하는 대신 요소의 Value 속성에 값을 배정하려면 해당 DateTime을 손수 문자열로 변환해야 하는데, 그냥 ToString을 호출하는 것으로는 해결되지 않는다. XML 서식화 규칙들을 만족하는 문자열 표현을 얻으려면 XmlConvert를 사용해야 한다. 그래야 DateTime이 제대로 서식화되며, 부울 값 true가 True가 아니라 소문자 true로, 그리고 double.NegativeInfinity가 "-INF"로 기록된다.

XElement나 XAttribute의 생성자에 문자열 형식이 아닌 값을 전달하는 경우에도 XmlConvert로 하는 것과 동일한 변환이 자동으로 일어난다.

값 조회

Value 속성에 담긴 문자열 형식의 값을 다시 적절한 형식의 값으로 복원하려면 그냥 XElement나 XAttribute를 해당 형식으로 캐스팅하기만 하면 된다. 왠지 안 될 것 같지만 실제로 된다. 예를 들면 다음과 같다.

```
XElement e = new XElement ("now", DateTime.Now);
DateTime dt = (DateTime) e;

XAttribute a = new XAttribute ("resolution", 1.234);
double res = (double) a;
```

요소나 특성이 DateTime이나 수치를 그 자체로 저장하지는 않는다. 항상 텍스트로 저장하고, 필요하면 파싱한다. 또한, 원래의 형식을 '기억'하지도 않는다. 따라서 실행시점 오류를 피하려면 정확한 형식으로 캐스팅해야 한다. 튼튼한 코드를 위해서는 그러한 캐스팅을 try 블록 안에 두고 catch 절에서 FormatException을 잡아야 한다.

XElement나 XAttribute로의 명시적 캐스팅으로 파싱할 수 있는 형식들은 다음과 같다.

- 모든 표준 수치 형식
- string, bool, DateTime, DateTimeOffset, TimeSpan, Guid
- 위의 형식들의 널 가능(Nullable<>) 버전

널 가능 형식으로의 캐스팅은 Element나 Attribute 메서드와 함께 사용할 때 유용하다. 지정된 이름의 요소나 특성이 없어도 캐스팅이 여전히 작동하기 때문이다. 예를 들어 x에 timeout 요소가 하나도 없으면 다음 예제의 첫 줄은 실행시점 오류를 발생하지만 둘째 줄은 발생하지 않는다.

```
int timeout = (int) x.Element ("timeout");      // 오류
int? timeout = (int?) x.Element ("timeout");    // OK; timeout은 null
```

최종 결과에서 널 가능 형식을 제거하려면 ?? 연산자를 사용하면 된다. 다음 배정문의 우변은 x에 resolution이라는 이름의 특성이 없으면 1.0이 된다.

```
double resolution = (double?) x.Attribute ("resolution") ?? 1.0;
```

그러나 널 가능 형식으로의 캐스팅에서 예외가 전혀 발생하지 않는 것은 아니다. 지정된 이름의 요소나 특성이 존재하긴 하지만 그 값이 빈 문자열(또는 서식

이 잘못된 문자열)이면 예외가 발생한다. 이 때문에 반드시 FormatException을 잡아야 한다.

LINQ 질의에서도 캐스팅을 사용할 수 있다. 다음 질의는 "John"을 돌려준다.

```
var data = XElement.Parse (
  @"<data>
      <customer id='1' name='Mary' credit='100' />
      <customer id='2' name='John' credit='150' />
      <customer id='3' name='Anne' />
    </data>");

IEnumerable<string> query = from cust in data.Elements()
                            where (int?) cust.Attribute ("credit") > 100
                            select cust.Attribute ("name").Value;
```

널 가능 int로의 캐스팅은 Anne처럼 credit 특성이 없는 요소에서도 NullReferenceException이 발생하지 않게 하기 위한 것이다. 또는, 다음처럼 where 절에 적절한 술어를 추가해도 같은 결과를 얻을 수 있다.

```
where cust.Attributes ("credit").Any() && (int) cust.Attribute...
```

특성이 아니라 요소의 값을 질의하는 경우에도 이와 동일한 규칙이 적용된다.

값과 혼합 내용 노드

Value라는 속성이 있으니 XText 노드를 직접 다룰 필요는 없을 것이라는 생각이 들 수도 있다. 그러나 하나의 요소에 다음처럼 여러 형식의 노드들이 섞여 있는 '혼합 내용(mixed content)'이 들어 있을 수도 있다.

```
<summary>An XAttribute is <bold>not</bold> an XNode</summary>
```

이 경우 그냥 Value 속성을 조회하는 것으로는 summary의 내용을 제대로 얻지 못한다. summary 요소에는 세 개의 자식 노드가 있는데, 첫째는 XText 노드이고 그 다음은 XElement 노드, 마지막은 또 다른 XText 노드이다. 다음은 summary 요소를 구축하는 코드이다.

```
XElement summary = new XElement ("summary",
                       new XText ("An XAttribute is "),
                       new XElement ("bold", "not"),
                       new XText (" an XNode")
                     );
```

흥미롭게도, 이런 경우에도 여전히 summary의 Value를 조회할 수 있다. 그래도 예외는 발생하지 않는다. 다만, 모든 자식 노드의 값이 연결된 하나의 문자열을 얻게 된다.

```
An XAttribute is not an XNode
```

summary의 Value에 다른 값을 배정하는 것도 적법하다. 단, 그러면 기존의 모든 자식 노드를 새로운 XText 형식의 자식 노드 하나가 대신하게 된다.

자동적인 XText 연결

XElement에 단순 내용(혼합 내용이 아닌)을 추가하면, X-DOM은 새 XText 노드를 생성해서 추가하는 대신 그 내용의 문자열 표현을 기존의 XText 자식 노드의 내용에 연결한다. 다음 예에서 e1과 e2는 그 값이 HelloWorld인 자식 XText 노드 하나만 가지게 된다.

```
var e1 = new XElement ("test", "Hello"); e1.Add ("World");
var e2 = new XElement ("test", "Hello", "World");
```

그러나 명시적으로 XText 노드를 생성해서 추가하면 여러 개의 자식 노드가 남게 된다.

```
var e = new XElement ("test", new XText ("Hello"), new XText ("World"));
Console.WriteLine (e.Value);              // HelloWorld
Console.WriteLine (e.Nodes().Count());    // 2
```

XElement는 두 XText 노드를 연결하지 않으므로, 노드들은 구별되는 객체로 남게 된다.

문서와 선언

XDocument

앞에서 언급했듯이, XDocument는 하나의 뿌리(루트) XElement와 생략 가능한 XDeclaration, 처리 명령, 문서 유형, 뿌리 수준 주석들을 감싸는 역할을 한다. X-DOM에서 XDocument 노드는 선택적이다. 즉, X-DOM 트리에 XDocument 노드가 없어도 된다. W3C DOM의 Document 노드는 모든 것을 한데 묶는 접착제 역할을 하지만, XDocument는 그렇지 않다.

XDocument도 XElement처럼 함수적 생성 방식의 생성자를 제공한다. 그리고 XDocument는 XContainer의 파생 형식이므로 Add*XXX*, Remove*XXX*, Replace*XXX* 메서드들도 지원한다. 그러나 XElement와는 달리 XDocument가 받아들이는 내용은 제한적이다. XDocument는 다음과 같은 내용만 받아들인다.

- 하나의 XElement 객체('뿌리' 요소)
- 하나의 XDeclaration 객체
- 하나의 XDocumentType 객체(DTD 참조용)
- 임의의 개수의 XProcessingInstruction 객체들
- 임의의 개수의 XComment 객체들

이들 중 유효한 XDocument 객체에 필요한 것은 XElement 객체(뿌리 요소)뿐이다. XDeclaration을 비롯한 나머지는 모두 선택적이다. XDeclaration을 생략하면, 직렬화 시 기본 설정들이 적용된다.

다음 코드는 뿌리 요소 하나로만 이루어진 XDocument를 생성한다. 이것이 가장 간단한 형태의 유효한 XDocument의 예이다.

```
var doc = new XDocument (
            new XElement ("test", "data")
          );
```

XDeclaration 객체를 지정하지 않았음을 주목하기 바란다. 그래도 doc.Save 호출로 생성한 XML 파일에는 XML 선언이 포함되어 있는데, 그 선언은 Save가 자동으로 생성해 준 것이다.

다음 예는 간단하지만 정확한 XHTML 파일을 만들어 낸다. 이 예는 XDocument가 받을 수 있는 모든 종류의 구성요소를 보여준다.

```
var styleInstruction = new XProcessingInstruction (
  "xml-stylesheet", "href='styles.css' type='text/css'");

var docType = new XDocumentType ("html",
  "-//W3C//DTD XHTML 1.0 Strict//EN",
  "http://www.w3.org/TR/xhtml1/DTD/xhtml1-strict.dtd", null);

XNamespace ns = "http://www.w3.org/1999/xhtml";
var root =
  new XElement (ns + "html",
    new XElement (ns + "head",
```

```
      new XElement (ns + "title", "예제 XHTML 페이지")),
    new XElement (ns + "body",
      new XElement (ns + "p", "페이지의 내용"))
  );

var doc =
  new XDocument (
    new XDeclaration ("1.0", "utf-8", "no"),
    new XComment ("스타일시트 참조"),
    styleInstruction,
    docType,
    root);

doc.Save ("test.html");
```

결과로 생긴 *test.html*은 다음과 같은 모습이다.

```
<?xml version="1.0" encoding="utf-8" standalone="no"?>
<!--스타일시트 참조-->
<?xml-stylesheet href='styles.css' type='text/css'?>
<!DOCTYPE html PUBLIC "-//W3C//DTD XHTML 1.0 Strict//EN"
                      "http://www.w3.org/TR/xhtml1/DTD/xhtml1-strict.dtd">
<html xmlns="http://www.w3.org/1999/xhtml">
  <head>
    <title>예제 XHTML 페이지</title>
  </head>
  <body>
    <p>페이지의 내용</p>
  </body>
</html>
```

XDocument에는 Root라는 속성이 있다. 이 속성은 문서의 뿌리 요소에 해당하는 XElement에 바로 접근하는 용도로 쓰인다. 반대로, XObject에는 문서(XDocument)로의 접근을 위한 Document 속성이 있다. 트리의 어떤 객체에서도 이 속성을 사용할 수 있다.

```
Console.WriteLine (doc.Root.Name.LocalName);          // html
XElement bodyNode = doc.Root.Element (ns + "body");
Console.WriteLine (bodyNode.Document == doc);          // True
```

이전에 말했듯이, XDocument는 부모 요소가 될 수 없다. 즉, XDocument의 자식 노드에는 Parent가 없다.

```
Console.WriteLine (doc.Root.Parent == null);          // True
foreach (XNode node in doc.Nodes())
  Console.Write (node.Parent == null);                // TrueTrueTrueTrue
```

주석이나 처리 명령, 루트 요소와는 달리 XDeclaration은 XNode가 아니므로 문서의 Nodes 컬렉션에 포함되지 않는다. 위의 예의 마지막 출력에서 "True"가 다섯 번이 아니라 네 번 되풀이된 것은 이 때문이다. XDeclaration에는 Declaration이라는 속성을 통해서 접근해야 한다.

XML 선언

표준적인 XML 파일은 하나의 XML 선언으로 시작한다. 다음은 XML 선언의 예이다.

```
<?xml version="1.0" encoding="utf-8" standalone="yes"?>
```

XML 선언에는 XML 파일을 읽는 코드가 파일을 제대로 파싱하는 데 필요한 정보가 포함되어 있다. 저장과 직렬화 과정에서 XElement와 XDocument는 다음과 같은 규칙에 따라 XML 선언을 출력한다.

- 파일 이름을 지정해서 Save를 호출하면 항상 XML 선언이 출력된다.
- XmlWriter를 지정해서 Save를 호출하면 XmlWriter에 특별한 설정이 없는 한 XML 선언이 출력된다.
- ToString 메서드는 절대로 XML 선언을 출력하지 않는다.

XmlWriter가 XML 선언을 출력하지 않게 하려면, XmlWriter 객체를 생성할 때 지정하는 XmlWriterSettings 객체의 OmitXmlDeclaration 속성과 ConformanceLevel 속성을 적절히 설정해야 한다. 이에 관해서는 제11장에서 설명하겠다.

X-DOM에 XDeclaration 객체가 있는지 없는지는 XML 선언 출력 여부에 영향을 미치지 않는다. X-DOM에서 XDeclaration의 목적은 *XML* **직렬화 시 힌트를 제공하**는 것이다. 특히, 다음 두 가지 정보를 제공한다.

- 사용할 텍스트 부호화(encoding) 방식
- XML 선언의 encoding 특성과 standalone 특성의 값(XML 선언을 출력하는 경우)

XDeclaration의 생성자는 세 개의 인수를 받는데, 순서대로 version, encoding, standalone 특성의 값으로 쓰인다. 다음 예에서 *test.xml*은 UTF-16으로 부호화된다.

```
var doc = new XDocument (
            new XDeclaration ("1.0", "utf-16", "yes"),
```

```
            new XElement ("test", "data")
          );
doc.Save ("test.xml");
```

 version에 어떤 값을 지정하든, XMLWriter는 그냥 "1.0"을 사용한다.

텍스트 부호화 이름은 "utf-16"처럼 IETF가 정한 부호화 이름 중 하나, 즉 실제로 XML 파일의 XML 선언에 쓰이는 이름이어야 한다.

선언을 문자열로 기록

하나의 XDocument 객체를 string으로 직렬화하는데, XML 선언이 결과에 포함되어야 한다고 하자. ToString은 XML 선언을 출력하지 않으므로 다음처럼 XmlWriter를 사용해야 한다.

```
var doc = new XDocument (
            new XDeclaration ("1.0", "utf-8", "yes"),
            new XElement ("test", "data")
          );
var output = new StringBuilder();
var settings = new XmlWriterSettings { Indent = true };
using (XmlWriter xw = XmlWriter.Create (output, settings))
  doc.Save (xw);
Console.WriteLine (output.ToString());
```

결과는 다음과 같다.

```
<?xml version="1.0" encoding="utf-16" standalone="yes"?>
<test>data</test>
```

그런데 XDeclaration을 생성할 때에는 UTF-8을 지정했지만 최종 출력에는 UTF-16이 있음을 주목하기 바란다. 이것이 버그 같아 보이겠지만, 사실은 XmlWriter가 아주 똑똑하게 대처한 결과이다. 지금 예제는 XDocument 객체를 파일이나 스트림이 아니라 하나의 string에 기록하는 것이며, string 형식이 내부적으로 텍스트를 저장하는 데 사용하는 부호화는 UTF-16이므로, 애초에 UTF-16 이외의 부호화는 적용할 수 없다. 그래서 XmlWriter는 현실을 올바로 반영한 "utf-16"을 기록한 것이다.

이는 ToString 메서드가 XML 선언을 출력하지 않는 이유이기도 하다. Save를 호출하는 대신, 다음과 같이 좀 더 직접적인 방식으로 XDocument를 파일에 기록한다고 하자.

```
File.WriteAllText ("data.xml", doc.ToString());
```

이 경우 *data.xml*에는 XML 선언이 포함되지 않는다. 따라서 XML 표준을 준수하는 파일은 아니다. 그래도 여전히 파싱이 가능하다(텍스트 부호화 방식을 추론하는 것이 가능하므로). 만일 `ToString`이 XML 선언을 출력한다면, 그 선언에는 `encoding="utf-16"`이 포함될 것이다. 그런데 이는 **부정확한** 선언이다. `WriteAllText`는 주어진 문자열을 UTF-8로 부호화해서 저장하기 때문이다. 결과적으로, 이후 *data.xml*을 읽는 코드는 오작동하게 된다.

이름과 이름공간

.NET의 형식들을 이름공간으로 조직화하는 것과 비슷하게, XML의 요소들과 특성들도 이름공간으로 조직화할 수 있다.

XML의 이름공간은 크게 두 가지 용도로 쓰인다. 첫째로, C#의 이름공간과 비슷하게 XML 이름공간은 이름 충돌을 피하는 데 도움이 된다. 이름 충돌은 서로 다른 두 XML 파일의 자료를 합칠 때 문제가 될 수 있다. 둘째로, 이름공간은 이름에 **절대적**인 의미를 부여한다. 예를 들어 'nil'이라는 이름의 의미는 얼마든지 다양하다. 그러나 *http://www.w3.org/2001/xmlschema-instance* 이름공간 안에서 'nil'은 C#의 `null`에 해당하는 것을 의미하며, 그 적용 방법에 관한 구체적인 규칙들이 정해져 있다.

XML 이름공간을 제대로 알지 못하고 사용하는 사람들이 많기 때문에, LINQ to XML에서 XML 이름공간을 사용하는 방법을 살펴보기 전에 우선 이 주제를 전반적으로 살펴보기로 하자.

XML의 이름공간

예를 들어 `customer`이라는 요소가 `OReilly.Nutshell.CSharp`이라는 이름공간에 속하게 하고 싶다고 하자. 방법은 두 가지인데, 첫째는 다음과 같이 `xmlns` 특성을 이용하는 것이다.

```
<customer xmlns="OReilly.Nutshell.CSharp"/>
```

`xmlns`는 특별한 의미로 쓰이는 예약된 특성이다. 지금처럼 사용했을 때 이 특성은 다음 두 가지 역할을 한다.

- 현재 요소가 속하는 이름공간을 지정한다.
- 현재 요소의 모든 후손 요소가 속하는 기본 이름공간을 지정한다.

따라서, 다음 예에서 address와 postcode도 암묵적으로 OReilly.Nutshell.CSharp 이름공간에 속하게 된다.

```
<customer xmlns="OReilly.Nutshell.CSharp">
  <address>
    <postcode>02138</postcode>
  </address>
</customer>
```

만일 address와 postcode가 아무 이름공간에도 속하지 않게 하려면 다음처럼 빈 값을 지정하면 된다.

```
<customer xmlns="OReilly.Nutshell.CSharp">
  <address xmlns="">
    <postcode>02138</postcode>     <!-- 이제 postcode는 빈 이름공간을 상속한다.
-->
  </address>
</customer>
```

이름공간 접두사

이름공간을 지정하는 두 번째 방법은 **접두사**(prefix)를 이용하는 것이다. 접두사는 이름공간에 배정하는 하나의 별칭으로, 기본적으로는 타자량을 줄이기 위한 것이다. 접두사를 사용하는 단계는 두 개인데, 첫 단계는 **정의**이고 그다음은 **사용**이다. 다음 예에서처럼 하나의 요소에서 두 단계를 모두 수행할 수도 있다.

```
<nut:customer xmlns:nut="OReilly.Nutshell.CSharp"/>
```

이 요소에서는 두 가지 일이 일어난다. 오른쪽의 xmlns:nut="..."는 nut이라는 접두사를 정의한다. 이 접두사는 현재 요소와 현재 요소의 모든 후손 요소에서 사용할 수 있다. 왼쪽의 nut:customer는 새로 할당된 접두사를 customer 요소에 적용한다.

요소에 적용된 접두사에 해당하는 이름공간이 그 후손 요소들의 기본 이름공간이 되는 것은 **아니다**. 다음 XML에서 firstname에는 이름공간이 부여되지 않는다.

```
<nut:customer xmlns:nut="OReilly.Nutshell.CSharp">
  <firstname>Joe</firstname>
</customer>
```

firstname이 OReilly.Nutshell.CSharp에 속하게 하려면 다음처럼 명시적으로 접두사를 지정해야 한다.

```
<nut:customer xmlns:nut="OReilly.Nutshell.CSharp">
  <nut:firstname>Joe</firstname>
</customer>
```

부모 요소 자체에는 접두사를 지정하지 않고, 후손 요소들이 사용할 접두사(들)만 정의하는 것도 가능하다. 다음은 i와 z라는 두 개의 접두사를 정의하되, customer 자체에는 아무 이름공간도 부여하지 않는다.

```
<customer xmlns:i="http://www.w3.org/2001/XMLSchema-instance"
          xmlns:z="http://schemas.microsoft.com/2003/10/Serialization/">
  ...
</customer>
```

만일 customer가 뿌리 노드라면 문서 전체에서 i와 z를 바로 사용할 수 있다. 접두사는 여러 이름공간에서 요소들을 가져와서 사용하려 할 때 유용하다.

이 예에서 두 이름공간의 이름이 모두 URI라는 점을 주목하기 바란다. 이처럼 이름공간 이름에 URI(자신이 소유한)를 사용하는 것은 표준적인 관행이다. 따라서 실제 코드라면 customer 요소를

```
<customer xmlns="http://oreilly.com/schemas/nutshell/csharp"/>
```

또는

```
<nut:customer xmlns:nut="http://oreilly.com/schemas/nutshell/csharp"/>
```

형태로 정의했을 것이다.

특성

특성에도 이름공간을 부여할 수 있다. 주된 차이는, 항상 접두사를 사용해야 한다는 것이다.

```
<customer xmlns:nut="OReilly.Nutshell.CSharp" nut:id="123" />
```

또 다른 차이는, 접두사가 없는 특성에는 항상 빈 이름공간이 부여된다는 점이다. 즉, 특성은 부모 요소의 기본 이름공간을 물려받지 않는다.

대체로 특성은 해당 요소에 국한된 의미로 쓰이므로 특성에 이름공간을 부여하는 경우는 많지 않다. 예외는 W3C가 정의한 nil 특성 같은 범용 특성 또는 메타자료 특성들이다.

```
<customer xmlns:xsi="http://www.w3.org/2001/XMLSchema-instance">
  <firstname>Joe</firstname>
  <lastname xsi:nil="true"/>
</customer>
```

여기서 nil 특성은 lastname이 빈 문자열이 아니라 nil(C#의 null에 해당)임을 명시적으로 밝히는 용도로 쓰였다. 표준 이름공간을 사용했기 때문에, 범용 파싱 유틸리티는 이러한 의도를 인식할 가능성이 크다.

X-DOM의 이름공간 지정 방법

이번 장에서 지금까지는 XElement나 XAttribute에 단순한 형태의 문자열 이름을 부여했다. 단순한 문자열 이름은 이름공간이 없는 XML 이름에 해당한다. 그런 이름은 전역 이름공간에 정의된 .NET 형식과 다소 비슷하다.

XML 이름공간을 지정하는 방법은 두 가지이다. 첫째는 지역 이름 앞에 이름공간 이름을 중괄호로 감싸는 것이다. 예를 들면 다음과 같다.

```
var e = new XElement ("{http://domain.com/xmlspace}customer", "Bloggs");
Console.WriteLine (e.ToString());
```

이 코드가 만들어 낸 XML은 다음과 같다.

```
<customer xmlns="http://domain.com/xmlspace">Bloggs</customer>
```

둘째 방법은 XNamespace 형식과 XName 형식을 사용하는 것이다(이쪽이 성능이 더 좋다). 다음은 이 두 클래스의 정의이다.

```
public sealed class XNamespace
{
  public string NamespaceName { get; }
}

public sealed class XName     // 지역 이름과 이름공간(생략 가능)
{
  public string LocalName { get; }
  public XNamespace Namespace { get; }   // 생략 가능
}
```

두 형식 모두 string으로부터의 암묵적 캐스팅을 정의한다. 따라서 다음과 같은 코드가 유효하다.

```
XNamespace ns   = "http://domain.com/xmlspace";
XName localName = "customer";
XName fullName  = "{http://domain.com/xmlspace}customer";
```

또한, XNamespace는 중괄호 없이도 이름공간 이름과 노드 이름을 하나의 XName으로 합칠 수 있도록 + 연산자를 적절히 중복적재한다. 예를 들면 다음과 같은 코드가 가능하다.

```
XNamespace ns = "http://domain.com/xmlspace";
XName fullName = ns + "customer";
Console.WriteLine (fullName);     // {http://domain.com/xmlspace}customer
```

X-DOM에서 요소 이름이나 특성 이름을 받는 모든 생성자와 메서드는 실제로는 string이 아니라 XName 객체를 받는다. 지금까지의 예제들에서처럼 XName 객체 대신 그냥 문자열을 사용할 수 있는 것은 다름 아닌 암묵적 캐스팅 덕분이다.

이름공간을 부여하는 방법은 요소와 특성이 동일하다.

```
XNamespace ns = "http://domain.com/xmlspace";
var data = new XElement (ns + "data",
              new XAttribute (ns + "id", 123)
           );
```

X-DOM과 기본 이름공간

X-DOM에서 기본 이름공간이라는 개념은 실제로 XML을 출력할 때에만 적용될 뿐, 그 전에는 아무 효과도 내지 않는다. 따라서 자식 요소가 어떤 이름공간에 속하게 하고 싶다면, 해당 XElement를 생성할 때 반드시 이름공간을 명시적으로 지정해야 한다. 부모로부터 기본 이름공간을 물려받지는 않는다.

```
XNamespace ns = "http://domain.com/xmlspace";
var data = new XElement (ns + "data",
             new XElement (ns + "customer", "Bloggs"),
             new XElement (ns + "purchase", "Bicycle")
           );
```

XML을 읽거나 출력할 때에는 X-DOM이 기본 이름공간을 적용한다.

예:

```
Console.WriteLine (data.ToString());
```

출력:

```
<data xmlns="http://domain.com/xmlspace">
  <customer>Bloggs</customer>
  <purchase>Bicycle</purchase>
</data>
```

예:

```
Console.WriteLine (data.Element (ns + "customer").ToString());
```

출력:

```
<customer xmlns="http://domain.com/xmlspace">Bloggs</customer>
```

이름공간을 지정하지 않고 자식 요소 XElement 객체를 생성하면, 다시 말해 코드를 다음과 같이 바꾸면,

```
XNamespace ns = "http://domain.com/xmlspace";
var data = new XElement (ns + "data",
             new XElement ("customer", "Bloggs"),
             new XElement ("purchase", "Bicycle")
           );
Console.WriteLine (data.ToString());
```

다음과 같은 XML이 출력된다.

```
<data xmlns="http://domain.com/xmlspace">
  <customer xmlns="">Bloggs</customer>
  <purchase xmlns="">Bicycle</purchase>
</data>
```

또 다른 함정은, X-DOM을 운행할 때 이름공간을 빼먹는 것이다.

```
XNamespace ns = "http://domain.com/xmlspace";
var data = new XElement (ns + "data",
             new XElement (ns + "customer", "Bloggs"),
             new XElement (ns + "purchase", "Bicycle")
           );
XElement x = data.Element (ns + "customer");    // OK
XElement y = data.Element ("customer");         // null
```

이름공간을 지정하지 않고 X-DOM 트리를 구축한 후 나중에 이름공간을 지정할 수도 있다. 다음은 기존 트리의 모든 요소에 하나의 이름공간을 부여하는 예이다.

```
foreach (XElement e in data.DescendantsAndSelf())
  if (e.Name.Namespace == "")
    e.Name = ns + e.Name.LocalName;
```

접두사

X-DOM은 접두사 역시 이름공간과 마찬가지로 취급한다. 즉, 접두사는 전적으로 직렬화에만 관여한다. 따라서 X-DOM을 다룰 때에는 접두사 문제를 아예 무시해도 된다. X-DOM에서 접두사를 사용하는 유일한 이유는 XML 파일 출력의 효율성이다. 예를 들어 다음과 같은 코드를 생각해 보자.

```
XNamespace ns1 = "http://domain.com/space1";
XNamespace ns2 = "http://domain.com/space2";

var mix = new XElement (ns1 + "data",
            new XElement (ns2 + "element", "value"),
            new XElement (ns2 + "element", "value"),
            new XElement (ns2 + "element", "value")
          );
```

기본적으로 XElement는 다음과 같이 직렬화된다.

```
<data xmlns="http://domain.com/space1">
  <element xmlns="http://domain.com/space2">value</element>
  <element xmlns="http://domain.com/space2">value</element>
  <element xmlns="http://domain.com/space2">value</element>
</data>
```

이러한 출력에 불필요한 중복이 많다는 점이 눈에 띌 것이다. 이에 대한 해결책은 X-DOM 트리의 구축 방식을 바꾸는 것이 아니라, 구축된 트리를 좀 더 효율적으로 XML로 직렬화하도록 X-DOM에게 힌트를 주는 것이다. 구체적으로 말하면, 다음처럼 적용하고자 하는 접두사를 정의하는 특성들을 추가하면 된다. 흔히 문서의 뿌리 요소에 대해 이런 특성들을 추가한다.

```
mix.SetAttributeValue (XNamespace.Xmlns + "ns1", ns1);
mix.SetAttributeValue (XNamespace.Xmlns + "ns2", ns2);
```

이 코드는 XNamespace 형식의 변수 ns1에 "ns1"이라는 접두사를 부여하고 변수 ns2에는 "ns2"를 부여한다. X-DOM은 직렬화 시 자동으로 이 특성들을 적용해서 좀 더 간결한 XML을 출력한다. 다음은 mix에 대해 ToString을 호출했을 때 나오는 결과이다.

```
<ns1:data xmlns:ns1="http://domain.com/space1"
          xmlns:ns2="http://domain.com/space2">
  <ns2:element>value</ns2:element>
  <ns2:element>value</ns2:element>
  <ns2:element>value</ns2:element>
</ns1:data>
```

접두사가 X-DOM의 구축, 질의, 갱신 방식을 바꾸지는 않는다. 그런 작업에서는 접두사의 존재를 아예 무시하고 그냥 전체 이름을 사용하면 된다. 접두사는 XML 파일이나 스트림과의 변환에서만 효과를 발휘한다.

특성을 직렬화할 때에도 접두사가 적용된다. 다음 예는 dob(date of birth, 즉 생년월일) 특성과 credit 특성을 W3C 표준 특성을 이용해서 "nil"로 설정한 요소를 생성한다. 굵게 강조된 줄은 직렬화 시 이름공간이 불필요하게 중복되지 않도록 접두사를 도입하는 역할을 한다.

```
XNamespace xsi = "http://www.w3.org/2001/XMLSchema-instance";
var nil = new XAttribute (xsi + "nil", true);

var cust = new XElement ("customers",
             new XAttribute (XNamespace.Xmlns + "xsi", xsi),
             new XElement ("customer",
               new XElement ("lastname", "Bloggs"),
               new XElement ("dob", nil),
               new XElement ("credit", nil)
             )
           );
```

이 요소를 직렬화하면 다음과 같은 XML이 나온다.

```
<customers xmlns:xsi="http://www.w3.org/2001/XMLSchema-instance">
  <customer>
    <lastname>Bloggs</lastname>
    <dob xsi:nil="true" />
    <credit xsi:nil="true" />
  </customer>
</customers>
```

간결함을 위해, nil 특성을 나타내는 XAttribute 객체를 미리 생성해서 X-DOM 구축 시 두 번 사용했다. 이처럼 같은 특성을 두 번 참조해도 문제가 생기지는 않는다. 필요에 따라 자동으로 복제되기 때문이다.

주해

임의의 XObject에 커스텀 자료를 붙일 수 있다. 그러한 자료를 주해(annotation; 사용자 주석)라고 부른다. 주해는 전적으로 프로그래머 자신을 위한 것으로, X-DOM은 주해를 블랙박스로 취급한다. Windows Forms나 WPF 컨트롤의 Tag 속성을 사용해 본 독자라면 이런 개념에 익숙할 것이다. Tag와의 차이는 한 객체에 여러 개의 주해를 붙일 수 있다는 점과 주해들을 특정 형식의 **전용**(private) **범위**에 둘 수 있다는 점이다. 즉, 다른 형식들은 덮어 쓰기는 커녕 볼 수도 없는 주해를 만들 수 있다.

다음은 XObject에 주해를 추가하거나 제거하는 메서드들이다.

```
public void AddAnnotation (object annotation)
public void RemoveAnnotations<T>()     where T : class
```

다음은 부착된 주해들을 조회하는 메서드들이다.

```
public T Annotation<T>()               where T : class
public IEnumerable<T> Annotations<T>() where T : class
```

각 주해는 해당 **형식**을 키로 해서 조회된다. 주해의 형식은 반드시 참조 형식이어야 한다. 다음은 string 형식의 주해를 추가하고 조회하는 예이다.

```
XElement e = new XElement ("test");
e.AddAnnotation ("Hello");
Console.WriteLine (e.Annotation<string>());   // Hello
```

한 요소에 같은 형식의 주해를 여러 개 추가할 수 있다. Annotations 메서드는 지정된 형식의 모든 주해를 담은 **순차열**을 돌려준다.

그런데 string 같은 공용 형식을 키로 사용하는 것은 그리 바람직하지 않다. 그런 주해는 다른 형식들이 얼마든지 접근해서 변경할 수 있기 때문이다. 더 나은 접근방식은 내부 또는 전용 클래스(내포된)를 사용하는 것이다.

```
class X
{
  class CustomData { internal string Message; }   // 전용의 내포된 클래스

  static void Test()
  {
    XElement e = new XElement ("test");
    e.AddAnnotation (new CustomData { Message = "Hello" } );
    Console.Write (e.Annotations<CustomData>().First().Message);  // Hello
  }
}
```

주해들을 삭제하려면 반드시 해당 키의 형식에 접근할 수 있어야 한다.

```
e.RemoveAnnotations<CustomData>();
```

질의를 X-DOM으로 투영

지금까지는 X-DOM에서 자료를 **바깥으로** 빼내는 용도로 LINQ를 사용했다. 그와는 반대로, LINQ 질의를 X-DOM **안으로** 투영하는 것도 가능하다. LINQ로 질의할 수 있는 것이면 어떤 자료원(data source)이라도 그런 용도로 사용할 수 있다. 이를테면 다음을 X-DOM으로 투영할 수 있다.

- L2S(LINQ to SQL)나 EF(Entity Framework) 질의
- 지역 컬렉션
- 또 다른 X-DOM

자료원이 어떻든, LINQ 질의로부터 X-DOM을 얻는 전략은 동일하다. 우선 원하는 형태의 X-DOM을 산출하는 **함수적 생성** 표현식을 작성해 본다. 그런 다음 그 표현식을 감싸는 LINQ 질의를 구축한다.

예를 들어, 데이터베이스에서 고객 레코드들을 조회해서 다음과 같은 형태의 XML로 출력한다고 하자.

```
<customers>
  <customer id="1">
    <name>Sue</name>
    <buys>3</buys>
  </customer>
  ...
</customers>
```

우선 이에 해당하는 X-DOM을 구축하는 함수적 생성 표현식을 작성한다. 일단은 단순한 리터럴들로 고객의 정보를 지정한다.

```
var customers =
  new XElement ("customers",
    new XElement ("customer", new XAttribute ("id", 1),
      new XElement ("name", "Sue"),
      new XElement ("buys", 3)
    )
  );
```

이제 이를 투영 형태로 바꾸고 LINQ 질의로 감싼다.

```
var customers =
  new XElement ("customers",
    from c in dataContext.Customers
    select
```

```
    new XElement ("customer", new XAttribute ("id", c.ID),
      new XElement ("name", c.Name),
      new XElement ("buys", c.Purchases.Count)
    )
  );
```

EF에서는 고객들을 조회한 다음 반드시 ToList를 호출해야 한다. 즉, 셋째 줄을 다음과 같이 바꾸어야 한다.

```
from c in objectContext.Customers.ToList()
```

다음은 이 질의로 얻은 X-DOM을 직렬화한 결과이다.

```
<customers>
  <customer id="1">
    <name>Tom</name>
    <buys>3</buys>
  </customer>
  <customer id="2">
    <name>Harry</name>
    <buys>2</buys>
  </customer>
    ...
</customers>
```

같은 질의를 두 단계로 구축해 보면 이 전략을 좀 더 잘 이해할 수 있다. 첫 단계로, 다음과 같은 질의를 구축한다.

```
IEnumerable<XElement> sqlQuery =
  from c in dataContext.Customers
  select
    new XElement ("customer", new XAttribute ("id", c.ID),
      new XElement ("name", c.Name),
      new XElement ("buys", c.Purchases.Count)
    );
```

앞의 질의의 안쪽 부분에 해당하는 이 질의는 그냥 결과를 커스텀 형식으로 투영하는 보통의 LINQ to SQL 질의일 뿐이다(LINQ to SQL의 관점에서). 둘째 단계로, 이 질의를 인수로 해서 XElement를 생성한다.

```
var customers = new XElement ("customers", sqlQuery);
```

이 코드는 전체 X-DOM의 뿌리에 해당하는 XElement를 생성한다. 여기서 특기할 점은 sqlQuery가 하나의 XElement 객체가 아니라 IQueryable<XElement>를(따라서 IEnumerable<XElement>를) 구현하는 형식의 객체라는 점뿐이다. 앞에서 언급했듯이 XML 내용을 처리할 때 컬렉션이 자동으로 열거되므로, 결과적으로 컬렉션의 모든 XElement가 뿌리 요소의 자식 노드로 추가된다.

이 바깥쪽 질의는 데이터베이스 대상 질의에서 지역의 열거 가능 객체에 대한 LINQ 질의로 전이하는 경계선도 정의한다. XElement의 생성자는 IQueryable<>에 관해 알지 못하므로, 이 시점에서 데이터베이스 질의가 실제로 열거되어서 해당 SQL 질의문이 실행된다.

빈 요소 제거

앞의 예를 이어서, 고객의 가장 최근 고가(1,000달러를 넘는) 구매의 세부사항도 결과에 포함한다고 하자. 다음은 이를 위해 앞의 질의를 수정한 버전이다.

```
var customers =
  new XElement ("customers",
    from c in dataContext.Customers
    let lastBigBuy = (from p in c.Purchases
                      where p.Price > 1000
                      orderby p.Date descending
                      select p).FirstOrDefault()
    select
      new XElement ("customer", new XAttribute ("id", c.ID),
        new XElement ("name", c.Name),
        new XElement ("buys", c.Purchases.Count),
        new XElement ("lastBigBuy",
          new XElement ("description", lastBigBuy?.Description,
          new XElement ("price", lastBigBuy?.Price ?? 0m)
        )
      )
);
```

그런데 고가 구매가 없는 고객의 경우에는 빈 요소가 출력된다. (데이터베이스 질의가 아니라 지역 질의였다면 NullReferenceException이 발생할 것이다.) 그런 경우에는 lastBigBuy 노드를 아예 생략하는 것이 더 낫다. 한 가지 방법은 lastBigBuy 요소를 생성하는 구문을 다음처럼 조건 연산자로 감싸는 것이다.

```
select
  new XElement ("customer", new XAttribute ("id", c.ID),
    new XElement ("name", c.Name),
    new XElement ("buys", c.Purchases.Count),
    lastBigBuy == null ? null :
      new XElement ("lastBigBuy",
        new XElement ("description", lastBigBuy.Description),
        new XElement ("price", lastBigBuy.Price)
```

lastBigBuy 요소가 없는 고객의 경우에는 빈 XElement 요소 대신 null이 출력되며, null인 내용은 그냥 무시되므로 우리가 원했던 결과가 나온다.

투영의 스트리밍

투영으로 얻은 X-DOM에 대해 그냥 Save 또는 ToString만 호출할 것이라면, XStreamingElement를 이용해서 메모리 효율성을 향상할 수 있다. XElement의 축소 버전인 XStreamingElement는 자식 내용에 **지연된 실행** 의미론을 적용한다는 점이 특징이다. 이 객체를 사용하려면 그냥 바깥쪽 XElement만 XStreamingElement로 대체하면 된다.

```
var customers =
  new XStreamingElement ("customers",
    from c in dataContext.Customers
    select
      new XStreamingElement ("customer", new XAttribute ("id", c.ID),
        new XElement ("name", c.Name),
        new XElement ("buys", c.Purchases.Count)
      )
    );
customers.Save ("data.xml");
```

XStreamingElement의 생성자에 전달되는 질의는 XStreamingElement 객체에 대해 Save나 ToString, WriteTo를 호출해야 비로소 열거된다. 즉, 생성 시 X-DOM 전체를 메모리에 적재해야 하는 부담이 사라지는 것이다. 단점은, Save를 다시 실행하면 질의도 다시 열거된다는 점이다. 또한 XStreamingElement의 자식 노드들은 운행할 수 없다. XStreamingElement는 Elements나 Attributes 같은 메서드를 노출하지 않기 때문이다.

XStreamingElement는 XObject는 물론이고 그 어떤 형식도 상속하지 않는다. 그런 만큼 멤버가 아주 적다. 이 형식의 멤버는 Save, ToString, WriteTo 외에 다음 둘 뿐이다.

- 생성자처럼 내용을 받아서 자식으로 추가하는 Add 메서드
- Name 속성

내용을 스트리밍 방식으로 읽는 연산은 XStreamingElement가 지원하지 않는다. 그런 작업이 필요하다면 반드시 XmlReader를 X-DOM과 함께 사용해야 한다. 구체적인 방법은 제11장의 'XmlReader/XmlWriter 사용 패턴(p.606)'에서 이야기하겠다.

X-DOM의 변환

X-DOM을 재투영함으로써 다른 형태의 X-DOM으로 변환할 수 있다. 예를 들어 C# 컴파일러와 Visual Studio가 프로젝트 설정을 담는 데 사용하는 *msbuild* XML 파일을 보고서 생성에 적합한 좀 더 단순한 서식으로 바꾼다고 하자. msbuild 파일은 다음과 같은 모습이다.

```
<Project DefaultTargets="Build" xmlns="http://schemas.microsoft.com/dev...>
  <PropertyGroup>
    <Platform Condition=" '$(Platform)' == '' ">AnyCPU</Platform>
    <ProductVersion>9.0.11209</ProductVersion>
    ...
  </PropertyGroup>
  <ItemGroup>
    <Compile Include="ObjectGraph.cs" />
    <Compile Include="Program.cs" />
    <Compile Include="Properties\AssemblyInfo.cs" />
    <Compile Include="Tests\Aggregation.cs" />
    <Compile Include="Tests\Advanced\RecursiveXml.cs" />
  </ItemGroup>
  <ItemGroup>
    ...
  </ItemGroup>
   ...
</Project>
```

이를, 다음처럼 파일 정보만 남긴 형태로 바꾼다고 하자.

```
<ProjectReport>
  <File>ObjectGraph.cs</File>
  <File>Program.cs</File>
  <File>Properties\AssemblyInfo.cs</File>
  <File>Tests\Aggregation.cs</File>
  <File>Tests\Advanced\RecursiveXml.cs</File>
</ProjectReport>
```

다음은 이러한 변환을 수행하는 질의이다.

```
XElement project = XElement.Load ("myProjectFile.csproj");
XNamespace ns = project.Name.Namespace;
var query =
  new XElement ("ProjectReport",
    from compileItem in
      project.Elements (ns + "ItemGroup").Elements (ns + "Compile")
    let include = compileItem.Attribute ("Include")
    where include != null
    select new XElement ("File", include.Value)
  );
```

이 질의는 우선 모든 ItemGroup 요소를 추출하고 확장 메서드 Elements를 이용해서 자식 Compile 요소들의 평평한 순차열을 얻는다. 이때 XML 이름공간을 지정해야 함을 주의하기 바란다. 원래의 파일에서 모든 요소는 Project 요소에 정의된 이름공간을 상속한다. 그래서 그냥 ItemGroup처럼 지역 이름만 지정하면 원하는 요소들을 얻을 수 없다. 다음으로, Include 특성 값들을 추출해서 각 값을 File 요소로 투영한다.

고급 변환

X-DOM 같은 지역 컬렉션에 대한 질의에서는 커스텀 질의 연산자의 작성과 활용에 별 제약이 없다. 커스텀 질의 연산자는 복잡한 질의를 좀 더 효과적으로 표현하는 데 도움이 된다.

앞의 예를 이어서, 다음처럼 파일들이 폴더별로 나열된 계통구조 형태의 출력을 원한다고 하자.

```
<Project>
  <File>ObjectGraph.cs</File>
  <File>Program.cs</File>
  <Folder name="Properties">
    <File>AssemblyInfo.cs</File>
  </Folder>
  <Folder name="Tests">
    <File>Aggregation.cs</File>
    <Folder name="Advanced">
      <File>RecursiveXml.cs</File>
    </Folder>
  </Folder>
</Project>
```

이런 결과를 산출하려면 *Tests\Advanced\RecursiveXml.cs* 같은 경로 문자열을 재귀적으로 처리해야 한다. 다음 메서드가 바로 그러한 작업을 수행한다. 이 메서드는 경로 문자열들의 순차열을 받아서 위의 출력과 같은 계통구조 형태의 X-DOM을 산출한다.

```
static IEnumerable<XElement> ExpandPaths (IEnumerable<string> paths)
{
  var brokenUp = from path in paths
                 let split = path.Split (new char[] { '\\' }, 2)
                 orderby split[0]
                 select new
                 {
                   name = split[0],
```

```
                    remainder = split.ElementAtOrDefault (1)
                  };

    IEnumerable<XElement> files = from b in brokenUp
                                  where b.remainder == null
                                  select new XElement ("file", b.name);

    IEnumerable<XElement> folders = from b in brokenUp
                                    where b.remainder != null
                                    group b.remainder by b.name into grp
                                    select new XElement ("folder",
                                      new XAttribute ("name", grp.Key),
                                      ExpandPaths (grp)
                                    );
    return files.Concat (folders);
  }
```

첫 질의는 각 경로 문자열을 첫 번째 역슬래시(backslash, '\')에서 분할해서(아래에 참고) 앞부분과 뒷부분을 name과 remainder에 배정한다.

```
Tests\Advanced\RecursiveXml.cs → Tests + Advanced\RecursiveXml.cs
```

만일 remainder가 null이면 현재 경로는 보통의 파일 이름이다. files 질의가 이 경우들을 추출한다.

만일 remainder가 null이 아니면 현재 경로는 폴더이다. 이 경우들은 folders가 처리한다. 한 폴더에 여러 개의 파일이 있을 수 있으므로 group by 절을 이용해서 파일들을 폴더 이름별로 묶어야 한다. 그런 다음 각 그룹의 하위 요소들에 대해 동일한 함수를 실행한다.

마지막으로, files의 결과와 folders의 결과를 하나의 순차열로 연결한다. Concat 연산자는 순서를 보존하므로 먼저 모든 파일이 알파벳순으로 나열되고 그다음에 모든 폴더가 나열된다.

이러한 메서드를 이용해서 실제 질의를 두 단계로 구축해보자. 우선 경로 문자열들을 하나의 순차열로 추출한다.

```
IEnumerable<string> paths =
  from compileItem in
    project.Elements (ns + "ItemGroup").Elements (ns + "Compile")
  let include = compileItem.Attribute ("Include")
  where include != null
  select include.Value;
```

그런 다음, 이 순차열을 ExpandPaths 메서드에 넘겨주어서 최종 결과를 얻는다.

```
var query = new XElement ("Project", ExpandPaths (paths));
```

C# 6.0 in a Nutshell

그 밖의 XML 기술들

System.Xml 이름공간은 다음과 같은 이름공간들과 핵심 클래스들로 구성되어 있다.

System.Xml.*

XmlReader와 XmlWriter

XML 스트림을 읽고 쓰기 위한 고성능 읽기 전용 커서

XmlDocument

XML 문서를 W3C 스타일의 DOM 형태로 나타내는 클래스(폐기 예정)

System.Xml.XLinq

XML을 다루는 데 쓰이는 현대적인 LINQ 중심 DOM(제10장 참고)

System.Xml.XmlSchema

W3C의 XSD 스키마를 위한 기반구조와 API

System.Xml.Xsl

W3C의 XSLT를 이용한 XML 변환을 위한 기반구조와 API(XslCompiledTransform)

System.Xml.Serialization

클래스와 XML 사이의 직렬화를 지원하는 형식들(제17장 참고)

W3C는 XML 표준들을 제정하는 World Wide Web Consortium의 약자이다.

XML 문자열의 파싱과 서식화를 위한 정적 클래스인 XmlConvert는 제6장에서 다루었다.

XmlReader 클래스

XmlReader는 XML 스트림을 저수준, 전진 전용 방식으로 읽어들이는 고성능 XML 판독기(reader)를 나타내는 클래스이다.

아래의 예제들은 다음과 같은 내용의 *customer.xml*이라는 XML 파일을 사용한다.

```
<?xml version="1.0" encoding="utf-8" standalone="yes"?>
<customer id="123" status="archived">
  <firstname>Jim</firstname>
  <lastname>Bo</lastname>
</customer>
```

XML 판독기(XmlReader 인스턴스)는 XmlReader.Create를 호출해서 생성하는데, 이 메서드는 Stream이나 TextReader 또는 파일 이름을 뜻하는 URI 문자열을 인수로 받는다. 다음은 URI 문자열을 이용하는 예이다.

```
using (XmlReader reader = XmlReader.Create ("customer.xml"))
  ...
```

Stream과 URI에서 XML 자료를 가져오는 속도가 느릴 수도 있기 때문에, XmlReader의 메서드들에는 비차단(nonblocking) 코드를 작성하는 데 적합한 비동기 버전들이 존재한다. 비동기성은 제14장에서 자세히 다룬다.

다음은 문자열로부터 XML을 읽어 들이는 XmlReader 인스턴스를 생성하는 예이다.

```
XmlReader reader = XmlReader.Create (
  new System.IO.StringReader (myString));
```

Create의 둘째 인수로 XmlReaderSettings 객체를 지정할 수도 있다. 이 객체는 파싱과 유효성 점검 방식을 결정한다. XmlReaderSettings의 여러 속성 가운데 다음 세 속성은 필요하지 않은 내용을 건너뛰는 데 유용하다.

```
bool IgnoreComments                    // 주석 노드 무시 여부
```

```
bool IgnoreProcessingInstructions    // 처리 명령 무시 여부
bool IgnoreWhitespace                // 공백 문자 무시 여부
```

다음은 공백(whitespace) 노드들을 읽어 들이지 않도록 하는 예이다. 전형적인 XML 활용 상황에서 공백들은 주의를 흐트러뜨릴 뿐 별 도움이 되지 않는다.

```
XmlReaderSettings settings = new XmlReaderSettings();
settings.IgnoreWhitespace = true;

using (XmlReader reader = XmlReader.Create ("customer.xml", settings))
  ...
```

XmlReaderSettings의 또 다른 유용한 속성은 ConformanceLevel이다. 이 속성의 기본값은 Document인데, 이 값으로 생성된 XmlReader는 뿌리(루트) 노드가 단 하나인 적격의(well-formed) XML 문서만 받아들인다. 그런 판독기로 다음처럼 XML 문서 중 여러 개의 노드가 있는 부분을 읽어 들이면 예외가 발생한다.

```
<firstname>Jim</firstname>
<lastname>Bo</lastname>
```

이를 예외 발생 없이 읽으려면 ConformanceLevel를 Fragment로 설정해서 XmlReader를 생성해야 한다.

XmlReaderSettings에는 또한 CloseInput이라는 속성도 있다. 이 속성은 판독기를 닫을 때 바탕 스트림도 닫을 것인지의 여부를 뜻한다. 이에 상응해서, XmlWriterSettings에는 CloseOutput이라는 속성이 있다. CloseInput와 CloseOutput의 기본값은 false이다.

노드 읽기

XML 스트림의 최소 단위는 *XML* 노드이다. 판독기는 스트림의 노드들을 XML 텍스트에 나온 순서대로, 즉 깊이 우선(depth-first) 순서로 운행한다. 판독기의 Depth 속성은 커서의 현재 깊이를 돌려준다.

XmlReader로 XML 자료를 읽는 가장 기본적인 방법은 Read를 호출하는 것이다. 이 메서드는 커서를 XML 스트림의 다음 노드로 전진시켜서 그 노드를 읽어들인다. IEnumerator의 MoveNext와 비슷한 방식이다. 단, 판독기에 대해 처음으로 Read를 호출하면 첫 노드를 읽게 된다. Read가 false를 돌려주었다면 커서가 마지막 노드를 지나친 위치로 전진한 것이다. 그러면 XmlReader를 닫고 폐기해야 한다.

다음 예는 XML의 모든 노드를 차례로 읽으면서 노드의 종류를 출력한다.

```
XmlReaderSettings settings = new XmlReaderSettings();
settings.IgnoreWhitespace = true;

using (XmlReader reader = XmlReader.Create ("customer.xml", settings))
  while (reader.Read())
  {
    Console.Write (new string (' ',reader.Depth*2));  // 들여쓰기 출력
    Console.WriteLine (reader.NodeType);
  }
```

출력은 다음과 같다.

```
XmlDeclaration
Element
  Element
    Text
  EndElement
  Element
    Text
  EndElement
EndElement
```

 Read 기반 운행에 특성들은 포함되지 않는다(이번 장의 '특성 읽기(p.600)' 참고).

NodeType은 XmlNodeType 형식의 속성으로, XmlNodeType 자체는 다음과 같은 멤버들이 있는 열거형이다.

```
None              Comment                  Document
XmlDeclaration    Entity                   DocumentType
Element           EndEntity                DocumentFragment
EndElement        EntityReference          Notation
Text              ProcessingInstruction    Whitespace
Attribute         CDATA                    SignificantWhitespace
```

XmlReader에는 노드의 내용에 접근하기 위한 string 속성이 두 개 있다. 바로 Name과 Value이다. Name 속성과 Value 속성은 노드의 종류에 따라서 둘 다 채워지기도 하고 둘 중 하나만 채워지기도 한다. 다음은 이 두 속성을 이용하는 예이다.

```
XmlReaderSettings settings = new XmlReaderSettings();
settings.IgnoreWhitespace = true;
settings.DtdProcessing = DtdProcessing.Parse; // DTD를 읽어들이는 데 필요한 설정

using (XmlReader r = XmlReader.Create ("customer.xml", settings))
```

```
while (r.Read())
{
  Console.Write (r.NodeType.ToString().PadRight (17, '-'));
  Console.Write ("> ".PadRight (r.Depth * 3));

  switch (r.NodeType)
  {
    case XmlNodeType.Element:
    case XmlNodeType.EndElement:
      Console.WriteLine (r.Name); break;

    case XmlNodeType.Text:
    case XmlNodeType.CDATA:
    case XmlNodeType.Comment:
    case XmlNodeType.XmlDeclaration:
      Console.WriteLine (r.Value); break;

    case XmlNodeType.DocumentType:
      Console.WriteLine (r.Name + " - " + r.Value); break;

    default: break;
  }
}
```

이 예제 코드의 효과를 좀 더 잘 파악할 수 있도록, 앞의 XML 파일에 문서 유형 정의(Document Type Definition, DTD)와 XML 개체(entity), CDATA, 주석을 추가해 보자.

```
<?xml version="1.0" encoding="utf-8" ?>
<!DOCTYPE customer [ <!ENTITY tc "최고의 고객"> ]>
<customer id="123" status="archived">
  <firstname>Jim</firstname>
  <lastname>Bo</lastname>
  <quote><![C#의 연산자로는 <, >, & 등이 있다.]]></quote>
  <notes>Jim Bo 씨는 &tc;</notes>
  <!--  그리 나쁘지 않았음! -->
</customer>
```

XML 개체는 매크로 같은 것이고 CDATA는 C#의 축자(verbatim) 문자열(`@"..."`) 같은 것이다. 다음은 예제 코드의 출력이다.

```
XmlDeclaration---> version="1.0" encoding="utf-8"
DocumentType-----> customer -  <!ENTITY tc "최고의 고객">
Element----------> customer
Element---------->  firstname
Text------------->     Jim
EndElement------->  firstname
Element---------->  lastname
Text------------->     Bo
EndElement------->  lastname
```

```
Element----------> quote
CDATA------------>    C#의 연산자로는 <, >, & 등이 있다.
EndElement-------> quote
Element----------> notes
Text------------->    Jim Bo 씨는 최고의 고객
EndElement-------> notes
Comment---------->    그리 나쁘지 않았음!
EndElement-------> customer
```

XmlReader는 XML 개체를 자동으로 환원해준다. 이 예에서 XML 개체 참조 &tc;이 Top Customer로 확장된 것은 그 때문이다.

요소 읽기

읽고자 하는 XML 문서의 구조를 미리 알고 있는 경우도 많다. 그런 경우를 위해 XmlReader는 각 노드의 종류나 내용의 형식에 특화된 여러 메서드를 제공한다. 이들을 이용하면 코드가 간단해질 뿐만 아니라 어느 정도의 유효성 점검 효과도 생긴다.

유효성 점검에 실패하면 XmlReader는 XmlException 예외를 던진다. XmlException에는 문제가 발생한 위치를 가리키는 LineNumber 속성과 LinePosition 속성이 있다. 큰 XML 파일을 읽을 때에는 이런 정보를 기록하는 것이 필수이다.

ReadStartElement는 NodeType(현재 노드의 종류)이 Element(요소)인지 점검한 후 Read를 호출한다. 이름을 지정하면 현재 요소의 이름이 그 이름과 부합하는지도 점검한다.

ReadEndElement는 NodeType이 EndElement(종료 요소)인지 점검한 후 Read를 호출한다.

예를 들어 다음과 같은 XML 조각을

```
<firstname>Jim</firstname>
```

다음과 같이 읽을 수 있다.

```
reader.ReadStartElement ("firstname");
Console.WriteLine (reader.Value);
reader.Read();
reader.ReadEndElement();
```

ReadElementContentAsString 메서드는 이 모든 것을 한번에 수행한다. 이 메서드는 시작 요소와 텍스트 노드, 종료 요소를 읽고 텍스트 노드의 내용(문자열)을 돌려준다.

```
string firstName = reader.ReadElementContentAsString ("firstname", "");
```

둘째 인수는 해당 요소의 이름공간인데, 지금 예에서는 비워 두었다. ReadElementContentAsInt처럼 특정 형식으로의 파싱까지 수행하는 메서드들도 있다. 다시 원래의 XML 문서로 돌아가자.

```
<?xml version="1.0" encoding="utf-8" standalone="yes"?>
<customer id="123" status="archived">
  <firstname>Jim</firstname>
  <lastname>Bo</lastname>
  <creditlimit>500.00</creditlimit>    <!-- 이용 한도를 슬쩍 추가했음 -->
</customer>
```

다음은 이 문서를 읽는 예이다.

```
XmlReaderSettings settings = new XmlReaderSettings();
settings.IgnoreWhitespace = true;

using (XmlReader r = XmlReader.Create ("customer.xml", settings))
{
  r.MoveToContent();                  // XML 선언을 건너뛴다.
  r.ReadStartElement ("customer");
  string firstName    = r.ReadElementContentAsString ("firstname", "");
  string lastName     = r.ReadElementContentAsString ("lastname", "");
  decimal creditLimit = r.ReadElementContentAsDecimal ("creditlimit", "");

  r.MoveToContent();      // 성가신 주석을 건너뛰고
  r.ReadEndElement();     // customer 종료 태그를 읽는다.
}
```

MoveToContent 메서드는 아주 유용하다. 이 메서드는 군더더기들, 즉 XML 선언과 공백, 주석, 처리 명령 들을 건너뛰고 실질적인 내용 노드로 이동한다. XmlReaderSettings의 속성들을 적절히 설정하면, 대부분의 작업에서 XmlReader가 자동으로 이를 적용하게 만들 수도 있다.

선택적 요소

앞의 예에서, 문서에 <lastname> 요소가 없을 수도 있다고 하자. 해결책은 간단하다.

```
r.ReadStartElement ("customer");
string firstName    = r. ReadElementContentAsString ("firstname", "");
string lastName     = r.Name == "lastname"
                      ? r.ReadElementContentAsString() : null;
decimal creditLimit = r.ReadElementContentAsDecimal ("creditlimit", "");
```

무작위 순 요소

이번 절의 예제들은 XML 파일 안에서 요소들이 특정한 순서로 나타난다고 가정한다. 요소들이 임의의 순서로 나타날 수 있는 XML 파일들을 다루는 가장 간단한 방법은 XML 문서(의 해당 부분)를 X-DOM으로 읽어 들이는 것이다. 이에 관해서는 이번 장의 'XmlReader/XmlWriter 사용 패턴(p.606)'에서 설명한다.

빈 요소

XmlReader가 빈 요소를 다루는 방식에는 끔찍한 함정이 숨어 있다. 다음과 같은 요소를 생각해 보자.

```
<customerList></customerList>
```

XML에서 이 요소는 다음과 동등하다.

```
<customerList/>
```

그러나 XmlReader는 이들을 다르게 취급한다. 첫 예에 대해서는 다음과 같은 코드가 예상대로 작동한다.

```
reader.ReadStartElement ("customerList");
reader.ReadEndElement();
```

하지만 둘째 예에 대해서는 ReadEndElement가 예외를 던진다. XmlReader의 관점에서, 둘째 예에는 '종료 요소'가 따로 없기 때문이다. 이 문제에 대한 우회책은 다음처럼 미리 빈 요소 여부를 점검하는 것이다.

```
bool isEmpty = reader.IsEmptyElement;
reader.ReadStartElement ("customerList");
if (!isEmpty) reader.ReadEndElement();
```

실제 응용에서 이는 해당 요소에 자식 요소들이 있는 경우에만(이를테면 고객 목록 요소) 문제가 된다. 그냥 단순한 텍스트를 감싸는 요소(firstname 등)라면 ReadElementContentAsString 같은 메서드를 호출하면 그만이다. ReadElement*XXX* 메서드들은 두 종류의 빈 요소를 문제없이 처리한다.

그 밖의 ReadXXX 메서드들

표 11-1은 XmlReader의 모든 Read*XXX* 메서드를 정리한 것이다. 이들 대부분은 요소에 대해 작동한다. 예제 XML 조각 열에서 굵게 표시된 부분은 해당 메서드가 읽어 들이는 내용이다.

표 11-1 ReadXXX 메서드들

멤버	대상 노드 종류	예제 XML 조각	입력 매개변수	반환값
ReadContentAs*XXX*	Text	<a>**x**</a>		x
ReadString	Text	<a>x</a>		x
ReadElementString	Element	**<a>x</a>**		x
ReadElementContentAs*XXX*	Element	**<a>x</a>**		x
ReadInnerXml	Element	**<a>x</a>**		x
ReadOuterXml	Element	**<a>x</a>**		<a>x</a>
ReadStartElement	Element	**<a>**x</a>		
ReadEndElement	Element	<a>x**</a>**		
ReadSubtree	Element	**<a>x</a>**		<a>x</a>
ReadToDescendant	Element	**<a>x**<b></b></a>	"b"	
ReadToFollowing	Element	**<a>x**<b></b></a>	"b"	
ReadToNextSibling	Element	**<a>x</a>**<b></b>	"b"	
ReadAttributeValue	Attribute	'특성 읽기(p.600)' 참고		

ReadContentAs*XXX* 메서드들은 텍스트 노드를 *XXX* 형식으로 파싱한다. 이 메서드들은 내부적으로 XmlConvert 클래스를 이용해서 문자열을 해당 형식으로 변환한다. 이때 텍스트 노드는 요소 노드에 속한 것일 수도 있고 특성 노드에 속한 것일 수도 있다.

ReadElementContentAs*XXX* 메서드들은 해당 ReadContentAs*XXX* 메서드를 감싼 메서드들로, 이들은 요소에 속한 **텍스트** 노드가 아니라 그런 **요소** 노드 자체에 적용된다.

형식 있는 Read*XXX* 메서드 중에는 Base64나 BinHex로 부호화된 자료를 바이트 배열로 읽어 들이는 것들도 있다.

ReadInnerXml은 주로 요소에 적용된다. 이 메서드는 하나의 요소와 그 요소의 모든 후손을 읽어서 돌려준다. 특성에 적용한 경우에는 특성의 값을 돌려준다.

ReadOuterXml은 ReadInnerXml과 같되 커서 위치의 요소를 제외하는 것이 아니라 포함한다는 점이 다르다.

ReadSubtree는 현재 요소(와 그 후손들)만으로 이루어진 부분 트리를 읽는 하나의 프록시 판독기를 돌려준다. 원래의 판독기를 안전하게 다시 읽으려면 이 프록시 판독기를 먼저 닫아 주어야 한다. 프록시 판독기를 닫으면 원래의 판독기의 커서는 부분 트리의 끝으로 이동한다.

ReadToDescendant는 지정된 이름/이름공간에 부합하는 첫 후손 노드의 시작 위치로 커서를 옮긴다.

ReadToFollowing은 지정된 이름/이름공간에 부합하는 첫 노드(깊이와 무관하게)의 시작 위치로 커서를 옮긴다.

ReadToNextSibling은 지정된 이름/이름공간에 부합하는 첫 동기 노드(sibling node; 현재 노드와 부모가 같은 자식 노드)의 시작 위치로 커서를 옮긴다.

ReadString과 ReadElementString은 ReadContentAsString, ReadElementContentAsString과 비슷하되, 요소 안에 텍스트 노드 하나만 있어야 작동한다. 만일 여러 개의 노드가 있으면 예외를 던진다. 이들은 요소에 텍스트 노드 외에 주석이 들어 있어도 예외를 던지므로, 가능하면 사용하지 않는 것이 좋다.

특성 읽기

XmlReader는 요소의 특성들에 직접 접근할 수 있는 임의 접근 인덱서를 제공한다. 이 인덱서를 이용해서 이름이나 위치로 특정 특성에 접근할 수 있다. 이 인덱서를 사용하는 것은 GetAttribute를 호출하는 것과 동등하다.

다음과 같은 XML 조각이 있다고 하자.

```
<customer id="123" status="archived"/>
```

다음은 이 요소의 특성들을 읽는 예이다.

```
Console.WriteLine (reader ["id"]);              // 123
Console.WriteLine (reader ["status"]);          // archived
Console.WriteLine (reader ["bogus"] == null);   // True
```

특성을 읽으려면 XmlReader의 커서가 **시작 요소**에 있어야 한다. ReadStartElement를 호출하고 **나면** 그 특성들에는 더 이상 접근할 수 없게 된다.

의미론적인 관점에서는 특성들의 순서가 중요하지 않지만, 필요하다면 특성의 순서(위치)를 이용해서 특정 특성을 읽을 수 있다. 다음은 위의 예를 위치를 이용해서 다시 작성한 것이다.

```
Console.WriteLine (reader [0]);          // 123
Console.WriteLine (reader [1]);          // archived
```

특성에 이름공간이 있는 경우, 인덱서로 이름공간을 지정할 수도 있다.

AttributeCount 속성은 현재 노드의 특성 개수를 돌려준다.

특성 노드

특성 노드들을 명시적으로 운행하려면, 그냥 Read 메서드를 거듭 호출하는 통상적인 경로에서 벗어나서 가상의 '특성 운행 모드'로 진입해야 한다. 예를 들어 특성 값을 다른 어떤 형식으로 파싱하고 싶다면, 한 가지 방법은 특성 노드들을 명시적으로 운행하면서 ReadContentAs*XXX* 메서드를 호출하는 것이다.

특성 운행 모드의 진입은 현재 커서가 **시작 요소**에 있을 때에만 가능하다. 일단 특성 운행 모드로 들어가면, 운행의 편의를 위해 전진 전용 규칙이 완화된다. MoveToAttribute를 호출해서 임의의 특성으로(앞으로든 뒤로든) 즉시 건너뛸 수 있다.

특성 운행 모드 도중 언제라도 MoveToElement를 호출해서 시작 요소로 돌아갈 수 있다.

이전의 예로 돌아가서, 현재 커서가 다음 요소를 가리킨다고 하자.

```
<customer id="123" status="archived"/>
```

다음은 이 요소의 특성들을 읽는 예이다.

```
reader.MoveToAttribute ("status");
string status = reader.ReadContentAsString();

reader.MoveToAttribute ("id");
int id = reader.ReadContentAsInt();
```

MoveToAttribute는 만일 지정된 특성이 존재하지 않으면 false를 돌려준다.

MoveToFirstAttribute를 호출한 후 MoveToNextAttribute 메서드를 되풀이해 호출하는 식으로 모든 특성을 차례로 운행하는 것도 가능하다.

```
if (reader.MoveToFirstAttribute())
  do
  {
    Console.WriteLine (reader.Name + "=" + reader.Value);
  }
  while (reader.MoveToNextAttribute());
```

출력:

```
id=123
status=archived
```

이름공간과 접두사

XmlReader에서 요소와 특성 이름을 지정하는 방식은 다음 두 가지이다.

- Name을 사용
- NamespaceURI와 LocalName의 조합을 사용

어떤 요소의 Name 속성을 읽거나 하나의 name 인수를 받는 메서드를 호출하는 것은 첫 방식에 해당한다. 이 방식은 그 어떤 이름공간이나 접두사도 적용되지 않은 문맥에서 잘 작동한다. 이름공간이나 접두사가 존재하는 경우 이 방식은 거칠고 융통성 없는 방식으로 작동한다. 그런 경우 이 방식은 이름공간을 무시하고, 접두사를 그냥 이름 자체의 일부로 간주한다. 다음 예를 보자.

예제 XML 조각	이름
<**customer** ...>	customer
<**customer** xmlns='blah' ...>	customer
<**x:customer** ...>	x:customer

다음 코드는 처음 두 예제 XML 조각에 대해 잘 작동한다.

```
reader.ReadStartElement ("customer");
```

세 번째 XML 조각을 읽으려면 다음과 같은 코드가 필요하다.

```
reader.ReadStartElement ("x:customer");
```

둘째 방식은 두 개의 이름공간 인식 속성, 즉 NamespaceURI 속성과 LocalName 속성의 조합을 사용한다. 이 속성들은 부모 요소들에 정의된 접두사들과 기본 이름공간들을 고려해서 작동한다. 이 속성들은 접두사들을 자동으로 확장한다. 결과적으로, NamespaceURI에는 항상 현재 요소에 대한 의미론적으로 정확한 이름공간이 반영되며, LocalName에는 항상 접두사가 제거된 이름이 설정된다.

ReadStartElement 같은 메서드를 두 개의 이름 인수를 지정해서 호출한다면 이 둘째 방식을 사용하는 것이다. 예를 들어 다음 XML을 생각해 보자.

```
<customer xmlns="DefaultNamespace" xmlns:other="OtherNamespace">
  <address>
    <other:city>
    ...
```

다음은 이 XML을 읽는 예이다.

```
reader.ReadStartElement ("customer", "DefaultNamespace");
reader.ReadStartElement ("address",  "DefaultNamespace");
reader.ReadStartElement ("city",     "OtherNamespace");
```

이 방식을 사용하는 주된 이유는 접두사들을 추상화해서 없애 버리는 것이다(접두사들을 더 이상 신경 쓰지 않아도 되도록). 필요하다면 Prefix 속성을 이용해서 접두사를 확인할 수 있으며, LookupNamespace를 호출해서 그 접두사에 해당하는 이름공간 이름을 얻을 수 있다.

XmlWriter

XmlWriter는 내용을 XML 스트림에 기록하기 위한 전진 전용 기록자(writer)이다. XmlWriter의 설계는 XmlReader와 대칭을 이룬다.

XmlTextReader처럼, XmlWriter 인스턴스를 생성할 때에는 Create 메서드를 호출한다. 이때 선택적인 둘째 인수로 XmlWriterSettings 인스턴스(기록 관련 설정들을 담은)를 지정할 수도 있다. 다음은 사람이 읽기 쉽도록 들여쓰기를 적용해서 간단한 XML 파일을 기록하는 예이다.

```
XmlWriterSettings settings = new XmlWriterSettings();
settings.Indent = true;
```

```
using (XmlWriter writer = XmlWriter.Create ("..\\..\\foo.xml", settings))
{
  writer.WriteStartElement ("customer");
  writer.WriteElementString ("firstname", "Jim");
  writer.WriteElementString ("lastname"," Bo");
  writer.WriteEndElement();
}
```

이 코드를 실행하면 다음과 같은 XML 문서가 출력된다(XmlReader의 첫 예제에서 읽어 들인 것과 같은 파일이다).

```
<?xml version="1.0" encoding="utf-8" ?>
<customer>
  <firstname>Jim</firstname>
  <lastname>Bo</lastname>
</customer>
```

기본적으로 XmlWriter는 제일 먼저 XML 선언을 기록한다. 단, OmitXmlDeclaration을 true로 설정하거나 ConformanceLevel을 Fragment로 설정한 XmlWriterSettings를 지정하면 XML 선언이 기록되지 않는다. ConformanceLevel을 Fragment로 설정하면 여러 개의 뿌리(루트) 노드를 기록하는 것도 허용된다. 해당 설정 없이 여러 개의 뿌리 노드를 기록하면 예외가 발생한다.

WriteValue 메서드는 하나의 텍스트 노드를 기록한다. 이 메서드는 문자열뿐만 아니라 bool이나 DateTime처럼 문자열이 아닌 형식의 값도 받는데, 그런 경우 내부적으로 XmlConvert를 이용해서 해당 값을 XML 규칙을 준수하는 문자열로 변환한다.

```
writer.WriteStartElement ("birthdate");
writer.WriteValue (DateTime.Now);
writer.WriteEndElement();
```

반면, 만일 다음과 같이 호출하면

```
WriteElementString ("birthdate", DateTime.Now.ToString());
```

XML 규칙을 준수하지 않는 문자열이 기록되어서 나중에 해당 파일을 파싱할 때 문제가 생길 수 있다.

WriteString은 문자열로 WriteValue를 호출하는 것과 같다. XmlWriter는 특성이나 요소 안에 사용하면 안 되는 문자들(&, <, >나 확장 유니코드 문자 등)을 자동으로 적절히 변환해서 기록한다.

특성 기록

시작 요소를 기록한 직후에는 특성들을 기록할 수 있다.

```
writer.WriteStartElement ("customer");
writer.WriteAttributeString ("id", "1");
writer.WriteAttributeString ("status", "archived");
```

문자열이 아닌 값을 기록하려면 `WriteStartAttribute`와 `WriteValue`를 호출한 후 `WriteEndAttribute`를 호출하면 된다.

다른 종류의 노드 기록

`XmlWriter`는 다른 종류의 노드들을 기록하기 위해 다음과 같은 메서드들을 제공한다.

```
WriteBase64         // 이진 자료용
WriteBinHex         // 이진 자료용
WriteCData
WriteComment
WriteDocType
WriteEntityRef
WriteProcessingInstruction
WriteRaw
WriteWhitespace
```

`WriteRaw`는 주어진 문자열을 그대로 출력 스트림에 주입한다. 또한, `XmlReader` 인스턴스를 받아서 그 안에 있는 모든 것을 XML 형태로 기록하는 `WriteNode` 메서드도 있다.

이름공간과 접두사

`Write*` 메서드들에는 요소나 특성 이름에 이름공간을 부여하는 중복적재 버전들이 갖추어져 있다. 그럼 이전 예제의 XML 파일을 다시 기록해 보자. 이번에는 모든 요소를 *http://oreilly.com* 이름공간에 연관시키고, `customer` 요소에서 접두사 `o`를 선언한다.

```
writer.WriteStartElement ("o", "customer", "http://oreilly.com");
writer.WriteElementString ("o", "firstname", "http://oreilly.com", "Jim");
writer.WriteElementString ("o", "lastname", "http://oreilly.com", "Bo");
writer.WriteEndElement();
```

출력은 다음과 같다.

```
<?xml version="1.0" encoding="utf-8" standalone="yes"?>
<o:customer xmlns:o='http://oreilly.com'>
  <o:firstname>Jim</o:firstname>
  <o:lastname>Bo</o:lastname>
</o:customer>
```

간결한 출력을 위해 XmlWriter가 부모 요소에 이미 선언된 이름공간 선언을 자식 요소들에서는 생략했음을 주목하기 바란다.

XmlReader/XmlWriter 사용 패턴

계통적 자료 다루기

다음과 같은 클래스들이 있다고 하자.

```
public class Contacts
{
  public IList<Customer> Customers = new List<Customer>();
  public IList<Supplier> Suppliers = new List<Supplier>();
}

public class Customer { public string FirstName, LastName; }
public class Supplier { public string Name;                }
```

XmlReader와 XmlWriter로 Contacts 객체를 XML로 직렬화해서, 다음과 같은 XML 문서를 생성한다고 하자.

```
<?xml version="1.0" encoding="utf-8" standalone="yes"?>
<contacts>
   <customer id="1">
      <firstname>Jay</firstname>
      <lastname>Dee</lastname>
   </customer>
   <customer>                     <!-- id 특성은 생략 가능하다고 가정 -->
      <firstname>Kay</firstname>
      <lastname>Gee</lastname>
   </customer>
   <supplier>
      <name>X Technologies Ltd</name>
   </supplier>
</contacts>
```

가장 좋은 접근방식은 그러한 직렬화를 수행하는 하나의 커다란 메서드를 작성하는 것이 아니라, XML을 읽고 쓰는 기능성을 Customer 형식과 Supplier 형식 자체에 캡슐화하는 것이다. 두 형식에 ReadXml과 WriteXml이라는 메서드를 추가한다고 할 때, 따라야 할 바람직한 패턴은 다음과 같다.

- 반환 시 ReadXml과 WriteXml은 판독기/기록기 커서를 계통구조의 동일한 깊이에 남겨 둔다.
- ReadXml은 바깥쪽 요소를 읽고, WriteXml은 그 요소의 안쪽 내용만 기록한다.

다음은 이 패턴에 따라 Customer 형식에 두 메서드를 추가한 예이다.

```
public class Customer
{
  public const string XmlName = "customer";
  public int? ID;
  public string FirstName, LastName;

  public Customer () { }
  public Customer (XmlReader r) { ReadXml (r); }

  public void ReadXml (XmlReader r)
  {
    if (r.MoveToAttribute ("id")) ID = r.ReadContentAsInt();
    r.ReadStartElement();
    FirstName = r.ReadElementContentAsString ("firstname", "");
    LastName = r.ReadElementContentAsString ("lastname", "");
    r.ReadEndElement();
  }

  public void WriteXml (XmlWriter w)
  {
    if (ID.HasValue) w.WriteAttributeString ("id", "", ID.ToString());
    w.WriteElementString ("firstname", FirstName);
    w.WriteElementString ("lastname", LastName);
  }
}
```

코드에서 보듯이, ReadXml 메서드는 바깥쪽 시작, 종료 요소 노드들을 읽어 들인다. 만일 호출자가 이미 바깥쪽 요소들을 읽어 들였다면 Customer는 자신의 특성들을 읽지 못하게 된다. 이와는 비대칭적으로 WriteXml은 바깥쪽 요소를 기록하지 않는데, 그 이유는 두 가지이다.

- 호출자가 바깥쪽 요소의 이름을 선택해야 할 수도 있다.
- 호출자가 추가적인 XML 특성들을 기록해야 할 수도 있다. 예를 들어 요소를 다시 읽어 들여서 객체를 인스턴스화할 때 구체적인 파생 형식을 파악하기 위한 *subtype* 같은 특성이 필요할 수도 있다.

이 패턴을 따르는 것의 또 다른 장점은 구현이 IXmlSerializable과 호환된다는 것이다(제17장 참고).

Supplier 클래스도 비슷한 모습이다.

```
public class Supplier
{
  public const string XmlName = "supplier";
  public string Name;

  public Supplier () { }
  public Supplier (XmlReader r) { ReadXml (r); }

  public void ReadXml (XmlReader r)
  {
    r.ReadStartElement();
    Name = r.ReadElementContentAsString ("name", "");
    r.ReadEndElement();
  }

  public void WriteXml (XmlWriter w)
  {
    w.WriteElementString ("name", Name);
  }
}
```

Contacts 클래스의 경우에는 ReadXml에서 customers 요소를 열거해서 각 자식 요소가 고객(customer)이냐 공급업체(supplier)이냐에 따라 다른 처리를 수행해야 한다. 또한, 빈 요소의 함정을 피하는 처리도 필요하다.

```
public void ReadXml (XmlReader r)
{
  bool isEmpty = r.IsEmptyElement;           // <contacts/> 형태의 빈 요소
  r.ReadStartElement();                      // 때문에 생기는 문제를
  if (isEmpty) return;                       // 방지한다.
  while (r.NodeType == XmlNodeType.Element)
  {
    if (r.Name == Customer.XmlName)      Customers.Add (new Customer (r));
    else if (r.Name == Supplier.XmlName) Suppliers.Add (new Supplier (r));
    else
      throw new XmlException ("Unexpected node: " + r.Name);
  }
  r.ReadEndElement();
}

public void WriteXml (XmlWriter w)
{
  foreach (Customer c in Customers)
  {
    w.WriteStartElement (Customer.XmlName);
    c.WriteXml (w);
    w.WriteEndElement();
  }
  foreach (Supplier s in Suppliers)
```

```
    {
      w.WriteStartElement (Supplier.XmlName);
      s.WriteXml (w);
      w.WriteEndElement();
    }
  }
```

XmlReader/XmlWriter와 X-DOM을 함께 사용

XmlReader나 XmlWriter를 사용하기가 번거로운 지점에서는 X-DOM으로 전환하는 것도 좋은 방법이다. 특히, 안쪽 요소들만 X-DOM을 이용해서 처리하는 것은 X-DOM의 장점인 사용 편의성과 XmlReader/XmlWriter의 장점인 메모리 효율성을 모두 취하는 아주 좋은 방법이다.

XmlReader와 XElement의 조합

현재 요소를 X-DOM으로 읽어 들이려면 XmlReader를 인수로 해서 XNode.ReadFrom을 호출하면 된다. 문서 전체를 읽으려 하는 XElement.Load 메서드와는 달리 이 메서드는 '탐욕'스럽지 않다. 이 메서드는 그냥 현재 부분 트리의 끝까지만 읽어 들인다.

로그log 정보를 다음과 같은 구조로 담은 XML 파일이 있다고 하자.

```
<log>
  <logentry id="1">
    <date>...</date>
    <source>...</source>
    ...
  </logentry>
  ...
</log>
```

만일 logentry 요소가 수백만 개라면, 파일 전체를 하나의 X-DOM으로 읽어 들이는 것은 메모리 낭비일 수 있다. 더 나은 해법은 XmlReader로 logentry 요소들을 훑으면서 각 요소를 XElement를 이용해서 처리하는 것이다.

```
XmlReaderSettings settings = new XmlReaderSettings();
settings.IgnoreWhitespace = true;

using (XmlReader r = XmlReader.Create ("logfile.xml", settings))
{
  r.ReadStartElement ("log");
  while (r.Name == "logentry")
  {
```

```
      XElement logEntry = (XElement) XNode.ReadFrom (r);
      int id = (int) logEntry.Attribute ("id");
      DateTime date = (DateTime) logEntry.Element ("date");
      string source = (string) logEntry.Element ("source");
      ...
    }
    r.ReadEndElement();
  }
```

이전 절의 패턴을 따른다면, XElement 관련 코드를 커스텀 형식의 ReadXml 메서드나 WriteXml 메서드에 끼워 넣어서 구현 세부사항을 커스텀 형식의 사용자로부터 숨기는 것도 좋은 방법이다. 다음은 Customer의 ReadXml 메서드를 그런 식으로 구현한 예이다.

```
public void ReadXml (XmlReader r)
{
  XElement x = (XElement) XNode.ReadFrom (r);
  FirstName = (string) x.Element ("firstname");
  LastName = (string) x.Element ("lastname");
}
```

XElement와 XmlReader의 이러한 조합에서는 이름공간들이 유지되고 접두사들이 적절히 확장된다. 더 바깥 수준에서 정의된 이름공간들과 접두사들도 그런 식으로 잘 처리된다. 예를 들어 XML 파일이 이런 형태라면,

```
<log xmlns="http://loggingspace">
  <logentry id="1">
  ...
```

logentry 수준에서 생성된 XElement들은 바깥쪽 이름공간들을 제대로 물려받는다.

XmlWriter와 XElement의 조합

안쪽 요소들만 XmlWriter에 기록하는 용도로 XElement를 사용할 수 있다. 다음 코드는 백만 개의 logentry 요소를 XElement를 이용해서 XML 파일에 기록한다. XElement를 활용한 덕분에, 모든 logentry 요소를 한꺼번에 메모리에 담아두지 않아도 된다.

```
using (XmlWriter w = XmlWriter.Create ("log.xml"))
{
  w.WriteStartElement ("log");
  for (int i = 0; i < 1000000; i++)
```

```
    {
      XElement e = new XElement ("logentry",
                     new XAttribute ("id", i),
                     new XElement ("date", DateTime.Today.AddDays (-1)),
                     new XElement ("source", "test"));
      e.WriteTo (w);
    }
    w.WriteEndElement ();
  }
```

XElement를 사용해도 실행상의 추가부담은 미미한 정도이다. 이 예제를 XmlWriter만 사용하도록 고친다고 해도, 측정 가능한 수준의 실행 시간 차이는 없다.

XSD와 스키마 유효성 점검

구체적인 실제 XML 문서의 내용과 구조는 거의 항상 특정 응용 영역(domain)에 국한된다. 이를테면 Microsoft Word 문서가 그렇고, 특정 응용 프로그램 또는 웹 서비스의 구성(configuration) 파일들도 그렇다. 그런 응용 영역 국한적 XML 파일들은 어떤 특정한 패턴을 따른다. 그런 패턴을 좀 더 공식화한 것을 XML 스키마[schema]라고 부른다. XML 문서의 해석과 유효성 점검(validation)을 표준화하고 자동화하기 위해, 그런 스키마를 서술하는 표준들이 여럿 제정되었다. 가장 널리 쓰이는 표준은 흔히 *XSD*로 줄여 쓰는 *XML Schema Definition*(XML 스키마 정의)이다. XSD 이전에는 DTD와 XDR이 있었는데, System.Xml은 이 표준들도 지원한다.

다음과 같은 XML 문서를 생각해 보자.

```
<?xml version="1.0"?>
<customers>
  <customer id="1" status="active">
    <firstname>Jim</firstname>
    <lastname>Bo</lastname>
  </customer>
  <customer id="1" status="archived">
    <firstname>Thomas</firstname>
    <lastname>Jefferson</lastname>
  </customer>
</customers>
```

이 문서의 패턴을 서술하는 XSD 문서를 작성한다면 다음과 같은 모습이 될 것이다.

```
<?xml version="1.0" encoding="utf-8"?>
<xs:schema attributeFormDefault="unqualified"
           elementFormDefault="qualified"
           xmlns:xs="http://www.w3.org/2001/XMLSchema">
  <xs:element name="customers">
    <xs:complexType>
      <xs:sequence>
        <xs:element maxOccurs="unbounded" name="customer">
          <xs:complexType>
            <xs:sequence>
              <xs:element name="firstname" type="xs:string" />
              <xs:element name="lastname" type="xs:string" />
            </xs:sequence>
            <xs:attribute name="id" type="xs:int" use="required" />
            <xs:attribute name="status" type="xs:string" use="required" />
          </xs:complexType>
        </xs:element>
      </xs:sequence>
    </xs:complexType>
  </xs:element>
</xs:schema>
```

이 예에서 보듯이, XSD 문서 자체도 XML이다. 게다가 XSD 문서의 스키마를 XSD로 서술할 수 있다. *http://www.w3.org/2001/xmlschema.xsd*에 그 정의가 있다.

스키마를 이용한 유효성 점검

XML 파일이나 문서를 읽을 때, 그 문서가 특정한 스키마(하나 또는 여러 개의)를 기준으로 유효한 문서인지, 다시 말해 문서가 스키마들에 서술된 패턴을 정확히 따르는지를 점검할 수 있다. 이러한 유효성 점검을 수행하는 이유를 몇 가지 들자면 다음과 같다.

- 오류 점검과 예외 처리를 위한 코드를 줄일 수 있다.
- 스키마 유효성 점검을 수행해 보면 미처 생각지 못한 오류를 발견할 수 있다.
- 오류 메시지가 상세하고 유익한 정보를 담고 있다.

유효성을 점검하려면 `XmlReader`나 `XmlDocument`, X-DOM 객체에 적절한 스키마를 부착해야 한다. 이후 평소대로 XML을 읽거나 적재하면 자동으로 유효성이 점검된다. 유효성 점검은 읽기/적재 작업과 함께 일어난다. 즉, 유효성 점검 때문에 입력 스트림이 두 번 읽히지는 않는다.

XmlReader를 이용한 유효성 점검

다음은 *customers.xsd* 파일에 담긴 스키마를 `XmlReader`에 부착하는 예이다.

```
XmlReaderSettings settings = new XmlReaderSettings();
settings.ValidationType = ValidationType.Schema;
settings.Schemas.Add (null, "customers.xsd");

using (XmlReader r = XmlReader.Create ("customers.xml", settings))
  ...
```

스키마가 인라인이면, 즉 XML 문서 자체에 스키마 서술이 포함되어 있으면, 위의 예처럼 Schemas에 XSD 문서를 추가하는 대신 다음과 같은 플래그를 설정하면 된다.

```
settings.ValidationFlags |= XmlSchemaValidationFlags.ProcessInlineSchema;
```

이제 평소대로 Read를 호출하면 읽기 작업과 함께 스키마를 기준으로 한 유효성 점검이 일어난다. 만일 어떤 지점에서 스키마 유효성 점검이 실패하면 XmlSchemaValidationException 예외가 발생한다.

Read를 호출하면 요소들과 특성들 모두에 대해 유효성이 점검된다. 특성들을 일일이 운행하면서 유효성을 점검할 필요가 없다.

XML 문서의 내용에는 관심이 없고 문서의 유효성만 점검하고 싶다면 다음과 같이 하면 된다.

```
using (XmlReader r = XmlReader.Create ("customers.xml", settings))
  try { while (r.Read()) ; }
  catch (XmlSchemaValidationException ex)
  {
    ...
  }
```

XmlSchemaValidationException에는 오류 메시지와 행 번호, 그 행 안에서의 구체적인 오류 위치를 알려주는 Message, LineNumber, LinePosition 속성이 있다. 그런데 이 예외는 문서의 첫 오류에 관한 정보만 제공할 뿐이다. 문서의 모든 오류를 알고 싶으면 이 예외를 잡는 대신 ValidationEventHandler 이벤트를 처리해야 한다.

```
XmlReaderSettings settings = new XmlReaderSettings();
settings.ValidationType = ValidationType.Schema;
settings.Schemas.Add (null, "customers.xsd");
settings.ValidationEventHandler += ValidationHandler;
using (XmlReader r = XmlReader.Create ("customers.xml", settings))
  while (r.Read()) ;
```

이 이벤트를 처리하도록 설정하면 문서에 스키마 위반 오류가 있어도 예외가 발생하지 않는다. 대신, 설정된 이벤트 처리부가 호출된다.

```
static void ValidationHandler (object sender, ValidationEventArgs e)
{
  Console.WriteLine ("Error: " + e.Exception.Message);
}
```

ValidationEventArgs의 Exception 속성에는 이벤트를 처리하지 않았다면 발생했을 XmlSchemaValidationException이 담겨 있다.

System.Xml 이름공간에는 XmlValidatingReader라는 클래스도 있다. 이 클래스는 .NET Framework 2.0 이전에 스키마 유효성 점검에 쓰였지만, 지금은 폐기 대상이다.

X-DOM의 유효성 점검

XML 파일이나 스트림을 X-DOM으로 읽어 들일 때 유효성을 점검하려면, XmlReader 인스턴스를 생성해서 스키마들을 부착하고 그것을 이용해서 문서를 X-DOM에 적재하면 된다.

```
XmlReaderSettings settings = new XmlReaderSettings();
settings.ValidationType = ValidationType.Schema;
settings.Schemas.Add (null, "customers.xsd");

XDocument doc;
using (XmlReader r = XmlReader.Create ("customers.xml", settings))
  try { doc = XDocument.Load (r); }
  catch (XmlSchemaValidationException ex) { ... }
```

또한, 이미 메모리에 있는 XDocument나 XElement의 유효성도 점검할 수 있다. System.Xml.Schema의 해당 확장 메서드 Validate를 호출하면 된다. 이 확장 메서드들은 XmlSchemaSet(스키마들의 컬렉션) 인스턴스와 유효성 점검 이벤트 처리부를 받는다.

```
XDocument doc = XDocument.Load (@"customers.xml");
XmlSchemaSet set = new XmlSchemaSet ();
set.Add (null, @"customers.xsd");
StringBuilder errors = new StringBuilder ();
doc.Validate (set, (sender, args) => { errors.AppendLine
                                       (args.Exception.Message); }
             );
Console.WriteLine (errors.ToString());
```

XSLT

XSLT는 *Extensible Stylesheet Language Transformations*(확장성 스타일시트 언어 변환)의 약자이다. XSLT는 한 XML 언어를 다른 XML 언어로 변환하는 방법을 서술하는 하나의 XML 언어이다. 그런 변환의 좋은 예는 XML 문서(흔히 어떤 자료를 서술하는)를 XHTML 문서(서식화된 문서를 서술하는)로 바꾸는 것이다.

다음과 같은 XML 파일이 있다고 하자.

```
<customer>
  <firstname>Jim</firstname>
  <lastname>Bo</lastname>
</customer>
```

다음은 이를 XHTML 문서로 변환하는 XSLT 파일이다.

```
<?xml version="1.0" encoding="UTF-8"?>
  <xsl:stylesheet xmlns:xsl="http://www.w3.org/1999/XSL/Transform"
version="1.0">
  <xsl:template match="/">
    <html>
      <p><xsl:value-of select="//firstname"/></p>
      <p><xsl:value-of select="//lastname"/></p>
    </html>
  </xsl:template>
</xsl:stylesheet>
```

앞의 XML 문서에 이 XSLT 파일('스타일시트')를 적용하면 다음과 같은 결과가 나온다.

```
<html>
  <p>Jim</p>
  <p>Bo</p>
</html>
```

`System.Xml.Xsl.XslCompiledTransform` 클래스는 이러한 XSLT 변환을 효율적으로 수행한다. 이 클래스가 있으므로 `XmlTransform`은 더 이상 필요하지 않다. `XslCompiledTransform`의 사용법은 아주 간단하다.

```
XslCompiledTransform transform = new XslCompiledTransform();
transform.Load ("test.xslt");
transform.Transform ("input.xml", "output.xml");
```

`Transform` 메서드에는 여러 중복적재 버전이 있는데, 일반적으로 위의 예처럼 출력 파일을 받는 버전보다는 `XmlWriter`를 받는 버전이 더 유용하다(서식화 방식을 제어할 수 있다는 점에서).

12장

C# 6.0 in a Nutshell

객체 처분과 쓰레기 수거

객체 중에는 열린 파일이나 자물쇠(lock), 운영체제 핸들, 비관리(unmanged) 객체 같은 자원들을 해제하는 명시적인 해체(tear-down) 코드가 필요한 객체들이 있다. .NET의 어법에서 그런 작업을 **처분**(disposal)이라고 부른다. .NET Framework는 객체 처분 기능을 지원하기 위해 `IDisposable`이라는 인터페이스를 제공한다.

처분은 쓰레기 수거(garbage collection, GC)†와는 다른 연산이다. 보통의 경우 처분은 프로그래머가 명시적으로 수행하지만, 쓰레기 수거는 런타임이 자동으로 수행해준다. 다른 말로 하면, 프로그래머는 파일 핸들이나 자물쇠, 운영체제 자원들의 해제를 신경 쓰고, CLR은 그런 자원들이 차지하던 메모리의 해제를 신경 쓴다.

이번 장은 객체의 처분과 쓰레기 수거를 모두 논의하고, C#의 종료자(finalizer)와 처분의 대비책을 제공하는 패턴도 설명한다. 마지막으로는 쓰레기 수거와 기타 메모리 관리 옵션들의 주의 사항들을 논의한다.

IDisposable, Dispose, Close

.NET Framework는 해체 수단이 필요한 형식을 위해 다음과 같은 특별한 인터페이스를 제공한다.

† (옮긴이) 쓰레기 '수집'이라고 하는 때도 있지만, http://occamsrazr.net/tt/107의 논거에 따라 이 번역서에서는 '수거'를 사용한다.

```
public interface IDisposable
{
  void Dispose();
}
```

C#의 using 문은 이 IDisposable을 구현하는 객체에 대해 Dispose 메서드를 try/finally 블록을 이용해서 호출하는 코드를 단축 표기하는 수단이라 할 수 있다. 예를 들어 C# 컴파일러는 다음 코드를

```
using (FileStream fs = new FileStream ("myFile.txt", FileMode.Open))
{
  // ... 자료를 파일에 기록 ...
}
```

다음과 같이 바꾸어서 컴파일한다.

```
FileStream fs = new FileStream ("myFile.txt", FileMode.Open);
try
{
  // ... 자료를 파일에 기록 ...
}
finally
{
  if (fs != null) ((IDisposable)fs).Dispose();
}
```

finally 블록 덕분에, 예외가 발생하거나 기타 이유로 코드가 try 블록을 일찍 벗어날 때에도 Dispose 메서드가 반드시 호출된다.

간단한 시나리오에서는, 그냥 IDisposable을 상속해서 Dispose를 구현하기만 하면 처분 가능(disposal) 형식이 된다.

```
sealed class Demo : IDisposable
{
  public void Dispose()
  {
    // 마무리/해체 작업을 수행한다.
    ...
  }
}
```

✓ 이 패턴은 간단한 경우에 잘 작동하며, 봉인된 클래스에 적합하다. Dispose 호출을 까먹는 소비자를 위한 대비책을 제공하는 좀 더 정교한 패턴이 이번 장의 '종료자에서 Dispose 호

1 제22장의 'Interrupt 메서드와 Abort 메서드(p.1164)'에서는 스레드 실행 취소가 이 패턴의 안전성을 깨는 상황을 설명한다. 그러나 실무에서는 이 점이 문제가 되는 경우가 드문데, 왜냐하면 바로 이 이유(그리고 기타 여러 이유)로 스레드 실행의 취소를 가능하면 피하기 때문이다.

출(p.629)'에 나온다. 봉인되지 않은 형식의 경우에는 그 패턴을 처음부터 따르는 것이 아주 바람직하다. 나중에 파생 형식에서 그런 기능성을 추가하려면 코드가 상당히 지저분해지기 때문이다.

표준 처분 의미론

.NET Framework이 정의하는 형식들의 처분 논리는 '사실상의 표준'이라고 할 수 있는 특정한 규칙들을 따른다. 그 규칙들이 .NET Framework나 C# 언어의 명세에 포함되어 있는 것은 아니다. 그 규칙들은 단지 소비자들을 위한 일관된 프로토콜을 정의하기 위한 것일 뿐이다. 그 규칙들은 다음과 같다.

1. 일단 처분된 객체는 다시 살릴 수 없다. 다시 활성화하는 것이 불가능하며, 객체의 메서드(`Dispose` 이외의)나 속성을 호출하면 `ObjectDisposedException` 예외가 발생한다.
2. 한 객체에 대해 `Dispose`를 여러 번 호출해도 오류가 발생하지 않는다.
3. 처분 가능 객체 *x*가 처분 가능 객체 *y*를 '소유한' 경우, *x*의 `Dispose` 메서드는 자동으로 *y*의 `Dispose`를 호출한다(호출하지 말라고 지시하지 않았다면).

이 규칙들은 독자가 처분 가능 형식을 직접 작성할 때에도 도움이 되나, 필수 규칙들은 아니다. 예를 들어 "Undispose" 메서드를 작성한다고 해도 컴파일러가 불평하지는 않는다(다만, 동료들의 거센 비난은 감수해야 할 것이다).

규칙 3에 따라, 컨테이너 객체는 자신이 담고 있는 자식 객체들을 자동으로 처분한다. 좋은 예가 `Form`이나 `Panel` 같은 Windows 컨테이너 컨트롤이다. 이런 컨테이너는 다수의 자식 컨트롤을 담을 수 있지만, 그래도 그 자식 컨트롤들을 프로그래머가 일일이 명시적으로 처분하지는 않는다. 부모 컨트롤이나 폼을 처분하면 자식 컨트롤들은 자동으로 처분된다. 또 다른 예로, `FileStream`을 `DeflateStream`으로 감싼 경우 `DeflateStream`을 처분하면 `FileStream`도 처분된다. 단, 생성자에서 자동 처분이 일어나지 않도록 설정할 수도 있다.

Close와 Stop

어떤 형식은 `Dispose` 외에 `Close`라는 메서드도 정의한다. 이 `Close` 메서드의 의미론에 관해 .NET Framework가 철저하게 일관적이지는 않지만, 거의 모든 경우 `Close` 메서드는 다음 둘 중 하나를 수행한다.

- Dispose와 정확히 동일한 기능
- Dispose 기능의 일부

후자의 예는 IDbConnection이다. Close를 호출해서 연결을 닫은 후에 Open으로 다시 여는 것이 가능하다. 그러나 Dispose로 처분한 연결을 다시 살리지는 못한다. 또 다른 예로, ShowDialog 메서드로 띄운 Form에 대해 Close를 호출하면 그냥 창이 화면에서 사라질 뿐이지만, Dispose를 호출하면 창의 자원들이 해제된다.

어떤 클래스는 Stop 메서드를 정의한다(이를테면 Timer나 HttpListener 클래스). Stop 메서드도 Dispose처럼 비관리 자원들을 해제할 수 있지만, Dispose와는 달리 Start 메서드로 객체의 작동을 다시 시작하는 것이 가능하다.

WinRT(Windows Runtime)에서는 Close가 Dispose와 같은 것으로 간주된다. 실제로 WinRT 런타임은 Close라는 이름의 메서드들을 Dispose라는 이름의 메서드로 **투영**하는데, 이는 해당 형식들을 using 문에서 사용할 수 있게 하기 위한 것이다.

Dispose를 호출해야 할 때

거의 모든 경우에서는 "의심스럽다면 처분하라"라는 규칙을 따르는 것이 안전하다. 처분 가능한 객체가 말을 할 수 있다면, 프로그래머에게 이렇게 이야기할 것이다:

> 저를 다 사용했으면 말씀해 주세요. 저를 그냥 버리시면, 제가 다른 객체 인스턴스들이나 응용 프로그램 도메인, 컴퓨터, 네트워크, 데이터베이스에 방해가 될 수도 있거든요!

비관리 자원 핸들을 감싼 객체는 거의 항상 처분이 필요하다. 그래야 그 핸들들을 해제할 수 있기 때문이다. Windows Forms 컨트롤들이나 파일/네트워크 스트림, 네트워크 소켓, GDI+의 펜/브러시/비트맵 등이 그러한 예이다. 반대로, 어떤 형식이 처분 가능한 형식이면, 그 형식은 직접적으로든 간접적으로든 비관리 핸들을 참조할 가능성이 크다(항상 그런 것은 아니라 해도). 이는 비관리 핸들이 객체의 '바깥세상'에 있는 운영체제 자원들이나 네트워크 연결, 데이터베이스 자물쇠 등으로 가는 관문 역할을 하기 때문이다. 따라서 그런 핸들을 참조하는 객체를 제대로 폐기하지 않으면 객체의 바깥세상에서 문제가 생길 가능성이 있다.

그러나 객체를 처분하지 말아야 할 상황도 있다. 그런 상황들은 크게 다음 세 범주로 나뉜다.

- 현재 코드가 객체를 '소유'하지 않을 때, 즉 정적 필드나 속성을 통해서 공유 객체를 얻었을 때
- 객체의 Dispose 메서드가 현재 상황에 맞지 않는 작업을 수행할 때
- 객체의 설계 차원에서 Dispose 메서드가 꼭 필요한 것이 아닐 때, 그리고 그 객체를 처분하려면 프로그램이 쓸데없이 복잡해질 때

첫 범주는 드물다. 주된 예는 System.Drawing 이름공간의 형식들이다. 정적 필드나 속성(Brushes.Blue 등)을 통해서 얻은 GDI+ 객체는 절대로 처분하면 안 된다. 왜냐하면, 같은 인스턴스를 응용 프로그램의 수명 전체에서 사용하기 때문이다. 그러나 생성자를 통해서(이를테면 new SolidBrush 등) 얻은 인스턴스는 처분하는 것이 바람직하다. 정적 메서드(Font.FromHdc 등)를 통해서 얻은 인스턴스들도 마찬가지이다.

둘째 범주는 좀 더 흔하다. 좋은 예는 System.IO 이름공간과 System.Data 이름공간에 있는 다음과 같은 형식들이다.

형식	처분의 기능	처분하지 말아야 할 때
MemoryStream	이후의 입출력이 금지된다.	나중에 스트림을 읽거나 써야 할 때.
StreamReader, StreamWriter	판독기/기록기의 내용을 배출하고 (flush), 바탕 스트림을 닫는다.	바탕 스트림을 계속 열어두고 싶을 때(그런 경우, StreamWriter를 다 사용했다면 Dispose 대신 Flush를 호출해야 한다).
IDbConnection	데이터베이스 연결을 해제하고 연결 문자열을 지운다.	나중에 Open으로 연결을 다시 열고자 할 때(그런 경우 Dispose 대신 Close를 호출해야 한다).
DataContext (LINQ to SQL)	이후의 사용이 금지된다.	게으르게 평가되는 질의가 문맥에 연결되어 있을 가능성이 있을 때.

MemoryStream의 Dispose 메서드는 객체만 비활성화할 뿐, 어떤 중요한 마무리 작업을 수행하지는 않는다. MemoryStream은 비관리 핸들이나 그와 비슷한 종류의 자원을 전혀 소유하지 않기 때문이다.

셋째 범주에는 System.ComponentModel 이름공간의 WebClient, StringReader, StringWriter, BackgroundWorker 클래스가 포함된다. 이 형식들은 단지 기반 클래스가 처분 가능이라서 처분 가능 형식이 된 것일 뿐, 어떤 본질적인 마무리 작

업이 필요한 것은 아니다. 한 메서드에서 이런 형식의 인스턴스를 생성해서 그 메서드 안에서만 사용하는 경우라면 그 부분을 using으로 감싸는 것이 크게 번거로운 일은 아닐 것이다. 그러나 객체의 수명이 한 메서드 범위를 넘어서 지속된다면, 그 객체가 더 이상 쓰이지 않는지 점검해서 적절히 처분하는 코드가 쓸데없이 복잡해진다. 그런 경우라면 객체의 처분을 무시해도 무방하다.

처분을 무시하면 성능상의 비용이 발생할 수 있다('종료자에서 Dispose 호출(p.629)'을 보라).

명시적 선택 기반 처분

커스텀 형식을 작성할 때 IDisposable을 구현하면 그 형식을 C#의 using 문에 사용할 수 있다는 장점이 생긴다. 그런데 그런 장점을 얻으려고 IDisposable을 비본질적인 작업에까지 확장하는 우를 범할 수 있다. 다음 예를 보자.

```
public sealed class HouseManager : IDisposable
{
  public void Dispose()
  {
    CheckTheMail();
  }
  ...
}
```

여기에 깔린 의도는, 원한다면 클래스 소비자가 비본질적인 정리 작업(메일 점검)을 생략할 수 있게 한다는 것이다. 그런 경우 소비자는 그냥 Dispose를 호출하지 않으면 된다. 그러나 그러려면 소비자가 HouseManager의 Dispose 메서드의 구현 세부사항을 알아야 한다. 또한, 나중에 **본질적인** 정리 작업이 Dispose에 추가되면 그러한 의도가 무산된다.

```
public void Dispose()
{
  CheckTheMail();     // 비본질적
  LockTheHouse();     // 본질적
}
```

이 문제의 해결책은 다음과 같은 명시적 선택(opt-in) 기반 처분 패턴이다.

```
public sealed class HouseManager : IDisposable
{
  public readonly bool CheckMailOnDispose;

  public HouseManager (bool checkMailOnDispose)
```

```
    {
      CheckMailOnDispose = checkMailOnDispose;
    }

    public void Dispose()
    {
      if (CheckMailOnDispose) CheckTheMail();
      LockTheHouse();
    }
    ...
  }
```

이제 소비자는 고민 없이 항상 Dispose를 호출하면 된다. 따라서 코드가 간단해지고, 특별한 문서화나 반영 기능을 동원할 필요가 없다. 실제로 이 패턴은 .NET Framework의 System.IO.Compression에 있는 DeflateStream 클래스에 쓰였다. 이 클래스의 생성자는 다음과 같다.

```
public DeflateStream (Stream stream, CompressionMode mode, bool leaveOpen)
```

이 클래스에서 비본질적인 정리 작업은 내부 스트림(첫 매개변수 stream에 주어진)을 처분하는 것이다. **본질적인** 정리 작업(버퍼에 있는 자료를 배출)을 위해 DeflateStream 인스턴스 자체는 처분하되 내부 스트림은 그대로 열어 두고 싶은 때가 종종 있는데, 그런 경우 이런 명시적 선택 기반 처분 패턴을 적용하면 된다.

이 패턴이 간단해 보이지만, .NET Framework 4.5 전에는 이 패턴이 철저하게 적용되지 않았다. 특히, StreamReader와 StreamWriter(둘 다 System.IO 이름공간에 있음)는 이 패턴을 따르지 않는다. 그 결과는 지저분하다. StreamWriter는 Dispose를 호출하지 않고도 본질적인 정리 작업을 수행하길 원하는 소비자를 위해 Flush라는 또 다른 메서드를 노출해야 했다. (.NET Framework 4.5부터는 해당 클래스들이 스트림을 열어 두도록 설정할 수 있는 생성자를 제공한다.) System.Security.Cryptography의 CryptoStream 클래스도 비슷한 문제를 겪었다. 내부 스트림을 열어 둔 채로 객체를 처분하려면 FlushFinalBlock을 호출해야 한다.

이를 **소유권** 문제로 생각할 수도 있다. 그런 관점에서 처분 가능 객체에 던질 질문은 이런 것이다: 객체가 사용하는 바탕 자원을 객체가 실제로 소유하는가? 아니면 바탕 자원의 수명을 관리하고 객체 자체의 수명을 관리하는(어떤 문서화되지 않은 계약에 의해) 다른 어떤 객체로부터 빌려 쓰는 것일 뿐인가?

명시적 선택 기반 패턴을 따르면 소유권 계약이 명시적으로 코드에 반영되므로 이런 문제를 피할 수 있다.

처분 시 필드 비우기

일반적으로, Dispose 메서드에서 객체의 필드들을 비울 필요는 없다. 그러나 객체의 수명 도중 내부적으로 등록한 이벤트들의 구독을 해제하는 것은 좋은 습관이다('관리되는 메모리의 누수(p.639)'에 관련 예제가 나온다). 그런 이벤트들의 구독을 해제하면 원치 않은 이벤트 통지를 받는 일이 없게 되며, 객체가 여전히 살아 있다고 쓰레기 수거기가 오해하는 일도 피할 수 있다.

Dispose 메서드 자체는 메모리(관리되는 메모리)의 해제를 유발하지 않는다. 메모리 해제는 오직 쓰레기 수거 과정에서만 일어난다.

또한, 객체가 처분되었음을 뜻하는 필드를 두고 Dispose에서 그 필드를 적절히 설정하는 것도 좋은 방법이다. 그러면 소비자가 처분된 객체에 대해 멤버 함수를 호출하려 할 때 ObjectDisposedException을 던질 수 있다. 더 나아가서, 다음처럼 누구나 읽을 수 있는 자동 속성을 두는 것도 좋다.

```
public bool IsDisposed { get; private set; }
```

더 나아가서, 객체 자신의 이벤트 처리부들을 Dispose 메서드에서 비우는 것도 바람직하다. 이것이 필수는 아니지만, 이렇게 하면 처분 도중 또는 이후에 이벤트들이 발동할 가능성이 없어진다.

종종 객체가 암호화 키 같은 고가의 비밀을 담기도 한다. 그런 경우에는 처분 도중에 그런 필드의 내용을 비우는 것이 합당하다(특권이 적은 어셈블리나 악성 코드에 그런 자료가 노출되지 않도록). System.Security.Cryptography의 SymmetricAlgorithm 클래스가 실제로 그렇게 한다. 처분 시 이 클래스는 암호화 키를 담고 있는 바이트 배열에 대해 Array.Clear를 호출한다.

자동 쓰레기 수거

객체에 커스텀 정리 작업을 위한 Dispose 메서드가 필요하든 그렇지 않든, 언젠가는 객체가 힙에 차지하고 있는 메모리를 해제해야 할 시점이 온다. CLR은 자동적인 쓰레기 수거(GC)를 통해서 그런 해제 작업을 완전히 자동으로 처리한다. 관리되는 메모리를 프로그래머가 손수 해제해야 할 일은 없다. 예를 들어 다음 메서드를 생각해 보자.

```
public void Test()
{
  byte[] myArray = new byte[1000];
  ...
}
```

Test 메서드가 실행되면 메모리 힙에 1,000개의 바이트를 담는 배열 하나가 할당된다. 그 배열을 참조하는 지역 변수 myArray는 지역 변수 스택에 저장된다. 메서드 실행이 끝나면 이 지역 변수 myArray가 범위를 벗어나게 되며, 그러면 메모리 힙의 배열을 참조하는 변수는 더 이상 없는 상태가 된다. 더 이상 참조되지 않는 배열, 즉 '버림받은' 배열은 쓰레기 수거의 대상이 된다.

최적화가 비활성화된 디버깅 모드에서, 지역 변수가 참조하는 객체의 수명은 코드 블록의 끝까지 연장된다. 이는 디버깅 편의를 위해서이다. 그렇게 수명이 연장되지 않으면, 객체가 더 이상 쓰이지 않게 되는 가장 이른 시점부터 쓰레기 수거의 대상이 된다.

그런데 객체가 버림받는다고 그 즉시 쓰레기 수거가 일어나는 것은 아니다. 청소 대행 업체가 수행하는 실제 쓰레기 수거와 마찬가지로, .NET Framework의 쓰레기 수거는 주기적으로 일어난다. 단, 어떤 고정된 일정을 따르지는 않는다. CLR은 가용 메모리 양과 할당된 메모리 양, 지난번 수거 이후 흐른 시간 등등 여러 가지 요인을 고려해서 수거 시점을 결정한다. 간단히 말해서, 객체가 버림받은 시점과 해당 메모리가 실제로 해제되는 시점 사이의 지연 시간은 예측할 수 없다. 몇 나노초일 수도 있고 며칠일 수도 있다.

쓰레기 수거기가 한 번의 수거 주기에서 모든 쓰레기를 수거하지는 않는다. 메모리 관리자는 객체들을 **세대**(generation)별로 분류하며, 쓰레기 수거기는 젊은 세대(최근 할당된 객체들)를 늙은 세대(오랫동안 살아 있는 객체들)보다 더 자주 수거한다. 이에 관해서는 이번 장의 '쓰레기 수거기의 작동 방식(p.633)'에서 좀 더 자세히 논의한다.

쓰레기 수거와 메모리 소비

쓰레기 수거기는 쓰레기 수거에 쓰이는 시간과 응용 프로그램의 메모리 소비량(작업 집합(working set)의 크기) 사이의 균형을 맞추려고 노력한다. 이 때문에, 응용 프로그램이 실제로 필요한 것보다 더 많은 메모리를 소비할 수 있다. 커다란 임시 배열들을 생성하는 경우에 특히 그렇다.

프로세스의 메모리 소비량은 'Windows 작업 관리자'나 '리소스 모니터'로 파악할 수 있으며, 프로그램 안에서는 성능 카운터(performance counter)를 질의해서 알아낼 수 있다.

```
// 이 형식들은 System.Diagnostics에 있음
string procName = Process.GetCurrentProcess().ProcessName;
using (PerformanceCounter pc = new PerformanceCounter
      ("Process", "Private Bytes", procName))
  Console.WriteLine (pc.NextValue());
```

이 질의는 **전용 작업 집합**(private working set)을 조회한다. 전용 작업 집합은 프로그램의 메모리 소비에 관한 최선의 전반적인 지표를 제공한다. 특히, 이 수치에는 CLR이 내부적으로 해제한, 그리고 운영체제가 요구한다면(다른 프로세스들에 할당하기 위해) 기꺼이 넘겨줄 메모리의 용량이 제외되어 있다.

뿌리 참조

꽃이나 나무의 뿌리처럼, 뿌리 참조는 객체를 살아 있게 한다. 뿌리 객체가 직접적으로든 간접적으로든 참조하지 않은 객체는 쓰레기 수거 대상이 된다.

뿌리 객체로 간주되는 요소는 다음과 같다.

- 실행 중인 메서드(또는 그 메서드의 호출 스택에 있는 모든 메서드)의 지역 변수나 매개변수
- 정적 변수
- 종료(finaliztion; 다음 절 참고) 준비가 된 객체들이 담긴 대기열에 있는 객체

삭제된 객체의 코드가 실행될 수는 없으므로, 만일 어떤 메서드(인스턴스 메서드)가 실행될 여지가 조금이라도 있으려면, 해당 객체가 어떤 방식으로든 뿌리로부터 참조되어야 한다.

서로를 순환적으로 참조하는 일단의 객체들은 뿌리 참조 없이 죽은 것으로 간주된다(그림 12-1 참고). 다른 말로 하면, 뿌리 객체로부터 화살표(참조 관계)들을 따라 접근할 수 없는 객체는 **도달 불가능**(unreachable) 객체이며, 따라서 쓰레기 수거의 대상이 된다.

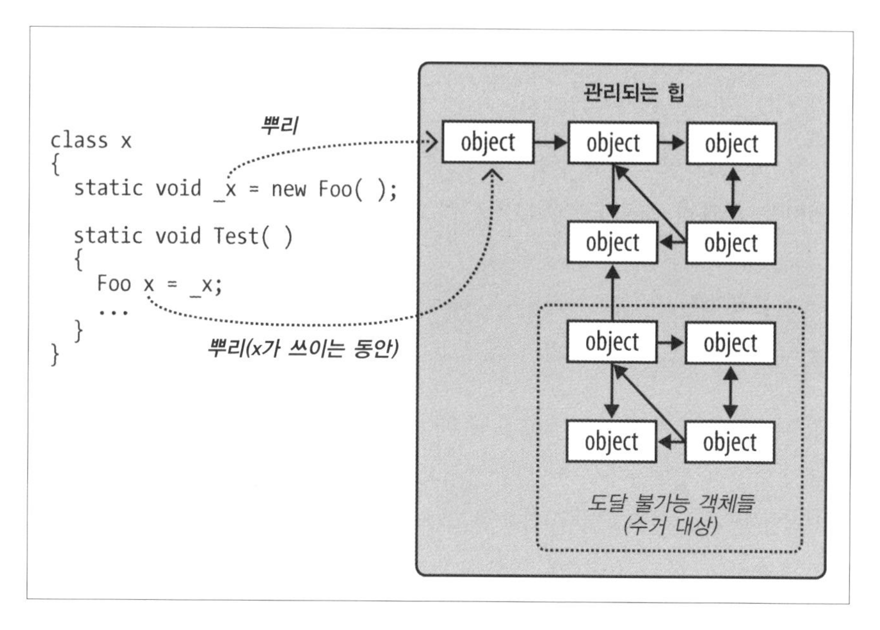

그림 12-1 뿌리 참조

쓰레기 수거와 WinRT

WinRT는 자동 쓰레기 수거가 아니라 COM의 참조 계수(reference counting) 메커니즘을 이용해서 메모리를 해제한다. 그렇긴 하지만 C#에서 인스턴스화한 WinRT 객체들의 수명은 CLR의 쓰레기 수거기가 관리한다. 이를 위해 CLR은 내부적으로 **런타임 호출 가능 래퍼**(runtime callable wrapper)라고 부르는 객체를 생성해서 COM 객체로의 접근을 중재한다.

종료자

객체에 **종료자**(finalizer; 종결 함수)가 있으면, 객체의 메모리가 해제되기 전에 종료자가 호출된다. 종료자의 선언 구문은 생성자의 선언과 비슷하나, 이름 앞에 ~ 기호가 붙는다.

```
class Test
{
  ~Test()
  {
    // 종료자 논리 코드...
  }
}
```

(선언이 생성자의 것과 비슷하긴 하지만, 종료자는 public이나 static으로 선언할 수 없고, 매개변수를 받을 수 없으며, 기반 클래스를 호출할 수 없다).

종료자 메커니즘이 가능한 것은, 한 번의 쓰레기 수거가 여러 단계로 수행되기 때문이다. 쓰레기 수거기는 우선 쓰이지 않는, 따라서 삭제할 객체들을 식별한다. 그중 종료자가 없는 객체들은 즉시 삭제한다. 종료자가 있는 객체들은 특별한 대기열에 넣는다. 대기열에 있는, 아직 종료자가 실행되지 않은 객체는 여전히 살아 있는 것으로 간주된다.

그런 객체들을 모두 대기열에 넣으면 한 번의 쓰레기 수거 주기가 끝나서 프로그램의 실행이 재개된다. 그와 함께 **종료자 스레드**가 만들어진다. 이 스레드는 프로그램과 병렬로 실행되면서, 특별한 대기열에서 객체들을 뽑아서 종료자 메서드를 호출한다. 아직 종료자가 실행되지 않은 객체는 여전히 살아 있는 것으로 간주된다. 즉, 대기열 자체가 하나의 뿌리 객체 역할을 한다. 그러나 대기열에서 뽑혀서 종료자 메서드가 실행되면 객체는 버림받은 상태가 되며, 다음번 쓰레기 수거(그 객체가 속한 **세대**에 대한)에서 삭제된다.

종료자가 유용한 상황이 있긴 하지만, 다음과 같은 문제점들을 반드시 염두에 두어야 한다.

- 종료자 때문에 메모리 할당과 쓰레기 수거가 느려진다(객체들의 종료자 존재 여부와 실행 여부를 쓰레기 수거기가 추적해야 하므로).
- 종료자는 객체와 그 객체가 **참조하는** 모든 객체의 수명을 필요 이상으로 늘린다(실제 삭제가 다음번 쓰레기 수거로 미루어지므로).
- 일단의 객체들에 대해, 그 종료자들이 호출되는 순서를 예측할 수 없다.
- 객체의 종료자가 호출되는 시점을 프로그래머가 거의 제어할 수 없다.
- 종료자 안에서 코드 실행이 차단되면 다른 객체들의 종료자가 호출되지 못한다.
- 응용 프로그램이 정상적으로 깔끔하게 종료되지 않으면 종료자들이 호출되지 않을 수 있다.

정리하자면, 종료자는 변호사와 비슷하다. 변호사가 정말로 필요한 때도 있긴 하지만, 대체로 우리는 꼭 필요한 상황이 아니면 변호사를 구하려 하지 않는다. 만일 변호사에 일을 맡긴다면, 변호사가 해 주는 일이 무엇인지 100% 이해할 필요가 있다.

다음은 종료자 구현 시 따를 만한 지침 몇 가지이다.

- 종료자의 실행이 빨리 끝나게 하라.
- 종료자 안에서 코드 실행이 차단(제14장)되는 일이 없게 하라.
- 종료자 안에서 다른 종료 가능 객체를 참조하지 말라.
- 예외를 던지지 말라.

> 객체를 생성하는 도중에 예외가 발생해도 그 객체의 종료자가 호출될 수 있다. 따라서 종료자를 작성할 때에는 객체의 필드들이 모두 정확히 초기화되었다고 가정하지 않는 것이 중요하다.

종료자에서 Dispose 호출

종료자와 관련해서 흔히 쓰이는 패턴은 종료자 안에서 Dispose를 호출하는 것이다. 이 패턴은 객체의 정리 작업이 그리 급하지 않을 때, 그리고 Dispose를 호출해서 정리 작업을 촉진하는 것이 꼭 필요해서라기보다는 일종의 최적화를 위한 것일 때 적합하다.

> 이 패턴을 적용하면 자원 해제와 메모리 해제의 결합도가 강해진다는 점을 기억하기 바란다. 자원 자체가 메모리가 아닌 한, 자원 해제와 메모리 해제는 서로 다른 관심사일 수 있다. 또한, 이 패턴은 종료자 스레드의 부담을 증가한다.
>
> 소비자가 Dispose 호출을 까먹는 경우의 대비책으로 이 패턴을 사용할 수도 있다. 그런 목적으로 이 패턴을 사용할 때에는, 프로그래머가 나중에라도 버그를 고칠 수 있도록 Dispose 호출 누락 사실을 로그에 기록하는 것이 바람직하다.

다음은 이 패턴을 구현하는 전형적인 뼈대 코드이다.

```
class Test : IDisposable
{
  public void Dispose()             // virtual 아님!
  {
    Dispose (true);
    GC.SuppressFinalize (this);     // 종료자의 실행을 방지한다.
  }

  protected virtual void Dispose (bool disposing)
  {
    if (disposing)
    {
      // 이 인스턴스가 소유한 객체들에 대해 Dispose를 호출한다.
      // 여기서는 다른 종료 가능 객체들을 참조해도 된다.
```

```
      // ...
    }

    // 이 객체가(이 객체만) 소유하고 있는 비관리 자원들을 해제한다.
    // ...
  }

  ~Test()
  {
    Dispose (false);
  }
}
```

Dispose에는 bool disposing 플래그를 받는 중복적재 버전이 있다. 매개변수 없는 버전은 virtual로 선언되지 않으며, true를 인수로 해서 개선된(매개변수를 받는) 버전을 호출할 뿐이다.

실제 처분 논리는 개선된 버전에 들어 있다. 개선된 버전은 protected이자 virtual이다. 파생 클래스만의 처분 논리를 추가하려면, 이 버전을 재정의하는 것이 안전한 방법이다. disposing 플래그는 Dispose 메서드가 '제대로' 호출되었는지(true) 아니면 Dispose 호출 누락의 '마지막 대비책'으로서 종료자가 호출한 것인지(false)를 나타낸다. 일반적인 원칙은, 만일 disposing이 false이면 종료자가 이 메서드를 호출한 것이므로 종료자가 참조하는 다른 객체들을 참조하지 말아야 한다는 것이다(그런 객체들은 이미 종료 처리가 되어서 예측할 수 없는 상태에 있을 수 있으므로). 이 원칙을 따른다면, 종료자에서 호출한 Dispose 안에서 할 수 있는 일이 상당히 많이 사라진다. 다음은 disposing이 false인 '마지막 대비책' 모드에서도 여전히 할 수 있는 작업 두 가지이다.

- 운영체제 자원들(이를테면 P/Invoke로 Win32 API를 호출해서 얻은)에 대한 모든 **직접 참조**를 해제한다.
- 생성 시 만든 임시 파일을 삭제한다.

이런 작업이 안정적으로 수행되게 하려면, 예외를 던질 수 있는 모든 코드를 try/catch 블록으로 감쌀 필요가 있다. 그리고 발생한 예외는 가능하면 로그에 기록하는 것이 바람직하다. 단, 로깅 작업 자체도 최대한 간단하고 안정적이어야 한다.

앞의 매개변수 없는 Dispose 메서드에서 GC.SuppressFinalize를 호출한다는 점을 주목하기 바란다. 이 호출은 나중에 쓰레기 수거기가 이 객체를 거둬 갈 때 종료자가 실행되지 않게 하는 효과를 낸다. 엄밀히 말해서 이런 처리가 꼭 필요하지는 않다. 원칙적으로 Dispose는 여러 번 되풀이해서 호출되어도 문제를 일으키지 않아야 하기 때문이다. 그러나 이렇게 처리해 주면 객체가(그리고 객체가 참조하는 다른 객체들이) 한 번의 쓰레기 수거 주기로 수거되므로 성능이 향상된다.

객체 되살리기

종료자가 살아 있는 객체를 수정해서, 그 객체가 어떤 죽어 가는 객체를 참조하게 되었다고 하자. 다음번 쓰레기 수거 주기에서 CLR은 이전에 죽어 가던 객체가 더 이상 버림받지 않은 상태임을 알게 된다. 결과적으로 그 객체는 더 이상 수거 대상이 아니다. 이를 객체의 **소생**(resurrection; 또는 회생) 또는 **되살리기**라고 부른다. 객체의 소생은 고급 주제에 속한다.

이해를 돕기 위한 예로, 임시 파일을 관리하는 클래스를 작성한다고 하자. 그 클래스의 인스턴스가 수거될 때 종료자에서 임시 파일을 삭제하는 것이 바람직하다. 다음은 이를 간단히 구현해 본 것이다.

```
public class TempFileRef
{
  public readonly string FilePath;
  public TempFileRef (string filePath) { FilePath = filePath; }

  ~TempFileRef() { File.Delete (FilePath); }
}
```

그러나 이 구현에는 버그가 있다. File.Delete가 예외를 던질 수도 있기 때문이다(이를테면 권한이 부족하거나, 해당 파일이 아직 쓰이고 있거나, 또는 이미 삭제되어서). 그러면 응용 프로그램 전체가 강제로 종료된다(또한, 다른 종료자들은 실행 기회를 잃는다). 빈 catch 절을 이용해서 예외를 그냥 "삼켜버릴" 수도 있지만, 그러면 어떤 문제가 발생했는지 알 수 없게 된다. 본격적인 오류 보고 API를 호출하는 것도 마땅치 않다. 그러자면 종료자 스레드의 부담이 커져서 다른 객체들의 쓰레기 수거에 방해가 될 것이기 때문이다. 종료자에서 실행하는 작업은 간단하고 안정적이며 빨라야 한다.

더 나은 방법은 다음처럼 객체를 정적 컬렉션에 추가해서 객체를 되살리는 것이다.

```
public class TempFileRef
{
  static ConcurrentQueue<TempFileRef> _failedDeletions
    = new ConcurrentQueue<TempFileRef>();

  public readonly string FilePath;
  public Exception DeletionError { get; private set; }

  public TempFileRef (string filePath) { FilePath = filePath; }

  ~TempFileRef()
  {
    try { File.Delete (FilePath); }
    catch (Exception ex)
    {
      DeletionError = ex;
      _failedDeletions.Enqueue (this);   // 객체 되살리기
    }
  }
}
```

정적 _failedDeletions에 객체를 추가하면 객체에 대한 '뿌리 참조'가 생긴다. 따라서 객체는 나중에 컬렉션에서 제거되기 전까지는 살아남게 된다.

> ConcurrentQueue<T>는 Queue<T>의 스레드 안전 버전으로, System.Collections.Concurrent에 정의되어 있다(제23장 참고). 스레드에 안전한 컬렉션을 사용하는 이유는 두 가지이다. 첫째로, CLR은 다수의 종료자를 여러 스레드에서 병렬로 실행할 수 있다. 따라서 종료자가 정적 컬렉션 같은 공유 상태에 접근한다면, 그런 종료자를 가진 두 객체가 함께 종료되는 상황을 반드시 고려해야 한다. 둘째로, 파일 삭제 실패 상황을 해결하기 위해 언젠가는 _failedDeletions에서 객체를 뽑아야 하는데, 그런 연산 역시 스레드에 안전한 방식으로 수행해야 한다. 같은 시기에 다른 종료자가 다른 객체를 같은 컬렉션에 집어넣고 있을 수도 있다.

GC.ReRegisterForFinalize 메서드

되살아난 객체의 종료자는 다시 호출되지 않는다. 다시 호출되게 하려면 명시적으로 GC.ReRegisterForFinalize를 호출해야 한다.

다음 예를 보자. 이 종료자는 임시 파일을 삭제하되 삭제가 실패하면 객체를 다시 종료 대상으로 등록한다(다음번 쓰레기 수거에서 다시 시도할 수 있도록).

```
public class TempFileRef
{
  public readonly string FilePath;
  int _deleteAttempt;
```

```
    public TempFileRef (string filePath) { FilePath = filePath; }

    ~TempFileRef()
    {
      try { File.Delete (FilePath); }
      catch
      {
        if (_deleteAttempt++ < 3) GC.ReRegisterForFinalize (this);
      }
    }
  }
```

단, 삭제 실패가 3회 이상이면 종료자는 파일 삭제를 조용히 포기한다. 이를 이전 예의 방법과 결합해서 좀 더 개선할 수도 있을 것이다. 즉, 삭제가 세 번 실패하면 그때부터는 객체를 `_failedDeletions`에 추가한다.

종료자 메서드에서 `ReRegisterForFinalize`를 단 한 번만 호출하도록 하는 것이 중요하다. 만일 두 번 호출하면 객체가 두 번 등록되어서 종료 처리가 두 번 더 일어난다.

쓰레기 수거기의 작동 방식

표준 CLR의 쓰레기 수거기는 세대별(generational) 표시 후 압축(mark-and-compact) 쓰레기 수거 알고리즘을 사용한다. 그러한 쓰레기 수거기는 관리되는 힙에 할당된 객체들의 메모리를 자동으로 관리한다. 이런 종류의 쓰레기 수거기를 **추적식**(tracing) 쓰레기 수거기라고 부르는데, 이는 이런 쓰레기 수거기가 객체에 대한 모든 접근을 일일이 감시하는 것이 아니라, 가끔 깨어나서는 관리되는 힙에 저장된 객체들의 그래프를 추적해서 수거 대상 객체들을 찾아 수거하기 때문이다.

쓰레기 수거기는 메모리가 일정량 이상 할당된 후 추가로 메모리가 할당될(`new` 키워드를 통해) 때, 또는 응용 프로그램의 메모리 사용량을 줄여야 할 필요가 있는 그 외의 상황에서 쓰레기 수거를 실행한다. 또한, 코드에서 `System.GC.Collect`를 호출해서 쓰레기 수거를 명시적으로 강제할 수도 있다. 쓰레기 수거가 진행되는 동안에는 모든 스레드가 실행을 멈출 수 있다(이에 대해서는 다음 절에서 좀 더 이야기한다).

더 이상 쓰이지 않는 객체 중 종료자가 없는 것들은 즉시 폐기된다. 종료자가 있는 것들은 특별한 대기열에 추가되며, 쓰레기 수거가 완료된 후 종료자 스레드에서 그 객체들을 처리한다. 그 객체들은 해당 객체의 세대에 대한 다음번 쓰레기 수거에서 수거 대상이 된다(그사이에 되살아나지 않는 한).

수거되지 않고 남은 '활성(live; 살아 있는)' 객체들은 힙의 시작 위치 쪽으로 이동한다(압축). 결과적으로 추가적인 객체들을 위한 공간이 힙에 생긴다. 이러한 압축의 목적은 두 가지이다. 하나는 메모리 단편화(fragmentation)를 방지하는 것이고, 또 하나는 CLR이 새 객체를 할당할 때 아주 간단한 전략을 사용할 수 있게 하는 것이다. 아주 간단한 전략이란, 항상 힙의 끝에서 메모리를 할당한다는 것이다. 그러면 가용 메모리 조각들의 목록을 관리하는 복잡한 작업(시간이 많이 소비될 수도 있는)을 피할 수 있다.

쓰레기를 모두 수거한 후에도 새 객체를 할당할 메모리가 모자라면, 그리고 운영체제가 프로그램에 추가적인 메모리를 제공할 수도 없는 상황이면, `OutOfMemoryException` 예외가 발생한다.

최적화 기법

쓰레기 수거기는 수거에 걸리는 시간을 줄이기 위해 다양한 최적화 기법을 동원한다.

세대별 수거

CLR 쓰레기 수거기의 가장 중요한 최적화 기법은 세대별(generational) 수거이다. 이 기법은, 비록 다수의 객체는 할당되고 얼마 지나지 않아 해제되지만 그보다 더 오래 살아 있는 객체들도 존재한다는, 그리고 그런 객체들은 가끔만 수거 대상 여부를 점검해도 충분하다는 점을 활용한다.

기본적으로 쓰레기 수거기는 관리되는 힙을 세 가지 세대로 나눈다. 방금 할당된 객체들은 *Gen0*(0세대)에 속하고, 한 번의 쓰레기 수거에서 살아 남은 객체들은 *Gen1*(1세대), 그 외의 객체들은 *Gen2*(2세대)에 속한다. Gen0과 Gen1을 **단명**短命(ephemeral) 세대라고 부른다.

CLR은 힙의 Gen0 구역을 비교적 작게 유지한다(전형적인 크기는 몇백 KB에서 몇 MB 정도; 최대 크기는 64비트 워크스테이션 CLR의 경우 256MB). Gen0 구역이 다 차면 쓰레기 수거기는 Gen0 수거를 실행한다. 이 쓰레기 수거는 비교적 자주 발생한다. 쓰레기 수거기는 Gen1에 대해서도 비슷한 힙 메모리 공간 상한을 적용한다(Gen1은 Gen2에 대한 버퍼 역할을 한다). 따라서 Gen1의 수거도 비교적 빠르게, 그리고 자주 실행된다. 그러나 Gen2를 포함하는 전체 쓰레기 수거(full GC)는 시간이 훨씬 오래 걸리므로 덜 자주 일어난다. 그림 12-2에 전체 수거의 효과가 나와 있다.

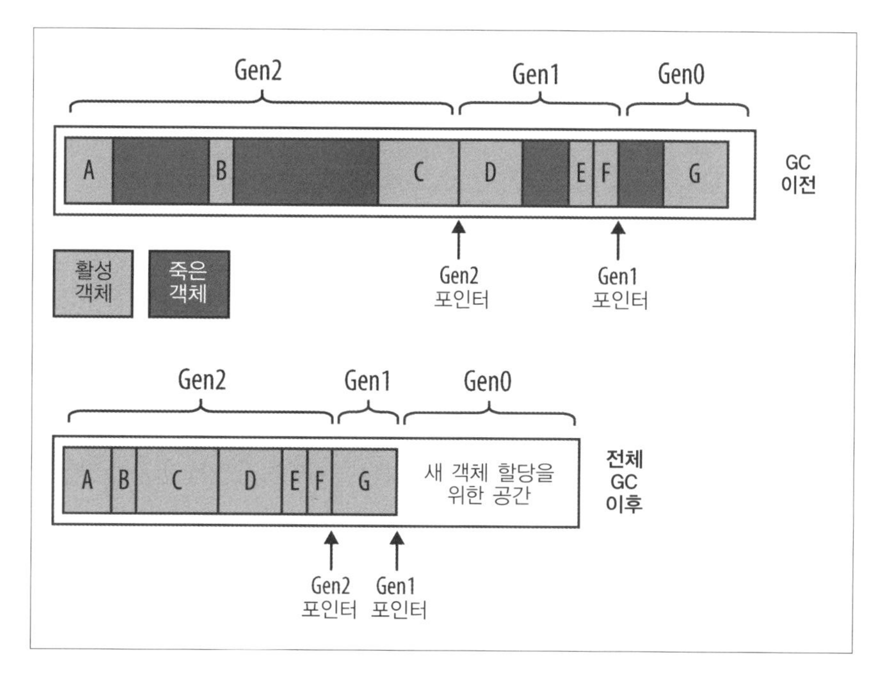

그림 12-2 힙의 세대들

이해를 돕기 위해 아주 대략적인 수치들만 제시한다면, Gen0 수거에는 1ms(밀리초) 미만의 시간이 걸린다. 따라서 전형적인 응용 프로그램에서는 쓰레기 수거에 의한 지연을 눈치채기 어려울 정도이다. 그러나 전체 수거는 그보다 길다. 객체들의 그래프가 큰 프로그램이라면 100ms 이상 걸릴 수 있다. 물론 구체적인 수치에는 수많은 요인이 영향을 미치며, 응용 프로그램에 따라 그 차이가 클 수 있다. 특히 Gen0, Gen1과는 달리 그 크기가 **무제한**인 Gen2의 수거에 걸리는 시간은 특히나 차이가 크다.

정리하자면, 수명이 짧은 객체는 GC의 효율이 아주 높다. 다음 메서드가 생성하는 `StringBuilder` 객체들은 거의 확실히 빠른 Gen0에서 수거된다.

```
string Foo()
{
  var sb1 = new StringBuilder ("test");
  sb1.Append ("...");
```

```
    var sb2 = new StringBuilder ("test");
    sb2.Append (sb1.ToString());
    return sb2.ToString();
  }
```

LOH

쓰레기 수거기는 특정 크기(현재는 85,000바이트) 이상의 객체들을 개별적인 힙에 저장한다. 그 힙을 LOH(large object heap; 큰 객체 힙 또는 대형 객체 힙)라고 부른다. 이 덕분에 과도한 Gen0 수거가 방지된다. LOH가 없다면, 일련의 16MB짜리 객체들을 할당할 때마다 Gen0 수거가 일어날 것이다.

기본적으로 LOH는 압축되지 않는다. 쓰레기 수거 도중 커다란 메모리 블록을 이동하는 것은 비용이 너무 크기 때문이다. LOH가 압축되지 않는다는 사실로부터 다음 두 가지 결과가 비롯된다.

- 메모리 관리자가 그냥 객체를 힙의 끝에 할당하는 간단한 전략을 사용할 수 없으므로 메모리 할당이 더 느릴 수 있다. 메모리 관리자는 중간에 빈틈이 있는지 점검해야 하며, 그러려면 가용 메모리 블록들의 연결 목록을 관리해야 한다.[2]
- LOH에서는 **단편화**가 일어난다. 즉, 객체를 해제하면 힙 중간에 구멍이 생길 수 있으며, 나중에 그 구멍을 채우기가 어려울 수 있다. 예를 들어 86,000바이트짜리 객체가 남긴 구멍은 오직 85,000에서 86,000바이트 사이의 객체로만 메울 수 있다(그 구멍 바로 옆에 또 다른 구멍이 생겨서 합쳐지지 않는 한).

이 때문에 문제가 생기는 경우라면, 다음번 수거 시 LOH를 압축하라고 쓰레기 수거기에 요청할 수도 있다. 다음이 그러한 코드이다.

```
GCSettings.LargeObjectHeapCompactionMode =
  GCLargeObjectHeapCompactionMode.CompactOnce;
```

또한, LOH에는 세대별 알고리즘이 적용되지 않는다. LOH의 모든 객체는 Gen2로 간주된다.

동시적 배경 수거

쓰레기 수거기가 GC를 수행하는 동안에는 프로그램의 실행 스레드들이 차단된다. Gen0이나 Gen1의 경우에는 수거 과정 전체에서 실행이 차단된다.

2 객체 고정(제4장의 'fixed 문(p.234)' 참고) 때문에, 세대별 힙에서도 이런 일이 종종 일어날 수 있다.

그러나 Gen2 수거에서는 사정이 좀 다르다. 잠재적으로 오랫동안 응용 프로그램이 멈추는 것은 바람직하지 않으므로, 쓰레기 수거기는 Gen2 수거 도중에도 스레드의 실행을 허용한다. 이러한 최적화는 CLR의 워크스테이션 버전에만 적용된다. Windows 데스크톱 버전들에(그리고 모든 Windows 버전에서 독립형(standalone) 응용 프로그램 실행에) 쓰이는 것이 그 CLR 버전이다. 이런 최적화를 워크스테이션 버전에만 적용하는 이유는, 사용자 인터페이스가 없는 서버 응용 프로그램은 쓰레기 수거 때문에 실행이 잠시 지연되어도 큰 문제가 되지 않는다는 것이다.

실행 지연을 완화하기 위해, 서버 CLR은 GC 수행 시 모든 가능한 코어를 활용한다. 따라서 8코어 서버는 전체 GC가 워크스테이션보다 몇 배 빨리 실행될 수 있다. 실제로, 서버의 쓰레기 수거기는 잠복지연을 최소화하기보다는 처리량을 최대화하도록 조율된다.

워크스테이션 최적화를 예전에는 **동시 수거**(concurrent collection)라고 불렀다. 그러나 CLR 4.0부터는 동시 수거 기법을 폐기하고 **배경 수거**(background collection)라는 기법을 사용한다. 동시 수거 시절에는 Gen2 수거가 실행되는 도중에 Gen0 구역이 모두 소비되는 경우 더 이상 수거가 동시적으로 진행되지 않는다는 한계가 있었지만, 배경 수거에는 그런 한계가 없다. 아주 간단하게 말하면, CLR 4.0부터는 메모리를 잇달아 할당하는 응용 프로그램의 반응성이 예전보다 낫다.

GC 알림(서버 CLR)

서버 버전의 CLR은 전체 GC를 수행하기 직전에 그 사실을 프로그램에 통지할 수 있다. 이는 서버 팜server farm 구성을 위한 것이다. 이런 시나리오를 생각하면 된다. 한 서버에서 쓰레기 수거가 시작되려 하면, 그 서버에게 오는 요청들을 다른 서버들에게 보낸다. 그런 다음 재빨리 GC를 수행하고, 다시 요청들을 받기 시작한다.

GC 알림을 받으려면 `GC.RegisterForFullGCNotification`을 호출한다. 그런 다음에는 개별 스레드를 띄워서(제14장 참고) 먼저 `GC.WaitForFullGCApproach`를 호출한다. 이 메서드가 `GCNotificationStatus`를 돌려주었다면 곧 수거가 시작된다는 뜻이다. 그러면 요청들이 다른 서버들에게 가도록 설정하고 코드에서 직접 GC를 강제한다(다음 절 참고). 그런 다음 `GC.WaitForFullGCComplete`를 호출한다. 이 메서드가 반환되었다면 GC가 끝난 것이다. 그러면 다시 요청들을 받기 시작한다. 이제 GC.WaitForFullGCApproach 호출부터 이 과정을 다시 반복한다.

쓰레기 수거 강제 실행

언제라도 GC.Collect를 호출해서 GC를 강제로 실행할 수 있다. 인수 없이 GC.Collect를 호출하면 전체 GC가 실행된다. 정수 값을 넣어서 호출하면 그 값까지의 세대들만 수거된다. 예를 들어 GC.Collect(0)를 호출하면 빠른 Gen0 수거만 일어난다.

일반적으로, 수거 시점을 쓰레기 수거기가 판단하게 하면 최상의 성능이 나온다. GC를 직접 강제하면 Gen0 객체들이 Gen1로(그리고 Gen1 객체들이 Gen2로) 불필요하게 승격되어서 성능이 나빠질 수 있다. 또한, 강제 실행은 응용 프로그램이 실행되는 동안 성능 최적화를 위해 쓰레기 수거기가 각 세대의 상한을 동적으로 조정하는 **자체 조율**(self-tuning) 능력에 방해가 될 수도 있다.

그러나 예외도 있다. 가장 흔한 경우는 응용 프로그램이 잠시 수면에 빠질 때이다. 좋은 예가 매일 특정 시간에 어떤 작업(이를테면 최신 업데이트 확인 등)을 수행하는 Windows 서비스이다. 그런 응용 프로그램은 이를테면 System.Timers.Timer를 이용해서 24시간마다 특정 활동을 수행할 것이다. 그 활동을 마치면 약 24시간 동안은 아무런 코드도 실행하지 않는다. 특히, 그 어떤 메모리도 할당하지 않으므로 GC가 실행될 기회도 생기지 않는다. 따라서 그 서비스는 활동을 위해 사용한 메모리를 이후 약 24시간 동안 계속해서 차지하게 된다(객체 그래프가 비어 있어도!). 해결책은 일일 활동을 완료한 즉시 GC.Collect를 호출하는 것이다.

종료자들 때문에 수거가 지연된 객체들이 확실히 수거되게 하려면, 수거를 강제하고 WaitForPendingFinalizers를 호출한 후 또다시 수거를 강제하면 된다.

```
GC.Collect();
GC.WaitForPendingFinalizers();
GC.Collect();
```

이를 루프로 여러 번 되풀이하기도 한다. 종료자가 실행되면 또 다른 객체들이 해제되어서 종료 처리 대기열에 들어갈 수 있기 때문이다.

종료자가 있는 클래스를 시험해 보는 경우도 GC.Collect를 호출하는 것이 바람직한 또 다른 예이다.

쓰레기 수거기의 조율

정적 `GCSettings.LatencyMode` 속성은 쓰레기 수거기가 잠복지연(latency)과 전반적인 효율성 사이의 균형을 잡는 방식에 영향을 미친다. 이 속성을 기본값인 `Interactive` 대신 `LowLatency`로 설정하면 CLR은 더 빨리 실행할 수 있는 수거들을 선호하게 된다(대신 수거가 더 자주 일어난다). 응용 프로그램이 실시간 사건들에 아주 빠르게 반응해야 한다면 이 설정이 유용하다.

.NET Framework 4.6부터는 `GC.TryStartNoGCRegion`을 호출해서 쓰레기 수거기의 활동을 일시적으로 정지할 수도 있다. `GC.EndNoGCRegion`을 호출하면 쓰레기 수거기의 활동이 재개된다.

메모리 압력

CLR은 컴퓨터에 있는 총 메모리 용량을 비롯한 여러 요인에 기초해서 수거 실행 시점을 결정한다. CLR은 관리되는 메모리만 추적하므로, 만일 프로그램이 비관리 메모리를 할당한다면(제25장 참고) 응용 프로그램이 실제보다 더 적은 메모리를 사용한다고 CLR이 오해할 여지가 있다. 이 문제를 완화하는 한 가지 방법은 프로그램이 할당한 비관리 메모리의 양을 `GC.AddMemoryPressure` 메서드를 이용해서 CLR에게 귀띔하는 것이다. 그러면 CLR은 그 수치도 고려해서 GC 실행 여부를 결정한다. 보통의 방식으로 되돌리려면(비관리 메모리를 해제한 후에) `GC.RemoveMemoryPressure`를 호출하면 된다.

관리되는 메모리의 누수

C++처럼 비관리 코드를 생성하는 언어로 프로그램을 짤 때에는, 더 이상 쓰이지 않는 객체(미사용 객체)의 메모리가 확실히 해제되게 만드는 데 신경을 써야 한다. 그렇게 하지 않으면 **메모리 누수**(memory leak)가 발생한다. 그러나 관리되는 코드의 세계에서는 CLR의 자동 쓰레기 수거 시스템 덕분에 그런 종류의 오류가 발생할 수 없다.

그렇긴 하지만 크고 복잡한 .NET 응용 프로그램에서는 동일한 증상이 비교적 완화된 형태로 나타나서, 결국에는 메모리 누수가 있는 비관리 코드에서와 같은 결과, 즉 응용 프로그램이 메모리를 점점 더 많이 소비하다가 급기야는 재시작하는 결과가 빚어질 수 있다. 한 가지 다행한 점은, 대체로 관리되는 메모리의 누수는 진단하고 방지하기가 더 쉽다는 점이다.

관리되는 메모리의 누수 현상은 미사용 참조 또는 잊힌 참조 때문에 미사용 객체들이 죽지 않고 계속 살아 있어서 발생한다. 흔히 문제가 되는 것은 이벤트 처리부들이다. 이들은 대상 객체에 대한 참조를 유지한다(대상이 정적 메서드가 아닌 한). 예를 들어 다음과 같은 클래스들을 생각해 보자.

```
class Host
{
  public event EventHandler Click;
}

class Client
{
  Host _host;
  public Client (Host host)
  {
    _host = host;
    _host.Click += HostClicked;
  }

  void HostClicked (object sender, EventArgs e) { ... }
}
```

다음은 Client의 인스턴스를 1,000개 생성하는 메서드가 있는 시험용 클래스이다.

```
class Test
{
  static Host _host = new Host();

  public static void CreateClients()
  {
    Client[] clients = Enumerable.Range (0, 1000)
     .Select (i => new Client (_host))
     .ToArray();

    // ...clients로 어떤 작업을 수행한다...
  }
}
```

아마 독자는 CreateClients 메서드의 실행이 끝나면 1,000개의 Client 객체들이 수거 대상이 되리라고 예상할 것이다. 그러나 모든 Client 객체에는 뿌리 참조가 존재한다. _host 객체의 Click 이벤트는 모든 Client 인스턴스를 참조한다. Click 이벤트가 발동하지 않거나, HostClicked 메서드가 뭔가 주의를 끄는 일을 하지 않는다면 이 사실을 프로그래머가 알아채지 못할 위험이 있다.

이 문제의 해결책 하나는 Client가 IDisposable을 구현해서, 다음과 같이 Dispose 메서드에서 이벤트 처리부들을 해제하는 것이다.

```
public void Dispose() { _host.Click -= HostClicked; }
```

Client 인스턴스들을 다 사용한 후에는 다음과 같은 코드를 이용해서 모두 처분하면 된다.

```
Array.ForEach (clients, c => c.Dispose());
```

이번 장의 '약한 참조(p.643)'에서 이 문제의 또 다른 해결책을 설명한다. 그 해결책은 처분 가능 객체를 사용하지 않는 경향이 있는 환경에서 유용할 수 있다. 이를테면 WPF가 그런데, 실제로 WPF는 약한 참조를 이용하는 패턴의 장점을 활용하는 WeakEventManager라는 클래스를 제공한다.

WPF의 경우에는 **자료 바인딩**도 메모리 누수의 흔한 원인이다. 이 문제는 *http://support.microsoft.com/kb/938416*에 설명되어 있다.

타이머

잊힌 타이머도 메모리 누수의 원인이 된다(타이머는 제22장에서 논의한다). 누수 상황은 타이머의 종류에 따라 두 종류로 나뉜다. 우선 System.Timers 이름공간에 있는 타이머를 살펴보자. 다음 예에서 Foo 클래스의 생성자는 타이머 하나를 생성해서 매초 tmr_Elapsed 메서드를 호출하게 한다.

```
using System.Timers;

class Foo
{
  Timer _timer;

  Foo()
  {
    _timer = new System.Timers.Timer { Interval = 1000 };
    _timer.Elapsed += tmr_Elapsed;
    _timer.Start();
  }

  void tmr_Elapsed (object sender, ElapsedEventArgs e) { ... }
}
```

안타깝게도 이 Foo의 인스턴스들은 절대로 수거되지 않는다. .NET Framework가 활성 타이머들에 대해 Elapsed 이벤트를 발동하려면 그 타이머들에 대한 참조를 계속 유지해야 하기 때문이다. 결과적으로,

- .NET Framework 때문에 Foo의 _timer 멤버가 계속 살아남고,

• _timer의 tmr_Elapsed 이벤트 처리부 때문에 Foo 인스턴스가 계속 살아남는다.

Timer가 IDisposable을 구현한다는 점을 알면 해결책이 명백해진다. 타이머 객체를 처분하면 .NET Framework는 더 이상 그 객체에 대한 참조를 유지하지 않는다.

```
class Foo : IDisposable
{
  ...
  public void Dispose() { _timer.Dispose(); }
}
```

IDisposable 구현에 관한 좋은 지침 하나: 만일 독자의 클래스의 어떤 필드에 IDisposable를 구현하는 형식의 객체를 배정한다면, 독자의 클래스 역시 IDisposable를 구현하는 것이 바람직하다.

WPF와 Windows Forms의 타이머들도 방금 논의한 참조 유지 문제와 관련해서 System.Timers의 타이머와 정확히 동일한 방식으로 작동한다.

그러나 System.Threading 이름공간의 타이머는 특별하다. .NET Framework는 활성 스레드 타이머에 대한 참조를 유지하지 않는다. 대신 콜백 대리자들을 직접 참조한다. 이는 소비자가 까먹고 스레드 타이머를 직접 처분하지 않았다면 종료자에서 자동으로 타이머를 중지하고 처분한다는 뜻이다. 다음 예를 보자.

```
static void Main()
{
  var tmr = new System.Threading.Timer (TimerTick, null, 1000, 1000);
  GC.Collect();
  System.Threading.Thread.Sleep (10000);    // 10초 기다린다.
}

static void TimerTick (object notUsed) { Console.WriteLine ("tick"); }
```

만일 이 예제 코드를 '릴리스' 모드(디버깅이 비활성화되고 최적화가 활성화된)로 컴파일해서 실행하면, 타이머는 한 번 발동될 기회도 없이 수거, 종료된다. 이 문제 역시 타이머를 다 사용한 후 처분하면 해결된다.

```
using (var tmr = new System.Threading.Timer (TimerTick, null, 1000, 1000))
{
  GC.Collect();
  System.Threading.Thread.Sleep (10000);    // 10초 기다린다.
}
```

using 블록 끝의 암묵적인 tmr.Dispose 호출 덕분에, CLR은 그 블록이 끝나기 전까지는 tmr 변수가 여전히 '사용 중'임을 알게 되며, 따라서 수거 대상에서 제외한다. 모순적이게도, 이 Dispose 호출은 객체를 더 오래 살리는 역할을 한다.

메모리 누수 진단

관리되는 메모리의 누수를 피하는 가장 쉬운 방법은 애초에 응용 프로그램을 작성하는 동안 능동적으로 메모리 소비량을 감시하는 것이다. 프로그램의 객체들이 현재 사용하고 있는 메모리양을 얻는 방법은 다음과 같다(true 인수는 먼저 수거를 실행하라고 쓰레기 수거기에게 알려주는 역할을 한다).

```
long memoryUsed = GC.GetTotalMemory (true);
```

검사 주도적 개발(test-driven development, TDD)을 실천하는 독자라면, 메모리가 예상대로 재확보되었는지에 대한 단언(assertion)이 있는 단위 검사(unit test)들을 사용하는 것도 한 방법이다. 그런 단언이 실패한다면, 최근 변경한 코드만 점검해 보면 된다.

이미 작성된 커다란 응용 프로그램에서 메모리 누수가 있다면, *windbg.exe* 도구가 누수 지점을 찾는 데 도움이 된다. 또한, Microsoft의 CLR Profiler나 SciTech의 Memory Profiler, Red Gate의 ANTS Memory Profiler처럼 좀 더 사용하기 편한 그래픽 도구들도 있다.

CLR 자체도 자원 감시(resource monitoring)에 도움이 되는 다양한 Windows WMI 카운터들을 제공한다.

약한 참조

객체를 살아 있게 만드는 문제와 관련해서, 객체에 대한 참조를 GC가 '볼 수 없게' 만드는 것이 유용할 때가 있다. 그런 참조를 **약한 참조**(weak reference)라고 부르고, System.WeakReference로 구현한다.

약한 참조를 만드는 방법은 다음과 같다. 대상 객체를 인수로 해서 WeakReference 인스턴스를 생성하면 된다.

```
var sb = new StringBuilder ("시험용");
var weak = new WeakReference (sb);
Console.WriteLine (weak.Target);     // 시험용
```

대상 객체를 하나 이상의 약한 참조들만 참조한다면, 쓰레기 수거기는 대상 객체를 아무도 참조하지 않는다고 생각하고 수거 대상으로 간주한다. 대상 객체가 수거되면 WeakReference의 Target 속성이 널이 된다.

```
var weak = new WeakReference (new StringBuilder ("약한 참조"));
Console.WriteLine (weak.Target);   // 약한 참조
GC.Collect();
Console.WriteLine (weak.Target);   // (출력 없음)
```

대상 객체가 널이 아닌지 점검하는 시점과 실제로 사용하는 시점 사이에 대상 객체가 수거될 수도 있다. 그런 일을 방지하려면 대상 객체를 다음처럼 지역 변수에 배정하면 된다.

```
var weak = new WeakReference (new StringBuilder ("weak"));
var sb = (StringBuilder) weak.Target;
if (sb != null) { /* sb로 뭔가를 수행 */ }
```

일단 지역 변수에 대상 객체를 배정하면 '강한 뿌리 참조'가 생긴다. 따라서, 그 변수가 유효한 범위에 있는 한 객체는 수거되지 않는다.

다음의 Widget 클래스는 생성된 모든 인스턴스를 약한 참조를 이용해서 관리한다. 약한 참조를 이용하므로, 그 객체들이 수거 대상에서 제외되어서 필요 이상으로 오래 살아남는 문제가 발생하지 않는다.

```
class Widget
{
  static List<WeakReference> _allWidgets = new List<WeakReference>();

  public readonly string Name;

  public Widget (string name)
  {
    Name = name;
    _allWidgets.Add (new WeakReference (this));
  }

  public static void ListAllWidgets()
  {
    foreach (WeakReference weak in _allWidgets)
    {
      Widget w = (Widget)weak.Target;
      if (w != null) Console.WriteLine (w.Name);
    }
  }
}
```

이런 시스템의 유일한 문제점은 시간이 흐르면서 정적 목록이 계속 길어지고 대상이 널인 약한 참조들이 누적된다는 것이다. 따라서 어떤 방식으로든 목록을 정리하는 전략을 구현할 필요가 있다.

약한 참조와 캐싱

WeakReference의 한 가지 용도는 커다란 객체 그래프를 캐싱하는 것이다. 그런 전략을 이용하면 메모리를 많이 사용하는 자료를 잠시 동안 캐싱할 때 메모리를 추가로 과도하게 소비할 필요가 없다.

```
_weakCache = new WeakReference (...);   // _weakCache는 클래스의 한 필드
...
var cache = _weakCache.Target;
if (cache == null) { /* 캐시를 재생성해서 _weakCache에 배정 */ }
```

그러나 실무에서 이 전략이 대단히 효과적이지는 않다. 왜냐하면 GC가 언제 발생할지, 어떤 세대에 대한 GC가 실행될지를 프로그램이 거의 제어할 수 없기 때문이다. 특히, 캐시가 Gen0에 남아 있다면 수 밀리초 이내에 수거될 수 있다(또한, 꼭 메모리가 부족할 때에만 GC가 일어나는 것은 아님을 기억해야 한다. 정상적인 메모리 조건에서도 GC가 주기적으로 실행된다). 따라서, 적어도 일단은 강한 참조들을 유지하는 것으로 시작해서 시간이 지남에 따라 그것들을 약한 참조로 바꾸는 방식의 2수준 캐시를 구현할 필요가 있다.

약한 참조와 이벤트

이벤트 때문에 관리되는 메모리의 누수가 발생할 수 있음을 앞에서 보았다. 이에 대한 가장 간단한 해결책은 그런 상황에서는 이벤트 구독을 피하거나, 처분 시 이벤트 구독을 해제하도록 Dispose 메서드를 구현하는 것이다. 그 밖에, 약한 참조를 이용한 해결책도 있다.

대상 메서드에 대한 약한 참조만 유지하는 대리자가 있다고 하자. 그런 대리자만으로는 대상의 생명이 유지되지 않는다. 대상을 강하게 참조하는 다른 뿌리 객체가 있어야 대상이 살아남는다. 그렇긴 하지만, 대상을 쓰레기 수거기가 수거하기로 결정한 시점과 실제로 GC가 실행되는 시점 사이에서 이벤트가 발동해서 대상이 호출되는 일은 여전히 가능하다. 따라서 약한 참조를 이용한 누수 문제 해결책이 효과적이려면, 코드가 그런 상황도 견고하게 처리할 수 있어야 한

다. 그렇다는 가정하에서, 다음은 이벤트로 인한 메모리 누수를 방지하는 약한 대리자 클래스의 구현 예이다.

```
public class WeakDelegate<TDelegate> where TDelegate : class
{
  class MethodTarget
  {
    public readonly WeakReference Reference;
    public readonly MethodInfo Method;

    public MethodTarget (Delegate d)
    {
      Reference = new WeakReference (d.Target);
      Method = d.Method;
    }
  }

  List<MethodTarget> _targets = new List<MethodTarget>();

  public WeakDelegate()
  {
    if (!typeof (TDelegate).IsSubclassOf (typeof (Delegate)))
      throw new InvalidOperationException
        ("TDelegate는 대리자 형식이어야 함");
  }

  public void Combine (TDelegate target)
  {
    if (target == null) return;

    foreach (Delegate d in (target as Delegate).GetInvocationList())
      _targets.Add (new MethodTarget (d));
  }

  public void Remove (TDelegate target)
  {
    if (target == null) return;
    foreach (Delegate d in (target as Delegate).GetInvocationList())
    {
      MethodTarget mt = _targets.Find (w =>
        Equals (d.Target, (w.Reference?.Target) &&
        Equals (d.Method.MethodHandle, w.Method.MethodHandle));

      if (mt != null) _targets.Remove (mt);
    }
  }

  public TDelegate Target
  {
    get
    {
      var deadRefs = new List<MethodTarget>();

      foreach (MethodTarget mt in _targets.ToArray())
```

```
        {
          WeakReference wr = mt.Reference;

          // 대상이 정적 메서드이거나 활성 인스턴스 메서드인가?
          if (wr == null || wr.Target != null)
          {
            var newDelegate = Delegate.CreateDelegate (
              typeof(TDelegate), wr?.Target, mt.Method);
              combinedTarget = Delegate.Combine (combinedTarget, newDelegate);
          }
          else
            _targets.Remove (mt);
        }

        return combinedTarget as TDelegate;
      }
      set
      {
        _targets.Clear();
        Combine (value);
      }
    }
  }
```

이 코드는 C#과 CLR의 흥미로운 사실 몇 가지를 보여준다. 첫째로, 생성자에서 TDelegate가 대리자 형식인지 점점한다는 점을 주목하기 바란다. 이러한 점검은 C#의 한계 때문이다. C#은 다음과 같은 형식 제약을 허용하지 않는다. C#은 System.Delegate를 그런 제약이 적용되지 않는 특별한 형식으로 간주하기 때문이다.

```
... where TDelegate : Delegate   // 컴파일러는 이를 허용하지 않음
```

대신 반드시 클래스 제약을 선택하고, 실행시점에서 생성자 안에서 형식을 점검해야 한다.

Combine 메서드와 Remove 메서드에서는 target에서 Delegate로의 참조 변환을 수행하는데, 이때 통상적인 캐스팅 연산자 대신 as 연산자를 사용한다. 이 경우 C#은 중의성 때문에 캐스팅 연산자를 허용하지 않는다. C# 컴파일러로서는 이 형식 매개변수에 대한 캐스팅 연산자가 **참조 변환**을 뜻하는지 아니면 **커스텀 변환**을 뜻하는지 알 수 없다.

그런 다음에는 GetInvocationList를 호출한다. 이는 이 메서드들을 다중 캐스팅 대리자, 즉 대상 메서드가 여러 개인 대리자가 호출할 수도 있기 때문이다.

Target 속성에서는 약한 참조 중 대상이 살아 있는 것들을 모아서 하나의 다중 캐스팅 대리자를 만든다. 나머지 참조들(대상이 죽은)은 목록에서 제거한다. 이

덕분에 _targets 목록이 무한정 길어지지 않는다. (Combine 메서드에서도 그런 처리를 해주면 좋을 것이다. 더 나아가서, 스레드 안전성(제22장)을 위해 잠금 처리를 추가한다면 더욱 좋을 것이다).

이 클래스는 약한 참조가 아예 없는 대리자로도 작동한다. 이는 대상이 정적 메서드인 경우에 해당한다.

다음은 이 대리자를 이용해서 이벤트를 구현하는 예이다.

```
public class Foo
{
  WeakDelegate<EventHandler> _click = new WeakDelegate<EventHandler>();

  public event EventHandler Click
  {
    add { _click.Combine (value); } remove { _click.Remove (value); }
  }

  protected virtual void OnClick (EventArgs e)
    => _click.Target?.Invoke (this, e);
}
```

13장

C# 6.0 in a Nutshell

진단과 코드 계약

뭔가 잘못되었을 때에는 문제를 진단하는 데 도움이 되는 정보를 확보하는 것이 중요하다. 이때 IDE나 디버거가 크게 도움이 되지만, 그런 도구는 개발 도중에나 사용할 수 있다. 일단 응용 프로그램을 배포/설치하고 나면, 응용 프로그램 자신이 진단(diagnostic) 정보를 수집해서 기록해야 한다. 이를 지원하기 위해 .NET Framework는 진단 정보 기록, 응용 프로그램 행동방식 감시, 실행시점 오류 검출을 위한 일단의 수단들을 제공하며, 가능한 경우 응용 프로그램과 디버깅 도구를 연동하는 수단들도 제공한다.

.NET Framework는 또한 **코드 계약**(code contracts)을 강조하는 수단도 제공한다. .NET Framework 4.0에서 도입된 코드 계약 기능을 이용하면 메서드가 일단의 상호 의무조항들을 점검해서, 만일 의무조항 위반 사항이 있으면 실행을 일찍 실패하게 만들 수 있다.

이번 장에 나오는 형식들은 주로 `System.Diagnostics` 이름공간과 `System.Diagnostics.Contracts` 이름공간에 정의되어 있다.

조건부 컴파일

전처리기 지시자(preprocessor directive)들을 이용해서 C# 코드 안의 임의의 구역을 조건부로 컴파일할 수 있다. 전처리기 지시자는 # 기호로 시작하는 특별한 명령으로, 컴파일러에게 코드의 컴파일 방식에 관한 지시를 전달하는 역할을 한다 (그리고 C#의 코드 구성요소와는 달리 하나의 전처리기 지시자 문장은 반드시 코드 한 줄을 차지한다). 논리적으로, 전처리기 지시자로 시작하는 문장(줄여서 전처리기 지시문)은 실제 컴파일 작업이 일어나기 전에 실행된다(실제로는 C# 컴파일러가 어휘 분석 단계에서 전처리기 지시자들을 처리한다). 조건부 컴파일을 위한 전처리기 지시자들은 #if, #else, #endif, #elif이다.

#if 지시자는 컴파일러에게 지정된 전처리기 **기호**가 정의되어 있는 경우에만 그 다음 코드 구역을 컴파일하라고 지시한다. 전처리기 기호는 코드 안에서 #define 지시자로 정의할 수도 있고 컴파일러 옵션으로 정의할 수도 있다. #define으로 정의된 기호는 해당 **파일** 안에서만 효력을 가지지만, 컴파일러 옵션으로 정의된 기호는 **어셈블리** 전체에 적용된다.

```
#define TESTMODE            // #define 지시문은 파일의 처음 부분에 있어야 한다.
                            // 기호 이름은 대문자로만 구성하는 것이 관례이다.
using System;

class Program
{
  static void Main()
  {
#if TESTMODE
    Console.WriteLine ("시험 모드!");     // 시험 모드!
#endif
  }
}
```

이 코드의 첫 행을 삭제하면 컴파일러는 Console.WriteLine 호출문을 컴파일에서 제외한다(마치 주석인 것처럼). 따라서 실행 파일에 Console.WriteLine 호출 코드가 포함되지 않는다.

#else 지시문은 C#의 else 절에 해당한다. #elif는 #else 다음에 #if를 쓴 것과 같다. ||, &&, ! 연산자는 각각 **논리합**(OR), **논리곱**(AND), **부정**(NOT) 연산을 수행한다.

```
#if TESTMODE && !PLAYMODE  // 만일 TESTMODE가 정의되어 있고 PLAYMODE가 정의되어 있지 않으면
  ...
```

이런 전처리기 지시문의 표현식이 통상적인 C# 표현식과는 무관하다는 점을 명심해야 한다. 특히, 전처리기 기호들은 C#의 변수(정적이든 아니든)와 그 어떤 관계도 없다.

어셈블리 전체에 적용할 기호를 정의할 때에는 컴파일러 옵션 /define을 이용한다.

```
csc Program.cs /define:TESTMODE,PLAYMODE
```

Visual Studio에서는 프로젝트 속성 대화상자에서 조건부 컴파일 기호를 정의할 수 있다.

어셈블리 수준에서 정의한 기호를 특정 파일에서만 정의되지 않은 상태로 만들고 싶다면 #undef 지시자를 사용하면 된다.

조건부 컴파일 대 정적 변수 플래그

앞의 예제를 다음과 같이 간단한 정적 필드를 이용해서 구현할 수도 있다.

```
static internal bool TestMode = true;

static void Main()
{
  if (TestMode) Console.WriteLine ("시험 모드!");
}
```

이러면 실행시점에서 시험 모드를 켜고 끌 수 있다는 장점이 생긴다. 그렇다고 조건부 컴파일이 쓸모가 없는 것은 아니다. 조건부 컴파일 기능은 변수 플래그로는 불가능한 일을 할 수 있는 능력을 갖추고 있다. 예를 들면 다음과 같다.

- 특성을 조건부로 포함시킨다.
- 변수의 선언 형식을 바꾼다.
- using 문의 이름공간이나 형식을 조건부로 변경한다. 예를 들면 다음과 같다.

```
using TestType =
  #if V2
     MyCompany.Widgets.GadgetV2;
  #else
     MyCompany.Widgets.Gadget;
  #endif
```

심지어, 코드의 기존 버전과 새 버전을 조건에 따라 선택한다거나, 코드를 여러 .NET Framework 버전에 대해 컴파일할 수 있는 형태로 작성한다거나, 가능한 환경에서는 최신의 .NET Framework 기능을 사용하게 하는 등의 본격적인 리팩터링을 조건부 컴파일 지시문으로 수행하는 것이 가능하다.

조건부 컴파일의 또 다른 장점은, 실제 설치 환경에는 없는 어셈블리의 형식들을 디버깅 코드에서 참조할 수 있다는 것이다.

Conditional 특성

Conditional 특성은 주어진 기호가 정의되어 있지 않으면 특정 클래스나 메서드의 모든 호출을 무시하라고 컴파일러에게 지시한다.

이 기능이 어떤 쓸모가 있는지 보여주는 예로, 다음과 같이 상태 정보를 기록하는 메서드가 있다고 하자.

```
static void LogStatus (string msg)
{
  string logFilePath = ...
  System.IO.File.AppendAllText (logFilePath, msg + "\r\n");
}
```

그리고 이 메서드를 LOGGINGMODE 기호가 정의되어 있을 때에만 실행하고 싶다고 하자. 첫 번째 해법은 LogStatus 호출문을 #if 지시문으로 감싸는 것이다.

```
#if LOGGINGMODE
LogStatus ("Message Headers: " + GetMsgHeaders());
#endif
```

이렇게 하면 원하는 결과를 얻게 되지만, 모든 LogStatus 호출문에 #if를 붙이는 것은 지루한 일이다. 또 다른 방법은 LogStatus 메서드 안에 #if 지시문을 넣는 것이다. 그러나 LogStatus를 다음과 같은 형태로 호출한다면 문제의 여지가 있다.

```
LogStatus ("Message Headers: " + GetComplexMessageHeaders());
```

로그가 기록되지는 않는다고 해도 GetComplexMessageHeaders 메서드는 항상 호출되며, 그 메서드가 시간이 오래 걸리는 일을 수행한다면 응용 프로그램의 성능이 떨어질 수 있다.

다행히, 첫 해법의 기능성과 둘째 해법의 편리함을 합치는 것이 가능하다. Conditional 특성(System.Diagnostics에 정의되어 있음)을 LogStatus 메서드에 붙이면 된다.

```
[Conditional ("LOGGINGMODE")]
static void LogStatus (string msg)
{
  ...
}
```

이렇게 하면 컴파일러는 LogStatus 호출문들이 마치 #if LOGGINGMODE 지시문으로 둘러싸였다고 간주한다. 만일 LOGGINGMODE 기호가 정의되어 있지 않으면 모든 LogStatus 호출이 컴파일에서 완전히 제외된다. 물론 호출 시 인수로 지정된 표현식들의 평가도 전혀 일어나지 않는다. (따라서 부수 효과가 있는 표현식을 인수로 지정한다고 해도 부수 효과는 발생하지 않는다.) 이런 기능은 LogStatus 정의와 LogStatus 호출문이 서로 다른 어셈블리에 있어도 작동한다.

[Conditional]의 또 다른 장점은, **호출되는 메서드**를 컴파일할 때가 아니라 **호출하는 코드**를 컴파일할 때 조건 점검이 일어난다는 것이다. 이 덕분에 LogStatus 같은 메서드를 담은 라이브러리를 한 가지 버전만 작성해서 빌드할 수 있다.

실행시점에서는 Conditional 특성이 무시된다. Conditional은 전적으로 컴파일러에 대한 지시일 뿐이다.

Conditional 특성의 대안

Conditional 특성은 실행시점에서 어떤 기능성을 동적으로 켜거나 끄는 용도로는 무용지물이다. 그런 경우에는 변수 플래그 기반 접근방식을 사용해야 한다. 그런 접근방식을 제대로 사용하려면, 앞의 조건부 로깅loggin 메서드에서 보았던 인수 표현식 평가 문제를 우아하게 해결할 수 있어야 한다. 다음 코드는 그런 문제를 해결하는 한 예를 보여준다.

```
using System;
using System.Linq;

class Program
{
  public static bool EnableLogging;

  static void LogStatus (Func<string> message)
  {
    string logFilePath = ...
    if (EnableLogging)
      System.IO.File.AppendAllText (logFilePath, message() + "\r\n");
  }
}
```

람다식을 사용한 덕분에, 이 메서드를 호출하는 구문이 그리 복잡해지지 않았다.

```
LogStatus ( () => "Message Headers: " + GetComplexMessageHeaders() );
```

EnableLogging이 false이면 GetComplexMessageHeaders는 전혀 평가되지 않는다.

Debug 클래스와 Trace 클래스

Debug와 Trace는 기본적인 로깅 기능과 단언(assertion) 기능을 제공하는 정적 클래스들이다. 이 두 클래스는 매우 비슷하다. 주된 차이는 용도이다. 기본적으로 Debug 클래스는 디버그 빌드에 사용하도록 만들어진 것이고, Trace 클래스는 디버그 빌드와 릴리스 빌드 모두에 사용하도록 만들어진 것이다. 이를 위해,

- Debug 클래스의 모든 메서드에는 [Conditional("DEBUG")] 특성이 붙어 있고,
- Trace 클래스의 모든 메서드에는 [Conditional("TRACE")] 특성이 붙어 있다.

따라서 DEBUG나 TRACE 기호가 정의되어 있지 않으면 컴파일러는 Debug나 Trace의 모든 메서드 호출을 무시한다. 기본적으로 Visual Studio는 프로젝트의 디버그 구성에서 DEBUG와 TRACE를 모두 정의하고, 릴리스 구성에서는 TRACE 기호만 정의한다.

Debug 클래스와 Trace 클래스 둘 다 Write, WriteLine, WriteIf 메서드를 제공한다. 기본적으로 이들은 디버거의 출력 창에 메시지를 보낸다.

```
Debug.Write     ("Data");
Debug.WriteLine (23 * 34);
int x = 5, y = 3;
Debug.WriteIf   (x > y, "x가 y보다 큼");
```

Trace 클래스는 TraceInformation과 TraceWarning, TraceError라는 메서드도 제공한다. 이 메서드들과 Write류 메서드들은 활성 TraceListener에 따라 다른 식으로 행동한다(이에 관해서는 잠시 후의 'TraceListener 클래스(p.655)'에서 설명하겠다).

Fail 메서드와 Assert 메서드

Debug 클래스와 Trace 클래스 둘 다 Fail과 Assert라는 메서드들을 제공한다. Fail은 메시지를 Debug나 Trace 클래스의 Listeners 컬렉션에 있는 TraceListener 인스턴스들에 보낸다(다음 절 참고). TraceListener는 기본적으로는 그 메시지를 디버그 출력 창에 기록하고, 메시지 대화상자도 띄운다.

```
Debug.Fail ("data.txt 파일이 없습니다!");
```

대화상자는 사용자가 해당 문제점을 무시하거나, 실행을 취소하거나, 다시 시도할 수 있는 옵션들을 제공한다. 실행을 다시 시도하는 경우 디버거가 해당 프로세스에 붙는다. 따라서 이 옵션은 문제점을 즉시 진단하는 데 유용하다.

Assert는 첫 인수(bool)가 false이면 둘째 인수로 Fail을 호출한다. 어떤 조건을 지정해서 Assert를 호출한다는 것은 그 조건이 반드시 참이어야 함을 '단언하는(assert)' 역할을 한다. 만일 그 단언이 참이 아니라면 코드에 버그가 있는 것이다. 둘째 인수(단언 실패 메시지)는 생략할 수 있다.

```
Debug.Assert (File.Exists ("data.txt"), "data.txt 파일이 없습니다!");
var result = ...
Debug.Assert (result != null);
```

Write, Fail, Assert 메서드들은 메시지와 함께 메시지의 '범주'를 뜻하는 또 다른 string 인수를 받는 중복적재 버전들도 제공한다. 범주 문자열은 디버그 출력을 분류하고 처리할 때 유용하다.

Assert를 이용한 단언 대신, 해당 조건이 참이 아닐 때 예외를 던질 수도 있다. 다음 예처럼 메서드 인수가 유효하지 않을 때 흔히 그런 방법을 사용한다.

```
public void ShowMessage (string message)
{
  if (message == null) throw new ArgumentNullException ("message");
  ...
}
```

그러나 이런 '단언'은 무조건 컴파일된다는 단점이 있다. 또한, Assert보다 덜 유연하다. Assert에서는 TraceListener를 이용해서 단언 실패 처리 방식을 제어할 수 있지만, 이 방법에서는 그럴 수 없다. 게다가, 엄밀히 말해서 이런 기법은 사실 단언이 아니다. 단언은, 만일 참이 아니라면 현재 메서드의 코드에 뭔가 버그가 있다는 뜻이 되는 어떤 조건을 명시하는 것이다. 그러나 인수 점검 결과에 따라 예외를 던지는 것은 **호출자**의 코드에 어떤 버그가 있음을 뜻한다.

이번 장의 후반부에서는 Fail과 Assert에 깔린 원리들을 더욱 확장해서 강력하고 유연한 기능을 제공하는 **코드 계약**을 소개할 것이다.

TraceListener 클래스

Debug 클래스와 Trace 클래스에는 Listeners라는 속성이 있다. 이 속성은 TraceListener 인스턴스들의 정적 컬렉션이다. 각 TraceListener 인스턴스는 Write나 Fail, Trace 메서드가 보낸 메시지를 처리하는 임무를 수행한다.

두 클래스 모두, 기본적으로 Listeners 컬렉션에는 기본 청취자(DefaultTraceListener)가 하나 들어 있다. 이 기본 청취자의 핵심 기능은 다음 두 가지이다.

- 현재 프로세스가 Visual Studio 같은 디버거에 연결되어 있으면 메시지를 디버그 출력 창에 기록하고, 그렇지 않으면 메시지를 무시한다.
- Fail 메서드 호출 시(또는 단언 실패 시) 사용자에게 실행 계속, 취소, 재시도를 묻는 대화상자를 띄운다(디버거 부착 여부와는 무관하게 항상).

만일 메시지를 이와는 다른 식으로 처리하고 싶다면, 기본 청취자를 제거하고 다른 추적 청취자를 추가하면 된다. 이를 위해 TraceListener를 상속해서 독자적인 추적 청취자 클래스를 작성할 수도 있고, 다음과 같이 미리 정의된 형식 중 하나를 사용할 수도 있다.

- TextWriterTraceListener는 메시지를 Stream 또는 TextWriter에 기록하거나 파일에 추가한다.
- EventLogTraceListener는 메시지를 Windows 이벤트 로그에 기록한다.
- EventProviderTraceListener는 메시지를 Windows Vista 이후 버전의 Windows용 이벤트 추적(Event Tracing for Windows, ETW) 하위 시스템에 기록한다.
- WebPageTraceListener는 메시지를 ASP.NET 웹 페이지에 기록한다.

그 밖에, TextWriterTraceListener를 상속한 ConsoleTraceListener, DelimitedListTraceListener, XmlWriterTraceListener, EventSchemaTraceListener도 있다.

이 청취자 중 Fail 호출 시 대화상자를 띄우는 것은 하나도 없다. 오직 DefaultTraceListener만 그런 식으로 작동한다.

다음 예제는 Trace의 기본 청취자를 제거하고 다른 청취자 세 개를 추가한다. 하나는 메시지를 파일에 추가하고 또 하나는 콘솔에, 다른 하나는 Windows 이벤트 로그에 기록한다.

```
// 기본 청취자를 제거한다.
Trace.Listeners.Clear();

// 메시지를 trace.txt 파일에 기록하는 청취자를 추가한다.
Trace.Listeners.Add (new TextWriterTraceListener ("trace.txt"));
```

```
// 콘솔의 출력 스트림을 얻고 그것을 하나의 청취자로서 추가한다.
System.IO.TextWriter tw = Console.Out;
Trace.Listeners.Add (new TextWriterTraceListener (tw));

// Windows 이벤트 로그용 이벤트 출처를 설정하고 청취자를 생성, 추가한다.
// CreateEventSource를 호출하려면 관리자 권한이 필요하다.
// 대체로 이 부분은 응용 프로그램 설치 시 처리한다.
if (!EventLog.SourceExists ("DemoApp"))
  EventLog.CreateEventSource ("DemoApp", "Application");

Trace.Listeners.Add (new EventLogTraceListener ("DemoApp"));
```

(응용 프로그램 구성 파일을 통해서 청취자들을 추가하는 것도 가능하다. 그러면 응용 프로그램을 빌드한 후 검사자들이 추적 기능을 설정할 수 있으므로 편리하다. *http://albahari.com/traceconfig*로 가면 관련 MSDN 글을 볼 수 있다.)

Windows 이벤트 로그의 경우, Write나 Fail, Assert 메서드가 기록한 메시지는 항상 Windows 이벤트 뷰어에서 '정보' 메시지로 표시된다. 그러나 TraceWarning 메서드나 TraceError 메서드로 기록한 메시지는 경고 또는 오류로 표시된다.

TraceListener에는 TraceFilter 형식의 Filter라는 속성이 있다. 이를 통해서 청취자에 기록할 메시지들을 걸러낼 수 있다. 이 속성에는 미리 정의된 파생 클래스(EventTypeFilter나 SourceFilter)의 인스턴스를 사용할 수도 있고, 또는 TraceFilter 클래스를 상속한 클래스를 직접 작성해서 ShouldTrace 메서드를 적절히 재정의해도 된다. 이를 이용해서, 이를테면 메시지들을 범주별로 걸러내는 등의 처리가 가능하다.

TraceListener에는 IndentLevel 속성과 IndentSize 속성도 있다. 이들은 들여쓰기와 추가 자료 기록을 위한 TraceOutputOptions 속성을 제어한다.

```
TextWriterTraceListener tl = new TextWriterTraceListener (Console.Out);
tl.TraceOutputOptions = TraceOptions.DateTime | TraceOptions.Callstack;
```

TraceOutputOptions는 Trace 메서드 호출 시 작용한다.

```
Trace.TraceWarning ("주황색 경보");

DiagTest.vshost.exe Warning: 0 : 주황색 경보
     DateTime=2007-03-08T05:57:13.6250000Z
     Callstack=   at System.Environment.GetStackTrace(Exception e, Boolean
needFileInfo)
     at System.Environment.get_StackTrace()     at ...
```

청취자 배출 및 종료

TextWriterTraceListener 같은 청취자들은 메시지를 스트림에 기록하는데, 기본적으로 스트림 출력에는 버퍼링(캐싱)이 적용된다. 이는 특히 다음 두 가지를 의미한다.

- 메시지가 출력 스트림이나 파일에 즉시 나타나지 않을 수 있다.
- 응용 프로그램이 끝나기 전에 청취자를 반드시 닫거나, 적어도 청취자의 내용을 배출해야(flush) 한다. 그렇게 하지 않으면 버퍼에 남아 있던 내용이 사라질 수 있다(기본적으로, 파일 기록 시 버퍼는 최대 4K이다).

Trace 클래스와 Debug 클래스는 정적 Close 메서드와 Flush 메서드를 제공한다. 이들은 모든 청취자에 대해 Close 또는 Flush를 호출한다(그러면 바탕 기록자나 스트림에 대해 Close나 Flush가 호출된다). Close는 암묵적으로 Flush를 호출하고, 파일 핸들들을 닫고, 해당 파일이나 스트림에 더 이상 자료를 기록할 수 없도록 설정한다.

일반적인 원칙으로, Close는 응용 프로그램 종료 전에 한 번 호출하고, Flush는 현재 메시지 자료가 확실하게 기록되게 하고 싶을 때마다 호출하면 된다. 물론 이는 스트림 또는 파일 기반 청취자를 사용할 때의 이야기이다.

Trace와 Debug는 또한 AutoFlush라는 속성도 제공한다. 이 속성을 true로 설정하면 메시지를 기록할 때마다 자동으로 Flush가 호출된다.

> 파일이나 스트림 기반 청취자를 사용할 때에는 항상 Debug나 Trace의 AutoFlush를 true로 설정하는 것이 좋다. 그렇게 하지 않으면, 예외가 제대로 처리되지 않거나 어떤 치명적인 오류가 발생했을 때 적어도 4KB의 진단 정보가 유실될 수 있다.

코드 계약 개요

앞에서 단언(assertion)이라는 개념을 언급했다. 단언은 프로그램의 특정 지점에서 반드시 만족해야 하는 조건이다. 만일 그 조건이 참이 아니어서 단언이 실패한다면, 코드에 뭔가 버그가 있는 것이다. 따라서 단언 실패 시에는 일반적으로 디버거를 띄우거나(디버그 빌드) 예외를 던진다(릴리스 빌드).

단언은 "만일 뭔가 잘못되었다면, 문제의 근원에서 멀어지기 전에 일찍 실패하는 것이 최선"이라는 일반적인 원리를 따른다. 대체로, 유효하지 않은 자료를 가지고 실행을 계속하는 것보다는 일찍 실패하는 것이 낫다. 유효하지 않은 자료로 실행을 계속하면 부정확한 결과가 나오거나, 바람직하지 않은 부작용(부수효과)이 생기거나, 근원과 멀리 떨어진 지점에서 예외가 발생한다(이들은 모두 문제를 진단하기 어렵게 만든다).

역사적으로, C# 프로그램에서 단언을 강제하는 방법은 다음 두 가지였다.

- `Debug`나 `Trace`의 `Assert` 메서드를 호출한다.
- 예외를 던진다(`ArgumentNullException` 같은).

.NET Framework 4.0에서는 **코드 계약**(code contracts)이라는 새로운 기능이 등장했다. 코드 계약은 위의 두 접근방식을 하나의 통합된 시스템으로 대체한다. 코드 계약 시스템을 이용하면 단순한 단언은 물론이고 좀 더 강력한 **계약 기반 단언**도 적용할 수 있다.

코드 계약은 Eiffel에펠 프로그래밍 언어의 '계약에 의한 설계(Design by Contract)' 원리에서 파생된 것이다. 계약에 의한 설계 원리를 따르는 프로그램에서 함수들은 상호 의무 및 혜택 체계를 통해서 상호작용한다. 본질적으로, 하나의 함수는 클라이언트(호출자)가 반드시 만족해야 하는 **전제조건**(precondition; 또는 선조건)들과 함수 반환 시 클라이언트 쪽에서 반드시 참이 되는 **사후조건**(postcondition)들을 정의한다.

코드 계약을 위한 형식들은 `System.Diagnostics.Contracts` 이름공간에 있다.

코드 계약을 지원하는 형식들은 .NET Framework에 내장되어 있지만, 이진 실행 파일 변환기와 정적 점검 도구들은 Microsoft DevLabs 사이트에서 따로 내려받아야 한다. Visual Studio에서 코드 계약을 사용하려면 이 도구들을 반드시 설치해야 한다.

코드 계약을 사용하는 이유

이해를 돕기 위한 예로, 목록에 없는 항목만 목록에 추가하는 메서드를 생각해 보자. 이 메서드에는 **전제조건**이 두 개, **사후조건**이 하나 있다.

```
public static bool AddIfNotPresent<T> (IList<T> list, T item)
{
  Contract.Requires (list != null);          // 전제조건
  Contract.Requires (!list.IsReadOnly);      // 전제조건
  Contract.Ensures (list.Contains (item));   // 사후조건
```

```
    if (list.Contains(item)) return false;
    list.Add (item);
    return true;
  }
```

전제조건들은 Contract.Requires 메서드로 정의한다. 이들은 메서드 시작 시점에서 점검된다. 사후조건은 Contract.Ensures 메서드로 정의한다. 이들은 해당 호출 지점에서 점검되는 것이 아니라 실행이 **메서드를 벗어날 때** 점검된다.

전제조건과 사후조건은 단언처럼 작동한다. 지금 예에서 이들은 다음과 같은 오류들을 잡아낸다.

- 호출자가 널 또는 읽기 전용 목록으로 이 메서드를 호출했음.
- 메서드에 버그가 있어서 목록에 항목을 추가하지 못했음.

전제조건과 사후조건은 메서드의 시작 지점에 두는 것이 바람직하다. 이러한 제약은 좋은 설계에 도움이 된다. 일단 계약 조건들을 먼저 지정한 후 메서드 본문을 작성하면, 코딩 과정에서 실수를 저질렀을 때 계약 위반이 발생해서 버그를 빨리 잡아낼 수 있다.

더 나아가서, 이 조건들은 해당 메서드에 대한 발견 가능한 **계약**을 형성한다. AddIfNotPresent는 소비자(호출자)에게 다음을 공시한다.

- "이 메서드를 호출하려면 반드시 널이 아닌 쓰기 가능 목록을 넘겨 주어야 합니다."
- "메서드가 반환되면 그 목록에는 당신이 지정한 항목이 들어 있을 것입니다."

이 사실들이 어셈블리의 XML 문서화 파일에 기록되게 할 수도 있다(Visual Studio에서는 프로젝트 속성 창의 Code Contracts 탭에서 'Contract Reference Assembly'를 'Build'로 설정하고 "Emit contracts into XML doc file"을 체크하면 된다). 그러면 SandCastle 같은 도구로 프로그램을 문서화할 때 계약의 세부사항을 문서에 포함할 수 있다.

또한, 코드 계약을 사용하면 정적 계약 검증 도구로 프로그램의 정확성을 검증할 수 있게 된다. 예를 들어 값이 널일 수도 있는 변수로 AddIfNotPresent를 호출하는 프로그램에 대해 정적 검증 도구는 적절한 경고를 출력한다. 즉, 프로그램을 실행하기도 전에 잠재적인 문제를 발견할 수 있는 것이다.

코드 계약의 또 다른 장점은 사용하기가 쉽다는 것이다. 지금 예제의 경우, 사후조건을 메서드 시작 지점에서 지정하는 것이 메서드의 두 반환 지점에서 따로 점검하는 것보다 코딩하기 쉽다. 계약은 또한 **객체 불변식**(object invariant)을 지원한다. 이 역시 코드의 중복을 줄여주고 단언을 좀 더 견고하게 강제하는 수단이다.

계약 조건들을 인터페이스의 멤버나 추상 메서드에 지정할 수도 있다. 통상적인 유효성 검증 접근방식들에서는 이런 일이 불가능하다. 또한, 가상 메서드에 지정한 계약 조건들을 그 파생 클래스에서 실수로 수정할 수 없다는 점도 코드 계약의 장점이다.

코드 계약에는 계약 위반 처리 방식을 `Debug.Assert`나 예외 발생 기법보다 더 쉽게, 그리고 더 다양하게 커스텀화할 수 있다는 장점도 있다. 그리고 계약 위반이 항상 기록되게 하는 것도 가능하다. 심지어 계약 위반 예외를 호출 스택의 상위에 있는 예외 처리부가 삼킨 경우에도 위반 사항이 기록되게 할 수 있다.

코드 계약을 사용하는 것의 한 단점은, .NET Framework의 코드 계약 구현이 컴파일 이후에 어셈블리를 변조하는 **이진 실행 파일 변환기**(binary rewriter), 줄여서 이진 변환기에 의존한다는 점이다. 이 때문에 빌드 공정이 느려질 뿐만 아니라, C# 컴파일러 호출에 의존하는 서비스들(명시적으로 호출하든, `CSharpCodeProvider` 클래스를 거치든)의 작동을 복잡하게 만든다.

코드 계약을 강제하면 실행시점 성능이 하락할 수 있지만, 이 문제는 릴리스 빌드에서 계약 점검의 규모를 줄여서 수월하게 완화할 수 있다.

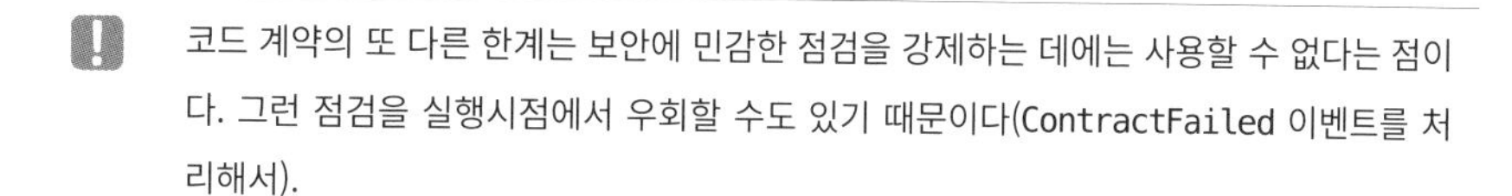

코드 계약의 또 다른 한계는 보안에 민감한 점검을 강제하는 데에는 사용할 수 없다는 점이다. 그런 점검을 실행시점에서 우회할 수도 있기 때문이다(`ContractFailed` 이벤트를 처리해서).

계약의 기초

코드 계약은 **전제조건**, **사후조건**, **단언**, **객체 불변식**으로 구성된다. 이들은 모두 발견 가능한(discoverable) 단언들이다. 차이점은 검증 시점이다.

- **전제조건**은 함수 시작 시 검증된다.
- **사후조건**은 함수 반환 직전에 검증된다.

- 단언은 코드 안의 해당 단언문 위치에서 검증된다.
- **객체 불변식**은 클래스의 모든 공용 함수의 실행 이후에 검증된다.

코드 계약은 `Contract` 클래스의 메서드(정적 메서드)들을 호출하는 문장들로만 구성된다. 이 덕분에 코드 계약은 **언어에 독립적이다**.

코드 계약은 메서드뿐만 아니라 생성자, 속성, 인덱서, 연산자 같은 다른 함수들에도 사용할 수 있다.

컴파일

`Contract` 클래스의 거의 모든 메서드에는 `[Conditional("CONTRACTS_FULL")]` 특성이 부여되어 있다. 따라서 `CONTRACTS_FULL`이라는 기호를 정의하지 않으면 (대부분의) 계약 코드가 컴파일에서 제외된다. Visual Studio의 경우 프로젝트 속성 창의 Code Contract 탭에서 계약 점검을 활성화하면('Perform Runtime Contract Checking' 체크) 이 기호가 자동으로 정의된다. (Code Contract 탭이 보이지 않는다면, Microsoft DevLabs 사이트에서 Contracts 도구들을 내려받아서 설치해야 한다.†)

> `CONTRACTS_FULL` 기호를 해제하면 모든 계약 점검이 비활성화될 것 같지만, 사실은 그렇지 않다. `Requires<TException>` 조건들(잠시 후에 자세히 설명한다)은 여전히 적용된다. `Requires<TException>`을 사용하는 코드의 계약들을 완전히 비활성화하는 유일한 방법은, `CONTRACTS_FULL`은 정의된 채로 두고 Code Contracts 탭에서 'Contract Reference Assembly'를 '(none)'으로 설정해서 이진 변환기가 계약 코드를 모두 제거하게 하는 것이다.

이진 실행 파일 변환기

계약이 담긴 코드를 컴파일한 후에는 이진 변환기 *ccrewrite.exe*를 실행해야 한다. (Visual Studio에서는 코드 계약 점검이 활성화되어 있으면 이 과정이 자동으로 실행된다.) 이진 실행 파일 변환기는 사후 조건들(그리고 객체 불변식들)을 적절한 장소로 이동하고, 재정의된 메서드들의 조건들과 객체 불변식들을 점검하는 코드를 추가하고, `Contract` 메서드 호출문들을 **실행시점 계약 클래스**에 있는 메서

† (옮긴이) Visual Studio 갤러리(*https://visualstudiogallery.msdn.microsoft.com/*)에서 "Code Contracts for .NET"을 검색해도 된다.

드들을 호출하는 코드로 대체한다. 다음은 앞의 예제를 이 도구가 변환한 결과를 묘사한(단순화되었음) 것이다.

```
static bool AddIfNotPresent<T> (IList<T> list, T item)
{
  __ContractsRuntime.Requires (list != null);
  __ContractsRuntime.Requires (!list.IsReadOnly);
  bool result;
  if (list.Contains (item))
    result = false;
  else
  {
    list.Add (item);
    result = true;
  }
  __ContractsRuntime.Ensures (list.Contains (item));   // 사후조건
  return result;
}
```

이진 변환기를 제대로 실행하지 못하면 Contract가 __ContractsRuntime으로 대체되지 않으며, 실행 시 Contract의 메서드들은 예외를 던진다.

__ContractsRuntime 형식은 기본적인 실행시점 계약 클래스이다. 필요하다면 실행시점 계약 클래스를 직접 작성해서 적용할 수도 있다. 컴파일러 옵션 /rw나 Visual Studio 프로젝트 속성 창의 Code Contracts 탭의 설정을 통해서 그 클래스를 지정하면 된다.

__ContractsRuntime은 이진 변환기(.NET Framework의 표준적인 일부가 아니다)와 함께 제공되는 것이므로, 이진 변환기는 실제로 __ContractsRuntime 클래스를 독자의 어셈블리에 주입한다. 코드 계약이 활성화된 어셈블리를 분해(디스어셈블)해 보면 이 클래스의 코드를 볼 수 있다.

이진 변환기는 계약 점검의 일부 또는 전부를 제외하는 옵션들도 제공한다. 이들에 대해서는 잠시 후의 '선택적인 계약 강제' 절에서 이야기하겠다. 흔히 디버그 빌드에서는 계약 점검을 모두 활성화하고, 릴리스 구성들에서는 계약 점검의 일부만 활성화한다.

계약 위반 시의 행동 방식 옵션

이진 변환기는 함수나 호출자가 계약 조건을 만족하지 못했을 때 대화상자를 띄울 것인지 아니면 ContractException 예외를 던질 것인지를 결정하는 옵션도 제공한다. 대체로 디버그 빌드에서는 전자를, 릴리스 빌드에서는 후자를 사용한다. 후자를 활성화하려면 이진 변환기를 실행할 때 /throwonfailure를 지정해

야 한다. Visual Studio에서는 프로젝트 속성 창의 Code Contracts 탭에서 "Assert on Contract Failure"를 체크하면 된다.

이 주제는 이번 장의 '계약 위반 처리 방식(p.676)'에서 좀 더 자세히 살펴볼 것이다.

순수성

계약 메서드들(Requires, Assumes, Assert)을 호출할 때 인수로 전달하는 표현식에서 호출하는 모든 함수는 반드시 **순수해야 한다**. 여기서 함수가 순수하다는 것은 부수 효과가 없다는 뜻이다(아주 간단히 말하면, 순수 함수는 그 어떤 필드의 값도 변경하지 않아야 한다). 그리고 인수 표현식에서 호출하는 모든 함수가 순수하다는 점을 이진 변환기에 알려 주어야 하는데, 그러려면 그런 함수에 [Pure] 특성을 부여해야 한다.

```
[Pure]
public static bool IsValidUri (string uri) { ... }
```

이렇게 하면 다음과 같은 조건이 유효하게 된다.

```
Contract.Requires (IsValidUri (uri));
```

계약 검증 도구들은 모든 속성 조회(get) 접근자가 순수하다고 가정한다. 또한, string, Contract, Type, System.IO.Path를 비롯한 몇몇 .NET Framework 형식들의 모든 C# 연산자(+, *, % 등)와 LINQ의 질의 연산자들도 순수하다고 가정한다. [Pure] 특성이 부여된 대리자를 통해서 호출되는 메서드들 역시 순수하다고 가정한다(예를 들어 Comparison<T>와 Predicate<T> 대리자들에 이 특성이 부여되어 있다).

전제조건

코드 계약의 전제조건을 정의하는 데 사용하는 메서드는 Contract.Requires, Contract.Requires<TException>, Contract.EndContractBlock이다.

Contract.Requires 메서드

함수의 시작에서 Contract.Requires를 호출하면 전제조건이 강제된다.

```
static string ToProperCase (string s)
{
```

```
    Contract.Requires (!string.IsNullOrEmpty(s));
    ...
  }
```

전제조건은 단언과 비슷하지만, 함수에 관한 '발견 가능한 사실'을 생성한다는 장점이 있다. 예를 들어 문서화 도구나 정적 점검 도구는 컴파일된 코드에서 그러한 사실을 추출해서 활용한다(예를 들어 프로그램에 ToProperCase를 널이나 빈 문자열로 호출하려는 코드를 찾아내서 알려준다).

전제조건의 더욱 중요한 장점은, 부모 클래스의 가상 메서드에 전제조건들이 있을 때 파생 클래스가 그 메서드를 재정의해도 부모의 전제조건들이 여전히 강제된다는 점이다. 또한, 인터페이스 멤버들에 정의된 전제조건들은 암묵적으로 구체 클래스의 구현들에 주입된다('인터페이스와 추상 메서드의 코드 계약(p.675)' 참고).

> 코드 계약은 함수와 호출자 사이의 계약이므로, 함수의 전제조건들이 호출자가 접근할 수 없는 멤버들에 접근하는 것은 바람직하지 않다. 함수 자체보다 접근이 더 제한된 멤버들을 읽거나 호출하는 전제조건은 **호출 계약**을 강제하는 것이 아니라 객체의 **내부 상태**를 검증하는 것일 가능성이 크다. 그런 경우에는 전제조건이 아니라 단언을 사용해야 한다.

하나의 함수에 여러 개의 전제조건이 있을 수 있다. 즉, 다양한 전제조건을 정의하기 위해 함수의 시작에서 Contract.Requires를 얼마든지 여러 번 호출할 수 있다.

전제조건에서 무엇을 점검할 것인가?

Code Contracts 개발팀의 지침에 따르면, 바람직한 전제조건은 다음과 같은 요건을 갖추어야 한다.

- 클라이언트(호출자)가 손쉽게 검증할 수 있도록 긍정적인 조건이어야 한다.
- 메서드 자체와 접근 제한이 같거나 덜한 자료와 함수에만 의존해야 한다.
- 위반이 곧 **버그**를 뜻하는 것이어야 한다.

마지막 요건이 뜻하는 바 하나는, 클라이언트가 계약 위반 예외를 구체적으로 "잡으려" 해서는 안 된다는 것이다(이 원칙의 강제를 돕기 위해, 계약 위반에 해당하는 ContractException 형식은 호출자에게 노출되지 않는 내부 형식으로 되어 있다). 계약 조건의 실패는 반드시 일반적인 예외 안전망(여기에는 응용 프로그램의 종료도 포함된다)을 통해서 처리해야 할 버그를 뜻한다. 다른 말로 하면, 전제조건 위반을 실행 흐름의 제어나 기타 조건부 작업에 사용하는 것은 코드 계약을 잘못 사용하는 것이다. 계약을 위반했는데 프로그램이 멀쩡하게 잘 실행된다면, 그것은 계약이 아니다.
다음은 이 점으로부터 끌어낸, 전제조건과 단언(예외 발생)의 선택에 관한 조언이다.

- 만일 조건 실패가 **항상** 클라이언트의 버그를 뜻한다면 전제조건을 선호하라.
- 만일 조건 실패가 **비정상적 조건**을 뜻하며 그것이 클라이언트의 버그**일 수도 있고** 아닐 수도 있다면, 예외(잡을 수 있는)를 던지는 것이 낫다.

이해를 돕는 예로, Int32.Parse 함수를 우리가 직접 작성한다고 하자. 입력 문자열이 널이라는 것은 항상 클라이언트 쪽의 버그라고 가정하는 것이 합당하므로, 널 점검을 하나의 전제조건으로 두는 것이 바람직하다.

```
public static int Parse (string s)
{
  Contract.Requires (s != null);
  ...
}
```

다음으로, 입력 문자열이 숫자들과 +, - 같은 기호들로만 이루어져 있는지(그리고 그 기호들이 적절한 자리에 있는지) 점검해야 한다. 그런데 그런 조건을 호출자가 항상 지켜야 한다고 요구하는 것은 호출자에게 너무 큰 부담을 지우는 것이므로, 이를 전제조건으로 두는 것은 바람직하지 않다. 대신 메서드 안에서 직접 점검해서 위반 시 FormatException 예외(호출자가 잡을 수 있는)를 던지도록 한다.
다음으로, 멤버 접근성 문제에 관한 예를 보자. 다음은 IDisposable 인터페이스를 구현하는 형식에서 흔히 볼 수 있는 형태의 코드이다.

```
public void Foo()
{
  if (_isDisposed)  // _isDisposed는 전용 필드라고 가정
    throw new ObjectDisposedException ("...");
  ...
}
```

이 점검을 전제조건으로 두려면, _isDisposed를 호출자도 접근할 수 있게 만들어야 한다(이를테면 공용으로 읽을 수 있는 속성이 되도록 클래스를 리팩터링하는 등).
마지막으로, File.ReadAllText 메서드를 생각해 보자. 다음은 전제조건의 **부적절한** 용법일 수 있다.

```
public static string ReadAllText (string path)
{
  Contract.Requires (File.Exists (path));
  ...
}
```

이유는, 호출자가 이 메서드를 호출하기 전에 파일의 존재 여부를 확실하게 파악하기 힘들기 때문이다(파일 존재 점검과 메서드 호출 사이에 파일이 삭제될 수도 있다). 따라서 이 조건은 구식으로, 즉 잡을 수 있는 FileNotFoundException을 던지는 방식으로 강제하는 것이 바람직하다.

Contract.Requires<TException> 메서드

코드 계약 기능은 .NET Framework 버전 1.0부터 확립된, .NET 생태계 전반에 깊게 새겨진 다음과 같은 오류 점검 패턴과 충돌한다.

```
static void SetProgress (string message, int percent)  // 고전적인 접근방식
{
  if (message == null)
    throw new ArgumentNullException ("message");

  if (percent < 0 || percent > 100)
    throw new ArgumentOutOfRangeException ("percent");
  ...
}

static void SetProgress (string message, int percent)  // 현대적인 접근방식
{
  Contract.Requires (message != null);
  Contract.Requires (percent >= 0 && percent <= 100);
  ...
}
```

고전적 인수 점검을 강제하는 커다란 어셈블리가 이미 갖추어진 상태에서 전제조건을 이용하는 새로운 메서드를 작성하면, 인수 점검과 관련해서 어떤 메서드는 Argument... 예외를 던지지만 또 어떤 메서드는 ContractException을 던지는 등으로 라이브러리의 일관성이 깨진다. 한 가지 해결책은 기존의 모든 메서드를 계약을 사용하도록 갱신하는 것이지만, 여기에는 다음과 같은 두 가지 문제점이 있다.

- 시간이 많이 걸린다.

- 이 메서드가 ArgumentNullException 같은 형식의 예외를 던지리라는 가정에 의존하는 호출자들이 있을 수 있다. (이는 거의 항상 나쁜 설계를 뜻하지만, 어쨌든 현실적으로 그런 호출자들이 존재한다.)

더 나은 해결책은 Contract.Requires의 제네릭 버전을 호출하는 것이다. 제네릭 버전은 계약 위반 시 던질 예외의 형식을 지정할 수 있다.

```
Contract.Requires<ArgumentNullException> (message != null, "message");
Contract.Requires<ArgumentOutOfRangeException>
  (percent >= 0 && percent <= 100, "percent");
```

(둘째 인수는 예외 클래스의 생성자에 전달된다).

이렇게 하면 메서드가 겉으로 보기에 구식의 인수 점검 방식처럼 행동하면서도 코드 계약의 장점(간결함, 인터페이스 지원, 암묵적 문서화, 정적 점검, 실행시점 커스텀화)을 얻을 수 있다.

지정된 예외는 이진 변환기 실행 시 /throwonfailure를 지정(Visual Studio에서는 'Assert on Contract Failure'의 체크를 해제)한 경우에만 던져진다. 그렇게 하지 않으면 그냥 대화상자가 나타난다.

또한, 이진 변환기 실행 시 계약 점검 수준을 *ReleaseRequires*로 지정할 수도 있다(이번 장의 '계약의 선택적 강제(p.678)' 참고). 그러면 제네릭 Contract.Requires<TException> 호출들만 남고 다른 모든 계약 점검은 사라진다. 결과적으로, 어셈블리는 예전과 같은 방식으로 행동하게 된다.

Contract.EndContractBlock 메서드

Contract.EndContractBlock 메서드를 이용하면, .NET Framework 4.0 이전에 작성된 코드를 리팩터링하지 않고도 전통적인 인수 점검 코드에 코드 계약의 장점을 도입할 수 있다. 그냥 인수 점검을 수행한 후에 이 메서드를 호출하기만 하면 된다.

```
static void Foo (string name)
{
  if (name == null) throw new ArgumentNullException ("name");
  Contract.EndContractBlock();
  ...
}
```

그러면 이진 변환기는 이 코드를 논리적으로 다음에 해당하는 코드로 변환한다.

```
static void Foo (string name)
{
  Contract.Requires<ArgumentNullException> (name != null, "name");
  ...
}
```

EndContractBlock 호출 이전의 코드는 반드시 다음과 같은 형태의 간단한 문장이어야 한다.

```
if <조건> throw <표현식>;
```

전통적인 인수 점검을 코드 계약 호출과 섞어 쓸 수도 있다. 코드 계약 호출을 인수 점검 뒤에 넣어야 한다는 조건만 지키면 된다.

```
static void Foo (string name)
{
  if (name == null) throw new ArgumentNullException ("name");
  Contract.Requires (name.Length >= 2);
  ...
}
```

모든 계약 강제 메서드 호출은 암묵적으로 계약 블록의 끝으로 간주된다.

이 방법의 핵심은, 메서드 시작 부분에 하나의 구역('계약 블록')을 정의하고 그 구역에 있는 모든 if 문이 계약의 일부임을 이진 변환기가 알 수 있게 한다는 것이다. 임의의 계약 강제 메서드를 호출하면 암묵적으로 그러한 계약 블록이 연장되므로, Contract.Ensures 같은 메서드를 호출한다면 굳이 EndContractBlock 을 호출하지 않아도 된다.

전제조건과 가상 메서드 재정의

가상 메서드를 재정의할 때 전제조건을 추가할 수는 없다. 전제조건을 추가한다는 것은 계약을 더 제한적으로 만드는 **계약 변경**을 의미하는데, 계약이 그렇게 변하면 다형성의 원칙들이 깨지기 때문이다.

(엄밀히 말하면, 메서드 재정의 시 계약을 더 **느슨하게** 만드는 변경은 허용할 수도 있었다. 그러나 C# 설계자들은 언어가 더 복잡해지는 대신 얻을 수 있는 이득이 그리 크지 않다는 이유로 그런 변경 역시 허용하지 않기로 했다.)

이진 변환기는 기반 클래스 메서드의 전제조건들이 파생 클래스에서 항상 강제됨을 보장한다. 특히, 재정의된 메서드가 기반 메서드를 호출하지 않더라도 기반 메서드의 전제조건들이 강제된다.

사후조건

Contract.Ensures 메서드

Contract.Ensures는 사후조건(postcondition), 즉 메서드 종료 시 반드시 참이어야 하는 조건을 강제한다. 앞에서 다음과 같은 예가 나왔다.

```
static bool AddIfNotPresent<T> (IList<T> list, T item)
{
  Contract.Requires (list != null);          // 전제조건
  Contract.Ensures (list.Contains (item));   // 사후조건
  if (list.Contains(item)) return false;
  list.Add (item);
  return true;
}
```

이진 변환기는 사후조건들을 메서드의 종료 지점으로 옮긴다. 사후 조건들은 메서드가 일찍 반환되어도(지금 예처럼) 점검된다. 단, 처리되지 않은 예외 때문에 메서드 실행이 일찍 종료되는 경우에는 점검되지 않는다.

전제조건은 **호출자**의 실수를 검출하기 위한 것이지만, 사후조건은 함수 자체의 오류를 검출하기 위한 것이다(이 점은 단언과 상당히 비슷하다). 따라서 사후조건 표현식에서는 객체의 전용 상태에 접근해도 된다(단, 이번 장의 '사후조건과 가상 메서드 재정의(p.672)'에 간략히 언급된 함정을 주의해야 한다).

사후조건과 스레드 안전성

다중 스레드를 사용하는 상황(제14장 참고)에서는 사후조건이 덜 유용할 수 있다. 예를 들어 다음과 같이 List<T>를 스레드에 안전하게 감싸는 클래스의 두 메서드를 생각해 보자.

```
public class ThreadSafeList<T>
{
  List<T> _list = new List<T>();
  object _locker = new object();
```

```
    public bool AddIfNotPresent (T item)
    {
      Contract.Ensures (_list.Contains (item));
      lock (_locker)
      {
        if (_list.Contains(item)) return false;
        _list.Add (item);
        return true;
      }
    }

    public void Remove (T item)
    {
      lock (_locker)
        _list.Remove (item);
    }
  }
```

AddIfNotPresent 메서드의 사후조건들은 자물쇠가 풀린 **후에** 점검된다. 그런데 만일 자물쇠 해제 시점과 점검 시점 사이에 다른 어떤 스레드가 Remove를 호출해서 그 항목을 제거한다면(자물쇠가 풀렸으므로 제거할 수 있다) 점검이 실패하게 된다. 현재로서는, 그런 조건들을 사후조건이 아니라 단언으로 강제하는 것('단언과 객체 불변식(p.673)' 참고) 말고는 이 문제를 피해 가는 방법이 없다.

Contract.EnsuresOnThrow<TException> 메서드

종종, 메서드 실행 시 특정 형식의 예외가 던져짐을 강제해야 하는 경우가 있다. 즉, 특정 형식의 예외 발생 여부가 사후조건인 것이다. EnsuresOnThrow 메서드가 바로 사후조건을 강제하는 역할을 한다.

```
Contract.EnsuresOnThrow<WebException> (this.ErrorMessage != null);
```

Contract.Result<T>와 Contract.ValueAtReturn<T> 메서드

사후조건은 함수의 실행이 끝난 후에 평가되므로, 사후조건에서 함수의 반환값을 점검하고 싶은 것은 자연스러운 요구이다. Contract.Result<T>가 바로 그런 경우에 필요한 메서드이다.

```
Random _random = new Random();
int GetOddRandomNumber()
{
  Contract.Ensures (Contract.Result<int>() % 2 == 1);
  return _random.Next (100) * 2 + 1;
}
```

이와 비슷한 메서드로, Contract.ValueAtReturn<T>는 ref나 out 매개변수의 최종값을 돌려준다.

Contract.OldValue<T> 메서드

Contract.OldValue<T> 메서드는 메서드 매개변수의 원래 값을 돌려준다. 사후조건은 함수의 끝에서 점검되므로, 사후조건 표현식 안의 매개변수는 함수 본문이 수정한 값을 담고 있다. 따라서, 사후조건에서 매개변수의 원래 값이 관여하는 조건을 점검하려면 이 메서드가 필요하다.

예를 들어 다음 메서드의 사후조건은 항상 실패한다.

```
static string Middle (string s)
{
  Contract.Requires (s != null && s.Length >= 2);
  Contract.Ensures (Contract.Result<string>().Length < s.Length);
  s = s.Substring (1, s.Length - 2);
  return s.Trim();
}
```

제대로 하려면 코드를 다음과 같이 바꾸어야 한다.

```
static string Middle (string s)
{
  Contract.Requires (s != null && s.Length >= 2);
  Contract.Ensures (Contract.Result<string>().Length <
                    Contract.OldValue (s).Length);
  s = s.Substring (1, s.Length - 2);
  return s.Trim();
}
```

사후조건과 가상 메서드 재정의

재정의된 메서드에서 기반 메서드에 정의된 사후조건을 바꾸거나 무효화할 수는 없다. 그러나 새로운 사후조건을 추가할 수는 있다. 이진 변환기는 기반 메서드의 사후조건들이 반드시 점검되도록 강제한다. 심지어는 재정의된 메서드에서 기반 구현을 호출하지 않는 경우에도 그렇다.

> ! 방금 말한 이유로, 가상 메서드의 사후조건에서는 전용 멤버에 접근하지 말아야 한다. 이진 변환기는 그런 전용 멤버 접근 코드를 파생 클래스에도 주입할 것이므로, 결과적으로 실행 시점 오류가 발생한다.

단언과 객체 불변식

전제조건과 사후조건 외에, 코드 계약 API는 단언과 **객체 불변식**(object invariant)을 정의하는 수단들도 제공한다.

단언

Contract.Assert 메서드

함수의 어느 곳에서도 `Contract.Assert`를 호출해서 어떤 조건을 단언할 수 있다. 선택적인 둘째 인수에 단언 실패 시의 오류 메시지를 지정할 수 있다.

```
...
int x = 3;
...
Contract.Assert (x == 3);                    // x가 3이 아니면 단언에 실패한다.
Contract.Assert (x == 3, "x가 반드시 3이어야 함");
...
```

이런 단언문들은 이진 변환기가 특별히 변환하지 않고 그대로 둔다. `Debug.Assert` 대신 `Contract.Assert`를 사용하는 것이 바람직한 이유는 두 가지이다.

- 코드 계약 기능이 제공하는 좀 더 유연한 실패 처리 메커니즘들을 활용할 수 있다.
- `Contract.Assert` 위반 여지가 있는 코드를 정적 점검 도구로 잡아낼 수 있다.

Contract.Assume 메서드

가정(assumption)을 표현하는 메서드인 `Contract.Assume`은 실행시점에서 `Contract.Assert`와 정확히 동일하게 작동한다. 단, 정적 점검 도구는 이들을 단언과 조금 다르게 취급한다. 정적 점검 도구들은 단언은 깐깐하게 검증하려 들지만, 가정들에 대해서는 아무런 문제도 **제기하지 않는다**. 단언 중에는 정적으로는 검증할 수 없는 것들이 있는데, 그런 단언에 대해 정적 점검 도구가 마치 '양치기 소년'처럼 엉뚱하게 경보를 발동하는 경우가 있다. 그런 단언을 가정으로 바꾸면 정적 점검 도구가 조용해진다.

객체 불변식

하나의 클래스에 대해 하나 이상의 **객체 불변식**(object invariant) 메서드를 지정할 수 있다. 그런 메서드는 클래스의 모든 **공용**(public) 함수의 끝에서 자동으로 실행된다. 이를 통해서 객체의 불변식, 즉 객체가 일관된 내부 상태를 유지하고 있음을 뜻하는 조건을 단언할 수 있다.

한 클래스에 여러 개의 객체 불변식을 둘 수 있게 한 것은, 부분 클래스(제3장)에서도 객체 불변식이 잘 작동하게 하기 위한 것이다.

객체 불변식 메서드를 정의할 때에는 매개변수와 반환값이 없는 메서드를 작성하고 [ContractInvariantMethod] 특성을 부여한다. 그 메서드 안에서, 원하는 불변식 조건을 Contract.Invariant 메서드 호출로 표현하면 된다.

```
class Test
{
  int _x, _y;

  [ContractInvariantMethod]
  void ObjectInvariant()
  {
    Contract.Invariant (_x >= 0);
    Contract.Invariant (_y >= _x);
  }

  public int X { get { return _x; } set { _x = value; } }
  public void Test1() { _x = -3; }
  void Test2()        { _x = -3; }
}
```

이진 변환기는 X 속성과 Test1, Test2 메서드를 논리적으로 다음과 같은 형태로 바꾼다.

```
public void X { get { return _x; } set { _x = value; ObjectInvariant(); } }
public void Test1() { _x = -3; ObjectInvariant(); }
void Test2()        { _x = -3; }    // 전용 메서드는 변경하지 않음
```

객체 불변식들이 객체가 유효하지 않은 상태로 진입하는 일을 **방지**하지는 않는다. 이들은 단지 그런 일이 발생하는 조건을 **검출**할 뿐이다.

Contract.Invariant는 Contract.Assert와 상당히 비슷하되, [ContractInvariantMethod] 특성이 붙은 메서드에서만 호출할 수 있다는 특징이 있다. 마찬가지로, 객체 불변식 메서드([ContractInvariantMethod] 특성이 붙은)는 오직 Contract.Invariant 호출문들로만 구성되어야 한다.

파생 클래스가 새로운 객체 불변식 메서드를 도입하는 것도 가능하다. 그러면 기반 클래스의 불변식 메서드와 함께 그 불변식 메서드도 함께 점검된다. 물론 그러한 점검은 오직 공용 멤버가 호출된 후에 일어난다는 점을 기억해야 한다.

인터페이스와 추상 메서드의 코드 계약

코드 계약의 한 가지 강력한 기능은, 인터페이스 멤버와 추상 메서드에 계약 조건들을 부여할 수 있다는 것이다. 이진 실행 파일 변환기는 그런 조건들을 자동으로 구체 구현 클래스의 멤버들에 주입한다.

인터페이스와 추상 메서드에 코드 계약을 적용할 때에는, 특별한 메커니즘을 이용해서 개별적인 계약 클래스를 인터페이스나 추상 메서드에 연관시킨다. 실제 계약 조건들은 그 계약 클래스의 메서드들로 정의한다. 예를 들면 다음과 같다.

```
[ContractClass (typeof (ContractForITest))]
interface ITest
{
  int Process (string s);
}

[ContractClassFor (typeof (ITest))]
sealed class ContractForITest : ITest
{
  int ITest.Process (string s)      // 반드시 명시적 구현을 사용해야 함
  {
    Contract.Requires (s != null);
    return 0;                       // 컴파일러를 만족시키기 위한 명목상의 값
  }
}
```

ITest.Process 구현의 반환값은 그냥 컴파일러를 만족시키기 위한 것일 뿐이다. 그 return 문은 어차피 실행되지도 않는다. 이진 변환기는 이 메서드에서 계약 조건들만 추출해서 ITest.Process의 실제 구현에 주입한다. 사실 계약 클래스 자체는 아예 인스턴스화되지 않는다(따라서, 계약 클래스의 생성자들을 작성했다고 해도 그 생성자들은 실행되지 않는다).

계약 코드 블록 안에서, 인터페이스의 다른 멤버들을 좀 더 쉽게 참조하기 위해 임시 변수를 사용하는 것이 허용된다. 예를 들어 ITest 인터페이스에 string 형식의 Message라는 속성을 추가했다고 할 때, ITest.Process를 다음과 같이 작성할 수 있다.

```
int ITest.Process (string s)
{
  ITest test = this;
  Contract.Requires (s != test.Message);
  ...
}
```

이것이 다음 코드보다 쓰기도, 읽기도 쉽다.

```
Contract.Requires (s != ((ITest)this).Message);
```

(Message를 반드시 명시적으로 구현해야 하므로, 그냥 this.Message라고 하면 안 된다.) 추상 클래스를 위한 계약 클래스를 작성하는 것도 한 가지만 빼면 지금까지 말한 것과 정확히 같다. 한 가지는, 계약 클래스를 sealed 대신 abstract로 선언해야 한다는 것이다.

계약 위반 처리 방식

이진 변환기의 /throwonfailure 옵션(Visual Studio의 경우는 프로젝트 속성 창의 'Code Contracts' 탭에 있는 'Assert on Contract Failure' 체크상자)를 이용해서, 메서드나 호출자가 계약 조건을 만족하지 않았을 때의 처리 방식을 지정할 수 있다.

/throwonfailure를 지정하지 않거나 'Assert on Contract Failure'를 체크하면 계약 조건 실패 시 대화상자가 나타난다. 그 대화상자는 실행을 취소하거나, 오류를 무시하거나, 디버거로 진입하는 옵션들을 제공한다.

이와 관련해서 주의할 사항이 두 가지 있다.

- 만일 CLR이 다른 호스트 프로그램(이를테면 SQL Server나 Exchange) 안에서 실행되는 중이면, 대화상자가 뜨는 대신 호스트의 상향 보고 방침(escalation policy)이 발동한다.
- 그렇지 않지만 어떤 이유로 현재 프로세스가 사용자에게 대화상자를 띄울 수 없으면 Environment.FailFast 메서드가 호출된다.

디버그 빌드에서는 대화상자를 띄우는 방식이 유용한데, 이유는 두 가지이다.

- 계약 위반(계약 조건 실패) 상황을 즉석에서, 프로그램을 다시 실행하지 않고도 진단하고 디버깅하기 편하다. 이 대화상자는 Visual Studio가 '첫째 예외(first-chance exception)' 발생 시 실행을 중단(break)하도록 설정되어 있지 않아도 나타난다. 그리고 일반적인 예외와는 달리, 계약 위반은 거의 항상 코드에 버그가 있음을 뜻한다.

- 다음처럼 스택의 더 상위에 있는 호출자가 예외를 "삼켜 버리는" 경우에도, 계약 위반 상황을 개발자가 알 수 있다.

```
try
{
  // 계약 조건을 위반하는 어떤 메서드를 호출
}
catch { }
```

대부분의 시나리오에서 이 코드는 안티패턴antipattern으로 간주된다. 이런 패턴은 작성자가 결코 예상하지 못한 조건들을 포함한 계약 위반을 **보이지 않게 만들기** 때문이다.

`/throwonfailure`를 지정하거나 Visual Studio에서 'Assert on Contract Failure'의 체크를 해제하면, 계약 위반 시 `ContractException` 예외가 발생한다. 이 방식은 다음과 같은 시나리오에 유용하다.

- 릴리스 빌드에서, 해당 예외를 스택 위쪽으로 떠오르게 해서, 예기치 못한 다른 모든 예외와 같은 방식으로(이를테면 최상위 예외 처리부가 해당 오류를 기록하거나, 사용자에게 알려서 보고하게 하는 등) 처리한다.
- 오류 기록 공정이 자동화된 단위 검사(unit testing) 환경에서, 해당 예외가 자동으로 기록되게 한다.

`ContractException`은 공용 형식이 아니라서 `catch` 블록에서 이 예외를 구체적으로 지정할 수는 없다. 이를 공용 형식으로 두지 않은 것은, 애초에 `ContractException`을 **특정해서** 잡을 이유가 없기 때문이다. 이 예외는 일반적인 최종 예외 처리부에서 잡도록 만들어진 것이다.

ContractFailed 이벤트

프로그램이 계약을 위반하면 CLR은 다른 행동을 취하기 전에 먼저 `Contract.ContractFailed`라는 이벤트를 발동한다. 프로그램에서 이 이벤트를 처리하는 경우, 이벤트 처리부에 전달되는 이벤트 객체로부터 오류의 세부사항을 알아낼 수 있다. 또한, 이벤트 처리부에서 `SetHandled`를 호출함으로써, 이후에는 해당 `ContractException`이 던져지지 않게(또는 대화상자가 나타나지 않게) 할 수 있다.

이 이벤트를 처리하는 것은 `/throwonfailure` 옵션을 지정했을 때 특히나 유용하다. 조금 전에 설명했듯이 호출 스택 상위에 있는 코드가 예외들을 삼켜버리는 경우에도 이벤트 처리부를 이용해서 모든 계약 위반 상황을 기록할 수 있기 때문이다. 좋은 예가 자동화된 단위 검사이다.

```
Contract.ContractFailed += (sender, args) =>
{
  string failureMessage = args.FailureKind + ": " + args.Message;
  // 단위 검사 프레임워크를 이용해서 failureMessage를 기록한다.
  // ...
  args.SetUnwind();
};
```

이 이벤트 처리부는 모든 계약 위반을 기록하되, 이벤트 처리부의 실행이 끝난 후에 ContractException 예외(또는 계약 위반 대화상자)가 통상적인 방식으로 작동하게 허용한다. 또한, 처리부 끝에서 SetUnwind를 호출하는데, 이렇게 하면 다른 이벤트 구독자의 모든 SetHandled 호출의 효과를 무력화한다. 다른 말로 하면, 모든 이벤트 처리부가 실행된 후 ContractException이(또는 대화상자가) 항상 발생하게 한다.

계약 조건 안의 예외

계약 조건 자체에서 예외가 발생하면, 그 예외는 다른 예외와 마찬가지 방식으로 전파된다. 이는 /throwonfailure 지정 여부와는 무관하다. 다음 메서드는 주어진 문자열 인수가 널이면 NullReferenceException을 던진다.

```
string Test (string s)
{
  Contract.Requires (s.Length > 0);
  ...
}
```

이 전제조건에는 결함이 있다. 다음과 같이 지정했어야 한다.

```
Contract.Requires (!string.IsNullOrEmpty (s));
```

계약의 선택적 강제

이진 변환기는 계약 점검 일부 또는 전부를 생략할 수 있는 두 개의 옵션을 제공한다. 하나는 /publicsurface이고 또 하나는 /level이다. Visual Studio에서는 프로젝트 속성 창의 'Code Contracts' 탭에 해당 옵션들이 있다. /publicsurface

를 지정하면 이진 변환기는 공용 멤버들의 계약만 점검한다. `/level` 옵션으로는 점검 수준을 뜻하는 정수를 지정하는데, 다음과 같은 값들을 사용할 수 있다.†

0(None)

모든 계약 점검을 생략한다.

1(ReleaseRequires)

`Contract.Requires<TException>`의 제네릭 버전에 대한 호출들만 활성화한다.

2(Preconditions)

모든 전제조건을 활성화한다(수준 1의 전제조건들과 보통의 전제조건들)

3(Pre and Post)

수준 2 점검 더하기 사후조건들을 활성화한다.

4(Full)

수준 3 점검 더하기 객체 불변식들과 단언들을(즉, 모든 점검을) 활성화한다.

일반적으로 디버그 빌드에서는 수준 4를 적용해서 모든 계약 점검을 활성화한다.

릴리스 빌드에서의 계약

릴리스 빌드를 만들 때에는 흔히 다음 두 접근방식 중 하나를 선택한다.

- 안전성을 우선시해서, 모든 계약 점검을 활성화한다.
- 성능을 우선시해서, 모든 계약 점검을 비활성화한다.

다수가 사용할 공용 라이브러리에 두 번째 접근방식을 적용하면 문제가 될 수 있다. 한 예로, 독자가 L이라는 라이브러리를 계약 점검들을 모두 비활성화해서 릴리스 모드로 빌드한 후 배포했다고 하자. 어떤 클라이언트가 라이브러리 L을 참조하는 프로젝트 C를 **디버그** 모드에서 빌드한 경우, 어셈블리 C에서 L의 멤버를 잘못 호출해도 계약 위반은 발생하지 않는다. 그런 상황에서는 클라이언트가 L을 정확히 사용하는지 확인할 수 있도록 L의 계약 일부를 강제하는 것이 바람직하다. 구체적으로 말해서, L의 **공용** 멤버들에 대한 **전제조건**들을 클라이언트가 잘 지키는지 확인할 수 있어야 한다.

† (옮긴이) 괄호 안은 'Code Contracts' 탭의 해당 'Perform Runtime Contract Checking' 옵션이다.

가장 간단한 해결책은 `/publicsurface`를 지정해서 공용 계약만 점검하게 하고, 점검 수준(`/level`)은 2(*Preconditions*) 또는 1(*ReleaseRequires*)로 설정하는 것이다. 그러면 필수적인 전제조건들이 활성화되어서 클라이언트가 자신의 실수를 확인할 수 있게 된다. 또한, 공용 멤버들에 대한 전제조건들만 점검하므로 성능상의 비용도 크지 않다.

그러나 성능상의 비용을 전혀 치르지 않고 싶은 극단적인 경우도 발생할 수 있다. 그런 경우에는 **호출 지점 점검**이라는 좀 더 수고로운 접근방식을 취해야 한다.

호출 지점 점검

호출 지점 점검(call-site checking)을 활성화하면 전제조건 검증이 **호출되는** 메서드 내부가 아니라 호출 지점, 즉 그 메서드를 **호출하는** 코드에서 수행된다. 이 접근방식을 사용하면 라이브러리 L의 클라이언트가 디버그 구성에서 전제조건들을 스스로 검증할 수 있으므로, 방금 말한 문제점이 해결된다.

호출 지점 점검을 활성화하려면 먼저 개별적인 **계약 참조 어셈블리**를 빌드해야 한다. 계약 참조 어셈블리는 참조하는 어셈블리에 대한 전제조건들만 담고 있는 보조 어셈블리이다. 그런 어셈블리를 만드는 방법은 두 가지이다. 하나는 명령줄 도구 *ccrefgen*을 이용하는 것이고, 또 하나는 Visual Studio에서 다음과 같은 단계들을 거치는 것이다.

1. **참조되는 라이브러리**(지금 예에서 L)의 릴리스 구성에서, 프로젝트 속성 창 'Code Contracts' 탭의 'Perform Runtime Contract Checking'을 해제하고 'Contract Reference Assembly'에서 'Build'를 선택한다. 이렇게 하면 프로젝트를 빌드할 때 계약 참조 어셈블리(확장자는 *.contracts.dll*)가 함께 생성된다.
2. 라이브러리 L을 **참조하는** 어셈블리의 **릴리스** 구성에서 모든 계약 점검을 비활성화한다.
3. 라이브러리 L을 **참조하는** 어셈블리의 **디버그** 구성에서 'Call-site Requires Checking'을 체크한다.

셋째 단계는 이진 변환기(*ccrewrite*)를 `/callsiterequires` 옵션을 주어서 실행하는 것에 해당한다. 그러면 이진 변환기는 계약 참조 어셈블리에서 전제조건들을 읽어서 참조하는 어셈블리의 호출 지점들에 주입한다.

정적 계약 점검

코드 계약 기능을 이용하면 **정적 계약 점검**이 가능해진다. 정적 계약 점검에서는 개별적인 도구로 계약 조건들을 점검해서, 프로그램을 실행하기 전에 잠재적인 버그를 찾아낼 수 있다. 예를 들어 정적 계약 점검 도구는 다음과 같은 코드에 대해 경고를 발생한다.

```
static void Main()
{
  string message = null;
  WriteLine (message);      // 정적 점검 도구가 이 코드에 대해 경고를 발생한다.
}

static void WriteLine (string s)
{
  Contract.Requires (s != null);
  Console.WriteLine (s);
}
```

Microsoft는 *cccheck*라는 정적 계약 점검 도구를 제공한다. 이를 명령줄에서 직접 실행할 수도 있고, Visual Studio의 프로젝트 속성 창에서 해당 옵션을 체크해서 자동으로 실행되게 할 수도 있다.

정적 점검이 작동하려면 메서드에 전제조건들과 사후조건들을 추가해야 할 수도 있다. 간단한 예로, 정적 점검 도구는 다음과 같은 코드에 대해 경고를 발생한다(주석은 cccheck의 경고 메시지).

```
static void WriteLine (string s, bool b)
{
  if (b)
    WriteLine (s);    // Warning: requires unproven
}

static void WriteLine (string s)
{
  Contract.Requires (s != null);
  Console.WriteLine (s);
}
```

경고 메시지는 요구사항(전제조건)이 증명되지 않았다는 뜻이다. 첫 메서드는 매개변수가 널이 아니어야 하는 메서드를 호출하므로, 해당 인수가 널이 아님을 증명해야 이 경고가 사라진다. 다음과 같이 전제조건을 추가하면 된다.

```
static void WriteLine (string s, bool b)
```

```
{
  Contract.Requires (s != null);
  if (b)
    WriteLine (s);    // OK
}
```

ContractVerification 특성

정적 계약 점검을 제대로 활용하는 가장 쉬운 방법은 프로젝트 초기부터 적용하는 것이다. 프로젝트 중간부터 사용하면 경고가 너무 많이 나와서 질릴 수 있다.

정적 계약 점검을 기존 코드 기반(codebase)에 적용해야 하는 상황이라면, 처음에는 프로그램의 일부에만 선택적으로 적용하는 것이 도움이 된다. 이때 필요한 것이 ContractVerification 특성(System.Diagnostics.Contracts 이름공간에 있다)이다. 이 특성은 어셈블리 수준에서 적용할 수도 있고 형식이나 멤버 수준에서 적용할 수도 있다. 이를 여러 수준에서 적용한 경우, 더 큰 범위의 것이 우선시된다. 즉, 특정한 클래스 하나에만 정적 계약 점검을 적용하고 싶다면 어셈블리 수준부터 내려오면서 점검들을 비활성화해야 한다. 어셈블리 수준의 점검을 비활성화는 코드는 다음과 같다.

```
[assembly: ContractVerification (false)]
```

그런 다음 해당 클래스에만 점검을 활성화하면 된다.

```
[ContractVerification (true)]
class Foo { ... }
```

Baselines 옵션

기존 코드 기반에 정적 계약 점검을 적용하는 또 다른 전략은, Visual Studio의 Code Contracts 탭에서 *Baseline* 옵션을 체크해서 점검 도구를 실행하는 것이다. 그러면 모든 경고가 해당 옵션에 지정한 XML 파일에 기록된다. 이후 정적 점검을 실행하면, 점검 도구는 그 파일에 있는 모든 경고를 무시한다. 즉, 독자가 새로 작성한 코드 때문에 생긴 메시지들만 나타난다.

SuppressMessage 특성

정적 점검 도구에게 특정 종류의 경고들을 무시하라고 알려줄 수도 있다. SuppressMessage 특성(System.Diagnostics.CodeAnalysis 이름공간)이 그런 용도로 쓰인다.

```
[SuppressMessage ("Microsoft.Contracts", 경고_종류)]
```

여기서 *경고_종류*에 사용할 수 있는 값은 다음과 같다.

```
Requires Ensures Invariant NonNull DivByZero MinValueNegation
ArrayCreation ArrayLowerBound ArrayUpperBound
```

이 특성은 개별 형식에 적용할 수도 있고 어셈블리 수준에서 적용할 수도 있다.

디버거 통합

종종 응용 프로그램을 디버거와 연동해서 실행하는 것이 도움이 되기도 한다. 개발 도중에는 주로 IDE(Visual Studio 등)의 디버거를 그런 용도로 사용한다. 그러나 응용 프로그램이 일단 배치(deployment)되었다면, 디버거는 다음 중 하나일 가능성이 있다.

- DbgCLR
- WinDbg나 Cordbg, Mdbg 같은 저수준 디버깅 도구

DbgCLR은 Visual Studio에서 디버거만 남기고 모든 것을 제거한 것에 해당한다. 이 도구는 무료로 내려받을 수 있는 .NET Framework SDK에 포함되어 있다. SDK 전체를 내려받아야 한다는 단점이 있긴 하지만, IDE가 없는 상황에서는 이것이 가장 손쉬운 디버깅 옵션이다.

디버거 부착 및 중단

`System.Diagnostics`의 정적 클래스 `Debugger`는 멤버 `Break`, `Launch`, `Log`, `IsAttached`를 통해서 디버거 연동을 위한 기본 기능을 제공한다.

응용 프로그램을 디버깅하려면 먼저 디버거를 응용 프로그램에 붙여야(attach; 부착) 한다. IDE에서 응용 프로그램을 시작하면 자동으로 디버거가 붙는다('디버깅하지 않고 시작'으로 응용 프로그램을 실행하지 않은 이상). 그러나 응용 프로그램을 IDE 안에서 디버그 모드로 실행하는 것이 불편하거나 불가능할 때가 종종 있다. 이를테면 Windows 서비스 응용 프로그램이나 (모순적이게도) Visual Studio 디자이너를 띄울 때 그렇다. 이 경우 한 가지 해결책은 응용 프로그램을 보통의 방법으로 실행한 후 디버거를 직접 응용 프로그램의 프로세스에 연결하는 것이다. Visual Studio의 경우 '디버그' 메뉴에서 '프로세스에 연결'을

선택하면 된다. 그러나 이렇게 하면 IDE에서 응용 프로그램 소스 코드에 설정한 중단점(breakpoint)들이 작동하지 않는다.

해결책은 응용 프로그램 자신이 `Debugger.Break`를 호출하는 것이다. 이 메서드는 디버거를 띄워서 현재 프로세스에 부착하고 그 지점에서 실행을 정지한다(`Launch`도 같은 일을 하지만, 실행을 정지하지는 않는다. 일단 디버거가 붙으면, `Log` 메서드를 이용해서 디버거의 출력 창에 직접 메시지를 기록할 수 있다. 현재 프로세스가 디버거와 연결되었는지는 `IsAttached` 속성으로 알 수 있다.

디버거 관련 특성들

`DebuggerStepThrough` 특성과 `DebuggerHidden` 특성은 디버거에게 특정 메서드나 생성자, 클래스의 단계별 실행(single-stepping)을 처리하는 방법에 대한 힌트를 제공한다.

`DebuggerStepThrough`는 디버거에게 사용자 상호작용 없이 함수를 단계별로 실행하라고 요청한다. 이 특성은 자동으로 생성된 메서드들과 실제 작업을 다른 어딘가에 있는 메서드로 위임하는 프록시 메서드들에 유용하다. 후자의 경우 '진짜' 메서드 안에 중단점이 설정되어 있어도 디버거가 표시하는 호출 스택에는 여전히 프록시 메서드가 나타난다. 이를 피하려면 프록시 메서드에 `DebuggerHidden` 특성을 적용하면 된다. 다음처럼 프록시 메서드에 이 두 특성을 모두 적용하면, 개발자는 부차적인 구현 세부사항보다는 응용 프로그램의 논리를 디버깅하는 데 집중할 수 있다.

```
[DebuggerStepThrough, DebuggerHidden]
void DoWorkProxy()
{
  // ... 설정 ...
  DoWork();
  // ... 정리 ...
}

void DoWork() {...}   // 실제 메서드...
```

프로세스와 프로세스 스레드

`Process.Start`를 이용해서 새 프로세스를 띄우는 방법을 제6장 끝에서 설명했다. `Process` 클래스는 같은 컴퓨터나 심지어는 원격 컴퓨터에서 실행되는 다른

프로세스를 조사하거나 상호작용하는 수단들도 제공한다. Windows 스토어 앱에서는 Process 클래스를 사용할 수 없음을 주의하기 바란다.

실행 중인 프로세스 조사

Process.GetProcess*XXX* 메서드들은 주어진 이름 또는 프로세스 ID에 해당하는 하나의 프로세스를 나타내는 Process 인스턴스를 돌려주거나, 현재 컴퓨터 또는 지정된 컴퓨터에서 실행되는 모든 프로세스에 관한 정보를 담은 Process 컬렉션을 돌려준다. 여기에는 관리되는 프로세스뿐만 아니라 비관리 프로세스들도 포함된다. 각 Process 인스턴스에는 프로세스 이름, ID, 우선순위, 메모리·CPU 사용량, 창 핸들 같은 신원 정보 또는 통계 정보에 연결된 다양한 속성이 있다. 다음 예제는 현재 컴퓨터에서 실행 중인 모든 프로세스를 열거한다.

```
foreach (Process p in Process.GetProcesses())
using (p)
{
  Console.WriteLine (p.ProcessName);
  Console.WriteLine ("   PID:      " + p.Id);
  Console.WriteLine ("   메모리:    " + p.WorkingSet64);
  Console.WriteLine ("   스레드:    " + p.Threads.Count);
}
```

Process.GetCurrentProcess는 현재 프로세스를 돌려준다. 또 다른 응용 프로그램 도메인들을 생성한 경우, 모든 도메인은 같은 프로세스를 공유한다.

주어진 Process 인스턴스에 대해 Kill 메서드를 호출하면 해당 프로세스가 종료된다.

프로세스 안의 스레드 조사

Process.Threads 속성을 이용해서 프로세스의 스레드들을 열거하는 것도 가능하다. 그런데 이 속성이 System.Threading.Thread 객체를 돌려주지는 않는다. 대신 이 속성은 동기화 작업이 아니라 스레드 관리 작업을 위해 만들어진 ProcessThread 객체를 돌려준다. ProcessThread 객체는 바탕 스레드에 관한 진단 정보를 제공한다. 또한, 스레드의 우선순위나 프로세서 친화도(affinity) 같은 스레드의 특정 측면을 이 객체를 이용해서 변경하는 것도 가능하다.

```
public void EnumerateThreads (Process p)
{
  foreach (ProcessThread pt in p.Threads)
```

```
    {
      Console.WriteLine (pt.Id);
      Console.WriteLine ("   상태:      " + pt.ThreadState);
      Console.WriteLine ("   우선순위:  " + pt.PriorityLevel);
      Console.WriteLine ("   시작 시간: " + pt.StartTime);
      Console.WriteLine ("   CPU 시간:  " + pt.TotalProcessorTime);
    }
  }
```

StackTrace와 StackFrame 클래스

StackTrace와 StackFrame 클래스는 실행 호출 스택에 대한 읽기 전용 시각(view)을 제공한다. 이 두 클래스는 표준 데스크톱 .NET Framework의 일부이다. 이들을 이용해서 현재 스레드나 현재 프로세스의 다른 스레드, 또는 Exception 객체의 스택 궤적(stack trace)을 얻을 수 있다. 그런 정보는 주로 진단 작업에 유용하지만, 일종의 '핵hack'으로서 프로그래밍에 써먹을 여지도 있다. StackTrace는 전체 호출 스택을 나타내고, StackFrame은 그 스택 안의 개별 메서드 호출을 나타낸다.

인수 없이 또는 bool 인수 하나만 지정해서 StackTrace 인스턴스를 생성하면 현재 스레드의 호출 스택의 스냅숏을 얻게 된다. bool 인수를 true로 지정하면 StackTrace는 확장자가 *.pdb*(이 이름은 'project debug'를 줄인 것이다)인 프로젝트 디버그 파일을 읽어 들인다(그런 파일이 있는 경우). 그러면 호출의 파일 이름, 행 번호, 열 오프셋 같은 정보까지 얻을 수 있다. 프로젝트 디버그 파일은 /debug 옵션을 주어서 프로젝트를 빌드하면 생성된다(Visual Studio에서는 **고급 빌드 설정**에서 따로 해제하지 않는 한 이 옵션이 기본으로 적용된다).

StackTrace 인스턴스를 얻었다면, GetFrame을 호출해서 특정 프레임 하나에 대한 StackFrame 인스턴스를 얻거나 GetFrames를 호출해서 모든 프레임을 열거할 수 있다.

```
static void Main() { A (); }
static void A()    { B (); }
static void B()    { C (); }
static void C()
{
  StackTrace s = new StackTrace (true);

  Console.WriteLine ("총 프레임 수:   " + s.FrameCount);
  Console.WriteLine ("현재 메서드:    " + s.GetFrame(0).GetMethod().Name);
```

```
    Console.WriteLine ("호출한 메서드:  " + s.GetFrame(1).GetMethod().Name);
    Console.WriteLine ("진입 메서드:    " + s.GetFrame
                                        (s.FrameCount-1).GetMethod().Name);
    Console.WriteLine ("호출 스택:");
    foreach (StackFrame f in s.GetFrames())
      Console.WriteLine (
        "  파일: "   + f.GetFileName() +
        "  행: "     + f.GetFileLineNumber() +
        "  열: "     + f.GetFileColumnNumber() +
        "  오프셋: " + f.GetILOffset() +
        "  메서드: " + f.GetMethod().Name);
  }
```

다음은 이 코드의 출력 예이다.

```
총 프레임 수:   4
현재 메서드:    C
호출한 메서드:  B
진입 메서드:    Main
호출 스택:
  파일: C:\Test\Program.cs  행: 15  Col: 4  오프셋: 7  메서드: C
  파일: C:\Test\Program.cs  행: 12  Col: 22  오프셋: 6  메서드: B
  파일: C:\Test\Program.cs  행: 11  Col: 22  오프셋: 6  메서드: A
  파일: C:\Test\Program.cs  행: 10  Col: 25  오프셋: 6  메서드: Main
```

IL 오프셋은 **다음번에** 실행될 명령의 오프셋을 뜻한다. 현재 실행 중인 명령의 오프셋이 아니다. 이상하게도, 보통의 경우 행 번호와 열 번호(*.pdb* 파일이 있는 경우)는 현재 실행 지점의 것들이다.

이런 현상이 생기는 이유는 이렇다. CLR은 IL 오프셋으로부터 행 번호와 열 번호를 계산할 때 실제 실행 지점을 최선을 다해서 **추론**한다. 컴파일러는 그런 추론이 가능한 형태로 IL을 생성하는데, 예를 들어 필요하다면 IL 스트림에 nop(no-operation; 무연산) 명령들을 삽입한다.

그러나 최적화를 활성화해서 프로젝트를 빌드하면 nop 명령들의 삽입이 비활성화되며, 그러면 스택 궤적이 다음번에 실행될 문장의 행, 열 번호를 표시하게 될 수 있다. 더 나아가서, 메서드 전체를 생략하는 등의 또 다른 최적화 기법들이 적용되면 유용한 스택 궤적을 얻는 것이 더욱 어려워진다.

전체 스택 궤적에 대한 필수 정보를 얻는 좀 더 간단한 방법은 StackTrace에 대해 ToString을 호출하는 것이다. 그러면 다음과 같은 형태의 텍스트를 얻을 수 있다.

```
at DebugTest.Program.C() in C:\Test\Program.cs:line 16
at DebugTest.Program.B() in C:\Test\Program.cs:line 12
at DebugTest.Program.A() in C:\Test\Program.cs:line 11
at DebugTest.Program.Main() in C:\Test\Program.cs:line 10
```

다른 스레드의 스택 궤적을 얻으려면 StackTrace 인스턴스를 생성할 때 해당 Thread 객체를 생성자의 한 인수로 지정해야 한다. 다른 스레드의 스택 궤적은 이를테면 프로그램 프로파일링에 유용하지만, 스택 궤적을 조회하는 동안 반드시 그 스레드의 실행을 정지해야 한다는 점을 주의해야 한다. 이를 안정적으로 수행하는 접근방식이 제22장의 'Suspend 메서드와 Resume 메서드(p.1166)'에 나온다.

Exception 객체에서도 스택 궤적(그 예외가 발생하기까지의 과정을 알려주는)을 얻을 수 있다. 해당 Exception을 StackTrace의 생성자에 넘겨주면 된다.

Exception에는 이미 StackTrace라는 속성이 있지만, 이 속성은 StackTrace 객체가 아니라 문자열을 돌려준다. 응용 프로그램을 이미 배치한 후에는, 예외를 로그에 기록하는 데에는 그 문자열보다 StackTrace 객체가 훨씬 유용하다. StackTrace 객체가 있으면 예외 발생 지점의 행, 열 번호뿐만 아니라 *IL* **오프셋**도 기록할 수 있다. 그리고 IL 오프셋과 *ildasm*이 있으면 메서드 안에서 오류가 발생한 구체적인 지점을 알아낼 수 있다.

Windows 이벤트 로그

Win32 플랫폼은 Windows 이벤트 로그라는 형태로 중앙 집중적 로깅 메커니즘을 제공한다.

EventLogTraceListener 이벤트를 등록한 경우, 앞에서 살펴본 Debug, Trace 클래스는 Windows 이벤트 로그에 로그를 기록한다. 더 나아가서, EventLog 클래스를 이용하면 Trace나 Debug를 사용하지 않고 Windows 이벤트 로그에 직접 로그를 기록할 수 있다. 또한, 이 클래스는 이벤트 자료를 읽거나 감시하는 데에도 사용할 수 있다.

Windows 서비스 응용 프로그램은 뭔가 잘못되었을 때 사용자에게 진단 정보가 기록된 특별한 파일의 위치를 알려주는 대화상자를 표시할 수 없으므로, 해당 정보를 Windows 이벤트 로그에 기록하는 것이 합당하다. 또한, 서비스 프로그램들은 Windows 이벤트 로그에 정보를 기록하는 것이 관례이므로, 서비스가 문제를 일으켰을 때 관리자는 자연스럽게 Windows 이벤트 로그부터 점검할 것이다.

Windows 스토어 앱에서는 EventLog 클래스를 사용할 수 없다.

표준 Windows 이벤트 로그는 다음 세 가지이다.

- 응용 프로그램 로그
- 시스템 로그
- 보안 로그

대부분의 응용 프로그램은 보통의 경우 **응용 프로그램 로그**에 로그 메시지를 기록한다.

이벤트 로그 기록

Windows 이벤트 로그에 메시지를 기록하는 과정은 다음과 같다.

1. 세 가지 표준 이벤트 로그 중 하나를 선택한다. 보통은 **응용 프로그램** 로그를 사용한다.
2. **로그 출처**(log source)의 이름을 정한다. 필요하면 새로 만든다.
3. 표준 로그 이름과 로그 출처, 메시지 자료로 EventLog.WriteEntry를 호출한다.

로그 출처의 이름은 독자의 응용 프로그램에서 기록한 로그들을 쉽게 알아볼 수 있는 문자열이면 된다. 로그 출처를 사용하려면 먼저 출처를 생성, 등록해야 한다. CreateEventSource 메서드가 그러한 기능을 제공한다. 그런 다음에는 WriteEntry를 호출하면 된다.

```
const string SourceName = "MyCompany.WidgetServer";

// CreateEventSource에는 관리자 권한이 필요하다. 일반적으로
// 이 부분은 응용 프로그램 설치 과정에서 처리한다.
if (!EventLog.SourceExists (SourceName))
  EventLog.CreateEventSource (SourceName, "Application");

EventLog.WriteEntry (SourceName,
  "서비스 시작됨. 적용된 구성 파일: ...",
  EventLogEntryType.Information);
```

로그 항목의 종류를 나타내는 EventLogEntryType 열거형에는 Information 외에 Warning, Error, SuccessAudit, FailureAudit라는 멤버가 있다. 로그 항목 종류마다 Windows 이벤트 뷰어에 표시되는 아이콘이 다르다. EventLog.WriteEntry에는 로그의 범주와 이벤트 ID(둘 다 호출자가 정하는 정수), 선택적인 이진 자료를 받도록 중복적재된 버전들도 있다.

CreateEventSource에는 컴퓨터의 이름을 지정할 수 있는 버전이 있다. 권한이 충분하다면, 그 버전을 이용해서 다른 컴퓨터의 이벤트 로그에 로그 메시지를 기록할 수 있다.

이벤트 로그 읽기

이벤트 로그를 읽을 때에는 읽고자 하는 로그의 이름으로 EventLog 클래스를 인스턴스화한다. 이때 로그가 있는 다른 컴퓨터의 이름을 지정할 수도 있다. EventLog 인스턴스를 얻었으면, 컬렉션 속성인 Entries를 통해서 각 로그 항목에 접근할 수 있다.

```
EventLog log = new EventLog ("Application");

Console.WriteLine ("전체 항목 수: " + log.Entries.Count);

EventLogEntry last = log.Entries [log.Entries.Count - 1];
Console.WriteLine ("색인:    " + last.Index);
Console.WriteLine ("출처:    " + last.Source);
Console.WriteLine ("종류:    " + last.EntryType);
Console.WriteLine ("시간:    " + last.TimeWritten);
Console.WriteLine ("메시지:  " + last.Message);
```

또한, 정적 메서드 EventLog.GetEventLogs를 이용하면 현재 컴퓨터 또는 다른 컴퓨터에 있는 모든 로그를 열거할 수 있다(관리자 권한이 필요함).

```
foreach (EventLog log in EventLog.GetEventLogs())
  Console.WriteLine (log.LogDisplayName);
```

이 코드는 적어도 응용 프로그램, 보안, 시스템을 출력한다.

이벤트 로그 감시

EntryWritten 이벤트에 등록하면 Windows 이벤트 로그에 로그 항목이 기록될 때마다 그 사실을 통지받을 수 있다. 이러한 로그 감시 기능은 지역 컴퓨터의 이벤트 로그들에 대해 작동한다. 또한, 로그를 기록한 응용 프로그램이 어떤 것이냐와는 무관하게 모든 로그 항목에 대해 EntryWritten 이벤트가 발동한다.

로그 감시를 활성화하는 과정은 다음과 같다.

1. EventLog 인스턴스를 생성해서 EnableRaisingEvents 속성을 true로 설정한다.
2. EntryWritten 이벤트에 대한 처리부를 등록한다.

예를 들면 다음과 같다.

```
static void Main()
{
  using (var log = new EventLog ("Application"))
  {
    log.EnableRaisingEvents = true;
    log.EntryWritten += DisplayEntry;
    Console.ReadLine();
  }
}

static void DisplayEntry (object sender, EntryWrittenEventArgs e)
{
  EventLogEntry entry = e.Entry;
  Console.WriteLine (entry.Message);
}
```

성능 카운터

지금까지 논의한 로깅 메커니즘은 미래의 분석을 위한 정보를 갈무리하는 데 유용하다. 그러나 응용 프로그램의(또는 시스템 전체의) 현재 상태를 파악하려면 좀 더 실시간적인 접근방식이 필요하다. 이러한 요구를 위해 Win32는 성능 감시 기반구조를 제공한다. 그 기반구조는 운영체제와 응용 프로그램들이 노출하는 일단의 성능 카운터(performance conuter)들과 그 카운터들을 실시간으로 감시하는 데 쓰이는 Microsoft 관리 콘솔(Microsoft Management Console, MMC) 스냅인들로 구성된다.

성능 카운터들은 여러 범주로 분류된다. 이를테면 'System', 'Processor', '.NET CLR 메모리' 같은 범주들이 있다. GUI 도구들은 이 범주들을 '성능 개체(performance object)'라고 부르기도 한다. 각 범주에는 시스템이나 응용 프로그램의 한 측면을 반영하는, 서로 연관된 일단의 성능 카운터들이 속한다. 예를 들어 '.NET CLR Memory' 범주에는 "% Time in GC", "# Bytes in All Heaps", "Allocated bytes/sec" 같은 성능 카운터들이 포함된다.

한 범주의 인스턴스가 여러 개일 수도 있다. 'Processor' 범주가 그러한 예이다. 이 범주의 "% Processor Time" 성능 카운터는 CPU 활용도를 감시하기 위한 것인데, 다중 프로세서 컴퓨터에서는 CPU마다 이 범주의 인스턴스가 있어서 각 CPU의 활용도를 따로 감시할 수 있다.

다음 절들에서는 성능 카운터와 관련해서 흔히 요구되는 과제들을 수행하는 방법을 설명한다. 특히, 운영체제나 응용 프로그램들이 노출한 성능 카운터들을 파악하거나, 특정 카운터를 감시하거나, 독자의 응용 프로그램의 상태 정보를 노출하기 위해 성능 카운터를 직접 작성하는 방법을 알아본다.

성능 카운터나 범주에 접근하려면, 접근 대상에 따라서는 지역 또는 원격 컴퓨터에 대한 관리자 권한이 필요할 수 있다.

사용 가능한 성능 카운터 열거

다음은 현재 컴퓨터에 있는 모든 성능 카운터를 열거하는 예제이다. 여러 인스턴스가 존재하는 경우에는 인스턴스마다 카운터들을 열거한다.

```
PerformanceCounterCategory[] cats =
  PerformanceCounterCategory.GetCategories();

foreach (PerformanceCounterCategory cat in cats)
{
  Console.WriteLine ("범주: " + cat.CategoryName);

  string[] instances = cat.GetInstanceNames();
  if (instances.Length == 0)
  {
    foreach (PerformanceCounter ctr in cat.GetCounters())
      Console.WriteLine ("  카운터: " + ctr.CounterName);
  }
  else   // 인스턴스의 카운터들을 열거한다.
  {
    foreach (string instance in instances)
    {
      Console.WriteLine ("  인스턴스: " + instance);
      if (cat.InstanceExists (instance))
        foreach (PerformanceCounter ctr in cat.GetCounters (instance))
          Console.WriteLine ("    카운터: " + ctr.CounterName);
    }
  }
}
```

이 코드는 10,000줄 이상의 결과를 출력한다. 또한, PerformanceCounterCategory.InstanceExists의 구현이 그리 효율적이지 않기 때문에 실행을 완료하기까지 시간이 꽤 걸린다. 실제 시스템에서는, 카운터들에 관한 자세한 정보는 꼭 필요할 때에만 조회하는 것이 바람직하다.

다음 예제는 LINQ 질의를 이용해서 .NET 성능 카운터들을 조회하고 그 결과를 XML 파일에 기록한다.

```
var x =
  new XElement ("counters",
    from PerformanceCounterCategory cat in
         PerformanceCounterCategory.GetCategories()
    where cat.CategoryName.StartsWith (".NET")
    let instances = cat.GetInstanceNames()
    select new XElement ("category",
      new XAttribute ("name", cat.CategoryName),
      instances.Length == 0
      ?
        from c in cat.GetCounters()
        select new XElement ("counter",
          new XAttribute ("name", c.CounterName))
      :
        from i in instances
        select new XElement ("instance", new XAttribute ("name", i),
          !cat.InstanceExists (i)
          ?
            null
          :
            from c in cat.GetCounters (i)
            select new XElement ("counter",
              new XAttribute ("name", c.CounterName))
        )
    )
  );
x.Save ("counters.xml");
```

성능 카운터 자료 읽기

성능 카운터의 값을 읽을 때에는 PerformanceCounter 객체를 적절히 생성해서 NextValue 메서드나 NextSample 메서드를 호출한다. NextValue는 단순한 float 값을 돌려주지만, NextSample은 좀 더 자세한 정보를 담은 CounterSample 객체를 돌려준다. 이 객체에는 이를테면 CounterFrequency, TimeStamp, BaseValue, RawValue 같은 속성들이 있다.

PerformanceCounter의 생성자는 범주 이름과 카운터 이름을 받는다. 또한, 선택적인 셋째 인수를 통해서 원하는 인스턴스를 지정할 수도 있다. 예를 들어 다음은 현재 컴퓨터에 있는 모든 CPU의 활용도를 표시하는 코드이다.

```
using (PerformanceCounter pc = new PerformanceCounter ("프로세서",
                                                       "% 프로세서 시간",
                                                       "_전체"))
  Console.WriteLine (pc.NextValue());
```

다음 예는 현재 프로세스의 '실제(real)', 즉 전용(private) 메모리 소비량을 표시한다.

```
string procName = Process.GetCurrentProcess().ProcessName;
using (PerformanceCounter pc = new PerformanceCounter ("프로세스",
                                                      "전용 바이트 수",
                                                      procName))
  Console.WriteLine (pc.NextValue());
```

PerformanceCounter는 ValueChanged 같은 이벤트를 제공하지 않으므로, 성능 카운터가 변했을 때 통지를 받고 싶다면 폴링polling을 이용해야 한다. 즉, 주기적으로 값을 점검해야 한다. 다음 예는 무한 루프로 200ms마다 카운터 값을 점검하되, EventWaitHandle 인스턴스를 통해서 종료 신호를 받으면 루프를 벗어난다.

```
// System.Diagnostics뿐만 아니라 System.Threading도 도입해야 함

static void Monitor (string category, string counter, string instance,
                     EventWaitHandle stopper)
{
  if (!PerformanceCounterCategory.Exists (category))
    throw new InvalidOperationException ("해당 범주 없음");

  if (!PerformanceCounterCategory.CounterExists (counter, category))
    throw new InvalidOperationException ("해당 카운터 없음");

  if (instance == null) instance = "";   // ""는 인스턴스가 없음을 뜻함(널이 아님!)
  if (instance != "" &&
      !PerformanceCounterCategory.InstanceExists (instance, category))
    throw new InvalidOperationException ("해당 인스턴스 없음");

  float lastValue = 0f;
  using (PerformanceCounter pc = new PerformanceCounter (category,
                                                        counter, instance))
    while (!stopper.WaitOne (200, false))
    {
      float value = pc.NextValue();
      if (value != lastValue)          // 카운터의 값이 변했을
      {                                // 때에만 출력한다.
        Console.WriteLine (value);
        lastValue = value;
      }
    }
}
```

다음은 이 메서드를 이용해서 프로세서와 하드 디스크 활동을 동시에 감시하는 방법을 보여주는 예이다.

```
static void Main()
{
  EventWaitHandle stopper = new ManualResetEvent (false);

  new Thread (() =>
```

```
    Monitor ("프로세서", "% 프로세서 시간", "_전체", stopper)
  ).Start();

  new Thread (() =>
    Monitor ("LogicalDisk", "% 유휴 시간", "C:", stopper)
  ).Start();

  Console.WriteLine ("감시 중 - 아무 키나 누르면 종료됩니다");
  Console.ReadKey();
  stopper.Set();
}
```

커스텀 성능 카운터 작성과 성능 자료 기록

성능 카운터 자료를 기록하려면 먼저 성능 범주와 카운터를 만들어야 한다. 다음 예에서 보듯이, 성능 범주와 그에 속한 카운터들을 하나의 단계에서 모두 만들어야 한다.

```
string category = "견과류 껍데기(Nutshell) 감시";

// 이 범주에 두 개의 카운터를 만들려고 한다.
string eatenPerMin = "지금까지 먹은 마카다미아 개수";
string tooHard = "너무 단단해서 못 깐 마카다미아 개수";

if (!PerformanceCounterCategory.Exists (category))
{
  CounterCreationDataCollection cd = new CounterCreationDataCollection();

  cd.Add (new CounterCreationData (eatenPerMin,
          "분당 먹은 마카다미아 개수(까는 시간 포함)",
          PerformanceCounterType.NumberOfItems32));

  cd.Add (new CounterCreationData (tooHard,
          "아무리 해도 까지지 않은 마카다미아 개수",
          PerformanceCounterType.NumberOfItems32));

  PerformanceCounterCategory.Create (category, "Test Category",
    PerformanceCounterCategoryType.SingleInstance, cd);
}
```

이제 Windows 성능 모니터의 '카운터 추가' 대화상자에서 새 카운터들을 볼 수 있다(그림 13-1).

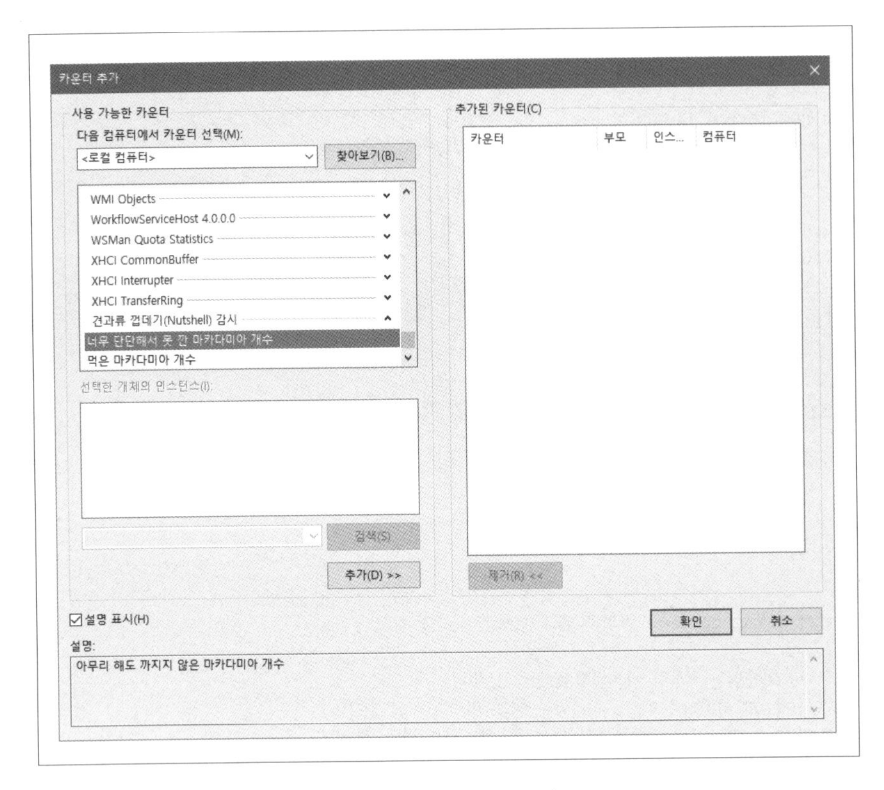

그림 13-1 커스텀 성능 카운터

나중에 같은 범주에 또 다른 카운터들을 추가하려면, 먼저 PerformanceCounter Category.Delete로 기존 범주를 삭제한 후 범주를 다시 만들어서 모든 카운터를 함께 추가해야 한다.†

성능 카운터 추가와 삭제에는 관리자 권한이 필요하다. 이 때문에 그런 작업은 응용 프로그램을 설치할 때 함께 진행하는 것이 일반적이다.

일단 카운터를 만들었다면, 다음으로 할 일은 카운터 값을 갱신하는 것이다. PerformanceCounter를 적절히 인스턴스화하고 ReadOnly 속성을 false를 설정한 후 RawValue 속성에 원하는 값을 설정하면 된다. 또는 Increment 메서드나 IncrementBy 메서드를 이용해서 기존 값을 갱신할 수도 있다.

```
string category = "견과류 껍데기(Nutshell) 감시";
```

† (옮긴이) Visual Studio에서 직접 범주를 삭제하는 것도 가능하다. 주 메뉴의 '보기'에서 '서버 탐색기'를 선택한 후 트리 창의 '서버' 노드 안에 있는 성능 카운터 항목에서 기존 범주를 삭제하거나 새 범주를 만들 수 있다.

```
string eatenPerMin = "먹은 마카다미아 개수";

using (PerformanceCounter pc = new PerformanceCounter (category,
                                                       eatenPerMin, ""))
{
  pc.ReadOnly = false;
  pc.RawValue = 1000;
  pc.Increment();
  pc.IncrementBy (10);
  Console.WriteLine (pc.NextValue());    // 1011
}
```

Stopwatch 클래스

Stopwatch 클래스는 실행 시간을 손쉽게 측정할 수 있는 메커니즘을 제공한다. Stopwatch는 운영체제와 하드웨어가 제공하는 가장 높은 해상도의 시간 측정 메커니즘을 사용하는데, 일반적으로 그런 메커니즘의 해상도는 1ms 미만이다(반면 DateTime.Now와 Environment.TickCount의 해상도는 약 15ms 정도이다).

Stopwatch를 사용하려면 먼저 StartNew 메서드를 호출한다. 이 메서드는 Stopwatch 인스턴스를 생성해서 시간 측정을 시작한다. (또는 Stopwatch 인스턴스를 직접 생성한 후 Start를 호출해도 된다.) Stopwatch 인스턴스의 Elapsed 속성은 측정이 시작된 후 흐른 시간을 담은 TimeSpan 객체를 돌려준다.

```
Stopwatch s = Stopwatch.StartNew();
System.IO.File.WriteAllText ("test.txt", new string ('*', 30000000));
Console.WriteLine (s.Elapsed);       // 00:00:01.4322661
```

Stopwatch는 또한 ElapsedTicks라는 속성도 제공하는데, 이 속성은 측정 시작 후 흐른 '틱tick'들의 개수에 해당하는 long 값을 돌려준다. 이 틱 수를 StopWatch.Frequency로 나누면 초 단위 시간이 나온다. 그 외에 ElapsedMilliseconds라는 속성이 있는데, 많은 경우 이 속성이 사용하기가 가장 편리하다.

Stop 메서드를 호출하면 Elapsed와 ElapsedTicks가 고정된다. Stopwatch가 '돌아가는' 도중에 어떤 실질적인 배경 작업이 진행되는 것은 아니므로, 성능 때문에 굳이 Stop을 호출할 필요는 없다.

찾아보기

기호

ㄴ

ㅂ

ㅅ

ㅇ

ㅈ

ㅋ

ㅎ

A

B

C

D

E

F

G

H

I

J, K

L

M

N

Q

R

S

T

U

V

W

X

Y, Z